DICIO

ESCOLAR

de

INGLÊS-PORTUGUÊS PORTUGUÊS-INGLÊS

A **cópia ilegal** viola os direitos dos autores.
Os prejudicados somos todos nós.

Rua da Restauração, 365
4099-023 Porto | Portugal

www.**portoeditora**.pt

OUT/2013

Execução gráfica **Bloco Gráfico, Lda.** Unidade Industrial da Maia. **Sistema de Gestão Ambiental** certificado pela APCER, com o n.º 2006/AMB.258

DEP. LEGAL 292605/09 **ISBN** 978-972-0-05422-7

ACORDO ORTOGRÁFICO

O Acordo Ortográfico é o documento oficial que visa regular e unificar a ortografia da língua portuguesa no espaço lusófono. Esta edição segue a indicação do governo português de tomar como referência o *Vocabulário Ortográfico do Português* (VOP) do Instituto de Linguística Teórica e Computacional. As grafias refletem os critérios do VOP à data da publicação do dicionário.

Na parte *Inglês-Português*, as traduções cuja grafia é alterada são assinaladas com [AO].

accuracy *n* exatidão[AO], precisão

No caso de grafias duplas, as formas consideradas preferenciais são marcadas com [AO]. Por exemplo, na entrada *characterize*, a forma apresentada na tradução é *caracterizar*, embora *caraterizar* também seja correta.

characterize *v* caracterizar[AO]

Na parte *Português-Inglês*, as grafias modificadas pelo Acordo Ortográfico remetem para as grafias novas, assinaladas com [AO].

desinfeção[AO] *nf* disinfection
desinfecção *a nova grafia é* **desinfeção**[AO]

As grafias duplas são registadas lado a lado e marcadas com [AO]. A forma preferencial, que surge em primeiro lugar, é a usada no texto do dicionário.

dactilografar[AO] *a grafia preferível é* **datilografar**[AO]
datilografar[AO] ou **dactilografar**[AO] *v* to type

DICIONÁRIO TERMINOLÓGICO

Nas entradas em que a categoria gramatical sofreu alterações com o Dicionário Terminológico, a nova classificação é apresentada, seguida de [DT] em expoente, a seguir à antiga.

mil *num card > quant num*[DT] thousand

ESTRUTURA DO DICIONÁRIO

entrada | categoria gramatical | exemplo de uso | *phrasal verb* | terminação do plural | tradução | distinção de sentidos | distinção de categorias gramaticais | preposições usadas | nota explicativa

beauty *n* [*pl* -ies] **1** beleza; **beauty contest** concurso de beleza **2** (pessoa) beldade ◆ **beauty is in the eye of the beholder** quem o feio ama bonito lhe parece

beaver *n* castor

because *conj* **1** porque; uma vez que **2** por causa (of, de); devido (of, a)

beck *n* GB regato, ribeiro

beckon *v* **1** acenar (to, a) **2** atrair

become *v* **1** tornar-se; fazer-se; **to become famous** ficar famoso **2** suceder (of, a); ser feito (of, de) **3** (comportamento) ser próprio de; ficar bem a **4** (roupa) ficar bem a

becoming *adj* **1** (comportamento) apropriado, conveniente **2** (estilo) atraente

bed *n* **1** cama; **to go to bed** ir para a cama, deitar-se; **to make the bed** fazer a cama **2** (rio, mar, lago) leito **3** (para edificação) base **4** (jardim) canteiro (of, de) ■ *v* assentar ◆ GB (hotel) **bed and breakfast** alojamento e pequeno-almoço

◇ **bed down** *v* **1** deitar; **to bed down the baby** deitar o bebé **2** ir dormir; passar a noite

bedbug *n* carrapato

bedclothes *n* roupa da cama

bedding *n* roupa de cama

bedeck *v* enfeitar (with, com)

bedevil *v* **1** lançar bruxedo a **2** atormentar, massacrar

bedroom *n* quarto

bedspread *n* colcha, coberta da cama

bedstead *n* armação da cama

bedtime *n* hora de deitar ◆ **bedtime story** história para adormecer

bee *n* abelha

beech *n* [*pl* -es] faia

beef *n* [*pl* -s] carne de vaca

> Não confundir a palavra inglesa **beef** com a palavra portuguesa **bife**, que se traduz por *steak*.

Beefeater *n* guarda da Torre de Londres

beefsteak *n* (frito, grelhado) bife

beefy *adj col* gordo; possante

capuz *nm* hood
caquéctico *a nova grafia é* **caquético**[AO]
caquético[AO] *adj pej* gaga; senile

contexto
caqui *nm* (tecido, cor) khaki

cara *nf* **1** *(rosto)* face **2** *(aspeto)* look **3** (moeda) head; **cara ou coroa** heads or tails ♦ **dar de caras com** to bump into; **ser a cara chapada de alguém** to be someone's spitting image

sinónimo

nível de língua
carabina *nf* carbine
caraças *interj* **1** *col* (surpresa) gosh!; jeez **2** *col* (contrariedade) damn!

caracol *nm* **1** snail **2** (cabelo) curl ♦ **andar a passo de caracol** to move at a snail's pace
carácter[AO] ou **caráter**[AO] *nm* **1** (personalidade) character **2** *(índole)* nature; **de carácter oficial** of an official nature **3** INFORM character

marcação do Acordo Ortográfico

área temática

coberta *nf* **1** (cama) bedspread, bedcover **2** (navio) deck
coberto[1] /é/ *adj* **1** covered (de/com, in/with) **2** *(cheio)* full (de, of) **3** *(com teto)* covered; *(interior)* indoor
coberto[2] /ê/ *nm* shed
cobertor *nm* blanket

distinção de palavras homógrafas

indicação de pronúncia

área geográfica
cobertura *nf* **1** covering **2** (comunicação social) coverage **3** (seguros) cover GB; coverage EUA **4** CUL coating **5** *(provisão)* funds

códex ou **códice** *nm* codex
codificação *nf* **1** coding **2** (canal de televisão) encryption **3** (leis) codification

grafia alternativa

compota *nf* jam
compra *nf* **1** purchase; **compra e venda** purchase and sale **2** buy; **uma boa compra** a good buy **3** *pl* shopping; **ir às compras** to go shopping

sentido no plural

cova *nf* **1** (buraco) hole **2** *(sepultura)* grave
covarde *adj,n2g* ⇒ **cobarde**
covardia *nf* ⇒ **covardia**
coveiro *nm* gravedigger
covil *nm* den, lair

remete para

ABREVIATURAS

abrev.	abreviatura/sigla	*irón*	irónico
adj	adjetivo	*joc*	jocoso
adv	advérbio	*lit*	literário
ant	antigo	*loc*	locução
art	artigo	*m*	masculino
BRAS	Brasil	*mult*	multiplicativo
cal	calão	*n*	nome
card	cardinal	*num*	numeral
col	coloquial	*ofens*	ofensivo
conj	conjunção, conjuncional	*ord*	ordinal
def	definido	*pej*	pejorativo
dem	demonstrativo	*pess*	pessoal
det	determinante	*pl*	plural
ESC	Escócia	*pop*	popular
EUA	Estados Unidos da América	*poss*	possessivo
exist	existencial	*prep*	preposição, preposicional
f	feminino	*pron*	pronome
fig	figurado	*quant*	quantificador
form	formal	*refl*	reflexo
GB	Grã-Bretanha	*rel*	relativo
indef	indefinido	*téc*	técnico
infant	linguagem infantil	*univ*	universal
interj	interjeição	*v*	verbo
interr	interrogativo	*2g*	dois géneros
inv	invariável	*2n*	dois números

AER	Aeronáutica
AGR	Agricultura
ANAT	Anatomia
ARQ	Arquitetura
ART	Arte
ASTROL	Astrologia
ASTRON	Astronomia
BIOL	Biologia
BOT	Botânica
CIN	Cinema
CUL	Culinária
DESP	Desporto
DIR	Direito
ECON	Economia
ELET	Eletricidade
FARM	Farmácia
FÍS	Física
FOT	Fotografia
GEOG	Geografia
GEOL	Geologia
GEOM	Geometria
HIST	História
INFORM	Informática
LING	Linguística
LIT	Literatura
MAT	Matemática
MEC	Mecânica
MED	Medicina
MET	Meteorologia
MIL	Militar
MIN	Mineralogia
MIT	Mitologia
MÚS	Música
NÁUT	Náutica
POL	Política
PSIC	Psicologia
QUÍM	Química
REL	Religião
TEAT	Teatro
TIP	Tipografia
TV	Televisão
ZOOL	Zoologia

Nota: [AO] Acordo Ortográfico
[DT] Dicionário Terminológico

A

a *n* [*pl* a's] **1** (letra) a **2** MÚS [com maiúscula] lá **3** (escola) [com maiúscula] nota mais alta ▪ *art indef* um; uma ▪ *prep* cada; em; por; **twice a week** duas vezes por semana
aback *adv* **to be taken aback** ser apanhado de surpresa
abandon *n* despreocupação ▪ *v* **1** abandonar **2** desistir de
abandonment *n* **1** abandono **2** desistência
abase *v* **to abase oneself** humilhar-se
abate *v* diminuir, reduzir
abatement *n* diminuição; redução
abattoir *n* matadouro
abbess *n* abadessa
abbey *n* abadia, mosteiro
abbot *n* abade
abbreviate *v* **1** abreviar (to, para) **2** resumir, encurtar
abbreviation *n* abreviatura
ABC *n* **1** abecedário **2** bê-á-bá, primeiras noções
abdicate *v* **1** abdicar (de) **2** (dever, responsabilidade) demitir-se de
abdication *n* **1** abdicação **2** renúncia
abdomen *n* abdómen
abdominal *adj* abdominal
abduct *v* **1** raptar **2** ANAT abduzir
abduction *n* **1** rapto **2** ANAT abdução
abductor *n* **1** raptor **2** ANAT abdutor
aberrant *adj* aberrante
aberration *n* aberração
abet *v* incitar (a um crime)
abide *v* suportar, tolerar
◇ **abide by** *v* (regra, decisão) acatar
abiding *adj* permanente, duradouro
ability *n* [*pl* -ies] capacidade, aptidão ♦ **to the best of one's ability** o melhor que se pode
abject *adj* abjeto[AO], miserável
abjure *v* renunciar a
ablative *adj,n* ablativo
able *adj* capaz, competente; **to be able to** conseguir, ser capaz de
ably *adv* habilmente
abnormal *adj* **1** anormal **2** estranho
abnormality *n* [*pl* -ies] anormalidade, anomalia
aboard *adv* a bordo; **all aboard!** todos a bordo! ▪ *prep* a bordo de
abolish *v* abolir
abolition *n* abolição
abolitionism *n* abolicionismo
abolitionist *n* abolicionista
abominable *adj* abominável, horrível
abominate *v* abominar, detestar
abomination *n* abominação
aboriginal *adj,n* aborígene
aborigine *n* aborígene
abort *v* abortar
abortion *n* aborto voluntário
abortive *adj* falhado
abound *v* abundar (with, em)
about *prep* **1** sobre, a respeito de **2** cerca de; **a man of about thirty** um homem com cerca de trinta anos **3** quase; prestes; **about to leave** prestes a sair **4** por; **I wandered for about an hour** vagueei durante uma hora **5** em; **there's something about him that I like** há algo nele que eu gosto ▪ *adv* aqui e ali ♦ **how about this?** que tal?; **that's about it** acho que está tudo
above *prep* **1** sobre, por cima de; **above the clouds** por cima das nuvens **2** superior a, acima de; **above average** acima da média ▪ *adv* **1** de cima **2** anteriormente; **as I mentioned above** conforme mencionei acima **3** mais de; **children of 5 and above** crianças a partir dos 5 anos inclusive ♦ **above all** sobretudo
above-board *adj* legítimo
above-mentioned *adj* supracitado, supramencionado
abracadabra *n* abracadabra
abrasion *n* **1** (pele) esfoladela, arranhão **2** desgaste, fricção
abrasive *adj* **1** abrasivo **2** *fig* contundente ▪ *n* abrasivo ♦ **abrasive paper** lixa

abreast *adv* lado a lado (of, com) ◆ **to keep abreast of/with** manter-se atualizado[AO]
abridge *v* abreviar, resumir
abridgement *n* resumo
abroad *adv* no estrangeiro; para o estrangeiro
abrupt *adj* **1** repentino **2** brusco, rude
abruptly *adv* repentinamente, bruscamente
ABS [*abrev. de* anti-lock braking system] ABS
abscess *n* [*pl* -es] abcesso
abscissa *n* [*pl* -e, -s] abcissa
abscond *v* evadir-se; fugir (from, de; with, com)
abseil *n* GB DESP rapel ▪ *v* GB DESP fazer rapel
abseiling *n* GB DESP rapel
absence *n* **1** ausência **2** falta; **absence of evidence** falta de provas
absent *adj* **1** ausente (from, de) **2** distraído ▪ *v* **to absent oneself from** ausentar-se de ◆ **long absent soon forgotten** quem não aparece esquece
absentee *n* pessoa ausente
absenteeism *n* absentismo
absent-minded *adj* distraído; esquecido
absent-mindedly *adv* distraidamente
absent-mindedness *n* distração[AO]; ausência
absinth *n* absinto
absolute *adj* **1** absoluto, total; **absolute majority** maioria absoluta **2** *col* perfeito; **an absolute fool** um perfeito idiota ▪ *n* absoluto
absolutely *adv* **1** absolutamente **2** completamente, totalmente ▪ *interj* (concordância) claro! ◆ **absolutely not!** de forma alguma!
absolution *n* absolvição
absolutism *n* absolutismo
absolve *v* **1** absolver (from/of, de) **2** (pecados) perdoar (from/of, -)
absorb *v* **1** absorver **2** amortecer **3** captar a atenção de
absorbent *adj,n* absorvente
absorption *n* absorção
abstain *v* privar-se (from, de); abster-se (from, de)
abstemious *adj* sóbrio, moderado
abstention *n* abstenção
abstentionism *n* abstencionismo
abstinence *n* abstinência (from, de)
abstinent *adj* abstinente
abstract *adj* abstrato[AO] ▪ *n* resumo ▪ *v* **1** resumir **2** extrair (from, de) **3** *col* surripiar
abstruse *adj* complexo, obscuro
absurd *adj* absurdo
absurdity *n* [*pl* -ies] absurdo
abundance *n* abundância
abundant *adj* abundante (in, em); rico (in, em)
abundantly *adv* em abundância
abuse *n* **1** abuso; **drug abuse** consumo de drogas **2** maus-tratos; **physical abuse** maus-tratos físicos **3** insultos ▪ *v* **1** abusar (de) **2** insultar
abusive *adj* **1** insultuoso **2** violento
abut *v* ser contíguo (on/onto, a)
abyss *n* abismo
acacia *n* acácia
academic *adj* académico, universitário; **academic qualifications** habilitações literárias; **academic year** ano letivo[AO] ▪ *n* (universidade) académico
academy *n* [*pl* -ies] **1** academia **2** escola superior
accede *v* **1** aceder (to, a) **2** ocupar (um lugar) (to, -)
accelerate *v* acelerar
acceleration *n* aceleração
accelerator *n* acelerador
accent *n* **1** pronúncia, sotaque **2** (tónico, gráfico) acento **3** ênfase ▪ *v* **1** acentuar **2** salientar
accentuate *v* **1** salientar, realçar **2** (sílaba, palavra) acentuar
accentuation *n* acentuação
accept *v* **1** (oferta, proposta) aceitar **2** admitir
acceptable *adj* aceitável
acceptance *n* **1** aceitação **2** acolhimento, receção[AO]
access *n* acesso (to, a); **to gain access (to)** aceder (a); **to give/have access to** dar/ter acesso a ▪ *v* INFORM aceder a
accessibility *n* acessibilidade
accessible *adj* acessível (to, a)
accession *n* **1** (poder, trono) ascensão (to, a) **2** entrada, ingresso
accessory *n* **1** (moda, peças) acessório **2** DIR cúmplice; **accessory to murder** cúmplice de um assassínio ▪ *adj* acessório
accident *n* **1** acidente **2** acaso; **by accident** por acaso ◆ **accidents will happen** acontece a qualquer um

accidental *adj* acidental
accidentally *adv* acidentalmente
acclaim *v* **1** aclamar **2** elogiar ▪ *n* aplauso, elogios
acclamation *n* **1** aclamação **2** aplauso, boa aceitação
acclimatize *v* adaptar(-se) (to, a)
accolade *n* **1** elogio, louvor **2** galardão
accommodate *v* **1** alojar, hospedar **2** ter espaço para **3** satisfazer as necessidades de **4** adaptar; **to accommodate oneself to** adaptar-se a
accommodating *adj* prestável
accommodation *n* GB alojamento
accompaniment *n* MÚS,CUL acompanhamento
accompanist *n* MÚS acompanhante
accompany *v* acompanhar
accomplice *n* cúmplice
accomplish *v* **1** realizar, levar a cabo **2** conseguir, cumprir
accomplished *adj* **1** realizado, acabado **2** bem sucedido
accomplishment *n* **1** realização, concretização **2** feito, façanha **3** *pl* talentos, dotes
accord *n* (harmonia, pacto) acordo ▪ *v* **1** conceder (to, a) **2** concordar (with, com) ♦ **in accord with** de acordo com
accordance *n* **in accordance with** em conformidade com
accordingly *adv* **1** em conformidade **2** por consequência
according to *loc prep* de acordo com, segundo
accordion *n* acordeão
accordionist *n* acordeonista
accost *v* abordar, aproximar-se de
account *n* **1** (banco) conta **2** registo **3** relato, descrição **4** importância; valor; **of no account** sem importância **5** *pl* contabilidade ♦ **on account of** por causa de; **on every account** em todos os aspetos[AO]; **on no account** em nenhuma circunstância; **to take into account** tomar em consideração ◇ **account for** *v* **1** explicar, justificar **2** representar **3** acabar com
accountability *n* responsabilidade
accountable *adj* responsável (for, por)
accountancy *n* (profissão) contabilidade
accountant *n* contabilista
accounting *n* (profissão) contabilidade
accredit *v* **1** acreditar; credenciar **2** oficializar; homologar
accumulate *v* acumular(-se); juntar(-se)
accumulation *n* acumulação
accumulator *n* ELET acumulador
accuracy *n* exatidão[AO], precisão
accurate *adj* **1** exato[AO], preciso **2** correto[AO]
accurately *adv* **1** com precisão **2** fielmente
accusation *n* acusação, denúncia
accusative *adj,n* acusativo
accuse *v* acusar (of, de)
accused *n* DIR acusado; **to stand accused of** ser acusado de
accustom *v* acostumar (to, a); habituar (to, a)
accustomed *adj* habituado (to, a); acostumado (to, a); **to become/get accustomed to** habituar-se a
ace *n* ás; **ace of spades** ás de espadas; **a soccer ace** um ás do futebol ▪ *adj col* fantástico
acetate *n* acetato
acetone *n* acetona
ache *n* dor ▪ *v* **1** doer; **I am aching all over** dói-me o corpo todo; **my head aches** tenho dores de cabeça **2** estar ansioso (for/to, por)
achieve *v* **1** atingir, alcançar **2** realizar, concretizar
achievement *n* **1** realização **2** façanha, feito
achiever *n* empreendedor
aching *adj* dorido
acid *adj,n* ácido ♦ (ecologia) **acid rain** chuva ácida; **acid test** prova de fogo
acidity *n* acidez
acknowledge *v* **1** admitir **2** reconhecer **3** agradecer
acknowledgement *n* **1** reconhecimento **2** manifestação de apreço **3** *pl* (livro, jornal) agradecimentos
acne *n* acne
acorn *n* bolota
acoustic *adj* acústico
acoustics *n* (estudo do som) acústica ▪ *npl* (de local) acústica; **the acoustics are excellent** tem uma acústica excelente
acquaint *v* **1** familiarizar (with, com); **to be acquainted with** estar familiarizado com **2** pôr ao corrente
acquaintance *n* **1** conhecimento; **some acquaintance on the matter** algum conhecimento na matéria **2** (pessoa) conhecido

acquire *v* **1** (bens, reputação) adquirir **2** (informação) obter **3** (hábito) adotar[AO]
acquisition *n* aquisição
acquit *v* absolver (of, de); **she was acquitted of murder** ela foi absolvida do crime de assassínio; **to acquit oneself (well/badly)** sair-se (bem/mal)
acquittal *n* absolvição
acre *n* (medida) acre
acrid *adj* **1** acre **2** *fig* sarcástico
acrimonious *adj* **1** sarcástico **2** (discussão) aceso
acrobat *n* acrobata
acrobatic *adj* acrobático
acrobatics *npl* **1** acrobacia **2** *fig* agilidade
acronym *n* acrónimo
across *prep* **1** através de; por **2** sobre; **across the Atlantic** sobre o Atlântico ▪ *adv* de um lado ao outro
acrylic *adj,n* acrílico
act *n* **1** ato[AO]; ação[AO] **2** (espetáculo) número **3** lei **4** TEAT ato[AO] ▪ *v* **1** agir **2** (teatro, cinema, televisão) representar **3** (advogado) representar **4** fingir; **to act the fool** fazer de tolo ♦ **in the act** em flagrante delito; **to put on an act** fingir
acting *n* **1** TEAT,CIN representação **2** (atividade) teatro ▪ *adj* provisório
actinium *n* actínio
action *n* **1** ação[AO] **2** (comportamento) ato[AO]; atuação[AO] **3** MIL combate **4** DIR ação[AO] judicial ♦ **out of action 1** fora de serviço **2** fora de ação[AO]; **to go into action** entrar em ação[AO]
action-packed *adj* cheio de ação[AO]/aventura
activate *v* ativar[AO], acionar[AO]
active *adj* **1** ativo[AO]; **active voice** voz ativa[AO] **2** (vulcão) em atividade[AO] ♦ MIL **on active service** no ativo[AO]
activism *n* ativismo[AO]
activist *n* ativista[AO]
activity *n* [*pl* -ies] atividade[AO]
actor *n* ator[AO]; **leading/supporting actor** ator[AO] principal/secundário
actress *n* atriz[AO]
actual *adj* **1** verdadeiro, real **2** exato[AO]

> Não confundir a palavra inglesa **actual** com a palavra portuguesa **atual**, que se traduz por *present, current*.

actuality *n* [*pl* -ies] realidade; **in actuality** na realidade
actually *adv* na realidade, efetivamente[AO]
actuate *v* **1** acionar[AO] **2** motivar
acuity *n* acuidade
acumen *n* perspicácia
acupuncture *n* acupunctura[AO]
acupuncturist *n* acupunctor[AO]
acute *adj* **1** agudo; **acute accent/angle** acento/ângulo agudo **2** intenso **3** aguçado **4** (raciocínio) perspicaz
ad *n col* anúncio
adage *n* adágio, provérbio
adagio *adv,n* MÚS adágio
adapt *v* adaptar(-se)
adaptable *adj* adaptável
adaptation *n* adaptação
adapter *n* adaptador
add *v* **1** acrescentar, adicionar **2** juntar, anexar **3** (contas) somar
◇ **add up** *v* **1** somar, adicionar **2** fazer sentido
addendum *n* [*pl* addenda] adenda
adder *n* víbora
addict *n* **1** viciado **2** (drogas) toxicodependente **3** *fig* fanático
addicted *adj* **1** drogado; viciado (to, em) **2** *fig* fanático (to, de/por)
addiction *n* **1** (vício) dependência (to, em relação a) **2** (drogas) toxicodependência **3** *fig* fanatismo
addictive *adj* viciante
addition *n* **1** aumento, acrescento **2** MAT soma, adição ♦ **in addition to** além de
additional *adj* adicional
additive *adj,n* aditivo
address *n* **1** endereço, direção[AO] **2** discurso ▪ *v* **1** endereçar (to, a) **2** dirigir (to, a); **to address oneself to someone** dirigir-se a alguém **3** tratar (as, por) **4** (problema, situação) abordar **5** empenhar-se (to, em) ♦ **address card** cartão de visita
addressee *n* destinatário
adept *adj* **1** perito; especialista (at/in, em) **2** dotado
adequacy *n* **1** suficiência **2** adequação
adequate *adj* **1** suficiente **2** satisfatório
adhere *v* **1** aderir, pegar-se **2** aderir (to, a); **to adhere to a cause** aderir a uma causa **3** (regras) seguir (to, -)

adherence *n* **1** (causa, ideia) adesão (to, a) **2** (regras) observância (to, a)
adherent *n* apoiante
adhesion *n* (estar colado) aderência
adhesive *adj,n* adesivo ◆ **adhesive tape** fita adesiva
adipose *adj* adiposo
adjacent *adj* adjacente (to, a)
adjectival *adj* adjetival[AO]
adjective *n* adjetivo[AO]
adjoin *v* ser contíguo a
adjoining *adj* contíguo, adjacente
adjourn *v* **1** adiar **2** suspender, interromper **3** (deslocamento) passar (to, para)
adjournment *n* **1** adiamento **2** suspensão
adjudge *v* **1** declarar; **to adjudge someone guilty** declarar alguém culpado **2** considerar
adjudicate *v* decidir, julgar
adjudication *n* julgamento; decisão
adjudicator *n* árbitro, juiz
adjunct *n* adjunto
adjust *v* **1** ajustar, regular **2** adaptar(-se) (to, a)
adjustable *adj* ajustável, regulável
adjustment *n* **1** ajuste **2** adaptação
administer *v* **1** administrar, gerir **2** (medicamento) administrar **3** (lei, castigo) aplicar
administrate *v* (negócios) administrar
administration *n* **1** administração, gestão **2** governo
administrative *adj* administrativo
administrator *n* administrador, gerente
admirable *adj* admirável
admiral *n* almirante
admiration *n* admiração
admire *v* admirar
admirer *n* admirador
admiring *adj* que admira, de admiração
admissible *adj* admissível
admission *n* **1** admissão **2** entrada; **admission free** entrada gratuita **3** reconhecimento (of, de)
admit *v* **1** admitir **2** permitir a entrada de **3** receber (into, em)
◇ **admit to** *v* reconhecer, confessar
admittance *n* acesso; entrada; **no admittance** entrada proibida
admonish *v* repreender (for, por); censurar (for, por)
admonition *n* **1** repreensão **2** advertência
ado *n* **much ado about nothing** muito barulho por nada; **without further ado** sem mais demoras
adolescence *n* adolescência
adolescent *adj,n* adolescente
adopt *v* adotar[AO]; **to adopt a child** adotar[AO] uma criança
adopted *adj* adotado[AO], adotivo[AO]
adoption *n* adoção[AO]
adoptive *adj* adotivo[AO]
adorable *adj* adorável
adoration *n* adoração
adore *v* adorar
adorn *v* adornar (with, com)
adornment *n* adorno, enfeite
adrenalin *n* adrenalina
adrift *adv* **1** à deriva **2** sem rumo ◆ **to go adrift** ir por água abaixo
adroit *adj* hábil
ADSL [*abrev. de* Asymmetrical Digital Subscriber Line] ADSL (linha de ligação digital assimétrica)
adulation *n* adulação, lisonja
adult *adj,n* adulto
adulterate *v* adulterar
adulteration *n* adulteração
adulterer *n* adúltero
adulteress *n* adúltera
adulterous *adj* adúltero
adultery *n* [*pl* -ies] adultério
adulthood *n* idade adulta
advance *n* **1** avanço **2** progresso **3** (dinheiro) adiantamento ■ *v* **1** avançar (on, towards, em direção a) **2** progredir **3** (dinheiro) adiantar **4** (tempo, data) antecipar **5** (preços) aumentar **6** promover; favorecer ◆ **in advance** antecipadamente; *col* **to make advances to someone** tentar seduzir alguém
advanced *adj* **1** avançado; **advanced technology** tecnologia de ponta **2** (nível, estudos) superior **3** (doença) adiantado
advancement *n* **1** avanço; progresso **2** (trabalho) promoção
advantage *n* **1** vantagem (over, sobre) **2** superioridade **3** benefício ◆ **to take advantage of something** tirar partido de alguma coisa; **to take advantage of someone** aproveitar-se de alguém
advantageous *adj* vantajoso
advent *n* advento

adventure *n* aventura; **adventure film** filme de aventuras ▪ *v* aventurar(-se) ♦ GB **adventure playground** parque infantil
adventurer *n* aventureiro
adventuress *n* aventureira
adventurous *adj* aventureiro
adverb *n* advérbio
adverbial *adj* adverbial
adversary *n* [*pl* -ies] adversário
adverse *adj* **1** negativo; **adverse effect** efeito negativo **2** desfavorável; **adverse weather conditions** condições meteorológicas desfavoráveis **3** contrário
adversely *adv* negativamente
adversity *n* [*pl* -ies] adversidade
advert *n col* anúncio; **the adverts** publicidade
advertise *v* **1** (produto) publicitar; anunciar (on/in, em); **to advertise on television** anunciar na televisão **2** pôr um anúncio (for, à procura de); **to advertise for a job** pôr um anúncio à procura de emprego
advertisement *n* **1** (jornal) anúncio **2** (rádio, televisão) anúncio publicitário
advertiser *n* (publicidade) anunciante
advertising *n* **1** publicidade; **advertising campaign** campanha publicitária **2** anúncios; **advertising sheet** folha de anúncios
advice *n* **1** conselho; **to give a piece of advice** dar um conselho **2** aconselhamento
advisable *adj* aconselhável
advise *v* aconselhar (to, a; against, a não); **I advised her against going there** aconselhei-a a não ir lá; **she advised him to study harder** ela aconselhou-o a estudar mais
advisedly *adv* com conhecimento de causa
adviser *n* **1** conselheiro **2** consultor
advisory *adj* consultivo
advocacy *n* defesa (of, de)
advocate *n* **1** defensor **2** ESC (tribunal) advogado ▪ *v* advogar, defender
aerate *v* **1** arejar **2** (líquido, bebida) gaseificar **3** (sangue) oxigenar
aeration *n* **1** arejamento **2** (líquido, bebida) gaseificação **3** (sangue) oxigenação
aerial *n* GB (rádio, televisão) antena; **dish/parabolic aerial** antena parabólica ▪ *adj* aéreo
aerobic *adj* **1** (ser vivo) aeróbio **2** (exercício) aeróbico
aerobics *n* aeróbica
aerodrome *n* aeródromo
aerodynamic *adj* aerodinâmico
aerodynamics *n* aerodinâmica
aeronautical *adj* aeronáutico
aeronautics *n* aeronáutica
aeroplane *n* GB avião, aeroplano
aerosol *n* aerossol
aerospace *adj* aeroespacial ▪ *n* espaço aéreo
aesthetic *adj* estético
aesthetics *n* estética
afar *adv lit* **from afar** à distância, de longe
affability *n* afabilidade
affable *adj* afável
affair *n* **1** negócio **2** assunto; **affairs of state** assuntos de Estado **3** acontecimento; caso **4** *col* aventura, caso amoroso
affect *v* **1** afetar[AO] **2** impressionar, comover **3** fingir; **to affect indifference** fingir indiferença
affectation *n* afetação[AO]
affected *adj* afetado[AO]
affection *n* afeição
affectionate *adj* afetuoso[AO]
affiliate *n* sucursal, filial ▪ *v* fazer um consórcio (to/with, com)
affiliated *adj* filiado
affiliation *n* filiação
affinity *n* [*pl* -ies] afinidade
affirm *v* afirmar, declarar
affirmation *n* afirmação
affirmative *adj* afirmativo ▪ *n* afirmativa
affix *n* afixo
afflict *v* **1** atacar, acometer **2** afligir, atormentar
affliction *n* aflição
affluence *n* abundância, riqueza
affluent *adj* rico, próspero ▪ *n* (rio) afluente
afford *v* **1** ter recursos para; **I can't afford it** não tenho dinheiro para isso **2** permitir-se, dar-se ao luxo; **we cannot afford to lose any more staff** não podemos perder mais pessoal
afforestation *n* florestação
affray *n* tumulto; rixa
affront *n* afronta (to, a); insulto (to, a) ▪ *v* ofender
Afghan *adj,n* (pessoa) afegão
afghani *n* (moeda) afegâni; afgâni
Afghanistan *n* Afeganistão

afield *adv* **far/further afield** mais longe
afloat *adj* a boiar, a flutuar; **to keep afloat** conservar-se à tona
afoot *adv* **1** a acontecer, em movimento **2** a pé
aforesaid *adj* supramencionado
afraid *adj* com medo, receoso ♦ **I'm afraid not/so** receio que não/sim; **I'm afraid that** lamento informar que
afresh *adv* outra vez, de novo
Africa *n* África
African *adj,n* africano
Afro-american *adj,n* afro-americano
aft *adj,adv* atrás, à popa
after *prep* depois, após, atrás de; **day after day** dia após dia ▪ *adv* **1** depois; **soon after** logo depois **2** seguinte; **the day after** no dia seguinte ♦ **after all** afinal; **to name somebody after somebody** dar o nome de alguém a outra pessoa
afterglow *n* **1** crepúsculo **2** bem-estar
afterlife *n* vida depois da morte
aftermath *n* rescaldo, período posterior
afternoon *n* tarde; **good afternoon** boa tarde; **in the afternoon** à tarde
afters *n col* sobremesa
aftersales *adj* pós-venda
aftershave *n* aftershave
afterwards *adv* depois, mais tarde
again *adv* **1** outra vez, uma vez mais **2** além disso ♦ **never again** nunca mais; **now and again** de vez em quando; **once again** uma vez mais; **then again** por outro lado; **time and again** vezes sem conta
against *prep* **1** contra; **against the law** contra a lei **2** em contraste com
age *n* **1** (pessoa) idade **2** idade, época; **Middle Ages** Idade Média ▪ *v* envelhecer ♦ **I haven't seen you for ages** há séculos que não te vejo; **to be under age** ser menor de idade; **to come of age** atingir a maioridade
aged *adj* **1** com a idade de; **to be aged 20** ter 20 anos **2** idoso, velho; **the aged** os idosos **3** (vinho, queijo) envelhecido
ageing *adj* **1** envelhecido **2** de envelhecimento; **the ageing process** o processo de envelhecimento ▪ *n* envelhecimento
agency *n* [*pl* -ies] **1** agência **2** organismo
agenda *n* ordem do dia
agent *n* **1** agente **2** delegado; representante
agglomeration *n* aglomeração
aggravate *v* **1** agravar, piorar **2** *col* irritar
aggravating *adj* **1** agravante **2** irritante
aggravation *n* **1** agravamento **2** maçada **3** irritação
aggregate *n* **1** total; **in the aggregate** no total **2** agregado ▪ *adj* global, total
aggression *n* **1** (comportamento) agressividade **2** (ataque) agressão
aggressive *adj* agressivo
aggressiveness *n* agressividade
aggressor *n* agressor
aggrieved *adj* **1** ofendido **2** DIR lesado; **aggrieved party** parte lesada
aghast *adj* horrorizado (at, com); chocado (at, com)
agile *adj* ágil
agility *n* agilidade
agitate *v* **1** agitar **2** inquietar ♦ **to agitate for/against** fazer campanha em favor de/contra
agitated *adj* agitado, inquieto
agitation *n* **1** agitação; ansiedade **2** campanha (for/against, em favor de/contra)
agitator *n* (pessoa) agitador
aglow *adj* **1** resplandecente (with, de) **2** afogueado
agnostic *adj,n* agnóstico
agnosticism *n* agnosticismo
ago *adv* há; **a short time ago** há pouco tempo
agog *adj* ansioso, excitado
agonize *v* atormentar-se (over/about, com); torturar-se (over/about, com)
agonizing *adj* **1** (dor) atroz **2** angustiante
agony *n* [*pl* -ies] **1** agonia **2** sofrimento atroz
agrarian *adj* agrário
agree *v* **1** concordar; **I don't agree with you** não concordo contigo **2** acordar; **it was agreed that** acordou-se que **3** (factos, declarações) coincidir **4** consentir (to, em) **5** (alimento) cair bem
agreeable *adj* **1** agradável **2** disposto (to, a)
agreement *n* **1** acordo, entendimento; **gentlemen's agreement** acordo de cavalheiros **2** contrato **3** LING concordância
agricultural *adj* agrícola
agriculture *n* agricultura
agronomist *n* agrónomo
agronomy *n* agronomia

aground *adj,adv* encalhado; **to run aground** encalhar
ah *interj* (surpresa, alegria, espanto) ah!
aha *interj* (descoberta) ah-ah!
ahead *adv* à frente; para a frente ♦ **straight ahead** mesmo em frente; **to be ahead of** ir à frente de; **to go ahead with** avançar com; levar adiante
aid *n* **1** ajuda, assistência; **to come to the aid of** vir em auxílio de **2** recurso; **audiovisual aids** recursos audiovisuais ▪ *v* ajudar, assistir
AIDS [*abrev. de* Acquired Immune Deficiency Syndrome] SIDA [*abrev. de* Síndrome de Imunodeficiência Adquirida]
ailing *adj* **1** doente **2** em mau estado
ailment *n* achaque
aim *n* **1** objetivo[AO], meta **2** pontaria (at, para/a); **to take aim at** fazer pontaria para ▪ *v* **1** apontar; **to aim a gun at** apontar uma arma a **2** atirar (at, a) **3** dirigir (at, a); **advertising aimed at young people** publicidade dirigida ao público jovem **4** ter como objetivo[AO]
aimless *adj* sem objetivos[AO]
aimlessly *adv* sem destino, sem rumo
air *n* **1** ar; **in the open air** ao ar livre **2** aparência, ar **3** MÚS ária ▪ *v* **1** arejar, ventilar **2** EUA (televisão) transmitir ♦ (aparelho) **air conditioner** ar condicionado; (sistema) **air conditioning** ar condicionado; **air freshener** ambientador; **air hostess** hospedeira de bordo; **air raid** ataque aéreo; **by air 1** (viajar) de avião **2** (enviar) por via aérea; **in the air 1** no ar **2** iminente
airbag *n* (automóvel) airbag
airbed *n* colchão insuflável
airborne *adj* **1** aerotransportado **2** no ar
aircraft *n* [*pl* aircraft] avião, aeronave ♦ **aircraft carrier** porta-aviões
aircrew *n* (avião) tripulação
airfield *n* campo de aviação
airgun *n* espingarda de pressão
airline *n* companhia de aviação; **airline ticket** bilhete de avião
airliner *n* avião grande de passageiros
airmail *n* correio aéreo ▪ *v* enviar por correio aéreo
airman *n* [*pl* -men] **1** aviador **2** piloto da força aérea
airplane *n* EUA avião
airport *n* aeroporto
airship *n* dirigível
airspace *n* espaço aéreo (de determinado país)
airtight *adj* hermético
airtime *n* tempo de antena
airy *adj* **1** (ambiente) arejado **2** (comportamento) despreocupado
aisle *n* **1** corredor; coxia **2** (igreja) nave ♦ **to walk down the aisle** casar
aitch *n* (letra) agá
ajar *adv* entreaberto
aka [*abrev. de* also known as] vulgo
akin *adj* parecido (to, com); semelhante (to, a)
alabaster *n* alabastro
alarm *n* **1** alarme; **false alarm** falso alarme **2** alerta; **to raise the alarm** lançar o alerta **3** sobressalto; **in alarm** em sobressalto ▪ *v* alarmar, assustar ♦ (relógio) **alarm clock** despertador
alarming *adj* alarmante
alas *adv* infelizmente ▪ *interj* (tristeza, lamento) ai de mim!
Albania *n* Albânia
Albanian *adj,n* albanês
albatross *n* [*pl* -es] albatroz
album *n* álbum
alchemist *n* alquimista
alcohol *n* álcool; **alcohol abuse** consumo excessivo de álcool
alcohol-free *adj* sem álcool
alcoholic *adj,n* alcoólico
alcoholism *n* alcoolismo
alcove *n* **1** nicho **2** recanto
alder *n* amieiro
ale *n* cerveja
alert *adj* **1** alerta **2** atento (to, a) ▪ *n* alerta; **to give the alert** dar o alerta ▪ *v* alertar (to, para)
alga *n* [*pl* -e] alga
algebra *n* álgebra
Algeria *n* Argélia
Algerian *adj,n* argelino
algorithm *n* algoritmo
alias *n* [*pl* -es] nome falso, pseudónimo ▪ *adv* aliás
alibi *n* [*pl* -s] álibi
alien *adj* **1** (proveniência) estrangeiro **2** (invulgaridade) estranho (to, a) **3** extraterrestre; **alien**

beings seres extraterrestres ▪ *n* **1** estrangeiro **2** extraterrestre
alienate *v* alienar
alienation *n* alienação
alight *adj* **1** (fogo) incendiado; **to set alight** deitar fogo a **2** (luz) aceso **3** (olhos, face) radiante ▪ *v* **1** (de meio de transporte) descer (from, de) **2** (de cavalos) desmontar **3** (pássaros) pousar
align *v* alinhar
alignment *n* alinhamento; **in alignment with** alinhado com; **out of alignment** desalinhado
alike *adj* parecido, semelhante ▪ *adv* da mesma maneira; **to dress alike** vestir-se da mesma forma
alimentary *adj* alimentar ♦ **alimentary canal** tubo digestivo
alimony *n* [*pl* -ies] pensão de alimentos
alive *adj* **1** (existência) vivo **2** enérgico **3** (local) animado; a fervilhar (with, de) ♦ **no man alive** ninguém; **to be alive and kicking** estar bem vivo; **wanted dead or alive** procura-se vivo ou morto
alkaline *adj* alcalino
alkaloid *n* alcaloide[AO]
all *adj* todo, toda, todos, todas; **all night long** durante toda a noite ▪ *pron* todo, toda, todos, todas; tudo; **all of you** todos vós; **that is all** é tudo ▪ *adv* totalmente ♦ **all but you** todos menos tu; **all right** muito bem; **not at all!** não tem de quê!; **once and for all** de uma vez por todas
allay *v* **1** (fúria) acalmar **2** (medos, suspeitas) dissipar
allegation *n* alegação
allege *v* alegar
alleged *adj* presumível, alegado
allegiance *n* lealdade (to, a); fidelidade (to, a); **oath of allegiance** juramento de fidelidade
allegorical *adj* alegórico
allegory *n* [*pl* -ies] alegoria
allegro *adv,adj,n* MÚS alegro
alleluia *interj,n* ⇒ **hallelujah**
allergen *n* alergénio
allergenic *adj* alergénico
allergic *adj* alérgico (to, a)
allergy *n* alergia (to, a)
alleviate *v* aliviar
alley *n* [*pl* -s] viela, beco; **blind alley** beco sem saída ♦ EUA **to be right up/down somebody's alley** ser ideal para alguém
alliance *n* **1** aliança (between, entre; with, com) **2** afinidade ♦ **in alliance with** juntamente com
alligator *n* jacaré
all-in *adj,adv* **1** com tudo incluído **2** exausto
alliteration *n* aliteração
allocate *v* **1** alocar; afetar[AO]; **to allocate funds** afetar[AO] fundos **2** atribuir (to, a)
allocation *n* **1** atribuição **2** alocação; afetação[AO]
allot *v* atribuir, reservar
allow *v* **1** permitir; **allow me to** permita-me que **2** conceder; dar; **to allow a discount** conceder um desconto **3** admitir; **no dogs allowed** proibida a entrada de cães **4** reconhecer; **to allow someone's talent** reconhecer o talento de alguém
◇ **allow for** *v* ter em conta
◇ **allow of** *v* admitir
allowance *n* **1** ajuda de custo **2** pensão; abono; **family allowance** abono de família **3** mesada **4** exceção[AO]; **to make an allowance for** abrir uma exceção[AO] para
alloy *n* (metais) liga ▪ *v* (metais) ligar (with, com)
all-terrain *adj* (veículos) todo o terreno
allude *v* fazer alusão (to, a)
allure *v* fascinar, encantar ▪ *n* atração[AO], encanto
alluring *adj* sedutor, fascinante
allusion *n* alusão (to, a); referência (to, a)
ally *n* aliado ▪ *v* aliar(-se); unir(-se)
almanac *n* almanaque
almighty *adj* **1** omnipotente; todo-poderoso **2** *fig* enorme
almond *n* **1** amêndoa **2** amendoeira
almost *adv* quase; praticamente; **almost certainly** quase de certeza
alms *npl* (no passado) caridade; esmola; **alms box** caixa de esmolas
aloe *n* aloés
alone *adj* só, sozinho; **all alone** completamente só ▪ *adv* somente; apenas ♦ **leave me alone!** deixa-me em paz!; **let alone** muito menos; quanto mais
along *adv* **1** ao longo de; ao comprido; **along the street** ao longo da rua; **along the wall** a todo o comprimento da parede **2** junta-

mente; em companhia de ◆ **come along!** anda também!
alongside *prep* **1** ao lado de; junto a **2** em comparação com ▪ *adv* **1** (coisas) lado a lado **2** (pessoas) em conjunto
aloof *adj* reservado, distante ▪ *adv* à distância
aloud *adv* alto; em voz alta
alpha *n* alfa
alphabet *n* alfabeto
alphabetical *adj* alfabético
Alpine *adj* alpino
already *adv* já; **he has already come** ele já veio
Alsatian *adj,n* alsaciano ▪ *n* GB (cão) pastor--alemão
also *adv* **1** também; igualmente **2** além disso
altar *n* altar
alter *v* **1** alterar(-se); mudar **2** EUA (animal doméstico) castrar
alteration *n* alteração; mudança
alter ego *n* alter ego
alternate *adj* **1** alternado **2** EUA alternativo ▪ *v* alternar(-se); **we will alternate** nós revezamo-nos
alternately *adv* **1** à vez **2** em alternativa
alternative *adj* alternativo; **alternative medicine** medicina alternativa ▪ *n* alternativa
although *conj* embora; ainda que
altitude *n* altitude, altura; **at high altitude** a grande altitude
alto *n* [*pl* -s] MÚS contralto
altogether *adv* **1** (soma) ao todo; no conjunto **2** (situação, conceito) completamente; na totalidade ◆ **not altogether** de forma alguma
altruism *n* altruísmo
altruist *n* altruísta
aluminium *n* GB alumínio
aluminum *n* EUA alumínio
alveolar *adj* alveolar
always *adv* sempre
Alzheimer's *n* (doença de) Alzheimer
a.m. *adv* da manhã; **it's 4 a.m.** são quatro da manhã
amalgam *n* amálgama
amass *v* juntar, acumular
amateur *n,adj* amador
amaze *v* surpreender, espantar
amazed *adj* **1** espantado (at/by, com) **2** maravilhado (at/by, com)
amazement *n* espanto, surpresa
amazing *adj* **1** (surpresa) espantoso; incrível **2** fantástico; estupendo
Amazon *n* **1** (rio) Amazonas **2** amazona
ambassador *n* embaixador
amber *adj* de âmbar ▪ *n* âmbar
ambidextrous *adj* **1** ambidextro **2** *fig* hipócrita; falso
ambience *n* ambiente, atmosfera
ambient *adj* **1** (ar) ambiente; **ambient temperature** temperatura ambiente **2** (meio) ambiental; **ambient music** música ambiental
ambiguity *n* [*pl* -ies] ambiguidade
ambiguous *adj* ambíguo
ambit *n* âmbito
ambition *n* ambição
ambitious *adj* ambicioso
amble *v* **1** andar devagar **2** (cavalo) andar a furta-passo ▪ *n* passo tranquilo
ambulance *n* ambulância
ambush *n* [*pl* -es] emboscada; cilada ▪ *v* armar uma emboscada a
ameliorate *v* melhorar
amen *interj* (concordância) amém! ◆ **to say amen to** dizer amém a
amenable *adj* **1** recetivo[AO] **2** DIR imputável
amend *v* emendar-se; corrigir-se
amendment *n* emenda (to, a), correção[AO] (to, a)
amends *npl* **to make amends** corrigir um erro
America *n* América
American *adj,n* americano
americium *n* amerício
amiable *adj* amável, afável
amicable *adj* amigável
amid *prep* no meio de; entre
amiss *adj* errado; que está mal ▪ *adv* mal; **to take (something) amiss** levar (alguma coisa) a mal
ammonia *n* amoníaco
ammunition *n* **1** munições **2** *fig* argumentos
amnesia *n* amnésia
amnesty *n* amnistia; **to be freed under an amnesty** ser libertado por amnistia ▪ *v* amnistiar
amoeba *n* [*pl* -s] ameba; amiba
among *prep* **1** entre; no meio de; **one among many** um entre muitos **2** de entre; **which would you choose among all these?** qual escolherias de entre estes todos
amoral *adj* amoral

amorphous *adj* amorfo
amount *n* **1** (dinheiro) montante, quantia **2** quantidade (of, de) ▪ *v* **1** (quantia) perfazer (to, -) **2** (significado) equivaler (to, a)
ampere *n* ampere
amphetamine *n* anfetamina
amphibian *adj,n* anfíbio
amphibious *adj* anfíbio
amphitheatre *n* anfiteatro
ample *adj* **1** (quantidade) bastante; mais que suficiente **2** (dimensões) amplo, espaçoso **3** avantajado
amplification *n* amplificação
amplifier *n* amplificador
amplify *v* **1** (som) amplificar **2** (ideias) desenvolver
amplitude *n* amplitude
amputate *v* amputar
amputation *n* amputação
amulet *n* amuleto
amuse *v* divertir; entreter
amusement *n* **1** divertimento; distração[AO] **2** passatempo **3** *pl* diversões ♦ **amusement park** parque de diversões
amusing *adj* divertido; engraçado
an *art indef* [usa-se antes de vogal ou h mudo] um, uma; **an hour ago** há uma hora; **an old man** um senhor idoso
anachronism *n* anacronismo
anaemia *n* anemia
anaemic *adj* anémico
anaesthesia *n* anestesia
anaesthetic *adj* GB anestésico ▪ *n* **1** GB anestesiante **2** GB anestesia; **under anaesthetic** anestesiado
anaesthetist *n* anestesista
anagram *n* anagrama
anal *adj* anal
analgesic *adj,n* analgésico
analogical *adj* analógico
analogous *adj* análogo (to/with, a)
analogue *n* análogo ▪ *adj* analógico
analogy *n* [*pl* -ies] analogia
analyse *v* analisar
analysis *n* [*pl* analyses] análise ♦ **in the final/last analysis** em última análise
analyst *n* **1** analista; comentador **2** psicanalista
analytical *adj* analítico
anarchic *adj* anárquico
anarchism *n* anarquismo
anarchist *n* anarquista
anarchy *n* anarquia
anathema *n* anátema
anatomical *adj* anatómico
anatomy *n* [*pl* -ies] anatomia
ancestor *n* antepassado; ascendente
ancestral *adj* ancestral
ancestry *n* [*pl* -ies] ascendência; antepassados
anchor *n* **1** âncora; **to cast/weigh anchor** lançar/levantar âncora **2** EUA (noticiário) pivô ▪ *v* **1** ancorar **2** (objetos) prender (to, a) **3** EUA (noticiário) apresentar
anchorman *n* [*pl* -men] (televisão, rádio) pivô; apresentador
anchorwoman *n* [*pl* -men] (televisão, rádio) pivô; apresentadora
anchovy *n* [*pl* -ies] anchova
ancient *adj* **1** antigo; **ancient civilizations** civilizações antigas **2** muito velho ♦ **the ancients** os povos antigos
and *conj* e; **a hundred and one** cento e um; **and so on** etc.
android *n* androide[AO]
anecdotal *adj* anedótico
anecdote *n* história cómica
anemia *n* EUA ⇒ **anaemia**
anemic *adj* EUA ⇒ **anaemic**
anemone *n* [*pl* -s] anémona
anesthesia *n* EUA ⇒ **anaesthesia**
anesthesiologist *n* EUA ⇒ **anaesthetist**
anesthetic *adj,n* EUA ⇒ **anaesthetic**
anew *adv* de novo; outra vez
angel *n* anjo
angelic *adj* angélico
anger *n* raiva; ira; **in a fit of anger** num acesso de cólera ▪ *v* enfurecer; encolerizar
angina *n* angina de peito
angle *n* **1** ângulo; **an angle of 45 degrees** um ângulo de 45 graus **2** esquina; canto **3** perspetiva[AO] ▪ *v* **1** direcionar-se[AO] (towards, para); tender (towards, para) **2** pescar à cana ♦ **at an angle** inclinado
angler *n* pescador à linha
Anglican *adj,n* anglicano
anglicism *n* anglicismo
angling *n* pesca à linha
Anglo-American *adj,n* anglo-americano
Anglo-Saxon *adj,n* anglo-saxão

Angola *n* Angola
Angolan *adj,n* angolano
angora *n* angorá
angrily *adv* furiosamente
angry *adj* zangado (at/with, com; about/over, por causa de); **I'm angry over his attitude** estou zangado por causa da atitude dele; **she was angry at her friend** estava zangada com o amigo
anguish *n* angústia, sofrimento
angular *adj* **1** angular **2** (feições) ossudo
animal *n* **1** animal **2** *fig,pej* (pessoa) bruto ▪ *adj* animal
animate *adj* animado, com vida ▪ *v* animar; dar vida a
animated *adj* animado; **animated cartoon** desenho animado
animation *n* **1** animação; entusiasmo **2** (filme) animação **3** cinema de animação
animator *n* (cinema) animador
anise *n* (planta) anis
aniseed *n* (sementes) anis
ankle *n* tornozelo; (calçado) **ankle boots** botins; (meias) **ankle socks** soquetes
annals *npl* anais; **in the annals of history** nos anais da História
annex *v* anexar
annexation *n* anexação
annexe *n* (construção, documento) anexo
annihilate *v* aniquilar
annihilation *n* aniquilação
anniversary *n* [*pl* -ies] aniversário
annotate *v* anotar
annotation *n* **1** anotação **2** nota explicativa
announce *v* anunciar, fazer saber
announcement *n* **1** anúncio; **to make an announcement** anunciar algo **2** declaração pública **3** aviso
announcer *n* **1** (rádio, televisão) locutor, apresentador **2** anunciador
annoy *v* **1** aborrecer; zangar **2** incomodar; importunar
annoyance *n* **1** aborrecimento; irritação **2** incómodo
annoying *adj* incomodativo, irritante
annual *adj* anual ▪ *n* (publicação) anuário
annually *adv* anualmente
annuity *n* [*pl* -ies] anuidade
annul *v* anular; invalidar
annulment *n* anulação
anoint *v* ungir (with, de/com)
anointment *n* **1** unção **2** sagração
anomalous *adj* anómalo
anomaly *n* [*pl* -ies] anomalia
anonymity *n* anonimato
anonymous *adj* **1** anónimo **2** incaracterístico[AO]
anorak *n* anoraque
anorexia *n* anorexia
anorexic *adj,n* anorético[AO]
another *adj,pron* outro; **another thing** outra coisa; **one or another** um ou outro
answer *n* **1** resposta (to, a) **2** (problema) solução ▪ *v* **1** responder (to, a) **2** atender; **to answer the phone** atender o telefone **3** reagir (to, a) **4** solucionar (to, -); **to answer to a problem** dar solução a um problema **5** corresponder (to, a); **to answer to the description** corresponder à descrição
◇ **answer back** *v* responder torto
◇ **answer for** *v* responsabilizar-se por
ant *n* formiga
antacid *adj,n* antiácido
antagonism *n* antagonismo (towards/to, contra; between, entre)
antagonist *n* antagonista, opositor
antagonize *v* hostilizar, opor-se a
Antarctic *adj* antártico[AO] ▪ *n* Antártico[AO]
Antarctica *n* Antártida[AO]
ante *n* (jogo de cartas) aposta; parada ▪ *v* (jogo de cartas) apostar
antelope *n* antílope
antenatal *adj* pré-natal
antenna *n* [*pl* -e, -s] **1** (animal) antena **2** EUA (rádio, televisão) antena
antepenultimate *adj form* antepenúltimo
anteroom *n* antecâmara
anthem *n* hino
anthology *n* [*pl* -ies] antologia
anthracite *n* antracite
anthrax *n* antraz
anthropoid *adj,n* antropoide[AO]
anthropological *adj* antropológico
anthropologist *n* antropólogo
anthropology *n* antropologia
anti-aircraft *adj* antiaéreo
antibiotic *adj,n* antibiótico
antibody *n* [*pl* -ies] anticorpo
anticipate *v* **1** antecipar; prever **2** adiantar-se a

anticipation *n* **1** antecipação; **thank you in anticipation** agradecemos antecipadamente **2** expectativa[AO]
anticlockwise *adj* no sentido contrário ao dos ponteiros do relógio
antics *npl* palhaçadas
anticyclone *n* anticiclone
anticyclonic *adj* anticiclónico
antidepressant *adj,n* antidepressivo
antidote *n* antídoto (to/for, para/contra)
antifreeze *n* (automóvel) anticongelante
Antigua and Barbuda *n* Antígua e Barbuda
antihistamine *n* anti-histamínico
antimony *n* antimónio
antioxidant *n* antioxidante
antipathetic *adj form* contrário (to, a)
antipathy *n* [*pl* -ies] *form* antipatia (to/towards, por)
antipersonnel *adj* antipessoal; **antipersonnel mines** minas antipessoais
antipodes *npl* antípodas
antiquarian *n* antiquário ▪ *adj* de antiguidades; **antiquarian bookshop** alfarrabista
antiquary *n* [*pl* -ies] **1** (negociante) antiquário **2** colecionador[AO] de antiguidades **3** (estudioso) arqueólogo
antiquated *adj form* antiquado
antique *adj* antigo ▪ *n* (período, objeto) antiguidade; **antique dealer** negociante em antiguidades
antiquity *n* [*pl* -ies] **1** (tempo) antiguidade **2** *pl* (objetos) antiguidades
anti-Semite *n* antissemita[AO]
anti-Semitic *adj* antissemita[AO]
anti-Semitism *n* antissemitismo[AO]
antiseptic *adj,n* antisséptico[AO]
antisocial *adj* **1** antissocial[AO] **2** pouco sociável
anti-tank *adj* antitanque
anti-terrorist *adj* antiterrorista
antithesis *n* [*pl* antitheses] antítese
antitoxin *n* antitoxina
anti-virus *adj* antivírus; **anti-virus software/program** antivírus
antler *n* (animal) haste
antonym *n* antónimo
antonymous *adj* antónimo
antonymy *n* antonímia
anus *n* ânus
anxiety *n* [*pl* -ies] **1** ansiedade (about/over, em relação a) **2** ânsia (to, de)
anxiolytic *adj,n* ansiolítico
anxious *adj* **1** ansioso (about/for, em relação a) **2** (situação) aflitivo; de angústia **3** ansioso (to, por); desejoso (to, por)
anxiously *adv* **1** ansiosamente **2** impacientemente
any *adj,pron* **1** algum; alguma; alguns; algumas; **are there any left?** sobrou algum? **2** qualquer; qualquer que; seja qual for; **any will do** qualquer um serve **3** nenhum; nenhuma; **I don't like any of your friends** não gosto de nenhum dos teus amigos ♦ **are you any better?** estás melhor?; **not any more** já não
anybody *pron* **1** alguém; **is anybody there?** está aí alguém? **2** ninguém; **don't tell anybody!** não digas a ninguém! **3** qualquer pessoa
anyhow *adv* **1** de qualquer modo; seja como for **2** de qualquer maneira
anyone *pron* **1** alguém; **if anyone sees her, tell me** se alguém a vir, digam-me **2** ninguém; **there wasn't anyone there** não estava ninguém lá **3** qualquer pessoa; **anyone but him** todos menos ele
anything *pron* **1** alguma/qualquer coisa; **is there anything I can do for you?** posso ajudá-lo em alguma coisa? **2** nada; **I don't need anything** não preciso de nada **3** qualquer coisa; **or anything** ou qualquer coisa assim ♦ **not anything like that** nada disso; **to be anything but...** ser tudo menos...
anyway *adv* **1** seja como for; de qualquer modo; **thanks, anyway** de qualquer modo, obrigado **2** (em conversa) bem; **anyway, I'd better go now** bem, é melhor ir indo
anywhere *adv* **1** em/a qualquer parte; **his house is miles away from anywhere** a casa dele fica longe de tudo **2** em/a lugar nenhum; **I can't find them anywhere** não os encontro em lado nenhum
aorta *n* (artéria) aorta
apace *adv* depressa
apart *adv* **1** separado (from, de) **2** à parte; de parte ♦ **apart from** para além de
apartheid *n* apartheid
apartment *n* **1** EUA apartamento **2** *form* quarto; divisão

apathetic *adj* apático
apathy *n* [*pl* -ies] apatia
ape *n* **1** (grande porte) macaco **2** imitador; **to play the ape** ser macaco de imitação ▪ *v* imitar; macaquear
aperitif *n* (bebida) aperitivo
apex *n* [*pl* -es] **1** cimo, cume **2** vértice; ponta
aphid *n* pulgão
aphorism *n* aforismo
aphrodisiac *n,adj* afrodisíaco
apiece *adv* cada um, por peça
apocalypse *n* apocalipse
apocalyptic *adj* apocalíptico[AO]
apogee *n* apogeu
apologize *v* pedir desculpa (to, a; for, por)
apology *n* [*pl* -ies] desculpa (for, por)
apoplectic *adj* furioso
apostle *n* apóstolo
apostolic *adj* apostólico
apostrophe *n* **1** (sinal gráfico) apóstrofo **2** (retórica) apóstrofe
appal *v* horrorizar; chocar
appalling *adj* horrível, chocante
apparatus *n* [*pl* -es] **1** equipamento; **camping apparatus** equipamento de campismo **2** aparelho; **digestive apparatus** aparelho digestivo
apparent *adj* **1** evidente (to, para); **it is apparent that...** é evidente que... **2** (indício) aparente
apparently *adv* **1** ao que parece, ao que tudo indica **2** aparentemente
appeal *n* **1** apelo; pedido **2** DIR recurso **3** *fig* atração[AO]; atrativo[AO] ▪ *v* **1** apelar (to, a) **2** pedir auxílio (for, para) **3** pedir (for, para) **4** DIR recorrer (against, de; to, a) **5** atrair
appealing *adj* **1** atraente **2** apelativo **3** (situação) comovente
appear *v* **1** aparecer; surgir **2** comparecer (before, perante) **3** parecer; **so it appears** assim parece
appearance *n* **1** aparência; **appearances can be deceptive** as aparências iludem **2** aparecimento; **to make an appearance on TV** aparecer na televisão **3** comparência
appease *v* apaziguar, acalmar
appeasement *n* apaziguamento
append *v* juntar (to, a); anexar (to, a)
appendicitis *n* apendicite
appendix *n* [*pl* -ixes, -ices] apêndice
appetite *n* apetite (for, por)
appetizer *n* aperitivo
appetizing *adj* apetitoso
applaud *v* **1** aplaudir **2** louvar; elogiar
applause *n* aplausos
apple *n* maçã; **apple pie** torta de maçã
appliance *n* aparelho; **electrical appliance** eletrodoméstico[AO]
applicable *adj* aplicável
applicant *n* candidato (for, a)
application *n* **1** candidatura **2** aplicação; uso **3** requerimento **4** INFORM aplicação
applied *adj* aplicado
apply *v* **1** aplicar; **to apply a law** aplicar uma lei **2** candidatar-se (for, a); **to apply for a job** candidatar-se a um emprego **3** aplicar-se (to, a); **this doesn't apply to you** isto não se aplica a ti
appoint *v* **1** nomear **2** fixar; marcar; **at the appointed time** à hora marcada
appointment *n* **1** compromisso; marcação **2** nomeação (of, de) **3** consulta (to, em); **dental appointment** consulta no dentista
apportion *v* dividir; repartir
appraisal *n* avaliação (of, de); apreciação (of, de)
appraise *v* avaliar; apreciar
appreciable *adj* apreciável
appreciate *v* **1** apreciar **2** ficar grato por **3** estar consciente de **4** valorizar-se
appreciation *n* **1** gratidão; reconhecimento **2** avaliação (of, de) **3** consciência, noção **4** valorização
appreciative *adj* **1** apreciativo **2** agradecido (of, por) **3** (crítica, comentário) elogioso
apprehend *v* apreender
apprehension *n* **1** apreensão **2** detenção
apprehensive *adj* apreensivo (about/for, em relação a)
apprentice *n* aprendiz ▪ *v* pôr como aprendiz
apprenticeship *n* aprendizagem
apprise *v* informar (of, de/que)
approach *n* **1** aproximação (of, de) **2** acesso (to, a) **3** abordagem (to, a) ▪ *v* **1** aproximar-se **2** abordar
approachable *adj* acessível
appropriate *adj* **1** apropriado (for/to, a) **2** oportuno ▪ *v* **1** apropriar-se indevidamente de **2** destinar (for, a)
approval *n* aprovação; autorização

approve *v* aprovar
◇ **approve of** *v* ver com bons olhos
approving *adj* de aprovação
approximate *adj* aproximado ▪ *v* aproximar--se (to, de)
approximately *adv* aproximadamente
approximation *n* aproximação (of/to, a/de)
apricot *n* damasco; **apricot tree** damasqueiro
April *n* abril[AO] ♦ **April fool's day** dia das mentiras
apron *n* avental
apt *adj* **1** apropriado; acertado **2** (pessoa) com grandes capacidades **3** propenso (to, a)
aptitude *n* dom, talento (for, para)
aquamarine *n* água-marinha
aquaplane *n* (água) esqui ▪ *v* fazer esqui aquático
Aquarian *adj,n* aquariano
aquarium *n* [*pl* -iums, -ia] aquário
Aquarius *n* (constelação, signo) Aquário
aquatic *adj* aquático
aqueduct *n* aqueduto
aquiline *adj* **aquiline nose** nariz aquilino
Arab *n,adj* (pessoa, cavalo) árabe
Arabia *n* Arábia
Arabian *adj* árabe; da Arábia
Arabic *adj,n* (língua) árabe; **Arabic numerals** numeração árabe
arable *adj* arável
arbitrary *adj* arbitrário
arbitrate *v* servir de árbitro a; mediar
arbitration *n* (conflito) arbitragem
arbitrator *n* (num conflito) árbitro
arc *n* arco
arcade *n* **1** (arcos) arcada **2** (lojas) galeria; **shopping arcade** galeria comercial
arch *n* **1** arco; abóbada; **pointed arch** ogiva **2** curva do pé; **to have fallen arches** ter pés chatos ▪ *v* **1** arquear(-se) **2** abobadar(-se)
archaeological *adj* arqueológico
archaeologist *n* arqueólogo
archaeology *n* arqueologia
archaic *adj* arcaico
archangel *n* arcanjo
archbishop *n* arcebispo
archduke *n* arquiduque
archer *n* arqueiro
archery *n* tiro ao arco
archetype *n* arquétipo
archipelago *n* [*pl* -s, -es] arquipélago
architect *n* arquiteto[AO]
architectural *adj* arquitetural[AO]
architecture *n* arquitetura[AO]
archivist *n* arquivista
archway *n* arcada
Arctic *adj* ártico[AO] ▪ *n* Ártico[AO]
ardent *adj* ardente; fervoroso
ardour *n* ardor; paixão
arduous *adj* árduo
area *n* **1** área; superfície **2** região; zona ♦ (telefone) **area code** indicativo
arena *n* **1** arena **2** estádio **3** anfiteatro **4** *fig* contexto
Argentina *n* Argentina
Argentine *adj,n* argentino
Argentinian *adj,n* argentino
argon *n* árgon
arguable *adj* discutível
arguably *adv* possivelmente; provavelmente
argue *v* **1** discutir (with, com; about/over, sobre) **2** argumentar (against, contra; for, em favor de)
argument *n* **1** discussão **2** argumento
argumentation *n* argumentação
argumentative *adj* **1** argumentativo **2** contestatário; conflituoso
aria *n* ária
arid *adj* **1** árido **2** sem interesse
aridity *n* aridez
Aries *n* (constelação, signo) Carneiro
arise *v* (vento, tempestade) levantar-se ♦ **should the need arise** se for necessário
aristocracy *n* [*pl* -ies] aristocracia
aristocrat *n* aristocrata
aristocratic *adj* aristocrático
arithmetic *adj* aritmético ▪ *n* aritmética
arithmetical *adj* aritmético
arm *n* **1** braço **2** (casaco) manga **3** (árvore) ramo **4** (cadeira, mar) braço **5** *fig* poder; autoridade **6** *pl* armas ▪ *v* **1** armar(-se) **2** (explosivo) armadilhar ♦ **to keep someone at arm's length** manter alguém à distância
armada *n* armada
armament *n* armamento
armature *n* armadura
armband *n* (faixa, boia) braçadeira
armchair *n* poltrona
armed *adj* armado (with, com/de); **armed robbery** assalto à mão armada

Armenia *n* Arménia
Armenian *adj,n* arménio
armful *n* braçada (of, de)
armhole *n* (vestuário) cava
armistice *n* armistício
armour *n* **1** armadura **2** MIL blindagem
armoured *adj* blindado
armoury *n* [*pl* -ies] arsenal
armpit *n* axila, sovaco
army *n* [*pl* -ies] **1** exército; **to be in the army** ser militar **2** multidão (of, de)
aroma *n* aroma
aromatherapy *n* aromaterapia
aromatic *adj* aromático
around *prep,adv* **1** à volta de; em torno de **2** aproximadamente; cerca de **3** por aí ♦ **see you around!** até à próxima!
arousal *n* **1** o despertar **2** excitação (sexual)
arouse *v* **1** despertar **2** (sexualmente) excitar
arrange *v* **1** organizar; ordenar **2** marcar; combinar; **to arrange a meeting** combinar uma reunião **3** tratar de; encarregar-se de **4** (música) adaptar (for, para)
arrangement *n* **1** acordo **2** plano **3** (objetos, mobília) disposição **4** arranjo; **a flower arrangement** um arranjo floral **5** MÚS arranjo **6** *pl* preparativos (for, para)
array *n* **1** seleção[AO] (of, de); conjunto (of, de) **2** formação militar **3** INFORM tabela ▪ *v* **1** dispor **2** MIL pôr em formação de ataque
arrears *npl* dívidas em atraso ♦ **to be in arrears with something** ter algo em atraso
arrest *n* **1** prisão; detenção; **to be under arrest** estar preso **2** arresto; embargo ▪ *v* **1** prender, deter **2** embargar, apreender **3** chamar a atenção de
arrival *n* **1** chegada; **on arrival** à chegada **2** pessoa que chega
arrive *v* **1** chegar (at/in, a); **to arrive at a conclusion** chegar a uma conclusão; **to arrive in Portugal** chegar a Portugal **2** *col* fazer sucesso
arrogance *n* arrogância
arrogant *adj* arrogante
arrow *n* **1** flecha **2** seta
arse *n* GB (palavrão) rabo
arsenal *n* arsenal (of, de)
arsenic *n* **1** (elemento químico) arsénio **2** arsénico
arson *n* fogo posto
arsonist *n* incendiário
art *n* **1** arte **2** manha, astúcia **3** *pl* Letras; **Faculty of Arts** Faculdade de Letras ♦ **arts and crafts** artes e ofícios; **fine arts** belas-artes
artefact *n* artefacto
arterial *adj* **1** arterial **2** (estrada) principal
arteriosclerosis *n* arteriosclerose
artery *n* [*pl* -ies] (vaso, estrada) artéria
artful *adj* **1** (pessoa) astuto **2** (esquema) engenhoso
arthritic *adj* artrítico
arthritis *n* artrite
artichoke *n* alcachofra
article *n* **1** artigo; **the definite article** artigo definido **2** peça; **an article of clothing** uma peça de roupa **3** (jornal) artigo **4** cláusula
articulate *adj* **1** (discurso) articulado **2** (pessoa) eloquente **3** (pensamento) claro; coerente **4** (animal) articulado
artifice *n* **1** estratagema **2** astúcia; manha
artificial *adj* artificial; **artificial limb** prótese
artillery *n* [*pl* -ies] artilharia
artist *n* artista
artistic *adj* artístico
artistically *adv* artisticamente
artless *adj* simples, natural
as *conj* **1** como; **such as** tal como **2** conforme; **as I was saying...** conforme dizia... **3** enquanto; **she talked as she painted** ela falava enquanto pintava **4** porque ▪ *prep* como; **I work as a teacher** trabalho como professor ♦ **as... as** tão... como; **as for** no que concerne; **as soon as** logo que
asap [*abrev. de* as soon as possible] o mais cedo possível
asbestos *n* asbesto, amianto
ascend *v* subir; ascender ♦ **in ascending order** por ordem crescente
ascendancy *n* supremacia (over, sobre)
ascendant *n* ASTROL ascendente ▪ *adj* ascendente; em ascensão
ascent *n* **1** subida **2** ladeira
ascertain *v* **1** averiguar **2** comprovar
ascetic *adj* ascético ▪ *n* asceta
asceticism *n* ascetismo
ascribe *v* **1** atribuir (to, a) **2** imputar (to, a)
aseptic *adj* asséptico[AO]
asexual *adj* assexuado
asexuality *n* assexualidade

ash *n* cinza ♦ **Ash Wednesday** Quarta-feira de Cinzas; **as pale as ashes** branco como a cal
ashamed *adj* envergonhado; **to be ashamed of** ter vergonha de
ashore *adv* em terra; para terra ♦ **to go ashore** desembarcar; **to run ashore** encalhar
ashtray *n* cinzeiro
Asia *n* Ásia
Asian *adj,n* asiático
aside *adv* à parte, de lado; **to stand aside** colocar-se de lado ▪ *n* aparte ▪ *prep* à parte, exceto[AO] ♦ **to speak aside** falar em privado
asinine *adj* estúpido
ask *v* **1** perguntar (about, acerca de; for, por); **to ask a question** fazer uma pergunta **2** pedir **3** convidar
◊ **ask after** *v* perguntar por
◊ **ask out** *v* convidar para sair
askew *adv* de lado
asleep *adj* **1** a dormir; adormecido; **to be asleep** estar a dormir; **to fall asleep** adormecer **2** (perna, braço, etc.) dormente
asparagus *n* espargo
aspect *n* **1** aspeto[AO] (of, de) **2** (edifício) orientação
aspen *n* faia preta
asperity *n* [*pl* -ies] **1** (atitude) severidade **2** (superfície) aspereza
asphalt *n* asfalto ▪ *v* asfaltar
asphyxia *n* asfixia
asphyxiate *v* asfixiar
asphyxiating *adj* asfixiante
asphyxiation *n* asfixia
aspic *n* CUL gelatina com peixe, carne, ovos ou legumes
aspire *v* aspirar (to/after, a); ambicionar (to/after, -)
aspirin *n* aspirina
aspiring *adj* aspirante (a)
ass *n* **1** *col,pej* (pessoa) burro, imbecil **2** EUA (palavrão) rabo ♦ *cal* **to be a pain in the ass** ser um chato
assailant *n* atacante; agressor
assassin *n* assassino
assassinate *v* assassinar
assassination *n* assassinato
assault *n* **1** (a pessoa) agressão (on, contra) **2** ataque (on, contra) ▪ *v* **1** agredir **2** atacar ♦ **assault and battery** insulto e agressão
assay *v* **1** analisar, testar **2** experimentar ▪ *n* **1** análise; teste **2** amostra
assemble *v* **1** reunir; juntar **2** montar
assembly *n* [*pl* -ies] **1** reunião **2** assembleia **3** ajuntamento **4** MEC montagem
assent *n* consentimento (to, a) ▪ *v* concordar (to, com); consentir (to, em)
assert *v* **1** afirmar; **to assert oneself** afirmar-se **2** fazer valer; defender
assertion *n* afirmação
assertive *adj* assertivo; afirmativo
assess *v* **1** avaliar; **to assess a property** avaliar uma propriedade **2** calcular **3** tributar, coletar[AO]
assessment *n* **1** avaliação; **continuous assessment** avaliação contínua **2** estimativa, cálculo **3** tributação; imposto
assessor *n* **1** avaliador **2** perito **3** assessor
asset *n* **1** vantagem **2** (pessoa) trunfo, elemento valioso **3** *pl* posses; bens; **real assets** bens de raiz **4** *pl* ECON ativo[AO]; **assets and liabilities** ativo[AO] e passivo
assiduous *adj* assíduo
assiduously *adv* assiduamente
assign *v* **1** atribuir (to, a) **2** nomear (to, para); destacar (to, para)
assignation *n* **1** (secreto) encontro amoroso **2** atribuição **3** destacamento
assignment *n* **1** (cargo) nomeação **2** tarefa **3** missão
assimilate *v* **1** assimilar **2** integrar-se (into, em)
assimilation *n* **1** assimilação **2** integração
assist *v* **1** ajudar (in/with, em) **2** prestar assistência a (in, em)

Não confundir a palavra inglesa **assist** com a palavra portuguesa **assistir**, que se traduz por *to be present, to see.*

assistance *n* ajuda; auxílio
assistant *n* **1** assistente **2** ajudante; **an assistant cook** um ajudante de cozinha
associate *n* **1** sócio **2** (crime) cúmplice ▪ *v* associar(-se) (with, a); relacionar(-se) (with, com)

association *n* associação ◆ **in association with** com a colaboração de
assorted *adj* (bombons, camisas) sortido
assortment *n* **1** sortido, seleção[AO] **2** grupo
assume *v* **1** supor; presumir; **to assume guilt** presumir a culpa; **let's assume that...** suponhamos que... **2** assumir; **to assume responsibilities** assumir as responsabilidades
assumption *n* **1** suposição; hipótese **2** (poder) tomada (of, de) ◆ **on the assumption that** supondo que
assurance *n* **1** garantia (of, de) **2** confiança; segurança **3** seguro; **life assurance** seguro de vida
assure *v* assegurar (of, de); garantir (of, que)
astatine *n* ástato
asterisk *n* asterisco ▪ *v* marcar com asterisco
astern *adv* à ré, atrás
asteroid *n* asteroide[AO]
asthma *n* asma
asthmatic *adj,n* asmático
astigmatism *n* astigmatismo
astonish *v* surpreender, espantar
astonished *adj* admirado (at, com), espantado (at, com)
astonishing *adj* espantoso; surpreendente
astonishment *n* surpresa; espanto
astound *v* surpreender, espantar
astounding *adj* espantoso
astray *adv* **to go astray** perder-se, extraviar-se
astride *prep,adv* às cavalitas (em)
astringent *adj* **1** adstringente **2** *fig* severo
astrologer *n* astrólogo
astrological *adj* astrológico
astrology *n* astrologia
astronaut *n* astronauta
astronomer *n* astrónomo
astronomical *adj* astronómico
astronomy *n* astronomia
astrophysicist *n* astrofísico
astrophysics *n* astrofísica
astute *adj* astuto
astuteness *n* astúcia
asunder *adv lit* aos pedaços
asylum *n* asilo; **to seek political asylum** procurar asilo político
asymmetric *adj* assimétrico
at *prep* **1** em, a; **at hand** à mão; **at home** em casa **2** de, contra; **to shoot at someone** disparar contra alguém **3** para, por; **at last** por fim; **at least** pelo menos **4** INFORM arroba ◆ **at all** absolutamente; **at most** quando muito; **at once 1** imediatamente **2** ao mesmo tempo
atheism *n* ateísmo
atheist *n* ateu
athlete *n* atleta ◆ (micose) **athlete's foot** pé de atleta[AO]
athletic *adj* atlético ◆ **athletic sports** atletismo
athletics *n* atletismo
Atlantic *adj,n* atlântico; **the Atlantic (Ocean)** o (oceano) Atlântico
atlas *n* [*pl* -es] (livro) atlas
atmosphere *n* **1** atmosfera **2** ambiente
atmospheric *adj* atmosférico
atoll *n* atol
atom *n* átomo ◆ **atom bomb** bomba atómica
atomic *adj* atómico
atomizer *n* pulverizador
atone *v* **1** (culpa) expiar (for, -) **2** (erro) reparar (for, -)
atonement *n* **1** (culpa) expiação **2** (erro) reparação
atrocious *adj* **1** atroz **2** horrível
atrocity *n* [*pl* -ies] atrocidade
atrophy *n* [*pl* -ies] atrofia ▪ *v* atrofiar
attach *v* **1** anexar (to, a); **a document attached to a letter** um documento anexo a uma carta **2** prender; **to attach something to** prender algo a **3** atribuir; **to attach importance to** atribuir importância a
attaché *n* (diplomacia) adido ◆ (mala) **attaché case** pasta para documentos
attached *adj* **1** (documento) em anexo **2** ligado (to, a) **3** *col* (pessoa) comprometido
attachment *n* **1** acessório **2** INFORM (e-mail) anexo **3** afeto[AO]; carinho **4** ligação (to/for, a)
attack *n* **1** ataque (of, de; on, a); **heart attack** ataque cardíaco; **to be under attack** estar sob ataque **2** atentado ▪ *v* **1** atacar **2** criticar violentamente
attacker *n* atacante, agressor
attain *v* alcançar, atingir
attainable *adj* alcançável; possível
attainment *n* **1** êxito **2** (sonho, objetivo) realização

attempt *n* **1** tentativa (at, de) **2** atentado ▪ *v* tentar ♦ **attempted murder/robbery** tentativa de assassínio/roubo
attend *v* **1** assistir a; **to attend a meeting** assistir a uma reunião **2** frequentar; **to attend school** frequentar a escola **3** tratar de; **to attend patients** cuidar de doentes
◇ **attend to** *v* **1** lidar com **2** (clientes) atender
attendance *n* **1** assistência; frequência (at, a, de) **2** presença, comparência
attendant *n* **1** empregado **2** assistente; **flight attendant** assistente de bordo **3** acompanhante ▪ *adj* consequente
attention *n* atenção (to, a); (carta) **for the attention of** à atenção de; **to pay attention to** prestar atenção a
attentive *adj* **1** atento; **an attentive audience** uma audiência atenta **2** atencioso (to, com), solícito (to, com)
attentively *adv* **1** atentamente **2** atenciosamente
attest *v* **1** atestar; confirmar **2** testemunhar
attic *n* sótão
attitude *n* atitude (towards, perante)
attorney *n* **1** (magistrado) procurador **2** EUA advogado ♦ **Attorney General** Procurador-geral da República
attract *v* **1** atrair; seduzir; **to attract investors** atrair investidores **2** captar; **to attract attention** chamar a atenção
attraction *n* **1** atração[AO] **2** atrativo[AO]
attractive *adj* atrativo[AO] (to, para)
attribute *n* atributo ▪ *v* atribuir (to, a)
attribution *n* atribuição
attrition *n* **1** atrito **2** desgaste
attune *v* sintonizar (to, com); adaptar (to, a)
atypical *adj* atípico
aubergine *n* beringela
auburn *adj* (cabelo) ruivo
auction *n* leilão; **to be sold at/by auction** ser vendido em leilão ▪ *v* leiloar ♦ **auction house** leiloeira
auctioneer *n* leiloeiro
audacious *adj* **1** audacioso **2** atrevido; descarado
audacity *n* [*pl* -ies] **1** audácia **2** atrevimento; descaramento
audible *adj* audível
audience *n* **1** público; **target audience** público-alvo **2** audiência, entrevista formal
audio *adj,n* áudio
audiobook *n* audiolivro
audiovisual *adj* audiovisual
audit *n* auditoria ▪ *v* fazer uma auditoria a
auditing *n* auditoria
audition *n* audição ▪ *v* (televisão, cinema, teatro) ir a uma audição (for, para)
auditor *n* auditor
auditorium *n* (sala) auditório
auditory *adj* auditivo
augment *v form* aumentar
augur *v* agourar; pressagiar
august *adj* majestoso
August *n* agosto[AO]
aunt *n* tia
au pair *n* jovem que vai para casa de uma família num país estrangeiro tomar conta de crianças e aprender a língua desse país
aura *n* aura
auspices *npl* **under the auspices of** sob os auspícios de
auspicious *adj* auspicioso
austere *adj* austero
austerity *n* [*pl* -ies] austeridade
Australia *n* Austrália
Australian *adj,n* australiano
Austria *n* Áustria
Austrian *adj,n* austríaco
authentic *adj* autêntico
authenticate *v* autenticar
authenticity *n* autenticidade
author *n* **1** autor **2** escritor
authoritarian *adj* autoritário
authoritative *adj* **1** autorizado **2** autoritário
authority *n* [*pl* -ies] **1** autoridade, poder; **local authority** poder local **2** autorização **3** autoridade, perito **4** *pl* autoridades
authorization *n* autorização
authorize *v* autorizar
autism *n* autismo
autistic *adj* autista
autobiographical *adj* autobiográfico
autobiography *n* autobiografia
autocracy *n* [*pl* -ies] autocracia
autocrat *n* autocrata
autocratic *adj* autocrático
autocue *n* (televisão) teleponto
autograph *n* autógrafo ▪ *v* autografar
automatic *adj* automático
automation *n* automação
automaton *n* [*pl* -s, automata] autómato
automobile *n* automóvel

autonomous *adj* autónomo
autonomy *n* autonomia
autopilot *n* piloto automático
autopsy *n* [*pl* -ies] autópsia
autumn *n* outono[AO]
autumnal *adj* outonal
auxiliary *adj,n* auxiliar
avail *v* aproveitar-se ♦ **to be of no avail** ser em vão
availability *n* disponibilidade ♦ **limited availability** stock limitado
available *adj* disponível (to, para); **to make something available to** disponibilizar para
avalanche *n* avalancha
avant-garde *n* vanguarda ▪ *adj* de vanguarda
avarice *n* avareza
avaricious *adj* avarento
avenge *v* vingar (on, em)
avenue *n* **1** avenida **2** via, meio
average *n* média; **on average** em média ▪ *adj* **1** médio; **average income** rendimento médio **2** típico, normal ▪ *v* **1** fazer uma média de **2** calcular a média de
averse *adj* avesso (to, a); **he's not adverse to...** ele não diz que não a...
aversion *n* aversão (to, a)
avert *v* **1** evitar **2** desviar (from, de)
avian *adj* das aves; **avian flu** gripe das aves
aviary *n* [*pl* -ies] aviário
aviation *n* aviação
avid *adj* ávido (for, de)
avidly *adv* avidamente
avocado *n* [*pl* -s] abacate
avoid *v* **1** evitar **2** esquivar-se a; fugir a ♦ **to avoid something like the plague** fugir de algo como o diabo da cruz
avoidable *adj* evitável
avoidance *n* **1** evitamento **2** fuga; **tax avoidance** fuga ao fisco
await *v* aguardar; esperar
awake *adj* **1** acordado **2** consciente; **to be awake to** estar consciente de ▪ *v* **1** acordar, despertar **2** suscitar
awaken *v* despertar, acordar
awakening *n* despertar; acordar ♦ **a rude awakening** uma grande desilusão
award *n* **1** prémio; galardão **2** condecoração **3** bolsa de estudo **4** indemnização ▪ *v* **1** premiar; galardoar **2** conceder; outorgar
aware *adj* **1** consciente (of, de) **2** ciente (of, de); informado (of, sobre)
awareness *n* consciência (of, de); conhecimento (of, de) ♦ **awareness programme** programa de sensibilização
awash *adj* inundado (with, de)
away *adv* **1** longe, ao longe **2** ausente ♦ **far away** longe; **right away** imediatamente
awe *n* **1** profundo respeito **2** temor; receio ▪ *v* intimidar
awesome *adj* **1** imponente; impressionante **2** EUA *col* fenomenal
awful *adj* horrível, terrível; **an awful weather** um tempo horrível ♦ **an awful lot (of)** muito, um monte (de)
awfully *adv* muito; **awfully cold** muito frio
awkward *adj* **1** desajeitado; **he's rather awkward with his hands** ele é bastante desajeitado com as mãos **2** embaraçoso; incómodo **3** inoportuno **4** difícil; **an awkward question** uma pergunta difícil
awkwardly *adv* **1** desajeitadamente **2** sem elegância **3** embaraçosamente
awkwardness *n* **1** embaraço **2** (situação, assunto) delicadeza
awning *n* toldo
awry *adj* torto ♦ **to go awry** dar para o torto
axe *n* machado ▪ *v* **1** (custos) cortar em **2** eliminar ♦ **to get the axe** ser despedido
axiom *n* axioma
axiomatic *adj* axiomático
axis *n* [*pl* axes] eixo
axle *n* (roda) eixo
Azerbaijan *n* Azerbaijão
Azerbaijani *adj,n* azerbaijano
Azores *n* Açores

B

b *n* [*pl* b's] **1** (letra) b **2** (escola) [com maiúscula] bom **3** MÚS [com maiúscula] si
B2B [*abrev. de* business to business] B2B
B2C [*abrev. de* business to consumer] B2C
BA [*abrev. de* Bachelor of Arts] licenciatura em Letras; licenciado em Letras
baa *v* balir
babble *n* **1** balbucio **2** murmúrio ▪ *v* **1** balbuciar **2** tagarelar **3** murmurar
baboon *n* babuíno
baby *n* [*pl* -ies] **1** bebé; **baby walker** andarilho; **baby wipe** toalhita **2** *col* querido, amor ▪ *v* mimar ◆ **to be left holding the baby** ficar com a batata quente
Babygro *n* babygro
babysit *v* tomar conta de crianças
babysitter *n* babysitter
bachelor *n* **1** solteiro **2** (universidade) licenciado; **bachelor's degree** licenciatura
bacillus *n* [*pl* bacilli] bacilo
back *n* **1** costas; **the back of a chair** as costas de uma cadeira **2** (animal) dorso **3** (espaço) traseiras; fundos **4** (futebol) defesa **5** (página) verso **6** (livro) contracapa ▪ *adj* **1** posterior; traseiro **2** secundário; **back street** estrada secundária ▪ *adv* para trás, atrás ▪ *v* **1** recuar **2** sustentar, apoiar **3** endossar ◆ **to talk behind someone's back** falar nas costas de alguém; **with one's back to the wall** entre a espada e a parede
◇ **back down** *v* recuar
◇ **back off** *v* **1** afastar-se **2** deixar em paz
◇ **back up** *v* **1** (veículo) recuar **2** apoiar **3** INFORM fazer cópia de segurança de
backache *n* dor nas costas
backbite *v* dizer mal de
backbiter *n* difamador
backbiting *n* má-língua
backbone *n* **1** coluna vertebral **2** base
backcloth *n* GB pano de fundo
backfire *v* sair pela culatra
backgammon *n* (jogo) gamão
background *n* **1** (quadro) último plano; fundo **2** antecedentes; proveniência **3** fundo; **background music** música de fundo ◆ **to be in the background** estar nos bastidores
backing *n* **1** apoio **2** MÚS acompanhamento
backlash *n* [*pl* -es] reação[AO] forte e negativa
backlighting *n* contraluz
backlit *adj* **1** em contraluz **2** INFORM retroiluminado
backpack *n* EUA mochila
backside *n* **1** parte de trás **2** *col* traseiro ◆ **to do nothing but sit on one's backside** não mexer uma palha
backsliding *n* reincidência
backspace *n* (teclado) tecla de retrocesso ▪ *v* retroceder
backstage *adv* nos bastidores
backstreet *n* rua secundária
backstroke *n* (estilo natação) costas
backup *n* **1** apoio **2** (polícia) reforços **3** INFORM cópia de segurança ▪ *adj* de reserva; de segurança; **backup file** ficheiro de segurança
backward *adj* **1** atrás **2** atrasado; lento ▪ *adv* EUA ⇒ **backwards**
backwardness *n* atraso
backwards *adv* **1** para trás; (tempo) **looking backwards** olhando para trás **2** ao contrário ◆ **backwards and forwards** para trás e para a frente; **I know it backwards** eu sei isso de cor e salteado
backwater *n* **1** água represada **2** (sítio tranquilo) refúgio
backyard *n* **1** pátio traseiro **2** EUA quintal das traseiras
bacon *n* bacon ◆ **to bring home the bacon** sustentar a família; **to save one's bacon** salvar a pele
bacteria *npl* bactérias
bacteriologist *n* bacteriologista
bacteriology *n* bacteriologia
bad *adj* **1** mau **2** nocivo, prejudicial **3** perigoso **4** (dor) forte **5** (dente) cariado ◆ **from bad to worse** de mal a pior; **not bad!** nada

mau!; **that's too bad** 1 azar o teu/vosso 2 é uma pena
badge *n* 1 insígnia; divisa 2 (identificação) crachá 3 (polícia) distintivo
badger *n* texugo ▪ *v* importunar
badly *adv* 1 mal; **to think badly of** pensar mal de 2 gravemente; **badly wounded** gravemente ferido 3 muito; **to go badly wrong** correr muito mal
bad-mannered *adj* mal-educado
badminton *n* badminton
badness *n* 1 maldade 2 má qualidade
bad-tempered *adj* mal-humorado
baffle *v* 1 deixar perplexo; desconcertar 2 frustrar
bag *n* 1 saca, saco, bolsa 2 mala ▪ *v* 1 ensacar 2 meter na mala 3 GB *col* agarrar, fisgar ♦ **bag and baggage** de armas e bagagens; **bags of** montes de; **it's in the bag** está no papo
bagel *n* (pão) rosca
baggage *n* 1 EUA bagagem; **excess baggage** excesso de bagagem 2 MIL equipamento
baggy *adj* (roupa) largo
bagpiper *n* (gaita de foles) gaiteiro
bagpipes *npl* gaita de foles
baguette *n* (pão) cacete
Bahamas *n* Baamas
Bahamian *adj,n* baamiano
Bahrain *n* Barém; Bahrein
Bahraini *adj,n* baremita
bail *n* caução, fiança; **to stand bail** pagar a fiança a alguém ▪ *v* libertar sob fiança ◇ **bail out** *v* 1 libertar sob fiança 2 tirar de apuros
bailiff *n* oficial de justiça
bain-marie *n* CUL banho-maria
bait *n* isco; engodo ▪ *v* 1 iscar 2 tentar; aliciar 3 picar, arreliar
bake *v* 1 (forno) cozer; **to bake a cake** levar um bolo ao forno 2 assar; **to bake the potatoes with the turkey** assar as batatas com o peru 3 *col* morrer de calor
baker *n* padeiro ♦ **baker's** padaria
bakery *n* [*pl* -ies] padaria
baking *n* (forno) cozedura ♦ **baking powder** fermento em pó
balance *n* 1 equilíbrio; **to keep one's balance** manter o equilíbrio 2 proporção; harmonia 3 balança 4 (conta) balanço, saldo ▪ *v* 1 equilibrar (with, com) 2 contrabalançar (with, com) 3 (conta) tirar o saldo a ♦ **balance of trade** balança comercial; **balance of payments** balança de pagamentos
balancing *n* estabilização
balcony *n* [*pl* -ies] 1 varanda 2 (teatro) segundo balcão
bald *adj* 1 calvo, careca; **bald tyres** pneus carecas; **to go bald** ficar careca 2 direto[AO]; **a bald lie** uma mentira descarada
baldness *n* 1 calvície 2 nudez (de terrenos, montes, etc.)
bale *n* fardo, pacote, pilha ▪ *v* enfardar, empacotar
baleful *adj* ameaçador
balk *n* obstáculo; impedimento ▪ *v* 1 impedir, frustrar 2 mostrar-se relutante (at, perante)
ball *n* 1 bola; **to play ball** jogar à bola 2 (lã) novelo 3 (olho) globo ocular 4 baile 5 *pl cal* tomates *fig* ♦ *col* **I'm having a ball** estou a divertir-me à grande
ballad *n* balada
ballast *v* lastrar ▪ *n* lastro
ballerina *n* bailarina
ballet *n* ballet
ballistic *adj* balístico ♦ *col* (fúria) **to go ballistic** passar-se *col*
ballistics *n* balística
balloon *n* balão ▪ *v* 1 (meio de transporte) voar em balão 2 encher-se 3 subir em flecha ♦ **the balloon went up** o escândalo rebentou
ballooning *n* balonismo
balloonist *n* balonista
ballot *n* 1 voto, votação; **by secret ballot** por voto secreto 2 total de votos contados ▪ *v* votar ♦ (eleições) **ballot box** urna; **ballot paper** boletim de voto
ballpark *n* 1 estádio de basebol 2 nível; área
ballpen *n* esferográfica
ballpoint *n* esferográfica
ballroom *n* salão de baile ♦ **ballroom dancing** danças de salão
balm *n* bálsamo
balmy *adj* (tempo) agradável; calmante
baloney *n* EUA *col* disparate, tolice
balsam *n* bálsamo
balsamic *adj* balsâmico
balustrade *n* balaustrada
bamboo *n* [*pl* -s] bambu
bamboozle *v* 1 *col* intrujar 2 *col* confundir

ban *n* proibição (on, de) ▪ *v* proibir (from, de)
banal *adj* banal
banality *n* [*pl* -ies] banalidade
banana *n* banana ♦ (ficha) **banana plug** banana; *col* (fúria) **to go bananas** passar-se *col*
band *n* **1** (música, rádio) banda **2** bando; grupo **3** tira; faixa
◊ **band together** *v* associar-se (against, contra)
bandage *n* ligadura ▪ *v* proteger com ligadura
bandit *n* bandido
bandmaster *n* regente de banda
bandsman *n* [*pl* -men] músico de uma banda
bandstand *n* coreto
bandwidth *n* INFORM largura de banda
bandy *adj* arqueado
bandy-legged *adj* de pernas arqueadas
bane *n* destruição; ruína
bang *n* **1** estrondo; **with a bang** com estrondo **2** pancada ▪ *v* **1** bater; bater em; **to bang the door** bater a porta violentamente **2** chocar (into, contra) **3** fazer barulho ♦ **bang on!** exato[AO]!; **to go bang** rebentar
Bangladesh *n* Bangladesh
Bangladeshi *adj,n* bangladechiano
bangle *n* bracelete; pulseira
banish *v* **1** banir (from, de) **2** exilar (from, de; to, para) **3** acabar com; livrar-se de
banister *n* corrimão
banjo *n* [*pl* -es, -s] banjo
bank *n* **1** (instituição) banco; **bank account** conta bancária; **bank rate** taxa de juros **2** (jogo) banca **3** (rio, lago) margem **4** rampa; inclinação ▪ *v* **1** depositar (with, em) **2** ter conta (with, em)
◊ **bank on** *v* contar com
banker *n* **1** banqueiro **2** (casa de jogo) responsável pela banca
banking *n* banca; instituições bancárias ▪ *adj* bancário
banknote *n* GB (banco) nota
bankrupt *adj,n* falido; **to go bankrupt** falir ▪ *v* arruinar
bankruptcy *n* [*pl* -ies] bancarrota; falência
banner *n* **1** faixa **2** bandeira; insígnia **3** (Internet) banner ♦ (jornalismo) **banner headline** manchete
banns *npl* (casamento) banhos
banquet *n* banquete ▪ *v* banquetear-se
banter *n* galhofa ▪ *v* estar na galhofa
baobab *n* embondeiro
baptism *n* batismo[AO]; batizado[AO] ♦ **baptism of fire** batismo[AO] de fogo
baptismal *adj* batismal[AO]
baptize *v* batizar[AO]
bar *n* **1** barra **2** (chocolate) barra, tablete **3** obstáculo **4** (bebidas) bar **5** (música, ginástica, ballet, tribunal) barra **6** INFORM barra; **scroll bar** barra de deslocamento ▪ *v* **1** trancar **2** impedir (from, de) **3** cortar o acesso a **4** proibir a entrada de ♦ **bar code** código de barras; **behind bars** atrás das grades
barb *n* (arame, comentário) farpa
Barbadian *adj,n* barbadense; barbadiano
Barbados *n* Barbados
barbarian *adj,n* bárbaro
barbaric *adj* bárbaro
barbarity *n* [*pl* -ies] barbaridade, crueldade
barbecue *n* **1** (equipamento) espeto; grelha de churrasco **2** churrasco ▪ *v* fazer um churrasco com
barbed *adj* **1** farpado; **barbed wire** arame farpado **2** mordaz
barber *n* (pessoa) barbeiro; cabeleireiro ♦ **barber's** (estabelecimento) barbeiro; cabeleireiro
barbiturate *n* barbitúrico
bard *n* bardo
bare *adj* **1** despido; nu **2** (carácter) desarmado **3** (decoração) simples **4** vazio ▪ *v* descobrir; destapar ♦ LING **bare infinitive** infinitivo sem to; **with one's bare hands** com as próprias mãos
bareback *adv* sem selim; **to ride bareback** montar em pelo[AO]
barefaced *adj* sem vergonha, descarado
barefoot *adj,adv* descalço
barely *adv* (quantidade, tempo) mal
bargain *n* **1** (compra) pechincha **2** contrato; negócio; **to close a bargain** fechar um negócio ▪ *v* **1** (compra) regatear **2** negociar ♦ **to drive a hard bargain** não ser para brincadeiras
bargaining *n* (preços) regateio
barge *n* barca ▪ *v* **1** (local) irromper (into, por) **2** (pessoa) encontrar-se casualmente (into, com)
bargepole *n* (barca) vara
baritone *n* barítono
barium *n* bário

bark *n* 1 (cães) latido 2 casca de árvore ▪ *v* 1 ladrar (at, para/a) 2 (pele) esfolar 3 (árvore) descascar ♦ **his bark is worse than his bite** cão que ladra não morde
barking *n* latido ♦ **to be barking mad** ser completamente doido
barley *n* cevada; (bebida) **barley water** cevada
barmaid *n* empregada de bar
barman *n* [*pl* -men] empregado de bar
barmy *adj* GB *col* chalado, chanfrado
barn *n* celeiro
barnacle *n* (molusco) perceve
barometer *n* barómetro
barometric *adj* barométrico
baron *n* barão
baroness *n* baronesa
baroque *adj,n* barroco
barrack *v* 1 apupar, vaiar 2 (tropas) aquartelar
barracking *n* 1 apupos, vaias 2 aquartelamento
barracks *n* [*pl* barracks] 1 MIL quartel 2 (casas) bloco
barrage *n* 1 MIL barragem; **barrage fire** fogo de barragem 2 bombardeio (of, de); rajada (of, de)
barrel *n* 1 barrica; barril; pipo 2 cano de espingarda ▪ *v* 1 embarrilar; embarricar 2 EUA *col* ir a toda a velocidade
barren *adj* infrutífero, improdutivo
barricade *n* barricada; bloqueio ▪ *v* 1 (contestação) obstruir; barricar 2 (ruas) bloquear
barrier *n* barreira (to, a), obstáculo (to, a); **a barrier to progress** uma barreira ao progresso ♦ (Sol) **barrier cream** creme protetor[AO]
barrister *n* GB advogado; **a barrister of five years' standing** um advogado com cinco anos de prática
barrow *n* 1 (obras, jardinagem) carrinho de mão 2 (venda de rua) banca móvel 3 (pré-história) túmulo
bartender *n* EUA empregado de bar
barter *v* (géneros) trocar (for, por) ▪ *n* troca; permuta
basalt *n* basalto
base *n* 1 base; **military base** base militar; **the base of the lamp** a base do candeeiro 2 (conceitos, objetos) base (for, de) 3 (componentes) base; fundo 4 ponto de partida ▪ *v* 1 basear (on, upon, em) 2 estabelecer ▪ *adj* 1 vil, ignóbil 2 (moeda) falso ♦ **base point** ponto de referência; **to get to first base** alcançar a primeira vitória
baseball *n* basebol
basement *n* cave
baseness *n* baixeza, vileza
bash *n* 1 murro, pancada 2 (carro) amolgadela ▪ *v* 1 bater com força; **to bash one's head** bater com a cabeça 2 criticar duramente
bashful *adj* envergonhado, tímido
bashfulness *n* timidez, acanhamento
basic *adj* 1 básico; **basic education** educação básica 2 fundamental; essencial 3 vital (to, para) ▪ *n* o essencial ♦ **the basics** o essencial
basil *n* manjericão
basilica *n* basílica
basin *n* 1 bacia; recipiente; tigela 2 lavatório 3 bacia hidrográfica 4 ancoradouro
basis *n* [*pl* bases] base; **on the basis of** com base em ♦ **on a regular/temporary basis** regularmente/temporariamente
bask *v* 1 (ao sol) refastelar-se (in, a), estender--se (in, a) 2 deliciar-se (in, com)
basket *n* cesto, cesta; **shopping basket** cesto de compras ♦ *col* **basket case** chanfrado
basketball *n* basquetebol, básquete; **basketball player** basquetebolista
basketwork *n* 1 (ofício) cestaria 2 (objeto) obra de vime
bas-relief *n* baixo-relevo
bass *n* (instrumento, cantor) baixo; **bass player** baixista
basset *n* (cão) basset, podengo
bassoon *n* fagote
bassoonist *n* fagotista
bastard *n* *cal* (insulto) filho da mãe
baste *v* 1 (comida a assar) regar com molho 2 (costura) alinhavar
bastion *n* 1 (castelo) bastião 2 *fig* baluarte
bat *n* 1 morcego 2 (basebol, críquete) taco ▪ *v* (basebol, críquete) bater ♦ **to have bats in the belfry** ter macaquinhos no sótão
batch *n* [*pl* -es] 1 (pães, biscoitos) fornada 2 (pessoas) monte; leva 3 (bens, mercadorias) lote ▪ *v* organizar por grupos
bath *n* 1 banho; **to have/take a bath** tomar banho 2 banheira 3 *pl* piscina pública ▪ *v* 1 dar banho a 2 tomar banho ♦ **bath salts** sais de banho
bathe *v* 1 lavar; desinfetar[AO] 2 EUA (banheira) dar ou tomar banho 3 GB (mar, rio, lagoa, lago) tomar banho (in, em) 4 banhar, inundar

bather *n* banhista
bathhouse *n* **1** banhos públicos **2** balneário
bathing *n* banho ♦ EUA **bathing suit** fato de banho
bathmat *n* **1** tapete para banheira **2** tapete de casa de banho
bathrobe *n* roupão de banho
bathroom *n* quarto de banho, casa de banho
bathtub *n* banheira
baton *n* **1** (polícia) bastão **2** MÚS batuta **3** DESP (estafeta) testemunho
batsman *n* [*pl* -men] (basebol, críquete) batedor
battalion *n* batalhão
batten *n* sarrafo, ripa
batter *n* **1** (basebol) batedor **2** (fritos, panqueca, bolo) massa ▪ *v* **1** espancar **2** (batida forte) martelar (on, em; at, a) **3** derrubar
battery *n* [*pl* -ies] **1** pilha **2** bateria; **a battery of tests** bateria de testes; MIL **horse battery** bateria montada; **to recharge the battery** recarregar a bateria
battle *n* **1** batalha; combate **2** disputa (with, com) **3** luta (for, por; against, contra) ▪ *v* batalhar (for, por; against, contra) ♦ **to fight a losing battle** travar uma luta perdida
battlefield *n* campo de batalha
battlements *npl* ameias
battleship *n* couraçado
battleships *n* (jogo) batalha naval
bauble *n* bugiganga
bawdy *adj* obsceno, picante
bawl *v* **1** gritar, berrar **2** vociferar ▪ *n* berro, grito
bay *n* **1** baía; enseada **2** (planta, folha) louro **3** zona, área ▪ *v* uivar ♦ **to keep at bay** manter-se à distância
bayonet *n* baioneta ▪ *v* atacar com baioneta
bazaar *n* **1** (Oriente) bazar **2** (caridade) quermesse; bazar
bazooka *n* bazuca
B & B (hotel) [*abrev. de* bed and breakfast] alojamento e pequeno-almoço
BBQ [*abrev. de* barbecue]
BBS [*abrev. de* bulletin board system] BBS
be *v* **1** ser; **you are clever** és inteligente **2** estar; **it's sunny/cold** está sol/frio **3** ficar, situar-se; **their house is near the beach** a casa deles fica perto da praia **4** ter; **be careful!** tem cuidado!; **she's 31** ela tem 31 anos **5** (tomar posição) ser (for, por; against, contra) **6** custar; **this book is 3 euros** este livro custa 3 euros **7** medir; **she's five feet tall** ela mede 1 metro e meio ♦ **be that as it may** seja como for; **if I were you** se eu fosse a ti; **there is/are** há; existe(m)
◊ **be in** *v* **1** estar em casa **2** estar na moda
◊ **be off** *v* estar de saída
beach *n* [*pl* -es] praia ▪ *v* dar à costa ♦ **beach ball** bola de praia insuflável
beachwear *n* roupa de praia
beacon *n* **1** baliza; boia[AO] luminosa; **the beacon guided the ship** a boia[AO] luminosa guiou o navio **2** farol **3** guru; ídolo
bead *n* **1** (ornamento) conta; **bead necklace** colar de contas **2** gota; **beads of sweat** gotas de suor **3** *pl* rosário; terço ▪ *v* **1** ornamentar com contas **2** (fio) enfiar (contas)
beady *adj* (olho) pequeno e brilhante
beagle *n* (cão) bigle
beak *n* **1** (ave) bico **2** *col* (nariz) bicanca
beaker *n* **1** copo de plástico **2** proveta
beam *n* **1** trave, viga **2** (luz) feixe **3** trave olímpica ▪ *v* **1** (luz, lume) brilhar **2** sorrir abertamente (at, perante) **3** (rádio) transmitir
beaming *adj* brilhante, luminoso
bean *n* **1** feijão **2** semente; grão; **broad bean** fava; **coffee bean** grão de café ♦ *col* (segredo) **to spill the beans** descair-se
beansprout *n* rebento de soja
bear *n* **1** urso **2** (Bolsa) baixista ▪ *v* **1** suportar, aguentar **2** carregar **3** dar à luz **4** (direção) voltar **5** (responsabilidade, culpa) arcar com ♦ **to bear in mind** ter presente
◊ **bear down** *v* **1** avançar de forma ameaçadora (on, sobre) **2** (objeto) pressionar (on, -)
◊ **bear out** *v* confirmar
◊ **bear up** *v* aguentar-se
◊ **bear with** *v* ter paciência com
bearable *adj* suportável, tolerável
beard *n* **1** barba **2** (bode) barbicha
bearded *adj* barbudo
bearer *n* **1** (objeto, documento) portador (of, de); **bearer cheque** cheque ao portador **2** (título) detentor
bearing *n* **1** relação; **that has no bearing on the subject** isso não tem qualquer relação com o assunto **2** (modos) gesto; porte; **she had a majestic bearing** ela tinha um porte majestoso

bearish *adj* **1** ECON (tendência) baixista **2** grosseiro
beast *n* besta; **beast of burden** besta de carga; *col,pej* **you're such a beast!** és um bruto!
beastly *adj* **1** *col* (comportamento) brutal **2** GB *col* desagradável
beat *n* **1** (coração, música) batida **2** ritmo **3** (polícia) giro; ronda ▪ *v* **1** (pessoas) bater em; espancar **2** (em objeto) dar pancadas em **3** (competição) vencer **4** CUL bater; mexer **5** (coração) pulsar ♦ **beat it!** põe-te a andar!; **if you can't beat them, join them** se não os consegues vencer, junta-te a eles; **it beats me!** sei lá!, não faço ideia!
◇ **beat back** *v* obrigar a retroceder
◇ **beat down** *v* **1** (preço) reduzir **2** (sol) escaldar **3** (chuva) cair com força
◇ **beat off** *v* escapar a
◇ **beat out** *v* **1** (fogo) apagar **2** (ameaça) obrigar a contar; **he beat the truth out of him** arrancou-lhe a verdade **3** (ritmo) marcar **4** EUA vencer
◇ **beat up** *v* espancar
beaten *adj* **1** batido; **beaten track** caminho batido **2** (pessoa) exausto **3** (competição) derrotado
beater *n* **1** (caça) batedor **2** (eletrodoméstico) batedeira **3** (objeto) malho, pilão
beatification *n* beatificação
beatify *v* beatificar
beating *n* **1** espancamento; tareia **2** derrota
beautician *n* esteticista
beautiful *adj* **1** belo; bonito **2** excelente; fantástico **3** agradável
beauty *n* [*pl* -ies] **1** beleza; **beauty contest** concurso de beleza **2** (pessoa) beldade ♦ **beauty is in the eye of the beholder** quem o feio ama bonito lhe parece
beaver *n* castor
because *conj* **1** porque; uma vez que **2** por causa (of, de); devido (of, a)
beck *n* GB regato, ribeiro
beckon *v* **1** acenar (to, a) **2** atrair
become *v* **1** tornar-se; fazer-se; **to become famous** ficar famoso **2** suceder (of, a); ser feito (of, de) **3** (comportamento) ser próprio de; ficar bem a **4** (roupa) ficar bem a
becoming *adj* **1** (comportamento) apropriado, conveniente **2** (estilo) atraente
bed *n* **1** cama; **to go to bed** ir para a cama, deitar-se; **to make the bed** fazer a cama **2** (rio, mar, lago) leito **3** (para edificação) base **4** (jardim) canteiro (of, de) ▪ *v* assentar ♦ GB (hotel) **bed and breakfast** alojamento e pequeno-almoço
◇ **bed down** *v* **1** deitar; **to bed down the baby** deitar o bebé **2** ir dormir; passar a noite
bedbug *n* carrapato
bedclothes *n* roupa da cama
bedding *n* roupa de cama
bedeck *v* enfeitar (with, com)
bedevil *v* **1** lançar bruxedo a **2** atormentar, massacrar
bedlam *n* confusão; desordem
bedpan *n* arrastadeira, aparadeira
bedraggled *adj* desarrumado; desmazelado
bedrock *n* **1** leito de rocha **2** fundamento
bedroom *n* quarto
bedside *n* **1** cabeceira **2** beira da cama ♦ **bedside carpet** tapete do quarto; **bedside table** mesa de cabeceira
bedspread *n* colcha, coberta da cama
bedstead *n* armação da cama
bedtime *n* hora de deitar ♦ **bedtime story** história para adormecer
bee *n* abelha
beech *n* [*pl* -es] faia
beef *n* [*pl* -s] carne de vaca

> Não confundir a palavra inglesa **beef** com a palavra portuguesa **bife**, que se traduz por *steak*.

Beefeater *n* guarda da Torre de Londres
beefsteak *n* (frito, grelhado) bife
beefy *adj col* gordo; possante
beehive *n* colmeia; cortiço
beekeeper *n* apicultor
beekeeping *n* apicultura
beep *n* (som) bip ▪ *v* **1** fazer bip **2** buzinar
beer *n* cerveja ♦ *col* **beer belly** barriga de cerveja
beet *n* EUA beterraba ♦ **to turn as red as a beet** ficar vermelho como um tomate
beetle *n* escaravelho ▪ *v col* ir rapidamente
beetroot *n* beterraba
befall *v lit* suceder, acontecer
befit *v form* ser apropriado a

befitting *adj form* adequado, conveniente
before *prep* **1** (tempo) antes de **2** (sítio) em face de; perante ▪ *adv* **1** antes, anteriormente **2** anterior; **the day before** na véspera ▪ *conj* antes de/que
beforehand *adv* antecipadamente; de antemão
befriend *v* tornar-se amigo de
befuddle *v* aturdir; estontear
beg *v* **1** implorar; **I beg your pardon** peço perdão **2** mendigar, pedir; **to beg a coin** pedir uma esmola ♦ **I beg your pardon?** Como disse?, Desculpe?
beget *v* gerar, causar
beggar *n* **1** mendigo; pedinte **2** GB malandreco, malandro ▪ *v* reduzir à miséria ♦ **beggars cannot be choosers** a cavalo dado não se olha o dente
begging *n* **1** pedido; súplica **2** mendicância ▪ *adj* mendicante
begin *v* principiar, começar, iniciar ♦ **to begin with** em primeiro lugar
beginner *n* principiante; **beginner's luck** sorte de principiante
beginning *n* princípio (of, de), início (of, de), começo (of, de)
begrudge *v* **1** invejar; cobiçar **2** ver com maus olhos
beguile *v* iludir (with, com), enganar (with, com)
behalf *n* **on behalf of** em nome de; **on my behalf** no meu interesse
behave *v* comportar-se; portar-se
behaviour *n* comportamento
behead *v* decapitar
behind *prep* atrás de, detrás de; **to put someone behind bars** pôr alguém atrás das grades ▪ *adv* atrás, detrás; **far behind** bem atrás ▪ *n col* traseiro ♦ **behind one's back** por trás das costas; **to be behind somebody** apoiar alguém
behindhand *adv* com atraso
behold *v lit* contemplar
beige *adj,n* (cor) bege
being *n* **1** ser; **human being** ser humano **2** existência ♦ **for the time being** por agora
Belarus *n* Bielorrússia
Belarusian *adj,n* bielorrusso
belch *n* [*pl* -es] arroto ▪ *v* **1** arrotar **2** (chamas, fumo) expelir
belfry *n* [*pl* -ies] campanário
Belgian *adj,n* belga
Belgium *n* Bélgica
belie *v* **1** dissimular; esconder **2** desmentir; negar
belief *n* [*pl* -s] fé (in, em); crença (in, em) ♦ **beyond belief** sobremaneira; **it is past all belief** é incrível
believe *v* **1** acreditar em; crer em; **believe it or not** acredites ou não; **believe me** podes crer **2** julgar, pensar ♦ **seeing is believing** ver para crer; **you wouldn't believe** não ias acreditar
believer *n* **1** crente; fiel **2** (causa) defensor, apoiante
belittle *v* menosprezar; depreciar
Belize *n* Belize
Belizean *adj,n* belizense
bell *n* **1** campainha; **to ring the bell** tocar à campainha **2** sino **3** guizo
bell-bottoms *npl* calças à boca de sino
belligerence *n* beligerância
belligerent *n* beligerante
bellow *n* **1** (bovino) mugido **2** (pessoa, animal) rugido; brado ▪ *v* **1** (bovino) mugir **2** (animal) rugir **3** (pessoa) berrar
bellows *n* fole
belly *n* [*pl* -ies] *col* barriga; pança ♦ **belly button** umbigo; (mergulho) **belly flop** chapa
bellyache *n col* dor de barriga
bellyful *n col* barrigada
belong *v* **1** pertencer (to, a) **2** fazer parte (to, de) **3** ser membro (to, de) **4** dever estar (on, em)
beloved *adj,n* querido; amado
below *prep* **1** abaixo de; **below sea level** abaixo do nível do mar **2** por baixo de; **below the table** por baixo da mesa ▪ *adv* **1** em baixo; por baixo; **as mentioned below** como abaixo indicado **2** abaixo; **one floor below** um andar abaixo
belt *n* **1** cinto; **safety belt** cinto de segurança **2** (artes marciais, ferramentas) cinturão; **black belt** cinturão negro **3** (local) faixa; zona **4** *col* pancada; bofetada ▪ *v* **1** (vestuário) apertar com cinto **2** *col* dar uma pancada ou bofetada **3** correr como uma seta
◇ **belt out** *v col* cantar ou tocar alto
◇ **belt up** *v* **1** GB *col* pôr o cinto de segurança **2** GB *col* calar-se

bench *n* [*pl* -es] **1** banco; assento; **park bench** banco de jardim **2** (oficina, laboratório) banca **3** (tribunal) lugar do juiz **4** (desporto) banco; **to be on the bench** ser suplente
bend *n* curva ▪ *v* **1** (corpo, objeto) curvar(-se) **2** contornar; **to bend the rules** contornar as regras **3** dobrar; **to bend the knees** dobrar os joelhos **4** ceder (to, a); **he bent to his daughter's requests** ele cedeu aos pedidos da filha ♦ **round the bend** fora de si, louco
beneath *prep* **1** debaixo de, sob; **beneath the car** debaixo do carro **2** indigno de
benediction *n* bênção
benefactor *n* benfeitor
benefactress *n* benfeitora
beneficence *n form* beneficência
beneficial *adj* benéfico (to, para); vantajoso (to, para)
beneficiary *n* [*pl* -ies] beneficiário
benefit *n* **1** benefício; proveito **2** beneficência; **benefit concert** concerto de beneficência **3** subsídio; **unemployment benefit** subsídio de desemprego ▪ *v* beneficiar
benevolence *n* benevolência
benevolent *adj* **1** (pessoa) benévolo; benevolente **2** de beneficência; de caridade
Bengali *adj,n* bengali
benign *adj* **1** benigno **2** (pessoa) afável **3** (clima) agradável; ameno
benignant *adj* agradável, afável
Benin *n* Benim
Beninese *adj,n* beninense
bent *adj* **1** inclinado; curvado **2** (objeto) torto; deformado **3** *col* corrupto ▪ *n* inclinação, tendência
benzine *n* benzina
benzoin *n* benjoim
bequeath *v* **1** legar (to, a), deixar em testamento (to, a) **2** (para a posteridade) legar
bequest *n* legado; herança
bereaved *adj* de luto
bereavement *n* **1** luto **2** falecimento
beret *n* boina; barrete
beriberi *n* beribéri
berkelium *n* berquélio
Bermuda *n* Bermudas
berry *n* [*pl* -ies] baga, bago
berserk *adj col* descontrolado; passado; *col* **to go berserk** perder as estribeiras, passar-se *col*
berth *n* **1** (navio, comboio, avião) beliche **2** (barcos) ancoradouro ▪ *v* ancorar, fundear
beryllium *n* berílio
beseech *v form* suplicar, implorar
beset *v* preocupar (by/with, com); perturbar (by/with, com)
beside *prep* ao lado de; junto de ♦ **that's beside the point** isso não vem ao caso; **to be beside oneself** estar fora de si
besides *adv* além disso, de qualquer forma ▪ *prep* **1** para além de **2** exceto[AO]; a não ser
besiege *v* sitiar, cercar
besotted *adj* perdido de amores (with, por)
bespatter *v* salpicar
best *adj,n* o melhor; **at one's best** no seu melhor; **my best friend** o meu melhor amigo ▪ *adv* melhor; **I like this best** eu prefiro este; **which coat suits me best?** que casaco me fica melhor? ♦ **all the best** tudo de bom; **best before** consumir de preferência antes de
bestow *v* conceder (on, a), outorgar (on, a)
bestowal *n* concessão
bestseller *n* best-seller
bet *n* **1** aposta **2** palpite **3** (casamento) partido ▪ *v* apostar (on, em) ♦ *col* **you bet!** podes crer!
beta *n* beta
beta tester *n* INFORM beta tester
betray *v* **1** trair, atraiçoar **2** denunciar, revelar **3** (relação amorosa) enganar
betrayal *n* traição
betrayer *n* traidor
better *adj* melhor (than, que); **he's better than his word** ele fez mais do que tinha prometido ▪ *adv* melhor; **I'm feeling much better** sinto-me muito melhor ▪ *v* ultrapassar; superar ▪ *n* melhor ♦ **better and better** cada vez melhor; **better late than never** mais vale tarde do que nunca; **so much the better** tanto melhor
betting *n* aposta ♦ **betting shop** agência de apostas
between *prep* entre, no meio de; **between you and me** cá entre nós ▪ *adv* no meio; entre; **the houses had trees in between** havia árvores entre as casas
bevel *n* chanfradura; recorte ▪ *v* chanfrar; recortar
beverage *n* bebida
bevy *n* [*pl* -ies] **1** grupo **2** (pássaros) bando

beware *v* ter cuidado (of, com); **beware of the dog** cuidado com o cão
bewilder *v* confundir, desorientar
bewilderment *n* confusão, desorientação
bewitch *v* **1** (magia) enfeitiçar **2** (atração) seduzir; fascinar
bewitching *adj* encantador; sedutor
beyond *prep* além; para além de ▪ *adv* do outro lado; para além de; **we could see the mountains and beyond** conseguíamos ver as montanhas e para além ▪ *n* (o) além ♦ **beyond control** incontrolável; **beyond doubt** sem sombra de dúvida
Bhutan *n* Butão
Bhutanese *adj,n* butanês
biannual *adj* semestral, bianual
bias *n* [*pl* -es] **1** preconceito (towards, em relação a; against, contra) **2** inclinação, propensão **3** (direção) viés; diagonal ▪ *v* influenciar
biased *adj* tendencioso, parcial
bib *n* **1** babete **2** (avental, bibe, jardineiras) peitilho
Bible *n* Bíblia
biblical *adj* bíblico
bibliography *n* bibliografia (on, sobre)
bibliophile *n* bibliófilo
bicarbonate *n* bicarbonato
bicentenary *n,adj* bicentenário
biceps *n* [*pl* biceps] bíceps
bicker *v* discutir (about/over, acerca de; with, com)
bickering *adj* conflituoso ▪ *n* conflito; discussão
bicycle *n* bicicleta; **to go by bicycle** ir de bicicleta
bid *n* **1** (leilão) licitação (for, por) **2** (preço) orçamento (for, para); **a bid for the house** um orçamento para a casa ▪ *v* (leilão) licitar (for, por)
bidder *n* licitador
bidding *n* **1** lanço, oferta **2** ordem; mando
bidet *n* bidé
biennial *adj* bienal, bianual
biennium *n* biénio
big *adj* **1** (tamanho) grande; volumoso **2** (idade) mais velho; **my big brother** o meu irmão mais velho **3** (importância) grande; **big ideas for the future** grandes planos para o futuro ♦ *col* **big deal!** grande coisa!; *col* **big word** palavra difícil; *col* **in big letters** em maiúsculas
bigamist *n* bígamo
bigamous *adj* bígamo
bigamy *n* bigamia
bigot *n pej* fanático
bigoted *adj* intolerante, fanático
bigotry *n* fanatismo; intolerância
bigwig *n col* pessoa importante
bike *n* **1** *col* bicicleta; **to ride a bike** andar de bicicleta **2** *col* mota
bikini *n* biquíni
bilateral *adj* bilateral
bile *n* **1** bílis **2** *lit* mau humor
bilingual *adj,n* bilingue
bilingualism *n* bilinguismo
bilious *adj* **1** maldisposto **2** repulsivo
bill *n* **1** conta; fatura[AO] **2** proposta de lei **3** EUA nota; **a five-dollar bill** uma nota de cinco dólares **4** anúncio; cartaz **5** (pássaro) bico **6** (espetáculos) alinhamento ▪ *v* **1** enviar a fatura[AO] a **2** (cartazes) anunciar
billiard *adj* **billiard ball/cue/table** bola/taco/mesa de bilhar
billiards *n* bilhar; **to play billiards** jogar bilhar
billion *n* [*pl* -s, billion] **1** mil milhões, milhar de milhão **2** GB *ant* bilião
bimbo *n* [*pl* -s] *col,pej* (insulto) cabeça-oca
bin *n* **1** caixote do lixo **2** caixa, caixote
binary *adj* binário
bind *v* **1** (coisas) amarrar; ligar; **she bound her hair** ela amarrou o cabelo **2** (pessoas) ligar, unir **3** debruar **4** obrigar moralmente ▪ *n col* aperto, apuro
◇ **bind together** *v* ligar; unir
binder *n* **1** capa de argolas **2** (pessoa, máquina) encadernador
binding *n* encadernação ▪ *adj* obrigatório (on/upon, para)
binge *n* **1** farra **2** comezaina **3** borracheira ▪ *v* empanturrar-se (on, com/de)
bingo *n* (jogo) bingo ▪ *interj* bingo!; eureca!
binoculars *npl* binóculos
binomial *n* binómio ▪ *adj* binomial
biochemistry *n* bioquímica
biodegradable *adj* biodegradável
biofuel *n* biocombustível
biographer *n* biógrafo
biographical *adj* biográfico
biography *n* [*pl* -ies] biografia
biohazard *n* ameaça biológica

biological *adj* biológico
biologist *n* biólogo
biology *n* biologia
biomass *n* biomassa
biome *n* (ambiente) bioma
bionic *adj* biónico
bionics *n* biónica
biopsy *n* biópsia
biorhythm *n* biorritmo
biosecurity *n* biossegurança
biosphere *n* biosfera
biotechnology *n* biotecnologia
biped *adj,n* bípede
biplane *n* biplano
birch *n* [*pl* -es] **1** (planta) vidoeiro **2** chibata ▪ *v* açoitar
bird *n* **1** ave, pássaro; **bird of prey** ave de rapina **2** *col,pej* miúda; garina ♦ **a bird in the hand is worth two in the bush** mais vale um pássaro na mão do que dois a voar; **to kill two birds with one stone** matar dois coelhos de uma só cajadada
birdseed *n* alpista
birdsong *n* trinado; gorjeio
biro *n col* esferográfica
birth *n* **1** nascimento; **date of birth** data de nascimento **2** parto **3** descendência ♦ **birth rate** taxa de natalidade; **to give birth to** dar à luz
birthday *n* aniversário, dia de aniversário; **happy birthday** parabéns; feliz aniversário
birthmark *n* sinal de nascença
birthplace *n* terra natal
biscuit *n* GB biscoito, bolacha
bisect *v* bissectar[AO]
bisexual *adj,n* bissexual
bishop *n* (cargo, xadrez) bispo
bismuth *n* bismuto
bison *n* bisonte
bistro *n* [*pl* -s] restaurante pequeno
bit *n* **1** bocado (of, de), pedaço (of, de); **a little bit** um bocadinho **2** *col* (tempo) momento, instante **3** (cavalo) freio **4** (livro, filme) excerto **5** INFORM bit ♦ **a bit too much** um pouco exagerado; **bit by bit** a pouco e pouco
bitch *n* [*pl* -es] cadela ▪ *v* **1** *cal* dizer mal **2** EUA *cal* queixar-se (about, de)
bite *n* **1** mordidela **2** (inseto) picada **3** (comida) trinca, bocado **4** *col* refeição rápida ▪ *v* **1** morder **2** (inseto) picar **3** roer ♦ **to begin to bite** começar a doer; **what's biting you?** que é que se passa contigo?
◇ **bite into** *v* cortar
◇ **bite off** *v* arrancar com os dentes
biting *adj* **1** (tempo) cortante, penetrante **2** mordaz; cáustico
bitmap *n* INFORM bitmap
bitter *adj* **1** (sabor, pessoa) amargo, azedo **2** (tempo) cortante, penetrante **3** *fig* (experiência, situação) duro ▪ *n* GB cerveja amarga
bitterly *adv* amargamente ♦ **it is bitterly cold** está um frio de rachar
bitterness *n* amargura, azedume
bittersweet *adj* **1** agridoce **2** (chocolate) amargo
bitumen *n* betume
bivalve *n,adj* bivalve
bivouac *n* bivaque
biweekly *adj* **1** quinzenal **2** bissemanal ▪ *adv* **1** quinzenalmente **2** bissemanalmente
bizarre *adj* bizarro
blab *v col* ser indiscreto
blabbermouth *n col* linguarudo; fala-barato
black *adj* **1** (cor, pessoa) preto, negro **2** escuro, sombrio **3** sinistro **4** zangado **5** mau **6** (café) sem leite ▪ *v* **1** (cor) enegrecer; escurecer **2** GB boicotar ▪ *n* (cor, pessoa) negro, preto ♦ **black market** mercado negro
◇ **black out** *v* **1** desmaiar **2** pôr às escuras
blackball *v* votar contra
blackberry *n* [*pl* -ies] amora silvestre
blackbird *n* melro
blackboard *n* (escola) quadro
blacken *v* **1** (cor) enegrecer; escurecer **2** (reputação) difamar
blackleg *n* GB *pej* fura-greves ▪ *v* GB *pej* furar greves
blacklist *n* lista negra
blackmail *n* chantagem ▪ *v* fazer chantagem com
blackmailer *n* chantagista
blackness *n* escuridão
blackout *n* **1** apagão **2** desmaio **3** perda de memória **4** (protesto) blackout; **news blackout** blackout informativo
blacksmith *n* ferreiro
blackspot *n* **1** (acidentes) ponto negro **2** (situação, etc.) área problemática
bladder *n* **1** bexiga **2** câmara de ar
blade *n* **1** lâmina; **razor blade** lâmina de barbear **2** (remo, hélice) pá **3** (erva) pé

blame *v* 1 culpar (for, por/de) 2 censurar; repreender ■ *n* culpa (for, de); **to bear the blame** assumir a culpa
blameless *adj* inocente
blanch *v* 1 empalidecer 2 (frutos, legumes) escaldar; pelar 3 (cor) branquear
bland *adj* 1 brando, suave 2 (comida) insípido 3 (música) calmo
blank *adj* 1 em branco; **blank sheet of paper** folha em branco 2 (expressão facial) indiferente, inexpressivo 3 (cassete, CD) virgem 4 (recusa, negação) total ■ *n* espaço em branco
blanket *n* 1 cobertor 2 (camada) manto (of, de) ■ *v* cobrir (in/with, de) ■ *adj* abrangente
blare *v* fazer barulho ■ *n* barulheira
blaspheme *v* blasfemar (against, contra)
blasphemer *n* blasfemador
blasphemous *adj* blasfemo
blasphemy *n* [*pl* -ies] blasfémia
blast *n* 1 (vento) rajada (of, de) 2 explosão; detonação 3 EUA *col* experiência muito agradável; **the vacations were a blast!** as férias foram o máximo! ■ *v* 1 abrir por meio de detonação 2 destruir, arrasar
blasted *adj col* maldito
blast-off *n* (foguetão espacial) lançamento
blatant *adj* descarado; gritante
blaze *n* 1 incêndio 2 fogueira; chama 3 esplendor (of, de), brilho (of, de) 4 (sentimentos) explosão (of, de) 5 (tiros) rajada (of, de) ■ *v* 1 (chamas) arder 2 resplandecer (with, de) 3 (sentimentos) explodir (with, de)
blazer *n* (casaco) blazer
blazing *adj* 1 (visão) brilhante, resplandecente 2 (temperatura, situação) escaldante
bleach *n* [*pl* -es] lixívia ■ *v* 1 (roupa) desbotar 2 (cabelo) descolorar
bleachers *npl* EUA (estádio, pavilhão) bancada descoberta
bleak *adj* 1 (situação) pouco prometedor 2 (tempo) desagradável 3 (local) desolado
bleary-eyed *adj* com os olhos congestionados
bleat *v* 1 balir 2 (pessoa) lamuriar-se; choramingar ■ *n* balido
bleed *v* 1 sangrar, deitar sangue; **your nose is bleeding** estás a deitar sangue pelo nariz 2 (tratamento) sangrar 3 extorquir dinheiro a
bleeding *n* hemorragia
bleep *n* (som, aparelho) bip ■ *v* 1 (aparelho) fazer bip 2 chamar através do bip
blemish *v* 1 (nódoa) manchar; sujar 2 (reputação) difamar; denegrir ■ *n* (nódoa, reputação) mancha
blend *v* 1 misturar, combinar 2 juntar (into, a), adicionar (into, a) ■ *n* mistura; combinação
blender *n* liquidificador
bless *v* abençoar; **God bless you** Deus te abençoe ◆ (depois de espirro) **bless you!** santinho!
blessed *adj* 1 abençoado 2 *col,irón* (aborrecimento) bendito; **the whole blessed day** todo o santo dia
blessing *n* 1 bênção 2 aprovação; aval ◆ **a blessing in disguise** um mal que vem por bem
blight *n* 1 (plantas) alforra; oídio 2 *fig* má influência ■ *v* 1 (plantas) alforrar 2 *fig* arrasar, destruir
blind *adj* 1 cego (to, a) 2 sem visibilidade; **blind corner** curva sem visibilidade 3 (objeto) sem aberturas ■ *v* cegar ■ *n* estore, persiana ◆ **blind alley** beco sem saída; **to be as blind as a bat** ser cego como uma toupeira; **to turn a blind eye to something** fechar os olhos a algo
blinder *n* GB *col* grande partida; grande golo
blindfold *n* (para olhos) venda ■ *v* vendar os olhos de ■ *adv* de olhos vendados
blinding *adj* 1 (luz) ofuscante 2 *col* extraordinário, fantástico
blind man's buff *n* cabra-cega
blink *v* 1 (olhos) pestanejar 2 (luz) cintilar ■ *n* 1 (olhos) piscar 2 (luz) clarão ◆ **in the blink of an eye** num piscar de olhos
blinking *adj* GB *col* maldito
bliss *n* felicidade absoluta
blissful *adj* 1 (pessoa) muito feliz 2 total; **blissful ignorance** ignorância total
blister *n* bolha ■ *v* provocar bolhas
blithe *adj* despreocupado
blizzard *n* nevasca
bloated *adj* 1 inchado 2 (após refeição) empanturrado 3 *col* envaidecido
blob *n* 1 (substância) bolha; borrão; **a blob of paint** um borrão de tinta 2 (na paisagem) ponto
block *n* 1 bloco (of, de) 2 EUA quarteirão 3 (estado mental) bloqueio, obstrução ■ *v* 1 obstruir, bloquear 2 (obstáculo) tapar; encobrir

◇ **block off** *v* (rua, janela, porta) cortar; obstruir
◇ **block out** *v* **1** (luz, vista) tapar **2** (notícia, pensamento) afastar
blockade *n* bloqueio ▪ *v* bloquear
blockbuster *n* (filme) campeão de bilheteira; (livro, CD) êxito de venda
blockhead *n col,pej* imbecil
blog *n* (Internet) blogue, blog
blogger *n* (Internet) bloguista
blogosphere *n* (Internet) blogosfera
bloke *n* GB *col* tipo; gajo
blond *adj,n* louro
blonde *adj,n* loura
blood *n* sangue; **blood donor** dador de sangue; **blood group** grupo sanguíneo; **blood pressure** tensão arterial; **blood type** tipo de sangue ♦ **in cold blood** a sangue frio; **to run in one's blood** estar no sangue de alguém
bloodhound *n* (cão) sabujo
bloodless *adj* **1** (golpe, revolução) sem derramamento de sangue **2** pálido
bloodshed *n* derramamento de sangue
bloodshot *adj* (olho) injetado[AO] de sangue
bloodstain *n* mancha de sangue
bloodsucker *n* (animal, pessoa) sanguessuga
bloodthirsty *adj* **1** (pessoa) sanguinário **2** (história, filme) violento
bloody *adj* **1** sangrento **2** (pessoa, coisa) ensanguentado **3** (temperamento) sanguinário **4** GB *cal* (aborrecimento) maldito; raio; **where's the bloody dog?** onde está o raio do cão? ▪ *v* manchar de sangue ♦ *cal* **bloody hell!** raios partam!
bloom *n* **1** flor; **the roses are in full bloom** as rosas estão em flor **2** frescura ▪ *v* florescer; desabrochar
blooming *adj* florescente
blooper *n* EUA calinada; argolada
blossom *n* flor; **orange blossom** flor de laranjeira ▪ *v* florescer; desabrochar
blot *n* **1** borrão de tinta **2** mancha (on, em) ▪ *v* **1** borratar; manchar **2** absorver com papel mata-borrão
blotch *n* [*pl* -es] mancha; pinta
blouse *n* blusa
blow *n* **1** pancada; golpe; murro **2** (emoções) choque; baque **3** sopro ▪ *v* **1** soprar; **to blow a candle** apagar uma vela com o sopro **2** (ar) fazer voar, levar **3** (detonação) fazer explodir **4** (instrumento) tocar **5** assoar **6** (pneu) furar **7** *cal* (dinheiro) esbanjar **8** *cal* dar cabo de; **you blew it!** deste cabo de tudo! ♦ *col* **blow me down!** essa agora!; **to blow the whistle on** denunciar
◇ **blow away** *v* **1** matar; liquidar **2** derrotar completamente; arrasar **3** surpreender
◇ **blow down** *v* **1** abater; derrubar **2** tombar com o vento
◇ **blow off** *v* **1** levar (pelos ares) **2** desfazer com explosão; **the car was blown off** o carro ficou desfeito com a explosão **3** EUA *cal* ignorar
◇ **blow out** *v* **1** (chama) apagar(-se) **2** (tempestade) amainar **3** EUA derrotar facilmente **4** (com o sopro) encher **5** (pneu) rebentar **6** (fusível) fundir
◇ **blow over** *v* **1** derrubar **2** (tempestade, situação crítica) acalmar, amainar
◇ **blow up** *v* **1** explodir; rebentar **2** (balão, pneu) encher **3** (fotografia) ampliar **4** (tempestade) aproximar-se
blower *n* ventilador; ventoinha
blowpipe *n* maçarico
blowtorch *n* EUA maçarico
blubber *n* gordura de baleia ▪ *v* chorar alto
bludgeon *n* cacete, moca ▪ *v* **1** (com moca) espancar **2** forçar (into, a)
blue *adj* **1** (cor) azul **2** triste, deprimido **3** obsceno; pornográfico ▪ *n* (cor) azul ♦ **out of the blue** inesperadamente
blueberry *n* mirtilo
bluebottle *n* varejeira
blue-collar *adj* (trabalho, trabalhador) manual
blues *n* blues
bluff *n* bluff ▪ *v* fazer bluff
bluish *adj* azulado
blunder *n* gafe, bacorada ▪ *v* **1** cometer uma gafe **2** esbarrar (against/into, contra) **3** cambalear (around, por)
blunt *adj* **1** (objeto) embotado; rombo **2** direto[AO], franco ▪ *v* **1** (faca, lápis) embotar **2** (emoções) conter
bluntly *adv* sem rodeios; diretamente[AO]
blur *n* **1** névoa **2** mancha **3** (memória) confusão ▪ *v* turvar; toldar
blurb *n* informação publicitária
blurred *adj* **1** turvo; indistinto **2** (fotografia) desfocado **3** (recordações) vago
blurt *v* deixar escapar (palavras)
blush *v* corar ▪ *n* [*pl* -es] **1** rubor; vermelhidão **2** EUA (cosmética) blush

blusher *n* (cosmética) blush
bluster *v* **1** ralhar; berrar **2** (vento) soprar com força ▪ *n* bazófia
BMX DESP [*abrev. de* Bicycle Motocross] BMX
boar *n* **1** javali **2** varrão
board *n* **1** prancha; placa; (madeira) tábua **2** (jogos) tabuleiro **3** (escola) quadro **4** placa; cartaz **5** comida, pensão **6** administração ▪ *v* **1** (meio de transporte) embarcar **2** (hotelaria) alojar ♦ (hotelaria) **board and lodging** cama e mesa; (hotelaria) **full board** pensão completa; (hotelaria) **half board** meia-pensão
◇ **board up** *v* (janela, porta) entaipar
boarder *n* aluno interno
boarding *n* **1** (meio de transporte) embarque; **boarding card/pass** cartão de embarque **2** alojamento **3** (para chão) tábuas
boast *v* **1** gabar-se (about/of, de) **2** ostentar ▪ *n* ostentação
boastful *adj* gabarola, presunçoso
boasting *n* gabarolice
boat *n* barco; **to travel by boat** viajar de barco ♦ **to be in the same boat** estar no mesmo barco
boating *n* passeio de barco; **to go boating** ir passear de barco
boatload *n* **1** carregamento, carga **2** barco cheio
bob *v* **1** (com a cabeça) mover; acenar **2** (cabelo) cortar ao nível do queixo e todo do mesmo comprimento **3** (em água) balancear-se ▪ *n* **1** cabelo cortado ao nível do queixo e todo do mesmo comprimento **2** *col* xelim ♦ **bits and bobs** coisas; pertences
bobbin *n* (costura) bobina; carrinho
bobby pin *n* EUA (cabelo) gancho
bobsleigh *n* trenó ▪ *v* andar de trenó
bode *v* **to bode well/ill for** ser um bom/mau presságio para
bodge *v* GB *col* remendar mal; fazer com os pés *col* ▪ *n* GB *col* coisa mal feita
bodice *n* corpete
bodily *adj* corporal; físico ▪ *adv* em peso
bodkin *n* **1** (costura) agulha sem ponta **2** (papel, ilhós) furador
body *n* [*pl* -ies] **1** corpo **2** cadáver **3** corporação ♦ **in a body** todos juntos; **over my dead body!** só por cima do meu cadáver
body-builder *n* (musculação) culturista
body-building *n* musculação; culturismo
bodyguard *n* guarda-costas
bodysuit *n* EUA (roupa) body
bodywork *n* (automóvel) carroçaria
bog *n* **1** lameiro, lamaçal **2** GB *cal* retrete
◇ **bog down** *v* atolar
bogey *n* **1** bicho-papão **2** preocupação **3** *col* (nariz) macaco
bogeyman *n* bicho-papão
boggy *adj* pantanoso; lamacento
bogus *adj* falso; fictício
bohrium *n* bóhrio
boil *v* **1** (líquido, fúria) ferver **2** cozer ▪ *n* **1** fervura; **to come to the boil** levantar fervura **2** (pele) espinha ♦ (emoções) **to be boiling** estar a ferver; **to make one's blood boil** ficar com os nervos à flor da pele
◇ **boil down** *v* **1** diminuir com a fervura **2** resumir-se (to, a); **it all boils down to this** tão simples quanto isto
◇ **boil over** *v* **1** (líquido a ferver) ir por fora **2** *col* (fúria) saltar a tampa
boiler *n* caldeira
boiling *adj* a ferver ▪ *n* fervura; **boiling point** ponto de ebulição
boisterous *adj* turbulento; vivaço
bold *adj* **1** arrojado, ousado **2** atrevido; insolente **3** (traços, cores) bem marcado **4** (impressão) a negro, em negrito ▪ *n* negrito, bold
boldness *n* **1** arrojo, audácia **2** descaramento; atrevimento
bolero *n* (dança, música) bolero
Bolivia *n* Bolívia
Bolivian *adj,n* boliviano
bolster *n* travesseiro longo e cilíndrico ▪ *v* incentivar; estimular
bolt *n* **1** parafuso **2** (porta, janela) ferrolho **3** (trovoada) raio; **bolt of lightning** raio **4** rolo de tecido ▪ *v* **1** unir(-se), juntar(-se) **2** comer depressa **3** (porta, janela) fechar com ferrolho ♦ **a bolt from the blue** algo de inesperado e desagradável; **to shoot one's bolt** dar tudo por tudo
bomb *n* bomba; **bomb disposal squads** brigadas antiminas ▪ *v* **1** bombardear **2** *col* fracassar
bombard *v* bombardear (with, com)
bombardment *n* bombardeamento
bombast *n* pompa
bombastic *adj* pomposo

bomber *n* **1** (avião) bombardeiro **2** (pessoa) bombista
bombing *n* bombardeamento
bombproof *adj* à prova de bomba ♦ **bombproof shelter** abrigo antiaéreo
bombshell *n* **1** MIL obus **2** má notícia; bomba
bonbon *n* bombom; caramelo
bond *n* **1** ligação (between, entre; of, de) **2** compromisso (with, com); **to enter a bond with someone** fazer um contrato com alguém **3** ECON obrigação **4** *pl* cadeias, correntes ▪ *v* ligar(-se); unir(-se)
bondage *n* escravidão; cativeiro
bonding *n* formação de laços afetivos[AO]
bone *n* **1** osso; (faca) **bone handle** cabo de osso **2** (peixes) espinha **3** *pl* restos mortais ▪ *v* (carne) desossar; (peixe) retirar as espinhas a ♦ **frozen to the bone** transido de frio; **to cut something to the bone** reduzir ao essencial
bonfire *n* fogueira
bonnet *n* **1** GB (automóvel) capô **2** (cabeça) touca
bonny *adj* bonito, formoso
bonsai *n* bonsai
bonus *n* [*pl* -es] bónus, prémio
bony *adj* **1** ossudo **2** cheio de espinhas; **bony fish** peixe cheio de espinhas
boo *interj* **1** (desaprovação) fora! **2** (assustar) uh! ▪ *n* apupo ▪ *v* apupar, vaiar
boob *n* **1** *cal* mama **2** GB *col* gafe, asneira **3** EUA idiota
booby *n* [*pl* -ies] *col* tolo, pateta ♦ **booby trap** objeto[AO] armadilhado
book *n* **1** livro; **book token** cheque-livro **2** *pl* contabilidade ▪ *v* **1** reservar, marcar **2** contratar (artista, profissional) **3** multar **4** GB (árbitro) advertir ♦ **by the book** de acordo com as regras
◇ **book in** *v* **1** (hotel) fazer uma reserva **2** (hotel) fazer o registo
bookbinder *n* encadernador
bookbinding *n* encadernação
bookcase *n* estante
booking *n* **1** marcação; reserva **2** contratação ♦ **booking office** bilheteira
bookish *adj* **1** apaixonado pela leitura **2** (conhecimento) livresco
booklet *n* folheto
bookmaker *n* agente de apostas
bookmark *n* **1** (livro) marcador **2** marcador de sítios na Internet ▪ *v* (sítio da Internet) marcar
bookseller *n* livreiro
bookshelf *n* [*pl* -ves] estante (para livros)
bookshop *n* livraria
bookstall *n* quiosque
bookstore *n* EUA livraria
bookworm *n col* rato de biblioteca *fig*
boom *n* **1** aumento súbito (in, em); boom (in, em) **2** estrondo; estampido ▪ *interj* bum! ▪ *v* **1** (grande barulho) retumbar **2** prosperar
boomerang *n* bumerangue ▪ *v* sair o tiro pela culatra *fig*
booming *adj* **1** ribombante **2** *fig* próspero
boon *n* bênção *fig*
boor *n* labrego, patego
boorish *adj* rude; grosseiro
boost *v* **1** levantar; **to boost someone's morale** levantar o moral de alguém **2** aumentar **3** incentivar, impulsionar ▪ *n* **1** incentivo **2** impulso, empurrão
booster *n* **1** reforço **2** (vacina) reforço **3** (foguetão) propulsor **4** EUA apoiante
boot *n* **1** (calçado) bota **2** GB mala do carro **3** *col* pontapé **4** (computador) arranque; **boot disk** disquete de arranque ▪ *v* **1** *col* dar um pontapé a **2** INFORM iniciar (o sistema) ♦ (despedimento) **to get the boot** ser posto na rua; **to lick someone's boots** dar graxa a alguém
bootee *n* **1** (bebé) carapim **2** (senhora) botim
booth *n* **1** cabina; **phone booth** cabina telefónica **2** (feira) stand
bootlace *n* atacador, cordão
bootleg *n col* gravação pirata, bootleg ▪ *adj* ilegal; pirata ▪ *v* **1** (gravações, material informático) piratear **2** (bebidas alcoólicas) fazer contrabando de bebidas alcoólicas
booty *n* saque, bens pilhados
booze *n col* bebida (alcoólica); **to be off the booze** deixar de beber ▪ *v col* meter-se nos copos *col*
boozer *n* **1** *col* bêbedo **2** GB pub, bar
borate *n* borato
borax *n* borato de sódio
border *n* **1** fronteira (between, entre; with, com) **2** margem; extremidade **3** limite **4** orla ▪ *v* **1** fazer fronteira com **2** limitar **3** orlar; debruar
bordering *adj* limítrofe, fronteiriço
borderline *n* **1** fronteira **2** limite; **on the borderline** no limite ▪ *adj* **1** fronteiriço **2** limite; **a borderline case** um caso limite

bore *n* **1** maçador; importuno **2** maçada; aborrecimento **3** calibre **4** furo; buraco ▪ *v* **1** aborrecer, maçar; *col* **to bore someone stiff** maçar profundamente alguém **2** perfurar (through, into, -)

bored *adj* aborrecido; **to get bored** aborrecer-se

boredom *n* aborrecimento

boring *adj* aborrecido, maçador

born *adj* **1** nascido (in, em); **born and bred** nascido e criado **2** nato; **a born leader** um líder nato ♦ **I wasn't born yesterday!** não nasci ontem!; **to be born with a silver spoon in one's mouth** nascer num berço de ouro

boron *n* boro

borough *n* **1** município **2** bairro **3** cidade pequena

borrow *v* **1** pedir emprestado; **can I borrow a pen?** emprestas-me uma caneta? **2** apropriar-se de **3** plagiar

borrower *n* aquele que pede emprestado

Bosnia and Herzegovina *n* Bósnia e Herzegovina

Bosnian *adj,n* bósnio

bosom *n* **1** (mulher) peito **2** seio; coração ♦ **bosom friend** amigo do peito

boss *n* [*pl* -es] **1** *col* patrão; **show them who's the boss!** mostra-lhes quem manda! **2** dirigente ▪ *v* mandar em; **to boss around/about** dar ordens ▪ *adj cal* excelente, formidável

bossy *adj* mandão

botanical *adj* botânico

botanist *n* botânico

botany *n* botânica

botch *n* [*pl* -es] *col* (trabalho mal feito) borrada *col* ▪ *v col* atamancar ♦ **to botch things up** estragar tudo

botcher *n col* trapalhão

botch-up *n col* (trabalho mal feito) borrada

both *pron* ambos, os dois ♦ **both...and...** tanto... como...; não só... mas também...

bother *n* maçada; incómodo; **it's no bother** não é incómodo nenhum ▪ *v* **1** incomodar(-se) **2** preocupar(-se) ▪ *interj* GB bolas!; que seca!; **bother! I missed my train!** que seca! perdi o comboio!

bothersome *adj* aborrecido, incómodo

Botswana *n* Botsuana

bottle *n* **1** garrafa (of, de); **a bottle of wine** uma garrafa de vinho **2** frasco (of, de); **a bottle of perfume** um frasco de perfume **3** (bebé) biberão **4** bebida (alcoólica); **to hit the bottle** meter-se nos copos **5** GB *col* lata *fig* ▪ *v* **1** engarrafar **2** guardar em frasco(s) ♦ **bottle bank** vidrão; **bottle green** verde-garrafa; **bottle opener** abre-garrafas; tira-cápsulas

◇ **bottle out** *v col* acobardar-se

◇ **bottle up** *v* (sentimentos) reprimir

bottleneck *n* **1** (trânsito) engarrafamento **2** obstáculo

bottle-opener *n* abre-garrafas; tira-cápsulas

bottom *n* **1** fundo (of, de); **at the bottom of the page** no fundo da página **2** parte inferior (of, de) **3** traseiro, rabo **4** (rio) leito; (mar) fundo **5** (roupa) parte de baixo ▪ *adj* (posição) de baixo; último ♦ (brinde) **bottoms up!** saúde!; **the bottom line** o resultado

◇ **bottom out** *v* atingir o ponto mais baixo

bottomless *adj* **1** sem fundo **2** inesgotável; ilimitado

bough *n* ramo de árvore

boulder *n* pedregulho

boulevard *n* avenida

bounce *n* **1** (bola) ressalto **2** vitalidade; energia ▪ *v* **1** (bola) (fazer) saltar **2** (cheque, mail) devolver ou ser devolvido

◇ **bounce back** *v* recuperar

bouncer *n col* porteiro, segurança

bouncy castle *n* castelo insuflável (onde as crianças podem brincar aos saltos)

bound *adj* **1** provável, esperado; **it's bound to rain soon** vai chover não tarda **2** preso, atado **3** sujeito, obrigado **4** destinado (for, a); **bound for London** com destino a Londres ▪ *n* **1** salto, pulo **2** *pl* limites ▪ *v* **1** saltar **2** fazer fronteira com

boundary *n* [*pl* -ies] **1** fronteira (between, entre) **2** limite (of, de)

boundless *adj* ilimitado

bounteous *adj* **1** *lit* generoso **2** *lit* abundante

bounty *n* [*pl* -ies] recompensa, prémio; **bounty hunter** caçador de recompensas

bouquet *n* (ramo, aroma) bouquet; buquê

bourbon *n* (bebida) bourbon

bourgeois *adj,n* burguês

bourgeoisie *n* burguesia

bout *n* **1** período **2** (doença) ataque (of, de); crise (of, de) **3** (esgrima) assalto; (boxe) combate

boutique *n* (loja) boutique
bovine *adj,n* bovino
bow *n* **1** vénia **2** (navio) proa **3** arco; **bow and arrows** arco e flechas **4** (instrumento de corda) arco ▪ *v* **1** fazer uma vénia (before, to, a) **2** inclinar(-se) **3** submeter-se (to, a) ♦ (colarinho) **bow tie** laço
◇ **bow down** *v* submeter-se; curvar-se
◇ **bow out** *v* retirar-se (of, de)
bowel *n* **1** intestino; tripa *col* **2** *pl* entranhas
bowl *n* **1** taça (of, de); tigela (of, de) **2** (salada) saladeira **3** (colher) concha **4** EUA estádio **5** EUA (evento desportivo) taça ▪ *v* (bola) atirar, lançar
bowler *n* **1** (críquete) lançador **2** jogador de bowling **3** (chapéu) coco
bowling *n* bowling; **bowling alley** pista de bowling
box *n* [*pl* -es] **1** caixa (of, de) **2** caixote (of, de); **cardboard box** caixote de cartão **3** (teatro) camarote **4** quadrado; **put a cross in the box** assinale com uma cruz o quadrado **5** (endereço) apartado **6** *col* televisão **7** cabina; **phone box** cabina telefónica ▪ *v* **1** encaixotar **2** (boxe) combater com (against, com) ♦ **box office** bilheteira
boxer *n* **1** pugilista, boxeur **2** (cão) boxer ♦ (roupa interior masculina) **boxer shorts** boxers
boxing *n* boxe; pugilato ♦ GB **Boxing Day** o dia seguinte ao do Natal
boy *n* **1** rapaz; menino **2** filho ▪ *interj* (surpresa, prazer, aborrecimento, etc.) caramba! ♦ **boy scout** escuteiro
boycott *n* boicote (of/on/against, a) ▪ *v* boicotar
boyfriend *n* namorado
boyhood *n* infância; adolescência
boyish *adj* (comportamento, aparência) arrapazado
bra *n* soutien; **padded bra** soutien almofadado
brace *n* **1** ligadura; cinta **2** abraçadeira **3** (sinal gráfico) chaveta **4** berbequim **5** *pl* (dentes) aparelho ▪ *v* **1** preparar (for, para); mentalizar (for, para) **2** sustentar **3** segurar; **I braced myself to the handrail** segurei-me ao corrimão **4** prender; apertar
bracelet *n* **1** pulseira **2** (relógio) bracelete
bracing *adj* fortificante; revigorante
bracket *n* **1** parêntesis; **in brackets** entre parêntesis; **round/square brackets** parênteses curvos/retos[AO] **2** suporte; **shelf bracket** suporte de estante **3** faixa; escalão ▪ *v* **1** colocar entre parêntesis **2** agrupar
brackish *adj* (água) salobra
brag *n* fanfarronice ▪ *v* gabar-se (about, de)
Brahman *n* brâmane
braid *n* **1** (costura) galão **2** trança ▪ *v* **1** (costura) colocar galão em **2** entrançar
Braille *n* braille
brain *n* **1** cérebro; **brain damage/death** morte/lesão cerebral **2** (pessoa) cérebro *fig*, cabeça *fig* **3** *pl* miolos **4** *pl* inteligência
brainless *adj* desmiolado, idiota
brainstorm *n* **1** GB momento de distração[AO] **2** EUA ideia luminosa
brainstorming *n* brainstorming
brainteaser *n* quebra-cabeças
brainwash *v* fazer uma lavagem ao cérebro a
brainy *adj col* muito inteligente
braise *v* CUL estufar
brake *n* travão; **brake light** luz de travagem; **to put on the brakes** travar ▪ *v* travar
bramble *n* silva, sarça
bran *n* farelo
branch *n* [*pl* -es] **1** ramo **2** ramal; **branch line** ramal de caminho de ferro **3** entroncamento **4** (rio) braço **5** sucursal ▪ *v* **1** ramificar-se **2** bifurcar-se
◇ **branch off** *v* **1** (rua) bifurcar-se **2** ramificar-se
◇ **branch out** *v* expandir-se
brand *n* **1** marca; **brand image** imagem de marca **2** tipo **3** (marca) ferrete **4** *fig* estigma ▪ *v* **1** (gado) marcar a ferro quente **2** *fig* rotular
brandish *v* (arma) brandir
brand-new *adj* novo em folha
brandy *n* brandy
brash *adj* **1** insolente **2** berrante; garrido
brass *n* [*pl* -es] **1** latão **2** MÚS metais **3** *col* lata *fig*; **to have the brass to** ter lata para
brassed off *adj col* farto
brat *n col,pej* fedelho
bravado *n* [*pl* -es, -s] fanfarronice
brave *adj* corajoso ▪ *v* **1** desafiar **2** enfrentar ▪ *n* EUA HIST guerreiro índio
bravery *n* [*pl* -ies] coragem; bravura
bravo *interj* bravo!
brawl *n* (pancadaria) rixa ▪ *v* andar à pancada
brawn *n* **1** força muscular **2** GB CUL carne da cabeça do porco ou da vitela, cozida e servida fria em fatias

brawny *adj* musculoso
bray *n* zurro ▪ *v* zurrar
braze *v* soldar
brazen *adj* descarado, desavergonhado
Brazil *n* Brasil
Brazilian *adj,n* brasileiro
breach *n* [*pl* -es] **1** abertura (in, em); fenda (in, em) **2** infração[AO] (of, de) **3** quebra de compromisso **4** (relações) rompimento ▪ *v* **1** abrir uma brecha em **2** infringir **3** (acordo) quebrar
bread *n* pão; **new/stale bread** pão fresco/seco ♦ **this is my daily bread** este é o pão nosso de cada dia
breadboard *n* tábua do pão
breadcrumb *n* **1** (pão) migalha **2** *pl* pão ralado
breaded *adj* panado; **breaded chops** costeletas panadas
breadth *n* **1** largura **2** amplitude; extensão **3** tolerância
breadthways *adv* à largura
breadwinner *n* ganha-pão
break *n* **1** fratura[AO] **2** quebra **3** rutura[AO]; rompimento **4** (corrente elétrica) corte **5** pausa; intervalo; **coffee break** pausa para café **6** (bilhar) tacada **7** oportunidade **8** (prisão) fuga ▪ *v* **1** partir(-se) **2** fraturar[AO] **3** destruir; desmanchar **4** avariar **5** infringir; transgredir **6** (animal) domar **7** (recorde) bater **8** (código) decifrar **9** (onda) rebentar ♦ **break of day** o romper do dia; **to break the news** dar as notícias; **to break a promise** quebrar uma promessa; **to break somebody's heart** dar um desgosto a alguém
◇ **break away** *v* separar-se; afastar-se
◇ **break down** *v* **1** avariar **2** fracassar **3** (esgotamento) ir-se abaixo **4** demolir **5** ultrapassar
◇ **break in** *v* **1** (roubo, arrombamento) forçar a entrada **2** interromper **3** acostumar-se a; habituar-se a
◇ **break into** *v* **1** (assalto, arrombamento) forçar a entrada **2** entrar (para o mercado) **3** começar; desatar **4** interromper
◇ **break off** *v* **1** desprender-se **2** parar; deter-se **3** interromper **4** (relação, compromisso) acabar com
◇ **break out** *v* **1** evadir-se **2** (guerra, fogo, epidemia) rebentar; declarar-se
◇ **break through** *v* **1** abrir uma brecha em; atravessar **2** vencer; ultrapassar
◇ **break up** *v* **1** dividir **2** pôr termo a; acabar com **3** acabar; (relação) **they broke up** eles acabaram **4** dispersar; separar-se
◇ **break with** *v* cortar relações com
breakable *adj* frágil
breakage *n* **1** fratura[AO]; rutura[AO] **2** dano material
breakdown *n* **1** colapso **2** esgotamento **3** fracasso **4** (máquina, carro) avaria; **breakdown truck** reboque **5** análise; descrição
breaker *n* **1** onda grande **2** interruptor[AO]
breakfast *n* pequeno-almoço
break-in *n* arrombamento
breaking *n* **1** fratura[AO] **2** rutura[AO] **3** arrombamento **4** transgressão
breakneck *adj* (rapidez) vertiginoso
breakthrough *n* **1** descoberta importante **2** avanço
breakup *n* separação; rutura[AO]
breakwater *n* quebra-mar; paredão
bream *n* sargo
breast *n* **1** mama, seio **2** peito; **chicken breast** peito de frango **3** (roupa) peito ▪ *v* enfrentar
breastbone *n* esterno
breastfeed *v* (bebé) amamentar
breaststroke *n* (natação) bruços; **to swim breaststroke** nadar bruços
breath *n* **1** respiração; **to take a deep breath** respirar fundo **2** fôlego; **to be short/out of breath** estar sem fôlego **3** hálito; **bad breath** mau hálito ♦ **breath test** teste de alcoolémia
breathalyzer *n* alcoolímetro
breathe *v* **1** respirar **2** soprar (on, para) ♦ **don't breathe a word!** nem uma palavra!; *col* **to breathe down somebody's neck** andar em cima de alguém
◇ **breathe in** *v* inspirar
◇ **breathe out** *v* expirar
breathing *n* respiração
breathless *adj* sem fôlego, ofegante
breathtaking *adj* assombroso; impressionante
breech *n* **1** (arma) culatra **2** *pl* calções até aos joelhos
breed *n* **1** raça; espécie **2** ninhada **3** *fig* geração ▪ *v* **1** gerar; produzir **2** (animais) fazer criação de **3** reproduzir-se **4** propagar-se

breeder *n* **1** criador de animais **2** (animal) reprodutor
breeding *n* **1** criação **2** produção **3** educação
breeze *n* **1** brisa, aragem **2** *col* canja *fig*
breezy *adj* **1** ventoso **2** jovial
brevity *n* **1** brevidade **2** concisão
brew *n* **1** (chá, café) infusão **2** *col* cerveja **3** fermentação ▪ *v* **1** (cerveja) fabricar; fazer **2** (chá, café) preparar **3** (chá) ficar em infusão
◇ **brew up** *v* **1** fazer o chá **2** (tempestade, problema) preparar-se
brewer *n* cervejeiro
brewery *n* [*pl* -ies] (fábrica) indústria cervejeira
brewing *n* fabrico de cerveja
bribe *v* subornar ▪ *n* suborno
bribery *n* [*pl* -ies] suborno
bric-a-brac *n* (objetos) bricabraque
brick *n* **1** tijolo **2** (brinquedo) cubo **3** (gelado) barra ◆ *col* **to drop a brick** meter o pé na argola
bricklayer *n* pedreiro
brickwork *n* obra de tijolo ou ladrilho
bridal *adj* nupcial
bride *n* noiva; **the bride and groom** os noivos
bridegroom *n* noivo
bridesmaid *n* dama de honor
bridge *n* **1** ponte **2** cana do nariz **3** (jogo de cartas) bridge **4** (navio) ponte de comando ▪ *v* **1** unir através de ponte **2** *fig* unir ◆ **that is water under the bridge** isso são águas passadas
bridle *n* rédeas ▪ *v* **1** pôr o freio a **2** (emoções) refrear **3** mostrar desagrado (at, em relação a)
brief *adj* **1** breve; curto **2** resumido; conciso ▪ *n* [*pl* -s] **1** instruções **2** DIR causa, caso ▪ *v* **1** dar instruções a **2** pôr ao corrente (on, de) ◆ **in brief** em resumo
briefcase *n* pasta
briefing *n* briefing
briefly *adv* **1** brevemente **2** sucintamente
briefness *n* **1** brevidade **2** concisão
brigade *n* brigada
brigadier *n* brigadeiro
bright *adj* **1** brilhante **2** (luz, cor) forte **3** (dia) luminoso **4** (pessoa) perspicaz, vivo ◆ **look on the bright side** vê o lado positivo
brighten *v* **1** iluminar(-se) **2** alegrar(-se); animar(-se)
◇ **brighten up** *v* **1** (tempo) melhorar **2** alegrar(-se); animar(-se)
brightness *n* **1** luminosidade **2** brilho **3** esplendor **4** inteligência
brilliance *n* **1** brilho **2** brilhantismo **3** esplendor
brilliant *adj* **1** (luz, talento) brilhante **2** *col* excelente; espantoso
brim *n* **1** aba **2** orla; borda; **the brim of the lake** a borda do lago ▪ *v* transbordar (with, de)
brimful *adj* a transbordar (of, de)
brine *n* salmoura ▪ *v* pôr de salmoura
bring *v* **1** trazer **2** causar **3** atrair; **it brought many tourists** atraiu muitos turistas **4** levar, acompanhar; **I'll bring you to the door** eu acompanho-te à porta ◆ **to bring charge against** acusar em tribunal; **to bring home the bacon** ganhar o sustento da casa; **to bring to an end** pôr um ponto final a
◇ **bring about** *v* causar; provocar
◇ **bring around/round** *v* **1** (perda de consciência) reanimar **2** persuadir
◇ **bring back** *v* **1** restabelecer; recuperar **2** devolver **3** trazer à memória
◇ **bring down** *v* **1** fazer aterrar **2** (pessoas, animais) abater **3** depor **4** derrubar **5** baixar (os preços) **6** *fig* (aplausos) deitar (a casa) abaixo
◇ **bring forth** *v* gerar, originar
◇ **bring forward** *v* **1** antecipar **2** (propostas, projetos) apresentar
◇ **bring in** *v* **1** lançar; introduzir **2** chamar **3** fazer entrar; ganhar
◇ **bring off** *v* (tarefa difícil) levar a cabo
◇ **bring on** *v* **1** causar; provocar **2** fazer desabrochar; desenvolver
◇ **bring out** *v* **1** realçar **2** publicar **3** revelar
◇ **bring to** *v* (perda de consciência) reanimar
◇ **bring together** *v* juntar; reunir
◇ **bring up** *v* **1** criar; educar **2** colocar; mencionar
brink *n* borda, margem ◆ **on the brink of...** à beira de..., prestes a...
brisk *adj* **1** ativo[AO]; enérgico **2** rápido **3** alegre, jovial **4** refrescante; fresco
brisket *n* (animais) peito; **beef brisket** peito de novilho

bristle *n* cerda; pelo[AO] ▪ *v* **1** eriçar-se **2** indignar-se (at, com)
bristly *adj* hirsuto; **bristly hair** cabelo hirsuto
Brit *n col* (pessoa) inglês, britânico
Britain *n* Grã-Bretanha
British *adj* britânico; **he is British** ele é inglês ▪ *npl* **the British** o povo britânico
brittle *adj* quebradiço; frágil
broach *v* (assunto) abordar ▪ *n* [*pl* -es] **1** (assar) espeto **2** furador, broca
broad *adj* **1** largo; extenso; **it is one metre broad** tem um metro de largura **2** geral; lato; **the broad opinion** a opinião geral **3** aberto; **a broad smile** um sorriso aberto **4** (pronúncia) forte, cerrado ▪ *n* EUA *cal,ofens* gaja ♦ **in broad daylight** em pleno dia
broadband *n* banda larga
broadcast *n* (rádio, televisão) emissão; transmissão; **live broadcast** transmissão em direto[AO] ▪ *v* **1** emitir, difundir **2** divulgar
broadcasting *n* **1** radiodifusão **2** (rádio, televisão) emissão
broaden *v* alargar(-se); ampliar(-se)
broadly *adv* **1** de modo geral **2** abertamente
broadminded *adj* tolerante, liberal
broad-shouldered *adj* espadaúdo
broadside *n* **1** costado do navio **2** (crítica) ataque violento ▪ *adv* de lado
brocade *n* (tecido) brocado
broccoli *n* brócolos
brochure *n* brochura
broil *v* **1** EUA assar na grelha **2** (calor) tostar *fig*; assar *fig*
broke *adj* **1** *col* teso; sem cheta **2** falido
broken *adj* **1** partido; quebrado **2** destroçado; **my heart is broken** tenho o coração destroçado **3** desfeito; **broken home** lar desfeito **4** abatido; debilitado **5** (terreno, superfície) irregular **6** (sono, conversa) intermitente
broken-down *adj* **1** em mau estado; avariado **2** degradado **3** velho, gasto
broken-hearted *adj* (mágoa) destroçado
broker *n* **1** (Bolsa) corretor **2** mediador; intermediário ▪ *v* mediar
brolly *n* [*pl* -ies] GB *col* chuço
bromine *n* bromo
bronchial *adj* (infeção) dos brônquios ♦ **bronchial tubes** brônquios
bronchitis *n* bronquite
bronze *n* bronze ▪ *adj* **1** de bronze **2** acobreado ▪ *v* **1** acobrear **2** *col* (pele) bronzear-se
brooch *n* [*pl* -es] broche, alfinete
brood *n* **1** (aves) ninhada **2** *col,joc* filhos, prole ▪ *v* **1** chocar; **the chicken was brooding** a galinha estava a chocar **2** matutar (about, on, over, em)
brooding *adj* **1** perturbador **2** absorto, pensativo ▪ *n* meditação
broody *adj* **1** (galinha) choca **2** pensativo
brook *n* ribeiro, regato
broom *n* **1** vassoura **2** giesta
broomstick *n* cabo de vassoura
broth *n* CUL caldo
brothel *n* bordel
brother *n* [*pl* -s] **1** irmão **2** *col* colega, companheiro **3** REL irmão **4** confrade ▪ *interj* (surpresa, contrariedade) caramba!
brotherhood *n* **1** irmandade, confraria **2** fraternidade
brother-in-law *n* cunhado
brotherly *adj* fraterno, fraternal
brow *n* **1** testa **2** sobrolho, sobrancelha; **to crease/wrinkle/knit your brow** franzir/carregar o sobrolho **3** cume
brown *adj* **1** (cor) castanho **2** moreno; **brown skin** pele morena ▪ *n* (cor) castanho ▪ *v* **1** (Sol) bronzear(-se) **2** CUL alourar
brownie *n* (bolo de chocolate) brownie
browse *v* **1** dar uma vista de olhos **2** (computador, Internet) pesquisar **3** (animais) pastar (on, -)
browser *n* (Internet) browser
bruise *n* **1** nódoa negra; pisadura **2** (fruta) pisadura **3** mossa; amolgadela ▪ *v* **1** pisar; magoar **2** (fruta) ficar tocado/pisado **3** ferir
bruiser *n col* matulão; brutamontes
bruising *n* nódoa negra; pisadura ▪ *adj* doloroso; traumatizante
brunch *n* brunch
Brunei *n* Brunei
brunette *n* morena ▪ *adj* moreno
brunt *n* **to bear/take/suffer the brunt of something** apanhar com a pior parte de
brush *n* [*pl* -es] **1** (cabelo, dentes, limpeza) escova **2** brocha, pincel **3** escovadela **4** toque leve **5** conflito menor (with, com) **6** cauda de raposa **7** matagal; mato ▪ *v* **1** escovar; **you must brush your teeth** tens de escovar os dentes **2** (com brocha ou pincel) pintar **3** roçar em

◇ **brush aside** *v* varrer do pensamento
◇ **brush away** *v* **1** (lama, poeira) limpar **2** (lágrimas) enxugar **3** varrer
◇ **brush off** *v* **1** (neve, lama) limpar **2** (inseto) repelir **3** *col* (desprezo) mandar (alguém) passear *fig*
brush-off *n col* **to give somebody the brush-off** mandar alguém passear *fig*
brushwood *n* **1** matagal; mato **2** restolho
brusque *adj* (atitude, palavras) brusco
Brussels sprout *n* couve-de-bruxelas
brutal *adj* brutal; cruel
brutality *n* [*pl* -ies] brutalidade; crueldade
brutalize *v* brutalizar
brute *adj* **1** bruto **2** animalesco ▪ *n* **1** (pessoa) bruto **2** (animal) besta
brutish *adj* brutal; bestial
BTW (Internet, email) [*abrev. de* by the way] a propósito
bubble *n* **1** bolha; **air bubble** bolha de ar **2** bola; **soap bubble** bola de sabão **3** (banda desenhada) balão ▪ *v* **1** formar bolhas; borbulhar **2** transbordar (with, de) ♦ **bubble bath** banho de espuma; **bubble gum** pastilha elástica
bubbly *adj* **1** (bebida) com bolhinhas; espumoso **2** *fig* vivaço; alegre ▪ *n col* espumante
bubonic *adj* bubónico
buccal *adj* bucal
buck *n* **1** (bode, gamo, coelho, etc.) macho **2** EUA *col* dólar ▪ *v* **1** (cavalo) corcovear **2** *col* (problemas, confusões) evitar ♦ **to make a fast buck** ganhar dinheiro fácil; **to pass the buck** passar a batata quente
◇ **buck up** *v* **1** animar(-se); alegrar(-se) **2** apressar-se
bucket *n* balde ♦ (automóvel, avião, comboio) **bucket seat** assento individual; *col* **to kick the bucket** bater a bota; **to weep buckets** chorar muito
buckle *n* fivela ▪ *v* **1** (fivela) apertar; afivelar **2** dobrar; ceder **3** (calor) deformar-se
◇ **buckle down** *v* pôr mãos à obra
buckwheat *n* trigo-mourisco
bucolic *adj lit* bucólico
bud *n* **1** rebento **2** (flor) botão **3** EUA *col* pá ▪ *v* **1** rebentar; deitar rebentos **2** dar flor ♦ **to nip something in the bud** cortar pela raiz
Buddha *n* Buda
Buddhism *n* budismo
Buddhist *adj,n* budista
budding *adj* promissor; em ascensão
buddy *n* [*pl* -ies] **1** amigo; companheiro **2** EUA *col* (vocativo) pá
budge *v* **1** mover(-se), mexer(-se); **don't budge!** não te mexas! **2** (fazer) mudar de opinião (on, sobre)
◇ **budge up** *v* apertar-se (no assento para dar lugar a mais um)
budgerigar *n* periquito
budget *n* orçamento ▪ *adj* económico; barato ▪ *v* **1** fazer o orçamento (for, de) **2** (tempo, dinheiro) gerir
budgetary *adj* orçamental
buff *n* **1** pele de búfalo **2** bege **3** aficionado, entusiasta **4** perito, especialista ▪ *v* puxar o lustro a
buffalo *n* [*pl* -es] búfalo
buffer *n* **1** amortecedor **2** para-choques[AO] **3** barreira; tampão **4** INFORM buffer ▪ *v* amortecer
buffet *n* (bar, comida) bufete; **buffet breakfast** pequeno-almoço buffet; **buffet car** carruagem-bar
buffoon *n* palhaço, brincalhão
bug *n* **1** percevejo; pulgão **2** inseto[AO]; bicho **3** *col* micróbio **4** (aparelho) escuta **5** INFORM bug, erro ▪ *v* **1** pôr uma escuta em **2** *col* chatear, irritar
bugbear *n* fantasma *fig*; pesadelo *fig*
buggy *n* **1** buggy **2** carrinho de bebé
bugle *n* MÚS corneta
bugler *n* MÚS corneteiro
build *n* constituição ▪ *v* **1** construir; edificar **2** fundar; basear **3** aumentar; desenvolver-se
◇ **build in** *v* **1** embutir **2** integrar
◇ **build up** *v* **1** elogiar **2** fortalecer **3** aumentar **4** construir; criar
◇ **build up to** *v* preparar-se para
builder *n* construtor
building *n* **1** edifício; prédio **2** construção; **building industry** construção civil
bulb *n* **1** bolbo **2** lâmpada
bulbous *adj* **1** bolboso **2** (nariz) abatatado
Bulgaria *n* Bulgária
Bulgarian *adj,n* búlgaro
bulge *n* **1** saliência; protuberância **2** subida; aumento ▪ *v* **1** ser saliente **2** estar a abarrotar (with, de)
bulimia *n* bulimia

bulimic *adj,n* bulímico
bulk *n* **1** tamanho (of, de), volume (of, de) **2** grossura, grandeza **3** corpulência **4** capacidade, envergadura **5** carga de um navio **6** maioria (of, de)
bulkhead *n* (barco, avião, veículo) tabique; divisão
bulky *adj* **1** volumoso **2** corpulento
bull *n* **1** touro **2** (elefante, baleia) macho **3** bula pontifícia **4** alvo; **to hit the bull** atingir o alvo **5** *col* disparate, treta ◆ ECON **bull market** mercado em alta; **to take the bull by the horns** pegar o touro pelos cornos
bulldog *n* buldogue ◆ GB (caderno, pasta) **bulldog clip** mola
bulldozer *n* buldózer
bullet *n* (arma) bala; **bullet hole** buraco da bala
bulletin *n* **1** boletim; **annual bulletin** boletim anual **2** noticiário **3** comunicado oficial ◆ EUA **bulletin board** placard informativo
bulletproof *adj* à prova de bala; **bulletproof vest** colete à prova de bala
bullfight *n* tourada, corrida de touros
bullfighter *n* toureiro
bullfighting *n* tauromaquia
bullfinch *n* [*pl* -es] (ave) pisco
bullion *n* (ouro, prata) barra
bullish *adj* **1** ECON com tendência altista **2** otimista[AO]
bullock *n* boi castrado
bullring *n* arena; praça de touros
bull's-eye *n* centro do alvo; **to hit/score a bull's-eye** acertar no alvo
bullshit *n* (palavrão) tretas; asneiras; **to talk bullshit** dizer disparates ▪ *v* (palavrão) vir com tretas para cima de; aldrabar
bully *n* [*pl* -ies] rufião ▪ *v* **1** intimidar; aterrorizar **2** obrigar (into, a) ◆ *irón* **bully for you!** grande coisa!
bullying *n* bullying
bulrush *n* [*pl* -es] junco
bulwark *n* **1** baluarte (against, contra) **2** proteção[AO] (against, contra) **3** *pl* (navio) amurada
bum *n* **1** *col* vagabundo; vadio **2** GB *col* rabo; nádegas ▪ *v col* cravar; **can I bum you off a coin?** posso cravar-te uma moeda? ▪ *adj col* rasca, foleiro
bumble *v* **1** balbuciar; resmungar **2** andar aos tropeções
bumblebee *n* zângão; abelhão
bummer *n col* chatice
bump *n* **1** inchaço, galo; **a bump on the head** um galo na cabeça **2** mossa, amolgadela **3** pancada; barulho **4** solavanco; **the bumps in the road** os solavancos na estrada ▪ *v* **1** esbarrar-se contra **2** trepidar **3** chocar (against/into, contra); **I bumped into the table** choquei contra a mesa
◇ **bump into** *v* cruzar-se com; encontrar (alguém) por acaso
◇ **bump off** *v col* liquidar, matar
◇ **bump up** *v* aumentar
bumper *n* para-choques[AO]; **bumper sticker** autocolante colado no para-choques[AO] ▪ *adj* excecional[AO], extraordinário ◆ **bumper cars** carrinhos de choque; **the traffic was bumper to bumper for several hours** o tráfego esteve congestionado durante várias horas
bumpkin *n col* parolo; labrego
bumptious *adj* presunçoso, vaidoso
bumpy *adj* acidentado; com altos e baixos
bun *n* **1** GB pão doce, pequeno e redondo **2** pão de leite **3** (penteado) puxo **4** *pl* EUA *cal* nádegas ◆ GB *col* **to have a bun in the oven** estar grávida
bunch *n* [*pl* -es] **1** (flores) ramo; ramalhete **2** feixe; molho **3** cacho **4** (corridas, ciclismo) pelotão **5** *pl* (penteado) totós ▪ *v* **1** fazer ramos com **2** agrupar; juntar ◆ **the best of a bad bunch** o único que se aproveita
bundle *n* **1** maço; trouxa; molho **2** embrulho; pacote **3** (software, hardware) pacote ▪ *v* **1** empurrar; atirar **2** empacotar **3** (software, equipamento) integrar ◆ **to be a bundle of laughs** ser um ponto; **to be a bundle of nerves** estar uma pilha de nervos
bung *n* tampão; rolha ▪ *v* **1** tapar **2** GB *col* atirar; enfiar
◇ **bung up** *v* entupir; (canos, nariz) **to be bunged up** estar entupido
bungalow *n* bangaló[AO]
bungee *n* corda elástica
bungee jumping *n* bungee-jumping
bungle *n col* engano; confusão ▪ *v* **1** *col* estragar **2** *col* confundir; **stop bungling things!** para[AO] de armar confusão!
bungler *n* trapalhão; desastrado
bunion *n* joanete

bunk *n* **1** beliche **2** GB *col* disparates; asneiras ▪ *v* (fora de casa) dormir ◆ *col* **to do a bunk** pôr-se a milhas
bunker *n* **1** bunker **2** carvoeira
bunny *n* [*pl* -ies] *col* coelhinho
Bunsen burner *n* bico de Bunsen
buoy *n* boia[AO]; **life buoy** boia[AO] salva-vidas ▪ *v* balizar com boias[AO]
◇ **buoy up** *v* **1** fazer boiar **2** animar
buoyancy *n* **1** capacidade de flutuação **2** bom humor; otimismo[AO]
buoyant *adj* **1** flutuante **2** alegre; otimista[AO]
burden *n* **1** carga; fardo **2** tonelagem, capacidade ▪ *v* carregar; sobrecarregar
bureau *n* [*pl* -s, -x] **1** agência, escritório **2** EUA departamento governamental **3** GB (móvel) secretária **4** EUA cómoda
bureaucracy *n* [*pl* -ies] burocracia
bureaucrat *n* burocrata
bureaucratic *adj* burocrático
burgeon *v* (flor, planta) rebentar
burger *n col* hambúrguer
burglar *n* assaltante; ladrão ◆ **burglar alarm** alarme antirroubo[AO]
burglary *n* [*pl* -ies] (em edifício) assalto; roubo
burgle *v* forçar a entrada de; assaltar
burial *n* enterro, funeral ◆ **burial ground** cemitério
burin *n* buril, cinzel
Burkina Faso *n* Burquina Faso
burlesque *adj* burlesco ▪ *n* **1** (estilo) burlesco **2** (espetáculo) farsa, paródia ▪ *v* parodiar; ridicularizar
burly *adj* corpulento, entroncado
Burma *n* (atual Myanmar) Birmânia
Burmese *adj,n* birmanês
burn *n* queimadura, escaldadela ▪ *v* queimar, escaldar, arder ◆ **to burn one's boats** chegar a um ponto em que já não é possível recuar; **to burn the midnight oil** queimar as pestanas
◇ **burn down** *v* incendiar(-se); destruir(-se) pelo fogo
◇ **burn out** *v* **1** extinguir-se **2** (lâmpada) fundir **3** gastar-se; esgotar-se
◇ **burn up** *v* **1** arder; ser destruído pelo fogo **2** (combustível, calorias) consumir **3** (febre) estar a arder
burner *n* (fogão) boca
burning *adj* **1** em chamas **2** (calor) abrasador **3** (desejo) ardente **4** vital, crucial ▪ *n* **1** incineração **2** incêndio **3** queimadura
burnish *v* dar lustro a
burnt-out *adj* **1** carbonizado, calcinado **2** (pessoa) esgotado
burp *n col* arroto ▪ *v col* (fazer) arrotar; **to burp the baby** fazer o bebé arrotar
burr *n* (pronúncia) 'r' carregado
burrow *n* lura; toca ▪ *v* **1** escavar, cavar **2** vasculhar (into, em)
bursar *n* **1** (faculdade) tesoureiro **2** bolseiro
bursary *n* [*pl* -ies] **1** tesouraria **2** bolsa de estudo
burst *n* **1** explosão **2** rebentamento; estoiro **3** (palmas) salva ▪ *v* **1** rebentar; explodir **2** partir; quebrar
◇ **burst in on/upon** *v* interromper bruscamente
◇ **burst into** *v* começar subitamente a; desatar a
◇ **burst out** *v* **1** desatar a; começar a **2** exclamar **3** sair precipitadamente (of, de)
Burundi *n* Burundi
Burundian *adj,n* burundiano
bury *v* **1** sepultar; enterrar **2** absorver (in, em) ◆ **let's bury the hatchet** vamos fazer as pazes
bus *n* [*pl* -es] **1** autocarro; **bus driver/stop** condutor/paragem do autocarro; **by bus** de autocarro **2** (computador) bus ▪ *v* transportar de autocarro
bush *n* [*pl* -es] **1** arbusto **2** mata, matagal
bushed *adj col* estourado; exausto
bushy *adj* cerrado; denso
busily *adj* energicamente; diligentemente
business *n* [*pl* -es] **1** negócio; **business trip** viagem de negócios **2** profissão; emprego **3** objeto[AO]; assunto **4** estabelecimento comercial, loja ◆ **business card** cartão de visita; **business hours** horário de expediente; **let's talk about business now** vamos ao que interessa!; **mind your own business!** mete-te na tua vida!; (empresa) **to be in business** estar em atividade[AO]
businessman *n* homem de negócios; empresário
businesswoman *n* [*pl* -men] mulher de negócios; empresária
busker *n* artista de rua

bust *n* **1** busto **2** *col* (polícia) rusga **3** EUA fiasco ▪ *adj* **1** *col* falido **2** *col* estragado ▪ *v* **1** *col* dar cabo de **2** (polícia) fazer busca em; desmantelar ◆ *col* **to go bust** falir
◇ **bust out** *v* evadir-se; fugir
◇ **bust up** *v* (relação, casamento) romper; acabar
bustle *n* azáfama ▪ *v* andar atarefado
bustling *adj* **1** movimentado; animado **2** cheio; muito concorrido
bust-up *n* **1** *col* discussão **2** *col* (relação) separação
busy *adj* **1** ocupado; atarefado **2** movimentado; agitado **3** (telefone, sinal) ocupado ◆ **to busy oneself** ocupar-se, dedicar-se
busybody *n* [*pl* -ies] *col* mexeriqueiro
but *conj* mas, porém; **I would like to go, but I don't have the time** eu gostaria de ir, mas não tenho tempo ▪ *prep* exceto[AO]; **all but you** todos exceto[AO] tu ▪ *adv* **1** apenas, somente; **there is but a problem** há apenas um problema **2** mesmo; **nobody but nobody can say such a thing** ninguém, mesmo ninguém, pode dizer tal coisa ▪ *n* senão
butane *n* butano
butcher *n* **1** talhante **2** carniceiro *fig* ▪ *v* **1** (animais para consumo) abater **2** massacrar ◆ **butcher's** talho
butler *n* mordomo
butt *n* **1** cabeçada **2** (animal) marrada **3** coronha **4** extremidade, ponta **5** (cigarro) beata **6** EUA *col* rabo; traseiro ▪ *v* **1** dar marrada **2** abrir caminho; forçar
◇ **butt in** *v* intrometer-se; interromper
◇ **butt out** *v col* não se meter; **butt out!** não te metas!
butter *n* manteiga ▪ *v* barrar com manteiga
◇ **butter up** *v col* dar graxa a
butterfly *n* [*pl* -ies] **1** borboleta **2** (natação) mariposa; **butterfly stroke** braçada de mariposa ◆ **to have butterflies in one's stomach** estar com nervos miudinhos
buttery *adj* amanteigado ▪ *n* [*pl* -ies] (universidade, escola) refeitório
buttock *n* **1** nádega **2** *pl col* traseiro
button *n* **1** botão; **to do up/undo a button** apertar/desapertar um botão **2** EUA crachá ▪ *v* abotoar ◆ *col* **button it!** caluda!
buttonhole *n* **1** (botão) casa **2** GB flor na lapela ▪ *v* deter e obrigar a ouvir
buttress *n* [*pl* -es] **1** contraforte **2** pilar ▪ *v* reforçar
buxom *adj* (mulher) roliça, rechonchuda
buy *v* **1** comprar; adquirir **2** oferecer; pagar **3** subornar **4** *col* engolir, acreditar ◆ **to buy time** ganhar tempo
◇ **buy in** *v* abastecer-se de
◇ **buy into** *v* **1** (empresa, negócio) comprar parte de **2** (ideia, argumento) aceitar
◇ **buy off** *v* subornar; comprar *fig*
◇ **buy out** *v* comprar a parte de
◇ **buy up** *v* comprar; açambarcar
buyer *n* **1** comprador **2** controlador de compras
buzz *n* [*pl* -es] **1** zumbido **2** murmúrio **3** boato; rumor **4** *col* (telefone) toque **5** *col* excitação ▪ *v* **1** zumbir **2** murmurar; cochichar **3** *col* dar um toque
◇ **buzz off** *v col* pôr-se a andar
buzzard *n* abutre, urubu
buzzer *n* **1** botão do intercomunicador **2** (despertador, forno, etc.) campainha
buzzword *n* palavra da moda
by *prep* **1** por; **to divide/multiply six by two** dividir/multiplicar seis por dois **2** de; **to go by train** ir de comboio **3** em; **his money increased by millions** o dinheiro dele cresceu em milhões **4** com; **what could they mean by that?** que quererão eles dizer com isso? **5** a; **one by one** um a um **6** por volta de; **I'll get there by noon** eu chegarei lá por volta do meio-dia **7** conforme; **you must act by the rules** tens de seguir as regras ▪ *adv* perto; **he is walking by** ele anda por perto ◆ **by all means** faça favor; **by and by** logo; **by oneself** sozinho; **by the way** a propósito
bye *interj col* adeus!; tchau!
bye-bye *interj col* adeus!; tchau!
bygone *adj* passado ▪ *n* coisa antiga ◆ **let bygones be bygones** o que lá vai lá vai
bylaw *n* lei autárquica
bypass *n* [*pl* -es] **1** (estrada) variante **2** (operação) bypass ▪ *v* **1** contornar **2** evitar; **to bypass the subject** evitar o assunto
bystander *n* espectador[AO]
byte *n* byte

C

c *n* [*pl* c's] **1** (letra) c **2** (escola) [com maiúscula] bom **3** MÚS [com maiúscula] dó
cab *n* **1** táxi; **to get a cab** apanhar um táxi **2** (autocarro, camião) cabine de condutor
cabaret *n* cabaré
cabbage *n* **1** couve **2** (pessoa) vegetal
cabby *n* [*pl* -ies] *col* motorista de táxi
cabin *n* **1** cabana **2** (navio) camarote **3** (avião) cabine
cabinet *n* **1** armário **2** vitrina **3** conselho de ministros; **cabinet reshuffle** remodelação ministerial; **shadow cabinet** governo-sombra
cable *n* **1** cabo; fio; **electrical cable** fio elétrico[AO] **2** televisão por cabo **3** telegrama ▪ *v* **1** telegrafar **2** prender com cabo
cablevision *n* TV cabo, televisão por cabo
cacao *n* (árvore) cacaueiro; (semente) cacau
cackle *v* **1** (galinha) cacarejar **2** (riso) casquinar ▪ *n* **1** cacarejo **2** casquinada
cacophonous *adj* cacofónico
cacophony *n* [*pl* -ies] cacofonia
cactus *n* [*pl* -es, cacti] cato[AO]
CAD *n* INFORM [*abrev. de* computer-aided design] CAD
cadaver *n* cadáver
caddie *n* (golfe) caddie
caddy *n* [*pl* -ies] lata para chá
cadence *n* cadência; ritmo
cadet *n* cadete
cadge *v col* cravar (from/off, a)
cadger *n col* crava
cadmium *n* cádmio
Caesarean *n* cesariana; **Caesarean section** cesariana
caesium *n* césio
café *n* (estabelecimento) café
cafeteria *n* **1** cafetaria **2** cantina
caffeine *n* cafeína
cage *n* **1** gaiola; **bird cage** gaiola de pássaros **2** jaula ▪ *v* engaiolar; enjaular
cajole *v* aliciar (into, a)
cake *n* **1** bolo; **to make/bake a cake** fazer um bolo **2** barra; **a cake of soap** uma barra de sabão ▪ *v* **1** cobrir (with, com/de) **2** endurecer, fazer crosta ◆ **it's a piece of cake!** é canja!; **to sell like hot cakes** vender que nem castanhas quentes; **you can't have your cake and eat it** não se pode ter tudo
calamitous *adj* calamitoso
calamity *n* [*pl* -ies] calamidade
calcification *n* calcificação
calcify *v* calcificar
calcium *n* cálcio
calculate *v* **1** calcular **2** avaliar ◆ **to be calculated to** ser concebido para
calculating *adj* calculista
calculation *n* **1** cálculo **2** atitude calculista
calculator *n* calculadora; **pocket calculator** calculadora de bolso
calculus *n* [*pl* -i] MAT,MED cálculo
calendar *n* calendário ◆ **calendar year** ano civil
calf *n* [*pl* -ves] **1** vitela, bezerro; (vaca) **to be in calf** estar prenhe **2** cria **3** (pele) calfe **4** barriga da perna
calibrate *v* calibrar
calibration *n* calibragem
calibre *n* calibre
californium *n* califórnio
call *v* **1** chamar **2** telefonar (a) **3** convocar; anunciar; **to call a strike** convocar uma greve **4** considerar; **I wouldn't call him an honest person** não o considero uma pessoa honesta **5** fazer uma visita (round at, a) **6** (pássaro) piar **7** (comboio) parar (at, em) ▪ *n* **1** chamamento **2** apelo; **a call for help** um pedido de auxílio **3** telefonema; **to make/take a call** fazer/atender uma chamada **4** (pássaro) pio **5** visita **6** (jogo) vez; **it's your call** é a tua vez **7** serviço; **to be on call** estar de serviço ◆ **to call into question** pôr em causa; (trabalho) **to call it a day** dar o dia por terminado; **to call somebody names** insultar alguém
◇ **call back** *v* voltar a telefonar
◇ **call for** *v* exigir; requerer

◇ **call in** *v* **1** (médico, polícia) chamar **2** (dinheiro) retirar de circulação **3** (produto) retirar do mercado
◇ **call out** *v* **1** (bombeiros, médico) chamar **2** (greve) convocar **3** gritar
◇ **call up** *v* **1** MIL mobilizar para **2** *col* telefonar **3** (equipa desportiva) convocar
caller *n* **1** visitante, visita **2** pessoa que faz um telefonema
calligraphy *n* (arte) caligrafia
calling *n* **1** vocação **2** profissão **3** convocação
callipers *npl* **1** calibrador **2** (perna) aparelho ortopédico
callous *adj* duro; insensível
callow *adj pej* inexperiente, imaturo
calm *adj* calmo; tranquilo; **to keep calm** ficar calmo ▪ *n* calma, tranquilidade ▪ *v* acalmar(-se)
◇ **calm down** *v* acalmar(-se)
calmness *n* calma; tranquilidade
calorie *n* caloria
calorific *adj* calórico
calvary *n* calvário
calyx *n* cálice
camaraderie *n* camaradagem; companheirismo
camber *n* (roda) camber ▪ *v* arquear, curvar
Cambodia *n* Camboja
Cambodian *adj,n* cambojano
camcorder *n* câmara de vídeo
camel *n* **1** camelo **2** (cor) bege, cor de camelo
camellia *n* camélia
cameo *n* [*pl* -s] **1** camafeu **2** (cinema, televisão) aparição/atuação[AO] especial
camera *n* **1** máquina fotográfica **2** (televisão, cinema) câmara ◆ **in camera** em segredo de justiça; à porta fechada; **on camera** no ecrã
cameraman *n* [*pl* -men] (televisão, cinema) operador de câmara
Cameroon *n* Camarões
Cameroonian *adj,n* camaronês
camomile *n* camomila
camouflage *n* camuflagem ▪ *v* camuflar
camp *n* **1** acampamento; **to break/pitch camp** levantar/montar acampamento **2** campo; **refugee camp** campo de refugiados **3** partido, fação[AO] ▪ *v* acampar ◆ **holiday/summer camp** colónia de férias
campaign *n* campanha (for, por; against, contra) ▪ *v* fazer campanha (for, por; against, contra)
campaigner *n* **1** manifestante **2** defensor; ativista[AO] **3** POL militante
camper *n* **1** campista **2** (veículo) caravana
campfire *n* fogueira
camphor *n* cânfora
camping *n* campismo ◆ **camping site** parque de campismo; **no camping** proibido acampar; **to go camping** ir acampar
campsite *n* GB parque de campismo
campus *n* [*pl* -es] campus; **university campus** campus universitário
can *n* **1** lata; **garbage can** lata do lixo **2** bidão; **petrol can** bidão de combustível **3** EUA *cal* prisão **4** EUA *cal* casa de banho ▪ *v* **1** (capacidade) conseguir, saber; **she can speak French** ela sabe falar francês **2** poder; (possibilidade) **I can win the race** posso vencer a corrida; (sugestão) **we can go to another restaurant** podemos ir a outro restaurante; (autorização) **you can go to the party** podes ir à festa **3** enlatar **4** EUA *col* despedir; **he was canned** foi despedido ◆ EUA *col* **can it!** caluda!; **can opener** abre-latas
Canada *n* Canadá
Canadian *adj,n* canadiano
canal *n* canal
canapé *n* CUL canapé
canary *n* [*pl* -ies] canário
cancel *v* **1** cancelar **2** anular **3** (selo, bilhete) obliterar
cancellation *n* **1** cancelamento **2** anulação **3** desmarcação
cancer *n* **1** cancro **2** (constelação, signo) [com maiúscula] Caranguejo
cancerous *adj* canceroso
candid *adj* franco; sincero

> Não confundir a palavra inglesa **candid** com a palavra portuguesa **cândido**, que se traduz por *innocent, naive.*

candidacy *n* candidatura
candidate *n* candidato (for, a/para); **to stand as a candidate** apresentar a candidatura
candidature *n* candidatura
candidly *adv* francamente
candied *adj* cristalizado

candle *n* vela ♦ **to burn the candle at both ends** matar-se a trabalhar
candlelight *n* luz da(s) vela(s)
candlestick *n* castiçal
candour *n* franqueza; sinceridade
candy *n* [*pl* -ies] EUA guloseima ▪ *v* cristalizar
candyfloss *n* GB algodão-doce
cane *n* **1** cana **2** vime; **cane chairs** cadeiras de vime **3** bastão ▪ *v* (castigo) bater com a cana em
canine *adj* canino ▪ *n* **1** (dente) canino **2** cão
canister *n* **1** (chá, café) lata; caixa **2** garrafa
cannabis *n* (planta, droga) canábis
canned *adj* **1** enlatado; de conserva **2** (música, gargalhadas) pré-gravado **3** *cal* bêbedo
cannelloni *npl* canelones
cannery *n* [*pl* -ies] fábrica de conservas
cannibal *n* canibal
cannibalism *n* canibalismo
cannon *n* **1** canhão **2** (bilhar) carambola ▪ *v* **1** embater (into, contra) **2** (bilhar) carambolar
cannonball *n* bala de canhão
canny *adj* astuto; sagaz
canoe *n* canoa ▪ *v* andar de canoa
canoeing *n* canoagem
canoeist *n* canoísta
canon *n* **1** cânone **2** cónego
canonical *adj* canónico
canopy *n* [*pl* -ies] **1** dossel **2** pálio **3** toldo **4** abrigo, cobertura
cantata *n* cantata
canteen *n* **1** cantina **2** faqueiro **3** cantil
canter *n* meio galope ▪ *v* ir a meio galope
canvas *n* [*pl* -es] **1** (tecido) lona, tela **2** (pintura) tela; **on canvas** em tela **3** (navio) vela
canvass *v* **1** fazer campanha (for, para) **2** sondar **3** discutir; analisar ▪ *n* angariação de votos
canyon *n* desfiladeiro
canyoning *n* canyoning
cap *n* **1** boné, touca; gorro, barrete **2** tampa, cápsula **3** (pistola de brinquedo) fulminante **4** plafond ▪ *v* **1** cobrir, tapar **2** superar **3** GB (desporto) convocar para a seleção[AO] ♦ **if the cap fits** se a carapuça servir
capability *n* [*pl* -ies] capacidade (for, para)
capable *adj* **1** capaz (of, de) **2** competente **3** suscetível[AO] (of, de)
capacitate *v* capacitar ♦ **to be capacitated to** estar habilitado a
capacity *n* [*pl* -ies] **1** (espaço) capacidade; **to fill to capacity** esgotar a lotação **2** aptidão (for, para); **he has a capacity for maths** ele tem uma grande aptidão para a matemática **3** (funções) qualidade
cape *n* **1** GEOG cabo **2** capa; capote
caper *n* **1** alcaparra **2** cabriola **3** travessura, partida **4** *col* atividade[AO] ilegal ▪ *v* andar às cabriolas
Cape Verde *n* Cabo Verde
Cape Verdean *adj,n* cabo-verdiano
capillary *adj,n* capilar
capital *n* **1** (cidade) capital **2** ECON capital **3** (letra) maiúscula **4** ARQ capitel ▪ *adj* **1** capital, essencial **2** (crime) gravíssimo; **capital punishment** pena de morte **3** maiúsculo
capitalism *n* capitalismo
capitalist *adj,n* capitalista
capitalize *v* **1** capitalizar **2** escrever com maiúsculas
◇ **capitalize on/upon** *v* tirar proveito de
capitulate *v* capitular (to, perante)
capitulation *n* capitulação
capon *n* (galo) capão
caprice *n* capricho
capricious *adj* caprichoso
Capricorn *n* (constelação, signo) Capricórnio
capri pants *npl* (calças) corsários
capsize *v* (barco) virar
capsule *n* cápsula
captain *n* **1** capitão; comandante **2** líder; chefe ▪ *v* **1** ser o capitão de **2** liderar; chefiar
captaincy *n* [*pl* -ies] (cargo, funções) capitania
caption *n* **1** (texto) título **2** (filme, fotografia) legenda ▪ *v* legendar
captivate *v* cativar; fascinar
captivating *adj* cativante; fascinante
captive *adj,n* cativo, prisioneiro
captivity *n* [*pl* -ies] cativeiro; **in captivity** em cativeiro
capture *v* **1** capturar; prender **2** conquistar; tomar **3** captar ▪ *n* **1** captura **2** (cidade) tomada; conquista
car *n* **1** carro, automóvel; **to go by car** ir de carro **2** (comboio) carruagem **3** (balão) cesta **4** (elevador) plataforma ♦ **car pool** grupo de pessoas que partilham o mesmo carro para irem trabalhar
carafe *n* [*pl* -s] garrafa

caramel *n* **1** caramelo **2** açúcar caramelizado
caramelize *v* caramelizar
carapace *n* carapaça
carat *n* (ouro) quilate; **an 18-carat gold ring** um anel de ouro de 18 quilates
caravan *n* (veículo, deserto) caravana
caravanning *n* campismo em roulotte
carbine *n* carabina
carbohydrate *n* hidrato de carbono
carbon *n* carbono; **carbon dioxide** dióxido de carbono ♦ **carbon copy** cópia (a papel químico); **carbon paper** papel químico
carboy *n* (ácidos) garrafão
carbuncle *n* **1** furúnculo **2** (gema) carbúnculo
carburettor *n* GB carburador
carcass *n* **1** (animal) carcaça **2** (navio) casco **3** estrutura; armação
carcinogen *n* substância cancerígena
carcinogenic *adj* cancerígeno
card *n* **1** cartão **2** carta de jogar **3** (papel) cartão **4** (lã) carda ▪ *v* (lã) cardar ♦ **to have a card up one's sleeve** ter um trunfo na manga
cardboard *n* cartão; **cardboard box** caixa de cartão ▪ *adj* (personagem) sem profundidade
cardiac *adj* cardíaco; **cardiac arrest/failure** paragem cardíaca
cardigan *n* casaco de malha
cardinal *n* **1** REL cardeal **2** numeral cardinal **3** (cor) cardinal ▪ *adj* **1** cardeal; **cardinal points** pontos cardeais **2** cardinal; **cardinal number** numeral cardinal
cardiologist *n* cardiologista
cardiology *n* cardiologia
care *n* **1** cuidado; **take care!** tem cuidado! **2** tratamento; (têxteis) **care label** etiqueta de tratamento; **to take care of someone** tratar de alguém **3** encargo, preocupação ▪ *v* importar-se (about, com)
◇ **care for** *v* **1** tratar de; cuidar de **2** gostar de **3** *form* desejar; **would you care for a drink?** deseja uma bebida?
career *n* carreira; vida profissional ▪ *v* mover-se a alta velocidade ♦ **careers advice** orientação profissional
carefree *adj* despreocupado; descontraído
careful *adj* cuidadoso (with, com) ♦ **be careful!** tem cuidado
carefully *adv* cuidadosamente
careless *adj* descuidado
carelessness *n* descuido; falta de atenção
caress *n* carícia ▪ *v* acariciar
caretaker *n* **1** GB (edifício) porteiro **2** EUA (crianças, doentes, idosos) acompanhante ▪ *adj* provisório
cargo *n* [*pl* -es] carga; carregamento
Caribbean *n* Caraíbas ▪ *adj,n* caribenho
caricature *n* **1** caricatura **2** paródia ▪ *v* **1** caricaturar **2** parodiar
caries *n* cárie
caring *adj* bondoso; compreensivo
carjacking *n* carjacking
carnage *n* massacre, carnificina
carnation *n* cravo
carnival *n* **1** Carnaval **2** feira popular **3** festa popular
carnivore *n* carnívoro
carnivorous *adj* carnívoro
carol *n* cântico; **Christmas carol** cântico de Natal ▪ *v* entoar cânticos
carotid *n* carótida
carousel *n* **1** (aeroporto) tapete rolante (para bagagens) **2** EUA carrossel
carp *n* [*pl* carp] carpa ▪ *v col* queixar-se (at, a; about, de)
carpenter *n* carpinteiro
carpentry *n* carpintaria
carpet *n* **1** alcatifa **2** tapete; carpete; passadeira ▪ *v* **1** alcatifar **2** cobrir (with, de) **3** GB *col* dar um sermão a ♦ **to be on the carpet** estar metido em sarilhos; **to sweep something under the carpet** tentar encobrir algo
carpool *v* viajar em grupo no mesmo carro para o trabalho
carriage *n* **1** GB (comboio) carruagem **2** coche, carruagem **3** transporte; porte; **carriage forward** porte pago pelo destinatário; **carriage free/paid** transporte pago
carriageway *n* GB faixa de rodagem
carrier *n* **1** (empresa, companhia aérea) transportadora **2** portador; **to be carrier of a disease** ser portador de uma doença ♦ **carrier bag** saco das compras
carrion *n* carne putrefacta
carrot *n* **1** cenoura **2** incentivo; estímulo
carry *v* **1** levar; carregar; **he carried the luggage** levou as malas **2** transportar; **the ship carries crude oil** o barco transporta crude **3** trazer; **I always carry my ID** trago sempre o meu bilhete de identidade **4** transmitir;

many diseases are carried by insects muitas doenças são transmitidas por insetos[AO] 5 (peso) suportar; **these pillars carry the roof** estes pilares suportam o telhado 6 (meios de comunicação) trazer, transmitir 7 vender; **this store doesn't carry cigarettes** esta loja não vende cigarros 8 comportar-se ▪ *n* alcance
◇ **carry away** *v* 1 levar 2 entusiasmar; arrebatar
◇ **carry off** *v* 1 pegar em 2 (prémio) arrecadar
◇ **carry on** *v* 1 continuar com, prosseguir 2 manter
◇ **carry out** *v* 1 realizar; levar a cabo 2 cumprir com
◇ **carry through** *v* levar a cabo
carrycot *n* (bebé) alcofa
carsick *adj* (viagem de carro) enjoado
carsickness *n* (viagem de carro) enjoo
cart *n* 1 carroça; charrete 2 carrinho de mão 3 EUA (supermercado) carro das compras ▪ *v* transportar; levar ♦ **to put the cart before the horse** pôr o carro à frente dos bois
cartel *n* cartel
cartilage *n* cartilagem
cartload *n* carregamento, carrada
cartography *n* cartografia
carton *n* 1 caixa de cartão 2 pacote, embalagem 3 (tabaco) maço
cartoon *n* 1 desenho animado; **animated cartoons** desenhos animados 2 (jornalismo) cartoon 3 banda desenhada
cartoonist *n* 1 (jornalismo) cartoonista 2 autor de banda desenhada 3 (desenhos animados) animador
cartridge *n* 1 (arma) cartucho 2 (máquina fotográfica) rolo 3 (caneta) carga, recarga 4 (impressora) tinteiro
cartwheel *n* 1 roda de carroça 2 (ginástica) roda; **to do a cartwheel** fazer a roda
carve *v* 1 esculpir (into/out/on, em) 2 (madeira) talhar (into/out/on, em) 3 (carne) trinchar
◇ **carve up** *v* 1 repartir 2 cortar
carving *n* 1 escultura 2 entalhamento ♦ **carving knife** faca de trinchar
cascade *n* cascata ▪ *v* cair em cascata
case *n* 1 caso; **a hopeless case** um caso perdido; **three cases of pneumonia** três casos de pneumonia 2 mala; **to carry the cases upstairs** levar as malas para cima 3 caixa; **a case of wine** uma caixa de vinho 4 estojo; **a jewel case** um guarda-joias[AO] ▪ *v* revestir ♦ **a case in point** um bom exemplo; **as the case may be** segundo o caso; **in any case** de qualquer modo
case-sensitive *adj* INFORM sensível às diferenças entre maiúsculas e minúsculas
cash *n* dinheiro, numerário ▪ *v* levantar, descontar ♦ **cash and carry** armazém grossista; **cash card** cartão multibanco; **cash dispenser** caixa multibanco; **cash on delivery** à cobrança; **cash register** caixa registadora
cashew *n* caju
cashier *n* caixa, tesoureiro
cashmere *n* caxemira
cashpoint *n* GB caixa multibanco
casino *n* [*pl* -s] casino
cask *n* barril
casket *n* 1 guarda-joias[AO] 2 EUA caixão
casserole *n* 1 caçarola 2 guisado; **lamb casserole** guisado de borrego ▪ *v* cozinhar na caçarola
cassette *n* cassete; **cassette player** leitor de cassetes
cassock *n* sotaina
cast *n* 1 (cinema, teatro) elenco 2 molde 3 lançamento; arremesso 4 tonalidade ▪ *v* 1 lançar; arremessar 2 moldar; fundir 3 (cinema, teatro) distribuir os papéis ♦ **to cast a spell on** lançar um feitiço a; **to cast pearls before swine** dar pérolas a porcos
◇ **cast aside** *v* rejeitar; descartar
◇ **cast off** *v* 1 (navio) soltar as amarras 2 libertar-se de 3 (tricô) rematar
◇ **cast out** *v* expulsar
castaway *adj,n* náufrago
caste *n* (classe) casta
caster *n* 1 (móveis) rodízio 2 pimenteiro; saleiro; açucareiro ♦ **caster sugar** açúcar extrafino
castle *n* 1 castelo; **sand castle** castelo de areia 2 (xadrez) torre ♦ **to build castles in the air** fazer castelos no ar
castrate *v* castrar
castration *n* castração
casual *adj* 1 casual; **a casual meeting** encontro acidental 2 ocasional; **they are casual readers of the paper** eles são leitores ocasionais do jornal 3 descontraído 4 informal; **casual wear** roupa informal 5 temporário

casually *adv* **1** casualmente **2** descontraidamente **3** informalmente **4** temporariamente
casualty *n* [*pl* -ies] **1** (acidente) vítima **2** MIL baixa **3** GB (hospital) urgências
cat *n* **1** gato **2** felino ◆ **has the cat got your tongue?** o gato comeu-te a língua?; **to be like a cat on hot bricks** estar muito nervoso; **when the cat's away, the mice will play** patrão fora, dia santo na loja
CAT [*abrev. de* Computerized Axial Tomography] TAC [*abrev. de* Tomografia Axial Computorizada]
catalogue *n* catálogo ▪ *v* **1** catalogar **2** fazer o inventário de
catalyse *v* catalisar
catalyst *n* catalisador
catamaran *n* catamarã
catapult *n* **1** GB fisga **2** catapulta ▪ *v* catapultar (to, para)
cataract *n* **1** MED catarata **2** *lit* (água) catarata
catarrh *n* catarro
catastrophe *n* catástrofe
catastrophic *adj* catastrófico
catch *v* **1** apanhar; agarrar **2** alcançar **3** (animal) capturar **4** (doença) contrair, apanhar **5** (autocarro, avião) apanhar **6** ficar preso (on, in, em) **7** *col* entender **8** surpreender ▪ *n* **1** captura **2** pesca **3** (porta) trinco **4** *col* (armadilha) senão; **where's the catch?** o que é que não me estás a dizer? ◆ **to catch somebody red-handed** apanhar alguém com a boca na botija; **to be a good catch** ser um bom partido
◇ **catch on** *v* **1** compreender (to, -) **2** pegar, tornar-se popular
◇ **catch out** *v* **1** (alguém em falta) apanhar **2** surpreender
◇ **catch up** *v* **1** alcançar (with, -) **2** atualizar(-se)[AO] (with/on, em relação a) **3** (criminoso) apanhar (with, -)
catchword *n* **1** palavra de ordem **2** slogan **3** (teatro) deixa
catchy *adj* que fica no ouvido
catechesis *n* [*pl* -es] catequese
catechism *n* catecismo
categorical *adj* categórico
categorize *v* categorizar
category *n* [*pl* -ies] categoria
cater *v* (restauração) fornecer o catering (for, de)
caterer *n* (restauração) fornecedor
catering *n* catering
caterpillar *n* (larva, correia metálica) lagarta
catharsis *n* [*pl* -es] *form* catarse
cathartic *adj* catártico
cathedral *n* catedral
catheter *n* cateter
cathode *n* cátodo
Catholic *adj,n* católico
Catholicism *n* catolicismo
CAT scan *n* (exame) TAC
cattle *n* gado
catty *adj* malicioso; maldoso
cauldron *n* caldeirão
cauliflower *n* couve-flor
caulk *v* calafetar
causality *n* causalidade
cause *n* **1** causa, motivo **2** (defesa de princípios, ação judicial) causa ▪ *v* causar; provocar
caustic *adj* cáustico
cauterize *v* cauterizar
caution *n* **1** cautela; cuidado **2** advertência; reprimenda ▪ *v* advertir (against, em relação a)
cautionary *n* admonitório
cautious *adj* prudente; cauteloso
cavalcade *n* desfile
cavalry *n* [*pl* -ies] cavalaria
cave *n* gruta; caverna ◆ **cave painting** pintura rupestre
◇ **cave in** *v* aluir; ceder
cavern *n* caverna
caviar *n* caviar
caving *n* espeleologia
cavity *n* [*pl* -ies] **1** cavidade **2** (dente) cárie
CD *n* [*abrev. de* Compact Disc] CD ◆ **CD player** leitor de CD; **CD writer** gravador de CD
CD-ROM *n* [*abrev. de* Compact Disc Read-Only Memory] CD-ROM
cease *v* parar (from/to, de); **to cease fire** cessar fogo
ceasefire *n* cessar-fogo
cedar *n* cedro
cedilla *n* cedilha
ceiling *n* **1** teto[AO] **2** limite; ponto máximo ◆ *col* (fúria) **to hit the ceiling** passar-se
celebrate *v* **1** festejar; comemorar **2** celebrar; **to celebrate mass** celebrar a missa
celebration *n* **1** celebração; comemoração **2** festejo; festa; **New Year's celebrations** festejos do Ano Novo
celebrity *n* [*pl* -ies] (pessoa, fama) celebridade

celery *n* aipo
celestial *adj* **1** celestial **2** celeste
celibacy *n* celibato
celibate *adj,n* celibatário
cell *n* **1** (prisão, mosteiro) cela **2** célula **3** (favo de mel) alvéolo **4** *téc* pilha **5** EUA telemóvel
cellar *n* **1** cave **2** adega, garrafeira
cellist *n* violoncelista
cello *n* [*pl* -s] violoncelo
cellophane *n* celofane
cellphone *n* telemóvel
cellular *adj* celular; **cellular telephone** telefone celular
cellulite *n* (acumulação) celulite
cellulitis *n* (inflamação, infeção) celulite
Celsius *n* Celsius; **12 degrees Celsius** 12 graus Celsius

Na Grã-Bretanha e no resto da Europa é mais usada a escala Celsius. Nos Estados Unidos, é mais comum usar a escala Fahrenheit.

Celt *n* celta
Celtic *adj,n* celta
cement *n* **1** cimento **2** (dentes) amálgama ▪ *v* **1** cimentar **2** fortalecer ♦ **cement mixer** betoneira
cemetery *n* [*pl* -ies] cemitério
censor *n* censor ▪ *v* censurar
censorship *n* censura
censure *n form* censura ▪ *v form* censurar (for, por)
census *n* [*pl* -es] censo; recenseamento
cent *n* **1** cêntimo **2** *col* tostão
centenary *adj,n* centenário
centennial *adj,n* EUA centenário
center *n,v* EUA ⇒ **centre**
centigrade *adj,n* centígrado; **twelve degrees centigrade** doze graus centígrados
centilitre *n* centilitro
centimetre *n* centímetro
centipede *n* centopeia
central *adj* central; **central heating** aquecimento central; (carro) **central locking** fecho centralizado
centralization *n* centralização
centralize *v* centralizar
centre *n* **1** centro **2** (futebol) médio **3** CUL recheio ▪ *v* centrar(-se)
centrepiece *n* **1** centro de mesa **2** prato forte *fig*
centrifugal *adj* centrífugo
centrifuge *n* centrifugadora ▪ *v* centrifugar
centripetal *adj* centrípeto
centrist *adj,n* centrista
centurion *n* centurião
century *n* [*pl* -ies] século; **centuries ago** há séculos; **in the 21st century** no século XXI
ceramic *adj* **1** cerâmico **2** de cerâmica
ceramics *n* (arte, objetos) cerâmica
cereal *n* cereal; (pequeno-almoço) **box of cereal** embalagem de cereais
cerebellum *n* [*pl* -s, cerebella] cerebelo
cerebral *adj* cerebral
ceremonial *adj* **1** de cerimónia **2** protocolar ▪ *n* cerimonial
ceremony *n* [*pl* -ies] cerimónia ♦ **to stand on ceremony** fazer cerimónia
cerium *n* cério
certain *adj* **1** certo; confiante; **to be almost certain** ser quase certo **2** certo, determinado; **a certain man** um certo homem ▪ *pron* alguns; **certain of those present...** alguns dos presentes... ♦ **for certain** de certeza; **to make certain of** certificar-se de
certainly *adv* **1** certamente, com certeza **2** claro; **certainly not** claro que não
certainty *n* [*pl* -ies] **1** certeza **2** coisa certa; coisa segura
certificate *n* **1** certidão, certificado; **birth/death certificate** certidão de nascimento/óbito **2** (saúde) atestado
certification *n* certificação
certify *v* **1** certificar **2** atestar a insanidade mental de (alguém) ♦ **certified as a true copy** cópia autenticada
cervical *adj* **1** cervical **2** do útero
cervix *n* [*pl* -es, cervices] colo do útero
cessation *n form* cessação (of, de)
cetacean *adj,n* cetáceo
Ceylon *n* (atual Sri Lanka) Ceilão
CFC [*abrev. de* chlorofluorocarbon] CFC [*abrev. de* clorofluorcarboneto]
Chad *n* Chade
chafe *v* **1** esfolar **2** esfregar; friccionar **3** (pele) irritar **4** irritar-se (at/under, com)
chaff *n* [*pl* -s] **1** (cereais) folhelho **2** palha ▪ *v* (troça) fazer pouco de ♦ **to separate the wheat from the chaff** separar o trigo do joio

chain *n* **1** corrente, correia; **bicycle chain** correia da bicicleta **2** colar; fio; **gold chain** fio de ouro **3** cadeia (of, de); série (of, de) ▪ *v* acorrentar; prender
chair *n* **1** cadeira; **pull up a chair** puxa uma cadeira **2** (debate, associação) presidente **3** (universidade) cátedra (of, de) ▪ *v* presidir a
chairman *n* [*pl* -men] (empresa, reunião) presidente
chairperson *n* (reunião, empresa) presidente
chairwoman *n* [*pl* -men] (reunião, empresa) presidente
chalet *n* chalé
chalice *n* cálice
chalk *n* **1** giz **2** (pedra) greda branca ▪ *v* marcar/escrever com giz
challenge *n* desafio; **to take up a challenge** aceitar um desafio ▪ *v* **1** desafiar (to, para) **2** pôr à prova **3** pôr em questão **4** (coisa difícil) constituir um desafio para
challenger *n* **1** desafiador **2** concorrente **3** aspirante ao título
challenging *adj* **1** que constitui um desafio; estimulante **2** (tom, atitude) de desafio
chamber *n* **1** câmara; **chamber music** música de câmara **2** *pl* gabinete de magistrado; **judge's chambers** gabinete do juiz ♦ **in chambers** à porta fechada
chamberlain *n* camareiro
chambermaid *n* (hotel) camareira
chameleon *n* camaleão
chamois *n* camurça; (pele) **chamois leather** camurça
champ *n col* campeão ▪ *v* **1** *col* mastigar com ruído **2** *col* estar impaciente (to, por)
champagne *n* champanhe
champion *n* **1** campeão **2** apoiante (of, de) ▪ *v* defender; apoiar
championship *n* **1** campeonato **2** título de campeão **3** defesa (of, de)
chance *n* **1** oportunidade (of, de; to, para); **the chance of a lifetime** uma oportunidade única **2** possibilidade (of, de); probabilidade (of, de); **there's an outside chance** há uma possibilidade remota **3** acaso; sorte; **it all happened by chance** aconteceu tudo por acaso **4** risco; **to take a chance** correr um risco ▪ *adj* fortuito, casual ▪ *v* arriscar ♦ **game of chance** jogo de azar
◇ **chance on/upon** *v* encontrar por acaso
chancel *n* coro (de igreja)
chancellor *n* chanceler ♦ GB **Chancellor of the Exchequer** ministro das Finanças
chancy *adj col* arriscado; incerto
chandelier *n* lustre
change *v* **1** mudar; alterar **2** trocar; **to change places with someone** trocar de lugar com alguém **3** (roupa) mudar **4** (dinheiro) cambiar (for/into, para) **5** (transportes) trocar de ▪ *n* **1** mudança (of, de; in, em) **2** (roupa) muda **3** trocado **4** (dinheiro) troco **5** (transportes) mudança, transbordo ♦ **for a change** para variar
◇ **change down** *v* GB (caixa de velocidades) reduzir (into, para)
◇ **change over** *v* **1** mudar (to, para) **2** passar (from, de; to, para)
◇ **change up** *v* GB (caixa de velocidades) meter (to, -); **you must change up into third** tens de meter a terceira
changeable *adj* **1** (circunstâncias) variável **2** (pessoas) inconstante
changed *adj* novo; diferente
changeover *n* **1** mudança **2** (estafetas) passagem do testemunho
channel *n* **1** (curso de água, televisão, rádio) canal **2** via ▪ *v* canalizar (into, para)
chant *n* **1** canto; cântico **2** (manifestações) frase de protesto **3** (futebol) cântico ▪ *v* **1** entoar **2** (multidão) repetir; gritar
chaos *n* caos
chaotic *adj* caótico
chap *n* **1** GB *col* indivíduo, tipo **2** *col* companheiro; camarada **3** (lábios) cieiro
chap. [*abrev. de* chapter] cap. [*abrev. de* capítulo]
chapel *n* capela ♦ **chapel of rest** câmara ardente
chaplain *n* capelão
chapter *n* **1** capítulo **2** época **3** (Sé) cabido
character *n* **1** (personalidade) temperamento, feitio **2** (conduta moral) carácter[AO]; integridade **3** (ficção) personagem **4** *col* (pessoas) ponto; cromo **5** (símbolo) carácter[AO]
characteristic *n* característica[AO] (of, de) ▪ *adj* característico[AO]; típico
characterize *v* caracterizar[AO]
characterless *adj* pouco interessante; banal
charade *n* **1** (situação) farsa **2** *pl* (jogo) charadas, enigmas
charcoal *n* carvão

charge *v* **1** cobrar **2** (bateria) carregar **3** acusar (with, de); **he's been charged with murder** foi acusado de assassínio **4** investir (at, contra); **the police charged at the crowd** a polícia investiu contra a multidão ▪ *n* **1** taxa; tarifa; **free of charge** sem taxas **2** despesa; **transport charges** despesas de transporte **3** acusação; queixa; **to press charges against** apresentar queixa contra **4** carga, investida; **a police charge** uma carga policial **5** (energia) carga; **the battery is on charge** a bateria está a carregar **6** (explosivo, arma) carga ♦ **to charge to someone's account** pôr na conta de alguém
charger *n* **1** (bateria) carregador **2** *lit* corcel
chariot *n* quadriga
charisma *n* carisma
charismatic *adj* carismático
charitable *adj* **1** (pessoa) caridoso; generoso **2** (ato, organização) beneficente
charity *n* [*pl* -ies] **1** instituição de caridade **2** caridade; compaixão **3** esmolas; **to live out on charity** viver de esmolas
charlatan *n* charlatão; impostor
charm *n* **1** (pessoa, local) encanto; charme **2** (pulseira, fio) berloque **3** talismã; amuleto **4** feitiço ▪ *v* **1** encantar; seduzir **2** enfeitiçar ♦ **to work like a charm** funcionar às mil maravilhas
charmer *n* **1** sedutor **2** encantador; **snake charmer** encantador de serpentes
charming *adj* **1** (pessoa) fascinante; sedutor **2** (coisa) amoroso; encantador
chart *n* **1** gráfico; quadro; diagrama **2** (navegação) carta **3** *pl* (vendas) tabelas; top; **this song is in the charts** esta canção está no top ▪ *v* **1** fazer o gráfico/diagrama de **2** (plano) traçar **3** (percurso) seguir
charter *n* **1** (povoações) carta régia; foral **2** (direitos) decreto **3** (instituição) carta **4** (transporte) fretamento; **charter flight** voo fretado ▪ *v* **1** (povoações) conceder foral a **2** (direitos) decretar **3** (transporte) fretar
chary *adj* cuidadoso; prudente
chase *v* perseguir; andar atrás de ▪ *n* **1** perseguição **2** (desporto) caça ♦ *col* **to cut to the chase** ir direto[AO] ao assunto
◇ **chase around** *v* andar de um lado para o outro
◇ **chase away** *v* afugentar; espantar
◇ **chase up** *v* **1** ir à procura de **2** pressionar (about, em relação a)
chasm *n* abismo; fosso
chassis *n* [*pl* chassis] chassi
chaste *adj* **1** (pessoa) casto; puro **2** (coisa) sóbrio; simples
chasten *v* disciplinar
chastity *n* **1** castidade **2** sobriedade; simplicidade
chat *v col* conversar (about, sobre) ▪ *n col* conversa, cavaqueira ♦ (Internet) **chat room** fórum de discussão
◇ **chat up** *v* GB *col* atirar-se a; fazer-se a
chatter *v* **1** tagarelar; dar à língua **2** (pássaros) chilrear **3** (macacos) guinchar **4** (coisas) bater ▪ *n* **1** *col* conversa fiada **2** ruído **3** (pássaros) chilreio **4** (macacos) guincho
chatterbox *n* [*pl* -es] *col* tagarela
chatty *adj* **1** (pessoa) tagarela **2** (tom) coloquial; informal
chauffeur *n* chauffeur, chofer ▪ *v* fazer de chofer
chauvinism *n* **1** (raça) chauvinismo **2** (sexo) machismo
chauvinist *adj,n* **1** (país, raça) chauvinista **2** (sexo) machista
cheap *adj* **1** barato **2** de preço reduzido **3** EUA forreta **4** *pej* de má qualidade **5** *pej* de mau gosto ♦ (escrúpulos) **to feel cheap** sentir-se mal
cheapen *v* **1** embaratecer **2** (dignidade) rebaixar
cheat *n* **1** batoteiro, trapaceiro **2** (ato) fraude ▪ *v* **1** (jogos) fazer batota (at, em) **2** (escola) copiar **3** burlar; enganar ♦ (relação) **to cheat on somebody** trair alguém; **to cheat somebody out of something** extorquir algo a alguém
cheating *n* **1** (jogos) batotice **2** (ato) fraude **3** (relação) traição
check *v* **1** verificar; conferir **2** (doenças, inimigos) travar **3** (sentimentos) reprimir; conter **4** (xadrez) fazer xeque a **5** coincidir (with, com) ▪ *n* **1** verificação; controlo **2** (padrão) xadrez **3** (jogo de xadrez) xeque **4** EUA cheque **5** EUA (restaurante) conta **6** bilhete, senha ♦ **check yourself!** modera a linguagem!
◇ **check in** *v* **1** (hotel) registar-se **2** (aeroporto) fazer o check-in
◇ **check off** *v* colocar um visto em; verificar

◇ **check on** *v* **1** (bebé) dar uma olhadela a **2** vigiar; controlar
◇ **check out** *v* **1** verificar; confirmar **2** (hotel) pagar a conta; deixar o hotel **3** dar uma olhadela a
checkbook *n* EUA livro de cheques
checkers *n* EUA (jogo) damas
check-in *n* (aeroporto, hotel) check-in
checkmate *n* **1** (xadrez) xeque-mate **2** fracasso total ▪ *v* **1** (xadrez) dar o xeque-mate a **2** dar o último golpe a
checkout *n* **1** (supermercado) caixa **2** (hotel) checkout
checkpoint *n* posto de controlo
checkup *n* MED check-up
cheek *n* **1** bochecha; face **2** GB *col* descaramento; lata *col* **3** *col* nádega ▪ *v* ser insolente para ♦ **to turn the other cheek** dar a outra face
cheeky *adj* GB descarado; atrevido
cheep *v* piar; chilrear ▪ *n* chilreio
cheer *n* **1** aclamação; aplauso **2** entusiasmo; alegria **3** (saudação) viva ▪ *v* **1** aclamar, dar vivas a **2** animar
◇ **cheer up** *v* animar(-se); alegrar(-se)
cheerful *adj* **1** alegre **2** entusiasta **3** (notícias) animador
cheerfulness *n* boa disposição
cheering *n* aplausos, aclamações ▪ *adj* animador
cheerio *interj* GB *col* adeus!, até logo!
cheerleader *n* animador(a) de claque
cheers *interj* (brinde) saúde!
cheery *adj* alegre; animador
cheese *n* queijo ♦ (fotografia) **say cheese!** sorriam!
cheeseburger *n* cheeseburger, hambúrguer de queijo
cheesecake *n* cheesecake
cheesy *adj* **1** de queijo **2** EUA *col* foleiro
cheetah *n* chita
chef *n* [*pl* -s] chefe de cozinha
chemical *adj* químico ▪ *n* produto químico
chemist *n* **1** químico **2** GB (pessoa) farmacêutico **3** GB (estabelecimento) farmácia
chemistry *n* **1** (ciência, empatia) química **2** (substância) composição; comportamento
chemotherapy *n* quimioterapia
cheque *n* cheque; **to pay by cheque** pagar em cheque; **to write a cheque** passar um cheque
chequebook *n* GB livro de cheques
cherish *v* **1** gostar muito de **2** dar muito valor a **3** nutrir, acalentar
cherry *n* [*pl* -ies] **1** (fruto) cereja **2** (árvore) cerejeira **3** (cor) vermelho-cereja
cherub *n* querubim
chess *n* (jogo) xadrez
chessboard *n* tabuleiro de xadrez
chessman *n* [*pl* -men] peça de xadrez; **to set up the chessmen** preparar o tabuleiro de xadrez
chest *n* **1** peito **2** arca; baú; caixote ♦ **chest of drawers** cómoda; **to get something off one's chest** desabafar
chestnut *n* **1** (fruto) castanha **2** (árvore) castanheiro **3** (madeira, cor) castanho ♦ (história, piada) **that's an old chestnut!** essa já é velha!
chesty *adj* com problemas respiratórios
chevron *n* (em manga) divisa militar
chew *v* **1** mastigar **2** roer; **to chew one's nails** roer as unhas
◇ **chew over** *v* remoer; repensar
chewing gum *n* pastilha elástica
chewy *adj* (comida) duro
chic *adj* chique, sofisticado ▪ *n* elegância; sofisticação
chicane *n* GB (corridas) chicana
chick *n* **1** passarinho; pintainho **2** *cal* rapariga, miúda
chicken *n* **1** galinha; frango; **to keep chickens** fazer criação de galinhas **2** (carne) frango **3** *col,pej* cobarde; medricas ♦ **don't count your chickens before they're hatched** não deites foguetes antes do tempo
◇ **chicken out** *v* acobardar-se; não ter coragem (of, para)
chickenfeed *n* (dinheiro) ninharia
chickenpox *n* varicela
chickpea *n* grão-de-bico
chicory *n* chicória
chief *n* [*pl* -s] chefe (of, de); comandante (of, de) ▪ *adj* principal ♦ **chief executive officer** diretor[AO] executivo
chiefly *adv* principalmente; sobretudo
chieftain *n* chefe de tribo
chilblain *n* frieira
child *n* [*pl* children] **1** criança **2** filho; **she's an only child** ela é filha única ♦ **child abuse** abuso de menores; **child benefit** abono de família; **child labour** trabalho infantil

childbirth *n* parto
childcare *n* apoio social à criança
childhood *n* infância
childish *adj* **1** infantil **2** *pej* acriançado; **he is rather childish** ele é muito acriançado
childishness *n* infantilidade
childproof *adj* (objeto, fechadura) sem perigo para as crianças
Chile *n* Chile
Chilean *adj,n* chileno
chill *n* **1** resfriado, constipação **2** (emoções) calafrio, arrepio **3** (temperatura) frio ▪ *v* **1** arrefecer **2** pôr no frigorífico **3** aterrorizar **4** desanimar ▪ *adj* frio, gélido ♦ **serve chilled** sirva gelado ◇ **chill out** *v col* relaxar, descontrair
chilli *n* chili, malagueta
chilly *adj* **1** frio, gélido **2** (pessoas, situações) reservado, frio
chime *n* (sinos, campainha) toque ▪ *v* **1** (sino) tocar **2** (relógio) dar (horas)
chimney *n* chaminé; **chimney sweeper** limpa-chaminés
chimp *n col* chimpanzé
chimpanzee *n* chimpanzé
chin *n* queixo ♦ **to keep one's chin up** não desanimar
china *n* porcelana
China *n* China
Chinese *adj,n* chinês
chink *n* **1** fenda (in, em), falha (in, em) **2** nesga ▪ *v* tilintar ♦ **a chink in somebody's armour** o ponto fraco de alguém
chintz *n* [*pl* -es] (tecido) chita
chinwag *n* GB *col* conversa, cavaqueira
chip *n* **1** lasca; apara; estilhaço **2** GB batata frita **3** (jogo) ficha **4** INFORM chip ▪ *v* **1** lascar **2** (batatas) cortar em palitos **3** rachar ♦ **she's a chip off the old block** tal mãe, tal filha ◇ **chip in** *v* **1** (conversa) intervir; intrometer-se **2** (com dinheiro) contribuir
chipboard *n* (construção) aglomerado
chiropodist *n* quiropodista
chiropody *n* quiropodia
chirp *n* **1** (pássaros) chilreio **2** (grilo) cricri ▪ *v* **1** (pássaros) chilrear **2** (grilo) cricrilar
chirpy *adj col* alegre
chisel *n* **1** (pedra) cinzel **2** (madeira) escopro; formão ▪ *v* **1** (pedra) cinzelar, gravar **2** (madeira) talhar **3** *col,fig* burlar (out of, em)
chitchat *n col* cavaqueira ▪ *v col* cavaquear
chivalrous *adj* cavalheiresco
chivalry *n* **1** (comportamento) cavalheirismo **2** (sistema) cavalaria
chives *npl* cebolinho
chloride *n* cloreto
chlorine *n* cloro
chloroform *n* clorofórmio
chlorophyll *n* clorofila
chock *n* calço; cunha ▪ *v* (objetos) calçar
chock-a-block *adj col* a abarrotar, à cunha
chock-full *adj col* repleto, cheio
chocolate *n* **1** chocolate **2** bombom; **a box of chocolates** uma caixa de bombons
choice *n* **1** escolha; **to make a choice** escolher **2** alternativa; opção **3** variedade (of, de) ▪ *adj* (qualidade) selecionado[AO]; de primeira
choir *n* **1** coro, grupo coral **2** (igreja) coro
choirboy *n* menino de coro
choke *v* **1** asfixiar; sufocar **2** engasgar-se (on, com) **3** entupir (with, de) ◇ **choke back** *v* (sentimentos) reprimir; conter
choked *adj* **1** (voz) embargado **2** (emoções) engasgado
choker *n* (joia) gargantilha
cholera *n* (doença) cólera
cholesterol *n* colesterol
choose *v* **1** escolher (between, entre) **2** preferir; **do as you choose** faz como preferires **3** resolver (to, -), decidir (to, -); **to choose to do something** resolver fazer alguma coisa
choosy *adj col* esquisito; difícil de contentar
chop *n* **1** golpe **2** machadada **3** (carne) costeleta ▪ *v* **1** (com machado) cortar **2** (cebolas) picar **3** (carne) cortar em bocadinhos **4** *col* (dinheiro, energia) reduzir ◇ **chop down** *v* deitar abaixo; derrubar ◇ **chop up** *v* CUL picar
chopper *n* **1** (carne) cutelo **2** *col* helicóptero **3** *pl col* dentes
choppy *adj* (mar) agitado
chopstick *n* (talheres orientais) pauzinho
choral *adj* coral
chorale *n* MÚS (composição) coral
chord *n* **1** MÚS acorde **2** GEOM,ANAT corda ♦ **to touch a chord in someone** sensibilizar alguém
chore *n* **1** tarefa **2** maçada
choreograph *v* coreografar
choreographer *n* coreógrafo
choreographic *adj* coreográfico

choreography *n* coreografia
chorister *n* MÚS corista
chorus *n* [*pl* -es] **1** coro; **church chorus** coro da igreja **2** refrão **3** (voz) coro (of, de); **a chorus of protest** um coro de protestos
Christ *n* Cristo ▪ *interj col,ofens* (surpresa, aborrecimento) Jesus!; meu Deus!
christen *v* **1** (cerimónia) batizar[AO] **2** dar nome a **3** estrear; inaugurar
christening *n* batismo[AO]; (cerimónia) batizado[AO]
Christian *adj,n* cristão ▪ *adj* caridoso ♦ **Christian name** primeiro nome
Christianity *n* **1** (fé, religião) cristianismo **2** (crentes) cristandade
Christmas *n* Natal; **Christmas card** cartão de Boas Festas; **Christmas carol** cântico de Natal; **Christmas Eve** véspera de Natal; **Merry Christmas!** Feliz Natal!
chromatic *adj* cromático
chrome *adj* cromado ▪ *v* cromar
chromium *n* crómio
chromosome *n* cromossoma
chronic *adj* **1** crónico; **chronic disease** doença crónica **2** inveterado; **a chronic alcoholic** um alcoólico inveterado
chronicle *n* crónica ▪ *v* fazer a crónica de
chronological *adj* cronológico
chronology *n* [*pl* -ies] cronologia
chronometer *n* cronómetro
chrysalis *n* [*pl* -es] crisálida
chrysanthemum *n* crisântemo
chubby *adj* rechonchudo; gorducho
chuck *v* **1** *col* atirar; **chuck me the ball** atira-me a bola **2** *col* livrar-se de **3** *col* mandar embora **4** *col* (relacionamento, emprego) deixar
◇ **chuck away** *v col* deitar fora
chuckle *n* riso abafado ▪ *v* rir disfarçadamente
chuffed *adj* GB *col* muito contente (about, com)
chug *n* ruído do motor ▪ *v* (motores) zoar
chum *n col* amigo, companheiro
chunk *n* **1** *col* pedaço; **a chunk of cheese** um pedaço de queijo **2** *col* grande fatia (of, de)
chunky *adj* **1** grosso e pesado **2** (comida) com pedaços grandes **3** (pessoa) corpulento
church *n* [*pl* -es] (edifício, comunidade) igreja; **church hall** salão paroquial
churchyard *n* (junto a igreja) cemitério
churlish *adj* grosseiro; indelicado
churn *n* **1** (fabrico de manteiga) batedeira **2** GB (recipiente) leiteira ▪ *v* **1** (leite, natas) bater **2** fazer (manteiga) **3** agitar(-se)
◇ **churn out** *v* produzir em série
chute *n* **1** descida; rampa **2** conduta **3** *col* para-quedas[AO]
cicada *n* cigarra
cider *n* sidra
cigar *n* charuto
cigarette *n* cigarro; **cigarette case** cigarreira; **cigarette ends** pontas de cigarro
cinch *n* [*pl* -es] **1** *col* (facilidade) canja *fig* **2** *col* certeza; **it's a cinch!** está no papo!
cinder *n* cinza; **to burn (something) to a cinder** reduzir a cinzas
cinema *n* cinema; **to go to the cinema** ir ao cinema
cinnamon *n* canela; **cinnamon stick** pau de canela
circle *n* **1** círculo, circunferência **2** círculo; meio; **large circle of friends** grande círculo de amigos **3** (teatro) balcão ▪ *v* **1** traçar um círculo em torno de **2** circundar **3** andar às voltas (around, em torno de) ♦ **to come full circle** voltar ao ponto de partida
circuit *n* **1** circuito; (eletricidade) **a break in the circuit** uma falha no circuito; (desporto) **racing circuit** circuito para competição **2** *col* volta; **how many circuits are there left?** quantas voltas faltam?
circular *adj* **1** (forma) circular, redondo **2** (argumento) tortuoso ▪ *n* (carta) circular
circulate *v* **1** (fazer) circular; **blood circulates through the body** o sangue circula pelo corpo **2** (trânsito) circular; fluir
circulation *n* **1** circulação; (sangue) **bad circulation** má circulação **2** (jornal, revista) tiragem
circulatory *adj* circulatório
circumcise *v* circuncidar
circumcision *n* circuncisão
circumference *n* circunferência
circumflex *n* acento circunflexo
circumscribe *v* **1** *form* restringir **2** GEOM circunscrever
circumspect *adj form* prudente
circumstance *n* **1** circunstância **2** *pl* situação financeira ♦ **under no circumstance** em circunstância alguma; **under the circumstances** tendo em conta as circunstâncias

circumstantial *adj* **1** circunstancial **2** *form* pormenorizado
circumvent *v form* (regra, lei) contornar
circus *n* [*pl* -es] circo
cirrhosis *n* cirrose
cistern *n* cisterna
citadel *n* cidadela
citation *n* **1** menção honrosa (for, por) **2** citação **3** citação judicial
citizen *n* cidadão
citizenship *n* cidadania
citric *adj* cítrico
citrus *n* [*pl* -es] citrino; **citrus fruits** citrinos
city *n* [*pl* -ies] cidade
civic *adj* **1** cívico **2** autárquico
civil *adj* **1** civil; **civil aviation** aviação civil **2** (atividade) público; **civil service** função pública **3** (comportamento) delicado, educado
civilian *adj,n* civil; **civilian casualties** baixas civis
civilization *n* civilização
civilize *v* civilizar
clad *adj* **1** *lit* vestido (in, de) **2** *lit* coberto (in, de)
claim *n* **1** reclamação (on, de); reivindicação (on, de) **2** solicitação **3** direito (to, a) **4** *form* afirmação, alegação ▪ *v* **1** reivindicar **2** (posse) reclamar **3** solicitar **4** alegar (to, que)
clairvoyant *adj,n* vidente
clam *n* amêijoa
◇ **clam up** *v col* fechar-se em copas
clamber *v* trepar
clammy *adj* **1** (mãos, pele, tempo) húmido **2** (parede) ressuado
clamour *n* **1** clamor; brado **2** onda de protesto (for, em relação a) ▪ *v* (opinião pública) clamar (for, por)
clamp *n* **1** (carpintaria) torno **2** (automóvel mal estacionado) bloqueador de rodas ▪ *v* **1** prender com gancho **2** (automóvel mal estacionado) bloquear
clampdown *n* repressão (on, a)
clan *n* **1** clã **2** *col* grupo, tropa *col*
clandestine *adj form* clandestino
clank *n* ruído metálico ▪ *v* retinir
clansman *n* [*pl* -men] membro de um clã
clap *n* **1** aplauso **2** palmada (on, em) **3** estrondo **4** *col* (doença) gonorreia ▪ *v* **1** aplaudir **2** dar uma palmada a **3** *col* enfiar, meter
clapper *n* (sino) badalo
clapperboard *n* (cinema, televisão) claquete
clapping *n* aplauso, palmas
claret *n* (vinho) bordéus ▪ *adj,n* (cor) bordeaux; bordô
clarification *n* clarificação
clarify *v* clarificar; esclarecer
clarinet *n* clarinete
clarinettist *n* clarinetista
clarity *n* **1** (som, imagem) clareza; nitidez **2** (pensamento) lucidez
clash *n* [*pl* -es] **1** (ideias, interesses, culturas) conflito (between, entre) **2** choque, embate ▪ *v* **1** entrar em conflito (with, com) **2** chocar **3** (datas) sobrepor-se **4** não combinar
clasp *n* **1** fivela **2** (joia) fecho **3** colchete **4** abraço ▪ *v* **1** abraçar **2** afivelar; prender com colchete **3** apertar; **to clasp somebody's hand** apertar a mão a alguém
class *n* [*pl* -es] **1** turma **2** EUA (liceu, universidade) finalistas; **the class of '96** os finalistas de 96 **3** aula; **evening classes** aulas noturnas[AO] **4** estilo; classe **5** classe social; **the class struggle** luta de classes **6** (meios de transporte) classe; **to travel first class** viajar em primeira classe ▪ *v* classificar (as, como)
classic *adj* clássico ▪ *n* (filme, livro, escritor, etc.) clássico
classical *adj* clássico; **classical music** música clássica
classification *n* classificação
classified *adj* **1** classificado; (anúncios) **classified ads** anúncios classificados **2** secreto, confidencial
classify *v* **1** classificar **2** (serviços secretos) classificar como confidencial
classmate *n* colega de turma
classroom *n* sala de aula
classy *adj col* com classe; sofisticado
clatter *n* barulho ▪ *v* fazer barulho (com)
clause *n* **1** (tratado, acordo) cláusula **2** oração; **main/subordinate clause** oração principal/subordinada
claustrophobia *n* claustrofobia
claustrophobic *adj* claustrofóbico
clavicle *n* clavícula
claw *n* **1** (felinos) garra **2** (pássaros) presa **3** (escorpião, caranguejos) pinça ▪ *v* arranhar
clay *n* barro ◆ **clay pigeon shooting** tiro aos pratos

clean *adj* **1** limpo; lavado **2** (moral) sem mancha **3** decente **4** não radioativo[AO]; não poluente **5** (papel) branco ▪ *adv col* completamente; absolutamente ▪ *v* limpar; lavar ♦ **clean slate** vida nova; **to be clean** estar livre de drogas; **to come clean** confessar; **to have (something) cleaned** levar à lavandaria
◇ **clean out** *v* **1** fazer uma limpeza a fundo em **2** *col* roubar tudo
◇ **clean up** *v* **1** (espaço) limpar; arrumar **2** *col* fazer dinheiro
clean-cut *adj* **1** (contornos) bem definido **2** (aspeto) regular
cleaner *n* **1** empregado de limpeza **2** produto de limpeza ♦ **cleaner's** lavandaria
cleaning *n* limpeza; **to do the cleaning** fazer a limpeza
cleanliness *n* limpeza
cleanly *adv* **1** suavemente **2** sem poluir **3** de acordo com as regras
cleanse *v* **1** limpar; purificar **2** (ferida, pele) lavar
cleanser *n* **1** produto de limpeza **2** (pele) leite de limpeza
clean-shaven *adj* sem barba
cleansing *n* limpeza
clear *adj* **1** claro; transparente **2** limpo, límpido **3** livre (of, de), desimpedido (of, de) **4** evidente **5** (som, imagem) nítido; distinto **6** (quantia) limpo, líquido ▪ *v* **1** desvanecer-se; **the mist cleared** a névoa desvaneceu-se **2** (céu, atmosfera) desanuviar **3** (líquido) ficar limpo **4** (cano, passagem) desobstruir; desimpedir **5** (mesa) levantar **6** (ideias, problema) esclarecer **7** (obstáculo) saltar **8** (ordem) autorizar **9** (acusações) ilibar **10** (dívidas) saldar, liquidar ♦ **all clear!** o caminho está livre!; **to make oneself clear** explicar-se
◇ **clear away** *v* **1** (objetos) arrumar **2** (nevoeiro) dissipar-se
◇ **clear off** *v* **1** *col* ir embora **2** (dívida) liquidar
◇ **clear out** *v* **1** (armário, quarto) fazer uma arrumação geral a **2** (objetos velhos) deitar fora **3** *col* desandar
◇ **clear up** *v* **1** (problema) resolver; esclarecer **2** (arrumações) arrumar **3** (tempo) abrir; melhorar **4** (doença) passar
clearance *n* **1** licença, autorização **2** remoção; eliminação
clear-headed *adj* lúcido
clearing *n* **1** clareira **2** (objetos, papeladas) arrumação
clearly *adv* **1** claramente; distintamente **2** evidentemente
cleavage *n* **1** (mulher) decote **2** clivagem
cleave *v* **1** fender, rachar **2** ficar preso (to, a)
cleaver *n* cutelo
clef *n* MÚS clave; **bass/treble clef** clave de fá/sol
cleft *n* fenda, racha ♦ **cleft palate** fenda palatina; **in a cleft stick** entre a espada e a parede
clemency *n* **1** *form* clemência **2** (clima) suavidade
clement *adj* **1** *form* clemente **2** (clima) temperado
clench *v* **1** (punhos, dentes) cerrar **2** (mão, dentes) agarrar com força **3** (prego, cavilha) firmar
clergy *n* clero
clergyman *n* [*pl* -men] clérigo
clerical *adj* **1** clerical **2** de escritório; administrativo
clerk *n* **1** empregado de escritório **2** funcionário **3** EUA (loja) empregado de balcão
clever *adj* **1** inteligente **2** engenhoso **3** hábil, habilidoso **4** *col,pej* esperto; **don't try and get clever with me!** não tentes armar-te em esperto comigo!
cleverness *n* **1** inteligência **2** habilidade **3** engenho
cliché *n* cliché
click *n* **1** (som) estalido; clique **2** INFORM clique ▪ *v* **1** estalar **2** INFORM clicar (on, em/sobre)
client *n* cliente, freguês
clientele *n* clientela
cliff *n* falésia; penhasco
climate *n* **1** clima **2** ambiente, atmosfera ♦ **a change of climate** mudança de ares
climatic *adj* climatérico
climax *n* [*pl* -es] clímax ▪ *v* atingir o clímax (in/with, com)
climb *n* subida; escalada ▪ *v* **1** trepar a; subir **2** escalar **3** elevar-se
◇ **climb down** *v* ceder; recuar
climber *n* **1** alpinista **2** (planta) trepadeira
climbing *n* **1** alpinismo; montanhismo **2** (ato) subida; escalada

clinch *n* **1** *col* abraço forte **2** (boxe) corpo a corpo ▪ *v* **1** agarrar; segurar **2** resolver; **that clinches it!** isto trata do assunto!
cling *v* **1** segurar-se (to, a), agarrar-se (to, a) **2** ser fiel (to, a) **3** colar-se (to, a)
clingfilm *n* película aderente
clingy *adj* pegajoso
clinic *n* **1** clínica; **dental clinic** clínica de medicina dentária **2** (hospital) ambulatório
clinical *adj* **1** clínico; **clinical medicine** medicina clínica **2** (comportamento); distante **3** (quarto, edifício) frio
clip *n* **1** (para papel) clipe **2** (construção) grampo **3** (cabelo) gancho **4** safanão; puxão **5** videoclip; teledisco **6** (filmes) excerto ▪ *v* **1** (forma) recortar **2** (pequenos cortes) aparar **3** (bilhetes) picar **4** (sílabas) comer
clipboard *n* **1** bloco com mola **2** INFORM clipboard; área de transferência
clippers *npl* corta-unhas
clique *n pej* grupo exclusivista
clitoris *n* clitóris
cloak *n* **1** capa; capote **2** manto; cobertura **3** *fig* disfarce, máscara ▪ *v* encapotar; encobrir
cloakroom *n* **1** vestiário **2** GB casa de banho
clock *n* **1** (torre, parede) relógio; **clock dial** mostrador; **clock hand** ponteiro do relógio **2** *col* conta-quilómetros ♦ **round the clock** noite e dia sem parar
clockmaker *n* relojoeiro
clockwise *adj* no sentido dos ponteiros do relógio
clockwork *n* mecanismo de corda; **a clockwork toy** brinquedo de corda ♦ **like clockwork** com regularidade
clod *n* **1** (terra) torrão **2** *col* estúpido
clodhopper *n* **1** (calçado) sapatão **2** *col* campónio
clog *n* soco, tamanco ▪ *v* (trânsito, máquinas); entupir
cloister *n* claustro
clone *n* clone ▪ *v* clonar
cloning *n* clonagem
close *adj* **1** (local, família) próximo **2** íntimo, chegado **3** (inspeções) detalhado, minucioso **4** (competição) renhido ▪ *adv* perto ▪ *v* **1** fechar **2** encerrar; terminar **3** (passagem) obstruir; bloquear **4** aproximar-se (on, de) ♦ **close on/to** **1** perto de **2** cerca de; **that was a close shave** foi por um triz; **to be close at hand** estar à mão de semear
◇ **close down** *v* **1** (loja, negócio) fechar; encerrar **2** (emissão) sair do ar
◇ **close in** *v* **1** aproximar-se (on, de) **2** (dias) encurtar
◇ **close off** *v* fechar; vedar
◇ **close up** *v* **1** (loja, casa) fechar **2** (pessoas) aproximar-se **3** (ferida) cicatrizar
closed *adj* **1** fechado; encerrado **2** (grupo) restrito
close-fitting *adj* (roupa) justo
closely *adv* **1** atentamente **2** bem de perto **3** (investigação) minuciosamente **4** intimamente (to, a)
close-run *adj* (competição) renhido
closet *n* EUA armário ▪ *v* (em divisão) fechar ♦ **to come out of the closet** assumir-se, sair do armário
close-up *n* close-up; grande plano
closing *adj* de encerramento; de fecho ♦ **closing date** data-limite
closure *n* **1** (estabelecimento) encerramento **2** (passagem) bloqueio
clot *n* **1** (leite) grumo **2** (sangue) coágulo **3** GB *col* estúpido ▪ *v* coagular
cloth *n* **1** tecido **2** pano **3** toalha de mesa
clothe *v* **1** vestir **2** revestir (in, de)
clothes *npl* roupa
clothing *n* vestuário; **clothing industry** confeções[AO]
cloud *n* nuvem ▪ *v* **1** (céu) nublar(-se); escurecer **2** turvar ♦ **every cloud has a silver lining** não há mal sem bem
◇ **cloud over** *v* enublar-se
cloudburst *n* aguaceiro
cloudless *adj* sem nuvens
cloudy *adj* **1** (céu) nublado **2** sombrio **3** (líquido) turvo **4** melancólico, triste **5** vago, confuso
clout *n* **1** *col* sapatada; sopapo **2** *fig* poder ▪ *v* dar uma sapatada em
clove *n* **1** cravo-da-índia **2** (alho) dente
cloven *adj* dividido em dois
clover *n* trevo
clown *n* palhaço; **to make a clown of oneself** fazer figura de parvo ▪ *v* fazer palhaçadas
clowning *n* palhaçadas

club *n* **1** clube; associação **2** cacetete, maça **3** (golfe) taco **4** (de dança) discoteca **5** *pl* (naipe) paus ▪ *v* bater com cassetete em
clubbing *n col* ronda das discotecas
cluck *v* cacarejar ▪ *n* cacarejo
clue *n* indício, pista ♦ **not to have a clue** não fazer a mínima ideia
clumsily *adv* desajeitadamente
clumsiness *n* falta de jeito
clumsy *adj* **1** desastrado, trapalhão **2** (objeto) tosco
cluster *n* **1** (pessoas, objetos) aglomeração **2** (uvas, bananas, etc.) cacho (of, de) **3** tufo (of, de) **4** enxame ▪ *v* amontoar(-se), agrupar(-se)
clutch *n* [*pl* -es] **1** (automóvel) embraiagem **2** (ovos, pintainhos) ninhada **3** *pl* (poder) garras ▪ *v* agarrar, apertar
clutter *n* desordem; desarrumação ▪ *v* atravancar
c/o [*abrev. de* care of] a/c [*abrev. de* ao cuidado de]
coach *n* [*pl* -es] **1** treinador **2** explicador **3** GB camioneta, autocarro **4** GB (comboio) carruagem **5** EUA (avião) classe turística ▪ *v* **1** DESP treinar **2** dar explicações (for, para; in, de)
coaching *n* **1** DESP treino **2** explicações
coagulate *v* coagular
coal *n* carvão ♦ **coal tar** alcatrão
coalition *n* coligação; aliança
coarse *adj* **1** rude; grosseiro **2** áspero **3** grosso; **coarse salt** sal grosso **4** (vinho) carrascão
coarseness *n* grosseria
coast *n* GEOG costa ▪ *v* **1** (automóvel) ir em ponto morto **2** (bicicleta) ir em roda livre **3** ter sucesso sem grande esforço **4** costear ♦ **the coast is clear** o caminho está livre
coastal *adj* litoral; costeiro
coaster *n* base para copos
coastguard *n* **1** (organização) Guarda Costeira **2** (funcionário) guarda-costeiro
coastline *n* litoral; costa
coat *n* **1** casaco **2** (animais) pelo[AO] **3** demão (of, de) **4** camada (of, de) ▪ *v* cobrir, revestir
coating *n* **1** revestimento **2** película **3** (tinta) demão **4** CUL cobertura
coax *v* convencer
cobalt *n* **1** cobalto **2** (cor) azul-cobalto
cobble *n* (calçada) pedra arredondada ▪ *v* **1** calcetar **2** (calçado) remendar
cobbled *adj* calcetado; **cobbled street** calçada
cobblestone *n* (calçada) pedra arredondada
cobweb *n* teia de aranha
cocaine *n* cocaína
coccyx *n* [*pl* -es, coccyges] cóccix
cock *n* **1** galo **2** (aves) macho **3** (arma de fogo) cão ▪ *v* **1** levantar, erguer **2** engatilhar
cockatoo *n* cacatua
cockle *n* amêijoa
cockpit *n* cockpit
cockroach *n* [*pl* -es] barata
cocktail *n* (bebida, aperitivo) cocktail
cocky *adj col* presumido; arrogante
cocoa *n* **1** cacau **2** (bebida) chocolate quente
coconut *n* coco
cocoon *n* casulo ▪ *v* proteger (from/against, de)
cod *n* bacalhau
COD [*abrev. de* cash on delivery] à cobrança
code *n* código ▪ *v* codificar
codex *n* [*pl* codices] códice
codfish *n* bacalhau
codification *n* codificação
codify *v* codificar
coefficient *n* coeficiente
coerce *v form* coagir (into, a)
coercion *n form* coação[AO]
coexist *v* coexistir (with, com)
coexistence *n* coexistência (with, com)
coffee *n* café; **black/white coffee** café simples/com leite
coffeepot *n* cafeteira
coffer *n* **1** cofre, arca, baú **2** *pl* fundos (monetários)
coffin *n* caixão ▪ *v* meter em caixão
cog *n* **1** dente de roda **2** roda dentada
cognac *n* conhaque
cognition *n form* cognição
cognitive *adj* cognitivo
cogwheel *n* roda dentada
cohabit *v form* viver em união de facto (with, com)
cohabitation *n* coabitação
coherence *n* coerência
coherent *adj* coerente
cohesion *n* coesão
cohesive *adj* coeso
coil *n* **1** corda enrolada **2** laçada **3** espiral **4** ELET bobina **5** (cabelo) caracol ▪ *v* **1** (corda, cabelo) enrolar(-se) **2** (cabo) recolher **3** (rio) serpentear

coin *n* moeda ■ *v* **1** (palavras, expressões) inventar **2** cunhar
coinage *n* **1** cunhagem de moeda **2** sistema monetário **3** neologismo
coincide *v* coincidir (with, com)
coincidence *n* coincidência
coincidental *adj* casual; acidental
coitus *n* coito
coke *n* **1** (carvão) coque **2** *col* cocaína
colander *n* **1** coador **2** (alimentos sólidos) escorredor
cold *adj* **1** frio **2** indiferente; insensível **3** sem entusiasmo ■ *n* **1** frio **2** constipação ■ *adv* completamente; terminantemente ♦ **cold cream** creme facial; **in cold blood** a sangue-frio; **to get cold feet** ficar com medo; **to give the cold shoulder to** tratar (alguém) de modo indelicado ou frio
cold-blooded *adj* **1** (animal) de sangue frio **2** (pessoa) frio; insensível **3** (crime) a sangue-frio **4** (criminoso) cruel
cold-hearted *adj* insensível; sem compaixão
cold-shoulder *v* tratar com indiferença
coleslaw *n* salada de couve e cenoura
colic *n* cólica
collaborate *v* colaborar (with, com; in/on, em)
collaboration *n* colaboração (with, com; between, entre)
collaborator *n* colaborador
collapse *n* **1** colapso **2** desabamento; desmoronamento **3** (negócios, finanças) quebra **4** fracasso ■ *v* **1** desabar; desmoronar **2** (pessoa) desfalecer **3** (projetos) ir por água abaixo **4** falir
collar *n* **1** colarinho **2** (animais) coleira ■ *v* **1** pôr um colarinho ou uma coleira a **2** agarrar pelos colarinhos **3** *col* intercetar[AO]
collarbone *n* clavícula
collate *v* **1** reunir **2** (documentos escritos, factos) comparar
collateral *adj* **1** paralelo; colateral **2** (parente) colateral ■ *n* garantia
colleague *n* colega
collect *v* **1** juntar(-se); reunir(-se) **2** colecionar[AO] **3** angariar (for, para) **4** arrecadar ■ *adj,adv* **1** à cobrança **2** a pagar no destinatário; **collect call** chamada a pagar no destinatário
collectable *adj* colecionável[AO]
collected *adj* **1** calmo; tranquilo **2** (obra) coligido, reunido
collection *n* **1** coleção[AO] (of, de) **2** compilação (of, de) **3** (caridade) coleta[AO] **4** cobrança **5** (lixo, correio, objetos) recolha
collective *adj* coletivo[AO] ■ *n* cooperativa
collector *n* **1** colecionador[AO] **2** cobrador
college *n* **1** (ensino superior) instituto; escola superior **2** EUA universidade; faculdade **3** GB (universidade) colégio universitário **4** (conjunto de pessoas) colégio

Não confundir a palavra inglesa **college** com a palavra portuguesa **colégio**, que se traduz por *school*.

collide *v* **1** colidir (with, com) **2** entrar em conflito (with, com)
colliery *n* [*pl* -ies] mina de carvão
collision *n* **1** colisão; choque **2** conflito
collocate *v* (palavras) coocorrer[AO] ■ *n* (palavras) coocorrente[AO]
collocation *n* (palavras) colocação; coocorrência[AO]
colloquial *adj* coloquial; informal
colloquialism *n* coloquialismo
collude *v* conspirar (with, com)
collusion *n* **1** conluio **2** conivência (between, with, com)
cologne *n* água-de-colónia
Colombia *n* Colômbia
Colombian *adj,n* colombiano
colon *n* **1** cólon **2** dois pontos (:)
colonel *n* coronel
colonial *adj* colonial ■ *n* colono
colonization *n* colonização
colonize *v* colonizar
colony *n* [*pl* -ies] colónia
color *n,adj,v* EUA ⇒ **colour**
colossal *adj* colossal
colossus *n* [*pl* -i, -uses] colosso
colour *n* **1** cor **2** *pl* (nação, regimento) bandeira **3** *pl* insígnias ■ *adj* a cores; **colour television** televisão a cores ■ *v* **1** colorir, pintar **2** tingir **3** ruborizar-se **4** mudar de cor
colour-blind *adj* daltónico
colour-blindness *n* daltonismo
coloured *adj* **1** colorido **2** de cor; **coloured pencil** lápis de cor

colourful *adj* **1** colorido **2** invulgar, interessante **3** pitoresco **4** (linguagem) vulgar
colouring *n* **1** cor; colorido **2** aparência **3** (alimentar) corante
colourless *adj* **1** incolor **2** pálido **3** desinteressante
colt *n* **1** potro, poldro **2** GB (desporto) júnior
column *n* coluna
columnist *n* (jornalismo) cronista, colunista
coma *n* coma
comatose *adj* em estado de coma
comb *n* **1** pente **2** (onda, galo, monte) crista **3** (mel) favo ▪ *v* **1** pentear **2** (lã) cardar **3** passar a pente fino
combat *n* combate; **killed in combat** morto em combate ▪ *v* (resistência) combater
combatant *n* combatente
combination *n* **1** combinação (of, de) **2** (cofre) combinação; código
combine *v* **1** combinar(-se) **2** unir(-se); aliar(-se); **to combine efforts** aliar esforços **3** (empresas) fundir-se
combustible *adj* inflamável, combustível
combustion *n* combustão
come *v* **1** vir; **to come by train** vir de comboio **2** aproximar-se **3** chegar **4** proceder; resultar ♦ **come again?** como?, quê?; **coming!** já vai!; **to come true** realizar-se
◇ **come about** *v* acontecer; suceder
◇ **come across** *v* **1** (coisa, pessoa) encontrar por acaso **2** ser entendido
◇ **come along** *v* **1** avançar; progredir **2** aparecer **3** vir; ir; **come along, children!** venham, crianças!
◇ **come apart** *v* desfazer-se
◇ **come away** *v* **1** soltar-se; sair **2** afastar-se **3** vir embora
◇ **come back** *v* **1** regressar (from, de) **2** voltar (to, a) **3** estar na moda novamente **4** (recordação) voltar à cabeça
◇ **come before** *v* **1** comparecer perante **2** ser apresentado a
◇ **come between** *v* meter-se entre
◇ **come by** *v* **1** arranjar; adquirir **2** passar por
◇ **come down** *v* **1** baixar **2** aparecer em **3** ser demolido **4** cair; despenhar-se **5** (avião) aterrar
◇ **come down on** *v* castigar; criticar
◇ **come for** *v* **1** ir/vir buscar **2** ir/vir atrás de
◇ **come forward** *v* voluntariar-se, oferecer-se
◇ **come from** *v* ser de; vir de
◇ **come in** *v* **1** chegar **2** entrar; **come in** entre **3** usar-se; estar na moda **4** ficar em; **he came in second** ficou em segundo lugar
◇ **come into** *v* **1** herdar **2** estar relacionado com
◇ **come off** *v* **1** descolar **2** cair de **3** (medicamento, droga) largar **4** soltar-se **5** (manchas) sair
◇ **come on** *v* **1** acender; **the green light came on** o semáforo ficou verde **2** aparecer
◇ **come on to** *v* **1** abordar **2** atirar-se a; insinuar-se a
◇ **come out** *v* **1** vir a público **2** ser publicado; **his new book has come out** o novo livro dele já foi publicado **3** (manchas) sair **4** (lua, sol, estrelas) aparecer; nascer
◇ **come out with** *v* sair-se com
◇ **come over** *v* **1** aparecer; **come over for dinner** aparece para jantar **2** dar; **I don't know what came over him** não sei o que é que lhe deu
◇ **come through** *v* **1** chegar; **the news just came through** as notícias acabaram de chegar **2** sair; **the results will come through today** os resultados saem hoje
◇ **come up** *v* **1** aproximar-se **2** aparecer **3** surgir; **that matter came up in the meeting** essa questão surgiu durante a reunião **4** ir a tribunal **5** (vaga) abrir; surgir **6** (Sol, Lua) nascer
◇ **come up against** *v* deparar-se com
◇ **come up with** *v* arranjar; **he came up with a plan** arranjou um plano
comeback *n* **1** regresso **2** resposta
comedian *n* cómico; humorista
comedienne *n* cómica; humorista
comedy *n* [*pl* -ies] comédia
comet *n* cometa
comfort *n* **1** conforto; bem-estar **2** (coisa, luxo) comodidade **3** alívio, consolação ▪ *v* **1** consolar **2** tranquilizar ♦ **if it's any comfort...** se serve de consolo....
comfortable *adj* **1** confortável; cómodo **2** (pessoa) bem; à vontade **3** (rendimento) bom
comfortably *adv* confortavelmente
comforter *n* **1** (pessoa) consolador **2** EUA edredão
comforting *adj* reconfortante

comfy *adj col* confortável
comic *adj* cómico ▪ *n* **1** humorista **2** livro de banda desenhada **3** *pl* EUA banda desenhada ♦ EUA **comic book** livro de banda desenhada; **comic strip** história de banda desenhada
comical *adj* cómico
coming *n* vinda; chegada ▪ *adj* **1** que está para chegar **2** (tempo) próximo
comma *n* vírgula
command *n* **1** ordem; **he gave a command** ele deu uma ordem **2** domínio, controlo **3** INFORM comando **4** MIL oficiais em comando ▪ *v* **1** mandar, ordenar **2** dominar; controlar **3** MIL dirigir
commandant *n* comandante
commandeer *v* MIL requisitar (para fins militares)
commander *n* **1** comandante **2** (navio) capitão
commanding *adj* **1** superior; **commanding officer** comandante **2** proeminente; de destaque
commandment *n* mandamento
commando *n* [*pl* -es, -s] **1** (soldado) comando **2** (divisão) comandos
commemorate *v* comemorar; celebrar
commemoration *n* comemoração (of, de)
commemorative *adj* comemorativo
commence *v form* começar; principiar
commencement *n form* princípio (of, de)
commend *v* **1** louvar (for, por), elogiar (for, por) **2** recomendar (to, a)
commendation *n* **1** louvor, elogio **2** (prémio) distinção
comment *n* comentário (about/on, sobre); **no comments** sem comentários ▪ *v* fazer comentários (on, sobre)
commentary *n* [*pl* -ies] **1** (desporto) relato **2** (texto, televisão) comentário (on, a/sobre); **running commentary** comentário em direto[AO] ♦ **commentary box** tribuna de imprensa
commentator *n* (meios de comunicação social) comentador; analista
commerce *n* comércio
commercial *adj* comercial ▪ *n* (televisão, rádio) anúncio publicitário, reclame ♦ (publicidade) **commercial artist** criativo; **commercial break** pausa para a publicidade
commercialization *n* comercialização (of, de)
commercialize *v* comercializar
commiserate *v* manifestar solidariedade (with, a; over, em relação a)
commiseration *n* **1** compaixão **2** *pl* condolências
commission *n* **1** comissão; **to work on commission** trabalhar à comissão **2** trabalho; encomenda ▪ *v* **1** encomendar **2** contratar ♦ **out of commission** fora de serviço
commissionaire *n* (hotel, sala de espetáculos) porteiro; rececionista[AO]
commissioner *n* comissário
commit *v* **1** cometer; praticar **2** (hospital, lar) internar (to, em) **3** (prisão) deter **4** destinar (to, a) ♦ **to commit oneself to 1** (dedicação) empenhar-se; aplicar-se **2** comprometer-se
commitment *n* **1** empenho; dedicação **2** obrigação; responsabilidade **3** compromisso
committal *n* **1** (hospital psiquiátrico) internamento **2** (prisão) detenção
committed *adj* **1** empenhado (to, em); dedicado (to, a) **2** comprometido
committee *n* comité; **to be/sit on a committee** ser membro de um comité
commodity *n* [*pl* -ies] **1** produto; mercadoria **2** matéria-prima
common *adj* **1** banal; vulgar **2** frequente; normal **3** comum **4** ordinário; grosseiro ♦ (escola) **common room** sala de convívio; **in common use** de uso corrente; **it's common knowledge that...** toda a gente sabe que...
commoner *n* plebeu
commonly *adv* comummente
commonplace *n* lugar-comum ▪ *adj* vulgar; comum
Commonwealth *n* Comunidade Britânica
commotion *n* **1** agitação; confusão **2** distúrbios
communal *adj* **1** comum; em comum **2** comunitário
commune *n* (comunidade) comuna ◇ **commune with** *v* **1** estar em comunhão com **2** comunicar com
communicable *adj* **1** (doença) contagioso, transmissível **2** (ideia, conceito) fácil de explicar
communicate *v* **1** comunicar (to, a) **2** revelar (to, a); divulgar (to, a) **3** (doença) transmitir; contagiar **4** (espaços) estar em comunicação

communication *n* **1** comunicação **2** comunicado; notificação **3** passagem, ligação
communicative *adj* comunicativo
communicator *n* comunicador
communion *n* **1** REL comunhão **2** REL confraternidade **3** (partilha, proximidade) comunhão
communiqué *n* comunicado oficial
communism *n* comunismo
communist *adj,n* comunista
community *n* [*pl* -ies] **1** comunidade **2** população ♦ **community centre** centro social; **community service** serviço comunitário
commutator *n* comutador
commute *v* **1** ir e vir todos dias (entre casa e o emprego) **2** permutar; trocar
commuter *n* pessoa que faz regularmente um percurso longo entre a casa e o emprego ♦ **commuter belt** arredores
Comoran *adj,n* comorense
Comoros *n* Comores
compact *adj* **1** compacto; denso **2** (espaço) apertado **3** conciso ▪ *v* compactar; comprimir ▪ *n* estojo de pó de arroz ♦ **compact disc** disco compacto; CD; **compact disc player** leitor de CD
companion *n* **1** companheiro **2** (profissão) acompanhante **3** (livro) guia
companionship *n* **1** companheirismo **2** companhia
company *n* [*pl* -ies] **1** companhia **2** visita **3** empresa **4** (teatro, dança) companhia ♦ **two's company, three is a crowd** dois é bom, três é de mais
comparable *adj* comparável (to/with, a, com)
comparative *adj* **1** comparativo **2** relativo; **he lived in comparative comfort** ele vivia com um relativo conforto ▪ *n* grau comparativo
comparatively *adv* comparativamente
compare *v* comparar(-se) (with, com)
comparison *n* comparação
compartment *n* **1** compartimento **2** divisão
compass *n* [*pl* -es] **1** bússola **2** âmbito; **within the compass of** no âmbito de ♦ **compass point** ponto cardeal; **compass rose** rosa dos ventos
compassion *n* compaixão; pena
compassionate *adj* compassivo
compatibility *n* compatibilidade (between, entre; with, com)
compatible *adj* compatível (with, com)
compatriot *n* compatriota
compel *v* obrigar; forçar
compelling *adj* **1** (argumentos, razões) de peso **2** envolvente; apaixonante **3** (impulso, necessidade) irresistível
compendium *n* [*pl* -s, compendia] compêndio
compensate *v* **1** compensar **2** indemnizar (for, por)
compensation *n* **1** compensação **2** indemnização (for, por)
compensatory *adj* compensatório
compere *n* GB (televisão, rádio) apresentador ▪ *v* GB (televisão, rádio) apresentar
compete *v* **1** competir (with/against, com; for, para) **2** (em competição, em prova, etc.) participar (in, em) **3** disputar entre si (for, -) **4** (empresas) ser concorrente (with, de)
competence *n* competência (for, para)
competent *adj* competente
competition *n* **1** competição **2** concorrência
competitive *adj* **1** competitivo **2** (desporto) de competição
competitively *adv* de forma competitiva
competitiveness *n* competitividade
competitor *n* **1** participante em competição **2** concorrente
compilation *n* compilação
compile *v* compilar
compiler *n* compilador
complacency *n pej* autocomplacência
complacent *adj pej* autocomplacente
complain *v* **1** (protesto) queixar-se (about, de; to, a) **2** lamentar-se (about, em relação a) **3** (doença, dor) queixar-se (of, de)
complaint *n* queixa; reclamação; **complaints book** livro de reclamações
complement *n* **1** complemento (to, a) **2** acessório (to, de) ▪ *v* complementar
complementary *adj* complementar
complete *adj* **1** completo **2** acabado, concluído ▪ *v* **1** completar **2** acabar; concluir **3** preencher
completely *adv* completamente
completion *n* **1** remate **2** conclusão; acabamento
complex *adj* complexo, complicado ▪ *n* [*pl* -es] complexo
complexion *n* (rosto) pele, tez
complexity *n* [*pl* -ies] complexidade

compliance *n* **1** conformidade **2** obediência (with, a); acatamento (with, de) **3** INFORM compatibilidade
compliant *adj* **1** em conformidade (with, com) **2** submisso; dócil **3** INFORM compatível
complicate *v* complicar
complicated *adj* complicado
complication *n* complicação
compliment *n* **1** elogio **2** *pl* cumprimentos, saudações; (cartão, postal) **with the compliments of** com os cumprimentos de ▪ *v* elogiar (on, por)
complimentary *adj* **1** elogioso **2** (relações-públicas) gratuito; de cortesia
comply *v* **1** obedecer (with, a); cumprir (with, -) **2** (pedido) aceder (with, a)
component *n,adj* componente
compose *v* **1** compor **2** (texto) redigir; escrever ♦ **to compose oneself** acalmar-se
composer *n* compositor
composite *adj,n* composto
composition *n* composição
compost *n* estrume
composure *n* compostura, serenidade
compound *n* **1** (substância, palavra) composto **2** conjunto; combinação **3** recinto ▪ *adj* composto; complexo ▪ *v* **1** (doença, problema, dificuldade) agravar **2** combinar; misturar ♦ **compound fracture** fratura[AO] exposta
comprehend *v* compreender, perceber
comprehensible *adj* compreensível; inteligível
comprehension *n* compreensão, entendimento ♦ (escola) **listening comprehension** compreensão auditiva; (escola) **reading comprehension** leitura e interpretação
comprehensive *adj* **1** exaustivo; abrangente **2** (seguro) contra todos os riscos
compress *n* compressa ▪ *v* **1** comprimir **2** reduzir; condensar **3** INFORM compactar
compression *n* compressão
compressor *n* MEC compressor
comprise *v* **1** incluir; conter **2** constituir; **to be comprised of** ser constituído por
compromise *n* **1** (transigência) compromisso (between, entre) **2** meio termo; solução de compromisso ▪ *v* **1** pôr em perigo, pôr em risco **2** chegar a um acordo
compromising *adj* comprometedor
compulsion *n* **1** coação[AO] **2** compulsão
compulsive *adj* **1** compulsivo; inveterado **2** irresistível
compulsory *adj* obrigatório
computation *n form* cômputo; cálculo
compute *v form* fazer o cômputo de
computer *n* computador; **computer science** informática; **computer virus** vírus informático
computer-aided *adj* assistido por computador
computerize *v* informatizar; computorizar
computer-literate *adj* com conhecimentos de informática
computing *n* informática
comrade *n* camarada
comradeship *n* camaradagem
con *n* **1** *col* vigarice; esquema *col* **2** *cal* condenado; criminoso **3** contra; **the pros and cons** os prós e os contras ▪ *v col* vigarizar; burlar
concave *adj* côncavo
concavity *n* [*pl* -ies] concavidade
conceal *v* ocultar (from, de); esconder (from, de)
concealed *adj* escondido, oculto
concealment *n* ocultação; encobrimento
concede *v* **1** reconhecer, admitir **2** (golos, pontos) sofrer
conceit *n* presunção; vaidade
conceited *adj* presunçoso (about, em relação a)
conceivable *adj* concebível
conceive *v* **1** (criança, ideia, plano) conceber **2** compreender
concentrate *v* **1** concentrar(-se) (on, em) **2** centrar-se (on, em) **3** convergir (in, para); centralizar-se (in, em) ▪ *n* concentrado
concentration *n* concentração
concentric *adj* concêntrico
concept *n* conceito (of, de)
conception *n* (ideia, bebé) conceção[AO]
conceptual *adj* conceptual[AO]
concern *n* **1** preocupação (about/over/for, com) **2** interesse **3** negócio, empresa ▪ *v* **1** dizer respeito a; afetar[AO] **2** (texto, filme, etc.) ser sobre **3** preocupar
concerned *adj* **1** preocupado (about/for, com) **2** visado; interessado ♦ **as far as I'm concerned** no que me diz respeito
concerning *prep* acerca de; sobre

concert *n* MÚS concerto ◆ **in concert** ao vivo
concertgoer *n* frequentador de concertos
concertina *n* concertina
concerto *n* [*pl* -s] (composição) concerto
concession *n* **1** concessão **2** tarifa reduzida
conciliation *n* conciliação
concise *adj* **1** conciso; sucinto **2** (edição) reduzido
conciseness *n* concisão
concision *n* concisão
conclave *n* conclave
conclude *v* **1** concluir (with, com) **2** deduzir (from, de) **3** (negócio, acordo) firmar
concluding *adj* final; concludente
conclusion *n* **1** conclusão **2** (tratado, reunião) conclusão; final
conclusive *adj* conclusivo
conclusively *adv* definitivamente
concoct *v* **1** confecionar[AO]; preparar **2** engendrar
concoction *n* **1** (comida, bebida) mistela **2** esquema
concordance *n* (livro) índice
concourse *n* átrio; entrada
concrete *n* betão; cimento ▪ *adj* **1** concreto **2** de betão ▪ *v* cobrir de betão; cimentar
concubine *n* concubina
concur *v* **1** concordar (with, com) **2** conjugar-se (to, para)
concurrent *adj* **1** simultâneo **2** concertado
concuss *v* bater na cabeça de (alguém)
concussion *n* **1** concussão cerebral **2** abalo
condemn *v* **1** condenar (to, a); **to condemn to death** condenar à morte **2** criticar (for, por); censurar (for, por)
condemnation *n* **1** condenação **2** censura (of, de)
condemned *adj* **1** condenado **2** censurado
condensation *n* condensação
condense *v* **1** condensar(-se) **2** resumir (into/to, para)
condensed *adj* condensado
condescend *v* **1** condescender (to, em) **2** tratar de forma condescendente
condescending *adj* condescendente
condescension *n* condescendência
condiment *n* condimento
condition *n* **1** condição; **on one condition** com uma condição **2** situação; **of humble condition** de origem humilde **3** estado; **in good condition** em bom estado **4** (contrato) cláusula (of, de) **5** doença; problema ▪ *v* **1** condicionar **2** (cabelo, pele) tratar de
conditional *adj* **1** condicional **2** dependente (on/upon, de) ▪ *n* condicional
conditioner *n* **1** (cabelo, roupa) amaciador **2** creme hidratante
conditioning *n* condicionamento
condolence *n* condolência; **please accept my condolences** os meus sentimentos
condom *n* preservativo
condominium *n* EUA condomínio
condor *n* condor
conduct *n* **1** conduta, procedimento **2** organização (of, de) ▪ *v* **1** levar a cabo **2** gerir, dirigir **3** reger **4** (visita) guiar
conductivity *n* condutividade
conductor *n* **1** ELET condutor **2** MÚS (orquestra, coro) regente, maestro **3** (transportes) revisor **4** líder; guia
conduit *n* **1** (tubo) conduta **2** intermediário
cone *n* cone
confectioner *n* pasteleiro, confeiteiro ◆ (estabelecimento) **confectioner's** confeitaria
confectionery *n* artigos de confeitaria
confederacy *n* [*pl* -ies] confederação
confederate *n* **1** confederado **2** cúmplice ▪ *v* confederar-se
confederation *n* confederação
confer *v* **1** conferenciar (with, com); aconselhar-se (with, com) **2** conceder (on/upon, a); atribuir (on/upon, a)
conference *n* conferência (on, sobre); **conference room** sala de reuniões
confess *v* **1** confessar **2** reconhecer; admitir
confession *n* confissão
confessional *n* confessionário ▪ *adj* confessional
confessor *n* REL confessor
confetti *npl* confetes, confetti
confidant *n* (sexo masculino) confidente
confidante *n* (sexo feminino) confidente
confide *v* **1** confidenciar (to, a) **2** *form* confiar (to, a)
◇ **confide in** *v* confiar em
confidence *n* **1** confiança **2** autoconfiança; segurança **3** (segredo) confidência
confident *adj* confiante, seguro ◆ **to be confident that...** ter a certeza que...

confidential *adj* **1** confidencial **2** particular; **they're having a confidential talk** eles estão a ter uma conversa particular
confidentially *adv* confidencialmente
configuration *n* configuração
configure *v* configurar
confine *v* **1** limitar (to, a), restringir (to, a) **2** prender (to, em), encarcerar (to, em)
confined *adj* (espaço) reduzido; limitado
confinement *n* prisão; clausura
confines *n* confins, fronteiras
confirm *v* **1** confirmar **2** ratificar **3** REL crismar
confirmation *n* **1** confirmação **2** ratificação **3** REL crisma
confirmed *adj* **1** confirmado **2** inveterado; incorrigível
confiscate *v* confiscar
confiscation *n* confiscação
conflagration *n* conflagração
conflict *n* conflito (over, por; with, com; between, entre) ▪ *v* entrar em conflito (with, com)
conflicting *adj* **1** (opiniões, interesses) oposto; contrário **2** contraditório
confluence *n* confluência (of, de)
conform *v* **1** ajustar-se (to/with, a) **2** estar em conformidade (with, com) **3** obedecer (to/with, a)
conformity *n* [*pl* -ies] conformidade
confound *v* confundir; baralhar
confounded *adj* confuso
confront *v* **1** enfrentar **2** confrontar (with, com); **I confronted him with the truth** confrontei-o com a verdade
confrontation *n* confronto
confuse *v* **1** confundir; atrapalhar **2** baralhar **3** (engano) confundir (with, com)
confused *adj* confuso
confusion *n* **1** confusão **2** desordem
congeal *v* **1** coagular **2** solidificar
congenial *adj* (pessoa, atmosfera) agradável; simpático
conger *n* congro
congestion *n* **1** congestão **2** congestionamento; **traffic congestion** congestionamento de trânsito
conglomerate *n* **1** ECON conglomerado **2** GEOL aglomerado
conglomeration *n* conglomeração; conglomerado
Congo *n* Congo
Congolese *adj,n* congolês
congratulate *v* felicitar (on/for, por)
congratulatory *adj* de felicitação
congregate *v* congregar-se, reunir-se
congregation *n* congregação
congress *n* [*pl* -es] congresso
congressman *n* [*pl* -men] **1** congressista **2** EUA membro da Câmara dos Representantes
congruent *adj* congruente
congruous *adj* congruente (with, com)
conical *adj* cónico
conjecture *n* conjetura[AO]; suposição ▪ *v* conjeturar[AO]; supor
conjugal *adj* conjugal
conjugate *v* conjugar(-se)
conjugation *n* conjugação
conjunction *n* **1** conjunção **2** associação (of, de; with, com) ♦ **in conjunction with** em conjunto com
conjunctivitis *n* conjuntivite
conjure *v* **1** fazer magia **2** invocar; conjurar
conjurer *n* ilusionista; prestidigitador
conjuring *n* **1** ilusionismo **2** feitiçaria
conk *n* GB *col* nariz; penca *col*
◇ **conk out** *v* **1** *col* (máquina) falhar, avariar **2** *col* (pessoa) adormecer
connect *v* **1** unir (to/with, a); ligar (to/with, a) **2** relacionar (with, com) **3** (eletricidade) ligar **4** (chamada telefónica, comboio, autocarro) fazer a ligação
connected *adj* ligado (with, a); relacionado (with, com) ♦ **to be well connected** ter bons contactos
connecting *adj* **1** de união; de ligação **2** (espaços) que comunica
connection *n* **1** relação (between, entre; with, com; to, a) **2** (meios de transporte, telefone) ligação **3** (eletricidade) contacto **4** *pl* contactos ♦ **in connection with** no que diz respeito a
connivance *n* conivência
connive *v* ser conivente (at, em; with, com)
connoisseur *n* entendido (of, em)
connotation *n* conotação
conquer *v* **1** conquistar **2** (dificuldade, problema) vencer
conquering *adj* vitorioso; triunfante
conqueror *n* conquistador; vencedor
conquest *n* conquista (of, de)
conscience *n* consciência

conscientious *adj* consciencioso ◆ **conscientious objector** objetor[AO] de consciência
conscious *adj* **1** consciente **2** deliberado **3** ciente (of, de) ■ *n* PSIC consciente
consciousness *n* estado de consciência; **to lose/regain consciousness** perder/recuperar os sentidos
conscript *n* MIL recruta ■ *v* MIL recrutar
conscription *n* MIL recrutamento
consecrate *v* **1** consagrar **2** dedicar (to, a) **3** REL ordenar
consecration *n* **1** consagração; sagração **2** (de bispo) ordenação
consecutive *adj* consecutivo
consensual *adj* consensual
consensus *n* consenso; **the consensus of opinion** a opinião geral
consent *n* consentimento ■ *v* autorizar (to, -), permitir (to, -)
consenting *adj* responsável; **consenting adults** pessoas maiores e vacinadas
consequence *n* consequência; resultado ◆ **in consequence** por conseguinte
consequential *adj* consequente; resultante
consequently *adv* consequentemente
conservation *n* **1** conservação **2** defesa do ambiente ◆ **conservation area** zona protegida
conservationist *n* ambientalista
conservative *adj,n* conservador ◆ **at a conservative estimate** calculando por baixo
conservatoire *n* GB conservatório
conservatory *n* [*pl* -ies] **1** GB estufa **2** EUA conservatório
conserve *v* **1** (património) conservar; preservar **2** (água, energia) poupar ■ *n* compota
consider *v* **1** considerar **2** refletir[AO] sobre; ponderar **3** (problema, possibilidade) examinar; estudar **4** (perigo) avaliar, medir ◆ **all things considered, ...** pensando bem, ...
considerable *adj* considerável
considerate *adj* atencioso; simpático
consideration *n* **1** consideração (for, por), respeito (for, por) **2** reflexão
considering *prep* tendo em conta ■ *adv col* apesar de tudo; pensando bem
consignment *n* **1** consignação; **on consignment** à consignação **2** (mercadorias) remessa (of, de)
consist *v* **1** consistir (in, em) **2** ser composto (of, por)
consistency *n* **1** coerência; lógica **2** (textura) consistência
consistent *adj* consistente
consolation *n* **1** consolo; conforto **2** consolação; **consolation prize** prémio de consolação
console *n* **1** consola; **game console** consola de jogos **2** (televisão, rádio, computador) suporte, mesa ■ *v* consolar (with, com)
consolidate *v* **1** consolidar; reforçar **2** unir; fundir
consolidation *n* **1** consolidação; reforço **2** união; fusão
consonant *n* (som, letra) consoante
consort *n* consorte; **prince consort** príncipe consorte
consortium *n* [*pl* consortia] consórcio
conspicuous *adj* **1** conspícuo; que dá nas vistas **2** visível **3** evidente; óbvio
conspiracy *n* [*pl* -ies] conspiração
conspirator *n* conspirador
conspiratorial *adj* conspiratório
conspire *v* **1** conspirar (against, contra; with, com) **2** unir-se (against, contra)
constable *n* GB (polícia) agente
constabulary *n* [*pl* -ies] GB (força pública) polícia
constancy *n* **1** constância; perseverança **2** fidelidade; lealdade
constant *adj,n* constante
constellation *n* constelação
consternation *n* consternação
constipate *v* obstipar
constipation *n* prisão de ventre

> Não confundir a palavra inglesa **constipation** com a palavra portuguesa **constipação**, que se traduz por *cold*.

constituency *n* [*pl* -ies] **1** círculo eleitoral **2** eleitorado de um círculo eleitoral **3** apoio político
constituent *n* **1** (círculo eleitoral) eleitor **2** componente; constituinte
constitute *v* constituir
constitution *n* **1** constituição **2** composição (of, de)
constitutional *adj* constitucional
constrain *v* constranger (to, a); obrigar (to, a)

constraint *n* **1** constrangimento; inibição **2** coação[AO] **3** restrição (of, de; on, a)
constrict *v* **1** apertar **2** limitar; restringir **3** (movimentos) dificultar
constriction *n* **1** constrição **2** (peito, garganta) aperto **3** limitação; restrição
constrictor *n* constritor; **boa constrictor** jiboia[AO]
construct *v* **1** construir; edificar **2** montar **3** (ideias, teorias) estruturar; elaborar
construction *n* construção ♦ **construction site** obra
constructive *adj* construtivo
construe *v* interpretar
consul *n* cônsul
consulate *n* consulado
consult *v* **1** consultar (on, em relação a) **2** aconselhar-se (with, com; about, em relação a)
consultant *n* **1** consultor; **legal consultant** consultor jurídico **2** GB médico especialista
consultation *n* **1** troca de impressões **2** (livro, pessoa) consulta
consultative *adj* consultivo
consumable *adj* consumível ▪ *n pl* consumíveis
consume *v* **1** consumir; gastar **2** (fogo) reduzir a cinzas
consumer *n* consumidor
consumerism *n* **1** consumismo **2** defesa do consumidor
consummate *adj* consumado, perfeito ▪ *v* **1** *form* (relação, amor) consumar **2** *form* concretizar
consummation *n* **1** *form* (relação, amor) consumação **2** *form* concretização
consumption *n* consumo
contact *n* contacto (with, com; between, entre) ▪ *v* entrar em contacto com ♦ **contact lens** lente de contacto
contagion *n* **1** contágio **2** doença contagiosa
contagious *adj* contagioso; infecioso[AO]
contain *v* **1** conter; incluir **2** refrear
container *n* **1** recipiente **2** embalagem **3** contentor
containment *n form* contenção
contaminant *n* contaminante
contaminate *v* contaminar
contamination *n* contaminação
contemplate *v* **1** contemplar; admirar **2** pensar em; considerar a hipótese de
contemplation *n* contemplação
contemplative *adj* contemplativo
contemporaneous *adj form* contemporâneo (with, de)
contemporary *adj,n* contemporâneo
contempt *n* **1** desprezo (for, por); desdém (for, por) **2** DIR desrespeito (of, a)
contemptible *adj* desprezível
contemptuous *adj form* desdenhoso (of, de)
contend *v* competir (for, por); disputar (for, -) ◇ **contend with** *v* (dificuldades) lidar com; enfrentar
contender *n* **1** candidato (for, a) **2** concorrente (for, a) **3** adversário
content *n* **1** (livro, discurso) conteúdo **2** teor ▪ *adj* satisfeito (with, com) ▪ *v* contentar, satisfazer
contented *adj* satisfeito; de satisfação
contention *n* **1** *form* opinião, convicção **2** *form* discussão, disputa
contentious *adj* **1** (assunto, decisão) controverso; polémico **2** (pessoa) conflituoso
contentment *n* satisfação; contentamento
contest *n* **1** concurso; **beauty contest** concurso de beleza **2** competição **3** (boxe) combate
contestant *n* **1** concorrente **2** candidato (for, a) **3** adversário
context *n* contexto
contextualize *v* contextualizar
contiguous *adj form* contíguo (to/with, a)
continent *n* continente
continental *adj* continental
contingency *n form* contingência; eventualidade ♦ **contingency plan** plano de emergência
contingent *adj form* dependente (on/upon, de) ▪ *n* contingente, grupo
continual *adj* contínuo; constante
continuation *n* continuação (of, de)
continue *v* **1** continuar; prosseguir **2** durar; prolongar-se
continuity *n* continuidade (between, entre) ♦ (televisão, rádio) **continuity announcer** locutor de continuidade
continuous *adj* contínuo; constante
contort *v* contorcer(-se)
contortion *n* contorção

contortionist *n* contorcionista
contour *n* **1** contorno **2** (mapa) curva de nível ▪ *v* desenhar em contorno
contraband *n* contrabando ▪ *adj* de contrabando
contraception *n* contraceção[AO]
contraceptive *adj,n* contracetivo[AO]
contract *n* contrato; acordo ▪ *v* **1** contrair(-se) **2** *form* (dívida, doença) contrair **3** contratar
contraction *n* contração[AO]
contractor *n* **1** contratante; contratador **2** (construção) empreiteiro
contractual *adj* contratual
contradict *v* contradizer
contradiction *n* contradição (between, entre)
contradictory *adj* contraditório
contralto *n* [*pl* -s] contralto ▪ *adj* de contralto
contraption *n col* maquineta, engenhoca
contrary *adj* contrário (to, a); oposto (to, a) ▪ *n form* contrário
contrast *n* contraste (between, entre; with/to, com) ▪ *v* **1** comparar; confrontar **2** contrastar (with, com) ♦ **by contrast** em contrapartida
contravene *v form* transgredir, infringir
contravention *n* violação (of, de), infração[AO] (of, de)
contribute *v* **1** contribuir com (to, para) **2** (jornalismo) ser colaborador (to, de) **3** (debate) participar (to, em)
contribution *n* **1** contribuição (to, para); contributo (to, para) **2** (publicação) colaboração **3** intervenção; participação
contributor *n* **1** (publicação) colaborador (to, de) **2** (doação) benemérito
contrition *n form* contrição
contrivance *n* **1** maquineta; engenhoca **2** *pej* artimanha (to, para); esquema (to, para)
contrive *v* **1** inventar, arranjar **2** conseguir (to, -)
contrived *adj* artificial; simulado
control *n* **1** controlo (of, de) **2** restrição **3** mecanismo de controlo; botão ▪ *v* **1** controlar **2** dominar ♦ **control panel** painel de controlo; **out of control** descontrolado
controller *n* **1** controlador **2** inspetor[AO] **3** mecanismo de controlo
controversial *adj* controverso; polémico
controversy *n* [*pl* -ies] controvérsia; polémica
controvert *v* discutir, contestar
contusion *n* contusão
convalesce *v* convalescer
convalescence *n* convalescença
convalescent *adj,n* convalescente
convection *n* convecção
convene *v* **1** *form* convocar **2** *form* reunir
convenience *n* **1** conveniência; **marriage of convenience** casamento por conveniência **2** comodidade ♦ **convenience store** loja de conveniência
convenient *adj* **1** conveniente (for, para) **2** cómodo; prático **3** (lugar) bem situado (for, em relação a)
convent *n* convento
convention *n* **1** convenção **2** congresso
conventional *adj* convencional; tradicional
converge *v* convergir (on, em, para)
convergence *n* convergência
convergent *adj* convergente
conversant *adj form* familiarizado (with, com)
conversation *n* conversa ♦ **conversation piece** tema de conversa; **to run out of conversation** ficar sem assunto
conversational *adj* coloquial
converse *adj,n form* contrário ▪ *v form* conversar (about, acerca de)
conversion *n* **1** conversão (to, em) **2** transformação (into, em)
convert *n* convertido (to, a) ▪ *v* converter (to, em/para; into, em)
converter *n* **1** *téc* conversor; **currency converter** conversor de moeda **2** *téc* transformador
convertible *adj* conversível (into, em) ▪ *n* (carro) descapotável
convex *adj* convexo
convexity *n* [*pl* -ies] convexidade
convey *v* **1** *form* transportar (from, de; to, para) **2** expressar; transmitir **3** DIR transferir, ceder
conveyance *n* **1** *form* transporte **2** DIR cedência
convict *n* recluso; presidiário ▪ *v* condenar (of, por)
conviction *n* **1** convicção **2** condenação (for, por)
convince *v* convencer; persuadir
convincing *adj* **1** convincente **2** claro; inequívoco

convivial *adj* **1** (pessoa) jovial; alegre **2** (ambiente) animado; festivo
convoluted *adj* **1** complicado; rebuscado **2** enrolado
convoy *n* **1** (veículos) caravana **2** escolta ▪ *v* escoltar
convulse *v* **1** provocar ou ter convulsões **2** sacudir; abalar
convulsion *n* convulsão; espasmo ♦ **to be in convulsions** morrer de rir
coo *v* arrulhar ▪ *n* arrulho ♦ **to coo over something/someone** babar-se por algo/alguém
cook *n* cozinheiro ▪ *v* **1** cozinhar; (refeição) preparar **2** (comida) cozer ♦ **what's cooking?** que se passa?
◇ **cook up** *v* (história, desculpa) inventar
cooker *n* GB fogão
cookery *n* culinária
cookie *n* **1** EUA bolacha, biscoito **2** (Internet) cookie
cooking *n* culinária; cozinha ▪ *adj* de cozinha
cool *adj* **1** (tempo, água, mãos) fresco; frio **2** calmo; descontraído **3** distante (towards, com) **4** *col* fantástico; espantoso **5** *col* elegante, sofisticado ▪ *v* **1** refrescar; arrefecer **2** acalmar; *col* **come on, cool it!** vá lá, acalmem-se! ▪ *n* fresco ▪ *adv* calmamente; **to play it cool** reagir calmamente ♦ **as cool as a cucumber** fresco como uma alface *fig*
◇ **cool down** *v* **1** arrefecer; refrescar **2** acalmar
◇ **cool off** *v* **1** refrescar **2** acalmar
cooler *n* **1** refrigerador **2** EUA mala térmica **3** EUA ar condicionado
coolness *n* **1** frescura **2** frieza **3** calma; sangue-frio
coop *n* galinheiro, capoeira
◇ **coop up** *v* (espaço reduzido) fechar ♦ **to feel cooped up** sentir-se preso
co-op *n col* cooperativa
cooperate *v* **1** cooperar (with, com) **2** colaborar, ajudar
cooperation *n* **1** cooperação; colaboração **2** auxílio; ajuda
cooperative *adj* **1** cooperante **2** conjunto **3** cooperativo ▪ *n* cooperativa
co-opt *v* escolher por votação (onto, para)
coordinate *adj* coordenado; **coordinate clause** oração coordenada ▪ *n* coordenada ▪ *v* coordenar
coordination *n* coordenação (of, de)
coordinator *n* coordenador
cop *n col* polícia ▪ *v* GB *col* apanhar
◇ **cop out** *v* acobardar-se
cope *v* **1** safar-se; arranjar-se **2** lidar (with, com)
copier *n* fotocopiadora
copilot *n* copiloto[AO]
copious *adj* abundante; copioso
copper *n* **1** (elemento químico, cor) cobre **2** GB *col* polícia **3** *pl* GB trocos
copulate *v* copular (with, com)
copulation *n* cópula
copy *n* [*pl* -ies] **1** cópia (of, de) **2** (publicação) exemplar **3** imitação; reprodução ▪ *v* **1** copiar **2** reproduzir **3** imitar **4** fotocopiar
copybook *adj* GB correto[AO], perfeito ▪ *n* caderno
copycat *n col* macaco de imitação ▪ *adj* copiado; imitado
copyright *n* direitos de autor (for/on, de); copyright (for/on, de)
copywriter *n* redator[AO] publicitário
coral *adj,n* coral
cord *n* **1** corda; cordel **2** cabo **3** ANAT cordão **4** *pl col* calças de bombazina ▪ *v* (com cordas) atar
cordial *adj* cordial, afetuoso[AO] ▪ *n* (bebida) cordial
cordless *adj* sem fio
cordon *n* (soldados, polícias, veículos, etc.) cordão
corduroy *n* [*pl* -s] **1** bombazina **2** *pl* calças de bombazina
core *n* **1** (frutos) caroço **2** centro, núcleo **3** cerne (of, de); âmago (of, de); **the core of the problem** o cerne da questão ▪ *adj* fundamental ▪ *v* (frutos) descaroçar ♦ **core curriculum** currículo obrigatório
coriander *n* coentro
cork *n* **1** cortiça **2** rolha ▪ *v* (garrafa) rolhar
corked *adj* (vinho) com sabor a cortiça
corkscrew *n* saca-rolhas ▪ *adj* em espiral; torcido ▪ *v* torcer; enroscar
corn *n* **1** GB trigo **2** EUA milho **3** calo
cornea *n* córnea

corner *n* **1** canto **2** esquina (of, de) **3** (futebol) canto **4** monopólio ▪ *v* **1** encurralar **2** monopolizar **3** (automóvel) fazer uma curva
cornerstone *n* **1** pedra angular **2** base; pilar
cornfield *n* **1** GB campo de trigo **2** EUA campo de milho
cornflakes *npl* flocos de cereais
cornflour *n* farinha de milho
cornice *n* cornija
cornucopia *n* (vaso, figura) cornucópia
corny *adj col* parolo; piroso
corollary *n* [*pl* -ies] *form* corolário
coronary *adj* coronário ▪ *n* enfarte do miocárdio
coronation *n* coroação
coroner *n* juiz de instrução
corporal *adj* corporal ▪ *n* MIL cabo
corporate *adj* **1** da empresa; corporativo **2** coletivo[AO]; **corporate responsibility** responsabilidade coletiva[AO]
corporation *n* sociedade; corporação; empresa
corps *n* [*pl* corps] (associação, exército) corpo
corpse *n* cadáver
corpus *n* [*pl* corpora, -es] **1** corpus **2** conjunto, coletânea[AO]
corpuscle *n* (sangue) glóbulo
correct *adj* correto[AO], certo ▪ *v* corrigir; retificar[AO] ♦ **if my memory is correct** se bem me lembro
correction *n* correção[AO] ♦ (líquido) **correction fluid** corretor[AO]
corrective *adj,n* corretivo[AO]
correctness *n* correção[AO]
correlate *v* correlacionar(-se) ▪ *n* correlativo
correlation *n* correlação (between, entre; with, com)
correspond *v* **1** corresponder (with/to, a) **2** trocar correspondência (with, com)
correspondence *n* **1** correspondência (between, entre) **2** (correio) correspondência ♦ **correspondence course** curso por correspondência
correspondent *n* (jornal, carta) correspondente ▪ *adj* correspondente
corresponding *adj* correspondente
corridor *n* corredor
corroborate *v* corroborar; confirmar
corroboration *n* corroboração; confirmação
corroborative *adj* corroborante
corrode *v* **1** corroer(-se) **2** oxidar
corrosion *n* **1** corrosão **2** desgaste
corrosive *adj* **1** corrosivo **2** desgastante
corrugated *adj* ondulado; enrugado
corrupt *adj* **1** corrupto **2** impuro **3** (dados, ficheiro) corrompido; danificado ▪ *v* corromper
corruptible *adj* corruptível
corruption *n* **1** corrupção **2** corruptela
corsair *n* corsário
corset *n* espartilho
cortex *n* [*pl* cortices] córtex
cortisone *n* cortisona
cosine *n* cosseno[AO]
cosiness *n* conforto; ambiente acolhedor
cosmetic *n* cosmético; produto de beleza ▪ *adj* **1** cosmético **2** superficial; de superfície
cosmic *adj* **1** cósmico **2** gigantesco; prodigioso
cosmology *n* cosmologia
cosmonaut *n* cosmonauta
cosmopolitan *adj,n* cosmopolita
cosmos *n* cosmos; universo
cosset *v* mimar; apaparicar
cost *n* **1** custo, despesa **2** preço **3** *pl* (tribunal) custas ▪ *v* **1** custar **2** *col* ficar caro **3** orçamentar ♦ **cost of living** custo de vida; **at all costs** a todo o custo; custe o que custar
Costa Rica *n* Costa Rica
Costa Rican *adj,n* costa-riquenho
cost-effective *adj* rentável
costly *adj* dispendioso; caro
costume *n* **1** traje **2** (roupa) máscara, fantasia

> Não confundir a palavra inglesa **costume** com a palavra portuguesa **costume**, que se traduz por *habit, custom.*

cosy *adj* confortável; acolhedor ▪ *n* [*pl* -ies] abafador; **tea cosy** abafador para o chá
cot *n* **1** berço **2** EUA (campismo); cama de lona
cottage *n* casa de campo ♦ **cottage cheese** requeijão
cotton *n* **1** algodão **2** GB linha; **go get a needle and cotton** vai buscar uma agulha e linha ♦ **cotton bud** cotonete; EUA **cotton candy** algodão-doce; GB **cotton wool** algodão em rama
couch *n* [*pl* -es] sofá ♦ *col* **couch potato** viciado em televisão
cougar *n* puma

cough *n* tosse ▪ *v* tossir
◇ **cough up** *v col* (dinheiro) largar
coughing *n* tosse; **coughing fit** ataque de tosse
council *n* **1** conselho; **Council of Europe** Conselho da Europa **2** câmara municipal ♦ **council housing** habitação social
councillor *n* membro de um conselho
counsel *n* **1** *form* conselho **2** advogado; **counsel for the defense/prosecution** advogado de defesa/acusação ▪ *v* **1** (profissional) fazer aconselhamento a **2** *form* aconselhar
counselling *n* orientação psicológica
counsellor *n* **1** GB conselheiro; consultor **2** EUA advogado
count *n* **1** contagem; cálculo **2** acusação; **he was found guilty on all counts** ele foi considerado culpado de todas as acusações **3** motivo; razão; **on a number of counts** por vários motivos **4** (título) conde ▪ *v* **1** contar; **to count the votes** fazer a contagem dos votos **2** calcular; **to count the cost** calcular as despesas **3** considerar; **I count myself honoured to be here** considero-me honrado por estar aqui
◇ **count down** *v* fazer contagem decrescente
◇ **count in** *v* incluir; contar com
◇ **count on/upon** *v* contar com
◇ **count out** *v* **1** (dinheiro) contar uma a um **2** não incluir; não contar com
countdown *n* contagem decrescente
countenance *n form* semblante, fisionomia ▪ *v form* permitir; tolerar
counter *n* **1** balcão; guiché **2** contador **3** (jogo) ficha **4** EUA (cozinha) balcão ▪ *v* **1** rebater; refutar **2** contrariar; fazer frente a ▪ *adv* contra, em sentido inverso a ♦ (medicamento) **over the counter** de venda livre
counteract *v* contrariar; neutralizar
counterattack *n* contra-ataque ▪ *v* contra--atacar
counterbalance *v* contrabalançar; equilibrar ▪ *n* fator[AO] de equilíbrio; contrapeso
countercharge *n* **1** contra-acusação **2** MIL retaliação ▪ *v* **1** fazer uma contra-acusação **2** MIL retaliar
counterclockwise *adj,adv* EUA em sentido contrário aos ponteiros do relógio
counterespionage *n* contraespionagem[AO]
counterfeit *v* contrafazer; falsificar ▪ *adj* falso, fictício ▪ *n* contrafação[AO], falsificação
counterfeiter *n* falsificador
counterfoil *n* (cheque, compra) talão
countermand *v* anular, cancelar ▪ *n* contraordem[AO]
countermeasure *n* medida preventiva
counteroffensive *n* contraofensiva[AO]
counterpart *n* **1** homólogo **2** equivalente **3** duplicado; cópia
counterpoint *n* contraponto
counterproductive *adj* contraproducente
counter-revolution *n* contrarrevolução[AO]
countersign *v* (documento) ratificar ▪ *n* MIL contrassenha[AO]
countertenor *n* contratenor
counterterrorism *n* antiterrorismo
counterweight *n* contrapeso
countess *n* [*pl* -es] (título) condessa
counting *n* contagem
countless *adj* inúmero, sem conta
country *n* [*pl* -ies] **1** país, nação; pátria **2** (região) campo **3** área, zona **4** música country ▪ *adj* **1** rural, do campo **2** (música) country
countryman *n* [*pl* -men] **1** compatriota **2** camponês
countryside *n* (região) campo
countrywoman *n* [*pl* -men] **1** compatriota **2** camponesa
county *n* [*pl* -ies] condado ▪ *adj* GB *col* da classe alta
coup *n* golpe ♦ **coup de grace** golpe de misericórdia; **coup d'état** golpe de estado
coupé *n* cupé; coupé
couple *n* **1** par; dois; **a couple of socks** um par de meias **2** casal; **they're a nice couple** eles são um casal simpático ▪ *v* **1** ligar, unir **2** associar **3** emparelhar; atrelar ♦ **a couple of** alguns
couplet *n* (estrofe) dístico
coupon *n* **1** vale de desconto **2** cupão; **to fill in the coupon** preencher o cupão **3** (totoloto, totobola) boletim
courage *n* coragem
courageous *adj* corajoso
courgette *n* GB curgete
courier *n* **1** (serviço) correio expresso **2** (profissional) mensageiro **3** guia turístico
course *n* **1** (estudos) curso (in, de) **2** rumo; direção[AO] **3** rota; **the plane changed course**

o avião mudou de rota **4** decurso (of, de); **in the course of the year** ao longo do ano **5** campo; **golf course** campo de golfe **6** (refeição) prato ▪ *v* correr; fluir ♦ **in due course** na devida altura; **of course!** claro!
court *n* **1** tribunal **2** campo de ténis, court **3** corte, paço **4** comitiva, séquito **5** pátio ▪ *v* **1** cortejar **2** conquistar; granjear ♦ **court order** intimação; notificação
courteous *adj* cortês
courtesy *n* [*pl* -ies] **1** cortesia; **courtesy call** visita de cortesia **2** favor; atenção ♦ **by courtesy of** com a permissão de; (automóvel) **courtesy light** lâmpada interior
courthouse *n* tribunal
courtier *n* cortesão
court-martial *n* conselho de guerra
courtroom *n* (tribunal) sala de audiências
courtship *n* **1** galanteio, corte **2** (animais) rituais de acasalamento
courtyard *n* pátio
couscous *n* cuscuz
cousin *n* primo
cove *n* angra; enseada
covenant *n* **1** convénio; pacto **2** GB promessa escrita ▪ *v* comprometer; prometer por escrito
cover *n* **1** tampa; capa; cobertura **2** (livro, revista) capa **3** colcha **4** forro **5** sobrescrito; **under plain cover** num envelope em branco **6** proteção[AO] **7** (seguro) cobertura (against, contra) **8** disfarce ▪ *v* **1** cobrir (with, com) **2** tapar **3** ocupar **4** proteger; cobrir **5** (período de tempo) abranger **6** (seguro) cobrir **7** (adversário) marcar **8** (jornalista) fazer a cobertura de ♦ (música) **cover version** nova versão
◇ **cover up** *v* **1** cobrir(-se); tapar(-se) **2** ocultar; encobrir
coverage *n* **1** (meios de comunicação social) cobertura **2** EUA (seguros) cobertura
covering *n* **1** cobertura; revestimento **2** camada
covert *adj* **1** encoberto; dissimulado **2** secreto ▪ *n* abrigo; esconderijo
cover-up *n* encobrimento; ocultação de factos
covet *v form* cobiçar
covetous *adj form* cobiçoso
cow *n* **1** vaca **2** (mamíferos) fêmea ▪ *v* intimidar; atemorizar ♦ *col* **till the cows come home** até as galinhas terem dentes
coward *n* cobarde
cowardice *n* cobardia
cowardly *adj* cobarde
cowbell *n* (gado) badalo
cowboy *n* **1** vaqueiro; cowboy **2** GB *col* (negócios) trapaceiro
cower *v* (medo) aninhar-se; encolher-se
cowhide *n* couro
cowl *n* **1** capuz **2** (chaminé) cata-vento
cowshed *n* estábulo; vacaria
coy *adj* **1** dissimulado; sonso **2** reservado
coyote *n* coiote
CPU *n* INFORM [*abrev. de* central processing unit] UCP [*abrev. de* Unidade Central de Processamento]
crab *n* **1** caranguejo **2** *col* (parasita) chato ▪ *v col* lamuriar-se
crabby *adj* rezingão
crack *n* **1** fenda; abertura; racha **2** estalido, estalo **3** (trovão) estouro, estrondo **4** *col* tentativa **5** *col* boca (about, sobre), piada (about, sobre) **6** (droga) crack ▪ *v* **1** rachar; fender(-se) **2** partir; **to crack eggs** partir ovos **3** estalar **4** *col* (pessoa) ir-se abaixo; (sistema) sofrer um colapso **5** (voz) fraquejar **6** decifrar; resolver
◇ **crack up** *v* **1** (riso) partir(-se) todo *col*; **you crack me up!** partes-me todo *col* **2** (pessoa) ir-se abaixo
crackdown *n* medidas repressivas (on, contra)
cracked *adj* **1** rachado; estalado; fendido **2** *col* com um parafuso a menos *fig*
cracker *n* **1** bolacha de água e sal **2** *col* (coisa, pessoa) espetáculo[AO] *col*, espanto *col* **3** (fogo de artifício) petardo **4** pirata informático
crackers *adj col* louco, doido
cracking *adj* **1** GB *col* excelente; sensacional **2** GB *col* bastante rápido
crackle *v* **1** dar estalidos **2** (fogo) crepitar ▪ *n* **1** estalido **2** (fogo) crepitação
crackling *n* **1** estalidos **2** crepitação
crackpot *adj,n col* maluco; disparatado
cradle *n* **1** berço **2** (auscultador do telefone) suporte **3** GB andaime ▪ *v* **1** embalar **2** segurar com cuidado ♦ **from the cradle to the grave** toda a vida

craft *n* **1** arte; ofício **2** barco; embarcação **3** avião ▪ *v* trabalhar; **a crafted vase** um vaso trabalhado ♦ **craft fair** feira de artesanato
craftiness *n* manha, astúcia
craftsman *n* [*pl* -men] artesão; artífice
craftsmanship *n* **1** habilidade **2** perfeição
crafty *adj* astuto; manhoso
crag *n* rochedo; penhasco
craggy *adj* escarpado, íngreme
cram *v* **1** enfiar, meter **2** encher (with, de), atafulhar (with, de) **3** *col* marrar (for, para) ♦ **to be crammed with** estar a abarrotar de
cramp *n* **1** cãibra **2** *pl* dores fortes ▪ *v* **1** entravar, restringir **2** ter uma cãibra
cramped *adj* estreito; apertado
crampon *n* (gelo, neve) crampon
cranberry *n* [*pl* -ies] arando
crane *n* **1** guindaste, grua **2** grou ▪ *v* esticar(-se)
cranium *n* [*pl* -s, crania] crânio
crank *n* **1** manivela **2** *col* excêntrico; fanático **3** EUA *col* rabugento ▪ *v* dar à manivela de
cranky *adj* **1** *col* excêntrico **2** EUA rabugento
cranny *n* [*pl* -ies] fenda, rachadela ♦ **every nook and cranny** todos os cantos e recantos
crap *n cal* merda *cal* ▪ *adj cal* de merda *cal* ▪ *v cal* cagar *cal*
crash *n* [*pl* -es] **1** (carro) choque; colisão **2** (carro, avião) acidente **3** estrondo **4** (computador) avaria **5** colapso financeiro ▪ *v* **1** (veículos) bater, colidir **2** (avião) cair **3** deixar cair com estrondo **4** despedaçar-se **5** (festa) entrar sem convite **6** (computador) rebentar **7** EUA *col* dormir ♦ (estrada) **crash barrier** barreira de proteção[AO]; **crash course** curso intensivo; **crash land** aterragem de emergência; **crash test** (carro novo) teste de resistência aos choques
crash-land *v* AER fazer uma aterragem forçada
crass *adj* crasso
crate *n* caixa (of, de); grade (of, de) ▪ *v* embalar; encaixotar
crater *n* cratera
cravat *n* (acessório de homem) lenço de pescoço
crave *v* **1** precisar muito de **2** ter ganas (for, de); estar mortinho *fig* (for, por) **3** (gravidez) sentir desejos (for, de)
craving *n* **1** desejo forte (for, de) **2** (bebidas, tabaco, afeto, atenção, etc.) necessidade forte (for, de)
crawl *v* **1** rastejar **2** (bebé) gatinhar **3** (inseto) andar **4** (trânsito) andar a passo de caracol *fig* ▪ *n* **1** (lentidão) passo de caracol *fig* **2** (natação) crawl
crawler *n* **1** pessoa ou coisa que rasteja ou se desloca lentamente **2** *col* lambe-botas
crayfish *n* [*pl* -es] lagostim do rio
crayon *n* **1** lápis de cera **2** (lápis) pastel ▪ *v* **1** desenhar com lápis de cera **2** desenhar a pastel
craze *n* (moda, tendência) loucura, mania
crazed *adj* **1** (olhar, expressão) de louco **2** louco; doido
craziness *n* loucura
crazy *adj* louco; doido
creak *v* ranger; chiar ▪ *n* rangido; chiadeira
cream *n* **1** nata **2** pomada, creme ▪ *adj,n* (cor) creme ▪ *v* CUL bater até ficar cremoso ◊ **cream off** *v* selecionar[AO] (o melhor)
creamery *n* [*pl* -ies] **1** leitaria **2** fábrica de laticínios[AO]
creamy *adj* **1** cremoso **2** com nata **3** (cor) creme
crease *n* **1** prega, dobra, vinco **2** ruga ▪ *v* **1** enrugar(-se) **2** vincar
create *v* **1** criar, gerar **2** lançar; **to create a new fashion** lançar uma nova moda **3** GB dar o título de
creation *n* criação (of, de)
creative *adj* criativo ▪ *n* (publicidade) criativo
creativity *n* criatividade
creator *n* **1** criador **2** autor
creature *n* criatura
credence *n form* crédito; credibilidade
credentials *n* **1** referências **2** carta credencial
credibility *n* credibilidade
credible *adj* credível
credit *n* **1** crédito **2** credibilidade **3** motivo de orgulho (to, para) **4** reconhecimento (for, por) **5** *pl* (cinema) genérico ▪ *v* **1** creditar **2** reconhecer (with, -) ♦ **credit card** cartão de crédito; **no credit given** não se fia; **to take credit for** colher os louros de *fig*
creditable *adj* louvável; honroso
creditor *n* credor
credo *n* [*pl* -s] credo
credulity *n* credulidade
credulous *adj* crédulo
creed *n* REL,POL credo; doutrina

creek *n* **1** GB enseada, angra **2** EUA riacho
creep *n* **1** *col* estafermo *pej*, verme *fig* **2** *col* lambe-botas ▪ *v* **1** (pessoa, animal) rastejar **2** (trânsito) andar a passo de caracol *fig* **3** (planta) trepar ♦ *col* **to give somebody the creeps** pôr alguém com os cabelos em pé
creeper *n* trepadeira
creepy *adj* sinistro; horripilante
cremate *v* cremar
cremation *n* cremação
crematorium *n* [*pl* crematoria, -s] crematório
creole *adj,n* crioulo
crepe *n* (tecido, borracha, panqueca) crepe
crescendo *n* [*pl* -s] crescendo
crescent *n* **1** crescente; (lua) **crescent moon** quarto crescente **2** rua em forma de meia-lua ♦ **crescent roll** croissant
cress *n* [*pl* -es] agrião
crest *n* **1** (pássaro, onda) crista; poupa **2** (estrada, encosta, rampa) cume (of, de) **3** armas, brasão
crestfallen *adj* abatido; desanimado
cretin *n col* cretino, idiota
crevasse *n* (glaciar) fenda
crevice *n* (rocha) fenda, abertura
crew *n* **1** tripulação **2** equipa; **film crew** equipa de filmagem **3** *pej* corja ▪ *v* tripular
crib *n* **1** EUA berço **2** manjedoura **3** GB presépio **4** *col* cábula ▪ *v col* copiar; plagiar
cricket *n* **1** grilo **2** críquete
crime *n* crime; delito
criminal *n* criminoso ▪ *adj* **1** criminal; criminoso **2** penal; **criminal code** código penal ♦ **criminal record** cadastro
criminologist *n* criminologista
criminology *n* criminologia
crimp *v* **1** (cabelo) frisar; ondular **2** (tecido, papel) enrugar ♦ **to put a crimp in** colocar entraves em
crimson *adj,n* carmesim
cringe *v* **1** encolher-se de medo; recuar **2** ficar envergonhado (at, com) **3** rebaixar-se (to, perante)
crinkle *n* ruga ▪ *v* enrugar(-se)
crinoline *n* (tecido) crinolina
cripple *n ofens* inválido; aleijado *pej* ▪ *v* **1** tornar inválido **2** prejudicar gravemente
crippled *adj* **1** inválido; mutilado **2** gravemente prejudicado
crisis *n* [*pl* crises] **1** crise **2** (doença) ponto crítico
crisp *adj* **1** (cabelo) crespo, encaracolado **2** firme, decidido **3** (pão, biscoito) estaladiço, crocante **4** (hortaliça, fruta, tempo) fresco ▪ *n* (pacote) batata frita ▪ *v* tornar estaladiço
criterion *n* [*pl* criteria] critério
critic *n* **1** (profissional) crítico **2** detrator[AO]
critical *adj* crítico
criticism *n* crítica
criticize *v* **1** criticar (for, por), censurar (for, por) **2** (filme, peça, etc.) fazer a crítica de
critique *n* crítica ▪ *v* fazer a crítica de
croak *n* **1** (rãs) coaxar **2** (corvo) crocitar ▪ *v* **1** coaxar **2** crocitar **3** *col* bater a bota *fig*
Croatia *n* Croácia
Croatian *adj,n* croata
crochet *n* croché; **crochet hook** agulha de croché ▪ *v* fazer croché
crock *n col* traste velho
crockery *n* louça de barro
crocodile *n* **1** crocodilo **2** pele de crocodilo
croissant *n* croissant
crony *n* [*pl* -ies] compincha
crook *n* **1** *col* vigarista **2** cajado **3** parte interior do cotovelo ▪ *v* vergar ♦ **by hook or by crook** de qualquer maneira
crooked *adj* **1** torto; torcido **2** (caminho) sinuoso **3** *col* (pessoa) corrupto
croon *v* cantar suavemente
crop *n* **1** colheita; **to get the crops in** fazer a colheita **2** (pessoas, coisas) grupo; fornada **3** (cabelo) corte à escovinha **4** (aves) papo ▪ *v* **1** (cabelo) cortar à escovinha **2** (foto) recortar **3** dar colheita
cropper *n* **to come a cropper** falhar completamente
croquette *n* croquete
cross *n* [*pl* -es] **1** cruz **2** (raças, espécies) cruzamento **3** (futebol, hóquei) passe cruzado **4** (boxe) cruzado ▪ *adj* zangado (with, com), furioso (with, com) ▪ *v* **1** (rua, oceano, ponte, etc.) atravessar **2** transpor **3** (cheque, plantas, dedos, etc.) cruzar **4** (planos) frustrar **5** cruzar-se ♦ **cross my heart (and hope to die)!** juro por Deus!
crossbar *n* **1** (baliza) trave; barra **2** barra transversal
crossbow *n* (arma) besta
cross-country *n* corta-mato ▪ *adj* de corta-mato
cross-dressing *n* travestismo
cross-examination *n* interrogatório

cross-eyed *adj* estrábico
crossfire *n* fogo cruzado
crossing *n* **1** cruzamento **2** travessia (geralmente marítima) **3** (peões) passadeira
cross-legged *adj,adv* de perna cruzada
cross-purposes *npl* (mal-entendido) **to be talking at cross-purposes** estarem a falar de coisas diferentes
cross-reference *n* remissão
crossroads *n* cruzamento; encruzilhada
cross-section *n* **1** secção; corte transversal **2** (população) amostra representativa
crosswind *n* vento lateral
crosswise *adv* transversalmente
crossword *n* palavras cruzadas
crotch *n* entrepernas
crotchet *n* semínima
crouch *v* pôr-se de cócoras; agachar-se
croupier *n* (jogo) crupiê
crow *n* **1** corvo **2** canto do galo ▪ *v* **1** (galo) cucuricar, cantar **2** (criança) palrar alegremente **3** *col* gabar-se (about/over, de)
crowbar *n* pé de cabra
crowd *n* **1** multidão; ajuntamento **2** populaça **3** grupo ▪ *v* **1** aglomerar-se; apinhar-se **2** encher ♦ **to go with/follow the crowd** deixar-se levar
crowded *adj* **1** cheio de gente; a abarrotar de gente **2** (dia, agenda) cheio; sobrecarregado
crown *n* **1** (adorno, moeda, dentes) coroa **2** (chapéu) copa **3** (monte) topo; cume ▪ *v* **1** coroar **2** premiar, recompensar **3** (dentes) colocar uma coroa em **4** *col* bater na cabeça de ♦ *col* **to crown it all** para cúmulo
crowning *adj* supremo; culminante ▪ *n* coroação
crucial *adj* crucial (to/for, para)
crucifix *n* [*pl* -es] crucifixo
crucifixion *n* crucificação
crucify *v* **1** crucificar **2** (crítica) deitar abaixo *fig* **3** (derrota) esmagar *fig*
crude *adj* **1** aproximado; geral **2** vulgar; ordinário **3** grosseiro; rudimentar **4** (material) bruto ▪ *n* crude
cruel *adj* **1** cruel (to, com) **2** doloroso
cruelty *n* [*pl* -ies] crueldade
cruet *n* galheteiro; **cruet set/stand** galheteiro
cruise *n* cruzeiro; **to go on/for a cruise** fazer um cruzeiro ▪ *v* **1** fazer um cruzeiro **2** circular (at, a); deslocar-se (at, a)
cruiser *n* **1** (navio) cruzador **2** iate de cruzeiro
crumb *n* **1** migalha **2** pedaço; fragmento
crumble *v* esmigalhar(-se); desfazer(-se)
crummy *adj col* péssimo; horrível
crumpet *n* GB pequeno bolo redondo com buracos no topo, comido com manteiga quente
crumple *v* amarrotar(-se); enrugar(-se)
crunch *v* **1** roer (on, -) **2** fazer um ruído seco ▪ *n* rangido; ruído seco
crunchy *adj* estaladiço, crocante
crusade *n* **1** cruzada **2** campanha (against, contra; for, por) ▪ *v* fazer campanha (against/for, contra/por)
crusader *n* **1** HIST cruzado **2** defensor (for, de)
crush *v* **1** esmagar **2** CUL triturar **3** (gelo) picar **4** (uvas) pisar **5** comprimir **6** subjugar; dominar ▪ *n* [*pl* -es] **1** (multidão) aperto **2** esmagamento **3** *col* paixoneta ♦ (multidões) **crush barrier** barreira de proteção[AO]
crushing *adj* **1** esmagador **2** aniquilador; terrível **3** (comentário) demolidor
crust *n* **1** crosta **2** côdea **3** (terra, neve) camada
crustacean *adj,n* crustáceo
crusty *adj* **1** estaladiço **2** impertinente, rabugento
crutch *n* [*pl* -es] **1** muleta **2** apoio
crux *n* [*pl* -es] âmago; cerne
cry *n* [*pl* cries] **1** choro **2** grito (of, de; for, por) **3** pedido; apelo **4** pregão **5** palavra de ordem ▪ *v* **1** chorar **2** gritar **3** pedir, rogar **4** apregoar **5** (cão) ladrar ♦ (impaciência) **for crying out loud!** por amor de Deus!; **to cry for the moon** exigir o impossível; **to cry over spilt milk** chorar sobre leite derramado
◇ **cry off** *v* desistir
◇ **cry out** *v* gritar
crybaby *n* chorão; mimalho
crying *n* choro ▪ *adj* **1** gritante, flagrante **2** urgente, premente
cryogenics *n* criogenia
crypt *n* cripta
crystal *n* cristal ▪ *adj* **1** de cristal **2** transparente; cristalino
crystal-clear *adj* **1** límpido; cristalino **2** (significado) claro; evidente
crystallize *v* cristalizar
cub *n* cria, filhote ▪ *v* (animal) dar à luz

Cuba *n* Cuba
Cuban *adj,n* cubano
cube *n* cubo ▪ *v* **1** MAT elevar ao cubo **2** CUL cortar em cubinhos ♦ **cube root** raiz cúbica
cubic *adj* cúbico
cubicle *n* cubículo
cubism *n* cubismo
cubist *adj,n* cubista
cuckoo *n* (ave) cuco ▪ *adj col* maluco ♦ **cuckoo clock** relógio de cuco
cucumber *n* pepino
cuddle *n* abraço ▪ *v* abraçar(-se)
cuddly *adj* **1** fofo **2** amoroso
cudgel *n* cacete ▪ *v* dar cacetadas em ♦ **to cudgel one's brains** puxar pela cabeça
cue *n* **1** (teatro) deixa **2** (música) sinal de entrada **3** sinal **4** (bilhar) taco
cuff *n* **1** (camisa) punho **2** EUA (calças) dobra **3** tabefe, sopapo **4** *pl* algemas ▪ *v* esbofetear
cufflinks *npl* botões de punho
cuisine *n* cozinha; **French cuisine** cozinha francesa
cul-de-sac *n* beco sem saída
culinary *adj form* culinário
cull *v* **1** (grupo de animais) eliminar (os mais fracos ou indesejados) **2** (informação) recolher
culminate *v* culminar (in, em)
culmination *n* auge (of, de)
culprit *n* **1** culpado **2** responsável
cult *n* **1** culto **2** REL seita
cultivate *v* **1** cultivar **2** aperfeiçoar
cultivated *adj* **1** (pessoa) culto **2** cultivado
cultivation *n* **1** cultivo, (of, de) **2** (intelectual) aperfeiçoamento **3** (intelectual) cultura
cultivator *n* **1** agricultor, lavrador **2** (máquina) cultivador
cultural *adj* cultural
culture *n* cultura
cultured *adj* **1** culto **2** de cultura; **cultured pearl** pérola de cultura
cumbersome *adj* incómodo; desconfortável
cumin *n* cominhos
cumulative *adj* cumulativo
cunning *n* manha; astúcia ▪ *adj* **1** manhoso; astuto **2** hábil; engenhoso
cup *n* **1** chávena **2** (prémio) taça **3** (soutien) copa **4** cálice ▪ *v* (mãos) colocar em concha
cupboard *n* (louça, roupa, etc.) armário
curable *adj* que tem cura
curator *n* (museu) conservador; curador
curb *n* **1** freio **2** EUA (rua) passeio ▪ *v* refrear; dominar
curbside *n* EUA (estrada) berma
curd *n* coalhada
curdle *v* coagular; coalhar
cure *n* **1** cura (for, para) **2** (problema) remédio; solução **3** (processo) recuperação ▪ *v* **1** curar (of, -); **this medicine will cure you of your cough** este remédio vai-te curar a tosse **2** (alimentos) curar ♦ **to be past cure** ser incurável; **what can't be cured, must be endured** o que não tem remédio remediado está
curfew *n* recolher obrigatório
curia *n* [*pl* -e] cúria
curiosity *n* [*pl* -ies] **1** curiosidade (about, em relação a) **2** (objeto, fenómeno) raridade, curiosidade ♦ **curiosity killed the cat** a curiosidade matou o gato
curious *adj* **1** curioso (about, acerca de) **2** estranho; invulgar
curium *n* cúrio
curl *n* **1** (cabelo) caracol **2** ondulação **3** espiral ▪ *v* encaracolar(-se); ondular ♦ **to curl one's lip** fazer uma careta
curly *adj* encaracolado ♦ **curly brackets** chavetas
currant *n* **1** (passa) corinto **2** groselha
currency *n* [*pl* -ies] **1** moeda; **foreign currency** moeda estrangeira **2** circulação, curso
current *adj* **1** atual[AO] **2** (mês, ano) em curso **3** (legislação) vigente **4** (número de publicação) último ▪ *n* **1** (água, ar, eletricidade) corrente **2** tendência ♦ GB **current account** conta-corrente
currently *adv* atualmente[AO]
curriculum *n* [*pl* curricula] currículo
curry *n* caril ▪ *v* preparar com caril
curse *n* **1** praga; maldição **2** palavrão ▪ *v* **1** praguejar **2** rogar uma praga a
cursor *n* INFORM cursor ▪ *v* INFORM mover o cursor
cursory *adj* **1** rápido **2** superficial; apressado
curt *adj* brusco, seco
curtail *v* reduzir
curtain *n* **1** cortina **2** pano de boca do palco ▪ *v* colocar cortina(s) em
curtly *adv* secamente, bruscamente
curtsy *n* [*pl* -ies] vénia ▪ *v* fazer (uma) vénia(s)
curvaceous *adj* (corpo) curvilíneo

curvature *n* curvatura
curve *n* curva ▪ *v* **1** curvar; encurvar(-se) **2** (rua) fazer uma curva
curved *adj* curvo; encurvado
cushion *n* **1** almofada **2** (bilhar) tabela **3** amortecedor ▪ *v* **1** almofadar **2** atenuar; amortecer
cushy *adj* (trabalho, estilo de vida) fácil, pouco exigente; *col* **a cushy job** um bom tacho
cusp *n* **1** cúspide **2** ponta; extremidade
cuss *n* [*pl* -es] **1** tipo; fulano **2** praga; maldição ▪ *v col* praguejar
cussed *adj* **1** teimoso; difícil **2** maldito
custard *n* creme de leite e ovos
custodian *n* guarda; conservador
custody *n* **1** custódia (of, de), guarda (of, de) **2** detenção; **to be held/kept in custody** estar detido **3** proteção[AO]
custom *n* costume, uso; hábito ♦ EUA **custom clothes** roupa feita por encomenda
customary *adj* usual, habitual
customer *n* freguês; cliente ♦ **customer services** serviço de apoio ao cliente
customize *v* **1** fazer à medida **2** personalizar
customs *n* alfândega; **to go through customs** passar pela alfândega
cut *n* **1** golpe; corte; incisão **2** ECON redução **3** (roupa, cabelo) corte **4** quinhão; parte ▪ *adj* cortado; lapidado ▪ *v* **1** cortar **2** trinchar **3** talhar **4** ECON reduzir **5** *col* parar; **cut the chatter!** parem com a conversa! **6** (filme) editar **7** (observação, comentário) ferir; magoar ♦ **to cut a long story short** resumindo e concluindo
◇ **cut back** *v* reduzir
◇ **cut down** *v* **1** reduzir; diminuir **2** cortar; deitar abaixo
◇ **cut in** *v* **1** interromper; intervir **2** atravessar-se
◇ **cut off** *v* **1** cortar **2** isolar **3** deserdar **4** cortar a palavra a
◇ **cut out** *v* **1** recortar; cortar **2** retirar; eliminar **3** pôr um fim a
◇ **cut up** *v* **1** cortar aos bocados **2** transtornar, dilacerar
cutaneous *adj* cutâneo
cutback *n* redução, diminuição
cute *adj* **1** *col* giro, amoroso **2** fino, esperto; **don't get cute with me** não te armes em espertinho comigo
cuticle *n* cutícula
cutlery *n* talheres
cutlet *n* costeleta
cut-price *adj* a preço reduzido; mais barato
cutter *n* **1** cortador; talhador **2** x-ato[AO]
cutting *n* **1** corte **2** recorte; **press/newspaper cuttings** recortes de jornal **3** BOT estaca ▪ *adj* **1** de corte; **cutting tool** ferramenta de corte **2** cortante **3** mordaz ♦ EUA CUL **cutting board** tábua (de cozinha); **cutting edge 1** gume **2** vantagem
cutting-edge *adj* inovador, pioneiro ♦ **cutting-edge technology** tecnologia de ponta
cuttlefish *n* [*pl* -es] (molusco) choco
cyanide *n* cianeto
cybercafe *n* cibercafé
cybercrime *n* cibercrime
cyberculture *n* cibercultura
cybernaut *n* cibernauta
cybernetics *n* cibernética
cybersex *n* cibersexo
cyberspace *n* ciberespaço
cyberterrorism *n* ciberterrorismo
cyborg *n* ciborgue
cyclamen *n* (planta) cíclame, ciclâmen
cycle *n* **1** ciclo (of, de) **2** (máquina) programa **3** bicicleta ▪ *v* andar de bicicleta; ir de bicicleta ♦ **cycle counter** contador de rotações; **cycle lane/path** ciclovia
cyclic *adj* cíclico
cycling *n* ciclismo ♦ **to go cycling** ir andar de bicicleta
cyclist *n* ciclista
cyclone *n* ciclone
cylinder *n* **1** cilindro **2** (de gás) botija
cylindrical *adj* cilíndrico
cymbal *n* címbalo
cynical *adj* cínico
cynicism *n* cinismo
cypress *n* [*pl* -es] cipreste
Cypriot *adj,n* cipriota
Cyprus *n* Chipre
cyst *n* quisto
cystic *adj* quístico
cytology *n* citologia
cytoplasm *n* citoplasma
czar *n* czar
czarina *n* czarina
Czech *adj,n* checo
Czech Republic *n* República Checa

D

d *n* [*pl* d's] **1** (letra) d **2** MÚS [com maiúscula] ré
dab *n* **1** gota; **a dab of glue** uma gota de cola **2** toque ▪ *v* **1** tocar levemente (at, em) **2** aplicar um pouquinho de (on, em)
dabble *v* **1** chapinhar (in, em) **2** interessar-se (at/in/with, por)
dad *n col* papá
daddy *n* [*pl* -ies] *infant* papá
daffodil *n* narciso amarelo
daft *adj* tolo; **don't be daft!** não sejas tolo!
dagger *n* punhal
dahlia *n* dália
daily *n* [*pl* -ies] (jornal) diário ▪ *adj* diário; de todos os dias ▪ *adv* diariamente ◆ **to earn one's daily bread** ganhar o pão nosso de cada dia
dainty *adj* delicado
dairy *n* [*pl* -ies] leitaria ▪ *adj* leiteiro; **dairy cattle** gado leiteiro ◆ **dairy produce** laticínios[AO]
dairyman *n* [*pl* -men] leiteiro
dais *n* [*pl* -es] estrado
daisy *n* [*pl* -ies] margarida ◆ **to be pushing up the daisies** estar morto e enterrado
dally *v* perder tempo
dam *n* barragem; represa ▪ *v* **1** represar **2** (sentimentos) conter
damage *n* **1** prejuízo(s) **2** dano(s); estrago(s) **3** *pl* indemnização ▪ *v* **1** prejudicar **2** danificar
damaging *adj* prejudicial (to, a)
damn *adj* maldito; **damn car!** maldito carro! ▪ *v* condenar ▪ *adv col* muito; **I know you damn well** conheço-te de ginjeira ▪ *interj* (fúria, irritação) bolas! ◆ **not to be worth a damn** não valer um chavo; **not to give a damn (about)** estar-se nas tintas
damnation *n* condenação
damned *adj col* maldito ▪ *adv col* muito; **damned hot** quente como o caraças! *col* ◆ **I'll be damned!** diabos me levem!
damning *adj* condenatório
damp *adj* húmido ▪ *n* humidade ▪ *v* humedecer
dampen *v* **1** humedecer **2** (sentimentos) conter; refrear
damper *n* **1** fim; **to put the damper on** pôr um fim a **2** (piano) abafador
dampness *n* humidade
damp-proof *adj* GB (parede) **damp-proof course** camada isoladora
damson *n* ameixa pequena
dance *n* **1** dança **2** baile ▪ *v* dançar ◆ **dance floor** pista de dança
dancer *n* bailarino; dançarino
dancing *n* dança ▪ *adj* dançante
dandelion *n* dente-de-leão
dandruff *n* caspa; **dandruff shampoo** champô anticaspa
dandy *adj* EUA *col* estupendo ▪ *n* [*pl* -ies] dândi, janota
Dane *n* (pessoa) dinamarquês
danger *n* perigo (of, de) ◆ **danger money** subsídio de risco
dangerous *adj* perigoso; arriscado
dangle *v* **1** baloiçar **2** acenar com; oferecer
Danish *adj,n* dinamarquês
dank *adj* húmido e frio
dapper *adj* (homem) elegante; janota
dapple *v* sarapintar
dare *n* desafio; provocação ▪ *v* **1** atrever-se (to, a); **how dare you?** como te atreves? **2** desafiar (to, a)
daring *adj* ousado; audaz ▪ *n* coragem; ousadia
dark *adj* **1** escuro **2** (pele) moreno **3** sombrio; obscuro **4** secreto; misterioso ▪ *n* **1** escuro; escuridão **2** anoitecer ◆ **to be in the dark** não saber de nada; **to look on the dark side of things** ser pessimista
darken *v* **1** escurecer **2** entristecer
darkness *n* escuridão
darkroom *n* (fotografia) câmara escura
darling *n* querido; amor ▪ *adj* amoroso; encantador
darmstadtium *n* darmstádio
darn *n* cerzidura ▪ *v* cerzir

dart *n* **1** dardo **2** movimento rápido; **he made a dart for the door** precipitou-se para a porta **3** *pl* jogo dos dardos ▪ *v* **1** lançar; **to dart a glance** lançar um olhar **2** precipitar-se
dartboard *n* (dardos) alvo
dash *n* [*pl* -es] **1** pitada **2** (pontuação) travessão **3** (código Morse) traço **4** corrida ▪ *v* **1** arremessar **2** irromper; **to dash into the room** irromper pelo quarto **3** despachar-se
◇ **dash off** *v* **1** sair a correr **2** escrever à pressa
dashboard *n* (carro) painel de instrumentos
data *npl* dados; informação; **data bank** banco de dados
database *n* base de dados
date *n* **1** data **2** EUA encontro **3** (fruto) tâmara ▪ *v* **1** datar **2** EUA andar com; **she's dating my brother** ela anda com o meu irmão
dated *adj* antiquado
dative *adj,n* dativo
daub *v* borrar (with, com) ▪ *n* **1** mancha (of, de); salpico (of, de) **2** argamassa
daughter *n* filha
daughter-in-law *n* nora
daunt *v* intimidar
dauntless *adj* destemido; intrépido
dawdle *v* mandriar
dawn *n* **1** amanhecer; **at dawn** de madrugada **2** início (of, de) ▪ *v* amanhecer
day *n* **1** dia **2** *pl* tempos; **during my school days** nos meus tempos de escola ♦ (comboio, autocarro) **day return** bilhete de ida e volta
daybreak *n* amanhecer
daydream *n* devaneio ▪ *v* sonhar acordado
daydreamer *n* sonhador
daylight *n* luz do dia ♦ GB *col* **daylight robbery** roubo; roubalheira
daze *n* **in a daze** aturdido, desorientado
dazzle *v* **1** ofuscar; encandear **2** deslumbrar ▪ *n* **1** (luz) encandeamento **2** deslumbramento
dazzling *adj* **1** ofuscante **2** deslumbrante
deacon *n* diácono
deactivate *v* desativar[AO]
dead *adj* **1** morto; **dead body** cadáver **2** que não funciona; **the phone is dead** o telefone não funciona **3** (corpo) dormente **4** *col* de rastos **5** total; **dead silence** silêncio total ▪ *adv col* completamente ▪ *npl* (os) mortos ♦ **dead end** beco sem saída; **dead weight** peso morto
deadbeat *n* **1** *col* mandrião **2** *col* caloteiro
deaden *v* amortecer; atenuar
deadline *n* prazo; data-limite; **to meet a deadline** cumprir um prazo
deadlock *n* impasse; **to reach a deadlock** chegar a um impasse
deadly *adj* **1** mortal, fatal **2** total; absoluto **3** *col* aborrecido ▪ *adv* terrivelmente; **deadly tired** terrivelmente cansado
deaf *adj* **1** surdo; **deaf and dumb** surdo-mudo **2** insensível (to, a); indiferente (to, a) ♦ **to be as deaf as a post** ser surdo como uma porta; **to turn a deaf ear to** fazer ouvidos moucos a
deafen *v* ensurdecer
deafening *adj* ensurdecedor
deaf-mute *n ofens* surdo-mudo
deafness *n* surdez
deal *n* **1** acordo; negócio; **to strike/make/cut a deal** fazer/fechar um negócio **2** (jogo de cartas) vez de dar cartas **3** quantidade; **a good deal** bastante ▪ *v* **1** (cartas) dar **2** (droga) traficar
◇ **deal out** *v* dar as cartas
◇ **deal with** *v* **1** lidar com **2** negociar com
dealer *n* **1** negociante; comerciante **2** traficante **3** jogador que dá as cartas
dealership *n* concessionário
dealing *n* **1** negócio; comércio **2** *pl* negócios; transações[AO]
dean *n* reitor
dear *adj* **1** querido; amoroso **2** importante (to, para) **3** (cartas comerciais) Caro; Excelentíssimo; **Dear John** Caro João; **Dear Sir** Exmo. Sr. ▪ *n* querido, amor ♦ **oh, dear!/Dear me!** valha-me Deus!; **to cost somebody dear** sair muito caro a alguém
dearly *adv* **1** muito **2** caro; **he paid dearly for his mistake** o erro ficou-lhe muito caro
dearth *n* escassez (of, de)
death *n* **1** morte **2** fim ♦ **death rate** taxa de mortalidade; **to be at death's door** estar às portas da morte
debase *v* **1** humilhar; rebaixar **2** (moeda) desvalorizar
debatable *adj* discutível

debate *n* debate (on/about, sobre); **to hold a debate** fazer um debate ▪ *v* **1** debater; discutir **2** pensar em, ponderar
debater *n* participante em debate
debating *n* debate
debauchery *n* [*pl* -ies] devassidão
debilitate *v* debilitar; enfraquecer
debilitating *adj* debilitante
debilitation *n* debilitação
debility *n* debilidade
debit *n* débito ▪ *v* debitar (with, em) ◆ **debit card** cartão de débito
debrief *v* recolher o testemunho de
debris *n* destroços; escombros
debt *n* dívida; **to run into debt** endividar-se
debtor *n* devedor
debug *v* **1** INFORM resolver erros de programação **2** (local) remover escutas de
debunk *v* **1** desacreditar **2** desmistificar
decade *n* década
decadence *n* decadência
decadent *adj* decadente
decaf *n col* descafeinado
decaffeinated *adj,n* descafeinado
decagon *n* decágono
decalcify *v* descalcificar
decalogue *n* decálogo
decametre *n* decâmetro
decamp *v col* escapulir-se (to, para; from, de)
decant *v* decantar
decanter *n* licoreira
decapitate *v* decapitar
decapitation *n* decapitação
decathlon *n* decatlo
decay *n* **1** deterioração **2** (dentes) cárie **3** decadência; declínio ▪ *v* **1** apodrecer **2** (edifício) deteriorar-se; ficar degradado **3** estar em declínio
decaying *adj* **1** podre; estragado **2** (dente) cariado **3** decadente
decease *n* falecimento, morte
deceased *adj,n* falecido
deceit *n* engano; fraude
deceitful *adj* enganador
deceive *v* enganar; levar (into, a)
deceiver *n* impostor
decelerate *v* abrandar
deceleration *n* abrandamento
December *n* dezembro[AO]
decency *n* [*pl* -ies] decência; decoro
decent *adj* decente
decentralization *n* descentralização
decentralize *v* descentralizar
deception *n* engano; fraude
deceptive *adj* enganador
decibel *n* (som) decibel
decide *v* **1** decidir(-se) **2** julgar
decided *adj* nítido; evidente
decidedly *adv* decididamente
deciding *adj* decisivo
deciduous *adj* caduco; **deciduous tree** árvore de folha caduca
decilitre *n* decilitro
decimal *adj* decimal
decimalize *v* reduzir a decimal
decimate *v* dizimar
decimation *n* dizimação
decipher *v* decifrar
decision *n* **1** decisão; **to make/take a decision** tomar uma decisão **2** resolução; determinação
decisive *adj* **1** decisivo **2** (pessoa) determinado
decisiveness *n* **1** carácter[AO] decisivo **2** (pessoa) determinação
deck *n* **1** (navio) convés **2** (avião, autocarro) piso **3** EUA (cartas) baralho ▪ *v* enfeitar (with, com)
declaration *n* declaração (of, de); **declaration of income** declaração dos rendimentos
declare *v* **1** declarar; **to declare war on** declarar guerra a **2** pronunciar-se (for, a favor de; against, contra)
declared *adj* declarado
declassify *v* levantar a confidencialidade de
declension *n* LING declinação
decline *n* **1** declínio **2** decréscimo ▪ *v* **1** decrescer; diminuir **2** *form* recusar; **he declined my invitation** recusou o meu convite **3** piorar; **his health has been declining** o seu estado de saúde tem piorado **4** LING declinar
decode *v* descodificar; decifrar
decoder *n* descodificador
decolonization *n* descolonização
decolonize *v* descolonizar
decompose *v* decompor
decomposition *n* decomposição
decompress *v* descomprimir
decompression *n* descompressão
decongestant *n,adj* descongestionante
decontaminate *v* descontaminar

decontamination *n* descontaminação
decorate *v* **1** decorar (with, com) **2** condecorar (for, por)
decoration *n* **1** decoração; enfeite **2** condecoração
decorative *adj* decorativo; ornamental
decorator *n* decorador
decorum *n* decoro
decoy *n* **1** engodo; chamariz **2** (pássaros) armadilha ▪ *v* aliciar (into, a)
decrease *n* decréscimo (in, em; of, de) ▪ *v* diminuir; reduzir
decreasing *adj* decrescente
decree *n* **1** decreto; **to issue a decree** emitir um decreto **2** DIR deliberação; sentença ▪ *v* decretar
decrepit *adj* decrépito
decriminalization *n* despenalização
decriminalize *v* despenalizar
decry *v form* condenar
dedicate *v* **1** dedicar (to, a) **2** consagrar (to, a)
dedicated *adj* **1** dedicado (to, a) **2** especializado
dedication *n* **1** dedicação (to, a); entrega (to, a) **2** dedicatória
deduce *v* deduzir (from, de); concluir (that, que)
deduct *v* deduzir (from, de); descontar (from, de)
deductible *adj* dedutível
deduction *n* (quantia, conclusão) dedução
deed *n* **1** feito; ação[AO] **2** DIR escritura
deem *v form* considerar
deep *adj* **1** profundo **2** (respiração) fundo **3** (sentimento) intenso **4** (som) grave **5** (cor) carregado ▪ *adv* profundamente ♦ **deep down** no íntimo; **to be in deep water** estar metido numa alhada; **to take a deep breath** respirar fundo
deepen *v* **1** aprofundar(-se) **2** intensificar(-se) **3** (som, voz) tornar(-se) mais grave **4** (cor, luz) tornar(-se) mais carregado
deep-fry *v* fritar em óleo abundante
deeply *adv* profundamente; intensamente
deep-rooted *adj* profundamente enraizado
deep-sea *adj* em alto mar
deep-seated *adj* profundamente enraizado
deer *n* [*pl* deer] veado
deface *v* desfigurar
defamation *n* difamação
defamatory *adj* difamatório
default *n* **1** falta (on, em relação a) **2** não comparência **3** (computador) predefinição; defeito ▪ *v* **1** não cumprir; faltar (on, com) **2** (jogo) não comparecer
defaulter *n* incumpridor
defeat *n* derrota ▪ *v* **1** derrotar **2** (planos, intenções) frustrar
defeatism *n* derrotismo
defeatist *adj,n* derrotista
defecate *v form* defecar
defecation *n form* defecação
defect *n* defeito (in, em) ▪ *v* desertar (from, de)
defection *n* deserção
defective *adj* defeituoso
defector *n* desertor
defence *n* GB defesa; **in defence of** em defesa de
defenceless *adj* indefeso
defend *v* defender (from/against, de)
defendant *n* réu
defender *n* **1** defensor (of, de) **2** DESP defesa
defending *adj* de defesa
defense *n* EUA ⇒ **defence**
defensive *adj* defensivo ▪ *n* defensiva
defer *v* adiar
deference *n form* deferência
deferential *adj* deferente; respeitador
deferment *n* adiamento
defiance *n* desobediência
defiant *adj* (atitude) desafiador
deficiency *n* [*pl* -ies] **1** deficiência, insuficiência **2** carência
deficient *adj* **1** deficiente, insuficiente **2** com carência(s)
deficit *n* **1** défice **2** falta (in, de)
defile *v* profanar
define *v* definir
definite *adj* **1** definido; **definite article** artigo definido **2** definitivo ♦ **to be definite about** ter a certeza de
definitely *adv* sem dúvida ♦ **definitely not!** claro que não!
definition *n* definição (of, de)
definitive *adj* **1** definitivo; final **2** fundamental
deflate *v* **1** esvaziar(-se) **2** desanimar
deflation *n* **1** ECON deflação **2** esvaziamento
deflationary *adj* deflacionário
deflect *v* desviar(-se)
deflection *n* desvio

deforest *v* desflorestar
deforestation *n* desflorestação
deform *v* deformar
deformation *n* deformação
deformed *adj* deformado
deformity *n* [*pl* -ies] deformidade
defragment *v* INFORM desfragmentar
defraud *v* **1** defraudar **2** extorquir (of, -)
defray *v* (despesas) custear; cobrir
defrost *v* descongelar
deft *adj* hábil
defunct *adj form* extinto
defuse *v* **1** (situação) acalmar **2** (bomba) desativar[AO]
defy *v* **1** desafiar **2** (leis) transgredir
degenerate *adj,n* degenerado ▪ *v* degenerar (into, em)
degradation *n* degradação
degrade *v* degradar
degrading *adj* degradante
degree *n* **1** grau; **degree centigrade** grau centígrado **2** licenciatura; curso **3** etapa ◆ **by degrees** a pouco e pouco; **to some degree** até certo ponto
dehumanize *v* desumanizar
dehumidifier *n* desumidificador
dehumidify *v* desumidificar
dehydrate *v* desidratar
dehydration *n* desidratação
deify *v* divinizar
deign *v* dignar-se (to, a)
deity *n* [*pl* -ies] divindade
dejected *adj* desanimado
dejection *n* desânimo
delay *n* atraso; demora; **without delay** sem demora ▪ *v* **1** atrasar(-se) **2** adiar
delectable *adj* delicioso
delegate *n* delegado ▪ *v* **1** delegar (to, em) **2** encarregar (to, de)
delegation *n* delegação
delete *v* apagar, eliminar
deletion *n* eliminação; supressão
deliberate *adj* deliberado; intencional ▪ *v* refletir[AO] (on/about, sobre)
deliberation *n* deliberação
delicacy *n* [*pl* -ies] **1** delicadeza **2** (comida) manjar
delicate *adj* delicado; suave
delicatessen *n* charcutaria
delicious *adj* delicioso
delight *n* prazer; deleite ▪ *v* deliciar; deleitar
delighted *adj* encantado (at, com)
delightful *adj* delicioso; encantador
delimit *v* delimitar
delimitation *n* delimitação
delinquency *n* [*pl* -ies] delinquência
delinquent *adj,n* delinquente
delirious *adj* **1** delirante **2** louco de alegria; em êxtase
delirium *n* delírio ◆ **delirium tremens** delírio alcoólico
deliver *v* **1** entregar **2** fazer entregas ao domicílio **3** (discurso, sentença) pronunciar; proferir **4** (discurso, sermão) fazer **5** assistir o parto de
delivery *n* [*pl* -ies] **1** entrega **2** (discurso) dicção **3** (bebé) parto ◆ **delivery service** serviço de entrega ao domicílio
delta *n* (letra, rio) delta
delude *v* enganar; iludir
deluge *n* **1** dilúvio **2** torrente (of, de) ▪ *v* inundar
delusion *n* ilusão ◆ **delusions of grandeur** mania das grandezas
delve *v* remexer (into, em)
demagnetize *v* desmagnetizar
demagogic *adj* demagógico
demagogue *n* demagogo
demagogy *n* demagogia
demand *n* **1** exigência **2** reivindicação (for, de) **3** procura (for, de); **to meet demand** satisfazer a procura ▪ *v* **1** exigir **2** reivindicar
demanding *adj* exigente; difícil
demarcation *n* demarcação
demean *v* rebaixar
demeanour *n form* comportamento; conduta
demented *adj* desnorteado
dementia *n* demência
demerit *n* **1** demérito **2** EUA (escola) falta disciplinar
demijohn *n* GB garrafão
demilitarization *n* desmilitarização
demilitarize *v* desmilitarizar
demise *n* **1** *form* falecimento **2** *form* fim
demisemiquaver *n* GB MÚS fusa
demist *v* GB desembaciar
demo *n* **1** *col* demonstração; **demo tape** cassete de demonstração **2** GB *col* manifestação
demobilization *n* desmobilização
demobilize *v* (tropas) desmobilizar
democracy *n* [*pl* -ies] democracia

democrat *n* democrata
democratic *adj* democrático
democratization *n* democratização
democratize *v* democratizar
demographic *adj* demográfico
demography *n* demografia
demolish *v* **1** demolir **2** (proposta, argumentos) arrasar; deitar por terra **3** *col* (comida) devorar
demolition *n* demolição
demon *n* **1** demónio **2** ás (at, em/de)
demonstrable *adj* demonstrável
demonstrate *v* **1** demonstrar **2** manifestar--se (against, contra; in favour of, a favor de)
demonstration *n* **1** demonstração **2** manifestação
demonstrative *adj* **1** (pessoa) expansivo **2** demonstrativo
demonstrator *n* **1** manifestante **2** demonstrador
demoralize *v* desmoralizar
demote *v* despromover
demotion *n* despromoção
demure *adj* discreto; recatado
den *n* **1** covil **2** (crianças) esconderijo
denationalization *n* privatização
denationalize *v* privatizar
denial *n* **1** desmentido (of, de) **2** negação (of, de); recusa (of, de)
denigrate *v* denegrir
denim *n* ganga
Denmark *n* Dinamarca
denominate *v* denominar
denomination *n* **1** credo; confissão **2** (moedas, notas) valor
denominator *n* MAT denominador
denotation *n* denotação
denote *v* **1** denotar **2** representar
denouement *n* desfecho; desenlace
denounce *v* denunciar
dense *adj* **1** denso; espesso **2** *col* estúpido
density *n* [*pl* -ies] densidade
dent *n* amolgadela ▪ *v* **1** amolgar **2** (orgulho, reputação) abalar
dental *adj* dental; dentário; **dental appointment** consulta no dentista; **dental floss** fio dental
dentist *n* dentista
dentistry *n* medicina dentária
denunciation *n* denúncia
deny *v* **1** negar **2** recusar; rejeitar **3** (emoções) reprimir ♦ **to deny yourself something** privar-se de alguma coisa
deodorant *n* desodorizante
depart *v* **1** partir (from, de); sair (from, de) **2** afastar-se (from, de)
departed *adj,n* falecido; defunto
department *n* **1** departamento **2** ministério **3** (loja) secção ♦ **to be somebody's department** ser da competência de alguém
departmental *adj* departamental
departure *n* **1** partida (for, para); **departure lounge** sala de embarque **2** abandono (from, de)
depend *v* depender
◇ **depend on/upon** *v* **1** depender de **2** confiar em
dependability *n* fiabilidade
dependable *adj* fiável; de confiança
dependant *n* EUA (família) dependente
dependence *n* dependência (on, em relação a); **drug dependence** toxicodependência
dependent *adj* dependente (on/upon, de)
depict *v* retratar; representar
depiction *n* representação; retrato
deplete *v* esgotar; gastar
depleted *adj* **1** esgotado; gasto **2** (urânio) empobrecido
depletion *n* esgotamento
deplorable *adj* deplorável
deplore *v* condenar
deploy *v* **1** (tropas, equipamento) posicionar(-se) **2** *form* utilizar eficazmente
deployment *n* **1** (tropas, equipamento) posicionamento estratégico **2** *form* utilização eficaz
depoliticize *v* despolitizar
depopulate *v* despovoar
depopulation *n* despovoamento
deport *v* deportar (to, para)
deportation *n* deportação
deportee *n* deportado
deportment *n* GB postura
depose *v* **1** depor **2** testemunhar
deposit *n* **1** depósito **2** (dinheiro) entrada; **a deposit on a car** a entrada para um carro **3** caução **4** jazida ▪ *v* (dinheiro) depositar ♦ GB **deposit account** conta a prazo
deposition *n* **1** depoimento **2** deposição **3** depósito; sedimento

depot *n* **1** depósito; armazém **2** GB (autocarros) garagem; parque **3** EUA (comboio) estação
depravation *n* depravação
deprave *v* depravar
depraved *adj* depravado
depravity *n* depravação
deprecate *v form* desaprovar; condenar
depreciate *v* **1** desvalorizar(-se) **2** depreciar
depreciation *n* desvalorização
depress *v* **1** deprimir **2** (preços, salários) reduzir; baixar **3** (botão) premir
depressed *adj* **1** deprimido **2** em recessão
depressing *adj* deprimente
depression *n* **1** depressão **2** (terreno) desnível
depressive *adj* depressivo ▪ *n* deprimido
depressurization *n* despressurização
depressurize *v* despressurizar
deprivation *n* **1** privação; **to suffer deprivations** sofrer privações **2** carência **3** penúria; miséria
deprive *v* privar (of, de)
depth *n* **1** profundidade **2** espessura; **this wall is one metre in depth** esta parede tem um metro de espessura **3** intensidade ♦ **to be out of your depth** estar como peixe fora de água
deputation *n* delegação
deputy *n* [*pl* -ies] **1** substituto **2** deputado **3** EUA (polícia) subdelegado
derail *v* **1** (comboio) descarrilar **2** (plano) fazer fracassar
derailment *n* descarrilamento
derange *v* transtornar; enlouquecer
deranged *adj* transtornado; louco
derby *n* [*pl* -ies] **1** (jogo) derby **2** EUA chapéu de coco
deregulate *v* liberalizar
deregulation *n* liberalização
derelict *adj* (edifício) abandonado; em ruínas
dereliction *n* **1** abandono **2** negligência
deride *v* ridicularizar
derision *n* escárnio
derisive *adj* trocista
derisory *adj* irrisório
derivation *n* derivação
derivative *adj* sem originalidade ▪ *n* derivado
derive *v* **1** derivar (from, de) **2** (causa) ser originado (from, por) **3** obter (from, de)
dermatitis *n* dermatite
dermatological *adj* dermatológico
dermatologist *n* dermatologista
dermatology *n* dermatologia
derogatory *adj* depreciativo
derrick *n* **1** grua; guindaste **2** (petróleo) torre de perfuração/sondagem
descend *v* **1** descer **2** (noite, silêncio) cair ◇ **descend from** *v* descender de
descendant *n* descendente
descent *n* **1** descida **2** declive **3** ascendência; **they are of African descent** eles são de ascendência africana
describe *v* descrever
description *n* **1** descrição; **the film is beyond description** nem encontro palavras para descrever o filme **2** classe; espécie; **of the worst description** da pior espécie
descriptive *adj* descritivo
desecrate *v* profanar
desecration *n* profanação
desensitize *v* dessensibilizar
desert *adj,n* deserto; ermo ▪ *n* merecimento; mérito ▪ *v* abandonar; desertar (from, de)
deserted *adj* **1** ermo **2** abandonado
deserter *n* MIL desertor
desertion *n* **1** MIL deserção **2** DIR abandono do lar
deserve *v* **1** (pessoa) merecer (to, -) **2** (assunto) ser digno de; ser merecedor de
deservedly *adv* merecidamente
deserving *adj* digno (of, de); merecedor (of, de)
desiccated *adj* **1** seco; CUL **desiccated coconut** coco ralado **2** desidratado
design *n* **1** (criação) design **2** (decoração) padrão; motivo **3** planta; projeto[AO] **4** objetivo[AO]; **by design** de propósito ▪ *v* **1** desenhar **2** conceber; projetar[AO] **3** destinar; **to be designed for children** ser destinado às crianças
designate *v* **1** designar; denominar **2** (pessoa) indigitar; nomear
designation *n* **1** (nome) designação; denominação **2** (cargo) nomeação
designer *n* **1** designer **2** (moda) estilista, costureiro
desirable *adj* **1** (pessoa, coisa) desejável; apetecível **2** (ato) aconselhável; recomendável
desire *n* desejo (for, por; to, de); vontade (to, de) ▪ *v* **1** desejar **2** ansiar (por)

desired *adj* desejado
desirous *adj form* desejoso (of, de)
desist *v form* cessar (from, de)
desk *n* **1** secretária **2** (escola) carteira **3** receção[AO]; balcão; **information desk** balcão de informações ♦ EUA (hotel) **desk clerk** rececionista[AO]
desktop *n* área de trabalho ▪ *adj* de secretária; **desktop computer** computador de secretária
desolate *adj* **1** (local) deserto **2** (pessoa) desolado **3** (perspetivas) sombrio
desolation *n* **1** (local) desolação; devastação **2** (sentimento) tristeza; amargura
despair *n* desespero ▪ *v* **1** desesperar (of, com) **2** não ter esperança (of, de)
desperado *n* [*pl* -es] malfeitor
desperate *adj* desesperado ♦ **desperate cases require desperate remedies** para grandes males, grandes remédios
desperately *adv* **1** desesperadamente **2** gravemente; **desperately ill** gravemente doente
desperation *n* desespero
despicable *adj* desprezível; vil
despise *v* desprezar
despite *prep* apesar de
despondency *n* desânimo
despondent *adj* desanimado
despot *n* déspota
despotic *adj* despótico
despotism *n* despotismo
dessert *n* sobremesa
dessertspoon *n* colher de sobremesa
destabilize *v* desestabilizar
destination *n* (viagens) destino
destiny *n* [*pl* -ies] destino; fado; sorte
destitute *adj form* pobre
destitution *n form* miséria
destroy *v* **1** destruir; aniquilar **2** (animal) exterminar; matar
destroyer *n* **1** destruidor, exterminador **2** MIL contratorpedeiro
destruction *n* **1** destruição; devastação **2** ruína; perdição
destructive *adj* destrutivo
desultory *adj* **1** irregular **2** desmotivado; desinteressado
detach *v* **1** destacar (from, de); separar (from, de) **2** MIL destacar (to, para)
detachable *adj* **1** destacável **2** desmontável
detached *adj* **1** (objeto) autónomo; separado **2** (edifício) independente **3** (comportamento) distante **4** (perspetiva) imparcial
detachment *n* **1** (objeto) separação **2** (comportamento) distância; desapego **3** (perspetiva) imparcialidade **4** (tropas) destacamento **5** (retina) descolamento
detail *n* **1** pormenor; detalhe **2** MIL destacamento ▪ *v* **1** pormenorizar **2** MIL destacar (to, para)
detailed *adj* pormenorizado; detalhado
detain *v* **1** (polícia) deter **2** reter; demorar
detainee *n* detido
detect *v* notar; detetar[AO]
detection *n* **1** deteção[AO] **2** (investigação criminal) descoberta **3** (doença) despistagem
detective *n* detetive[AO] ♦ **detective story** romance policial
detector *n* detetor[AO]; **smoke detector** detetor[AO] de incêndios
detention *n* **1** (prisão) detenção **2** (escola) castigo
deter *v* **1** desencorajar (from, de) **2** impedir (from, de)
detergent *adj,n* detergente
deteriorate *v* **1** deteriorar(-se) **2** (saúde) piorar; agravar-se
deterioration *n* **1** deterioração **2** agravamento
determination *n* determinação; resolução
determine *v* **1** determinar **2** (fronteira) delimitar, definir
determined *adj* **1** (decisão) decidido **2** (pessoa) determinado; resoluto
determinedly *adv* com determinação
determiner *n* determinante
deterrent *adj* dissuasor; impeditivo ▪ *n* **1** impedimento **2** força dissuasora
detest *v form* detestar; abominar
detestable *adj form* detestável; abominável
dethrone *v* destronar
detonate *v* detonar; explodir
detonation *n* detonação; explosão
detonator *n* detonador
detour *n* desvio; **to make a detour** fazer um desvio ▪ *v* EUA desviar
detoxify *v* desintoxicar
detract *v* desvalorizar, diminuir (from, -)
detriment *n* detrimento, prejuízo; **to the detriment of** em detrimento de

detrimental *adj* prejudicial (to, a)
detritus *n* detritos; entulho
deuce *n* **1** (cartas, dados) dois **2** (ténis) quarenta igual
devaluation *n* desvalorização
devalue *v* **1** desvalorizar **2** (pessoa, coisa, ato) depreciar; menosprezar
devastate *v* **1** devastar **2** (pessoa) destroçar; arrasar
devastated *adj* **1** arrasado; destroçado **2** chocado
devastating *adj* **1** (destruição) devastador **2** (efeito) demolidor **3** (emoções) chocante **4** *col* (aparência) irresistível
devastation *n* devastação; destruição
develop *v* **1** desenvolver(-se) **2** evoluir (into, para) **3** FOT revelar **4** (doença) chocar; **to develop flu** chocar uma gripe **5** (hábito) adquirir; **to develop a taste for** adquirir o gosto de **6** (conhecimentos) aprofundar
developer *n* **1** FOT revelador **2** (terrenos, propriedades) promotora imobiliária
developing *adj* em desenvolvimento ■ *n* FOT revelação
development *n* **1** desenvolvimento; progresso **2** crescimento; expansão **3** novos factos; **the latest developments** os últimos acontecimentos **4** FOT revelação
deviance *n* (comportamentos) desviância
deviant *adj* **1** (comportamento) desviante **2** (pessoa) perverso
deviate *v* **1** desviar-se (from, de) **2** afastar-se (from, de) **3** divergir (from, de)
deviation *n* desvio (from, em relação a)
device *n* **1** aparelho, dispositivo; **safety device** dispositivo de segurança **2** engenho; mecanismo; **an explosive device** um engenho explosivo **3** estratagema
devil *n* demónio, diabo; **you lucky devil!** seu sortudo!
devilish *adj* diabólico
devious *adj* **1** sinuoso; tortuoso **2** astuto
devise *v* **1** (plano) conceber; engendrar **2** (bens imobiliários) legar
devoid *adj* desprovido (of, de)
devolution *n* POL descentralização
devolve *v* delegar (to, em)
devote *v* dedicar (to, a); consagrar (to, a)
devoted *adj* dedicado; extremoso
devotee *n* **1** REL devoto **2** adepto (of, de)
devotion *n* **1** (fé) devoção (to, a) **2** (atitude) dedicação (to, a); entrega (to, a) **3** lealdade
devour *v* **1** devorar **2** (fogo, sentimentos) consumir
devout *adj* **1** REL devoto, fervoroso **2** (comportamento) sincero
dew *n* orvalho
dewdrop *n* gota de orvalho
dexterity *n* destreza, habilidade
dexterous *adj* hábil
diabetes *n* diabetes
diabetic *adj,n* diabético
diabolical *adj* **1** diabólico **2** GB *col* horrível
diadem *n* diadema
diagnose *v* diagnosticar
diagnosis *n* [*pl* diagnoses] diagnóstico (of, de)
diagonal *adj,n* diagonal
diagram *n* diagrama
dial *n* **1** (relógio, contador) mostrador **2** (telefone) disco ■ *v* (número de telefone) marcar
dialect *n* dialeto[AO]
dialectics *n* dialética[AO]
dialogue *n* diálogo
dial-up *adj* por modem
dialysis *n* [*pl* dialyses] diálise
diameter *n* diâmetro; **1 metre in diameter** 1 metro de diâmetro
diametrically *adv* diametralmente
diamond *n* **1** diamante **2** (forma) losango **3** *pl* (cartas) ouros
diaper *n* EUA fralda
diaphanous *adj lit* diáfano, transparente
diaphragm *n* diafragma
diarrhoea *n* diarreia
diary *n* [*pl* -ies] diário; **to keep a diary** ter um diário
diastole *n* diástole
diatribe *n* diatribe (against, contra)
dice *n* (objeto) dados; **to play dice** jogar aos dados ■ *v* **1** (jogo) lançar os dados **2** CUL cortar em cubinhos
dichotomy *n* [*pl* -ies] dicotomia
dick *n* **1** *cal* pila *cal* **2** *cal* (ofensivo) imbecil; estúpido
dictate *v* **1** (texto) ditar **2** (regras) estipular; impor
dictation *n* ditado; **to take dictation** fazer um ditado
dictator *n* ditador
dictatorial *adj* ditatorial

dictatorship *n* ditadura
diction *n* dicção
dictionary *n* [*pl* -ies] dicionário; **to look up a word in a dictionary** procurar uma palavra num dicionário
didactic *adj* didático[AO]
diddle *v* GB *col* enganar, vigarizar
die *v* **1** morrer; falecer **2** (aparelho) avariar **3** (emoções) esmorecer ▪ *n* **1** dado (para jogar) **2** cunho; molde ♦ (desejo) **to be dying for** estar mortinho por
◇ **die away** *v* (som) desvanecer-se; extinguir-se
◇ **die down** *v* **1** (fogo) extinguir-se **2** (emoção) acalmar **3** (vento, tempestade) amainar
◇ **die out** *v* **1** (raça, espécie) extinguir-se **2** (costume) desaparecer
diesel *n* diesel; **diesel oil** gasóleo
diet *n* dieta; **to be on a diet** estar de dieta ▪ *adj* (alimento) magro; baixo em calorias
dietary *adj* alimentar
dietician *n* dietista, nutricionista
differ *v* **1** ser diferente (from, de; in, em) **2** discordar (about/on/over, em relação a)
difference *n* **1** diferença (between, entre) **2** divergência; desacordo ♦ **to make a difference** ser importante
different *adj* **1** diferente (from, de); distinto (from, de) **2** *col* original; fora do vulgar
differential *adj,n* diferencial
differentiate *v* distinguir (between, entre)
differentiation *n* diferenciação
difficult *adj* difícil; complicado
difficulty *n* [*pl* -ies] dificuldade (in, em)
diffidence *n* **1** timidez **2** insegurança
diffident *adj* **1** tímido **2** inseguro (about, em relação a)
diffuse *adj* difuso ▪ *v* difundir
diffusion *n* difusão
dig *n* **1** escavação **2** *col* boca; indireta[AO] **3** *pl* GB alojamento ▪ *v* **1** (terreno) cavar, escavar **2** (coisas) espetar **3** *col* pescar; perceber **4** *col* curtir
◇ **dig in** *v* **1** *col* (comida) atacar **2** MIL entrincheirar-se
◇ **dig out** *v* **1** remover; extrair **2** (informação, objeto) desencantar; desenterrar
◇ **dig up** *v* **1** desenterrar **2** (informação) desencantar; descobrir
digest *n* resumo; sumário ▪ *v* **1** (alimentos) digerir **2** (conhecimentos) assimilar
digestion *n* digestão
digestive *adj,n* digestivo
digger *n* **1** (pessoa) cavador **2** (máquina) escavadora
digit *n* **1** dígito, algarismo **2** (pé, mão) dedo
digital *adj* digital
digitize *v* INFORM digitalizar
dignify *v* **1** dignificar **2** (prémio, honraria) contemplar (with, com)
dignitary *n* [*pl* -ies] dignitário
dignity *n* [*pl* -ies] **1** dignidade **2** (função) alto cargo
digress *v* divagar; desviar-se (from, de)
digression *n* divagação; digressão
dilapidated *adj* em mau estado; degradado
dilate *v* **1** dilatar(-se) **2** (olhos) arregalar(-se)
dilation *n* **1** dilatação **2** *form* adiamento
dilemma *n* dilema
dilettante *n* diletante
dilettantism *n* diletantismo
diligence *n* diligência; zelo
diligent *adj* diligente; zeloso
diligently *adv* diligentemente
dilute *v* **1** (líquido) diluir (with, em) **2** (intensidade) atenuar ▪ *adj* **1** (líquido) diluído **2** (intensidade) atenuado
dilution *n* **1** (líquidos) diluição (with, em) **2** (intensidade) atenuação
dim *adj* **1** (luz) fraco **2** (falta de nitidez) fusco **3** (memória) vago **4** *col* (pessoa) tolo **5** (futuro) pouco prometedor ▪ *v* (luz) diminuir, baixar
dime *n* (dólar americano) dez cêntimos; *col* **it's not worth a dime** não vale um chavo
dimension *n* **1** dimensão **2** aspeto[AO]
diminish *v* **1** diminuir; reduzir **2** rebaixar; menosprezar
diminutive *n* LING diminutivo ▪ *adj* (tamanho, espaço) diminuto
dimness *n* **1** (luz) penumbra **2** imprecisão **3** *col* (pessoa) imbecilidade **4** (futuro) falta de perspetivas[AO]
dimple *n* (rosto) covinha
dimwit *n* *col,pej* palerma, pateta
din *n* barulheira, chinfrineira ▪ *v* fazer barulho
dine *v* jantar
◇ **dine out** *v* jantar fora
diner *n* **1** comensal **2** EUA carruagem-restaurante **3** EUA restaurante barato
dinghy *n* bote; **rubber dinghy** barco de borracha

dingy *adj* **1** (local) obscuro **2** sujo
dinner *n* jantar ♦ **dinner service** serviço de mesa
dinosaur *n* dinossauro
dint *n* amolgadela, pancada ♦ **by dint of** à custa de
diocesan *adj* diocesano
diocese *n* diocese
dioxide *n* dióxido
dip *n* **1** declive **2** (solo) depressão **3** mergulho; **to go for a dip** ir dar um mergulho **4** (preços, temperatura) descida acentuada **5** CUL molho ▪ *v* **1** (líquido) mergulhar (in/into, em) **2** (avião, ave) descer a pique **3** (superfície) afundar (into, em)
diphtheria *n* difteria
diphthong *n* ditongo
diploma *n* [*pl* -s] diploma
diplomacy *n* diplomacia
diplomat *n* diplomata
diplomatic *adj* diplomático
dipper *n* (colher) concha ♦ EUA **the Big Dipper** Ursa Maior; EUA **the Little Dipper** Ursa Menor
dipstick *n* (óleo do carro) vareta medidora
diptych *n* [*pl* -s] díptico
dire *adj* **1** extremo, grave **2** horrível ♦ **to be in dire need of** ter necessidade urgente de; **to be in dire straits** estar em apuros
direct *adj* **1** direto[AO] **2** imediato **3** (pessoa) franco; frontal **4** LING direto[AO] ▪ *v* **1** dirigir (to, para) **2** orientar (to/towards, para) **3** (organização) dirigir; coordenar **4** endereçar (to, a) **5** (cinema) realizar **6** (atenção) concentrar (to, em)
direction *n* **1** direção[AO] **2** orientação; **sense of direction** sentido de orientação **3** CIN realização **4** *pl* orientações; indicações
directive *n* diretiva[AO]
directly *adv* **1** diretamente[AO] **2** (tempo) imediatamente; logo **3** (falar) abertamente **4** mesmo, precisamente
directness *n* franqueza
director *n* **1** diretor[AO] **2** coordenador; organizador **3** CIN realizador
directorate *n* **1** conselho diretivo[AO]; conselho de administração **2** (departamento) diretoria[AO]
directorship *n* (cargo) diretoria[AO]
directory *n* [*pl* -ies] **1** lista telefónica **2** livro de moradas **3** INFORM diretório[AO]
dirge *n* **1** canto fúnebre **2** *fig* lamúria
dirigible *n* dirigível
dirt *n* **1** imundície; porcaria **2** *fig* (escândalo) podres ♦ **to treat someone like dirt** tratar alguém abaixo de cão
dirty *adj* **1** sujo, imundo **2** indecente, obsceno **3** desprezível ▪ *v* sujar ♦ **dirty trick** golpe baixo
disability *n* [*pl* -ies] **1** deficiência; invalidez **2** incapacidade
disable *v* **1** (pessoa) incapacitar **2** (mecanismo) desativar[AO]
disabled *adj* **1** (pessoa) com deficiência **2** (mecanismo) desativado[AO] ▪ *npl* **the disabled** pessoas com deficiência
disadvantage *n* desvantagem
disadvantaged *adj* (pessoas) desfavorecido
disadvantageous *adj* desvantajoso (to, para)
disaffected *adj* **1** descontente **2** revoltado **3** dissidente
disaffection *n* **1** descontentamento **2** revolta
disagree *v* **1** discordar (with, de; on/about, em relação a) **2** (informação) divergir; não coincidir **3** (alimentos, bebidas) não cair bem **4** (situação) não fazer bem
disagreeable *adj* **1** desagradável **2** (pessoa) mal-encarado
disagreement *n* **1** desacordo, divergência **2** (dados) discrepância
disallow *v* **1** rejeitar; desaprovar **2** desautorizar **3** (golo) anular
disappear *v* desaparecer (from, de)
disappearance *n* desaparecimento (of, de)
disappoint *v* desapontar, desiludir
disappointed *adj* desiludido; desapontado
disappointment *n* desilusão; deceção[AO]
disapproval *n* reprovação (of, de); censura (of, de)
disapprove *v* não aprovar (of, -); desaprovar (of, -)
disapproving *adj* desaprovador; reprovador; **to be disapproving of something** ser contra algo
disarm *v* **1** desarmar(-se) **2** (bomba) desativar[AO] **3** *fig* deixar desarmado
disarmament *n* desarmamento
disarray *n* desordem; confusão ▪ *v* desarranjar
disaster *n* **1** catástrofe; calamidade **2** *col* desastre
disastrous *adj* desastroso; catastrófico

disband *v* **1** (grupo, organização) dissolver(-se) **2** (pessoas, multidão) dispersar
disbelief *n* incredulidade; descrença
disbelieve *v* duvidar de; não acreditar em
disc *n* disco; **disc jockey** disco-jóquei; INFORM **hard disc** disco duro
discard *v* **1** deitar fora **2** descartar; pôr de parte
discern *v* **1** (visão) discernir **2** (entendimento) perceber
discerning *adj* **1** perspicaz **2** exigente **3** (olhos, ouvido) educado
discernment *n* discernimento
discharge *n* **1** descarga **2** (funcionário) despedimento **3** (hospital) alta (from, de) **4** (detido) libertação ▪ *v* **1** descarregar **2** (detido) pôr em liberdade **3** (hospital) dar alta a (from, de) **4** (funcionário) dispensar (from, de) **5** (líquido) verter **6** disparar
disciple *n* **1** discípulo; apóstolo **2** seguidor
disciplinary *adj* disciplinar
discipline *n* (regras, universidade) disciplina ▪ *v* **1** disciplinar **2** castigar, punir
disclaimer *n* **1** desmentido **2** limitação de responsabilidade
disclose *v* **1** (segredo) revelar **2** (informação) publicar, noticiar
disclosure *n* revelação
disco *n col* discoteca
discolor *v* EUA ⇒ **discolour**
discolour *v* **1** desbotar **2** manchar
discolouration *n* **1** descoloração **2** desbotamento
discomfort *n* desconforto; incómodo ▪ *v* causar desconforto a
discomposure *n* **1** (estado mental) transtorno; agitação **2** (local) desordem; confusão
disconcert *v* **1** desconcertar; deixar perplexo **2** (planos) estragar
disconcerting *adj* desconcertante
disconnect *v* **1** separar (from, de) **2** (aparelho, equipamento) desligar **3** (gás, eletricidade, água) cortar
disconnection *n* **1** separação (from, de) **2** (gás, eletricidade, água) corte
disconsolate *adj* desolado (at, com)
discontent *n* descontentamento
discontented *adj* descontente (with, com)
discontentment *n* descontentamento
discontinue *v* **1** (serviço, pagamento) suspender **2** (produto, produção) descontinuar
discord *n* **1** discórdia; discordância **2** MÚS dissonância
discount *n* desconto, redução (de preço); **at a discount** com desconto ▪ *v* **1** (preço) descontar; abater **2** (ideia, opinião) dar um desconto a
discourage *v* **1** desanimar; desencorajar **2** dissuadir (from, de) **3** prevenir; evitar
discouragement *n* **1** desânimo; desalento **2** dissuasão
discouraging *adj* **1** desanimador **2** dissuasivo
discourse *n* **1** discurso **2** (escrito) dissertação **3** debate ▪ *v* discursar (on/upon, sobre)
discourteous *adj* indelicado, descortês
discourtesy *n* [*pl* -ies] indelicadeza; grosseria
discover *v* **1** descobrir **2** encontrar; achar
discoverer *n* **1** descobridor **2** explorador
discovery *n* [*pl* -ies] descoberta; descobrimento
discredit *n* **1** descrédito **2** vergonha (to, para) ▪ *v* desacreditar
discreet *adj* discreto
discrepancy *n* [*pl* -ies] discrepância
discrete *adj* distinto; diferenciado
discretion *n* **1** discrição **2** discernimento; **to use one's discretion** usar de discernimento
discretionary *adj* arbitrário
discriminate *v* **1** discriminar (against, -); **to discriminate against immigrants** discriminar os imigrantes **2** distinguir (between, entre)
discriminating *adj* **1** criterioso; exigente **2** (diferenças) distintivo
discrimination *n* **1** discriminação; **gender discrimination** discriminação sexual **2** discernimento; **to lack discrimination** ter falta de discernimento
discriminatory *adj* discriminatório
discus *n* [*pl* -es, disci] DESP disco; (competição) **the discus** lançamento do disco; **to throw the discus** lançar o disco
discuss *v* **1** (pessoa) falar de; (assunto, tema) discutir; debater **2** (texto) abordar
discussion *n* **1** debate (on, sobre) **2** (análise) estudo **3** (texto) abordagem

disdain *n* desprezo (for, por) ▪ *v* desprezar
disdainful *adj* desdenhoso
disease *n* **1** doença; enfermidade **2** *fig* mal
disembark *v* (navio, avião, autocarro) desembarcar
disembarkation *n* desembarque
disembowel *v* estripar; esventrar
disenchantment *n* desencanto; desilusão
disencumber *v* desembaraçar; desimpedir
disengage *v* **1** (objetos) desprender; desengatar **2** (compromisso) libertar; descomprometer **3** MIL desocupar **4** (telefone) desimpedir
disentangle *v* desenredar; desemaranhar
disfigure *v* **1** (pessoa) desfigurar **2** (local) descaracterizar[AO]
disfigurement *n* **1** (pessoa) desfiguração **2** (local) descaracterização[AO]
disgorge *v* **1** vomitar **2** expelir; emitir
disgrace *n* **1** desgraça **2** vergonha; **you are the disgrace of the family** és a vergonha da família ▪ *v* desgraçar; desonrar
disgraceful *adj* vergonhoso
disgruntled *adj* **1** descontente **2** ressentido
disguise *n* disfarce; máscara; **in disguise** disfarçado ▪ *v* **1** disfarçar **2** (sentimentos, erros) esconder; ocultar **3** mascarar ♦ **a blessing in disguise** um mal que vem por bem
disgust *n* **1** nojo; repugnância **2** *fig* revolta; indignação ▪ *v* **1** enojar **2** *fig* revoltar; indignar
disgusting *adj* **1** nojento; repugnante **2** (situação) chocante
dish *n* [*pl* -es] **1** (recipiente, comida) prato **2** antena parabólica **3** *col,fig* (pessoa atraente) brasa *col* **4** *pl* louça; **to do the dishes** lavar a louça
◇ **dish out** *v* **1** (comida) servir **2** (roupa, armas) distribuir **3** (castigo, conselho) dar
dishcloth *n* pano da louça
dishearten *v* desanimar; desencorajar
disheartening *adj* desanimador; desencorajante
dishevelled *adj* **1** (cabelos) despenteado **2** (roupa) descomposto
dishonest *adj* desonesto
dishonesty *n* [*pl* -ies] desonestidade
dishonor *n,v* EUA ⇒ **dishonour**
dishonour *n* desonra ▪ *v* **1** desonrar **2** (compromisso) não honrar **3** (dívida) não pagar
dishonourable *adj* **1** (pessoa) vil; indigno **2** (comportamento) vergonhoso
dishwasher *n* máquina de lavar louça
disillusion *n* desilusão, deceção[AO] ▪ *v* desiludir, dececionar[AO]
disincentive *n* desincentivo
disinclination *n* relutância
disinfect *v* desinfetar[AO]
disinfectant *adj,n* desinfetante[AO]
disinformation *n* desinformação
disingenuous *adj* falso, dissimulado
disinherit *v* deserdar
disintegrate *v* **1** (objeto) desintegrar-se **2** (empresa, movimento) desfazer-se; dissolver-se
disintegration *n* desintegração
disinter *v* (cadáver) desenterrar
disinterest *n* **1** desinteresse, indiferença **2** imparcialidade
disinterested *adj* desinteressado
disjointed *adj* **1** (objeto) desarticulado; desconjuntado **2** (discurso) desconexo; incoerente
disk *n* INFORM disco; **disk drive** unidade de disco, drive
diskette *n* disquete
dislike *n* aversão (for, por); antipatia (for, of, por) ▪ *v* não gostar de; antipatizar com
dislocate *v* **1** (membro) deslocar **2** (funcionamento) perturbar
dislocation *n* **1** (membro) deslocamento **2** (situação) perturbação
dislodge *v* **1** (objetos) remover **2** (pessoas) desalojar
disloyal *adj* desleal (to, para com)
disloyalty *n* [*pl* -ies] deslealdade (to, para com)
dismal *adj* **1** (atmosfera) carregado; pesado **2** *col* péssimo; horrível
dismantle *v* desmantelar; desmontar
dismantling *n* desmantelamento; desmontagem
dismay *n* **1** consternação **2** preocupação, inquietação ▪ *v* **1** consternar **2** preocupar, inquietar
dismember *v* **1** (corpo) desmembrar; esquartejar **2** (país, império) dividir
dismiss *v* **1** (cargo) despedir **2** (consulta, sessão) mandar embora **3** (informação) menosprezar ♦ **class dismissed** a aula terminou

dismissal *n* **1** (cargo) despedimento **2** (consulta, sessão) autorização de saída **3** (ideia, sugestão) rejeição
dismissive *adj* desdenhoso ◆ **to be dismissive of** fazer pouco caso de
dismount *v* (cavalo, bicicleta) apear-se (from, de); desmontar (from, de)
disobedience *n* desobediência
disobedient *adj* desobediente
disobey *v* **1** desobedecer **2** desrespeitar
disorder *n* **1** desordem; confusão **2** (situação) tumulto; distúrbio **3** indisposição ▪ *v* **1** desordenar; desorganizar **2** PSIC perturbar
disorderly *adj* **1** desordenado; desarrumado **2** (comportamento) turbulento
disorganization *n* desorganização
disorganize *v* desorganizar
disorientate *v* desorientar
disorientation *n* desorientação
disown *v* repudiar; rejeitar
disparage *v* denegrir; rebaixar
disparaging *adj* depreciativo
disparate *adj* díspar; distinto
disparity *n* [*pl* -ies] disparidade; desigualdade
dispassionate *n* **1** desapaixonado **2** imparcial
dispatch *n* [*pl* -es] **1** comunicação; despacho **2** envio; expedição **3** prontidão; rapidez ▪ *v* **1** enviar **2** (carta, encomenda) despachar; expedir **3** *fig* liquidar, matar
dispel *v* dissipar
dispensable *adj* dispensável
dispensary *n* [*pl* -ies] enfermaria
dispensation *n* **1** administração **2** licença, autorização **3** isenção; dispensa
dispense *v* **1** distribuir **2** (medicamentos) preparar **3** (serviço público) administrar **4** isentar (from, de); dispensar (from, de)
◇ **dispense with** *v* prescindir de
dispenser *n* **1** (máquina) distribuidor automático; **soft drink dispenser** máquina de refrigerantes **2** (banco) caixa; **cash dispenser** caixa multibanco **3** (líquidos) doseador
disperse *v* dispersar; espalhar
dispirited *adj* desanimado, desalentado
displace *v* **1** deslocar **2** (pessoas) desalojar **3** (governo, pessoa, sistema) substituir
displacement *n* **1** deslocamento **2** (pessoas) desalojamento **3** (governo, pessoa, sistema) substituição
display *n* **1** (apresentação) exibição **2** (mostra) exposição **3** INFORM (ato) visualização; (aparelho) ecrã, monitor; **colour display** monitor a cores **4** *pej* ostentação ▪ *v* **1** exibir **2** (mostra) expor **3** INFORM visualizar **4** *pej* ostentar
displease *v form* desagradar a
displeased *adj* descontente (at, com)
displeasing *adj* desagradável
displeasure *n* desagrado (at, em relação a)
disposable *adj* **1** descartável **2** disponível
disposal *n* **1** (resíduos) tratamento **2** (propriedade) transferência **3** (disponibilidade) disposição; **to be at one's disposal** estar ao dispor ◆ **disposal field** aterro sanitário
dispose *v* dispor; colocar
◇ **dispose of** *v* **1** desfazer-se de **2** liquidar, matar **3** (tarefa, problema) despachar
disposition *n* **1** temperamento **2** tendência (to, para) **3** (objetos) disposição (of, de)
dispossess *v* espoliar (of, de); expropriar (of, de)
dispossession *n* expropriação
disproportion *n* desproporção (between, entre)
disproportionate *adj* desproporcionado (to, em relação a)
disprove *v* refutar; contestar
dispute *n* **1** (verbal) discussão **2** conflito; disputa ▪ *v* **1** (argumentação) contestar; pôr em questão **2** discutir (about, por causa de) **3** disputar ◆ **to be beyond dispute** ser irrefutável
disqualification *n* **1** (prova, competição) desqualificação; desclassificação **2** (condução) apreensão; **disqualification from driving** apreensão da carta
disqualify *v* **1** desqualificar (from, de); desclassificar (from, de) **2** (carta de condução) apreender
disregard *n* **1** desinteresse (for, por) **2** desrespeito (for, por) **3** (dinheiro) menosprezo (for, em relação a) ▪ *v* **1** ignorar **2** desrespeitar
disrepair *n* mau estado
disreputable *adj* **1** com má reputação; com má fama **2** (comportamento) vergonhoso
disrepute *n* má reputação

disrespect *n* falta de respeito (for, por); desrespeito (for, por) ♦ **no disrespect** sem ofensa
disrespectful *adj* desrespeitoso (to, com)
disrupt *v* **1** (planos) desfazer **2** (conversação) interromper
disruptive *adj* insubordinado, indisciplinado
dissatisfaction *n* insatisfação (with, em relação a)
dissatisfactory *adj* insatisfatório
dissatisfied *adj* insatisfeito (with, com)
dissect *v* dissecar
dissection *n* dissecação
disseminate *v* **1** (doença, semente) disseminar **2** (informação) divulgar
dissemination *n* **1** disseminação; propagação **2** divulgação
dissension *n* conflito; desavença
dissent *n* **1** desacordo; discórdia **2** REL dissidência ▪ *v* **1** discordar (from, de) **2** REL entrar em dissidência
dissenter *n* dissidente
dissertation *n* **1** dissertação (on, sobre) **2** discurso (on, sobre)
disservice *n form* prejuízo; mau serviço
dissidence *n* **1** (ato) dissidência **2** divergência
dissident *adj,n* dissidente
dissimilar *adj* diferente (to, de); distinto (to, de)
dissipate *v* **1** desperdiçar; esbanjar **2** dissipar-se; **the fog dissipated** o nevoeiro dissipou-se **3** (emoções) desvanecer-se; esmorecer
dissolute *adj* dissoluto, devasso
dissolve *v* **1** (em líquido) dissolver (in, em) **2** (assembleia, situação) dissolver; desfazer **3** (grupos) dispersar
dissuade *v* dissuadir (from, de)
dissuasion *n* dissuasão
dissuasive *adj* dissuasivo
distaff *n* (para fiar) roca
distance *n* distância; **at/from a distance** de longe; **to keep one's distance** manter a distância ▪ *v* distanciar (from, de) ♦ **distance learning** ensino à distância
distant *adj* **1** distante, longínquo **2** (parente) afastado **3** (viagem) longo **4** (comportamento) reservado **5** (estado de espírito) ausente
distantly *adv* **1** ao longe; à distância **2** (comportamento) friamente **3** (estado de espírito) distraidamente
distaste *n* aversão (for, a)
distasteful *adj* desagradável
distemper *n* **1** (pintura) têmpera **2** (cães) esgana
distil *v* destilar
distillation *n* destilação
distiller *n* destilador
distillery *n* [*pl* -ies] destilaria
distinct *adj* **1** distinto (from, de); diferente (from, de) **2** nítido, evidente ♦ **as distinct from** em oposição a
distinction *n* **1** distinção (between, entre); diferença (between, entre) **2** distinção; honra
distinctive *adj* distintivo; característico[AO]
distinguish *v* **1** distinguir (from, de) **2** (sentidos) discernir; captar
distinguishable *adj* distinguível
distinguished *adj* distinto; notável
distort *v* **1** (declarações, sons) distorcer **2** (aspeto) deformar
distortion *n* distorção
distract *v* distrair (from, de)
distracted *adj* **1** distraído **2** transtornado (with, com)
distraction *n* **1** distração[AO] (from, de) **2** (atividade) diversão; entretenimento **3** aflição; perturbação
distraught *adj* transtornado
distress *n* **1** aflição; angústia; **to be in distress** estar numa aflição **2** perigo; **a ship was in distress** um navio estava em perigo **3** (pobreza) miséria ▪ *v* angustiar, afligir
distressed *adj* **1** aflito; transtornado **2** (pobreza) em dificuldades
distressing *adj* angustiante; perturbador
distribute *v* **1** repartir **2** distribuir; entregar
distribution *n* distribuição
distributor *n* distribuidor
district *n* **1** distrito; região **2** (administração) comarca; bairro; **tax district** bairro fiscal **3** (cidade) zona ♦ EUA **district attorney** advogado do Ministério Público
distrust *n* desconfiança (of, em relação a) ▪ *v* desconfiar de; suspeitar de
distrustful *adv* desconfiado (of, de)
disturb *v* **1** perturbar; inquietar **2** incomodar; **don't disturb!** não incomodar!

disturbance *n* **1** distúrbio; tumulto **2** (estado mental) perturbação
disturbed *adj* **1** perturbado **2** preocupado; inquieto
disturbing *adj* perturbador
disunite *v form* desunir
disunity *n form* desunião
disuse *n* desuso
ditch *n* [*pl* -es] valeta, rego ▪ *v col* largar; abandonar
ditchwater *n col* **as dull as ditchwater** aborrecido de morte
dither *v* hesitar; vacilar ▪ *n* **1** hesitação **2** nervosismo
ditto *adv col* idem
ditty *n* [*pl* -ies] cançoneta
diuretic *adj,n* diurético
diva *n* diva
divan *n* divã
dive *n* **1** mergulho **2** descida a pique **3** *col* (local) espelunca ▪ *v* **1** mergulhar (into, em) **2** descer a pique
diver *n* mergulhador
diverge *v* **1** (linha, percurso, opinião) divergir **2** (estrada) bifurcar-se
divergence *n* divergência
divergent *adj* divergente
diverse *adj* diverso; diferente
diversify *v* diversificar(-se)
diversion *n* **1** desvio **2** manobra de diversão **3** diversão; entretenimento
diversionary *adj* (tática, manobra) de diversão
diversity *n* [*pl* -ies] diversidade
divert *v* desviar
divest *v* despojar (of, de)
divide *v* **1** dividir(-se) (by/into, por); **divide six by three** divide seis por três **2** repartir (among/between, por) **3** (desacordo) dividir **4** (caminho) bifurcar-se
dividend *n* dividendo
divider *n* **1** (dossier) separador **2** (espaço) divisória
divine *adj* **1** divino **2** fantástico ▪ *v* adivinhar
diviner *n* adivinho
diving *n* **1** mergulho **2** saltos para a água ♦ (piscina) **diving board** prancha
divinity *n* [*pl* -ies] **1** divindade **2** EUA teologia
divisible *adj* divisível (by, por; into, em)
division *n* **1** divisão **2** desacordo, discórdia
divorce *n* divórcio ▪ *v* **1** divorciar-se **2** dissociar (from, de)
divorcé *n* divorciado
divulge *v* divulgar; revelar
dizziness *n* vertigem; tontura
dizzy *adj* **1** tonto, zonzo **2** (velocidade) vertiginoso
DJ *n* [*abrev. de* disc jockey] DJ (disco-jóquei)
Djibouti *n* Jibuti
DNA [*abrev. de* deoxyribonucleic acid] ADN [*abrev. de* ácido desoxirribonucleico]
do *n* [*pl* -s] MÚS dó ▪ *v* **1** fazer; **to do homework** fazer os trabalhos de casa **2** lavar; **to do the dishes** lavar a loiça **3** arranjar; **to do your hair/nails** arranjar o cabelo/as unhas **4** imitar; **he does his father very well** ele imita muito bem o pai **5** GB estudar **6** *col* visitar **7** cozinhar; **I like the meat well done** gosto da carne bem passada **8** bastar (for, para); **the wine won't do for everyone** o vinho não vai chegar para todos
◊ **do away with** *v* **1** livrar-se de **2** *col* matar
◊ **do for** *v col* acabar com
◊ **do in** *v* **1** *col* dar cabo de **2** *col* deixar de rastos
◊ **do out** *v* decorar
◊ **do out of** *v col* burlar em
◊ **do over** *v* **1** (decoração, pintura) renovar **2** *cal* dar uma tareia a
◊ **do up** *v* **1** apertar; fechar **2** restaurar; renovar **3** arranjar-se
◊ **do with** *v* **1** precisar de **2** fazer a **3** ter que ver com **4** acabar de
◊ **do without** *v* passar sem
docile *adj* dócil, meigo
docility *n* docilidade
dock *n* **1** doca; cais **2** (tribunal) banco dos réus ▪ *v* **1** acostar; atracar **2** (nave espacial) acoplar **3** (do salário) deduzir; retirar **4** (cauda) cortar
docker *n* estivador
docket *n* GB (encomenda) guia
dockland *n* zona portuária
dockyard *n* estaleiro
doctor *n* **1** médico; **to go to the doctor** ir ao médico **2** (grau académico) doutorado (of, em) ▪ *v* **1** falsificar **2** (comida, bebida) adulterar **3** (animal) castrar
doctorate *n* doutoramento
doctrinaire *adj* doutrinário
doctrine *n* doutrina

docudrama *n* CIN,TV docudrama
document *n* documento ▪ *v* documentar
documental *adj* documental
documentary *n* documentário ▪ *adj* documental
documentation *n* documentação
dodder *v* cambalear
doddle *n* GB *col* canja *fig*; **it's a doddle!** está no papo!
dodge *n col* estratagema ▪ *v* **1** desviar-se **2** esquivar-se a; fugir a
dodgy *adj* **1** *col* suspeito **2** *col* arriscado
doe *n* **1** corça **2** (coelho, lebre) fêmea
doer *n* empreendedor
dog *n* **1** cão **2** (raposa, lobo) macho ▪ *v* perseguir ◆ **barking dogs seldom bite** cão que ladra não morde; *col* **he hasn't got a dog's chance** ele não tem a mínima hipótese
doggy *n* [*pl* -ies] *infant* cãozinho
doghouse *n* EUA casota do cão
dogma *n* dogma
dogmatic *adj* dogmático
dogmatism *n* dogmatismo
do-gooder *n col* alma caridosa
dog-tired *adj col* derreado; de rastos
doily *n* [*pl* -ies] (prato, bolo) base rendada de papel
doing *n* **1** trabalho; obra; **is that your doing?** isto é obra tua? **2** *pl* atividades[AO]
do-it-yourself *n* bricolage
dole *n* GB subsídio de desemprego
◇ **dole out** *v* repartir
doll *n* **1** boneca; **doll's house** casa de bonecas **2** EUA *col* boneca; amor
◇ **doll up** *v col* embonecar(-se)
dollar *n* dólar
dollop *n col* colherada
dolly *n* [*pl* -ies] *infant* boneca
dolmen *n* [*pl* -s] dólmen
dolphin *n* golfinho
domain *n* domínio
dome *n* cúpula
domestic *adj* **1** doméstico **2** POL interno; nacional **3** (pessoa) caseiro
domesticate *v* domesticar
domestication *n* domesticação
domesticity *n* vida familiar
dominant *adj* dominante
dominate *v* dominar; controlar
domination *n* domínio
domineer *v* tiranizar
domineering *adj* dominador; autoritário
Dominica *n* Domínica
Dominican *adj,n* dominicano
Dominican Republic *n* República Dominicana
domino *n* [*pl* -es] **1** peça de dominó; **set of domino** jogo de dominó **2** *pl* dominó; **to play dominoes** jogar dominó
don *n* **1** GB professor universitário (especialmente em Oxford e Cambridge) **2** *col* chefe da mafia
donate *v* doar (to, a)
donation *n* **1** donativo **2** (ato) doação
done *adj* **1** feito **2** fatigado; cansado ◆ **done!** pronto!; **well done!** bom trabalho!; **no sooner said than done** foi dito e feito
donkey *n* burro, jumento
donor *n* **1** doador **2** dador; **blood donor** dador de sangue
doodle *v* sarrabiscar ▪ *n* sarrabisco
doom *n* destino, fatalidade ▪ *v* condenar (to, a)
doomed *adj* condenado (to, a)
Doomsday *n* dia do Juízo Final
door *n* porta; **to answer the door** ver quem está à porta ◆ **out of doors** ao ar livre
doorbell *n* campainha da porta
doorknob *n* puxador da porta
doorman *n* porteiro
doormat *n* **1** tapete **2** *col,pej* capacho
doorstep *n* soleira ◆ **on my doorstep** ao pé da minha casa
door-to-door *adj* porta a porta; ao domicílio
doorway *n* entrada; **in the doorway** à entrada
dope *n* **1** *col* droga **2** *col* idiota ▪ *v* drogar; dopar
dopey *adj* **1** *col* drogado **2** *col* palerma; imbecil
doping *n* doping
dork *n col* nabo *fig*, parvo
dormant *adj* inativo[AO], parado
dormitory *n* [*pl* -ies] **1** dormitório **2** EUA (universidade) residência estudantil ◆ **dormitory town** cidade-dormitório
dormouse *n* [*pl* dormice] (roedor) arganaz
dorsal *adj* dorsal
DOS *n* INFORM [*abrev. de* Disk Operating System] DOS

dosage *n* posologia
dose *n* dose; porção ▪ *v* medicar (with, com); **to dose oneself up** automedicar-se
dosh *n col* (dinheiro) massa *col*
dossier *n* dossier
dot *n* ponto; pinta ▪ *v* **1** pôr ponto(s) em; **to dot the i's** pôr pontos nos is **2** salpicar (with, de) ♦ **on the dot** em ponto
dotcom *n* empresa que vende bens e/ou serviços na Internet ▪ *adj* com base na Internet
doting *adj* babado; **doting father** pai babado
dotted *adj* tracejado
double *n* **1** dobro **2** (ator) duplo **3** sósia **4** *pl* (ténis) pares ▪ *adj* **1** duplo **2** de casal **3** (sentido) ambíguo ▪ *v* **1** duplicar(-se) **2** dobrar ao meio ♦ MÚS **double bass** contrabaixo; **on the double** imediatamente
◇ **double back** *v* dar meia volta; voltar para trás
◇ **double up** *v* **1** (quarto, casa) partilhar **2** (a rir, com dores) contorcer-se
double-check *v* tornar a verificar
double-click *v* INFORM fazer duplo clique (on, em, sobre)
double-cross *v col* enganar; trair
double-decker *n* autocarro de dois andares ▪ *adj* de duas camadas
double-park *v* estacionar em segunda fila
doubt *n* dúvida (about, sobre) ▪ *v* **1** duvidar de **2** desconfiar de ♦ **beyond the shadow of a doubt** sem sombra de dúvida; **no doubt** sem dúvida
doubtful *adj* **1** duvidoso **2** incerto
doubtless *adv* sem dúvida
doubtlessly *adv* indubitavelmente
dough *n* **1** CUL massa; **cake dough** massa de bolo **2** *col* (dinheiro) massa *fig*
doughnut *n* (bolo) donut®
doughy *adj* pastoso
dour *adj* severo, austero
douse *v* **1** (fogo) apagar **2** mergulhar
dove *n* **1** pomba **2** POL pacifista
dovetail *v* (ideias, planos) encaixar(-se)
dowdy *adj* deselegante
down *adv,prep* abaixo; **three floors down** três andares abaixo ▪ *adj col* em baixo; abatido ▪ *v* **1** derrubar; abater **2** engolir; devorar ♦ (pagamento) **down payment** entrada; **down to** até; **he is down and out** ele está completamente arruinado; *col* **two down, one to go** duas já cá cantam, falta uma
downbeat *adj* desanimado; deprimido ▪ *n* MÚS compasso acentuado
downcast *adj* abatido; cabisbaixo
downfall *n* queda; ruína
downgrade *v* **1** (cargo) despromover **2** desprezar; desvalorizar
downhearted *adj* desanimado; abatido
downhill *adv* pela encosta abaixo; **to go downhill** descer a encosta ▪ *adj* **1** inclinado, a descer **2** *col* fácil ▪ *n* DESP downhill ♦ **to go downhill** ir de mal a pior
download *v* (programa, etc.) descarregar ▪ *n* (ficheiro, programa) download
downmarket *adj* GB de pouca qualidade ▪ *adv* GB para as massas
downpour *n* aguaceiro
downright *adj* inequívoco; categórico ▪ *adv* francamente
Down's syndrome *n* síndrome de Down, trissomia 21
downstairs *adv* em baixo; para baixo; **are you downstairs?** estás aí em baixo? ▪ *adj* no andar de baixo
downstream *adv* a favor da corrente
downtown *adv* EUA na baixa; **to go shopping downtown** fazer compras na baixa ▪ *n* EUA centro da cidade, baixa; **downtown Chicago** baixa de Chicago
downtrodden *adj* oprimido
downturn *n* baixa; descida
downward *adj* descendente
downwards *adv* para baixo; **the birth rate is downwards** a taxa de natalidade está em baixa
dowry *n* [*pl* -ies] dote
doze *n* soneca; **to have a doze** fazer uma soneca ▪ *v* dormitar
◇ **doze off** *v* adormecer
dozen *n* dúzia; **half a dozen** meia dúzia ♦ **dozens of** montes de
dozy *adj* **1** sonolento **2** GB *col* idiota
dpi INFORM [*abrev. de* dots per inch]
drab *adj* **1** (cor) apagado **2** monótono
drachma *n* (antiga moeda) dracma
draft *n* **1** esboço; rascunho **2** ordem de pagamento **3** EUA recrutamento obrigatório **4** EUA (jogadores) contratação **5** EUA corrente de ar ▪ *v*

1 esboçar; delinear **2** (texto) fazer o rascunho de **3** destacar (to, para) **4** EUA MIL recrutar
drag *v* **1** dragar **2** arrastar **3** puxar à força **4** (tempo) arrastar-se ▪ *n* **1** *col* chatice; seca **2** *col* estorvo (on, para) **3** *col* (cigarro) passa *col* ♦ INFORM **drag and drop** arrastar e largar (com o rato); **drag queen** travesti
◇ **drag along** *v* arrastar
◇ **drag on** *v* prolongar-se
dragnet *n* (pesca) rede de arrasto
dragon *n* dragão
dragonfly *n* libélula
dragoon *n* (soldado) dragão
drain *n* **1** cano de esgoto **2** GB sarjeta **3** GB (banca, banheira) ralo ▪ *v* **1** drenar; escoar(-se) **2** esvaziar(-se) ♦ **everything went out the drain** foi tudo por água abaixo
drainage *n* **1** drenagem **2** saneamento
drainpipe *n* cano de esgoto
drake *n* (macho) pato
drama *n* drama; **drama series** série dramática
dramatic *adj* dramático
dramatics *npl* fingimento; teatro
dramatist *n* dramaturgo
dramatization *n* dramatização
dramatize *v* dramatizar
drape *v* **1** drapejar **2** (decoração) cobrir (in, com) ▪ *n pl* EUA reposteiros
drapery *n* [*pl* -ies] **1** tecido **2** GB comércio de tecidos **3** *pl* EUA reposteiros
drastic *adj* drástico
draught *n* **1** corrente de ar **2** gole; trago **3** *pl* (jogo) damas ♦ (bebida, cerveja) **on draught** de pressão
draughtboard *n* GB (jogo de damas) tabuleiro
draughtsman *n* [*pl* -men] desenhador
draughtswoman *n* [*pl* -men] desenhadora
draw *n* **1** (jogo) empate **2** sorteio; extração[AO] **3** atração[AO] ▪ *v* **1** desenhar **2** puxar **3** (atenção) atrair, chamar **4** tirar; **to draw blood** tirar sangue **5** (dinheiro) levantar **6** (cheque) passar
◇ **draw back** *v* recuar
◇ **draw in** *v* GB (dia) ficar mais curto
◇ **draw off** *v* (líquido) tirar; retirar
◇ **draw on** *v* **1** recorrer a; valer-se de **2** (tempo) passar
◇ **draw out** *v* **1** (dinheiro) levantar **2** pôr à vontade **3** prolongar **4** (dia) ficar maior
◇ **draw up** *v* **1** (documento) redigir **2** (cadeira) puxar **3** (pessoa) endireitar-se **4** (carro) parar
drawback *n* desvantagem
drawbridge *n* ponte levadiça
drawer *n* **1** gaveta **2** sacador de cheque
drawing *n* **1** desenho **2** EUA sorteio ♦ **drawing board** estirador
drawl *n* voz arrastada ▪ *v* falar arrastadamente
dread *n* medo (of, de); pavor (of, de) ▪ *v* temer; recear
dreadful *adj* terrível
dream *n* **1** sonho **2** ilusão, fantasia ▪ *v* sonhar (about, com; of, em) ▪ *adj* de sonho ♦ **not in your wildest dreams** nem pensar nisso
◇ **dream up** *v col* (ideia, plano) inventar
dreamer *n* sonhador
dreamy *adj* **1** sonhador **2** *col* fantástico
dreary *adj* monótono; sem interesse
dredge *v* **1** dragar **2** CUL polvilhar (with, com)
◇ **dredge up** *v* (passado, memórias) desenterrar
dredger *n* draga
dregs *npl* **1** borra **2** escória
drench *v* encharcar; ensopar
dress *n* [*pl* -es] **1** vestido **2** roupa ▪ *v* **1** vestir(-se) **2** arranjar-se (for, para) **3** (feridas) fazer o curativo **4** (salada) temperar ♦ **dress rehearsal** ensaio geral
◇ **dress down** *v* **1** vestir-se de forma informal **2** dar um raspanete a
◇ **dress up** *v* **1** arranjar-se **2** mascarar-se (as, de)
dresser *n* **1** GB aparador **2** EUA cómoda **3** (teatro) assistente de camarim
dressing *n* **1** (feridas) curativo; penso **2** (salada) molho **3** EUA (carne, etc.) recheio ♦ **dressing room** camarim
dressing-down *n* sermão, reprimenda
dressmaker *n* costureiro; modista
dressmaking *n* costura
dressy *adj* bem vestido
dribble *n* **1** baba **2** gota **3** DESP drible ▪ *v* **1** babar(-se) **2** gotejar; pingar **3** DESP driblar
dried *adj* **1** seco; **dried fruits** frutos secos **2** (leite) em pó
drier *n* ⇒ **dryer**
drift *n* **1** (areia, neve) banco **2** (avião, navio) deriva **3** (pessoas) êxodo ▪ *v* **1** andar à deriva **2** (areia, neve) formar bancos **3** vaguear (about/around, por)
◇ **drift apart** *v* distanciar-se
◇ **drift off** *v* adormecer

drifter *n* **1** vagabundo **2** traineira
drill *n* **1** broca **2** exercício; **military drills** exercícios militares **3** simulação; **fire drill** simulação de incêndio ▪ *v* **1** perfurar; furar **2** exercitar; treinar ♦ **safety drill** instruções de segurança
drink *n* bebida ▪ *v* beber ♦ **to drink a toast to** fazer um brinde a; **to drink like a fish** beber como um desalmado
◇ **drink in** *v* enlevar-se
◇ **drink to** *v* brindar a
◇ **drink up** *v* beber tudo; **drink up your milk** bebe o leite todo
drinkable *adj* potável
drinker *n* bebedor; **to be a heavy drinker** beber muito
drinking *n* bebida; **to have a drinking problem** ser alcoólico
drip *n* **1** gota; pinga **2** soro **3** *col* mosquinha-morta ▪ *v* pingar; gotejar
dripping *n* CUL banha ▪ *adj* encharcado; **to be dripping wet** estar encharcado
drive *n* **1** passeio de carro **2** entrada; **they parked their car in the drive** estacionaram o carro na entrada **3** (automóvel) tração[AO] **4** (sexual) instinto **5** energia **6** INFORM drive ▪ *v* **1** conduzir; guiar **2** levar de carro **3** impelir; atirar **4** (bola) lançar ♦ **to drive someone mad/crazy/insane** pôr alguém maluco
◇ **drive away** *v* afugentar
◇ **drive off** *v* **1** ir embora **2** afugentar
◇ **drive out** *v* afastar
drivel *n* asneira, disparate ▪ *v* dizer asneiras, disparatar
drivelling *adj* chapado; **drivelling idiot** idiota chapado
driver *n* condutor; automobilista ♦ EUA **driver's license** carta de condução
driving *n* condução ▪ *adj* **1** impulsionador **2** (chuva) torrencial
drizzle *n* morrinha; chuva miudinha ▪ *v* chuviscar
droll *adj* cómico, engraçado
dromedary *n* [*pl* -ies] dromedário
drone *n* **1** (abelha) zângão **2** zumbido ▪ *v* zumbir
drool *n* baba ▪ *v* babar-se
droop *v* **1** inclinar-se; curvar-se **2** (entusiasmo) arrefecer
drop *n* **1** gota; pingo **2** descida **3** entrega, distribuição **4** rebuçado ▪ *v* **1** deixar cair **2** cair **3** baixar; reduzir **4** *col* deixar; largar **5** desistir; **to drop a charge** retirar uma queixa ♦ *col* **drop dead!** vai passear!
◇ **drop off** *v* **1** adormecer **2** diminuir
◇ **drop out** *v* **1** abandonar os estudos **2** desistir, abandonar **3** marginalizar-se
droplet *n* gotícula
dropout *n* **1** (escola) desistente **2** (sociedade) marginal
dropper *n* conta-gotas
dross *n* **1** lixo **2** (metal) escória
drought *n* seca
drove *n* **1** rebanho; manada **2** chusma
drown *v* **1** afogar(-se) **2** (som) abafar **3** ensopar (with, de) ♦ **to drown one's sorrows** afogar as mágoas
drowning *n* afogamento
drowsiness *n* sonolência
drowsy *adj* sonolento
drug *n* **1** droga; **drug addict** toxicodependente; **to be on/take drugs** drogar-se **2** medicamento ▪ *v* drogar
druggist *n* EUA farmacêutico
drugstore *n* EUA farmácia; drogaria
drum *n* **1** tambor **2** barril; bidão **3** *pl* bateria; **to play drums** tocar bateria ▪ *v* **1** tocar tambor **2** tamborilar
◇ **drum out** *v* expulsar (of, de)
◇ **drum up** *v* (entusiasmo, apoio) obter
drummer *n* baterista
drumstick *n* **1** (bateria) baqueta **2** CUL (frango) coxinha
drunk *adj,n* bêbedo; **to get drunk** embebedar-se
drunkard *n* bêbedo
drunken *adj* bêbedo
dry *adj* **1** seco; **dry wine** vinho seco **2** *col* sequioso **3** sarcástico, mordaz **4** insípido ▪ *v* secar; enxugar ♦ **dry land** terra firme
◇ **dry out** *v* **1** secar **2** (alcoólico) fazer uma desintoxicação
◇ **dry up** *v* **1** (rio, poço) secar **2** GB limpar a loiça **3** (fundos, reserva) esgotar-se
dry-clean *v* limpar a seco
dryer *n* (roupa, cabelo) secador
dual *adj* duplo; GB **dual carriageway** via rápida
duality *n* [*pl* -ies] dualidade

dub *v* **1** alcunhar; apelidar **2** (filme) dobrar (into, em) **3** (música) misturar
dubious *adj* **1** ambíguo; dúbio **2** duvidoso; suspeito **3** indeciso, hesitante
duchess *n* [*pl* -es] duquesa
duchy *n* [*pl* -ies] ducado
duck *n* [*pl* duck, -s] **1** pato **2** *col* amor, querido ▪ *v* **1** baixar(-se); desviar(-se) **2** fugir a
duckling *n* patinho
duct *n* **1** conduta **2** ANAT canal ◆ EUA **duct tape** fita adesiva
dud *n* **1** inutilidade **2** *pl col* roupas ▪ *adj* inútil; ineficaz ◆ **dud cheque** cheque sem cobertura
dude *n* EUA *col* tipo; meu *col*
dudgeon *n* **in high dudgeon** em fúria, muito indignado
due *adj* **1** esperado; **the train is due at 5 p.m.** o comboio deve chegar às 5 da tarde **2** próprio; **in due time** na altura própria **3** exato[AO], certo **4** (dívida) que vence ▪ *n* **1** justo; direito; **you must give him his due** tens de lhe dar o que é dele de direito **2** *pl* quotas ▪ *adv* em direção[AO] a ◆ **due to** devido a; **after due consideration** após a necessária reflexão
duel *n* duelo ▪ *v* bater-se em duelo
duet *n* dueto
duff *adj* GB *col* inútil
duffel *n* **1** tecido grosso de lã **2** EUA (campismo) equipamento
duke *n* duque
dukedom *n* ducado
dull *adj* **1** monótono **2** (pessoa) lento **3** (cor, luz) opaco **4** (som) surdo **5** nublado ▪ *v* **1** atenuar **2** (som) amortecer
dullness *n* **1** monotonia **2** lentidão **3** falta de brilho
duly *adv* **1** devidamente **2** pontualmente
dumb *adj* **1** calado; silencioso **2** *pej* estúpido, idiota ◆ **dumb show** mímica; (restaurante) **dumb waiter** elevador para louça e comida
dumbfound *v* deixar sem palavras
dumbness *n* **1** mudez **2** *pej* estupidez
dummy *n* [*pl* -ies] **1** (de montra, costureiro) manequim **2** (ventríloquo) boneco **3** imitação **4** GB chupeta **5** *col* palerma ▪ *adj* falso
dump *n* **1** lixeira **2** (armas) depósito **3** *col,pej* (local) espelunca ▪ *v* **1** pousar **2** despejar **3** *col* deixar **4** vender a preço muito baixo
dumpbin *n* (promoção de produtos) expositor
dumping *n* **1** despejo, descarga **2** ECON dumping ◆ **no dumping** proibido deitar lixo
dumpling *n* (doce, salgado) bolinho
dumps *npl col* **to be in the dumps** estar na mó de baixo
dumpy *adj* gorducho
dune *n* duna
dung *n* estrume
dungarees *npl* **1** GB jardineiras **2** EUA fato-macaco
dungeon *n* masmorra, calabouço
duo *n* [*pl* -s] duo
duodecimal *adj* duodecimal
duodenum *n* [*pl* -s, -a] duodeno
dupe *n* ingénuo ▪ *v* aldrabar; intrujar
duplex *n* **1** EUA casa geminada **2** (apartamento) dúplex
duplicate *adj,n* duplicado; **to make a duplicate of** fazer uma cópia de ▪ *v* **1** fazer uma cópia de **2** repetir
duplication *n* **1** cópia **2** repetição
duplicity *n* [*pl* -ies] duplicidade
durability *n* durabilidade
durable *adj* duradouro; resistente
duration *n* duração (of, de)
duress *n* coação[AO]; **under duress** sob coação[AO]
during *prep* durante
dusk *n* anoitecer; pôr do sol
dust *n* poeira; pó ▪ *v* **1** limpar o pó a; **have you dusted your room?** limpaste o pó no teu quarto? **2** polvilhar (with, com)
◇ **dust down** *v* escovar
◇ **dust off** *v* limpar
dustbin *n* GB contentor do lixo
duster *n* pano do pó
dustman *n* [*pl* -men] GB lixeiro
dustpan *n* apanhador
dusty *adj* **1** empoeirado; poeirento **2** (cor) acinzentado
Dutch *adj,n* holandês; neerlandês ▪ *npl* **the Dutch** os holandeses ◆ **that's all double Dutch to me** isso para mim é grego
Dutchman *n* [*pl* -men] holandês
dutiful *adj* obediente; cumpridor
duty *n* [*pl* -ies] **1** dever; obrigação **2** direito; imposto **3** serviço; **to be on/off duty** estar/não estar de serviço
duty-bound *adj* moralmente obrigado

duty-free *adj* isento de impostos
duvet *n* GB edredão
DVD [*abrev. de* digital video/versatile disc] DVD
dwarf *adj,n* [*pl* -s, dwarves] anão ▪ *v* fazer parecer mais pequeno
dwell *v form* habitar, morar
◊ **dwell on/upon** *v* pensar em; falar sobre
dweller *n* habitante, morador
dwelling *n form* habitação, residência
dwindle *v* diminuir; baixar
dye *n* tinta; **hair dye** tinta para o cabelo ▪ *v* **1** pintar; **to dye one's hair** pintar o cabelo **2** tingir
dyer *n* tintureiro
dying *adj* **1** moribundo **2** último; **dying wish** último desejo
dyke *n* **1** dique **2** rego ▪ *v* represar
dynamic *adj* dinâmico ▪ *n* dinâmica
dynamics *n* (ciência) dinâmica
dynamism *n* dinamismo
dynamite *n* **1** dinamite **2** *col* bomba; **this rock band is pure dynamite** este grupo rock é uma autêntica bomba ▪ *v* dinamitar
dynamo *n* [*pl* -s] **1** dínamo **2** (pessoa) poço de energia *fig*
dynastic *adj* dinástico
dynasty *n* [*pl* -ies] dinastia
dysentery *n* disenteria
dysfunction *n* disfunção
dysfunctional *adj* disfuncional
dyslexia *n* dislexia
dyslexic *adj,n* disléxico

E

e *n* [*pl* e's] **1** (letra) e **2** MÚS [com maiúscula] mi
each *adj* cada; **each day** cada dia ▪ *adv,pron* cada um ♦ **each other** um ao outro
eager *adj* ansioso (to/for, por) ♦ *col* **eager beaver** trabalhador incansável
eagerly *adv* ansiosamente
eagerness *n* ânsia (to, de)
eagle *n* águia ♦ **eagle eye** olhos de lince
ear *n* **1** orelha **2** ouvido; **to have an ear for** ter ouvido para **3** espiga; **wheat ears** espigas de trigo ♦ **to be up to one's ears in** estar muito atarefado com; **to go in at one ear and out at the other** entrar por um ouvido e sair por outro
earache *n* dor de ouvidos
eardrum *n* tímpano
earl *n* conde
earlobe *n* (orelha) lóbulo
early *adv* **1** cedo **2** no princípio; **early in the year** no princípio do ano ▪ *adj* **1** prematuro; **an early childbirth** um parto prematuro **2** primeiro ♦ **early retirement** pré-reforma; **the early bird catches the worm** Deus ajuda quem madruga
earn *v* **1** (dinheiro) ganhar; receber; **to earn one's living** ganhar a vida **2** render; **to earn interest** render juros **3** merecer
earnest *adj* **1** sério **2** sincero ♦ **in earnest** a sério
earnestly *adv* seriamente
earnings *n* **1** salário **2** lucro
earphones *n* auriculares
earpiece *n* (telefone) auscultador
earplug *n* (ouvido) tampão
earring *n* brinco
earshot *n* alcance do ouvido
ear-splitting *adj* ensurdecedor
earth *n* **1** solo **2** (animal) toca **3** GB ELET ligação à terra **4** (planeta) [com maiúscula] Terra ▪ *v* ELET ligar à terra ♦ **to come back to earth** regressar à realidade; **to move heaven and earth** revolver o céu e a terra
earthbound *adj* **1** preso à terra **2** terra a terra
earthenware *n* louça de barro; cerâmica
earthly *adj* terreno; material ♦ **to be no earthly use** não servir para nada; **to have no earthly chance** não ter a menor hipótese
earthquake *n* terramoto
earthwork *n* fortificação
earthworm *n* minhoca
earthy *adj* **1** terroso **2** grosseiro; **earthy jokes** anedotas grosseiras
earwax *n* (ouvidos) cera
ease *n* **1** facilidade **2** à-vontade; desenvoltura **3** tranquilidade ▪ *v* **1** aliviar **2** tranquilizar **3** mover com cuidado ♦ MIL **stand at ease!** descansar!
◇ **ease off** *v* **1** abrandar **2** (trabalho) diminuir
◇ **ease up** *v* (dor, tensão, chuva) abrandar
easel *n* (pintura) cavalete
easily *adv* **1** facilmente **2** claramente; **they are easily the best** eles são claramente os melhores
east *n* este, leste ▪ *adj* de leste
Easter *n* Páscoa; **Easter eggs** ovos de Páscoa
easterly *adj* leste; **easterly wind** vento leste ▪ *n* vento de leste
eastern *adj* oriental, de leste
east-northeast *n* és-nordeste
east-southeast *n* és-sudeste
East Timor *n* Timor-Leste
East Timorese *adj,n* timorense
eastward *adj* leste ▪ *adv* para leste
easy *adj* **1** fácil; **easy to operate** fácil de manejar **2** tranquilo **3** agradável (on, a/para) ♦ **easier said than done** é mais fácil dizer que fazer; **easy come, easy go** tão depressa vem como desaparece; **take it easy!** tem calma!
eat *v* comer ♦ **to eat one's heart out** roer-se de inveja
◇ **eat away** *v* corroer
◇ **eat away at** *v* **1** gastar; absorver **2** (preocupações) consumir

◇ **eat into** *v* **1** corroer **2** (tempo, dinheiro) absorver
◇ **eat up** *v* **1** comer tudo **2** devorar **3** consumir, gastar **4** (inveja) roer
eating *n* alimentação ◆ **eating disorder** distúrbio alimentar
eaves *npl* (telhado) beiral
eavesdrop *v* escutar às escondidas
eavesdropper *n* abelhudo; bisbilhoteiro
ebb *n* baixa-mar ▪ *v* **1** (maré) baixar **2** diminuir, esmorecer ◆ **ebb and flow** os altos e baixos; **to be at a low ebb 1** estar deprimido **2** (negócio) ir mal
ebony *n* [*pl* -ies] ébano
e-book *n* livro eletrónico[AO]; e-book
e-business *n* negócio realizado através da internet
eccentric *adj,n* excêntrico
eccentricity *n* [*pl* -ies] excentricidade
ecclesiastic *adj* eclesiástico ▪ *n* clérigo
ecclesiastical *adj* eclesiástico
echo *n* [*pl* -es] eco ▪ *v* **1** fazer eco; ecoar (with, com) **2** repetir ◆ **echo box** caixa de ressonância
éclair *n* (bolo) éclair
eclectic *adj* eclético[AO]
eclipse *n* eclipse ▪ *v* eclipsar
eco-friendly *adj* amigo do ambiente; ecológico
ecological *adj* ecológico
ecologist *n* ecologista
ecology *n* ecologia
e-commerce *n* comércio eletrónico[AO]
economic *adj* **1** económico; **economic development** desenvolvimento económico **2** rentável
economical *adj* **1** económico; **an economical car** um carro económico **2** poupado
economically *adv* economicamente
economics *n* (ciência) economia
economist *n* economista
economize *v* economizar (on, em), poupar (on, em)
economy *n* [*pl* -ies] economia; **to make economies** fazer economias ◆ **economy class** classe turística; **economy size** tamanho familiar
ecosystem *n* ecossistema
ecotourism *n* ecoturismo
ecstasy *n* [*pl* -ies] **1** êxtase **2** (droga) ecstasy
ecstatic *adj* extático; em êxtase
Ecuador *n* Equador
Ecuadorian *adj,n* equatoriano
ecumenical *adj* ecuménico
eczema *n* eczema
eddy *n* [*pl* -ies] remoinho ▪ *v* remoinhar
edema *n* EUA edema
edge *n* **1** borda **2** fio; gume **3** (voz) tom agressivo **4** vantagem ▪ *v* **1** debruar **2** afiar **3** avançar lentamente ◆ **to be on edge** ter os nervos em franja; **to be on the edge of** estar à beira de
edgy *adj* **1** nervoso; agitado **2** na moda
edible *adj* comestível
edict *n* decreto
edit *v* **1** (texto, filme) editar **2** (publicação) coordenar
editing *n* **1** (texto, filme) edição **2** (publicação) coordenação
edition *n* **1** edição **2** (televisão, rádio) emissão
editor *n* **1** editor **2** diretor[AO]; **editor of a paper** diretor[AO] de um jornal **3** (texto) revisor **4** (filme) responsável pela montagem
editorial *adj,n* editorial ◆ **editorial office** redação[AO]; **editorial page** página de artigos de opinião
educate *v* educar, instruir
educated *adj* instruído; culto
education *n* ensino; educação
educational *adj* educativo, pedagógico
educator *n form* educador
eel *n* enguia
eerie *adj* misterioso; estranho
eerily *adv* misteriosamente
efface *v form* apagar
effect *n* efeito (of, de; on, em) ▪ *v* efetuar[AO], realizar ◆ **in effect** efetivamente[AO]; **to come into effect** entrar em vigor
effective *adj* **1** eficaz **2** real; efetivo[AO] **3** vigente; em vigor
effectively *adv* **1** eficazmente **2** com efeito
effectiveness *n* eficácia
effeminate *adj pej* efeminado
effervescence *n* efervescência
effervescent *adj* efervescente
efficacy *n form* eficácia
efficiency *n* **1** eficiência; eficácia **2** (máquina) rendimento ◆ **efficiency curve** curva de rendimento
efficient *adj* **1** eficiente, eficaz **2** (máquina) com bom rendimento

effigy *n* [*pl* -ies] efígie
effluent *n form* (poluição) efluente
effort *n* esforço; **not to be worth the effort** não valer a pena
effortless *adj* fácil; sem esforço
effusive *adj* efusivo; expansivo
egalitarian *adj* igualitário
egg *n* **1** ovo; **to lay an egg** pôr um ovo **2** óvulo ♦ **to put all one's eggs in one basket** arriscar tudo numa só coisa
eggcup *n* (recipiente) oveiro
eggplant *n* EUA beringela
eggshell *n* casca de ovo ♦ **eggshell china** porcelana fina
ego *n* ego
egocentric *adj* egocêntrico
egoism *n* egoísmo
egoist *n* egoísta
egoistic *adj* egoísta
Egypt *n* Egito[AO]
Egyptian *adj,n* egípcio
eh *interj* **1** (surpresa) eh! **2** (pergunta) hã?
eiderdown *n* edredão
eight *num card,n* oito
eighteen *num card,n* dezoito
eighteenth *num ord,n* décimo oitavo ♦ **on the eighteenth** no dia dezoito
eighth *num ord,n* oitavo ♦ **on the eighth** no dia oito
eighth-finals *npl* oitavos de final
eightieth *num ord,n* octogésimo
eighty *num card,n* oitenta ♦ (década) **the eighties** os anos oitenta; **to be in one's eighties** ter 80 e tal anos
either *pron* **1** ambos **2** nenhum **3** um ou outro; **do it either way** fá-lo de um modo ou de outro ▪ *adv* também não ▪ *conj* ou; **you can take either a book or a magazine** podes levar ou um livro ou uma revista
ejaculate *v* ejacular
ejaculation *n* ejaculação
eject *v* **1** expulsar **2** (piloto) ejetar-se[AO]
eke out *v* **1** poupar **2** remediar-se; **to eke out a living** sobreviver com dificuldades
elaborate *adj* elaborado, detalhado ▪ *v* desenvolver; dar pormenores (sobre)
elapse *v* decorrer
elastic *adj,n* elástico
elasticity *n* **1** elasticidade **2** flexibilidade
elated *adj* eufórico (at/by, com)
elation *n* euforia
elbow *n* **1** cotovelo **2** (cano) ângulo ▪ *v* acotovelar ♦ **at one's elbow** à mão
elder *adj* mais velho ▪ *n* **1** ancião **2** o mais velho; **you must respect your elders** deves respeitar os mais velhos **3** sabugueiro
elderly *adj* idoso; **the elderly** os idosos
eldest *adj* o mais velho
e-learning *n* e-learning
elect *adj* eleito; **the elect** os eleitos ▪ *v* eleger (to, para)
election *n* eleição; **election campaign** campanha eleitoral; **to hold an election** convocar eleições
elector *n* eleitor
electoral *adj* eleitoral; **electoral roll/register** caderno eleitoral
electorate *n* eleitorado
electric *adj* **1** elétrico[AO]; **electric meter** contador da eletricidade[AO] **2** (ambiente) excitante
electrical *adj* elétrico[AO] ♦ **electrical appliance** eletrodoméstico[AO]; **electrical engineering** engenharia eletrotécnica[AO]
electrician *n* eletricista[AO]
electricity *n* **1** eletricidade[AO] **2** (ambiente) excitação
electrify *v* **1** eletrificar[AO] **2** entusiasmar
electrifying *adj* excitante; eletrizante[AO]
electrocardiogram *n* eletrocardiograma[AO]
electrocute *v* eletrocutar[AO]
electrocution *n* eletrocussão[AO]
electrode *n* elétrodo[AO]
electromagnet *n* eletroíman[AO]
electromagnetic *adj* eletromagnético[AO]
electron *n* eletrão[AO]
electronic *adj* eletrónico[AO] ♦ **electronic mail** correio eletrónico[AO]
electronics *n* eletrónica[AO] ▪ *npl* sistema eletrónico[AO]
elegance *n* elegância
elegant *adj* elegante
elegy *n* [*pl* -ies] LIT elegia
element *n* **1** elemento **2** fator[AO]; **element of chance** fator[AO] sorte **3** (aparelho elétrico) resistência **4** *pl* rudimentos ♦ **in/out of one's element** dentro/fora do seu ambiente
elementary *adj* elementar; básico
elephant *n* elefante
elevate *v* **1** elevar **2** (carreira) promover (to, a)
elevated *adj* elevado

elevation *n* **1** elevação **2** (carreira) promoção **3** altura **4** (edifício) alçado
elevator *n* **1** EUA elevador **2** monta-cargas
eleven *num card,n* onze ▪ *n* equipa; onze; **the first eleven** o onze inicial
eleventh *num ord,n* décimo primeiro ♦ **at the eleventh hour** à última da hora; **on the eleventh** no dia onze
elf *n* [*pl* elves] duende
elicit *v* obter (from, de)
elide *v* elidir
eligible *adj* elegível (for, para)
eliminate *v* **1** excluir; pôr de parte **2** eliminar (from, de) **3** liquidar, matar
elimination *n* eliminação (from, de)
elision *n* elisão
elite *n* elite ▪ *adj* de elite
elitism *n* elitismo
elitist *adj* elitista
elixir *n* elixir
Elizabethan *adj* HIST isabelino
elk *n* alce
ellipse *n* GEOM elipse
elliptical *adj* elíptico
elm *n* olmo
elocution *n* elocução
elongate *v* alongar(-se)
elope *v* fugir com uma pessoa para se casar com ela
elopement *n* fuga com uma pessoa para se casar com ela
eloquence *n* eloquência
eloquent *adj* eloquente
El Salvador *n* El Salvador
else *adv* mais; **anybody else?** mais alguém? ♦ **or else** se não, vais ver
elsewhere *adv* noutro lado
elucidate *v form* esclarecer
elucidation *n form* esclarecimento
elude *v* fugir a; escapar a
elusive *adj* **1** (pessoa) esquivo, elusivo **2** vago, evasivo
email ou **e-mail** *n* correio eletrónico[AO], email ▪ *v* enviar (mensagem) por correio eletrónico[AO]
emanate *v* emanar (from, de)
emancipate *v* emancipar (from, de)
emancipation *n* emancipação
embalm *v* embalsamar
embankment *n* represa
embargo *n* [*pl* -es] embargo (on, sobre); **to lift/rise/take off the embargo** levantar o embargo ▪ *v* embargar
embark *v* embarcar; **to embark on a ship** embarcar num navio
◇ **embark on/upon** *v* empreender; iniciar
embarkation *n* embarque
embarrass *v* embaraçar
embarrassed *adj* **1** embaraçado **2** embaraçoso; **an embarrassed silence** um silêncio embaraçoso
embarrassing *adj* embaraçoso ♦ **how embarrassing!** que vergonha!
embarrassment *n* **1** embaraço; vergonha **2** dificuldade; **financial embarrassments** problemas financeiros
embassy *n* [*pl* -ies] embaixada
embed *v* fixar; firmar (in, em); **to embed in concrete** firmar em cimento
embellish *v* **1** embelezar (with, com); enfeitar (with, com) **2** (história) romancear
ember *n* brasa
embezzle *v* (dinheiro) desfalcar (from, de); desviar (from, de)
embezzlement *n* (dinheiro) desfalque; desvio
emblem *n* **1** emblema; **sporting emblem** emblema desportivo **2** símbolo (of, de)
emblematic *adj* emblemático
embodiment *n* personificação (of, de)
embody *v* **1** personificar **2** incluir; incorporar
embolism *n* embolia
emboss *v* gravar em relevo (on, em)
embrace *v* **1** abraçar(-se); **they embraced** eles abraçaram-se **2** abarcar; englobar **3** (ideia, crença) abraçar; adotar[AO] ▪ *n* abraço
embroider *v* **1** bordar (with, com) **2** (história) romancear; florear
embroidery *n* [*pl* -ies] **1** bordado **2** (história) floreado
embroil *v* envolver(-se) (in, em); enredar(-se) (in, em)
embryo *n* [*pl* -s] embrião
embryologist *n* embriologista
embryology *n* embriologia
embryonic *adj* embrionário
emerald *adj,n* (pedra, cor) esmeralda
emerge *v* **1** emergir (from, de) **2** vir a público; **it emerged that...** veio-se a saber que...
emergence *n* emergência, aparecimento

emergency *n* [*pl* -ies] emergência ♦ EUA (hospital) **emergency room** urgências
emergent *adj* emergente
emetic *adj,n* emético
emigrant *adj,n* emigrante
emigrate *v* emigrar (from, de; to, para)
emigration *n* emigração
eminence *n* eminência ♦ (cardeais) **Your Eminence** Eminência
eminent *adj* eminente; notável
emir *n* emir
emirate *n* emirato
emissary *n* [*pl* -ies] emissário
emission *n* (gás, luz, calor) emissão
emit *v* (luz, som) emitir
emoticon *n* (Internet) emoticon
emotion *n* emoção
emotional *adj* **1** emocional **2** (pessoa) emotivo; sentimental **3** emocionado; comovido; **to get emotional** emocionar-se
emotive *adj* emotivo
emperor *n* imperador
emphasis *n* ênfase (on, em)
emphasize *v* realçar
emphatic *adj* **1** categórico; explícito **2** enfático
empire *n* império
empirical *adj* empírico
employ *v* **1** empregar; contratar **2** *form* recorrer a; fazer uso de
employee *n* funcionário; empregado
employer *n* patrão, entidade patronal; **body of employers** patronato
employment *n* **1** emprego; **employment office** centro de emprego **2** *form* uso (of, de); recurso (of, a)
empower *v* autorizar
empress *n* imperatriz
emptiness *n* vazio
empty *adj* **1** vazio **2** (palavras, promessas) vão ▪ *v* **1** esvaziar(-se) **2** desocupar ▪ *n pl* embalagens vazias
empty-handed *adj* de mãos vazias
emu *n* [*pl* -s] (ave) ema
emulate *v* emular
emulation *n* emulação
emulsifier *n* emulsionante
emulsify *v* emulsionar
emulsion *n* emulsão
enable *v* permitir; possibilitar
enact *v* **1** *form* representar **2** (lei) promulgar; decretar
enactment *n* lei; decreto
enamel *n* esmalte ▪ *v* esmaltar
enamoured *adj* encantado (of, com)
encampment *n* acampamento
encephalitis *n* encefalite
enchant *v* **1** *form* encantar **2** enfeitiçar
enchanting *adj* encantador
encircle *v* rodear; cercar
enclave *n* enclave
enclitic *adj* LING enclítico
enclose *v* **1** cercar; rodear **2** anexar ♦ **please find enclosed our catalogue** junto enviamos o nosso catálogo
enclosure *n* **1** recinto; área fechada **2** cerca **3** (documento) anexo
encode *v* codificar
encore *interj* bis! ▪ *n* repetição, bis
encounter *n* encontro ▪ *v* deparar-se com
encourage *v* **1** encorajar (to, a); animar (to, a) **2** estimular; fomentar
encouragement *n* encorajamento, estímulo
encouraging *adj* encorajador; animador
encroach *v* **1** usurpar; apossar-se de **2** (terra) invadir
encrypt *v* encriptar
encryption *n* encriptação
encyclical *n* encíclica
encyclopaedia *n* enciclopédia
encyclopaedic *adj* enciclopédico
end *n* **1** fim (of, de); **in the end** no fim de contas; **to put an end to** acabar com **2** extremidade; ponta **3** objetivo[AO]; fim **4** (telefone) lado **5** morte ▪ *v* acabar; terminar ♦ **end product** produto final; **loose ends** pontas soltas
endanger *v* pôr em perigo; ameaçar
endangered *adj* ameaçado; em perigo
endearing *adj* encantador; cativante
endeavour *n* *form* esforço; empenhamento ▪ *v* *form* esforçar-se (to, por); empenhar-se (to, em)
endemic *adj* **1** (espécie) endémico **2** característico[AO]; **to be endemic to** ser característico[AO] de
ending *n* **1** fim; final; **happy ending** final feliz **2** (palavra) terminação
endive *n* **1** GB endívia **2** EUA chicória
endless *adj* interminável
endlessly *adv* interminavelmente

endocrine *adj* endócrino
endorse *v* **1** (cheque) endossar **2** apoiar publicamente **3** (produto, serviço) promover
endorsement *n* **1** (cheque) endosso **2** apoio público **3** (produto, serviço) promoção
endow *v* doar
◇ **endow with** *v* dotar de
endowment *n* **1** donativo **2** dom; talento
endurance *n* resistência; **beyond/past endurance** insuportável; **endurance test** prova de resistência
endure *v* suportar; aguentar
enduring *adj* duradouro; persistente
enema *n* clister
enemy *adj,n* [*pl* -ies] inimigo
energetic *adj* enérgico; dinâmico
energetically *adv* energicamente
energize *v* estimular
energy *n* [*pl* -ies] energia ♦ **to put all one's energy into** não se poupar a esforços para
enervate *v form* debilitar; enfraquecer
enforce *v* **1** forçar; impor **2** fazer cumprir; fazer respeitar
enforcement *n* **1** coação[AO]; imposição **2** (lei) cumprimento; execução
engage *v* **1** (atenção) chamar; captar **2** combater **3** (máquina) engatar (with, em/com); **this wheel engages with that one** esta roda engata naquela; **to engage the first gear** meter a primeira velocidade **4** envolver-se (in, em); **to engage in politics** meter-se na política
engaged *adj* **1** ocupado **2** comprometido; noivo **3** GB (telefone, linha) ocupado; **engaged tone** sinal de ocupado
engagement *n* **1** compromisso **2** noivado **3** (máquina) engate, encaixe
engaging *adj* encantador
engine *n* **1** motor **2** (comboio) locomotiva; **engine driver** maquinista
engineer *n* **1** engenheiro; **civil engineer** engenheiro civil **2** técnico; **maintenance engineer** técnico de manutenção **3** EUA (comboio) maquinista ▪ *v* **1** engendrar **2** (genética) manipular
engineering *n* engenharia
England *n* Inglaterra
English *adj,n* inglês ▪ *npl* **the English** os ingleses ♦ **in plain English** em palavras simples; **the English Channel** o Canal da Mancha
Englishman *n* inglês
English-speaking *adj* de língua inglesa
engrave *v* gravar (on, em; with, com)
engraving *n* gravura
engross *v* absorver (in, em)
engulf *v* **1** engolir **2** (sentimento) tomar conta de
enhance *v* **1** realçar **2** melhorar **3** aumentar **4** INFORM otimizar[AO]
enhancement *n* **1** realce **2** melhoria **3** aumento **4** INFORM otimização[AO]
enigma *n* enigma
enigmatic *adj* enigmático
enjoy *v* **1** apreciar; gostar de **2** *form* gozar de; **to enjoy good health** gozar de boa saúde
enjoyable *adj* agradável
enjoyment *n* prazer
enlarge *v* **1** alargar **2** ampliar
enlargement *n* **1** alargamento **2** ampliação
enlighten *v form* esclarecer (on/about, sobre)
enlightening *adj* esclarecedor
enlightenment *n* esclarecimento ♦ HIST **the Enlightenment** Iluminismo
enlist *v* **1** angariar; aliciar **2** alistar-se (in, em)
enliven *v* animar
enmesh *v* enredar (in, em)
enmity *n* [*pl* -ies] *form* inimizade; hostilidade
enology *n* EUA enologia
enormity *n* [*pl* -ies] **1** enormidade **2** atrocidade
enormous *adj* enorme
enough *adj* suficiente (for, para), bastante (for, para) ▪ *adv* bastante; suficientemente ♦ **I've had enough of it!** já chega!
enquire *v* GB ⇒ **inquire**
enquiry *n* GB ⇒ **inquiry**
enrage *v* enfurecer
enrich *v* enriquecer
enrol *v* inscrever(-se) (in/on/for, em); matricular(-se) (in/on/for, em)
enrolment *n* inscrição, matrícula
ensemble *n* (roupa, música, etc.) conjunto
ensign *n* bandeira
enslave *v* escravizar
ensnare *v* armar cilada a
ensue *v* **1** *form* seguir-se **2** *form* resultar (from, de)
ensuing *adj* seguinte; subsequente
ensure *v* assegurar; garantir
entail *v* envolver; implicar

entangle *v* enredar (in, em); emaranhar (in, em)
enter *v* **1** entrar; **please enter** faça o favor de entrar **2** (atividade) entrar para; ingressar em **3** (informação) introduzir **4** inscrever(-se) em **5** DIR intentar
◊ **enter into** *v* **1** entrar em **2** firmar; **to enter into an agreement** firmar um acordo
enterprise *n* **1** empresa **2** projeto[AO]; empreendimento **3** iniciativa; dinamismo
enterprising *adj* empreendedor
entertain *v* **1** entreter **2** (visitas) receber **3** (ideia) tomar em consideração
entertainer *n* entertainer; animador
entertaining *adj* divertido
entertainment *n* **1** entretenimento; **entertainment industry** indústria do espetáculo[AO] **2** *form* (convidados) receção[AO]
enthral *v* fascinar
enthusiasm *n* entusiasmo (for, por)
enthusiast *n* entusiasta
enthusiastic *adj* entusiástico
entice *v* aliciar; incitar
enticing *adj* tentador
entire *adj* inteiro; todo
entirely *adv* inteiramente, totalmente
entirety *n* [*pl* -ies] *form* totalidade
entitle *v* **1** dar direito (to, a) **2** (livro, texto) intitular
entity *n* [*pl* -ies] entidade
entomology *n* [*pl* -ies] entomologia
entourage *n* comitiva; séquito
entrails *npl* entranhas; vísceras
entrance *n* **1** entrada (to, para/de); **front entrance** entrada principal **2** ingresso, admissão; **entrance fee** joia[AO] ▪ *v* extasiar; deslumbrar
entrancing *adj* fascinante; arrebatador
entreat *v* implorar (for, -); suplicar (for, por)
entreaty *n* [*pl* -ies] súplica
entrepreneur *n* empresário
entrust *v* confiar (with/to, a)
entry *n* [*pl* -ies] **1** entrada (into, em) **2** acesso; **lines of entry into** vias de acesso a **3** lançamento; registo de entrada **4** (dicionário, enciclopédia) verbete
entryphone *n* porteiro automático
entwine *v* (ramo, fita) entrelaçar; entrançar
enumerate *v* enumerar, contar
enunciate *v* **1** anunciar, expor **2** pronunciar, articular
enunciation *n* **1** enunciação; exposição **2** articulação, pronúncia
envelop *v* envolver (in, em)
envelope *n* **1** envelope, sobrescrito **2** invólucro
enviable *adj* invejável
envious *adj* invejoso (of, de)
environment *n* **1** ambiente; meio **2** arredores, subúrbios
environmental *adj* **1** ambiental, ecológico; **environmental impact** impacto ambiental **2** ambientalista
environmentalist *n* ambientalista; ecologista
environmentally *adv* **environmentally sensitive area** área protegida
environment-friendly *adj* amigo do ambiente
envisage *v* **1** prever **2** conceber, imaginar
envoy *n* enviado, mensageiro
envy *n* inveja (at/of/towards, de) ▪ *v* invejar
enzyme *n* enzima
ephemeral *adj* efémero
epic *n* **1** (poema); epopeia **2** CIN épico ▪ *adj* **1** épico **2** enorme, gigantesco
epicentre *n* epicentro
epicure *n* **1** epicurista **2** gourmet
epidemic *n* epidemia, peste ▪ *adj* epidémico
epidermis *n* epiderme
epidural *adj,n* epidural
epiglottis *n* [*pl* epiglottes] epiglote
epigram *n* epigrama
epigraph *n* epígrafe
epilepsy *n* epilepsia
epileptic *adj,n* epilético[AO]
epilogue *n* epílogo
episcopal *adj* episcopal
episode *n* episódio
epistle *n* epístola
epitaph *n* epitáfio
epithet *n* epíteto
epitome *n* **1** epítome (of, de) **2** personificação (of, de)
epoch *n* época
epoch-making *adj* que fez história
equable *adj* **1** uniforme; regular **2** calmo
equal *adj* **1** igual; idêntico **2** (competição) equilibrado ▪ *v* **1** igualar **2** MAT ser igual a; **1 plus 1 equals 2** 1 e um são 2 ▪ *n* igual; par
equality *n* igualdade
equalize *v* **1** DESP empatar **2** equilibrar

equate *v* **1** equiparar (with, a) **2** comparar (with, a)
equation *n* MAT equação
equator *n* equador
equatorial *adj* equatorial
Equatorial Guinea *n* Guiné Equatorial
Equatorial Guinean *adj,n* equato-guineense
equestrian *adj* equestre ▪ *n* cavaleiro
equidistant *adj* equidistante (from, de)
equilateral *adj* equilátero
equilibrium *n* [*pl* -s, equilibria] equilíbrio
equinox *n* [*pl* equinoces] equinócio
equip *v* **1** equipar (with, com; for, para) **2** munir (with, de) **3** preparar (for, para)
equipment *n* equipamento; material
equitable *adj* equitativo, justo
equity *n* [*pl* -ies] **1** equidade, justiça **2** ECON ação[AO] ♦ **equity capital** capital social; **equity market** mercado de ações[AO]
equivalence *n* equivalência
equivalent *adj,n* equivalente
equivocal *adj* **1** equívoco **2** ambíguo; duvidoso
era *n* era, época
eradicate *v* erradicar
erase *v* apagar, safar
eraser *n* borracha; **ink eraser** borracha de tinta
erect *adj* **1** ereto[AO]; hirto **2** (orelha, rabo) erguido ▪ *v* **1** (estrutura, tenda) montar **2** (monumento) fundar; construir **3** (bandeira) içar
erectile *adj* erétil[AO]
erection *n* **1** (corpo) ereção[AO] **2** (monumento) construção **3** (estrutura) montagem
Eritrea *n* Eritreia
Eritrean *adj,n* eritreu
ermine *n* arminho
erode *v* **1** GEOL erodir **2** GEOL sofrer erosão **3** (substância, ácido) corroer **4** (confiança, fé) minar
erosion *n* erosão
erotic *adj* erótico
eroticism *n* erotismo
err *v* **1** (engano) errar **2** (falta) pecar
errand *n* recado, mensagem; **errand boy** moço de recados; **to run errands for somebody** fazer recados a alguém
errant *adj* **1** errante **2** andante; **knight errant** cavaleiro andante
erratic *adj* irregular; inconstante ♦ **erratic driving** condução pouco segura
erroneous *adj* erróneo, falso
error *n* erro; engano; equívoco ♦ **errors and omissions excepted** salvo erro ou omissão
erudite *adj* erudito; culto
erudition *n* erudição
erupt *v* **1** (vulcão) entrar em erupção **2** (borbulha, alergia) aparecer **3** (dente) romper **4** (conflito) estalar
eruption *n* **1** (vulcão) erupção **2** (borbulha, alergia) aparecimento
escalate *v* **1** intensificar; alastrar; **to escalate into** degenerar em **2** (preços) subir em flecha
escalator *n* escada rolante
escapade *n* peripécia; aventura
escape *n* **1** fuga **2** (de perigo, dificuldade) saída ▪ *v* escapar (from, de); fugir (from, de) ♦ (computador) **escape key** tecla de saída; **to escape notice** passar despercebido
escarpment *n* escarpa
eschew *v* evitar; abster-se de
escort *n* **1** escolta; **under police escort** sob escolta policial **2** acompanhamento; séquito **3** acompanhante ▪ *v* escoltar (to, a/até)
escudo *n* (antiga moeda) escudo
Eskimo *adj,n* esquimó
esophagus *n* [*pl* -es, esophagi] EUA esófago
esoteric *adj* esotérico
especial *adj* **1** específico; particular **2** invulgar; excecional[AO]
especially *adv* **1** especialmente; particularmente **2** sobretudo
Esperanto *n* esperanto
espionage *n* espionagem
esplanade *n* marginal; avenida à beira-mar
espouse *v* **1** adotar[AO]; aderir a **2** defender; apoiar
espresso *n* café expresso; **espresso machine** máquina de café
essay *n* **1** ensaio; **an essay on Camões** um ensaio sobre Camões **2** (académico) composição; redação[AO] **3** *form* tentativa; experiência
essence *n* **1** essência (of, de); essencial (of, de) **2** (perfume) essência **3** CUL extrato[AO]
essential *adj* essencial; indispensável ▪ *n* **1** essencial; principal **2** necessidade básica
establish *v* **1** estabelecer; instituir **2** (factos) determinar; provar **3** (reputação) afirmar (as, como)

establishment *n* estabelecimento; **teaching establishment** estabelecimento de ensino
estate *n* **1** propriedade **2** GB urbanização **3** bens, fortuna; **life estate** bens vitalícios ♦ **estate agency** agência imobiliária
esteem *n* estima, apreço; **to hold in high esteem** ter em alta estima ■ *v* estimar, considerar
ester *n* éster
estimate *n* **1** estimativa (of, de); avaliação (of, de) **2** orçamento ■ *v* **1** estimar (at, em); avaliar (at, em) **2** orçamentar (for, para) **3** prever; calcular
estimation *n* **1** opinião **2** avaliação, cálculo **3** estima, consideração
Estonia *n* Estónia
Estonian *adj,n* estónio
estuary *n* [*pl* -ies] estuário
etching *n* (gravura, arte) água-forte
eternal *adj* **1** eterno **2** *fig* infindável; incessante
eternity *n* [*pl* -ies] eternidade
ether *n* éter
ethereal *adj* etéreo
ethic *n* ética; **work ethic** ética do trabalho
ethical *adj* ético
ethics *n* ética; **medical/professional ethics** ética médica/profissional
Ethiopia *n* Etiópia
Ethiopian *adj,n* etíope
ethnic *adj* étnico
ethnography *n* etnografia
ethnologist *n* etnólogo
ethnology *n* etnologia
ethyl *n* etilo
etiquette *n* etiqueta, boas maneiras
etymological *adj* etimológico
etymology *n* [*pl* -ies] etimologia
EU [*abrev. de* European Union] UE [*abrev. de* União Europeia]
eucalyptus *n* eucalipto
eulogy *n* [*pl* -ies] **1** elogio (to, a; of/on, de) **2** elogio fúnebre
eunuch *n* eunuco
euphemism *n* eufemismo
euphony *n* eufonia
euphoria *n* euforia
euphoric *adj* eufórico
eureka *interj* heureca!
euro ou **Euro** *n* [*pl* -s] (moeda europeia) euro
Europe *n* Europa
European *adj,n* europeu ♦ **European Union** União Europeia
Europeanize *v* europeizar
euthanasia *n* eutanásia
evacuate *v* evacuar (from, de; to, para)
evacuation *n* evacuação
evade *v* fugir a; evitar; **to evade the law** fugir à lei
evaluate *v* avaliar; estimar
evaluation *n* avaliação; estimativa
evangelical *adj* evangélico
evangelist *n* evangelista
evangelize *v* evangelizar
evaporate *v* **1** evaporar(-se) **2** *fig* dissipar(-se)
evaporation *n* evaporação
evasion *n* **1** evasão; fuga; **tax evasion** evasão fiscal, fuga ao fisco **2** evasiva
evasive *adj* evasivo
eve *n* véspera (of, de)
even *adv* **1** ainda, até, até mesmo; **even better** ainda melhor **2** mesmo; **even now** agora mesmo ■ *adj* **1** plano, liso **2** uniforme, constante **3** equilibrado **4** (número) par ■ *v* **1** nivelar **2** igualar ♦ **even though** embora; **to get even with somebody** vingar-se de alguém
evening *n* fim do dia; tardinha; **in the evening** ao fim do dia ■ *adj* **1** vespertino **2** da noite; CIN **evening show** sessão da noite ♦ **evening dress 1** vestido de noite **2** traje de cerimónia
evenly *adv* **1** uniformemente **2** equilibradamente
event *n* **1** acontecimento, caso; **in the event of** no caso de **2** DESP prova; competição ♦ **at all events** seja como for; **in any event** aconteça o que acontecer
even-tempered *adj* plácido; sereno
eventful *adj* **1** cheio de acontecimentos **2** animado; agitado
eventual *adj* **1** final **2** consequente
eventuality *n* [*pl* -ies] eventualidade; possibilidade
ever *adv* **1** sempre; **for ever** para sempre **2** já, alguma vez; **have you ever been to England?** já estiveste alguma vez em Inglaterra? **3** nunca; **hardly ever** quase nunca ♦ **ever since** desde (que); desde então
everlasting *adv* perpétuo; eterno
every *adj* **1** cada, cada um; **every other day** dia sim, dia não **2** todos; **every day** todos os

dias ♦ **every man for himself** salve-se quem puder; **every now and then** de quando em quando; **every three days** de três em três dias
everybody *pron* toda a gente
everyday *adj* quotidiano
everyone *pron* toda a gente
everything *pron* tudo
everywhere *adv* em toda a parte
evict *v* (casa) despejar (from, de); desalojar (from, de)
eviction *n* (inquilino, ocupante) despejo
evidence *n* **1** prova (of, de) **2** depoimento, testemunho; **to give evidence** prestar depoimento, testemunhar **3** sinal; indício ▪ *v* demonstrar; provar ♦ **on the evidence of** com base em; **to be in evidence** evidenciar-se; destacar-se
evident *adj* evidente; óbvio
evidently *adv* evidentemente
evil *adj* **1** mau, perverso **2** (influência) prejudicial, nocivo ▪ *n* **1** mal **2** maldade ♦ **evil eye** mau-olhado
evildoer *n* malfeitor
evil-minded *adj* mal-intencionado
evocation *n* evocação
evocative *adj* evocativo (of, de)
evoke *v* **1** evocar **2** (reação, sentimento) provocar
evolution *n* evolução
evolutionary *adj* **1** (processo) evolutivo **2** (teoria) evolucionista
evolve *v* desenvolver; evoluir
ewe *n* ovelha
exacerbate *v* exacerbar; agravar
exact *adj* **1** exato[AO]; preciso **2** rigoroso; escrupuloso ▪ *v* **1** exigir (from, de) **2** requerer (from, de)
exactly *adv* exatamente[AO] ♦ **not exactly** não propriamente
exaggerate *v* exagerar
exaggeration *n* exagero
exalt *v* **1** exaltar; louvar **2** reforçar; intensificar
exaltation *n* **1** elevação **2** exaltação; louvor
exam *n* exame; (exame, teste) **exam paper** enunciado; **to take/sit an exam** fazer um exame
examination *n* **1** *form* exame **2** inspeção[AO] **3** investigação, inquérito **4** interrogatório
examine *v* **1** examinar, inspecionar[AO] **2** (escola) fazer um exame a **3** interrogar (on, acerca de)
examinee *n* examinando
examiner *n* examinador
example *n* exemplo; **for example** por exemplo; **to set a good example** dar o exemplo
exasperate *v* exasperar, irritar
exasperating *adj* exasperante; irritante
exasperation *n* exasperação; irritação
excavate *v* **1** escavar **2** desenterrar
excavation *n* escavação
excavator *n* **1** (máquina) escavadora **2** escavador
exceed *v* exceder; ultrapassar
exceedingly *adv* extremamente
excel *v* **1** exceder, ultrapassar; **to excel oneself** superar-se **2** ser muito bom (at/in, em)
excellence *n* excelência
Excellency *n* [*pl* -ies] (título) Excelência; **Your/His Excellency** Vossa/Sua Excelência
excellent *adj* excelente
except *prep* exceto[AO], salvo, à exceção[AO] de ▪ *v* excluir (from, de) ♦ **except for** com a exceção[AO] de
exception *n* exceção[AO] (to, a); **with the exception of** com a exceção[AO] de ♦ **the exception proves the rule** a exceção[AO] confirma a regra; **to take exception to** ofender-se com
exceptionable *adj* censurável
exceptional *adj* excecional[AO]
excerpt *n* excerto (from, de); extrato[AO] (from, de)
excess *n* [*pl* -es] **1** excesso (of, de); **excess baggage/luggage** excesso de bagagem **2** (comércio) excedente (of, de) ▪ *adj* em excesso ♦ **in excess of** superior a
excessive *adj* excessivo
exchange *n* **1** troca; permuta **2** (dinheiro) câmbio **3** (ideias, estudantes) intercâmbio **4** (telefone) central telefónica ▪ *v* **1** trocar (for, por; with, com) **2** (dinheiro) cambiar (for, por) ♦ **in exchange for** em troca de
exchequer *n* GB Ministério das Finanças; **the Chancellor of the Exchequer** o ministro das Finanças
excise *n* imposto de consumo
excision *n* excisão, amputação
excitable *adj* excitável; nervoso
excite *v* **1** excitar **2** provocar; despertar **3** entusiasmar

excitement *n* **1** excitação **2** entusiasmo
exciting *adj* excitante; estimulante
exclaim *v* exclamar
exclamation *n* exclamação; GB **exclamation mark** ponto de exclamação; EUA **exclamation point** ponto de exclamação
exclamatory *adj* exclamatório
exclude *v* excluir (from, de)
exclusion *n* exclusão (from, de) ♦ **to the exclusion of** excluindo
exclusive *adj* **1** exclusivo **2** (jornalismo) em exclusivo **3** (clube) elitista; fechado **4** único ▪ *n* (jornalismo) exclusivo ♦ **exclusive of** não contando com; excluindo
exclusivity *n* exclusividade
excommunicate *v* excomungar
excommunication *n* excomunhão
excrement *n* excremento
excrete *v* excretar
excretion *n* excreção
excruciating *adj* atroz; insuportável
excursion *n* excursão; passeio
excusable *adj* desculpável
excuse *n* desculpa (for, por, para); justificação (for, por, para) ▪ *v* **1** desculpar (for, por); **to excuse oneself** desculpar-se, pedir licença para se ausentar **2** dispensar (from, de) ♦ **to make one's excuses** pedir desculpa
execrable *adj* abominável
executable *adj* executável
execute *v* **1** (plano) cumprir; realizar **2** (pena de morte) executar **3** MÚS interpretar **4** (testamento) cumprir
execution *n* **1** execução (of, de); cumprimento (of, de) **2** (morte) execução **3** MÚS interpretação **4** DIR (testamento) cumprimento
executioner *n* executor; carrasco
executive *n* **1** (profissional) executivo **2** (governo) comité central ▪ *adj* **1** (função, cargo) executivo **2** (serviço, objeto, espaço) para executivos
executor *n* DIR executor testamentário
exemplary *adj* exemplar
exemplification *n* exemplificação
exemplify *v* exemplificar
exempt *adj* livre (from, de); isento (from, de) ▪ *v* isentar (from, de)
exemption *n* isenção (from, de)
exercise *n* **1** exercício **2** prática (of, de); aplicação (of, de) ▪ *v* **1** empregar; aplicar **2** exercitar; treinar
exert *v* (influência, pressão) exercer; **to exert oneself** esforçar-se
exertion *n* esforço
exfoliation *n* esfoliação; peeling
exhalation *n* exalação
exhale *v* **1** (ar) expirar **2** (cheiro) exalar
exhaust *n* **1** (automóvel) escape **2** descarga ▪ *v* **1** (cansaço) extenuar **2** (recursos, tema, etc.) esgotar
exhausting *adj* fatigante; extenuante
exhaustion *n* esgotamento
exhaustive *adj* exaustivo
exhibit *n* **1** (exposição) obra exposta **2** DIR prova apresentada em tribunal ▪ *v* **1** (artes) expor **2** apresentar; manifestar
exhibition *n* **1** (artes) exposição **2** demonstração **3** *pej* (comportamento) cena
exhibitionism *n* exibicionismo
exhibitionist *n* exibicionista
exhibitor *n* expositor
exhilarate *v* animar; entusiasmar
exhilarating *adj* entusiasmante; estimulante
exhume *v* exumar, desenterrar
exile *n* **1** exílio, desterro **2** (pessoa) exilado, desterrado ▪ *v* exilar (to, para), desterrar (to, para)
exist *v* **1** existir **2** sobreviver (on, com)
existence *n* **1** existência **2** vida
existent *adj* existente
existential *adj* existencial
existentialism *n* existencialismo
existentialist *adj,n* existencialista
existing *adj* **1** existente **2** atual[AO]
exit *n* **1** saída (from, de) **2** TEAT saída de palco
exodus *n* êxodo
exonerate *v* **1** (acusação) ilibar (from, de) **2** (culpa) absolver (from, de) **3** (obrigação) libertar (from, de)
exoneration *n* **1** (acusação) ilibação **2** (culpa) absolvição **3** (obrigação) desoneração
exorbitant *adj* exorbitante
exorcism *n* exorcismo
exorcist *n* exorcista
exorcize *v* exorcizar
exotic *adj* exótico
expand *v* **1** expandir(-se) **2** dilatar(-se) **3** (pessoa) ser mais expansivo
◇ **expand on/upon** *v* (escrito, relato) desenvolver
expanse *n* extensão (of, de)

expansion *n* **1** (cidade) desenvolvimento **2** (negócio) expansão **3** (população) aumento **4** (metal) dilatação
expatriate *n* expatriado
expect *v* **1** esperar; aguardar **2** *col* imaginar, supor ◆ **to be expecting** estar grávida
expectancy *n* expectativa[AO]; esperança
expectant *adj* expectante[AO] ◆ **expectant mother** futura mãe
expectation *n* expectativa[AO], esperança ◆ **according to expectation** conforme se esperava
expectorant *adj,n* (medicamento) expetorante[AO]
expectorate *v* expetorar[AO]
expedient *adj* **1** adequado; oportuno **2** *pej* conveniente ■ *n* meio, recurso
expedition *n* **1** expedição **2** rapidez, diligência
expel *v* **1** (pessoa) expulsar (from, de) **2** (ar, líquido) expelir
expend *v* **1** (dinheiro) gastar (on/in, em) **2** (tempo, recursos) empregar (on/in, em)
expendable *adj* dispensável, substituível
expenditure *n* **1** gasto, despesa **2** (esforço, tempo, energia) dispêndio
expense *n* despesa, gasto ◆ **all expenses paid** com tudo incluído; **at the expense of** à custa de
expensive *adj* caro; dispendioso
experience *n* experiência (of, em) ■ *v* **1** sentir **2** (problemas) ter
experiment *n* experiência ■ *v* fazer experiências (on/with, em/com)
experimental *adj* experimental
experimentation *n* experimentação; experiências
expert *adj,n* especialista; perito
expertise *n* perícia, competência
expire *v* (prazo, respiração) expirar
expiry *n* termo; vencimento; **expiry date** prazo de validade
explain *v* explicar; **to explain oneself** explicar-se
◇ **explain away** *v* justificar
explanation *n* explicação (for/of, para)
explanatory *adj* explicativo
explicit *adj* **1** explícito **2** categórico
explode *v* **1** explodir **2** *fig* desacreditar **3** *fig* rebentar (with, de)
exploit *n* proeza, feito ■ *v* (pessoa, situação, recursos) explorar
exploitation *n* (pessoas, recursos) exploração
exploration *n* (viagem, estudo) exploração (of, de)
explore *v* **1** (viagem) explorar; **to go exploring** ir fazer uma exploração **2** *fig* examinar; analisar
explorer *n* explorador, aventureiro
explosion *n* **1** (bomba, protestos) explosão **2** *fig* subida em flecha
explosive *adj,n* explosivo
exponent *n* **1** (teoria) defensor **2** MAT expoente
export *n* **1** exportação **2** artigo de exportação ■ *v* exportar
exporter *n* exportador
expose *v* **1** expor (to, a); sujeitar (to, a) **2** (crime, fraude) denunciar **3** FOT expor
exposé *n* revelação; declaração
exposition *n* **1** exposição; enunciação **2** (indústria) feira
exposure *n* **1** exposição **2** denúncia; revelação **3** (jornalismo) publicidade, cobertura **4** MED hipotermia **5** FOT tempo de exposição
express *adj* expresso; **express bus** camioneta expresso ■ *n* (meio de transporte) expresso ■ *v* **1** expressar, exprimir **2** (carta, encomenda) enviar por correio expresso ■ *adv* GB por expresso
expression *n* expressão
expressive *adj* **1** expressivo **2** revelador (of, de)
expressly *adv* expressamente; claramente
expressway *n* EUA via rápida
expropriate *v* expropriar
expropriation *n* expropriação
expulsion *n* expulsão (from, de)
exquisite *adj* **1** belo, elegante **2** requintado
ex-serviceman *n* ex-combatente
extend *v* **1** (espaço) ampliar **2** (tempo) dilatar; adiar **3** continuar; prolongar-se **4** abranger; englobar **5** *form* endereçar (to, a); apresentar (to, a) ◆ (banco) **to extend credit to somebody** conceder crédito a alguém
extension *n* **1** (construção) alargamento; ampliação **2** GB (edifício) anexo (of, de) **3** (tempo) prolongamento **4** extensão; ELET **extension lead** extensão elétrica[AO]; (cabelo) **hair extensions** extensões do cabelo

extensive *adj* extenso, vasto; **extensive damage** danos consideráveis
extent *n* **1** extensão; dimensão **2** amplitude; alcance ♦ **to a great/large extent** em grande medida; **to some/a certain extent** até certo ponto
extenuating *adj* atenuante
exterior *n* **1** exterior; **the exterior of a building** a fachada de um edifício **2** aparência, aspeto[AO] ▪ *adj* exterior; externo
exterminate *v* exterminar
extermination *n* extermínio, exterminação
external *adj* exterior; externo ♦ POL **External Affairs** Negócios Estrangeiros; FARM (medicamentos) **for external use only** uso externo
extinct *adj* (espécie, vulcão) extinto
extinction *n* extinção
extinguish *v* (fumo, fogo, luz) apagar
extinguisher *n* extintor; **fire extinguisher** extintor (de incêndios)
extirpate *v* extirpar
extort *v* extorquir (from, a)
extortion *n* extorsão
extra *adj* extra, adicional; **at no extra cost** sem custos adicionais ▪ *n* **1** extra **2** CIN figurante **3** (jornal) edição extra ▪ *adv* **1** extra; à parte; **accommodation costs are extra** os custos de alojamento são à parte **2** super; **they are extra nice** eles são super simpáticos ♦ GB DESP **extra time** prolongamento
extract *n* (texto, concentrado) extrato[AO] ▪ *v* **1** tirar; extrair; **to extract a tooth** tirar um dente **2** *fig* arrancar (from, de)
extraction *n* extração[AO]; **coal extraction** extração[AO] de carvão; MED **to have an extraction** tirar um dente
extractor *n* exaustor; **extractor fan** exaustor
extradite *v* DIR extraditar
extradition *n* extradição
extramarital *adj* extraconjugal
extraneous *adj* **1** secundário; irrelevante **2** externo
extranet *n* INFORM extranet
extraordinarily *adv* extraordinariamente
extraordinary *adj* extraordinário; **extraordinary meeting/session** reunião/sessão extraordinária; **how extraordinary!** incrível!
extrapolate *v* extrapolar
extrasensory *adj* extrassensorial[AO]
extraterrestrial *adj,n* extraterrestre
extravagance *n* extravagância
extravagant *adj* **1** extravagante **2** gastador; esbanjador **3** (preço) exorbitante
extreme *adj* **1** extremo; **extreme poverty** pobreza extrema **2** excecional[AO] **3** DESP radical ▪ *n* extremo ♦ REL **extreme unction** Extrema-Unção; **in the extreme** ao máximo
extremely *adv* extremamente
extremism *n* extremismo
extremist *adj,n* extremista
extremity *n* [*pl* -ies] extremidade, limite
extricate *v* libertar (from, de); livrar (from, de)
extrovert *n,adj* extrovertido
extrusion *n* extrusão
exuberant *adj* **1** exuberante; eufórico **2** (vegetação) exuberante
exude *v* **1** (sentimento, qualidade) irradiar **2** (cheiro, líquido) exalar, exsudar
exult *v* regozijar-se (at/in, com)
eye *n* **1** olho **2** vista; visão **3** olhar, perspetiva[AO] **4** (agulha) olho **5** colcheta ▪ *v* fitar, observar ♦ **eye contact** contacto visual; **an eye for an eye, a tooth for a tooth** olho por olho, dente por dente; **there is more to that than meets the eye** há mais que se lhe diga; **to give somebody the eye** fazer olhinhos a alguém; **to set eyes on** pôr a vista em
eyeball *n* ANAT globo ocular ▪ *v col* olhar, observar
eyebrow *n* sobrancelha
eye-catching *adj* chamativo; vistoso
eyelash *n* [*pl* -es] pestana ♦ **to flutter your eyelashes** fazer olhinhos
eyelet *n* ilhó
eyelid *n* pálpebra
eyeliner *n* (cosmética) eyeliner
eye-opener *n* revelação; grande surpresa
eyepiece *n* ocular
eyeshadow *n* (cosmética) sombra (para os olhos)
eyesight *n* vista, visão; **an eyesight test** um teste de visão
eyesore *n* (edifício) mamarracho, aberração
eyetooth *n* [*pl* -teeth] dente canino superior ♦ **to give your eyetooth for something** dar tudo para ter alguma coisa
eyewitness *n* testemunha ocular
eyrie *n* (ave de rapina) ninho

F

f *n* [*pl* f's] **1** (letra) f **2** MÚS [com maiúscula] fá **3** (escola) [com maiúscula] negativa
fable *n* fábula; lenda
fabric *n* tecido; **woollen fabrics** tecidos de lã

> Não confundir a palavra inglesa **fabric** com a palavra portuguesa **fábrica**, que se traduz por *factory*.

fabricate *v* **1** inventar, forjar **2** *téc* fabricar, produzir
fabrication *n* **1** (história) invenção **2** (objetos) fabrico
fabulous *adj* **1** (aspeto, sentimento) fabuloso, espantoso **2** (ficção) fantástico, mítico
façade *n* **1** ARQ fachada **2** *fig* aparência
face *n* **1** cara, face, rosto **2** careta; **to pull a face** fazer uma careta **3** (relógio) mostrador ▪ *v* **1** deparar (with, com); **to be faced with a problem** ver-se confrontado com um problema **2** enfrentar, encarar **3** admitir, reconhecer **4** estar virado para ♦ **face powder** pó de arroz[AO]; **in the face of** perante; **let's face it!** sejamos realistas!; **on the face of it** à primeira vista; **to keep a straight face** conter o riso; **to lose face** perder a face
facelift *n* **1** (rosto) lifting **2** *fig* remodelação
facet *n* **1** (joia) faceta **2** *fig* aspeto[AO]
face-to-face *adj* frente a frente; cara a cara
facial *adj* facial ▪ *n* limpeza de pele
facilitate *v form* facilitar
facility *n* [*pl* -ies] **1** facilidade **2** talento (for, para) **3** dispositivo; mecanismo **4** *pl* instalações
facsimile *n* fac-símile
fact *n* **1** facto **2** realidade; verdade ♦ **as a matter of fact** por acaso; **to know for a fact that** saber de fonte segura que
fact-finding *adj* (comissão) de investigação
faction *n* fação[AO]
factor *n* **1** fator[AO] (in, de); causa (in, de); **the main factor in somebody's action** a causa principal dos atos[AO] de alguém **2** (níveis) coeficiente ♦ **factor 10 suntan oil** protetor[AO] solar de fator[AO] 10
factorial *adj,n* MAT fatorial[AO]
factory *n* [*pl* -ies] fábrica ♦ **factory floor** área de produção numa fábrica; **factory price** preço de fábrica
factotum *n* faz-tudo; habilidoso
factual *adj* factual; objetivo[AO]
faculty *n* [*pl* -ies] **1** (capacidade, universidade) faculdade **2** dom, aptidão (for, para) **3** EUA corpo docente
fad *n* **1** moda **2** mania
faddy *adj* GB *col,pej* esquisito; extravagante
fade *v* **1** (cor) desbotar **2** (memória, imagem) desvanecer-se **3** (luz) escurecer **4** (intensidade) esmorecer
◇ **fade away** *v* **1** (imagem, som) desvanecer-se **2** (pessoa) decair
◇ **fade in** *v* **1** (som) aumentar **2** (imagem) aparecer progressivamente
◇ **fade out** *v* **1** (som, imagem) fazer desaparecer progressivamente **2** desvanecer-se; esmorecer
faeces *npl form* fezes
faff *v col* perder tempo; empatar
fag *n* **1** GB *col* cigarro; GB **fag end** beata **2** *col* chatice, seca; **what a fag!** que seca! ▪ *v* trabalhar muito
fagged *adj col* cansado; estourado
faggot *n* GB almôndega
Fahrenheit *n,adj* Fahrenheit; **twelve degrees Fahrenheit** doze graus Fahrenheit

> Nos Estados Unidos, é mais comum usar a escala Fahrenheit. Na Grã-Bretanha e no resto da Europa é mais usada a escala Celsius.

fail *v* **1** faltar; falhar **2** deixar ficar mal **3** (teste) reprovar **4** (promessa) não cumprir **5** (máquinas) avariar **6** (saúde) ressentir-se ♦ **I fail to see** não estou a compreender; **without fail** sem falta
failing *n* **1** (mecanismo) falha **2** (personalidade) fraqueza; defeito ▪ *adj* em declínio ▪ *prep* à falta de; **failing that** se isso não for possível

fail-safe *adj* de segurança; **fail-safe door** porta de segurança
failure *n* **1** fracasso; falhanço **2** falha, avaria **3** insuficiência; **kidney failure** insuficiência renal **4** falência
faint *adj* **1** (pessoa) fraco **2** (cor) desmaiado **3** ligeiro; vago **4** (intensidade) frouxo, brando ▪ *v* desmaiar ▪ *n* desmaio ♦ **not to have the faintest idea** não fazer a mais pequena ideia
faint-hearted *adj* tímido; medroso ♦ **not for the faint-hearted** não aconselhado a pessoas impressionáveis
fair *adj* **1** justo **2** (pessoa, ato) correto[AO]; honesto **3** GB (quantidade) considerável; apreciável **4** (cabelo, pele) claro **5** (tempo) ameno **6** *lit* belo, formoso ▪ *n* **1** feira; **book fair** feira do livro **2** GB feira popular ▪ *adv* honestamente; corretamente[AO] ♦ *col* **fair enough!** de acordo!; *col* **fair's fair!** é justo!; **to play fair** fazer jogo limpo
fairground *n* recinto de feira popular
fairly *adv* **1** razoavelmente **2** (correção) com justiça; imparcialmente
fair-minded *adj* (carácter) justo; correto[AO]
fairness *n* **1** justiça; imparcialidade **2** (pele) tez clara **3** (cabelo) louro **4** *lit* beleza
fairy *n* [*pl* -ies] fada ♦ **fairy godmother** fada-madrinha; (Natal) **fairy lights** luzes decorativas; **fairy tale** conto de fadas
fairyland *n* país das fadas
faith *n* **1** REL fé **2** confiança; **blind faith** confiança cega **3** credo, religião ♦ **in good faith** de boa fé
faithful *adj* fiel (to, a) ▪ *npl* **1** REL crentes, fiéis **2** DESP,POL apoiantes
faithfully *adv* fielmente ♦ GB (carta formal) **Yours Faithfully** atentamente
faithfulness *n* fidelidade
fake *n* **1** (objeto) falsificação; imitação **2** (pessoa) impostor; charlatão ▪ *adj* falso; **fake money** dinheiro falso ▪ *v* **1** (objetos) falsificar, forjar **2** (pessoas) simular; fingir
fakir *n* faquir
falcon *n* falcão
falconer *n* falcoeiro
falconry *n* falcoaria
Falkland Islands *n* Ilhas Falkland; Ilhas Malvinas
fall *n* **1** queda **2** baixa (in, de); quebra (in, de); **a fall in prices** descida dos preços **3** EUA outono[AO] **4** *pl* (água) cataratas ▪ *v* **1** cair **2** (edificação) ruir **3** (preços, temperatura) baixar **4** POL ser derrubado, cair **5** DESP,MIL ser derrotado; perder ♦ **to fall asleep** adormecer; **to fall ill** adoecer; **to fall in love with** apaixonar-se por; **to fall to pieces** desfazer-se
◇ **fall about** *v col* partir-se a rir
◇ **fall apart** *v* **1** desfazer-se **2** (negócio) ir por água abaixo **3** (sentimentos) sofrer muito
◇ **fall back** *v* **1** MIL retirar **2** recuar, retroceder
◇ **fall back on** *v* recorrer a
◇ **fall behind** *v* ficar para trás
◇ **fall down** *v* **1** (edifício) cair; ruir **2** (projeto) cair por terra; ir por água abaixo
◇ **fall for** *v* **1** *col* (mentiras) cair em **2** *col* apaixonar-se por; ficar caidinho por
◇ **fall in** *v* **1** ruir; desabar **2** MIL formar fileira
◇ **fall in with** *v* **1** concordar com **2** juntar-se a
◇ **fall off** *v* **1** desprender-se; soltar-se **2** diminuir; baixar
◇ **fall out** *v* **1** zangar-se (with, com) **2** (cabelo, dente) cair **3** (soldados) dispersar
◇ **fall over** *v* tropeçar em
◇ **fall through** *v col* falhar; ir por água abaixo
◇ **fall to** *v* **1** (dever) caber a **2** começar a
fallacious *adj form* enganador
fallacy *n* [*pl* -ies] falácia
fallen *adj* caído ♦ MED **fallen arches** pés chatos
fallible *adj* falível
falling-out *n col* desentendimento; zanga
Fallopian tube *n* trompa de Falópio
fallout *n* poeiras radioativas[AO]
fallow *adj* **1** de pousio **2** (tempo) de pausa ▪ *n* terra de pousio
false *adj* **1** falso; **false moustache** bigode falso; **to bear false witness** prestar falso testemunho **2** (pessoa) dissimulado; fingido ♦ **false alarm** falso alarme; DESP **false start** falsa partida; **under false pretences** fraudulentamente
falsehood *n* falsidade
falsetto *n* falsete
falsification *n* falsificação
falsify *v* falsificar
falter *v* **1** (ação) vacilar, hesitar **2** (voz) titubear
fame *n* fama
famed *adj* famoso (for, por)

familiar *adj* **1** familiar, conhecido **2** familiarizado (with, com) ◆ **to become all too familiar** tornar-se corriqueiro
familiarity *n* [*pl* -ies] familiaridade
familiarize *v* familiarizar (with, com)
family *n* [*pl* -ies] família; **family planning** planeamento familiar; **family tree** árvore genealógica; **to run in the family** ser de família
famine *n* fome; **famine relief** luta contra a fome
famished *adj col* faminto, esfomeado
famous *adj* famoso (for, por); célebre (for, por)
fan *n* **1** (pessoa) fã (of, de) **2** (máquina) ventoinha **3** (objeto) leque ▪ *v* **1** abanar **2** atiçar, avivar; **to fan a fire** atiçar o fogo
◇ **fan out** *v* espalhar(-se)
fanatic *n* **1** *pej* fanático **2** *col* entusiasta; fã; **a football fanatic** um fã de futebol
fanatical *adj* fanático
fanaticism *n* fanatismo
fancier *n* (animais, plantas) criador
fanciful *adj* **1** fantasioso; imaginário **2** extravagante
fancy *n* [*pl* -ies] **1** gosto, afeição; **I took a fancy to swimming** eu tomei gosto pela natação **2** fantasia ▪ *v* **1** GB apetecer, desejar; **she fancied a cake** apetecia-lhe um bolo **2** GB *col* sentir-se atraído por **3** julgar (that, que) ▪ *adj* **1** (estilo) extravagante **2** EUA refinado **3** (preços) exorbitante ◆ GB **fancy that!** imaginem só!
fanfare *n* fanfarra
fang *n* (dente) presa
fanlight *n* **1** GB (janela, porta) bandeira **2** EUA claraboia[AO]
fantasize *v* fantasiar (about, sobre)
fantastic *adj* **1** fantástico; **what a fantastic day!** que dia fantástico!; **fantastic creatures** seres fantásticos **2** *col* (quantidade) excecional[AO]
fantasy *n* [*pl* -ies] fantasia
fanzine *n* fanzine
FAQ [*abrev. de* frequently asked question] FAQ (questões mais frequentes colocadas pelos utilizadores)
far *adv* **1** (localização) longe (from, de) **2** (nível) bastante; muito; **to be far above average** estar bastante acima da média ▪ *adj* **1** (localização) longínquo; distante **2** extremo; POL **the far left/right** a extrema esquerda/direita ◆ **far from it** longe disso; **as far as I am concerned** no que me diz respeito; **as far as I know** tanto quanto sei; **Far East** Extremo Oriente; EUA **Far West** faroeste; **so far so good** até aqui tudo bem
faraway *adj* distante
farce *n* farsa
fare *n* **1** (bilhete) tarifa; **return fare** tarifa de ida e volta **2** (táxi) passageiro ▪ *v* desenrascar-se
farewell *n* despedida; **to bid farewell to someone** despedir-se de alguém
far-fetched *adj* rebuscado; forçado
far-flung *adj* **1** (localização) longínquo **2** espalhado
farm *n* quinta; herdade ▪ *v* **1** (terra) cultivar, lavrar **2** (gado) criar ◆ EUA **farm belt** região agrícola
◇ **farm out** *v* contratar; delegar em
farmer *n* lavrador, agricultor
farmhand *n* trabalhador agrícola
farmhouse *n* granja; casa de quinta
farming *n* **1** agricultura **2** pecuária ◆ **farming industry** indústria agropecuária[AO]
farmyard *n* pátio da quinta
far-off *adj* (tempo, espaço) longínquo, distante
far-out *adj* estranho; bizarro
far-reaching *adj* de grande alcance
farrier *n* (de cavalos) ferrador
far-sighted *adj* **1** perspicaz **2** EUA que vê mal ao perto
fart *n cal* peido *cal* ▪ *v cal* peidar-se *cal*
farther *adv* mais longe ▪ *adj* mais distante; mais longínquo
farthest *adv* mais longe; mais distante ▪ *adj* mais distante; mais longínquo ◆ **at the farthest** o mais tardar
fascinate *v* fascinar; seduzir
fascinating *adj* fascinante; encantador
fascination *n* fascínio (for, por)
fascism *n* fascismo
fascist *adj,n* fascista
fashion *n* **1** moda; **fashion designer** estilista; **fashion show** desfile de moda; **out of fashion** fora de moda **2** (comportamento) modo; forma; **one's usual fashion** o nosso modo habitual
fashionable *adj* **1** moderno **2** da moda; **a fashionable restaurant** um restaurante da moda
fast *adj* **1** rápido; veloz **2** (tempo) adiantado; **my watch is fast** o meu relógio está adian-

tado ▪ *adv* **1** depressa, rapidamente **2** (sono) profundamente **3** (intensidade) firmemente; bem; **hold fast!** segura-te bem! ▪ *v* jejuar ▪ *n* jejum, abstinência ♦ **fast food** fast food, comida pronta; **fast lane** via rápida; **how fast are you going?** a que velocidade vais?; *col* (discordância) **not so fast!** alto lá!
fasten *v* **1** (vestuário, cinto) apertar **2** atar, prender **3** (portas, janelas) trancar **4** (dentes, braços) cerrar
◇ **fasten on** *v* concentrar-se em
◇ **fasten up** *v* (vestuário) apertar; fechar
fastener *n* (roupa) fecho; botão; colchete
fastidious *adj* meticuloso, minucioso
fat *adj* **1** gordo **2** (volume) espesso, grosso **3** *col* avultado **4** CUL com gordura; gorduroso ▪ *n* **1** gordura **2** CUL banha; **hog's fat** banha de porco ♦ **to get fat** engordar
fatal *adj* fatal; mortal
fatalism *n* fatalismo
fatalist *n* fatalista
fatalistic *adj* fatalista
fatality *n* [*pl* -ies] **1** (acidente) vítima mortal **2** fatalidade
fatally *adv* fatalmente
fate *n* destino; sorte
fated *adj* destinado (to, a)
fateful *adj* fatídico; fatal
fat-free *adj* (alimento) magro; **fat-free yoghurts** iogurtes magros
father *n* **1** pai **2** criador; mentor **3** REL [com maiúscula] padre **4** *pl* antepassados ▪ *v* conceber ♦ **like father, like son** tal pai, tal filho; *col* **you are your father's son** és bem o filho de teu pai
fatherhood *n* paternidade
father-in-law *n* [*pl* fathers-in-law] sogro
fatherland *n* pátria
fatherless *adj* sem pai
fatherly *adj* paternal
fathom *n* (medida) braça ▪ *v* compreender
fathomless *adj lit* insondável; impenetrável
fatigue *n* **1** fadiga **2** *pl* farda de combate ▪ *v* cansar, fatigar
fatness *n* gordura
fatso *n* [*pl* -es] *cal,pej* bucha, gorducho
fatten *v* engordar
fattening *adj* (comida) que engorda
fatty *adj* **1** (substância, comida) gordo **2** adiposo ▪ *n* [*pl* -ies] *col,pej* (pessoa) bucha, gorducho
faucet *n* EUA torneira
fault *n* **1** (responsabilidade) culpa **2** (mecanismo) falha (in, em) **3** (personalidade) defeito **4** DESP falta **5** GEOL falha ▪ *v* culpar (on, por)
faultless *adj* irrepreensível
faulty *adj* **1** (mecanismo) defeituoso **2** (raciocínio) incorreto[AO]
fauna *n* fauna
favor *n,v* EUA ⇒ **favour**
favour *n* **1** favor **2** aprovação **3** (tratamento) favoritismo ▪ *v* **1** (opção) preferir **2** favorecer; beneficiar ♦ *irón* **do me a favour!** não posso crer!; (cheque) **in somebody's favour** à ordem de alguém
favourable *adj* **1** (opinião, circunstância) favorável **2** agradável, bom **3** (lucro) vantajoso, proveitoso
favourite *adj,n* favorito, preferido
favouritism *n* favorecimento; parcialidade
fawn *n* veado novo ▪ *adj,n* (cor) bege ▪ *v* bajular (on, -)
fawning *n* lisonja, adulação ▪ *adj* bajulador
fax *n* fax; **fax machine** aparelho de fax ▪ *v* enviar por fax
faze *v* perturbar
fear *n* medo; receio ▪ *v* recear; ter medo de
fearful *adj* **1** (pessoa) medroso, receoso **2** (situação) assustador **3** GB *col* terrível, horrível
fearless *adj* destemido, intrépido
fearlessness *n* intrepidez, audácia
fearsome *adj form* assustador; temível
feasibility *n* viabilidade
feasible *adj* viável
feast *n* **1** banquete; festim **2** festa **3** deleite; regalo ▪ *v* banquetear-se (on, com)
feat *n* feito, proeza
feather *n* (ave) pena; pluma; **feather bed** colchão de penas ▪ *v* encher de penas ♦ **birds of a feather flock together** diz-me com quem andas, dir-te-ei quem és
featherbrained *adj col* despistado
featherweight *n* (boxe) peso pluma
feature *n* **1** característica[AO]; traço **2** (jornalismo) artigo de fundo (on, sobre); reportagem (on, sobre) **3** longa-metragem **4** *pl* feições, traços ▪ *v* **1** retratar, representar **2** promover; publicitar **3** (filme, peça) apresentar **4** (filme) entrar
featureless *adj* descaracterizado[AO]; banal
February *n* fevereiro[AO]

feces *npl* EUA ⇒ **faeces**
feckless *adj* sem energia, frouxo
fecund *adj form* fecundo, fértil
fecundity *n form* fecundidade, fertilidade
federal *adj* federal
federalism *n* federalismo
federalist *adj,n* federalista
federate *adj* federado ▪ *v* federar(-se)
federation *n* federação
fed up *adj col* farto (with, de); cheio (with, de)
fee *n* **1** (advogado, médico) honorários **2** (escola, universidade) propina **3** (associação) quota **4** bilhete; taxa; **entrance fee** bilhete de entrada
feeble *adj* **1** (pessoa) fraco, débil **2** (argumento) pouco convincente
feeble-minded *adj* imbecil
feebleness *n* **1** (pessoa) fraqueza, debilidade **2** (argumento) fragilidade
feed *v* **1** alimentar(-se) **2** dar de comer a **3** amamentar; dar o biberão a **4** (dados) introduzir ▪ *n* **1** (animal) ração **2** (bebé) mamada; biberão
feedback *n* (som, reação) feedback
feel *v* **1** (tato) tocar **2** sentir(-se) **3** ser afetado[AO] por **4** (opinião) achar; pensar ▪ *n* **1** tato[AO]; toque **2** (lugar) atmosfera; ambiente **3** sensibilidade ♦ **to feel hungry** ter fome; **to feel like doing something** apetecer fazer alguma coisa; **to feel sorry for** ter pena de
◇ **feel for** *v* ter pena de
feeler *n* (inseto) antena ♦ *col* **to put out feelers** apalpar o terreno
feel-good *adj* agradável; leve; *col* **feel-good movie** filme levezinho
feeling *n* **1** sentimento **2** sensação; impressão **3** opinião (on/about, sobre) **4** sensibilidade; **he lost feeling in the arm** ele perdeu a sensibilidade no braço ▪ *adj* terno; compassivo ♦ **no hard feelings** sem ressentimentos
feign *v form* simular; fingir
feint *n* finta ▪ *v* fintar
feisty *adj* determinado
feldspar *n* (mineral) feldspato
felicitate *v form* felicitar (on, por)
felicity *n* [*pl* -ies] *form* felicidade
feline *adj,n* felino
fell *v* (árvore, pessoa) derrubar
fellow *n* **1** companheiro, colega **2** *col* tipo, indivíduo **3** GB (academia, universidade) membro ▪ *adj* próximo; semelhante ♦ **fellow citizen** concidadão; **fellow countryman** compatriota
fellowship *n* **1** companheirismo, camaradagem **2** associação **3** (universidade) bolsa
felon *n* criminoso
felony *n* [*pl* -ies] crime grave
felt *n* feltro
felt-tip *n* caneta de feltro; marcador
female *adj* **1** (sexo) feminino **2** fêmea ▪ *n* **1** fêmea **2** mulher ♦ (parafuso) **female screw** porca
feminine *adj,n* feminino
femininity *n* feminilidade
feminism *n* feminismo
feminist *adj,n* feminista
femur *n* [*pl* -s, femora] fémur
fen *n* pântano; paul
fence *n* **1** cerca, sebe **2** (equitação) obstáculo **3** *col* recetador[AO] ▪ *v* **1** cercar; murar **2** DESP esgrimir **3** *col* recetar[AO] **4** (questões) esquivar-se
◇ **fence in** *v* **1** (terreno) cercar **2** (pessoa) limitar
◇ **fence off** *v* separar com cerca
fencer *n* esgrimista
fencing *n* **1** esgrima **2** (cerca) material de vedação
fend *v* **to fend for oneself** desenrascar-se
◇ **fend off** *v* **1** (ataque) desviar-se de **2** (questões) esquivar-se a
fender *n* **1** (lareira) guarda-fogo **2** EUA (automóvel) guarda-lama ♦ EUA *col* **fender bender** choque leve
fennel *n* funcho
ferment *v* **1** (bebida, comida) fermentar **2** (situação) estar em efervescência *fig*
fermentation *n* fermentação
fern *n* (planta) feto
ferocious *adj* **1** feroz; cruel **2** terrível; intenso **3** (opinião, argumento) contundente
ferocity *n* [*pl* -ies] ferocidade; crueldade
ferret *n* (animal) furão ▪ *v col* remexer (about, around, -)
◇ **ferret out** *v* (mistério) descobrir; deslindar
ferry *n* [*pl* -ies] ferryboat ▪ *v* (de ferryboat) transportar
ferryboat *n* ferryboat
fertile *adj* **1** fértil; fecundo **2** produtivo
fertility *n* fertilidade
fertilization *n* fertilização
fertilize *v* fertilizar

fertilizer *n* fertilizante
fervent *adj* fervoroso, ardente
fervor *n* EUA ⇒ **fervour**
fervour *n* fervor; entusiasmo
fester *v* **1** (ferida) infecionar[AO] **2** (situação) deteriorar-se
festival *n* **1** festival; **a film festival** um festival de cinema **2** feriado religioso
festive *adj* festivo; alegre
festivity *n* [*pl* -ies] **1** (ambiente) festa **2** *pl* festividades
festoon *v* adornar (with, com), decorar (with, com) ▪ *n* (decoração) festão, grinalda
fetch *v* ir buscar, trazer ♦ (cão) **fetch!** busca!
fetching *adj* atraente
fetid *adj form* fétido
fetish *n* [*pl* -es] fetiche
fetishist *n* fetichista
fetus *n* EUA ⇒ **foetus**
feud *n* contenda (over, por causa de) ▪ *v* disputar (with, com)
feudal *adj* feudal
feudalism *n* feudalismo
fever *n* **1** febre **2** moda; mania
feverish *adj* **1** febril **2** (situação, comportamento) exaltado
few *adj,pron* poucos; **few of them came** poucos vieram ♦ **a few** alguns; uns tantos; **as few as** só; apenas; **quite a few** bastantes
fiancé *n* noivo
fiancée *n* noiva
fiasco *n* [*pl* -s] fiasco, fracasso
fib *n col* peta, patranha ▪ *v col* mentir, dizer petas
fibber *n col* mentiroso
fiber *n* EUA ⇒ **fibre**
fibre *n* (alimentos, tecido) fibra
fibreglass *n* fibra de vidro
fibrosis *n* fibrose
fibrous *adj* fibroso
fickle *adj* **1** (pessoa) inconstante; volúvel **2** (tempo) incerto, instável
fiction *n* **1** ficção; narrativa **2** ilusão, fantasia
fictional *adj* ficcional
fictitious *adj* fictício
fiddle *n* **1** *col* violino **2** *col* estratagema ▪ *v* **1** mexer (with, em); brincar (with, com) **2** *col* tocar violino **3** *col* manipular ♦ **to be as fit as a fiddle** estar em forma
fiddler *n* **1** *col* violinista **2** vigarista
fidelity *n* [*pl* -ies] fidelidade
fidget *v* remexer-se; não parar quieto ▪ *n col* (criança) traquinas, diabrete ♦ GB **to have the fidgets** ter bichos-carpinteiros
fidgety *adj col* irrequieto, impaciente
fief *n* HIST feudo
field *n* **1** campo; AGR **to plough the field** lavrar o campo; (saber) **in the field of history** no campo da História; DESP **playing field** campo de jogos **2** pelotão **3** (mercado) setor[AO] **4** (petróleo, gás) jazida ▪ *v* **1** (competição) fazer-se representar por **2** (questões) lidar com ♦ EUA **field hockey** hóquei em campo; **field hospital** hospital de campanha; **field trip** visita de estudo
fieldmouse *n* [*pl* -mice] rato do campo
fieldwork *n* trabalho de campo
fiend *n* **1** fanático **2** diabo; demónio **3** (pessoa) monstro
fiendish *adj* diabólico; perverso
fierce *adj* feroz; violento
fiery *adj* **1** (cor) rubro **2** ardente; fogoso **3** intenso; veemente **4** (comida) picante **5** (bebida) muito forte
fife *n* pífaro
fifteen *num card,n* quinze ▪ *n* GB equipa de râguebi
fifteenth *num ord,n* décimo quinto ♦ **on the fifteenth** no dia quinze
fifth *num ord,n* quinto ♦ **on the fifth** no dia cinco; EUA *col* **to feel like the fifth wheel** sentir-se a mais
fifthly *adv* em quinto lugar
fiftieth *num ord,n* quinquagésimo
fifty *num card,n* cinquenta ♦ (década) **the fifties** os anos cinquenta; **to be in one's fifties** ter 50 e tal anos
fifty-fifty *adj,adv* a meias; em duas partes iguais
fig *n* **1** figo **2** figueira
fight *n* **1** luta; **to pick a fight** provocar uma luta **2** (ideais, esforço) luta (against, contra; for, por) **3** discussão (over, por causa de) ▪ *v* **1** lutar **2** discutir (about/over, por causa de) **3** contestar **4** (eleições) disputar ♦ **to fight like cat and dog** dar-se como cão e gato; **to put up a fight** dar luta
◇ **fight back** *v* **1** defender-se; opor resistência **2** retaliar **3** (emoções) reprimir
◇ **fight off** *v* repelir, combater
fighter *n* **1** batalhador; lutador **2** (avião) caça

fighting *n* combate; luta; **close fighting** luta corpo a corpo ▪ *adj* batalhador, lutador
figurative *adj* **1** (sentido) figurado **2** (representação) figurativo
figure *n* **1** algarismo **2** (valor exato) número; quantia **3** (formas) figura; linha **4** diagrama **5** figura; **public figure** figura pública ▪ *v* **1** figurar (in, em); constar (in, de) **2** *col* fazer sentido; ter lógica **3** EUA calcular; imaginar ♦ **figure skating** patinagem artística; **figure of speech** figura de estilo; EUA *col* **go figure!** vá-se lá perceber isto!; *col* **that figures!** isso explica tudo!
◇ **figure on** *v* contar com
◇ **figure out** *v col* compreender; deslindar
figurehead *n* **1** (navio) figura de proa **2** (pessoa) fantoche
Fiji *n* Fiji
Fijian *adj,n* fijiano
filament *n* filamento
filch *v col* fanar, roubar
file *n* **1** ficheiro; arquivo; **on file** nos arquivos **2** INFORM ficheiro **3** (unhas, madeira, metais) lima **4** fila; **in single file** em fila indiana ▪ *v* **1** (documentação) arquivar (under, em) **2** (queixa) apresentar **3** (com lima) limar **4** (pessoas) desfilar
filename *n* (computador) nome de ficheiro
filibuster *n* POL obstrucionista
filigree *n* filigrana
filing *n* **1** (documentação) arquivamento **2** *pl* (metais) limalha ♦ **filing cabinet** arquivo
fill *v* **1** encher(-se) **2** (emprego) preencher, ocupar **3** (fissura) tapar **4** (dentes) obturar **5** EUA (receita) aviar ♦ *col* **I've had my fill of it!** já estou farto disso!
◇ **fill in** *v* **1** (documento, tempo) preencher **2** informar; pôr ao corrente **3** (função) substituir (for, -)
◇ **fill out** *v* (documentos) preencher
◇ **fill up** *v* **1** (recipiente) encher(-se) até cima **2** (comida) empanturrar
filler *n* (substância) enchimento
fillet *n* filete ▪ *v* cortar em filetes
filling *n* **1** (dente) chumbo **2** (almofadas) enchimento **3** (bolo, etc.) recheio ♦ **filling station** bomba de gasolina
filly *n* [*pl* -ies] poldra, potra
film *n* **1** filme; **to shoot a film** rodar um filme **2** FOT rolo **3** camada ▪ *v* filmar ♦ **film festival** festival de cinema; **film library** cinemateca; **film star** estrela de cinema
filmgoer *n* GB cinéfilo
film-maker *n* realizador; cineasta
filmography *n* filmografia
filter *n* filtro ▪ *v* **1** filtrar(-se); coar **2** entrar pouco a pouco (into, em)
filth *n* imundície; sujidade
filthy *adj* **1** sujo, imundo **2** obsceno ♦ **filthy rich** podre de rico
filtration *n* filtração
fin *n* barbatana
final *adj* **1** final; último **2** (decisão) definitivo ▪ *n* **1** (competição) final **2** *pl* GB (universidade) exames finais ♦ **and that's final!** e ponto final!
finale *n* final
finalist *n* finalista
finality *n* [*pl* -ies] carácter[AO] definitivo
finalize *v* concluir; ultimar
finally *adv* **1** finalmente **2** definitivamente
finance *n* finanças ▪ *v* financiar
financial *adj* financeiro ♦ GB **financial year** ano fiscal
financially *adv* financeiramente
financier *n* financiador
financing *n* financiamento
finch *n* [*pl* -es] (ave) tentilhão
find *n* achado, descoberta ▪ *v* **1** encontrar; descobrir **2** (recursos) arranjar **3** (opinião) considerar **4** (julgamento) declarar; **to be found guilty** ser declarado culpado
◇ **find out** *v* **1** descobrir **2** apanhar
finding *n* **1** invenção; descoberta **2** DIR veredito[AO]
fine *adj* **1** (condição) excelente; bom **2** delicado; fino **3** (espessura) fino **4** subtil ▪ *adv col* muito bem; **that's fine** está muito bem ▪ *n* multa, coima ▪ *v* multar (for, por) ♦ **fine print** letra miudinha; **fine arts** belas-artes
finely *adv* **1** (espessura) finamente **2** (requinte) primorosamente **3** delicadamente
fine-tune *v* afinar; aperfeiçoar
finger *n* dedo ▪ *v* **1** tocar **2** *col* denunciar; acusar ♦ **not to lift/raise a finger** não mexer uma palha; **to lay a finger on** tocar em
fingernail *n* unha
fingerprint *n* impressão digital
fingertip *n* ponta do dedo ♦ **to have something at one's fingertips** ter alguma coisa à mão

finicky *adj* **1** picuinhas **2** minucioso
finish *n* [*pl* -es] **1** fim; **to the finish** até ao fim **2** (superfície) acabamento ▪ *v* **1** acabar; terminar; (corrida) **he finished third** ele ficou em terceiro lugar **2** (acabamentos) aperfeiçoar ◇ **finish off** *v* **1** acabar com, matar **2** terminar; concluir
finished *adj* acabado, terminado
finishing *n* acabamento ◆ **finishing blow** golpe de misericórdia; (corrida) **finishing line** meta
finite *adj* finito
Finland *n* Finlândia
Finn *n* finlandês
Finnish *adj,n* finlandês ▪ *npl* **the Finnish** os finlandeses
fiord *n* fiorde
fir *n* abeto
fire *n* **1** fogo; **to be on fire** estar a arder; **to set fire to** pegar fogo a **2** (chamas) lume **3** (arma) fogo; tiro ▪ *v* **1** (emprego) despedir; demitir **2** (arma) disparar ◆ **fire alarm** alarme de incêndio; **a burnt child dreads the fire** gato escaldado de água fria tem medo; **to fight fire with fire** pagar na mesma moeda
firearm *n* arma de fogo
firebomb *n* bomba incendiária
firebrand *n* incitador
firefighter *n* bombeiro
firefly *n* pirilampo
fireguard *n* guarda-fogo
firelighter *n* GB acendalha
fireman *n* [*pl* -men] bombeiro
fireplace *n* fogão de sala; lareira
fireproof *adj* à prova de fogo
firewall *n* INFORM firewall
firewood *n* lenha
firework *n* **1** (dispositivo) fogo de artifício **2** *pl* (espetáculo) fogo de artifício
firing *n* **1** tiroteio **2** despedimento ◆ **firing line** linha de fogo
firm *n* empresa; firma ▪ *adj* **1** firme; seguro **2** (convicções) sólido; inabalável **3** (disciplina) duro; rigoroso ▪ *v* firmar; fixar
firmament *n lit* firmamento
firmly *adv* firmemente
firmness *n* firmeza
first *num ord,n* primeiro ▪ *n* **1** o primeiro **2** o princípio; **from first to last** do princípio ao fim ▪ *adv* primeiro; em primeiro lugar; **I would say that first** eu diria isso em primeiro lugar ◆ **at first** no princípio; **first aid** primeiros socorros; **First Lady** Primeira Dama; **on the first** no dia um
first-aid *adj* de primeiros socorros; **first-aid kit** caixa de primeiros socorros
first-class *adj* **1** (transportes) de primeira classe **2** (qualidade) excelente ▪ *adv* em primeira classe; em primeira
first-hand *adj,adv* em primeira mão
firstly *adv* em primeiro lugar
first-rate *adj* de primeira ordem; excelente
fiscal *adj* fiscal
fish *n* [*pl* -es] peixe ▪ *v* **1** pescar **2** *col* andar à procura (for, de) ◆ **to feel like a fish out of the water** sentir-se como um peixe fora de água
fishbowl *n* aquário
fisherman *n* [*pl* -men] pescador
fishery *n* [*pl* -ies] **1** área de pesca; **coast fishery** pesca costeira; **deep-sea fishery** pesca no mar alto **2** viveiro
fishing *n* pesca; **fishing line** linha de pesca; **fishing net** rede de pesca; **fishing rod** cana de pesca
fishmonger *n* GB peixeiro ◆ GB **fishmonger's** peixaria
fishy *adj* **1** *col* duvidoso, suspeito **2** a peixe
fission *n* fissão
fissure *n* fissura, fenda
fist *n* punho ◆ **fist law** lei do mais forte
fit *v* **1** (roupa) assentar; servir **2** caber em **3** instalar; **to fit air conditioning** instalar ar condicionado **4** ajustar(-se); encaixar(-se) **5** (factos) ser consistente com ▪ *n* ataque (of, de) ▪ *adj* **1** apropriado (for, para) **2** (saúde) em boa forma **3** apto (for, para) ◆ **as fit as a fiddle** são como um pero[AO]; **to fit someone like a glove** assentar como uma luva ◇ **fit out** *v* equipar (with, com)
fitful *adj* descontínuo
fitness *n* **1** (saúde) boa forma **2** adequação (for, a) ◆ **fitness centre** ginásio
fitting *adj* próprio; conveniente ▪ *n* **1** (roupa) prova **2** *pl* acessórios
five *num card,n* cinco
fiver *n* **1** GB *col* nota de cinco libras **2** EUA *col* nota de cinco dólares
fix *v* **1** (avaria, cabelo) arranjar **2** (data, hora, etc.) marcar **3** (olhos, atenção) fixar (on/upon, em)

4 (objetos) fixar; firmar 5 subornar 6 EUA (bebida, comida) preparar ▪ *n* 1 enrascada, encrenca 2 *col* fraude 3 (droga) dose
◇ **fix on** *v* escolher
◇ **fix up** *v* 1 marcar; **to fix up a time** marcar uma hora 2 (edifício) restaurar 3 arranjar (with, -)
fixated *adj* obcecado (on, por)
fixation *n* obsessão
fixed *adj* 1 fixo 2 (resultados) manipulado
fixture *n* 1 GB (acontecimento desportivo) desafio; encontro 2 *pl* (casa) recheio fixo 3 *pl* instalações; **bathroom fixtures** instalações sanitárias
fizz *n* [*pl* -es] 1 (bebida) gás 2 GB *col* espumante ▪ *v* 1 (bebida) efervescer; borbulhar 2 (som) assobiar
fizzle *v* (som) sibilar; assobiar
fizzy *adj* com gás; gasoso
flabbergasted *adj col* estupefacto; sem palavras
flabbiness *n* 1 (substância, corpo) flacidez 2 (carácter) moleza, frouxidão
flabby *adj* 1 *col* (músculos) flácido 2 *col* (carácter) frouxo
flaccid *adj* flácido
flag *n* bandeira; estandarte ▪ *v* 1 assinalar 2 (entusiasmo) afrouxar; esmorecer
flagellate *v* flagelar
flagellation *n* flagelação
flagpole *n* (bandeira) haste; mastro
flagrant *adj* flagrante
flagstone *n* laje
flail *v* 1 (cereais) malhar 2 (braços, pernas) agitar ▪ *n* malho, mangual
flair *n* 1 dom (for, para); talento (for, para) 2 estilo; elegância
flake *n* floco (of, de); **flake of snow** floco de neve ▪ *v* (tinta, pele) lascar, escamar
flaky *adj* 1 às lascas 2 folhado; **flaky pastry** massa folhada 3 EUA *col* estranho
flamboyant *adj* 1 (pessoa) extravagante 2 vistoso; colorido
flame *n* 1 chama; labareda 2 paixão ♦ **to go up in flames** arder
flame-thrower *n* lança-chamas
flaming *adj* 1 em chamas; a arder 2 (discurso, paixão) intenso 3 (cor) berrante
flamingo *n* [*pl* -es, -s] flamingo
flan *n* 1 GB tarte 2 EUA pudim
flange *n* rebordo
flank *n* flanco; ilharga ▪ *v* flanquear; ladear
flannel *n* 1 flanela 2 *pl* calças de flanela
flap *n* 1 (casaco, chapéu) aba 2 (livro) badana 3 (asas) batimento ▪ *v* 1 (asas) bater 2 ondular 3 *col* entrar em pânico; estar agitado ♦ *col* **to be in a flap** estar aflito
flare *n* 1 sinal luminoso 2 *pl* calças à boca de sino ▪ *v* 1 arder 2 perder a paciência
◇ **flare up** *v* 1 (fogo) reacender 2 (violência, conflito) rebentar 3 (doença) ter uma recaída
flash *n* [*pl* -es] 1 clarão (of, de) 2 (fotografia) flash 3 (emoções) acesso (of, de) 4 GB (uniforme) divisa ▪ *v* 1 (luz) brilhar, reluzir 2 (velocidade) passar como um raio ♦ **in a flash** num instante; **to be a flash in the pan** ser sol de pouca dura
flashback *n* flashback
flashcard *n* (ensino) cartão com uma palavra ou imagem
flashlight *n* EUA lanterna
flashy *adj* vistoso; aparatoso
flask *n* 1 frasco de gargalo estreito 2 GB garrafa-termo 3 porta-bebida
flat *n* 1 GB andar, apartamento 2 (veículos) pneu vazio 3 (terreno) planície 4 MÚS bemol ▪ *adj* 1 plano; liso 2 achatado, chato 3 (pneu) vazio; em baixo 4 raso; **flat shoes** sapatos rasos 5 (som, cor) monótono 6 categórico; decisivo ▪ *adv* 1 (posição) horizontalmente 2 (tempo) exatamente[AO], precisamente
flat-footed *adj* 1 com pé chato 2 *col* desastrado
flatly *adv* 1 (negação) categoricamente 2 (voz) sem emoção
flatmate *n* GB companheiro de apartamento
flatten *v* 1 alisar 2 (pessoa) deitar ao chão 3 arrasar
flatter *v* 1 lisonjear; gabar 2 (aparência) favorecer ♦ **don't flatter yourself!** não te iludas!
flatterer *n* adulador
flattering *adj* (roupa, etc.) que favorece
flattery *n* [*pl* -ies] lisonja; adulação
flatulence *n* flatulência
flatulent *adj* flatulento
flaunt *v pej* ostentar, exibir
flautist *n* GB flautista
flavor *n* EUA ⇒ **flavour**
flavour *n* sabor; gosto ▪ *v* condimentar (with, com); aromatizar (with, com)

flavouring *n* **1** condimento; tempero **2** aromatizante
flavourless *adv* insípido, sem sabor
flaw *n* falha, defeito
flawless *adj* impecável; perfeito
flax *n* (planta, fibra) linho
flay *v* (animal) esfolar; tirar a pele a
flea *n* pulga ♦ **flea market** feira da ladra
fleck *n* mancha; **flecks of dust** manchas de pó ▪ *v* manchar (with, com); salpicar (with, com, de)
flee *v* escapar, fugir
fleece *n* velo; tosão ▪ *v col* (dinheiro) esfolar; depenar
fleecy *adj* lãzudo; felpudo
fleet *n* **1** (navios) frota; armada **2** (carros) comitiva; cortejo
fleeting *adj* fugaz, efémero
Flemish *adj,n* flamengo ▪ *npl* **the Flemish** os flamengos
flesh *n* **1** carne **2** (fruta) polpa ♦ **flesh wound** ferida superficial; **in the flesh** em carne e osso
fleshy *adj* **1** (pessoa) rechonchudo **2** (frutos) suculento; carnudo
flex *v* (músculos) fletir[AO]; dobrar ▪ *n* [*pl* -es] GB ELET cabo
flexibility *n* flexibilidade
flexible *adj* flexível
flexitime *n* (trabalho) horário flexível
flick *n* **1** pancada leve; movimento rápido **2** (dedos) piparote **3** EUA *col* filme ▪ *v* **1** mover(-se) rapidamente **2** (pó, etc.) sacudir **3** (chicote) zurzir **4** (máquina) premir
flicker *v* **1** (luz) tremeluzir **2** (olhos) pestanejar **3** vacilar, hesitar ▪ *n* **1** (luz) tremeluzir **2** (olhos) pestanejo **3** movimento súbito
flier *n* ⇒ **flyer**
flight *n* **1** voo **2** (aves) bando **3** (escadas) lanço **4** fuga ♦ **flight attendant** assistente de bordo; **flight recorder** caixa negra
flimsy *adj* **1** frágil; fraco **2** (tecido) fino **3** (argumento, desculpa) débil; inconsistente ▪ *n* (papel) duplicado
flinch *v* **1** (susto, dor) estremecer **2** retrair-se (from, perante)
fling *n* **1** (divertimento) borga **2** aventura (amorosa) ▪ *v* arremessar; atirar
◇ **fling off** *v* (roupa) arrancar
◇ **fling out** *v* **1** expulsar **2** deitar fora
flint *n* **1** (pedra) pederneira **2** (isqueiro) pedra
flip *v* **1** (moeda) atirar ao ar **2** (botão, máquina) premir; pressionar **3** (página, etc.) virar **4** *col* ter um ataque; passar-se *col*
flip-flop *n* **1** (ginástica) flip-flop **2** *col* mudança radical **3** *pl* (chinelos) havaianas
flippant *adj* pouco sério
flipper *n* barbatana
flirt *v* namoriscar (with, com) ▪ *n* namoradeiro
flirtation *n* flirt
flirtatious *adj* namoradeiro
flit *v* **1** esvoaçar **2** (atividade, ideia) saltar
float *v* **1** (água) flutuar; boiar **2** (ar) planar **3** (empresa) lançar na Bolsa **4** (ideia) propor; sugerir ▪ *n* **1** (cortejos) carro alegórico **2** boia[AO]
flock *n* **1** (pássaros) bando **2** (ovelhas) rebanho **3** (pessoas) multidão **4** rebanho; paroquianos
flog *v* açoitar; chicotear
flogging *n* açoite
flood *n* **1** cheia, inundação **2** torrente, grande quantidade ▪ *v* **1** inundar(-se), alagar(-se) **2** (rio) transbordar
floodgate *n* comporta
flooding *n* inundação, cheia
floor *n* **1** chão **2** (casa) andar; **ground floor** rés do chão **3** (discoteca) pista de dança **4** (em debate) palavra; **to ask for the floor** pedir a palavra ▪ *v* **1** baralhar, confundir **2** (adversário) derrubar
floorboard *n* soalho
floorcloth *n* pano do chão
flooring *n* pavimento
flop *n col* fiasco, fracasso ▪ *v* **1** cair pesadamente; afundar-se **2** *col* ser um fiasco
floppy *adj* mole; frouxo ♦ INFORM **floppy disk** disquete
flora *n* flora
floral *adj* floral ♦ **floral tribute** coroa de flores
floriculture *n* floricultura
florid *adj* (estilo) floreado; pomposo
florin *n* (antiga moeda) florim
florist *n* florista
floss *n* fio dental ▪ *v* (dentes) limpar com fio dental
flotation *n* ECON flutuação
flounce *n* **1** folho **2** movimento brusco ▪ *v* **1** (tecido) debruar; fazer folhos em **2** mover-se com irritação

flounder *v* **1** (dificuldades) debater-se **2** (lama, neve) patinhar **3** vacilar; hesitar ▪ *n* (peixe) solha
flour *n* farinha ▪ *v* passar por farinha
flourish *v* **1** florescer, prosperar **2** (planta) medrar **3** (mão) brandir ▪ *n* [*pl* -es] **1** (movimento) floreio **2** aparato **3** (ornamento) floreado
flourishing *adj* florescente; próspero ▪ *n* florescimento, prosperidade
floury *adj* farinhento
flout *v* (lei, regra) desobedecer, transgredir
flow *n* **1** fluxo (of, de) **2** (mar) maré alta ▪ *v* **1** (líquido) fluir **2** (maré) encher **3** (pessoas, coisas) afluir **4** (cabelo, roupa) ondular
flower *n* flor; (estabelecimento) **flower shop** florista ▪ *v* florescer
flowerbed *n* canteiro de flores
flowering *n* florescimento
flowerpot *n* vaso
flowery *adj* **1** (cheiro) a flores **2** (padrão) florido **3** (estilo) floreado; rebuscado
flowing *adj* fluido
flu *n* gripe ♦ **flu remedy** antigripal
fluctuate *v* oscilar; variar
fluctuation *n* oscilação; variação
flue *n* (chaminé) cano
fluency *n* fluência (in, em); **fluency in English** fluência em Inglês
fluent *adj* (línguas) fluente (in, em)
fluff *n* **1** (aves) penugem **2** cotão ▪ *v col* fazer asneira
fluffy *adj* fofo
fluid *n* líquido ▪ *adj* fluido
fluidity *n* fluidez
fluke *n col* golpe de sorte
flummox *v col* confundir; embaraçar
flunk *v* EUA *col* (escola) chumbar; reprovar ▪ *n* EUA *col* chumbo; reprovação
fluorescent *adj* fluorescente
fluoride *n* **1** QUÍM fluoreto **2** (dentífrico) flúor
fluorine *n* (elemento químico) flúor
flush *n* [*pl* -es] **1** rubor **2** (emoção) acesso (of, de) **3** abundância **4** (autoclismo) descarga **5** (jogo) série de cartas do mesmo naipe ▪ *adj* **1** rico **2** ao mesmo nível, nivelado (with, com) ▪ *v* **1** corar **2** (quarto de banho) puxar; **to flush the toilet** puxar o autoclismo
fluster *n* agitação; nervosismo ▪ *v* perturbar; enervar
flute *n* flauta
flutist *n* EUA flautista
flutter *n* **1** bater de asas **2** agitação; **to be in a flutter** estar em grande agitação **3** (coração, pulso) batimento irregular ▪ *v* **1** (no ar) ondular **2** bater as asas, esvoaçar **3** (coração) estar alterado
flux *n* [*pl* -es] mudança permanente; **to be in a state of flux** estar constantemente a mudar
fly *v* **1** voar **2** sobrevoar **3** (avião) pilotar **4** (bandeira) hastear **5** (papagaio, balão) lançar **6** fugir de; evadir-se de ▪ *n* [*pl* flies] **1** mosca **2** braguilha; carcela
◊ **fly at** *v* atirar-se a
flycatcher *n* (pássaro) papa-moscas
flyer *n* **1** *col* piloto **2** (avião) passageiro **3** (ave, inseto) voador **4** panfleto; brochura
flying *n* voo ▪ *adj* voador ♦ **flying saucer** disco voador; GB **flying visit** visita relâmpago
flyleaf *n* [*pl* -leaves] (livro) guarda
flywheel *n* volante
foal *n* potro ▪ *v* (égua) parir ♦ **in foal** prenhe
foam *n* espuma ▪ *v* espumar, fazer espuma
fob *n* corrente de relógio de bolso
focal *adj* crucial; central
focus *n* [*pl* -es, foci] foco; **out of focus** desfocado; **in focus** focado; **to be the focus of attention** ser o centro das atenções ▪ *v* **1** focar (on, -) **2** concentrar(-se) (on, em) ♦ **focus group** grupo de discussão
foe *n lit* inimigo
foetal *adj* (embrião) fetal
foetus *n* [*pl* -es] (embrião) feto
fog *n* **1** nevoeiro; **fog lights** faróis de nevoeiro **2** *col* confusão; **to be in a fog** estar confundido ▪ *v* **1** embaciar **2** confundir
foggy *adj* enevoado, nebuloso ♦ **I don't have the foggiest idea!** não faço a mínima ideia!
foghorn *n* sirene de nevoeiro
foible *n* ponto fraco
foil *n* **1** CUL papel de alumínio **2** contraste (for/to, para) **3** (esgrima) florete ▪ *v* (plano) frustrar
foist *v* impor; impingir
fold *n* **1** prega, dobra, vinco **2** (ovelhas) curral ▪ *v* **1** dobrar(-se) **2** (braços) cruzar **3** fechar; **to fold the umbrella** fechar o guarda-chuva **4** enrolar; embrulhar
◊ **fold up** *v* (tecido, papel) dobrar

folder *n* dossier; pasta
folding *adj* articulado
foliage *n* folhagem
folio *n* [*pl* -s] (livro) fólio
folk *n* **1** povo; gente **2** *pl* EUA *col* pais **3** *pl col* malta; gente ◆ **folk dance** dança folclórica; **folk song** canção popular
folklore *n* folclore
folkloric *adj* folclórico
follicle *n* folículo
follow *v* **1** seguir(-se); **as follows** como se segue **2** perseguir **3** compreender; perceber; **do you follow?** estás a compreender? **4** resultar; ser consequência de ◆ **to follow suit** fazer o mesmo
◇ **follow through** *v* levar a cabo
◇ **follow up** *v* seguir de perto; investigar
follower *n* seguidor
following *prep* depois de, a seguir a; **following that event** depois disso ■ *n* **1** seguidores; admiradores **2** seguinte(s)
follow-up *n* continuação
folly *n* [*pl* -ies] loucura; tolice
fond *adj* **1** carinhoso **2** apreciador; **to be fond of** gostar muito de **3** (anseios) vão; irrealizável
fondle *v* acariciar; afagar
fondness *n* ternura, carinho
fondue *n* fondue
font *n* **1** (igreja) pia batismal[AO] **2** (letra) fonte
food *n* comida; alimento ◆ **food for thought** coisas em que pensar; **food poisoning** intoxicação alimentar; **food value** valor nutritivo
foodstuffs *npl* géneros alimentícios
fool *n* **1** tolo; parvo **2** HIST bobo ■ *v* **1** enganar **2** brincar
foolhardy *adj* imprudente; irrefletido[AO]
foolish *adj* **1** (ato) insensato; disparatado **2** (pessoa) parvo
foolishly *adv* estupidamente
foolishness *n* tolice; parvoíce
foolproof *adj* infalível
foot *n* [*pl* feet] **1** pé; **on foot** a pé **2** pata; **the foot of the horse** a pata do cavalo **3** (montanha) sopé **4** (escadas, página) fundo (of, de) **5** (medida, verso) pé ◆ **foot brake** travão de pé; **to knock somebody off his feet** fazer alguém perder o equilíbrio; **to put one's foot down** bater o pé; mostrar firmeza
footage *n* imagens; **real footage** imagens reais
foot-and-mouth disease *n* febre aftosa
football *n* **1** futebol; **football player** futebolista **2** bola de futebol
footballer *n* GB futebolista
footbridge *n* ponte pedonal
footer *n* rodapé
footgear *n* calçado
foothold *n* **1** apoio para o pé **2** ponto de apoio
footing *n* **1** equilíbrio **2** base; fundamento ◆ **to be on an equal footing with** estar em pé de igualdade com
footlights *npl* luzes da ribalta
footman *n* [*pl* -men] lacaio, criado
footmark *n* pegada
footnote *n* nota de rodapé
footpath *n* caminho; vereda
footprint *n* pegada
footstep *n* passo ◆ **to follow in somebody's footsteps** seguir os passos de alguém
footstool *n* banquinho para os pés
footwear *n* calçado
footwork *n* **1** (dança, desporto) jogo de pés **2** habilidade; perícia
for *prep* **1** para; **for you** para ti **2** durante; **for a long time** durante muito tempo **3** a favor de; **to vote for** votar em **4** por; **I took him for a German** eu tomei-o por um alemão **5** a; para; **for sale** à venda **6** (proporções) em; **five for seven have tried it** cinco em sete experimentaram ■ *conj* porque ◆ **as for me** quanto a mim; **but for** se não fosse; **for all I know** tanto quanto eu sei; **for all that** apesar de tudo isso
forage *n* forragem ■ *v* **1** procurar comida (for, -) **2** vasculhar
foray *n* incursão (into, em) ■ *v* saquear; devastar
forbear *v form* abster-se (from, de)
forbid *v* proibir (to, de)
forbidden *adj* proibido
forbidding *adj* **1** proibitivo **2** severo; intimidatório
force *n* força; **by force** à força ■ *v* **1** forçar (to, a); obrigar (to, a) **2** forçar; arrancar à força ◆ **by force of circumstance** por motivos de força maior; **to come into force** entrar em vigor
◇ **force back** *v* (emoção) reprimir

◇ **force down** *v* **1** forçar a comer **2** (avião) obrigar a aterrar
forced *adj* forçado
force-feed *v* alimentar à força
forceful *adj* **1** (pessoa) assertivo; firme **2** (argumentação) convincente
forceps *npl* fórceps
forcible *adj* **1** forçado; **a forcible entry** uma entrada forçada **2** (argumentação) concludente; convincente
forcibly *adv* à força
ford *n* (rio) vau ▪ *v* passar a vau
fore *adj* anterior, dianteiro; (animais) **fore quarter** quarto dianteiro; **the fore side** a parte anterior
forearm *n* antebraço
forecast *n* previsão; prognóstico; **weather forecast** previsão meteorológica ▪ *v* prever; prognosticar
foreclose *v* (hipoteca) executar
forecourt *n* GB espaço amplo e aberto em frente a um edifício (garagem, hotel, etc.)
forefather *n* antepassado
forefinger *n* dedo indicador
forefront *n* **at/in/to the forefront of** à frente de; na linha da frente de
foreground *n* primeiro plano
forehand *n* (ténis, etc.) serviço
forehead *n* fronte, testa
foreign *adj* **1** estrangeiro; **foreign language** língua estrangeira **2** externo; **foreign policy** política externa **3** *form* estranho; **foreign body** corpo estranho ◆ **foreign currency** divisas; GB **Foreign Office** Ministério dos Negócios Estrangeiros; GB **Foreign Secretary** Ministro dos Negócios Estrangeiros
foreigner *n* estrangeiro
foreleg *n* pata dianteira
foreman *n* [*pl* -men] **1** capataz **2** presidente dos jurados
foremost *adj* primeiro; principal
forensic *adj* forense ◆ **forensic medicine** medicina legal
forerunner *n* **1** precursor **2** sinal
foresee *v* prever
foreseeable *adj* **1** previsível **2** próximo
foresight *n* previsão; previdência
foreskin *n* prepúcio
forest *n* floresta ◆ **forest fire** incêndio florestal; **forest ranger** guarda-florestal
forester *n* guarda-florestal
forestry *n* silvicultura
foretaste *n* amostra
foretell *v form* predizer; pressagiar
forethought *n* previdência; cautela
forever *adv* **1** para sempre; eternamente; **forever and ever** para todo o sempre **2** *col* sempre
forewarn *v* prevenir (of, em relação a); avisar (of, em relação a)
foreword *n* prefácio
forfeit *v* (direito) perder ▪ *n* multa
forge *v* **1** (ferro) forjar **2** falsificar; **to forge a signature** falsificar uma assinatura **3** (relação) consolidar; cimentar ▪ *n* forja
◇ **forge ahead** *v* seguir em frente
forger *n* falsificador
forgery *n* [*pl* -ies] falsificação
forget *v* esquecer(-se) de (about, de)
forgetful *adj* esquecido
forgetfulness *n* esquecimento
forget-me-not *n* miosótis
forgettable *adj* para esquecer
forgivable *adj* perdoável; desculpável
forgive *v* perdoar (for, por)
forgiveness *n* perdão
forgiving *adj* indulgente; tolerante
fork *n* **1** garfo **2** forcado; forquilha **3** (estrada) bifurcação ▪ *v* bifurcar-se
◇ **fork out** *v col* desembolsar
forlorn *adj* **1** abandonado, desamparado **2** vão
form *n* **1** forma **2** tipo; **in any form** de qualquer tipo **3** (documento) impresso; formulário **4** forma; condição física **5** GB (escola) ano ▪ *v* **1** formar(-se); criar **2** moldar
formal *adj* **1** formal; **formal letter** carta formal **2** oficial; **a formal declaration of war** declaração oficial de guerra
formalism *n* formalismo
formalize *v* formalizar
formally *adv* **1** formalmente **2** oficialmente
format *n* formato; configuração ▪ *v* INFORM formatar
formation *n* formação ◆ MIL **in formation** em formatura
formative *adj* formativo; instrutivo
former *adj* anterior; precedente ▪ *n* o primeiro; **the former mentioned** o primeiro mencionado ◆ **in former times** antigamente

formerly *adv* outrora; antigamente
formidable *adj* **1** extraordinário; incrível **2** temível; **a formidable adversary** um adversário temível
formula *n* [*pl* -s, -e] **1** fórmula; **a chemical formula** uma fórmula química **2** (bebé) substituto do leite materno **3** (expressão) cliché; lugar-comum ♦ (automobilismo) **Formula One** Fórmula Um
formulate *v* **1** formular; elaborar **2** expressar; **to formulate an opinion** expressar uma opinião
formulation *n* formulação
fornicate *v pej* fornicar
fornication *n pej* fornicação
forsake *v* **1** *lit* abandonar; deixar **2** *lit* renunciar a; prescindir de
forsaken *adj* abandonado; desamparado
fort *n* forte; fortaleza ♦ **to hold the fort for someone** substituir alguém na sua ausência
forte *adj,n* MÚS forte ▪ *n* ponto forte
forth *adv* **1** adiante; para a frente; **back and forth** para trás e para a frente **2** (tempo) diante; **from that day forth** daquele dia em diante
forthcoming *adj* **1** (acontecimento) próximo **2** disponível; **the money will soon be forthcoming** o dinheiro estará em breve disponível **3** (pessoa) aberto (about, em relação a)
forthright *adj* frontal, direto[AO]
fortieth *adj,num ord* quadragésimo
fortification *n* fortificação
fortify *v* **1** (fortificações) fortificar **2** (físico, espírito) fortalecer
fortnight *n* GB quinzena, quinze dias
fortnightly *adj* GB quinzenal ▪ *adv* GB quinzenalmente
fortress *n* [*pl* -es] fortaleza; forte
fortuitous *adj* fortuito; casual
fortunate *adj* **1** (pessoa) afortunado; sortudo **2** (acontecimento) feliz
fortunately *adv* felizmente
fortune *n* **1** fortuna; **to make a fortune** fazer fortuna **2** sorte; **fortune smiles on her** a sorte sorri-lhe **3** destino; **to tell someone's fortune** ler a sorte de alguém
fortune-teller *n* adivinho; vidente
forty *num card,n* quarenta ♦ (década) **the forties** os anos quarenta; **to be in one's forties** ter 40 e tal anos
forum *n* fórum
forward *adv* **1** (movimento) para a frente; **a step forward** um passo em frente **2** (tempo) em diante; **from that moment forward** dali em diante ▪ *adj* **1** (movimento) para a frente; **forward movement** movimento para a frente **2** (posição) da frente, dianteiro; **the forward seat** o lugar da frente **3** inovador ▪ *v* (carta, mercadoria) enviar ▪ *n* DESP avançado, atacante ♦ (ginástica) **forward roll** cambalhota; **to put the clock forward** adiantar o relógio
forwarding *n* expedição; envio ♦ **forwarding address** nova direção[AO]
forwardness *n* atrevimento; audácia
forwards *adv* ⇒ **forward**
fossil *n* fóssil
fossilization *n* fossilização
fossilize *v* fossilizar
foster *v* **1** (criança) acolher; criar **2** fomentar; estimular ▪ *adj* (filho, pais) adotivo[AO]; (família) de acolhimento
foul *adj* **1** imundo; sujo **2** mau; **foul weather** mau tempo **3** obsceno; grosseiro **4** *lit* abominável ▪ *n* DESP falta ▪ *v* **1** DESP cometer falta contra **2** sujar **3** (corda, fio) enredar ♦ **foul play** jogo sujo
◇ **foul up** *v col* estragar
foul-up *n* [*pl* -s] asneirada; trapalhada
found *v* **1** (organização) fundar; criar **2** basear (on, em) **3** *téc* (metal, vidro) fundir
foundation *n* **1** (instituição) fundação **2** criação; fundação **3** (construção) alicerces **4** (moral) princípio; fundamento **5** (argumentação) razão de ser **6** (cosmética) base
founder *n* fundador; GB **founder member** sócio-fundador
founding *n* fundação (of, de)
foundry *n* [*pl* -ies] fundição
fountain *n* **1** fonte; fontanário **2** (líquido) jato[AO] ♦ **fountain pen** caneta de tinta permanente
four *num card,n* quatro ♦ **from the four corners of the world** dos quatro cantos do mundo; **to be on all fours** estar de gatas
four-eyes *n col,pej* caixa de óculos
four-poster *n* cama de dossel
foursome *n* grupo de quatro
fourteen *num card,n* catorze
fourteenth *num ord,n* décimo quarto ♦ **on the fourteenth** no dia catorze

fourth *num ord,n* quarto ♦ **on the fourth** no dia quatro
fourthly *adv* em quarto lugar
four-wheel drive *n* (veículos) tração[AO] às quatro rodas
fowl *n* ave de capoeira ♦ **neither fish nor fowl** nem carne nem peixe
fox *n* [*pl* -es] **1** raposa **2** *pej* espertalhão **3** EUA *col* pessoa atraente ▪ *v* GB *col* confundir
foxglove *n* (planta) dedaleira
foxhole *n* toca de raposa
foxhound *n* cão de caça à raposa
foxtrot *n* foxtrot ▪ *v* dançar o foxtrot
foxy *adj* **1** manhoso; matreiro **2** EUA *col* sensual, atraente
foyer *n* (sala de espetáculos) foyer
fracas *n* desordem; rixa
fraction *n* fração[AO]; MAT **decimal fraction** fração[AO] decimal ♦ **for a fraction of second** em menos de um segundo
fractional *adj* **1** MAT fracionário[AO] **2** minúsculo
fractious *adj* irritadiço
fracture *n* fratura[AO] ▪ *v* fraturar(-se)[AO]
fragile *adj* frágil
fragility *n* fragilidade
fragment *n* fragmento
fragmentation *n* fragmentação
fragrance *n* fragrância; aroma
fragrant *adj* fragrante; aromático
frail *adj* frágil; delicado
frailty *n* [*pl* -ies] fraqueza, fragilidade
frame *n* **1** (fotografia, quadro) moldura **2** (janela, porta) caixilharia **3** (tema, objeto) estrutura **4** (corpo) constituição física **5** (óculos) armação **6** (filme) fotograma ▪ *v* **1** (quadro, fotografia) emoldurar **2** (assunto) enquadrar **3** *col* tramar, incriminar
frame-up *n col* armadilha
framework *n* **1** armação; estrutura **2** (ideias, etc.) sistema
franc *n* (antiga moeda) franco
France *n* França
franchise *n* **1** franchise; **franchise holder** concessionário **2** sufrágio; **universal franchise** sufrágio universal ▪ *v* concessionar
francium *n* frâncio
francophone *adj,n* francófono
frank *adj* franco; sincero; honesto ▪ *v* (carta) franquear
frankly *adv* sinceramente, francamente
frankness *n* franqueza; sinceridade
frantic *adj* **1** frenético **2** (pessoa) desvairado; descontrolado; **to be frantic with joy** estar doido de alegria
fraternal *adj* fraternal
fraternally *adv* fraternalmente
fraternity *n* [*pl* -ies] **1** fraternidade **2** comunidade; classe; **the medical fraternity** a classe médica **3** EUA (universidade) república masculina
fraternization *n* confraternização
fraternize *v* confraternizar (with, com)
fratricide *n* **1** (ato) fratricídio **2** (pessoa) fratricida
fraud *n* **1** fraude; burla **2** burlão; impostor
fraudulent *adj* fraudulento
fraught *adj* **1** (situação) problemático; delicado **2** (pessoa) angustiado; preocupado **3** (problemas) cheio (with, de)
fray *v* **1** (tecido) esfiapar-se **2** (ânimos) aquecer; exaltar(-se) ▪ *n* desafio; luta
frazzle *n* GB *col* **to be burnt to a frazzle** estar completamente queimado; GB *col* **to be worn to a frazzle** estar arrasado
freak *n* **1** *col,pej* (pessoa) anormal **2** *col* fanático; maluco **3** aberração ▪ *adj col* insólito; estranho ▪ *v col* (nervos, fúria) passar-se *col*
◇ **freak out** *v col* perder a cabeça; passar-se *col*
freckle *n* sarda
free *adj* **1** livre (of/from, de) **2** (lugar) vago; livre; **is this seat free?** este lugar está livre? **3** (preço) grátis; gratuito; **free entry** entrada gratuita **4** (pessoa, tempo) disponível; livre **5** (regras, obrigações) isento ▪ *adv* **1** de graça **2** livremente ▪ *v* **1** pôr em liberdade **2** (coisas) soltar; desatar **3** (para tarefas) disponibilizar ♦ **free enterprise** iniciativa privada; (futebol) **free kick** livre; **free pass** livre-trânsito
free-and-easy *adj* descontraído, informal
freebie *n col* brinde; oferta
freedom *n* liberdade
freelance *adj,n* (trabalho, trabalhador) freelance ▪ *adv* em regime de freelance ▪ *v* trabalhar como freelance
freelancer *n* (trabalhador) freelancer
freeloader *n col,pej* (pessoa) parasita
freely *adv* livremente
freemason *n* mação
freemasonry *n* maçonaria
free-range *adj* do campo; caseiro
freestyle *n* estilo livre
freethinker *n* livre-pensador

freeware *n* INFORM freeware
freeway *n* EUA autoestrada[AO]
freeze *v* **1** congelar **2** (frio) estar gelado; **I'm freezing!** estou gelado! **3** (imagem) parar; **freeze the film there** para[AO] o filme aí **4** (movimento) imobilizar-se; **freeze right there!** quieto já! ▪ *n* **1** congelamento **2** (atividade, movimento) interrupção **3** GB vaga de frio
◇ **freeze out** *v* (pessoa) excluir de
◇ **freeze up** *v* congelar, gelar
freezer *n* **1** arca frigorífica **2** EUA congelador
freezing *n* congelação ▪ *adj* gelado; **a freezing wind** um vento gelado
freight *n* **1** (transportes) carga **2** EUA comboio de mercadorias ▪ *v* (mercadoria) despachar
freighter *n* navio/avião de carga
French *adj,n* francês ▪ *npl* **the French** os franceses ◆ EUA **French fries** batatas fritas; *col* (beijo) **French kiss** linguado *col*; **to take French leave** despedir-se à francesa
Frenchman *n* [*pl* -men] (pessoa) francês
Frenchwoman *n* [*pl* -men] (pessoa) francesa
frenetic *adj* frenético
frenzy *n* [*pl* -ies] **1** (situação) frenesi; agitação **2** (emoções) arrebatamento
frequency *n* [*pl* -ies] frequência
frequent *adj* frequente, habitual ▪ *v* frequentar
frequently *adv* frequentemente
fresco *n* [*pl* -es] (pintura) fresco
fresh *adj* **1** fresco; **fresh air** ar fresco **2** (cor) berrante; vivo **3** (comportamento) atrevido **4** (água) doce ◆ **to make a fresh start** começar de novo
freshen *v* **1** refrescar **2** (tempo) arrefecer
◇ **freshen up** *v* refrescar(-se)
fresher *n* GB caloiro
freshly *adv* há pouco; recentemente
freshman *n* [*pl* -men] EUA caloiro
freshness *n* (temperatura, vigor) frescura
freshwater *adj* de água doce
fret *v* preocupar-se (about/over, com) ▪ *n* preocupação
fretful *adj* **1** (aflição) agitado; preocupado **2** irritável; rabugento
fretwork *n* obra de talha
friar *n* frade; monge
fricassee *n* CUL fricassé
fricative *adj* (consoante) fricativo ▪ *n* consoante fricativa
friction *n* **1** atrito, fricção **2** (situação) conflito; tensão
Friday *n* sexta-feira; **on Friday** na sexta
fridge *n col* frigorífico
fried *adj* frito; **fried food** fritos
friend *n* **1** amigo; **to make friends** fazer amigos **2** adepto; defensor ◆ **a friend in need is a friend indeed** os amigos são para as ocasiões
friendless *adj* sem amigos
friendly *adj* agradável; cordial ▪ *n* [*pl* -ies] GB DESP jogo amigável
friendship *n* amizade
fries *npl* batatas fritas
frieze *n* ARQ friso
frigate *n* fragata
fright *n* susto; **to get a fright** apanhar um susto ◆ *col* **to look a fright** estar com um aspeto[AO] horrível
frighten *v* assustar; amedrontar
◇ **frighten into** *v* pressionar; coagir
frightened *adj* assustado, apavorado
frightening *adj* assustador; alarmante
frightful *adj* GB *col* horrível, terrível
frightfully *adv* **1** assustadoramente; terrivelmente **2** *col* muito; extremamente
frigid *adj* **1** (sexualidade) frígido **2** (comportamento) distante **3** (temperatura) gélido
frigidity *n* frigidez
frill *n* **1** (costura) folho **2** *pl* acessórios
fringe *n* **1** GB (cabelo, tira) franja **2** orla, margem **3** POL ala, fação[AO] ◆ (emprego) **fringe benefits** regalias
frisk *v col* revistar
frisky *adj* alegre; brincalhão
fritter *n* (com farinha) frito
frivolity *n* [*pl* -ies] frivolidade; futilidade
frivolous *adj* frívolo; fútil
frizz *v col* (cabelo) frisar
frizzle *v* crestar; chamuscar
frizzy *adj* (cabelo) frisado
frog *n* rã ◆ **to have a frog in one's throat** estar com dores de garganta
frogman *n* homem-rã
frolic *v* divertir-se; galhofar ▪ *n* travessura; galhofa
from *prep* **1** (origem) de; **from New York** de Nova Iorque **2** (tempo, lugar) a partir de; de; **from now on** a partir de agora **3** (limites) desde (to, a); de (to, a); **from time to time** de tempos a tempos

front *n* **1** frente; **to sit at the front** sentar-se à frente; MET **cold front** frente fria **2** GB faixa costeira **3** MIL frente de combate **4** (atividades ilegais) fachada ▪ *adj* dianteiro; da frente; **front door** porta da frente ▪ *v* estar voltado para ♦ **front desk** receção[AO]; (jornal) **front page** primeira página

frontal *adj form* frontal

frontier *n* **1** fronteira (between, entre) **2** EUA região inexplorada **3** *pl* (conhecimento) limites ♦ **frontier post** posto fronteiriço

frontispiece *n* (livro) frontispício

frontrunner *n* (prova, concurso) favorito

frost *n* geada

frostbite *n* frieira

frostbitten *adj* crestado pelo frio

frosting *n* **1** EUA glacé; merengue **2** camada de geada

frosty *adj* **1** (tempo, comportamento) gelado, gélido **2** (superfície) coberto de geada

froth *n* **1** (líquido) espuma **2** (pessoa, animal) baba ▪ *v* **1** (líquido) espumar **2** (pessoa, animal) babar

frothy *adj* **1** (líquido) espumoso **2** (coisa) frívolo; inútil

frown *v* franzir o sobrolho ▪ *n* sobrolho franzido; má cara

frozen *adj* **1** congelado **2** *col* (pessoa) cheio de frio **3** paralisado; **to be frozen with fear** estar paralisado de medo ♦ (comida) **frozen food** congelados

frugal *adj* frugal; parco

fruit *n* **1** fruto **2** fruta; **fruit salad** salada de fruta **3** frutos, resultados; **to bear fruit** dar frutos ▪ *v* dar fruto

fruitcake *n* **1** bolo de frutas **2** *col* maluco; excêntrico

fruiterer's *n* frutaria

fruitful *adj* **1** (planta, terreno) fértil **2** (ação) produtivo

fruition *n* **to come to fruition** dar frutos, dar resultados

fruitless *adj* infrutífero; vão

fruity *adj* **1** (aroma, sabor) frutado **2** (anedota) picante **3** (voz) sonante

frump *n col,pej* (mulher) espantalho

frustrate *v* (pessoas, planos) frustrar

frustrated *adj* frustrado

frustrating *adj* frustrante

frustration *n* **1** (pessoas) frustração **2** (planos, projetos) fracasso

fry *v* fritar; **to fry eggs** estrelar ovos ▪ *n* EUA batata frita

fryer *n* frigideira; sertã

frying pan *n* frigideira

fry-up *n* GB *col* refeição de comida frita (ovos, bacon, batatas, etc.)

fuchsia *adj,n* fúcsia; fúchsia

fudge *n* caramelo mole ▪ *v* **1** falsificar **2** (questões) evitar

fuel *n* **1** combustível **2** incentivo ▪ *v* **1** (combustível) abastecer **2** fomentar

fuggy *adj* (atmosfera) abafado

fugitive *n* fugitivo

fugue *n* MÚS fuga

fulcrum *n* [*pl* -s, fulcra] fulcro

fulfil *v* **1** (desejo, sonho) concretizar; realizar **2** (dever, função) cumprir; desempenhar **3** preencher; **to fulfil all the requirements** preencher todos os requisitos ♦ (satisfação pessoal) **to fulfil oneself** realizar-se

fulfilled *adj* realizado; concretizado

fulfilling *adj* compensador

fulfilment *n* **1** (carreira) realização **2** (desejo, sonho) concretização **3** (dever) cumprimento

full *adj* **1** cheio (of, de) **2** inteiro; **in full time** a tempo inteiro **3** *col* cheio, enfartado **4** máximo; total; **at full volume** no volume máximo **5** detalhado, pormenorizado **6** (corpo) cheio **7** (roupa) largo **8** (sabor) intenso ▪ *adv* diretamente[AO]; em cheio ▪ *n* tudo ♦ (hotel) **full board** pensão completa; **full house** lotação esgotada; GB **full stop** ponto final; **in full 1** (texto) por extenso **2** (pagamento) na totalidade

fullback *n* (jogador) defesa

full-blooded *adj* **1** (animal) de puro sangue **2** (ato) vigoroso; enérgico

full-grown *adj* EUA ⇒ **fully-grown**

full-length *adj* **1** (retrato) de corpo inteiro **2** (roupa) comprido **3** até ao chão ♦ **full-length film** filme de longa-metragem

full-page *adj* (anúncio) de página inteira

full-scale *adj* **1** (desenho, modelo) em tamanho natural **2** (conflito, investigação) em grande escala

full-time *adj,adv* a tempo inteiro

fully *adv* **1** inteiramente, completamente **2** (relato) exaustivamente

fully-grown *adj* GB adulto; completamente desenvolvido

fulsome *adj* excessivo, exagerado

fumble *v* **1** remexer desajeitadamente em **2** procurar (for, -)
fume *v* **1** ferver de irritação **2** deitar fumo ▪ *n pl* gases
fumigate *v* fumigar
fumigation *n* fumigação
fun *adj* divertido; alegre ▪ *n* **1** divertimento; **to be great fun** ser um grande divertimento **2** gozo; brincadeira; **we did it for fun** foi na brincadeira ♦ **to make fun of** gozar com
function *n* **1** função **2** *form* cerimónia ▪ *v* funcionar
functional *adj* funcional
fund *n* fundo; verba ▪ *v* financiar
fundamental *adj* fundamental, essencial ▪ *n pl* princípios básicos
fundamentalism *n* fundamentalismo
fundamentalist *adj,n* fundamentalista
fundamentally *adv* **1** fundamentalmente; essencialmente **2** radicalmente
funding *n* financiamento
fund-raiser *n* **1** angariador de fundos **2** cerimónia de angariação de fundos
funeral *n* funeral ♦ **funeral home/parlour** casa funerária
funereal *adj* fúnebre
funfair *n* GB feira popular; parque de diversões
fungicide *n* fungicida
fungus *n* [*pl* fungi, -es] fungo
funicular *n* funicular
funk *n* MÚS funk ♦ **in a funk** apavorado
funky *adj* **1** *col* (coisas) fixe; giro **2** MÚS funky
funnel *n* **1** funil **2** (navio, motor) chaminé ▪ *v* **1** (caminho) afunilar **2** verter por um funil **3** canalizar (to, para)
funny *adj* **1** engraçado; divertido **2** estranho, esquisito **3** *col* maldisposto ♦ **to go funny** avariar-se
fur *n* **1** (animal) pelo[AO] **2** (roupa) pele **3** (depósito mineral) tártaro **4** (língua) saburra
furious *adj* **1** (comportamento) furioso **2** (ação) desenfreado
furnace *n* fornalha, forno ♦ (calor) **it's like a furnace!** está um forno!
furnish *v* (casas) mobilar
furniture *n* mobiliário; mobília
furrow *n* **1** (pele) ruga **2** (terra) sulco ▪ *v* **1** (pele) enrugar **2** (testa) franzir **3** (terra) sulcar
furry *adj* peludo; felpudo
further *adv* **1** mais adiante; mais longe; **don't go any further** não vás mais longe **2** avante; **to take something further** levar alguma coisa avante **3** mais; **to investigate further** investigar mais **4** ainda; **he further added that he knew everything** ele acrescentou ainda que sabia de tudo ▪ *adj* mais; **are there further questions?** há mais perguntas? ▪ *v* desenvolver; promover ♦ **further to your letter** em seguimento da vossa carta
furthermore *adv* além disso
furthermost *adj form* mais distante
furthest *adv* mais longe; **that's the furthest I can go** isso é o mais longe que consigo ir ▪ *adj* mais afastado; **the furthest house in the street** a casa mais afastada da rua
furtive *adj* furtivo
fury *n* [*pl* -ies] fúria
furze *n* tojo
fuse *n* **1** fusível; **to blow a fuse** queimar um fusível **2** (detonação, foguete) rastilho ▪ *v* fundir(-se) ♦ **fuse box** caixa de fusíveis; (pessoa) **to blow a fuse** enfurecer-se
fuselage *n* fuselagem
fusilier *n* mosqueteiro
fusion *n* fusão ♦ **fusion bomb** bomba de hidrogénio
fuss *n* **1** agitação; confusão **2** espalhafato; estardalhaço ▪ *v* **1** *col* chatear; irritar; **stop fussing me!** não me chateies! **2** (com ninharias) preocupar-se (about/over, com)
fussy *adj* **1** (forma de ser) picuinhas **2** (gostos) esquisito
fusty *adj* **1** (atmosfera) bolorento; bafiento **2** (pessoa) antiquado
futile *adj* vão, inútil
futility *n* [*pl* -ies] inutilidade
future *adj,n* futuro ♦ **for future reference** a título de informação
futuristic *adj* futurista
futurology *n* futurologia
fuzz *n* **1** (corpo) pelo[AO] **2** cabelo frisado **3** *col,pej* bófia, polícia
fuzzy *adj* **1** penugento **2** (cabelo) crespo **3** (imagem) tremido; desfocado **4** (ideias, situação) impreciso, vago

G

g *n* [*pl* g's] **1** (letra) g **2** MÚS [com maiúscula] sol; **G clef** clave de sol
gab *v col* tagarelar ◆ **the gift of the gab** o dom da palavra
gabardine *n* gabardina
gabble *v* algaraviar ▪ *n* algaraviada
Gabon *n* Gabão
Gabonese *adj,n* gabonês
gad *v col* vaguear
gadget *n* engenhoca; dispositivo
Gaelic *n,adj* gaélico
gaff *n* arpão ◆ GB **to blow the gaff** deixar escapar um segredo
gaffe *n* gafe
gaffer *n* **1** (filme, programa) eletricista[AO] **2** GB *col* chefe
gag *v* **1** amordaçar **2** engasgar-se (on, com) ▪ *n* **1** mordaça **2** *col* piada
gaga *adj col* gagá; **to go gaga** ficar gagá
gaggle *n* bando; **a gaggle of geese** um bando de gansos
gaily *adv* alegremente
gain *n* **1** aumento; **weight gain** aumento de peso **2** ganho, lucro ▪ *v* **1** ganhar; **to gain ground** ganhar terreno **2** adquirir; **to gain experience** adquirir experiência **3** conquistar; alcançar
gainful *adj* **1** lucrativo **2** remunerado
gait *n* passo
gal *n col* rapariga
gala *n* gala
galactic *adj* galáctico
galaxy *n* [*pl* -ies] galáxia
gale *n* vendaval; tempestade
gall *n col* descaramento
gallant *adj* **1** corajoso **2** galanteador
gallantry *n* [*pl* -ies] **1** coragem **2** cortesia
galleon *n* (navio) galeão
gallery *n* [*pl* -es] galeria
galley *n* **1** galé **2** (navio) cozinha
gallicism *n* galicismo
gallium *n* gálio
gallon *n* (medida de capacidade) galão
gallop *n* galope; **at a gallop** a galope ▪ *v* galopar
galloping *adj* galopante
gallows *n* forca
gallstone *n* cálculo biliar
galore *adj,adv* em abundância
galosh *n* [*pl* -es] galocha
galvanize *v* **1** galvanizar **2** incentivar (into, a)
Gambia *n* Gâmbia
Gambian *adj,n* gambiano
gambit *n* **1** (xadrez) gambito **2** estratagema
gamble *n* **1** jogada; aposta **2** risco; **to take a gamble** correr um risco ▪ *v* **1** jogar a dinheiro **2** contar (on, com) **3** brincar (with, com)
gambler *n* jogador a dinheiro
gambling *n* jogo a dinheiro
gambol *v* saltitar
game *n* **1** jogo; **card game** jogo de cartas **2** brincadeira; divertimento **3** (atividade) caça **4** intenções; **what's his game?** que é que ele pretende? ▪ *v* jogar a dinheiro
gamekeeper *n* couteiro
gamete *n* gâmeta
gaming *n* jogo; **gaming debt** dívida de jogo
gamma *n* (letra) gama
gammon *n* GB presunto
gamut *n* gama (of, de)
gander *n* ganso
gang *n* **1** gang, gangue **2** malta; **the whole gang** a malta toda
◇ **gang up on** *v* conspirar contra
ganglion *n* [*pl* ganglia] gânglio
gangplank *n* (navio) prancha de embarque
gangrene *n* gangrena ▪ *v* gangrenar
gangster *n* gângster; bandido
gangway *n* **1** (navio) passadiço **2** (autocarro, teatro, etc.) corredor central
gaol *n,v* GB ⇒ **jail**
gap *n* **1** vazio; abertura **2** espaço em branco **3** lacuna; **to fill a gap** preencher uma lacuna **4** (tempo) intervalo ◆ **age gap** diferença de idades

gape *v* olhar boquiaberto (at, para) ▪ *n* **1** olhar pasmado **2** bocejo
gaping *adj* **1** (boca) aberto **2** (pessoa) boquiaberto
garage *n* **1** garagem **2** (reparações) oficina ▪ *v* meter/guardar na garagem
garbage *n* **1** EUA lixo; EUA **garbage can** caixote do lixo; EUA **garbage truck** camião do lixo **2** *col* ninharias **3** *col* disparates
garble *v* confundir; distorcer
garden *n* **1** jardim **2** *pl* jardim público, parque ▪ *v* jardinar ♦ **garden party** receção[AO] ao ar livre
gardener *n* jardineiro
gardenia *n* gardénia
gardening *n* jardinagem
gargle *v* gargarejar (with, com) ▪ *n* gargarejo
gargoyle *n* gárgula
garish *adj* **1** vistoso; aparatoso **2** (luz) brilhante
garland *n* grinalda
garlic *n* alho; **bulb/clove of garlic** cabeça/dente de alho
garment *n form* peça de roupa
garner *v* **1** armazenar **2** (informação) recolher
garnet *n* (mineral) granada ▪ *adj,n* (cor) grená
garnish *n* **1** (comida) guarnição **2** adorno ▪ *v* **1** (comida) guarnecer (with, com) **2** adornar (with, com)
garret *n* águas-furtadas
garrison *n* guarnição militar ▪ *v* guarnecer com soldados
garrotte *n* (execução) garrote ▪ *v* (execução) garrotar
garter *n* liga
gas *n* [*pl* -es] **1** gás **2** EUA gasolina **3** *col* tagarelice ▪ *v* **1** asfixiar com gás **2** *col* tagarelar ♦ **gas pipeline** gasoduto; EUA **gas station** bomba de gasolina
◇ **gas up** *v* EUA (depósito) atestar
gaseous *adj* gasoso
gash *n* [*pl* -es] golpe profundo ▪ *v* golpear; cortar
gasoline *n* EUA gasolina
gasometer *n* gasómetro
gasp *v* respirar a custo; arfar ▪ *n* respiração difícil ♦ **to be at one's last gasp** estar a dar as últimas
gassy *adj* **1** GB gasoso **2** EUA flatulento
gastric *adj* gástrico
gastritis *n* gastrite
gastronome *n* gastrónomo
gastronomic *adj* gastronómico
gastronomy *n* gastronomia
gate *n* **1** portão; porta; entrada **2** barreira; vedação **3** (espectadores) afluência ♦ **to give someone the gate** pôr alguém na rua
gatecrasher *n col* (festa) intruso
gateway *n* **1** entrada; porta **2** caminho (to, para, de)
gather *v* **1** juntar(-se); reunir(-se) **2** (frutos, flores) colher **3** (costura) franzir **4** deduzir (from, de)
gathering *n* **1** reunião **2** colheita; recolha **3** (costura) franzido
gauche *adj* desastrado
gaudy *adj pej* berrante; piroso
gauge *n* **1** (instrumento) medidor **2** medida; escala **3** (arma) calibre **4** (via-férrea) distância entre os trilhos **5** indicador (of, de) ▪ *v* **1** avaliar **2** calcular
gaunt *adj* **1** muito magro **2** (lugar) desolado
gauntlet *n* **1** HIST manopla **2** luva ♦ **to throw down the gauntlet** lançar um desafio
gauze *n* gaze
gavel *n* (juiz, leiloeiro) martelo
gawky *adj* desajeitado
gawp *v* GB *col* olhar atónito (at, para)
gay *adj,n* homossexual
gaze *v* olhar fixamente (at, upon, para) ▪ *n* olhar fixo
gazelle *n* gazela
gazette *n* **1** jornal oficial **2** (publicação) gazeta
gazetteer *n* dicionário geográfico
GB [*abrev. de* Great Britain] GB [*abrev. de* Grã-Bretanha]
gear *n* **1** engrenagem **2** (automóvel, bicicleta) velocidade, mudança **3** equipamento; material ♦ GB **gear lever/stick** alavanca de mudanças; **out of gear** desorganizado
gearbox *n* (automóvel) caixa de velocidades
gearwheel *n* roda dentada
gee *interj* EUA *col* (surpresa, aborrecimento) caramba!
geek *n col* totó; palerminha
gel *n* (cabelo, duche) gel
gelatine *n* gelatina
gelatinous *adj* gelatinoso
geld *v* castrar
gem *n* **1** gema, pedra preciosa **2** (pessoa, coisa) joia[AO]

Gemini *n* [*pl* -s] (constelação, signo) Gémeos
gemstone *n* pedra preciosa
gender *n* **1** género; **feminine/masculine gender** género feminino/masculino **2** sexo
gene *n* gene
genealogical *adj* genealógico
genealogy *n* [*pl* -ies] genealogia
general *n* MIL general ■ *adj* **1** geral **2** comum; público
generalization *n* generalização
generalize *v* generalizar (about, sobre)
generally *adv* geralmente, em geral ♦ **generally speaking** duma maneira geral
general-purpose *adj* multiusos
generate *v* gerar
generation *n* **1** geração **2** (energia) produção ♦ **generation gap** conflito de gerações
generator *n* **1** (dispositivo) gerador **2** produtor
generic *adj* genérico; (medicamento) **generic drug** genérico
generosity *n* [*pl* -ies] generosidade
generous *adj* **1** generoso **2** abundante
genetic *adj* genético
genetically *adv* geneticamente ♦ **genetically modified food** alimentos transgénicos
genetics *n* genética
genie *n* [*pl* -ies] (espírito) génio
genital *adj* genital
genitive *adj,n* genitivo
genius *n* [*pl* -es] **1** génio **2** talento (for, para)
genocide *n* genocídio
genome *n* genoma
genre *n* (artes) género, estilo
gent *n col* cavalheiro; senhor ♦ **the gents** quarto de banho dos homens
genteel *adj* distinto; refinado
gentile *adj,n* gentio
gentility *n form* gentileza
gentle *adj* **1** suave **2** (pessoa) bondoso; afável **3** (família) nobre
gentleman *n* [*pl* -men] cavalheiro; **gentleman's agreement** acordo de cavalheiros
gently *adv* suavemente
gentry *n* pequena nobreza
genuflect *v form* ajoelhar(-se)
genuflection *n form* genuflexão
genuine *adj* genuíno
genus *n* [*pl* genera] (taxonomia) género
geographer *n* geógrafo
geographical *adj* geográfico
geography *n* [*pl* -ies] geografia
geological *adj* geológico
geologist *n* geólogo
geology *n* [*pl* -ies] geologia
geometric *adj* geométrico
geometry *n* [*pl* -ies] geometria
geophysical *adj* geofísico
geophysicist *n* geofísico
geophysics *n* geofísica
geopolitical *adj* geopolítico
geopolitics *n* geopolítica
Georgia *n* Geórgia
Georgian *adj,n* georgiano
geothermal *adj* geotérmico
geranium *n* (flor) gerânio
geriatric *adj* geriátrico
geriatrician *n* geriatra
geriatrics *n* geriatria
germ *n* **1** germe, micróbio **2** embrião
German *adj,n* alemão ♦ **German measles** rubéola
Germanic *adj* germânico
Germany *n* Alemanha
germicide *n* germicida
germinate *v* germinar
germination *n* germinação
gerund *n* gerúndio
gestate *v* gerar
gestation *n* gestação
gesticulate *v* gesticular
gesticulation *n* gesticulação
gesture *n* gesto, aceno; **as a gesture of** em sinal de ■ *v* gesticular; fazer sinal
get *v* **1** obter (from, de) **2** comprar **3** (telefone, porta) atender **4** (doença) contrair **5** (emprego) conseguir; arranjar **6** (transporte) apanhar **7** entender **8** levar; trazer **9** receber ♦ **to get even** vingar-se; **to get rid of** livrar-se de
◇ **get across** *v* **1** (rua, ponte) atravessar **2** comunicar; transmitir
◇ **get along** *v* **1** dar-se bem **2** sair; ir embora
◇ **get around** *v* **1** deslocar-se **2** vir a público **3** contornar; evitar **4** convencer
◇ **get around to** *v* ter tempo para; decidir--se a
◇ **get at** *v* **1** criticar **2** chegar a **3** descobrir
◇ **get away** *v* **1** ir embora **2** escapar
◇ **get away with** *v* (impunidade) safar-se com
◇ **get back** *v* **1** recuperar **2** regressar

◇ **get back at** *v* vingar-se de
◇ **get back to** *v* **1** (pessoa) voltar a ligar **2** (coisa) voltar a
◇ **get behind** *v* atrasar-se
◇ **get by** *v* sobreviver (with, com)
◇ **get down** *v* **1** engolir **2** anotar **3** deprimir
◇ **get down to** *v* concentrar-se em
◇ **get in** *v* **1** entrar em **2** chegar **3** ser eleito
◇ **get into** *v* **1** entrar em **2** passar-se com **3** meter-se em
◇ **get off** *v* **1** sair **2** deixar **3** enviar **4** (roupa) tirar **5** (castigo, punição) livrar(-se) de **6** (comboio) descer de **7** *col* largar; **get off me!** larga-me!
◇ **get on** *v* **1** (roupa) colocar **2** entrar para; subir para **3** relacionar-se
◇ **get out** *v* **1** tirar **2** (sítio, veículo) sair
◇ **get out of** *v* **1** livrar-se de **2** arrancar; tirar de **3** desabituar-se de
◇ **get over** *v* **1** (doença) recuperar de **2** (crise) superar; ultrapassar **3** (ideia) fazer passar
◇ **get over with** *v* **1** acabar; terminar **2** libertar-se de
◇ **get round** *v* **1** contornar; evitar **2** convencer
◇ **get round to** *v* ter tempo para
◇ **get through** *v* **1** atravessar; ultrapassar **2** (exame) passar em **3** conseguir chegar (to, a) **4** (telefone) contactar (to, com) **5** fazer-se entender
◇ **get together** *v* **1** encontrar-se **2** juntar-se
◇ **get up** *v* levantar(-se)
getaway *n col* fuga
get-together *n* reunião
getup *n col* vestimenta
geyser *n* **1** gêiser **2** esquentador de água
Ghana *n* Gana
Ghanaian *adj,n* ganês
ghastly *adj* **1** pálido; cadavérico **2** horrível
ghetto *n* [*pl* -s] gueto
ghost *n* fantasma
ghostly *adj* fantasmagórico
ghoul *n* pessoa mórbida
giant *n* gigante ▪ *adj* gigantesco
gibber *v* falar atabalhoadamente
gibberish *n* algaraviada
gibbet *n* forca
gibe *n* chacota; zombaria ▪ *v* zombar
giblets *npl* miúdos de aves
giddy *adj* **1** com tonturas **2** estouvado
gift *n* **1** prenda **2** brinde **3** doação **4** dom (for, para)
gifted *adj* talentoso; dotado
gift-wrapped *adj* embrulhado (para oferecer)
gig *n* **1** concerto, atuação[AO] **2** (veículo) cabriolé
gigabyte *n* gigabyte
gigantic *adj* gigantesco
gigawatt *n* gigawatt
giggle *n* risadinha ▪ *v* dar risadinhas
gigolo *n* gigolô
gild *v* dourar
gill *n* **1** (peixe) guelra **2** GB 142 ml; EUA 118 ml
gilt *adj,n* dourado
gimmick *n* estratagema
gin *n* (bebida) gim
ginger *n* **1** gengibre **2** (cabelos) cor ruiva **3** *fig* vivacidade ▪ *adj* **1** de gengibre **2** ruivo
ginger ale *n* (bebida) ginger ale
gingerbread *n* biscoito ou bolo de gengibre
gingerly *adv* cautelosamente
gingivitis *n* gengivite
gipsy *n* [*pl* -ies] ⇒ **gypsy**
giraffe *n* girafa
gird *v* **1** cingir (with, com) **2** rodear (with, com) ♦ **to gird oneself for** preparar-se para
girder *n* viga, trave
girdle *n* **1** (vestuário) cinta **2** cinturão, faixa **3** *fig* cintura; **girdle of walls** cintura de muralhas ▪ *v* cercar, rodear
girl *n* **1** menina; rapariga **2** filha
girlfriend *n* **1** namorada **2** EUA amiga
girlhood *n* (rapariga) adolescência
girlish *adj* **1** ameninado **2** feminino
girth *n* **1** (objeto) contorno **2** (pessoa) corpulência **3** (sela) cilha
gist *n* essencial; ideia geral
give *v* **1** dar, oferecer **2** (mensagem, cumprimentos) enviar **3** (medicamento) dar; administrar **4** pagar; dar *col* **5** (doença) transmitir **6** (afeto, atenção, tempo) dedicar **7** (festa, evento) organizar **8** (vida) sacrificar **9** (palavra) empenhar **10** doar (to, a) **11** (estrutura, tecido) dar de si
◇ **give away** *v* **1** dar; oferecer **2** (qualidade, sentimento) denunciar **3** (identidade, segredo) revelar **4** (prémio, presente) entregar **5** conduzir ao altar
◇ **give back** *v* devolver
◇ **give in** *v* **1** ceder; render-se **2** (teste, trabalho) entregar

◇ **give off** *v* **1** (calor, luz) emitir **2** (cheiro) exalar
◇ **give on/onto** *v* dar para; abrir para
◇ **give out** *v* **1** (objetos, alimentos) distribuir **2** (som, calor) emitir **3** (informação) anunciar **4** (força, paciência, recurso) chegar ao fim **5** (órgão, mecanismo) deixar de funcionar
◇ **give over** *v col* parar
◇ **give over to** *v* consagrar a; dedicar a
◇ **give up** *v* **1** desistir **2** abandonar; deixar de **3** oferecer; dedicar
◇ **give up on** *v* desistir de

giveaway *n* **1** revelação involuntária **2** brinde ▪ *adj* (preço baixo) simbólico
given *adj* **1** dado **2** determinado **3** propenso (to, a) ♦ **given name** nome de batismo[AO]; **given that** dado que
giver *n* dador, doador
gizmo *n* maquineta; geringonça
gizzard *n* **1** (aves) moela **2** (crustáceos, insetos) canal alimentar
glacé *adj* **glacé fruit** fruta cristalizada; (bolos) **glacé icing** cobertura de glacé
glaciation *n* glaciação
glacier *n* glaciar
glad *adj* alegre, contente ♦ **glad to meet you!** prazer em conhecer!
gladden *v* alegrar
glade *n* clareira
gladiator *n* HIST gladiador
gladiolus *n* [*pl* gladioli] gladíolo
gladly *adv* **1** alegremente **2** com prazer **3** de boa vontade
glamor *n* EUA ⇒ **glamour**
glamorous *adj* glamoroso
glamour *n* glamour; charme
glance *n* **1** vista de olhos (at, a) **2** vislumbre (of, de) ▪ *v* dar uma vista de olhos (at, a) ♦ **at a glance** de relance
gland *n* glândula
glandular *adj* glandular
glare *n* **1** luz ofuscante **2** olhar furioso ▪ *v* **1** lançar um olhar furioso (at, a) **2** ter uma luz ofuscante
glaring *adj* **1** (luz) brilhante **2** (cor) berrante **3** (olhar) feroz; furioso **4** (erro, falta) evidente
glass *n* [*pl* -es] **1** vidro **2** cristal **3** copo **4** *pl* óculos ▪ *v* envidraçar ♦ **clear as glass** claro como água
glassware *n* objetos[AO] de vidro
glassworks *n* vidraria
glassy *adj* **1** (aparência) vítreo **2** (olhar) vidrado **3** (água) transparente
glaucoma *n* glaucoma
glaze *n* **1** (louça) vidrado **2** lustro; brilho **3** CUL cobertura ▪ *v* **1** (louça) vidrar **2** (janela, porta) envidraçar **3** CUL cobrir com glacé
glazed *adj* **1** (louça, olhar) vidrado **2** (janela, porta) envidraçado **3** (papel) acetinado **4** CUL coberto de glacé
glazier *n* vidraceiro
gleam *n* **1** brilho **2** clarão **3** raio (of, de) **4** *fig* vislumbre ▪ *v* reluzir
glean *v* (informações) recolher
glee *n* alegria, gozo
glib *adj* **1** *pej* (pessoa) com muita lábia **2** *pej* (resposta, observação) simplista
glide *n* **1** deslize **2** voo planado **3** semivogal ▪ *v* **1** deslizar **2** planar
glider *n* planador
glimmer *n* **1** luz fraca **2** reflexo **3** vislumbre ▪ *v* **1** reluzir **2** cintilar
glimpse *n* vislumbre; relance; **to catch a glimpse of** ver de relance ▪ *v* ver de relance
glint *n* **1** (olhar) brilho **2** (metal) cintilação **3** *pl* (cabelo) reflexos ▪ *v* luzir
glisten *n* brilho; cintilação ▪ *v* brilhar
glitch *n* (computador, equipamento) falha, problema técnico ▪ *v* (computador, equipamento) avariar
glitter *n* brilho ▪ *v* brilhar; reluzir
glittering *adj* brilhante; reluzente
gloat *v* regozijar-se (over, com)
global *adj* **1** global **2** à escala mundial
globalization *n* globalização
globe *n* **1** globo **2** esfera
globule *n* glóbulo
gloom *n* **1** tristeza, melancolia **2** pessimismo **3** obscuridade
gloomy *adj* **1** escuro; sombrio **2** triste **3** deprimido
glorify *v* **1** glorificar **2** *col* engrandecer (with, com)
glorious *adj* **1** glorioso **2** esplêndido
glory *n* [*pl* -ies] **1** glória **2** beleza; esplendor **3** fama
gloss *n* [*pl* -es] **1** lustro, brilho **2** anotação; comentário **3** (cosmética) batom de brilho **4** *fig* verniz *fig* ▪ *v* **1** comentar **2** polir
glossary *n* [*pl* -ies] glossário

glossy *adj* **1** brilhante, polido **2** (capa, impressão) brilhante; **glossy magazine** revista cara
glottis *n* glote
glove *n* luva; (automóvel) **glove compartment** porta-luvas; **to fit like a glove** assentar como uma luva
glow *n* **1** brilho **2** (metal, etc.) incandescência **3** (face) rubor **4** *fig* sensação de bem-estar ▪ *v* **1** brilhar **2** (metal, etc.) estar incandescente **3** *fig* resplandecer (with, de, com)
glower *n* olhar ameaçador ▪ *v* olhar ameaçadoramente (at, para)
glowing *adj* **1** (fogo) ardente **2** (lenha, carvão) incandescente **3** (cores) vivo **4** (face) afogueado **5** (relato) entusiasmado
glow-worm *n* pirilampo
glucose *n* glicose
glue *n* **1** cola; **instant glue** cola-tudo **2** grude ▪ *v* colar
gluey *adj* pegajoso
glum *adj* abatido; desanimado
glumly *adv* **1** sem ânimo **2** melancolicamente
glut *n* **1** excesso (of, de) **2** empanturramento ▪ *v* empanturrar; **to glut oneself on** empanturrar-se de
gluten *n* glúten
glutton *n* glutão
gluttonous *adj* glutão; guloso
gluttony *n* **1** gula, gulodice **2** voracidade
glycerine *n* glicerina
GMT [*abrev. de* Greenwich Mean Time] TMG [*abrev. de* Tempo Médio de Greenwich]
gnash *v* (dentes) ranger
gnat *n* mosquito
gnaw *v* **1** roer, corroer **2** *fig* atormentar
gnawing *adj* **1** roedor **2** devorador **3** (dúvida, remorso) constante
gnome *n* gnomo
go *v* **1** ir; ir embora; partir **2** desaparecer **3** ficar; **he went crazy** ficou doido **4** (máquina) funcionar **5** correr; **how are things going?** tudo a correr bem? **6** (tempo) passar **7** (distância) percorrer **8** caber (in/into, em) ▪ *n* [*pl* -es] (jogo) vez; **it's your go** é a tua vez ◆ **to go too far** ir longe de mais; **to go to sleep** adormecer; **to have a go at it** fazer uma tentativa
◇ **go about** *v* **1** começar; dedicar-se a **2** andar a fazer **3** (boato) correr
◇ **go after** *v* andar atrás de
◇ **go against** *v* opor-se a
◇ **go ahead** *v* **1** (projeto) avançar (with, com) **2** ir à frente (of, de)
◇ **go along** *v* **1** continuar **2** progredir
◇ **go along with** *v* concordar com
◇ **go around/round** *v* **1** andar por aí **2** (boato) correr
◇ **go at** *v* atirar-se a; atacar
◇ **go away** *v* **1** ir embora **2** ir para fora **3** (cheiro, dor, sensação) passar
◇ **go back** *v* **1** voltar; voltar atrás **2** remontar (to, a)
◇ **go back on** *v* voltar atrás com
◇ **go by** *v* **1** (regras, princípios) guiar-se por **2** (tempo) passar
◇ **go down** *v* **1** (preço, qualidade, temperatura) descer **2** (sol) pôr-se **3** (embarcação) afundar **4** (computador) ir abaixo **5** (jogo) perder **6** passar de geração em geração **7** EUA *col* acontecer
◇ **go down with** *v col* (doença) apanhar
◇ **go for** *v* **1** atacar **2** apontar para; ter em vista **3** optar por **4** aplicar-se a
◇ **go in** *v* entrar
◇ **go in for** *v* **1** (competição) participar em **2** (exame, teste) fazer **3** interessar-se por
◇ **go into** *v* **1** entrar em **2** seguir; **he wants to go into teaching** quer seguir o ensino **3** (colisão) bater contra
◇ **go off** *v* **1** (pessoa) ir embora **2** (bomba) explodir **3** (alarme) soar **4** (luz) apagar-se **5** deixar de funcionar **6** (comida) estragar-se **7** (dor) passar
◇ **go on** *v* **1** (eletricidade, luz) ligar-se **2** (situação) continuar **3** acontecer; passar-se **4** ir à frente **5** queixar-se (about, de)
◇ **go out** *v* **1** ir sair **2** namorar (with, com) **3** apagar-se **4** (televisão, rádio) dar **5** passar de moda
◇ **go over** *v* **1** (texto, trabalho) rever **2** (facto, recordação) revisitar **3** (automóvel) revistar; (casa, lugar) inspecionar[AO]
◇ **go over to** *v* mudar para; passar para
◇ **go through** *v* **1** (experiência) passar por **2** (trabalho, procedimento) rever **3** (objeto, lugar) revistar **4** (dinheiro) gastar **5** (lei, regulamento) ser aprovado
◇ **go through with** *v* realizar; levar a cabo
◇ **go under** *v* **1** (embarcação) afundar **2** *col* (empresa, negócio) falir

◇ **go up** *v* **1** (preço, temperatura) subir; aumentar **2** aproximar-se (to, de)
◇ **go with** *v* **1** acompanhar **2** combinar com **3** estar incluído em
goad *n* **1** aguilhão **2** *fig* estímulo ▪ *v* **1** aguilhoar **2** incitar (into, on, a)
go-ahead *adj col* dinâmico ▪ *n col* ordem para avançar
goal *n* **1** objetivo[AO], meta **2** DESP baliza **3** DESP golo
goalie *n col* guarda-redes
goalkeeper *n* guarda-redes
goalpost *n* poste da baliza
goat *n* cabra ♦ **to act/to play the goat** fazer figura de parvo
goatee *n* pera[AO], barbicha
gob *n* **1** pedaço, bocado **2** GB *cal* boca; **shut your gob!** cala a boca!
gobble *v* **1** devorar **2** (peru) fazer gluglu
go-between *n* intermediário
goblet *n* cálice
goblin *n* duende
gobsmacked *adj* atónito; estupefacto
God *n* Deus ♦ **for God's sake!** por amor de Deus!; **thank God!** graças a Deus!
god-awful *adj col* terrível; horrível
godchild *n* afilhado
goddaughter *n* afilhada
goddess *n* deusa
godfather *n* padrinho
godforsaken *adj* (lugar) abandonado
godlike *adj* divino
godly *adj* divino
godmother *n* madrinha
godparents *npl* padrinhos
godson *n* afilhado
go-getter *n col* lutador
goggle *v* **1** (olhos) arregalar **2** olhar atónito (at, para) ▪ *n pl* (esqui, natação) óculos de proteção[AO]
going *n* **1** ida, partida **2** andamento **3** velocidade ▪ *adj* **1** atual[AO]; em vigor **2** próspero
go-kart *n* DESP kart
gold *n* **1** ouro **2** *fig* riqueza, dinheiro ▪ *adj* **1** de ouro **2** dourado ♦ **all that glitters is not gold** nem tudo o que luz é ouro
golden *adj* dourado ♦ (favorito) **golden boy** menino bonito; **golden goose** galinha dos ovos de ouro
goldfinch *n* [*pl* -es] pintassilgo
goldsmith *n* ourives
golf *n* golfe ♦ **golf club** taco de golfe; clube de golfe; **golf course** campo de golfe
golfer *n* jogador de golfe
gondola *n* gôndola
gondolier *n* gondoleiro
gone *adj* **1** desaparecido **2** morto **3** (tempo) depois de; **it's gone 9 o'clock** já passa das nove ♦ **to be gone on** estar louco por
gong *n* **1** gongo **2** *col* medalha; prémio
gonorrhoea *n* gonorreia
good *adj* **1** bom **2** de boa qualidade **3** amável (to/about, em, com) **4** benéfico (for, para) **5** (condições) vantajoso **6** hábil (at, em, a) **7** (importância) considerável **8** adequado (for, para) ▪ *n* bem ♦ **for good** para sempre; **good afternoon!** boa tarde!; **that is as good as done** isso está praticamente feito; **to be good for** servir para
goodbye *interj* adeus!, até logo! ▪ *n* despedida, adeus
good-for-nothing *adj,n* inútil
good-humoured *adj* **1** bem-disposto **2** alegre
good-looking *adj* bonito; atraente
good-natured *adj* bondoso
goodness *n* bondade ♦ **for goodness sake!** por amor de Deus!; **my goodness!** meu Deus!
goodnight *interj* boa noite!
good-tempered *adj* **1** bem-disposto **2** afável
goodwill *n* boa vontade ♦ **to be in a person's goodwill** estar nas boas graças de alguém
goody *n* [*pl* -ies] **1** (personagem) o bom (da fita, da história) **2** *pl* guloseimas ▪ *interj infant* viva!; eia!
goose *n* [*pl* geese] ganso; gansa ♦ **goose pimples** pele de galinha
gooseberry *n* [*pl* -ies] groselha
gooseflesh *n* pele de galinha
gorge *n* desfiladeiro ▪ *v* **1** engolir, devorar **2** empanturrar-se (on, de)
gorgeous *adj* **1** deslumbrante **2** esplêndido
gorilla *n* gorila
gorse *n* urze
gory *adj* horrível, sórdido ♦ **in gory detail** com todos os pormenores
gosh *interj col* caramba!

gospel *n* **1** normas; princípios **2** MÚS gospel **3** REL [com maiúscula] Evangelho
gossamer *n* **1** fio muito delgado **2** teia de aranha **3** tecido muito fino
gossip *n* **1** bisbilhotice **2** coscuvilheiro ▪ *v* coscuvilhar, bisbilhotar
gossipy *adj col* bisbilhoteiro
Gothic *adj* gótico ▪ *n* estilo gótico
gouge *v* **1** (buraco, canal) escavar **2** EUA enganar (alguém)
gourd *n* cabaça, abóbora
gourmet *n* gastrónomo ▪ *adj* gastronómico
gout *n* MED gota
govern *v* **1** governar **2** (região) administrar **3** (empresa) gerir **4** (lei, regra) determinar
governess *n* governanta
governing *adj* governativo, dirigente ♦ **governing body** conselho diretivo[AO]; conselho de administração
government *n* **1** governo; **government department** ministério **2** administração
governmental *adj* governamental
governor *n* **1** governador; diretor[AO] **2** (instituição) membro do conselho diretivo[AO] **3** GB *col* patrão; chefe
gown *n* **1** vestido; **evening gown** vestido de noite **2** (juiz) toga **3** (médico) bata
GPS [*abrev. de* Global Positioning System] GPS (Sistema de Navegação por Satélite)
grab *v* **1** agarrar; apanhar **2** *col* (ideia, sugestão) interessar
grace *n* **1** graça; charme **2** gentileza **3** REL graça divina **4** prazo **5** oração antes das refeições ▪ *v* honrar (with/by, com) ♦ **to fall from grace** cair em desgraça
graceful *adj* **1** gracioso **2** gentil
gracious *adj* **1** amável **2** elegante
gradation *n* gradação
grade *n* **1** categoria; **first grade player** jogador de primeira categoria **2** EUA (escola) nota **3** EUA (escola) ano **4** EUA nível **5** MIL posto ▪ *v* **1** classificar **2** nivelar ♦ EUA **grade school** escola primária
gradual *adj* gradual
graduate *n* **1** (universidade) licenciado **2** EUA (ensino secundário) diplomado ▪ *v* **1** (universidade) licenciar-se (from, em) **2** EUA (ensino secundário) diplomar-se
graduation *n* **1** (universidade) licenciatura **2** EUA (ensino secundário) formatura **3** graduação
graffiti *n* grafíti
graft *n* **1** (órgão, planta) enxerto **2** EUA corrupção **3** GB *col* trabalho ▪ *v* **1** (órgão, planta) enxertar (onto, em) **2** GB *col* trabalhar arduamente
grain *n* **1** grão (of, de) **2** cereal **3** (madeira) veio
grainy *adj* granuloso
gram *n* (peso) grama
grammar *n* gramática ♦ GB **grammar school** escola secundária
grammarian *n* gramático
grammatical *adj* **1** gramatical **2** correto[AO]
gramophone *n* gramofone
granary *n* [*pl* -es] **1** celeiro **2** GB trigo
grand *adj* **1** magnífico; fantástico **2** grande **3** ilustre ▪ *n* GB *col* mil libras; EUA *col* mil dólares ♦ **grand piano** piano de cauda
grandad *n col* avozinho
grandchild *n* [*pl* -children] neto
granddaughter *n* neta
grandeur *n* **1** grandiosidade; esplendor **2** (pessoa) nobreza; distinção
grandfather *n* avô ♦ **grandfather clock** relógio de parede
grandiose *adj* grandioso
grandma *n col* avó
grandmother *n* avó
grandpa *n col* avô
grandson *n* neto
grandstand *n* tribuna
granite *n* granito
granny *n col* avozinha
grant *v* **1** (desejo) conceder **2** garantir; admitir ▪ *n* **1** concessão **2** bolsa de estudos ♦ **to take somebody for granted** não dar o devido valor a alguém
granular *adj* granular
granule *n* grânulo
grape *n* uva; **grape harvest** vindima
grapefruit *n* toranja
grapeshot *n* MIL metralha
grapevine *n* videira ♦ **to hear it on the grapevine** ouvir dizer
graph *n* gráfico, diagrama ♦ **graph paper** papel milimétrico
graphic *adj* **1** gráfico **2** (descrição) pormenorizado
graphics *n* grafismo ▪ *npl* INFORM gráficos
graphite *n* grafite
graphologist *n* grafólogo
graphology *n* grafologia

grapple *v* **1** lutar (with, com) **2** (problema) lidar (with, com)
grasp *n* **1** força de pulso **2** *fig* controlo; domínio **3** *fig* alcance **4** *fig* compreensão; conhecimentos ▪ *v* **1** agarrar, apanhar **2** compreender
grass *n* [*pl* -es] **1** relva **2** pasto, erva **3** GB *cal* bufo **4** *cal* erva, marijuana ▪ *v* relvar
grasshopper *n* gafanhoto
grassland *n* pradaria
grassy *adj* coberto de erva
grate *n* (lareira) grelha, grade ▪ *v* **1** CUL ralar **2** ranger (on, em)
grateful *adj* grato (for, por; to, a)
gratefulness *n* gratidão
grater *n* ralador, raspador
gratification *n* **1** gratificação, prémio **2** prazer, satisfação
gratify *v* **1** satisfazer **2** ser gratificante para **3** gratificar, premiar
gratifying *adj* gratificante
grating *n* grade; grelha ▪ *adj* (som, voz) agudo; irritante
gratitude *n* gratidão (to, a; for, por)
gratuitous *adj* gratuito
gratuity *n* (dinheiro) gratificação
grave *n* sepultura, túmulo ▪ *adj* **1** grave, sério **2** (pessoa) sério **3** LING (acento) grave ♦ **to dig one's own grave** cavar a própria sepultura; **to have one foot in the grave** estar com os pés para a cova
gravedigger *n* coveiro
gravel *n* gravilha; cascalho ▪ *v* (cascalho) pavimentar
gravestone *n* lápide
graveyard *n* **1** cemitério **2** sucata
gravitate *v* **1** gravitar **2** deslocar-se **3** ser atraído
gravitational *adj* gravitacional
gravity *n* **1** FÍS gravidade **2** (situação) gravidade; seriedade **3** (pessoa) ponderação
gravy *n* [*pl* -ies] CUL molho de carne
gray *adj,n* EUA ⇒ **grey**
graze *n* arranhadela ▪ *v* **1** (animal) pastar **2** (pele) arranhar
grease *n* **1** gordura **2** óleo; massa lubrificante ▪ *v* **1** CUL untar **2** lubrificar
greasy *adj* **1** gorduroso, oleoso **2** escorregadio **3** *pej* falso
great *adj* **1** grande; **it gives me great pleasure to** tenho o grande prazer de **2** excelente; ótimo[AO]; **that's great!** isso é ótimo[AO]! **3** (pessoa) ilustre; importante **4** vasto, imenso ▪ *adv col* muito bem
Great Britain *n* Grã-Bretanha
greatcoat *n* sobretudo
great-granddaughter *n* bisneta
great-grandfather *n* bisavô
great-grandmother *n* bisavó
great-grandparents *n* bisavós
great-grandson *n* bisneto
great-great-grandfather *n* trisavô
great-great-grandmother *n* trisavó
great-great-grandson *n* trineto
greatly *adv* muito; imenso
greatness *n* grandeza; grandiosidade
Greece *n* Grécia
greed *n* **1** (poder, riqueza); ganância **2** (comida) gula
greediness *n* **1** (poder, riqueza); ganância **2** (comida) gula
greedy *adj* **1** (poder, riqueza) ganancioso **2** glutão
Greek *adj,n* grego ♦ **that's all Greek to me** isso para mim é chinês
green *adj* **1** verde **2** que não está maduro; **the apples are green** as maçãs estão verdes **3** (produto) amigo do ambiente **4** *fig* inexperiente ▪ *n* **1** (cor) verde **2** relva, relvado **3** *pl* verduras; legumes
greenery *n* [*pl* -ies] verdura, folhagem
greenfinch *n* [*pl* -es] (ave) verdelhão
greengage *n* (ameixa) rainha-cláudia
greengrocer *n* vendedor de fruta e hortaliça ♦ (estabelecimento) **greengrocer's** pomar; frutaria
greenhouse *n* estufa ♦ **greenhouse effect** efeito de estufa
Greenland *n* Gronelândia
Greenlander *n* gronelandês
greenness *n* **1** verdura, frescura **2** inexperiência
greet *v* **1** cumprimentar **2** acolher; receber
greeting *n* saudação, cumprimento ♦ **birthday greetings** parabéns; **greetings card** cartão de felicitações
Gregorian *adj* gregoriano
grenade *n* granada
grenadier *n* MIL granadeiro

grey *adj* **1** (cor) cinzento **2** (cabelo) grisalho **3** *fig* triste; sombrio ▪ *n* **1** (cor) cinzento **2** (cabelo) brancas
greyhound *n* (cão) galgo
greyish *adj* GB acinzentado
grid *n* grelha
griddle *n* CUL placa para grelhar
gridiron *n* **1** grelha; grade **2** EUA campo de futebol americano
grief *n* dor; pesar
grievance *n* **1** ofensa **2** queixa **3** ressentimento
grieve *v* **1** afligir; entristecer **2** sofrer (for, por)
grievous *adj* **1** grave **2** penoso; doloroso
grill *n* **1** grelhador **2** grelha **3** (refeição) grelhado **4** (restaurante) churrascaria ▪ *v* **1** grelhar **2** tostar; **he's grilling in the sun** ele está a tostar ao sol **3** *col* torturar com perguntas
grille *n* grade; gradeado
grim *adj* **1** sinistro **2** severo; carrancudo **3** cruel; brutal **4** depressivo
grimace *n* **1** careta **2** (dor) esgar ▪ *v* fazer caretas
grime *n* sujidade
grimy *adj* sujo, imundo
grin *v* sorrir ▪ *n* sorriso largo
grind *v* **1** (cereais, especiarias) triturar, moer **2** EUA (carne) picar **3** (dentes) ranger **4** (faca) afiar **5** *col* estudar com afinco ▪ *n* **1** *col* seca **2** *col* rotina **3** EUA *col* (pessoa) estudioso
◇ **grind down** *v* oprimir
grinder *n* **1** moinho, mó **2** (facas) amolador **3** (dente) molar
grindstone *n* pedra de amolar
grip *n* **1** aperto **2** aderência; **the tyres lost their grip** os pneus perderam a aderência **3** pega; punho; cabo **4** EUA maleta **5** *fig* controlo ▪ *v* **1** agarrar **2** (atenção) interessar **3** (pneus) aderir
gripe *v col* queixar-se (at/about, de) ▪ *n* **1** queixa **2** *pl* cólicas
grisly *adj* terrível, sinistro
grist *n* grão; **to be all grist to the mill** valer tudo (para atingir determinado fim)
gristle *n* cartilagem
grit *n* **1** areia; gravilha **2** *col* coragem; determinação
gritty *adj* **1** arenoso **2** corajoso; determinado
groan *v* **1** gemer (with, de/com) **2** (porta, soalho) ranger ▪ *n* **1** gemido **2** protesto ♦ **moaning and groaning** sempre a queixar-se
grocer *n* merceeiro ♦ (estabelecimento) **grocer's** mercearia
grocery *n* [*pl* -ies] **1** EUA mercearia **2** *pl* artigos de mercearia
groggy *adj col* tonto
groin *n* virilha
groom *n* **1** noivo **2** moço de estrebaria ▪ *v* **1** (cavalo) escovar; tratar **2** (pessoa) preparar (for, para); **to groom oneself** arranjar-se **3** (animal) limpar
groove *n* **1** ranhura; encaixe **2** *col* rotina ▪ *v* EUA *col* curtir
groovy *adj* fabuloso, fantástico
grope *n* apalpadela ▪ *v* **1** andar às apalpadelas **2** *cal* (pessoa) apalpar
gross *adj* **1** grosseiro; ordinário **2** EUA *col*; nojento **3** (erro) crasso; flagrante **4** gordo **5** (peso, valor) total, bruto; **gross income** rendimento bruto ▪ *v* (rendimento bruto) ganhar ♦ **in the gross** ao todo
grossly *adv* **1** grosseiramente **2** extremamente
grotesque *adj,n* grotesco
grotto *n* [*pl* -s] gruta
grotty *adj* **1** *col* asqueroso **2** *col* horrível **3** *col* maldisposto
grouch *n* **1** *col* rabugento **2** *col* queixume **3** *col* má disposição ▪ *v col* resmungar
grouchy *adj* rabugento
ground *n* **1** chão **2** solo, terra **3** campo; **football ground** campo de futebol **4** (pintura, quadro) fundo **5** (conhecimentos) área **6** *pl* motivos; pretextos **7** *pl* jardins, parque ▪ *v* **1** (avião) impedir de levantar voo **2** (barco) encalhar **3** basear (in/on, em) **4** EUA *col* proibir de sair **5** EUA (eletricidade) ligar à terra ▪ *adj* terrestre ♦ **ground floor** rés do chão; **ground rule** regra básica; **to be on dangerous ground** estar a pisar areias movediças
grounding *n* **1** (conhecimentos) bases (in, de) **2** (barco) encalhamento
groundless *adj* infundado
groundnut *n* amendoim
groundsheet *n* tela impermeável
groundsman *n* [*pl* -men] encarregado de recinto desportivo
groundwork *n* trabalho de base

group *n* **1** grupo, agrupamento **2** MÚS banda ▪ *v* agrupar(-se)
grouping *n* agrupamento, série
grouse *n* **1** galo silvestre **2** *col* resmunguice ▪ *v col* resmungar
grout *n* estuque; argamassa ▪ *v* estucar
grove *n* **1** arvoredo; alameda **2** (frutos) pomar
grovel *v* **1** humilhar-se (to/before, perante) **2** arrastar-se; prostrar-se **3** rebolar-se (in, em)
grow *v* **1** crescer **2** (quantidade, sentimento) aumentar **3** (cabelo, unhas) deixar crescer **4** (flor, planta) cultivar **5** (negócio) desenvolver-se **6** tornar-se; ficar; **it's growing late** está a ficar tarde
◇ **grow apart** *v* afastar-se
◇ **grow into** *v* **1** tornar-se **2** adaptar-se a
◇ **grow up** *v* **1** crescer **2** desenvolver-se ◆ **grow up!** não sejas infantil!
grower *n* (cultivo) produtor
growing *adj* **1** crescente **2** de/em crescimento; **growing pains** dores de crescimento
growl *v* **1** rosnar (at, a) **2** resmungar ▪ *n* **1** rosnadela **2** resmungadela
grown *adj* crescido; adulto
grown-up *adj,n col* adulto
growth *n* **1** (pessoas, plantas) crescimento **2** aumento (in, de) **3** tumor
grub *n* **1** larva; verme **2** *col* paparoca ▪ *v* **1** cavar **2** vasculhar
grudge *n* **1** ressentimento (against, em relação a) **2** inveja ▪ *v* **1** fazer contrariado **2** invejar
gruelling *adj* **1** (experiência) duro; penoso **2** (corrida, viagem) fatigante
gruesome *adj* horrível; macabro
gruff *adj* **1** (voz) grave **2** (comportamento) rude
grumble *n* **1** rosnadela **2** queixa ▪ *v* **1** resmungar (at/about, contra) **2** roncar; **my belly is grumbling** a minha barriga está a roncar
grumpiness *n* má disposição; mau humor
grumpy *adj col* rabugento; resmungão
grunge *n* **1** EUA *cal* lixo, porcaria **2** (música, moda) grunge
grunt *n* **1** grunhido **2** queixume ▪ *v* **1** (animal) grunhir **2** resmungar **3** *fig* roncar
guarantee *n* **1** garantia; **to be under guarantee** estar dentro da garantia **2** caução, fiança ▪ *v* garantir; assegurar
guard *n* **1** guarda; **to be on guard** estar de guarda **2** GB (comboio) guarda de estação **3** (máquina) dispositivo de segurança ▪ *v* **1** guardar **2** proteger (against, from, de) **3** ter cuidado com ◆ **to catch somebody off his guard** apanhar alguém desprevenido; **to drop one's guard** baixar a guarda
guarded *adj* **1** protegido **2** sob vigilância **3** (pessoa) cauteloso
guardian *n* **1** guardião **2** DIR tutor ◆ **guardian angel** anjo da guarda
Guatemala *n* Guatemala
Guatemalan *adj,n* guatemalteco
guava *n* **1** (fruto) goiaba **2** (árvore) goiabeira
guerrilla *n* guerrilheiro
guess *n* [*pl* -es] **1** suposição; conjetura[AO] **2** tentativa ▪ *v* **1** adivinhar **2** *col* supor ◆ **at a rough guess** aproximadamente; **guess what!** sabes uma coisa?; **I guess not/so!** parece que não/sim!
guesswork *n* suposição, conjetura[AO]
guest *n* **1** convidado; visita **2** hóspede ▪ *v col* aparecer como convidado (on, em) ◆ **be my guest!** faça favor!
guesthouse *n* pensão
guestroom *n* quarto de hóspedes
guffaw *n col* gargalhada ▪ *v* rir à gargalhada
Guianese *adj,n* guianês
guidance *n* **1** orientação (on/about, sobre) **2** direção[AO] ◆ **for your guidance** a título de informação
guide *n* **1** guia; (livro) **guide to France** guia de França; (pessoa) **tour guide** guia turístico **2** (documento) guia; modelo ▪ *v* orientar (to, até) ◆ (invisuais) **guide dog** cão-guia
guidebook *n* guia, roteiro
guided *adj* **1** orientado; dirigido **2** (excursão) com guia ◆ **guided tour** visita guiada
guideline *n* diretriz[AO]
guiding *adj* orientador; diretivo[AO]
guild *n* corporação, associação
guile *n* **1** astúcia **2** artimanha
guileless *adj* ingénuo
guillotine *n* guilhotina ▪ *v* (pessoa, papel) guilhotinar
guilt *n* **1** culpa **2** remorso (about/at, em relação a)
guilty *adj* culpado (of, de; about, por) ◆ **to plead guilty/not guilty** declarar-se culpado/inocente

guinea *n* (antiga moeda) guinéu
Guinea-Bissau *n* Guiné-Bissau
Guinean *adj,n* guineense
guinea pig *n* **1** porquinho-da-índia **2** (experiência) cobaia
guitar *n* guitarra
guitarist *n* guitarrista
gulf *n* **1** golfo; **Persian Gulf** Golfo Pérsico **2** *fig* fosso (between, entre)
gull *n* gaivota
gullet *n* **1** esófago **2** garganta
gullible *adj* crédulo, ingénuo
gully *n* [*pl* -ies] barranco
gulp *n* **1** gole **2** gole em seco ▪ *v* **1** engolir **2** engolir em seco
gum *n* **1** gengiva **2** goma **3** cola **4** borracha **5** (guloseima) goma **6** pastilha elástica ▪ *v* colar
gumboil *n* (gengiva) abcesso
gumption *n col* bom senso
gun *n* **1** arma de fogo; pistola; **gun licence** licença de porte de arma **2** EUA *col* assassino **3** (lubrificação) pistola ◆ **to stick to one's guns** teimar
gunfight *n* tiroteio; luta armada
gunfighter *n* atirador; guerrilheiro
gunfire *n* tiroteio
gunge *n col* porcaria; imundície
gunman *n* [*pl* -men] **1** bandido **2** atirador
gunner *n* MIL artilheiro
gunpowder *n* pólvora
gunrunner *n* traficante de armas
gunrunning *n* tráfico de armas
gunshot *n* tiro, disparo
gurgle *v* **1** (água) borbulhar **2** gorgolejar ▪ *n* gorgolejo
guru *n* guru
gush *n* [*pl* -es] **1** jorro (of, de) **2** (emoções) efusão ▪ *v* **1** brotar, jorrar **2** (emoções) manifestar-se efusivamente
gushing *adj* efusivo; exuberante
gusset *n* entretela
gust *n* **1** rajada (of, de) **2** (fúria) ataque ▪ *v* (vento) soprar em rajadas
gusto *n* gosto; satisfação
gusty *adj* **1** forte; tempestuoso **2** ventoso
gut *n* **1** intestino, tripa *col* **2** *col* pança **3** *pl* entranhas **4** *pl col* coragem ▪ *adj col* instintivo; **gut reaction** reação[AO] instintiva ▪ *v* **1** (animal) estripar **2** (fogo) destruir ◆ **I hate his guts** não posso com ele
gutless *adj* fraco; cobarde
gutsy *adj col* corajoso; com garra
gutter *n* **1** valeta, sarjeta **2** caleira ◆ *pej* **gutter press** imprensa sensacionalista
guy *n* **1** *col* tipo, indivíduo **2** *pl col* pessoal; **come on, guys** vá lá, pessoal
Guyanese *adj,n* guianês
guzzle *v* **1** *col* (comida) devorar **2** *col* (bebida) emborcar
gym *n* **1** *col* ginásio **2** *col* ginástica
gymkhana *n* gincana
gymnasium *n* [*pl* -s] ginásio
gymnast *n* ginasta
gymnastics *n* ginástica
gynaecologist *n* ginecologista
gynaecology *n* ginecologia
gypsy *adj,n* [*pl* -ies] cigano
gyrate *v* girar
gyration *n* giro; rotação
gyratory *adj* giratório

H

h *n* [*pl* h's] (letra) h
haberdashery *n* loja de miudezas
habit *n* **1** hábito; **by/out of/from habit** por hábito **2** (droga) dependência **3** REL hábito
habitable *adj* habitável
habitat *n* habitat
habit-forming *adj* que cria dependência
habitual *adj* **1** habitual; usual **2** (mau hábito) inveterado
hack *n* **1** golpe; pancada **2** pirataria informática **3** EUA *col* táxi **4** tosse seca **5** *pej* jornalista medíocre ▪ *v* **1** cortar, abrir **2** *col* suportar **3** (computador, ficheiro) entrar ilegalmente em
hacker *n* (Internet) pirata informático, hacker
hacking *adj* (tosse) seco
hackneyed *adj pej* banal; batido; **hackneyed expression** cliché
haematology *n* GB hematologia
haemoglobin *n* GB hemoglobina
haemophilia *n* GB hemofilia
haemophiliac *n,adj* GB hemofílico
haemorrhage *n* GB hemorragia ▪ *v* GB ter uma hemorragia
haemorrhoids *npl* GB hemorroidas[AO]
hag *n pej* bruxa, velha feia
haggard *adj* macilento; abatido
haggle *v* regatear
hail *n* **1** granizo, saraiva **2** *fig* chuva; **a hail of bullets** uma chuva de balas ▪ *v* **1** saudar, aclamar **2** chamar; **I hailed a taxi** chamei um táxi **3** granizar, saraivar ♦ REL **Hail Mary** Ave-Maria
hailstone *n* pedra de granizo
hailstorm *n* saraivada
hair *n* **1** cabelo; **to have one's hair cut** ir cortar o cabelo **2** (corpo) pelos[AO]; **hair remover** depilatório **3** (animal) pelo[AO] ♦ **keep your hair on** mantém a calma; **to hang by a hair** estar por um fio
hairband *n* bandolete
hairbrush *n* [*pl* -es] escova de cabelo
haircut *n* corte de cabelo; **to have a haircut** cortar o cabelo
hairdo *n* [*pl* -s] *col* penteado
hairdresser *n* (profissional) cabeleireiro ♦ (estabelecimento) **hairdresser's** cabeleireiro
hairdressing *n* (atividade profissional) cabeleireiro
hairdryer *n* secador de cabelo
hairgrip *n* gancho do cabelo
hairline *n* **1** raiz dos cabelos **2** linha fina
hairnet *n* rede para o cabelo
hairpiece *n* (cabelo) postiço; peruca
hairpin *n* gancho de cabelo ♦ **hairpin bend** curva fechada
hair-raising *adj* medonho; assustador
hairstyle *n* penteado; corte de cabelo
hairstylist *n* cabeleireiro
hairy *adj* **1** cabeludo, peludo **2** *col* assustador
Haiti *n* Haiti
Haitian *adj,n* haitiano
hake *n* (peixe) abrótea
half *n* [*pl* halves] **1** metade; **a day and a half** um dia e meio **2** (jogo) parte **3** (ano escolar) semestre ▪ *adj* meio; **half a dozen** meia dúzia ▪ *adv* **1** meio; **half done** meio feito **2** metade; **he earns half as much as me** ele ganha metade do que eu ganho ♦ **better half** cara-metade; **half and half** metade de cada; (hotel) **half board** meia-pensão; **to go halves on** pagar a meias
halfback *n* (futebol) médio
half-baked *adj* **1** CUL meio cru **2** *col* mal concebido
half-brother *n* meio-irmão
half-hearted *adj* pouco entusiasmado; indiferente
half-mast *n* (posição) meia haste; **at half-mast** a meia haste
halfpenny *n* [*pl* -pence, -pennies] GB meio cêntimo
half-sister *n* meia-irmã
half-time *n* **1** (jogo) intervalo **2** (trabalho) meio tempo
half-truth *n* meia-verdade

halfway *adv* a meio caminho; a meio ▪ *adj* intermédio ♦ **to meet (somebody) halfway** chegar a um acordo
half-wit *n* pateta; idiota
halitosis *n* mau hálito
hall *n* **1** entrada; vestíbulo **2** EUA corredor **3** (concertos, espetáculos) sala **4** (universidade) refeitório ♦ **hall of residence** residência universitária
hallelujah *interj,n* aleluia
hallmark *n* **1** (ouro, prata, platina) contraste **2** marca de qualidade **3** imagem de marca; traço distintivo ▪ *v* (ouro, prata, platina) gravar o contraste em
hallo *interj* GB olá!
hallow *v* **1** santificar; consagrar **2** reverenciar
hallowed *adj* santo; sagrado
Halloween *n* véspera do dia de Todos os Santos

> No **Halloween**, celebrado a 31 de outubro[AO], as crianças fazem decorações com abóboras vazias e cortadas em forma de rosto, com uma vela dentro e vão de porta em porta, disfarçadas de bruxas e fantasmas, pedindo doces ou dinheiro.

hallucinate *v* alucinar
hallucination *n* alucinação
hallucinogen *n* alucinogénio
hallway *n* EUA entrada
halo *n* [*pl* -s, -es] auréola; halo
halogen *n* halogéneo
halt *n* **1** paragem, pausa **2** (comboios) apeadeiro ▪ *v* **1** parar; **halt!** alto!, pare! **2** (processo) suspender
halterneck *n* vestido ou blusa feminina sem costas
halve *v* **1** dividir a meio; partir a meio **2** (despesas, tempo) reduzir a metade
ham *n* **1** presunto **2** radioamador **3** *pej* (ator) canastrão
hamburger *n* hambúrguer
ham-fisted *adj* desajeitado
hamlet *n* aldeia, terriola
hammer *n* **1** martelo **2** (piano) martelo **3** (arma) cão ▪ *v* **1** martelar; pregar **2** *col* esmagar, derrotar **3** bater insistentemente (at, a) **4** *col* atacar fortemente
◇ **hammer in** *v* enfiar à martelada
◇ **hammer out** *v* **1** trabalhar com o martelo **2** (acordo) chegar a; negociar
hammock *n* cama de rede
hamper *v* dificultar ▪ *n* cesto, cabaz
hamster *n* hamster
hamstring *n* tendão do jarrete ▪ *v* limitar; neutralizar
hand *n* **1** mão; **hand in hand** de mãos dadas; **in the hands of the rebels** nas mãos dos rebeldes **2** (relógio) ponteiro **3** (cartas) jogo, mão **4** (cartas) partida **5** (medida) palmo **6** ajuda; **I need a hand** preciso de uma ajuda **7** (influência) dedo *fig*; **I think she had a hand in this** eu acho que isto tem o dedo dela **8** aplauso ▪ *v* passar; **will you hand me the salad?** passas-me a salada? ♦ **on my right/left hand** à minha direita/esquerda; **on one's hands and knees** de gatas; **on the one hand... on the other hand** por um lado... por outro lado
◇ **hand around/round** *v* **1** oferecer **2** fazer circular
◇ **hand back** *v* devolver
◇ **hand down** *v* transmitir
◇ **hand in** *v* entregar; apresentar
◇ **hand out** *v* **1** distribuir **2** (conselho) dar **3** (castigo) aplicar
◇ **hand over** *v* **1** entregar **2** transmitir
handbag *n* mala de senhora; carteira
handball *n* andebol
handbook *n* **1** manual **2** guia
handbrake *n* (automóvel) travão de mão
handcuff *v* algemar
handcuffs *npl* algemas
handful *n* **1** mão-cheia (of, de); punhado (of, de) **2** *fig* meia dúzia (of, de) ♦ (pessoas, coisas) **to be a handful** não dar um minuto de descanso
handicap *n* **1** MED deficiência **2** impedimento, obstáculo **3** (corrida) desvantagem ▪ *v* **1** prejudicar **2** impedir, embaraçar
handicapped *adj* **1** MED deficiente **2** desfavorecido ▪ *npl* **the handicapped** as pessoas com deficiência(s)
handicraft *n* **1** artesanato **2** peça de artesanato **3** (escola) trabalhos manuais
handiwork *n* **1** trabalho manual **2** obra
handkerchief *n* [*pl* -s, -chieves] lenço de mão

handle *n* **1** manivela **2** maçaneta **3** (cesto, balde) asa **4** (vassoura, faca, espada) cabo ▪ *v* **1** tocar em; mexer em **2** manusear; **handle with care** manusear com cuidado **3** lidar com; resolver **4** tratar de **5** vender; negociar em
handlebar *n* (bicicleta, mota) guiador
handler *n* **1** treinador; tratador **2** transportador
handmade *adj* feito à mão
handout *n* **1** folheto **2** (aula, conferência) material de apoio **3** (imprensa) comunicado **4** esmola
handover *n* (poder, responsabilidade, etc.) transferência
handpicked *adj* (fruta, legumes) apanhado à mão
handsaw *n* serrote
handset *n* (telefone) auscultador
handshake *n* aperto de mão
handsome *adj* **1** (pessoa) atraente **2** (objeto, edifício) bonito **3** generoso; chorudo **4** esplêndido
hands-on *adj* (experiência, ensino) prático
handstand *n* DESP pino
hand-to-hand *adj,adv* corpo a corpo
handwriting *n* caligrafia
handwritten *adj* manuscrito
handy *adj* **1** *col* hábil (with, com) **2** prático; útil **3** à mão, perto ◆ **to come in handy** dar jeito
handyman *n* habilidoso; faz-tudo
hang *v* **1** pendurar **2** estar pendurado **3** colocar **4** enforcar **5** ser enforcado **6** depender (on, de) ◆ **to hang by a thread** estar por um fio; **to get the hang of** ajeitar-se a
◇ **hang back** *v* **1** ficar para trás **2** hesitar
◇ **hang in** *v col* aguentar-se; **hang in there!** força!
◇ **hang on** *v* **1** agarrar-se **2** esperar **3** aguentar; sobreviver
◇ **hang onto** *v* **1** agarrar; segurar **2** não esquecer
◇ **hang out** *v* **1** andar por **2** estender; pendurar
◇ **hang together** *v* **1** manter-se unido **2** ser coerente
◇ **hang up** *v* (telefone) desligar
hangar *n* hangar
hangdog *adj* (expressão) envergonhado
hanger *n* cabide
hanger-on *n* [*pl* hangers-on] parasita *fig*
hang-glide *v* praticar asa-delta
hang-glider *n* (aparelho) asa-delta
hang-gliding *n* (atividade) asa-delta
hanging *n* **1** enforcamento **2** tapeçaria (de parede) ▪ *adj* **1** punível com enforcamento **2** suspenso; pendente
hangman *n* [*pl* -men] **1** carrasco **2** (jogo) forca
hangout *n col* poiso; lugar predileto[AO]
hangover *n* **1** ressaca **2** vestígio (from, de)
hang-up *n* **1** *col* complexo **2** *col* problema
hank *n* meada
hanker *v* ansiar (for, after, -)
haphazard *adj* desorganizado
happen *v* acontecer; ocorrer ◆ **as it happens** ao que parece; **whatever happens** haja o que houver
happening *n* acontecimento; evento
happily *adv* felizmente ◆ **and they lived happily ever after** e viveram felizes para sempre
happiness *n* felicidade
happy *adj* **1** feliz **2** satisfeito; contente; **to be happy to** ter prazer/gosto em
hara-kiri *n* haraquíri
harass *v* **1** assediar **2** importunar
harassment *n* **1** assédio; perseguição **2** tensão; pressão
harbour *n* **1** NÁUT porto **2** refúgio ▪ *v* **1** abrigar **2** esconder **3** acalentar; nutrir
hard *adj* **1** sólido; duro **2** difícil **3** severo (on, com) **4** prejudicial (on, a) **5** (tempo) desagradável ▪ *adv* **1** duramente **2** bruscamente ◆ INFORM **hard disk** disco rígido; **hard drugs** drogas duras; **hard luck!** pouca sorte!
hardback *n* livro de capa dura
hard-boiled *adj* **1** (alimento, ovo) cozido **2** (pessoa) duro; insensível
hardcover *n* livro de capa dura
harden *v* **1** (material, expressão, atitude) endurecer **2** (metal) temperar **3** (preço, valor) estabilizar
hardened *adj* **1** (metal) temperado **2** inveterado
hardly *adv* **1** dificilmente **2** mal **3** quase nunca; **I hardly see him** quase nunca o vejo **4** com dureza; **he was hardly treated** trataram-no com dureza ◆ **hardly anyone** quase ninguém
hardness *n* **1** dureza **2** severidade **3** dificuldade
hardship *n* dificuldade; provação
hardware *n* **1** INFORM hardware **2** ferragens; ferramentas

hardwired *adj* INFORM ligado por cabo
hard-working *adj* trabalhador; aplicado
hardy *adj* **1** robusto, forte **2** (planta) resistente **3** corajoso; intrépido
hare *n* lebre
harebrained *adj* (ideia) disparatado, insensato
harem *n* harém
haricot *n* feijão
harlequin *n* arlequim
harm *n* mal; prejuízo; dano; **no harm done** não houve qualquer problema ▪ *v* **1** magoar **2** prejudicar
harmful *adj* prejudicial, nocivo
harmless *adj* inofensivo
harmonic *adj* harmónico
harmonica *n* MÚS harmónica
harmonious *adj* harmonioso
harmonium *n* MÚS harmónio
harmonize *v* harmonizar(-se)
harmony *n* [*pl* -ies] harmonia
harness *n* **1** arreio(s) **2** arnês ▪ *v* **1** (cavalo) arrear, aparelhar **2** (energia, recursos) explorar
harp *n* harpa ▪ *v* tocar harpa
harpist *n* harpista
harpoon *n* arpão ▪ *v* arpoar
harpsichord *n* MÚS cravo
harpsichordist *n* MÚS cravista
harrow *v* **1** arar; lavrar **2** atormentar ▪ *n* arado; charrua
harrowing *adj* lancinante, dilacerante
harry *v* maltratar; oprimir
harsh *adj* **1** (voz, som) estridente **2** (palavra, castigo) duro **3** (cor) vivo
harshly *adv* **1** de modo desagradável **2** com severidade
harshness *n* **1** (som) estridência **2** (textura) aspereza **3** (palavras, tratamento) severidade **4** (clima) rigor
harvest *n* **1** colheita; apanha; (uvas) vindima **2** ceifa, sega ▪ *v* **1** (colheita) colher **2** ceifar; segar **3** *fig* angariar
harvester *n* **1** ceifeiro **2** (máquina) ceifeira
harvesting *n* colheita
hash *n* [*pl* -es] **1** CUL fricassé de carne e legumes **2** confusão **3** *col* (droga) haxixe ▪ *v* CUL fazer picado de
hashish *n* haxixe
hassle *n* confusão; complicação ▪ *v* **1** *col* chatear **2** discutir
hassock *n* **1** almofada pequena (para ajoelhar na igreja) **2** tufo de relva
haste *n* pressa; precipitação; **make haste!** despachem-se!
hasten *v* **1** apressar; acelerar **2** apressar-se (to, a)
hastily *adv* **1** apressadamente **2** precipitadamente
hasty *adj* **1** apressado; rápido **2** precipitado; irrefletido[AO]
hat *n* chapéu
hatch *n* [*pl* -es] **1** incubação **2** escotilha **3** comporta ▪ *v* **1** sair da casca **2** (galinha) chocar **3** (plano) tramar
hatchery *n* [*pl* -ies] **1** (aves) incubadora **2** (peixes) viveiro
hatchet *n* machado
hatchway *n* NÁUT escotilha
hate *n* ódio ▪ *v* odiar ◆ **I hate to say it** lamento dizê-lo
hateful *adj* detestável
hatpin *n* alfinete de chapéu
hatred *n* ódio (of, a)
hatstand *n* bengaleiro para chapéus
hatter *n* chapeleiro ◆ **hatter's** chapelaria
haughty *adj* altivo; arrogante
haul *n* **1** esticão; puxão **2** (distância) trajeto[AO] **3** (peixe) pescaria **4** (roubo) pilhagem ▪ *v* **1** arrastar; puxar **2** rebocar
haulage *n* transporte; camionagem ◆ **haulage company** transportadora
haunch *n* [*pl* -es] anca; quadril
haunt *v* **1** (fantasma) assombrar **2** (ideia, recordação) perseguir, atormentar ▪ *n* **1** lugar preferido **2** esconderijo
haunted *adj* **1** assombrado; encantado **2** (expressão) perturbado
have *v* **1** [como verbo principal] ter; **he has a new car** ele tem um carro novo **2** comer, beber; **to have dinner** jantar **3** (banho) tomar **4** (visitas, notícias) receber **5** (operação, tratamento) fazer **6** tolerar **7** [como verbo auxiliar] **I've been very busy** tenho estado/andado muito ocupada; **you've seen her, haven't you?** viste-a, não viste? **8** [como verbo modal] ter de, dever; **I had to do that** tive de fazer isso
◇ **have back** *v* receber/aceitar de volta
◇ **have on** *v* **1** trazer vestido **2** deixar ligado **3** instalar
haven *n* **1** porto **2** abrigo; refúgio

haversack *n* mochila
havoc *n* estragos; destruição
Hawaii *n* Havai
Hawaiian *adj,n* havaiano
hawk *n* falcão ▪ *v* vender na rua; apregoar ♦ **hawk nose** nariz aquilino
hawser *n* amarra
hawthorn *n* espinheiro-bravo
hay *n* feno ♦ **to hit the hay** ir para a cama; deitar-se
haystack *n* meda (de feno) ♦ **to look for a needle in a haystack** procurar uma agulha no palheiro
haywire *adj* **1** *col* confuso **2** *col* louco ♦ **to go haywire** ficar maluco
hazard *n* **1** risco, perigo; **at all hazards** custe o que custar **2** azar; **hazard games** jogos de azar ▪ *v* **1** arriscar **2** pôr em perigo
hazardous *adj* perigoso (to/for, para)
haze *n* **1** bruma, neblina **2** (fumo, pó) nuvem **3** imprecisão; incerteza ▪ *v* **1** enevoar **2** toldar
hazel *n* **1** (árvore) aveleira **2** (fruto) avelã ▪ *adj,n* cor de avelã
hazelnut *n* avelã
hazy *adj* **1** nebuloso, enevoado **2** vago **3** (cor) difuso
he *pron pess* **1** (pessoa, animal) ele **2** aquele; quem ▪ *n* (pessoa) rapaz; (animal) macho
head *n* **1** (corpo) cabeça **2** (departamento, organização) responsável **3** (bango, grupo) cabecilha **4** (cama, mesa) cabeceira **5** (escada) cimo **6** (jornal) título **7** (água) jato[AO] **8** (gado) cabeça **9** (cerveja) espuma ▪ *v* **1** (empresa, negócio) gerir **2** DESP cabecear **3** dirigir-se (for, a/para) ♦ **heads or tails** cara ou coroa; **to be head over heels in love** estar perdido de amores; **to be off one's head** estar fora de si; **to keep one's head** manter a cabeça fria
headache *n* dor de cabeça
headed *adj* timbrado
header *n* **1** mergulho de cabeça **2** (futebol) cabeçada **3** (página) cabeçalho
heading *n* título; cabeçalho
headlamp *n* ⇒ **headlight**
headland *n* cabo, promontório
headless *adj* **1** decapitado, sem cabeça **2** *fig* desgovernado
headlight *n* (veículo) farol dianteiro
headline *n* cabeçalho
headlong *adv,adj* **1** de cabeça **2** impensadamente
headmaster *n* diretor[AO] de escola
head-on *adj* (colisão, oposição) frontal ▪ *adv* de frente, frontalmente
headphones *npl* auscultadores
headquarters *npl* **1** sede **2** MIL quartel-general
headrest *n* apoio para a cabeça
headstrong *adj* teimoso; obstinado
headway *n* progresso
headword *n* (dicionário) entrada
heady *adj* (bebida alcoólica) forte
heal *v* **1** curar, sarar **2** cicatrizar
healer *n* curandeiro
healing *n* **1** cura **2** cicatrização ▪ *adj* curativo; cicatrizante
health *n* **1** saúde **2** (brinde) saúde; **your health!** à sua saúde! ♦ **health centre** centro de saúde; **health food** alimentos naturais
healthy *adj* **1** saudável; são **2** (quantidade, valor) substancial **3** (conversa, debate) franco ♦ **healthy as a horse** são como um pero[AO]
heap *n* monte, pilha ▪ *v* amontoar; empilhar
hear *v* **1** ouvir **2** ouvir dizer ♦ **hear, hear!** apoiado!; **I won't hear of it!** nem pensar!
◇ **hear from** *v* ter notícias de
◇ **hear out** *v* ouvir até ao fim
hearer *n* ouvinte
hearing *n* **1** (sentido) audição **2** DIR audiência ♦ **hearing aid** prótese auditiva
hearsay *n* boato, rumor
hearse *n* carro fúnebre
heart *n* **1** coração **2** seio, centro **3** coragem; ânimo **4** *pl* (cartas) copas ♦ **at heart** no íntimo; **by heart** de cor; **cross my heart and hope to die** juro!
heartache *n* desgosto
heartbeat *n* batimento cardíaco
heartbreak *n* desgosto de amor
heartbreaking *adj* de cortar o coração
heartbroken *adj* desgostoso; inconsolável
heartburn *n* azia
hearten *v* animar; encorajar
heartening *adj* encorajador, animador
heartfelt *adj* sincero; fervoroso
hearth *n* lareira
heartless *adj* cruel; desumano
heart-rending *adj* comovente

heart-to-heart *n* conversa franca/íntima ▪ *adj* franco; íntimo
hearty *adj* **1** (gesto, receção) caloroso **2** (pessoa, comportamento) alegre **3** (refeição) abundante
heat *n* **1** calor **2** ardor; veemência **3** (animal) cio **4** DESP eliminatória ▪ *v* aquecer
◇ **heat up** *v* aquecer
heated *adj* **1** aquecido; com aquecimento **2** (comida) requentado **3** (discussão) aceso, acalorado
heater *n* aquecedor; radiador
heath *n* charneca; tojal
heathen *adj,n* pagão
heather *n* urze
heating *n* aquecimento
heatstroke *n* insolação
heatwave *n* vaga de calor
heave *v* **1** (com esforço) puxar, arrastar **2** *col* atirar **3** palpitar, agitar-se **4** (ombros) encolher **5** ter vómitos ▪ *n* **1** puxão **2** náusea; vómito **3** (mar) ondulação
heaven *n* **1** céu **2** *fig* paraíso ♦ **good heavens!** meu Deus!; **thank heavens!** graças a Deus!
heavenly *adj* **1** celeste, celestial **2** *fig* divinal ▪ *adv* divinalmente
heavy *adj* **1** pesado **2** (ambiente, temperatura) opressivo **3** (expressão) triste **4** (chuva, fogo) intenso **5** (tarefa, trabalho) árduo **6** (constituição) sólido
Hebrew *n* hebreu ▪ *adj* hebraico
heck *n* *col* **what the heck are you doing?** que diabo estás a fazer? ▪ *interj col* bolas!
heckle *v* interromper com gritos
hectare *n* (medida) hectare
hectic *adj* frenético
hedge *n* **1** sebe **2** barreira; proteção[AO] ▪ *v* **1** cercar com sebes **2** esconder; encobrir **3** proteger-se (against, de) **4** esquivar-se (on, a)
hedgehog *n* ouriço-cacheiro
hedgerow *n* sebe viva
hedonism *n* hedonismo
hedonist *n* hedonista
heed *n* cuidado; atenção ▪ *v* estar atento a
heedless *adj* desatento; descuidado
heel *n* **1** calcanhar **2** (calçado) salto; tacão
heifer *n* vitela; novilho
height *n* **1** altura; **what height are you?** quanto medes? **2** altitude **3** estatura; **average height** estatura média **4** auge (of, de) **5** intensidade; dimensão
heighten *v* **1** aumentar; intensificar **2** realçar
heinous *adj* atroz; horrendo
heir *n* **1** herdeiro (to, de) **2** sucessor (to, de)
heiress *n* herdeira (to, de)
helicopter *n* helicóptero
heliport *n* heliporto
helium *n* hélio
hell *n* inferno ♦ **a hell of a noise** um barulho dos diabos; **to go through hell on earth** comer o pão que o diabo amassou
hellish *adj* infernal
hello *interj* **1** olá! **2** (telefone) está?, está lá?
helm *n* **1** NÁUT leme **2** governo; direção[AO] ▪ *v* dirigir, governar
helmet *n* **1** capacete **2** HIST,MIL elmo
helmsman *n* [*pl* -men] homem do leme
help *n* **1** auxílio; ajuda **2** empregado doméstico ▪ *v* **1** auxiliar; ajudar **2** ser útil **3** (dor) aliviar **4** evitar ♦ **to help oneself to** servir-se de
◇ **help out** *v* ajudar; dar uma mão a
helper *n* auxiliar; ajudante
helpful *adj* **1** útil **2** prestável
helping *n* (comida) dose ♦ **to give a helping hand** dar uma ajuda
helpless *adj* **1** desamparado; indefeso **2** impotente **3** irremediável; sem remédio
helplessness *n* **1** desamparo **2** impotência
helpline *n* (telefone) linha de apoio
helter-skelter *adj* desordenado; desorganizado ▪ *n* confusão ▪ *adv* precipitadamente; apressadamente
hem *n* bainha ▪ *v* fazer a bainha de
hemisphere *n* hemisfério
hemlock *n* (planta) cicuta
hemoglobin *n* EUA ⇒ **haemoglobin**
hemorrhage *n* EUA ⇒ **haemorrhage**
hemp *n* cânhamo
hen *n* **1** galinha; **hen coop** capoeira **2** (aves) fêmea ♦ **hen party/night** despedida de solteira
hence *adv* **1** *form* por isso; daí **2** *form* daqui a; dentro de
henceforth *adv* de hoje em diante
henchman *n* [*pl* -men] capanga
hepatic *adj* hepático
hepatitis *n* hepatite
heptagon *n* heptágono

her *pron pess* **1** ela, a; **this gift is for her** esta prenda é para ela; **I know her very well** conheço-a muito bem **2** lhe, a ela; **are you going to give her a ring?** vais telefonar-lhe? ▪ *adj poss* dela; seu, sua, seus, suas
herald *n* **1** mensageiro **2** precursor ▪ *v* anunciar
herb *n* CUL,MED erva ♦ **herb shop** ervanário
herbal *adj* de ervas; **herbal tea** tisana
herbalist *n* ervanário ♦ (loja) **herbalist's** ervanário
herbicide *n* herbicida
herbivore *n* herbívoro
herbivorous *adj* herbívoro
herculean *adj* hercúleo
herd *n* **1** rebanho; manada **2** *pej* multidão ▪ *v* **1** (animais) esporear; (pessoas) incitar **2** (animais) andar em manada **3** (pessoas) conduzir
here *adv* aqui; cá ♦ **here and now** imediatamente; **here you are** aqui tem
hereafter *adv* daqui em diante
hereby *adv* (carta, contrato) por este meio; por este modo
hereditary *adj* hereditário
heredity *n* [*pl* -ies] hereditariedade
herein *adv form* (cartas, documentos) aqui
heresy *n* [*pl* -ies] heresia
heretic *n* herege
heretical *adj* herege
herewith *adv* (carta) junto, em anexo
heritage *n* **1** herança **2** património; **world heritage** património mundial
hermaphrodite *adj,n* hermafrodita
hermetic *adj* hermético
hermit *n* eremita
hernia *n* hérnia
hero *n* [*pl* -es] **1** herói **2** (livro, filme) protagonista **3** ídolo
heroic *adj* heroico[AO]
heroin *n* (droga) heroína
heroine *n* **1** (pessoa) heroína **2** (livro, filme) protagonista
heroism *n* heroísmo
heron *n* garça
herpes *n* herpes
herring *n* [*pl* -s, herring] arenque ♦ **red herring 1** arenque fumado **2** pista falsa
hers *pron poss* dela; seu, sua, seus, suas; **is this coat hers?** este casaco é dela?
herself *pron pess refl* **1** se; a si própria; **she stretched herself on the couch** ele estendeu-se no sofá **2** ela própria; **she cooked dinner herself** ela própria fez o jantar
hesitant *adj* hesitante
hesitate *v* hesitar
hesitation *n* hesitação
heterodox *adj* heterodoxo
heterogeneity *n* [*pl* -ies] heterogeneidade
heterogeneous *adj* heterogéneo
heterosexual *adj,n* heterossexual
hew *v* **1** cortar; talhar; picar **2** escavar; **to hew a tunnel** escavar um túnel
hexagon *n* hexágono
hexameter *n* (verso) hexâmetro
hey *interj* **1** ei!, oiça! **2** olá!
hi *interj* **1** *col* olá! **2** *col* ei!
hiatus *n* [*pl* -es] **1** hiato **2** lacuna
hibernate *v* hibernar
hibernation *n* hibernação
hiccup *n* **1** soluço **2** *col* contrariedade ▪ *v* ter soluços
hidden *adj* escondido, oculto
hide *v* esconder(-se) ▪ *n* esconderijo
hide-and-seek *n* (jogo) esoondidas; **to play hide-and-seek** jogar às escondidas
hideaway *n* esconderijo; refúgio
hideous *adj* horrível; hediondo
hideout *n* esconderijo; refúgio
hiding *n* **1** esconderijo **2** *col* sova ♦ **to go into hiding** esconder-se; fugir
hierarchical *adj* hierárquico
hierarchy *n* [*pl* -ies] hierarquia
hieroglyph *n* hieróglifo
hi-fi *n* (aparelhagem) alta-fidelidade ▪ *adj* de alta fidelidade
higgledy-piggledy *adv* em desordem; às avessas ▪ *adj* em pantanas; desarrumado
high *adj* **1** alto **2** elevado; **high taxes** impostos elevados **3** solene **4** forte **5** pleno; **high summer** pleno verão[AO] **6** animado; **we were all in high spirits** estávamos todos animados **7** *cal* (drogas) pedrado *cal* ♦ **High Court** Supremo Tribunal; **high jump** salto em altura; **high school** escola secundária
highbrow *n,adj pej* intelectual
high-class *adj* **1** de classe alta **2** de primeira ordem
high-flying *adj* ambicioso
high-handed *adj* autoritário

high-heeled *adj* de tacão alto
highland *n* **the Highlands** as terras altas da Escócia
Highlander *n* habitante das terras altas da Escócia
highlight *n* **1** ponto alto **2** destaque **3** *pl* madeixas ▪ *v* **1** destacar; realçar **2** (documentos) assinalar com marcador fluorescente **3** (cabelo) fazer madeixas em
highlighter *n* marcador fluorescente
highly *adv* **1** altamente; extremamente **2** muito bem; favoravelmente
high-minded *adj* nobre; altruísta
highness *n* **1** altura; elevação **2** (título) alteza; **Your Highness** Sua Alteza
high-pitched *adj* **1** (som, voz) agudo; estridente **2** (estilo) rebuscado
high-powered *adj* **1** (motor, veículo) muito potente **2** (equipa, tarefa) dinâmico
high-profile *adj* (cargo, pessoa) influente; proeminente
high-ranking *adj* (cargo, função) de categoria elevada
high-rise *adj* (edifício) com muitos andares ▪ *n* arranha-céus
high-sounding *adj pej* (discurso) bombástico
high-speed *adj* de alta velocidade
high-spirited *adj* **1** dinâmico; enérgico **2** (cavalo) fogoso
high-tech *adj* de ponta
highway *n* estrada nacional
hijack *n* (avião) desvio; sequestro ▪ *v* (avião) desviar; sequestrar
hijacker *n* (avião) sequestrador; pirata do ar
hijacking *n* desvio de avião
hike *n* **1** caminhada; marcha **2** (preço, taxa) subida súbita ▪ *v* fazer caminhadas ♦ **take a hike!** vai dar uma volta!
hiker *n* caminhante
hiking *n* realização de caminhadas
hilarious *adj* hilariante
hill *n* colina ♦ **to be over the hill** começar a ficar velho
hillbilly *n* [*pl* -ies] EUA *pej* saloio, parolo
hillside *n* ladeira
hilltop *n* cume; topo
hilly *adj* montanhoso
hilt *n* (espada) punho
him *pron pess* **1** ele, o; **I work for him** eu trabalho para ele; **I know him** conheço-o **2** lhe; **are you going to give him a ring?** vais telefonar-lhe?
himself *pron pess refl* **1** se; a si próprio; **he stretched himself on the couch** ele estendeu-se no sofá **2** ele mesmo, ele próprio; **he did the job himself** ele próprio fez o serviço
hind *n* (animal) cerva ▪ *adj* posterior; traseiro
hinder *v* impedir (from, de) ▪ *adj* posterior; traseiro
hindquarters *npl* (animal) quartos traseiros
hindrance *n* **1** obstáculo; impedimento **2** embaraço; estorvo
hindsight *n* **in hindsight** olhando para trás
Hindu *adj,n* hindu
Hinduism *n* hinduísmo
hinge *n* dobradiça; gonzo ▪ *v* depender (on, de)
hint *n* **1** dica; palpite **2** indireta[AO], insinuação; **to take a hint** perceber uma indireta[AO] ▪ *v* **1** dar a entender (that, que) **2** fazer alusão (at, a)
hinterland *n* interior (do país)
hip *n* anca; **hip joint** articulação da anca
hip-hop *n* hip-hop
hippie *n,adj* hippie
hippopotamus *n* [*pl* -es, -hippotami] hipopótamo
hire *v* **1** (casa, veículo) alugar **2** (pessoa) contratar ▪ *n* aluguer; **for hire** para alugar ♦ **hire purchase** venda a prestações
◇ **hire out** *v* **1** alugar **2** (pessoas) contratar
his *adj,pron poss* dele; seu, sua, seus, suas
Hispanic *adj,n* hispânico
hiss *n* [*pl* -es] **1** assobio; silvo **2** apupo ▪ *v* **1** assobiar **2** apupar
hissing *adj* sibilante
historian *n* historiador
historic *adj* histórico
historical *adj* histórico; **a historical event** um acontecimento histórico
history *n* [*pl* -ies] **1** história; **to make history** entrar para a história **2** MED historial
hit *n* **1** pancada; golpe **2** lance feliz **3** êxito; sucesso **4** boca, piada **5** INFORM (sítio) acesso ▪ *v* **1** bater em **2** acertar em; atingir **3** (sentimentos) afetar[AO] **4** alcançar **5** ir de encontro a **6** colidir; chocar ♦ **let's hit the road!** vamos embora!
◇ **hit back** *v* ripostar
◇ **hit on/upon** *v* descobrir por acaso
◇ **hit out** *v* atacar; agredir

hit-and-run *adj* **1** (acidente) de atropelamento e fuga **2** (ataque, gesto) de surpresa
hitch *n* [*pl* -es] **1** empurrão, sacudidela **2** NÁUT nó, laçada **3** impedimento; dificuldade ▪ *v* **1** prender; atar **2** (boleia) apanhar **3** *col* andar à boleia ♦ *col* **to get hitched** dar o nó
hitchhike *v* andar à boleia
hitchhiker *n* pessoa que pede boleia
hitherto *adv* até agora; até aqui
hitman *n* [*pl* -men] *cal* assassino contratado
HIV [*abrev. de* Human Immunodeficiency Virus] HIV [*abrev. de* vírus da imunodeficiência humana] ♦ **HIV negative** seronegativo; **HIV positive** seropositivo
hive *n* **1** colmeia; cortiço **2** enxame
◇ **hive off** *v* **1** separar **2** *col* pirar-se
hives *npl* urticária
hoard *v* amontoar; acumular ▪ *n* esconderijo (of, de)
hoarding *n* **1** amontoado, acumulação **2** (publicidade) cartaz de estrada
hoarse *adj* rouco; roufenho
hoarseness *n* rouquidão
hoax *v* **1** burlar **2** pregar uma partida a ▪ *n* [*pl* -es] **1** burla **2** partida
hoaxer *n* **1** vigarista **2** brincalhão
hobble *v* **1** mancar; coxear **2** (patas de animais) atar **3** *fig* prejudicar
hobby *n* [*pl* -ies] hobby; passatempo
hobnob *v col* conviver (with, com)
hobo *n* EUA vagabundo
hockey *n* hóquei
hoe *n* enxada, sachola ▪ *v* cavar, sachar
hog *n* **1** porco castrado **2** *fig,pej* grosseirão ▪ *v col* açambarcar
hoist *v* **1** levantar; içar **2** (bandeira) hastear ▪ *n* **1** monta-cargas **2** grua
hold *n* **1** apoio **2** (barco, avião) porão **3** influência; domínio **4** cela, prisão ▪ *v* **1** segurar **2** (conversa) ter **3** abraçar **4** (prisão, cativeiro) manter em **5** (atenção, conversa, nível) manter **6** (espaço) ter capacidade para **7** (oposição, resistência) aguentar(-se) **8** (princípio, regra) ser válido ♦ **to be on hold** estar à espera
◇ **hold against** *v* usar contra
◇ **hold back** *v* **1** conter **2** omitir **3** hesitar
◇ **hold down** *v* **1** (desordem) controlar; reprimir **2** (emprego) manter
◇ **hold forth** *v* dissertar (on/about, sobre)
◇ **hold off** *v* **1** manter à distância **2** (decisão, viagem) adiar **3** (ataque) resistir a **4** não chover
◇ **hold on** *v* **1** agarrar-se (to, a) **2** segurar **3** manter-se fiel **4** aguentar
◇ **hold out** *v* **1** (braço, perna, objeto) estender **2** lutar (for, por) **3** (informação) esconder (on, de) **4** (pessoa, força) resistir (against, a)
◇ **hold over** *v* (decisão, reunião) adiar
◇ **hold to** *v* manter; cumprir
◇ **hold together** *v* **1** segurar **2** manter(-se) juntos **3** ser coerente
◇ **hold up** *v* **1** levantar; erguer **2** sustentar **3** atrasar **4** (à mão armada) assaltar
◇ **hold with** *v* [usado na negativa] concordar com
holder *n* **1** detentor; titular **2** defensor **3** recipiente **4** suporte
holding *n* **1** (empresa) holding **2** (museu) espólio; coleção[AO] **3** posse
hold-up *n* **1** assalto à mão armada **2** (motivo) atraso **3** (trânsito) engarrafamento
hole *n* **1** buraco; cova **2** (rato, lebre, coelho) toca **3** falha; lacuna **4** *col* embaraço ▪ *v* **1** esburacar; furar **2** (golfe) meter no buraco
◇ **hole up** *v* **1** esconder-se **2** (animal) hibernar
holiday *n* **1** feriado **2** férias; **holiday resort** estância turística; **to take a holiday** fazer férias
holiness *n* santidade; **Your Holiness the Pope** Sua Santidade o Papa
Holland *n* Holanda
holler *n* grito; berro ▪ *v* gritar; berrar
hollow *adj* **1** oco; vazio **2** côncavo **3** (expressão, olhar) encovado **4** (riso) forçado ▪ *n* **1** buraco **2** (terreno) desnível ▪ *v* **1** escavar **2** esvaziar
holly *n* [*pl* -ies] azevinho
holocaust *n* holocausto
hologram *n* holograma
holster *n* coldre
holy *adj* santo; sagrado ♦ **holy water** água benta
homage *n* homenagem (to, a)
home *n* **1** casa; lar **2** terra natal **3** (crianças, idosos) lar **4** BOT,ZOOL habitat **5** (basebol) base ▪ *adj* **1** de casa; **home address** morada **2** DESP da casa; **home team** equipa da casa **3** nacional; interno **4** natal; **home country** terra natal ▪ *adv* a casa; para casa ♦ **home sweet**

home lar doce lar; **make yourself at home** fique à vontade
homecoming *n* regresso a casa
home-grown *adj* **1** de produção nacional **2** de cultivo próprio
homeland *n* pátria; terra natal
homeless *adj* sem abrigo ▪ *npl* **the homeless** os sem-abrigo
homely *adj* **1** simples, modesto **2** acolhedor, confortável **3** EUA feio
homemade *adj* caseiro
homeopath *n* homeopata
homeopathy *n* homeopatia
homeowner *n* **1** (casa) proprietário **2** morador; residente
homepage *n* (Internet) página principal, homepage
homesick *adj* nostálgico; **to be homesick** estar com saudades de casa
homesickness *n* saudades de casa; nostalgia
homeward *adj,adv* para casa
homework *n* (escola) trabalho de casa
homicidal *adj* homicida
homicide *n* **1** (crime) homicídio **2** (pessoa) homicida
homily *n* [*pl* -ies] REL homilia
homogeneous *adj* homogéneo
homogenize *v* homogeneizar
homograph *n* palavra homógrafa
homographic *adj* homógrafo
homonym *n* palavra homónima
homonymy *n* homonímia
homophone *n* palavra homófona
homophonous *adj* homófono
homosexual *adj,n* homossexual
homosexuality *n* homossexualidade
Honduran *adj,n* hondurenho
Honduras *n* Honduras
honest *adj* **1** honesto, íntegro **2** sincero, franco
honestly *adv* **1** honestamente **2** francamente
honesty *n* **1** honestidade **2** sinceridade; franqueza
honey *n* **1** mel **2** *col* (forma de tratamento) querido, amor
honeybee *n* abelha
honeycomb *n* favo de mel
honeymoon *n* **1** lua de mel **2** *fig* estado de graça ▪ *v* passar a lua de mel (in, em)
honeysuckle *n* madressilva
honk *n* **1** (ganso) grasnido **2** buzinadela ▪ *v* **1** (ganso) grasnar **2** buzinar
honor *n,v* EUA ⇒ **honour**
honorary *adj* honorário; **honorary chairman** presidente honorário
honorific *adj* honorífico
honour *n* honra ▪ *v* honrar
honourable *adj* honrado ◆ **honourable mention** menção honrosa
hood *n* **1** capuz; touca **2** EUA (automóvel) capô **3** GB capota
hooded *adj* com capuz; coberto
hoodlum *n* vigarista; rufia
hoodwink *v* enganar, ludibriar
hoof *n* [*pl* -s, hooves] **1** casco **2** *cal* pata ▪ *v col* percorrer a pé
hook *n* **1** cabide **2** anzol **3** colchete **4** (boxe) gancho **5** (telefone) descanso; **off the hook** fora do descanso ▪ *v* **1** pescar **2** prender ◆ **to let somebody off the hook** libertar alguém de um compromisso
◇ **hook up** *v* **1** (equipamentos) conectar **2** (peça de roupa) apertar com colchete
hooked *adj* **1** (objeto) curvo **2** (nariz) aquilino **3** *col* viciado (on, em)
hooker *n* EUA *col* prostituta
hookup *n* **1** acoplamento **2** ligação; aliança
hooligan *n* hooligan
hooliganism *n* hooliganismo
hoop *n* arco, aro
hooray *interj,n* hurra!
hoot *n* **1** (coruja, mocho) pio **2** (carro) buzinadela **3** (comboio, sirene) apito, silvo **4** *col* vaia ▪ *v* **1** (coruja, mocho) piar **2** buzinar (at, a) **3** (comboio, sirene) assobiar **4** *col* vaiar
hooter *n* **1** buzina; sirene **2** *col* nariz **3** *pl* EUA *cal* mamas *cal*
hoover *n* aspirador ▪ *v* aspirar
hop *n* **1** salto, pulo **2** baile, bailarico **3** (planta) lúpulo ▪ *v* **1** saltar, pular **2** *col* (comboio, avião, etc.) apanhar
hope *n* esperança ▪ *v* ter esperança; esperar
hopeful *adj* **1** esperançoso; otimista[AO] **2** prometedor
hopefully *adv* **1** com esperança **2** com sorte
hopeless *adj* **1** sem esperança; desesperado **2** *col* (pessoa) nulidade; desastre
hopelessness *n* desespero; desânimo
hopper *n* alimentador, conduto

hopscotch *n* (jogo) macaca
horde *n* **1** (pessoas) multidão **2** bando
horizon *n* horizonte
horizontal *adj* horizontal ♦ DESP **horizontal bar** barra fixa
hormonal *adj* hormonal
hormone *n* hormona
horn *n* **1** chifre, corno **2** (inseto) antena **3** MÚS trombeta; corneta **4** buzina
hornet *n* vespão
horny *adj* **1** córneo **2** caloso
horoscope *n* horóscopo
horrendous *adj* horrendo; medonho
horrible *adj* horrível; terrível
horrid *adj* horrível, horroroso
horrific *adj* horrível
horrify *v* horrorizar; chocar
horror *n* horror, pavor ♦ **horror film** filme de terror
hors-d'œuvre *n* (aperitivo) hors d'oeuvre
horse *n* (animal, aparelho de ginástica) cavalo; **horse riding** equitação ♦ **hold your horses!** aguenta os cavalos!; **never look a gift horse in the mouth** a cavalo dado não se olha o dente
horseback *adj,adv* montado, a cavalo ♦ EUA **horseback riding** equitação
horsebox *n* reboque para transporte de cavalos
horse-drawn *adj* puxado a cavalos
horsehair *n* crina de cavalo
horseman *n* [*pl* -men] cavaleiro
horsemanship *n* equitação
horsepower *n* **1** cavalo-vapor **2** potência (em cavalos)
horseradish *n* rábano picante
horseshoe *n* ferradura
horticultural *adj* hortícola
horticulture *n* horticultura
horticulturist *n* horticultor
hose *n* mangueira ▪ *v* regar
◇ **hose down** *v* lavar com a mangueira
hosiery *n* (artigos) meias
hospice *n* estabelecimento para doentes terminais
hospitable *adj* hospitaleiro
hospital *n* hospital
hospitality *n* [*pl* -ies] hospitalidade
hospitalize *v* hospitalizar
host *n* **1** anfitrião **2** (televisão, rádio) apresentador **3** BIOL (organismo) hospedeiro ▪ *v* **1** receber, ser o anfitrião de **2** (televisão, rádio) apresentar
hostage *n* refém
hostel *n* estalagem, pousada
hostess *n* **1** anfitriã **2** (televisão) apresentadora **3** (avião) hospedeira
hostile *adj* **1** hostil (to, em relação a) **2** agressivo (to, com)
hostility *n* [*pl* -ies] **1** hostilidade **2** agressividade
hot *adj* **1** quente; **to be hot** ter/estar com calor **2** (comida) picante **3** (temperamento) exaltado **4** (tema) controverso **5** (notícias) de última hora **6** (objeto) roubado **7** (pessoa) sexy **8** (disputa) renhido **9** (filme, livro) espetacular[AO], fantástico ♦ **hot dog** cachorro-quente; (problema) **hot potato** batata quente
hotbed *n* **1** viveiro de plantas **2** *fig* antro
hot-blooded *adj* fogoso, apaixonado
hotchpotch *n col* mixórdia; salgalhada
hotel *n* hotel ♦ **hotel industry** indústria hoteleira
hotelier *n* hoteleiro
hotelkeeper *n* EUA hoteleiro
hothead *n* pessoa que se exalta com facilidade
hotheaded *adj* impulsivo; impetuoso
hothouse *n* estufa
hotly *adv* intensamente, acaloradamente
hotpot *n* estufado
hotshot *n col* craque
hot-tempered *adj* colérico
hound *n* cão de caça ▪ *v* perseguir
hour *n* **1** hora; **half an hour** meia hora **2** horário; **visiting hours** horário de visitas ♦ (relógio) **hour hand** ponteiro das horas
hourly *adj* **1** de hora em hora **2** à hora ▪ *adv* de hora em hora
house *n* **1** casa **2** empresa **3** (parlamento) câmara **4** (nobreza) Casa ▪ *v* alojar, acolher ♦ (bebidas, comida) **on the house** por conta da casa

O Parlamento britânico é composto por duas Câmaras: a Câmara dos Comuns (eleita pelo povo) e a Câmara dos Lordes (constituída por membros da nobreza).

housebreaker *n* ladrão (de casas)
housecoat *n* bata
household *n* agregado familiar
householder *n* **1** (casa) proprietário **2** (casa) inquilino
housekeeper *n* (empregada doméstica) governanta
housekeeping *n* governo da casa
houseplant *n* planta de interior
housetrain *v* (animal de estimação) educar; ensinar
housewarming *n* inauguração de uma casa
housewife *n* dona de casa
housework *n* trabalho doméstico
housing *n* habitação; alojamento ◆ **the housing market** o mercado imobiliário
hovel *n* casebre
hover *v* **1** (ave) pairar (over, sobre) **2** (pessoa) hesitar (between, entre)
hovercraft *n* hovercraft
how *adv* **1** como; **how do you do?** como está? **2** quanto; **how many?** quantos? **3** que; **how kind of you!** que simpático! ◆ **how about you?** e tu?; **how's that?** o que é que disseste?

> Em situações formais de apresentação, usa-se a fórmula *How do you do?* para se dirigir à(s) pessoa(s) a quem se está a ser apresentado. Em situações informais, usa-se geralmente a expressão *How are you?*

however *adv* **1** no entanto, todavia, contudo **2** de qualquer modo, seja como for **3** por muito; **however intelligent she may be...** por muito inteligente que ela seja... **4** como; **however did you find us?** como é que nos encontraste? ▪ *conj* como; **you can go however you like** podes ir como bem entenderes
howl *n* **1** uivo **2** gemido ▪ *v* **1** uivar **2** gemer
howler *n col* bacorada
HP [*abrev. de* horse-power] cv [*abrev. de* cavalo-vapor]
HTML INFORM (Internet) [*abrev. de* Hypertext Mark-up Language] HTML
HTTP [*abrev. de* Hypertext Transfer Protocol] HTTP
hub *n* **1** cubo da roda; eixo **2** *fig* centro (of, de)
hubbub *n* algazarra; tumulto
hubby *n* [*pl* -ies] *col* marido
hubcap *n* (carro) tampão (do pneu)
huddle *n* **1** grupo pequeno **2** monte, pilha ▪ *v* **1** encolher-se **2** juntar(-se), amontoar(-se)
huff *n* fúria; **to be in a huff** estar furioso ▪ *v* enfurecer(-se)
huffy *adj* **1** irritado **2** irritável
hug *n* abraço ▪ *v* abraçar
huge *adj* **1** (edifício, objeto, valor) enorme **2** (êxito) estrondoso
hulk *n* **1** (navio) carcaça **2** *fig* (pessoa) brutamontes
hull *n* **1** (navio) casco **2** (cereais) vagem; casca ▪ *v* (cereais) descascar
hullabaloo *n col* barulho, algazarra
hullo *interj* GB *col* olá!
hum *n* **1** (abelhas) zumbido **2** (vozes) sussurro ▪ *v* **1** (abelhas) zumbir **2** (vozes) sussurrar **3** cantarolar (por entre dentes) ▪ *interj* (dúvida, hesitação) hum!
human *adj* humano; **human being** ser humano ▪ *n* ser humano
humane *adj* humano, humanitário
humanist *adj,n* humanista
humanitarian *adj* humanitário ▪ *n* filantropo
humanitarianism *n* humanitarismo
humanity *n* [*pl* -ies] humanidade
humanize *v* humanizar
humankind *n* género humano; humanidade
humanoid *adj,n* humanoide[AO]
humble *adj* humilde; modesto ▪ *v* humilhar
humbug *n* **1** asneiras; disparates **2** (pessoa) impostor
humdrum *adj* monótono
humid *adj* húmido
humidifier *n* humidificador
humidify *v* humidificar
humidity *n* humidade
humiliate *v* humilhar
humiliating *adj* humilhante
humiliation *n* humilhação
humility *n* humildade
hummingbird *n* (ave) colibri
humongous *adj col* enorme
humor *n,v* ⇒ **humour**
humorist *n* humorista
humorous *adj* engraçado; humorístico
humour *n* humor ▪ *v* fazer a vontade a
humourless *adj* sem sentido de humor

hump *n* **1** corcunda **2** (camelo) bossa **3** (superfície) lomba ▪ *v col* carregar com
humpback *n* corcunda
humus *n* húmus
hunch *n* [*pl* -es] **1** *col* palpite **2** corcunda ▪ *v* curvar
hunchback *n pej* corcunda
hundred *num card,n* cem ▪ *n* cento, centena
hundredth *num ord,n* centésimo
hundredweight *n* (peso) quintal
Hungarian *adj,n* húngaro
Hungary *n* Hungria
hunger *n* **1** fome **2** *fig* ânsia (for, de) ▪ *v* ansiar (for/after, por)
hungover *adj* ressacado
hungry *adj* **1** esfomeado, faminto; **to get hungry** ficar com fome **2** (desejo) ávido (for, de)
hunk *n* **1** *col* (comida) pedaço, naco **2** *col,fig* (homem atraente) borracho
hunt *v* **1** caçar **2** (criminoso) perseguir **3** andar à procura (for, de) ▪ *n* **1** caça, caçada **2** (criminosos) perseguição **3** procura
◇ **hunt down** *v* perseguir; andar à caça de
hunter *n* caçador
hunting *n* caça
huntsman *n* [*pl* -men] caçador
hurdle *n* **1** DESP barreira **2** obstáculo **3** *pl* (atletismo) barreiras ▪ *v* (barreira, obstáculo) transpor
hurdling *n* DESP corrida de obstáculos
hurdy-gurdy *n* [*pl* -ies] realejo
hurl *v* **1** (objeto) arremessar, atirar **2** (acusação, insulto) proferir
hurly-burly *n* lufa-lufa; azáfama
hurrah *interj,n* hurra!
hurricane *n* furacão
hurried *adj* apressado, rápido
hurry *n* [*pl* -ies] pressa; **to be in a hurry for** estar cheio de pressa para ▪ *v* apressar(-se); despachar(-se); **hurry up!** despacha-te!
hurt *adj* ferido; magoado ▪ *n* mágoa, dor ▪ *v* **1** ferir; magoar **2** doer **3** (sentimentos) ofender
hurtful *adj* doloroso
hurtle *v* **1** ir a grande velocidade **2** arremessar, lançar
husband *n* marido
hush *v* **1** calar(-se) **2** sossegar; acalmar ▪ *n* silêncio ▪ *interj* chiu!; silêncio! ◆ **hush money** suborno
◇ **hush up** *v* **1** (escândalo) abafar **2** (fazer) calar
hush-hush *adj* secreto; confidencial
husk *n* casca; folhelho ▪ *v* descascar
huskiness *n* (voz, som) rouquidão
husky *adj* **1** rouco **2** *col* (homem) matulão ▪ *n* [*pl* -ies] (cão) husky
hustle *n* agitação ▪ *v* **1** empurrar **2** forçar **3** apressar-se
hustler *n col* vigarista
hut *n* **1** cabana **2** coberto **3** MIL acampamento
hutch *n* [*pl* -es] coelheira
hyacinth *n* jacinto
hybrid *adj,n* híbrido
hydrangea *n* hidrângea, hortênsia
hydrant *n* boca de incêndio
hydraulic *adj* hidráulico
hydraulics *n* hidráulica
hydrochloric *adj* clorídrico
hydroelectric *adj* hidroelétrico[AO]
hydrogen *n* hidrogénio ◆ **hydrogen peroxide** água-oxigenada
hydrographic *n* hidrográfico
hydrography *n* hidrografia
hydrolysis *n* hidrólise
hydroplane *n* hidroavião
hydroxide *n* hidróxido
hyena *n* hiena
hygiene *n* higiene
hygienic *adj* higiénico
hygienist *n* higienista
hymen *n* hímen
hymn *n* hino, cântico
hype *n* **1** *col* publicidade exagerada **2** *col* falatório **3** *cal* (droga) injeção[AO] ▪ *v col* publicitar
hyperactive *adj* hiperativo[AO]
hyperactivity *n* hiperatividade[AO]
hyperbola *n* GEOM hipérbole
hyperbole *n* (figura de estilo) hipérbole
hyperbolic *adj* hiperbólico
hyperlink *n* hiperligação
hypermarket *n* hipermercado
hypersensitive *adj* hipersensível
hyperspace *n* hiperespaço
hypertension *n* hipertensão
hypertensive *adj* hipertenso
hypertext *n* INFORM hipertexto
hyphen *n* hífen
hyphenate *v* hifenizar
hyphenation *n* hifenização
hypnosis *n* hipnose
hypnotic *adj,n* hipnótico

hypnotism *n* hipnotismo
hypnotist *n* hipnotizador
hypnotize *v* hipnotizar
hypoallergenic *adj* hipoalergénico
hypochondria *n* hipocondria
hypochondriac *adj,n* hipocondríaco
hypocrisy *n* [*pl* -ies] hipocrisia
hypocrite *n* hipócrita
hypocritical *adj* hipócrita
hypodermic *adj* hipodérmico
hypotension *n* hipotensão
hypotensive *adj,n* hipotenso
hypotenuse *n* GEOM hipotenusa
hypothermia *n* hipotermia
hypothesis *n* [*pl* -theses] hipótese
hypothetical *adj* hipotético
hysteria *n* histeria
hysterical *adj* **1** histérico **2** *col* hilariante
hysterics *n* **1** crise nervosa **2** *col* ataque de riso

I

i *n* [*pl* i's] (letra) i
I *pron pess* eu; **it's I** sou eu
Iberian *adj* ibérico ♦ **Iberian Peninsula** Península Ibérica
ibex *n* [*pl* -es] cabrito-montês
ibis *n* [*pl* -es] (ave) íbis
ice *n* gelo ▪ *v* **1** (bolos) cobrir com glacé **2** gelar **3** (bebida) pôr gelo em ♦ **ice cream** gelado; **ice hockey** hóquei sobre o gelo; **to break the ice** quebrar o gelo
iceberg *n* icebergue
icebreaker *n* (barco) quebra-gelo
icecap *n* calota glaciar
iced *adj* **1** gelado **2** (bolo) coberto com glacé
Iceland *n* Islândia
Icelander *n* islandês
Icelandic *adj* islandês ▪ *n* (língua) islandês
ice-skate *v* patinar sobre o gelo
icicle *n* pingente de gelo
icing *n* (bolo) cobertura glacé
icon *n* ícone
icy *adj* **1** gelado **2** coberto de gelo
ID *n* bilhete de identidade; BI
idea *n* **1** ideia **2** intenção; **to have other ideas** ter outras intenções **3** conceito; noção; **what's your idea of...?** o que é que entendes por...?
ideal *adj,n* ideal
idealism *n* idealismo
idealist *n* idealista
idealistic *adj* idealista
idealization *n* idealização
idealize *v* idealizar
idem *adv* idem
identical *adj* idêntico (to, a) ♦ **identical twins** gémeos verdadeiros
identification *n* **1** identificação (of, de) **2** documentos (de identificação)
identify *v* identificar
◇ **identify with** *v* **1** (empatia) identificar-se (with, com) **2** relacionar (with, com)
identity *n* [*pl* -ies] identidade; **identity card** bilhete de identidade
ideogram *n* ideograma
ideological *adj* ideológico
ideology *n* [*pl* -ies] ideologia
idiocy *n* [*pl* -ies] idiotice; estupidez
idiom *adj* **1** expressão idiomática **2** idioma; língua
idiomatic *adj* idiomático
idiot *n* idiota
idiotic *adj* idiota; estúpido
idle *adj* **1** preguiçoso **2** desocupado; **idle hours** horas de ócio **3** (promessas, palavras) vão **4** (máquina, fábrica) em pausa ▪ *v* **1** (carro) estar em ponto morto **2** mandriar
◇ **idle away** *v* (tempo) perder; desperdiçar
idleness *n* indolência, ociosidade
idler *n* preguiçoso
idly *adv* sem fazer nada; indolentemente
idol *n* ídolo
idolater *n* idólatra
idolatrous *adj* idólatra
idolatry *n* idolatria
idolize *v* idolatrar
idyll *n* idílio
idyllic *adj* idílico
if *conj* **1** se **2** embora, ainda que; **it was a pleasant if expensive dinner** foi um jantar agradável, ainda que caro ▪ *n col* se
iffy *adj col* duvidoso; incerto
igloo *n* iglu
ignition *n* ignição ♦ **ignition key** chave do carro
ignorance *n* ignorância
ignorant *adj* ignorante (of, de)
ignore *v* ignorar
iguana *n* iguana
ill *adj* **1** doente; **to be ill** estar doente **2** mau; **ill deed** má ação[AO] ▪ *adv* mal ▪ *n* mal; **social ills** males sociais ♦ **to be ill at ease** não estar à vontade
ill-advised *adj* imprudente
ill-behaved *adj* malcomportado, mal-educado
ill-bred *adj* mal-educado
ill-considered *adj* irrefletido[AO]; precipitado

illegal *adj* ilegal
illegality *n* [*pl* -ies] ilegalidade
illegible *adj* ilegível
illegitimate *adj* ilegítimo
ill-equipped *adj* **1** mal equipado **2** mal preparado
illicit *adj* ilícito
illiteracy *n* [*pl* -ies] iliteracia; analfabetismo
illiterate *adj,n* **1** analfabeto **2** ignorante
illness *n* doença
illogical *adj* ilógico
ill-treat *v* maltratar
ill-treatment *n* maus tratos
illuminate *v* iluminar
illumination *n* **1** iluminação **2** (livro, etc.) iluminura
illusion *n* ilusão
illusionist *n* ilusionista
illustrate *v* **1** ilustrar **2** esclarecer
illustration *n* **1** (imagens) ilustração **2** exemplo (of, de)
illustrative *adj* ilustrativo
illustrator *n* ilustrador
image *n* **1** imagem **2** ideia (of, de) ♦ (semelhança) **to be the spitting image of** ser a cara chapada de
imagery *n* imagens
imaginable *adj* imaginável; concebível
imaginary *adj* imaginário
imagination *n* imaginação
imaginative *adj* imaginativo
imagine *v* **1** imaginar **2** julgar, supor
imbecile *adj,n* imbecil, estúpido
imbroglio *n* imbróglio
imbue *v* imbuir (de, with)
imitate *v* imitar
imitation *n* imitação ▪ *adj* falso; de imitação
immaculate *adj* imaculado, impecável
immaterial *adj* irrelevante, sem importância
immature *adj* imaturo
immaturity *n* imaturidade
immeasurable *adj* imenso; infinito
immediacy *n* iminência, urgência
immediate *adj* **1** imediato **2** próximo
immediately *adv* **1** imediatamente **2** diretamente[AO]
immemorial *adj* imemorial
immense *adj* imenso
immensity *n* vastidão, imensidão
immerse *v* mergulhar (in, em)
immersion *n* **1** imersão **2** absorção *fig*
immigrant *adj,n* imigrante
immigrate *v* imigrar
immigration *n* imigração
imminence *n* iminência
imminent *adj* iminente
immobile *adj* imóvel
immobility *n* imobilidade
immobilization *n* imobilização
immobilize *v* imobilizar
immodest *adj* **1** vaidoso **2** indecente
immoral *adj* imoral
immorality *n* imoralidade
immortal *adj,n* imortal
immortality *n* imortalidade
immortalize *v* imortalizar
immovable *adj* **1** fixo **2** (pessoa) inflexível
immune *adj* **1** imune (to, a) **2** isento (from, de) **3** livre (from, de) ♦ MED **immune system** sistema imunitário
immunity *n* imunidade (to, a)
immunization *n* imunização
immunize *v* tornar imune (against, a)
immunodeficiency *n* imunodeficiência
immunology *n* imunologia
immutable *adj* imutável
imp *n* **1** (contos infantis) diabinho **2** *fig* (criança) peste
impact *n* impacto (on/upon, em) ▪ *v* ter impacto (on/upon, em)
impair *v* prejudicar
impaired *adj* enfraquecido ▪ *n* deficiente
impairment *n* disfunção; insuficiência
impartial *adj* imparcial
impartiality *n* imparcialidade
impassable *adj* (via) intransitável
impasse *n* impasse
impassioned *adj* apaixonado
impatience *n* **1** impaciência **2** ansiedade (to, de)
impatient *adj* **1** impaciente **2** ansioso (for, por)
impeach *v* acusar (for/with, de)
impeachment *n* **1** acusação **2** (funcionário público) acusação por crimes graves
impeccable *adj* impecável
impede *v* impedir
impediment *n* **1** impedimento (to, para/a) **2** defeito; **speech impediment** defeito de fala

impending *adj* iminente
impenetrable *adj* impenetrável
imperative *adj* 1 imperativo 2 urgente; indispensável ▪ *n* LING imperativo
imperceptible *adj* impercetível[AO]
imperfect *adj* imperfeito, defeituoso ▪ *n* (verbo) imperfeito; **in the imperfect** no imperfeito
imperfection *n* imperfeição
imperial *adj* 1 imperial 2 imponente, majestoso
imperialism *n* imperialismo
imperialist *adj,n* imperialista
imperious *adj* imperioso
impermeable *adj* impermeável (to, a)
impersonal *adj* impessoal
impersonate *v* 1 fazer-se passar por 2 imitar
impersonation *n* imitação
impersonator *n* imitador
impertinence *n* impertinência
impertinent *adj* impertinente
impervious *adj* 1 insensível (to, a) 2 impermeável (to, a)
impetuosity *n* impetuosidade
impetuous *adj* impetuoso
impetus *n* 1 ímpeto 2 (força) impulso
impish *adj* travesso, endiabrado
implacable *adj* implacável
implant *n* implante ▪ *v* 1 incutir (in, em) 2 implantar
implausible *adj* improvável
implement *n* utensílio, alfaia ▪ *v* implementar, realizar
implementation *n* implementação
implicate *v* implicar (in, em)
implication *n* 1 implicação (in, em) 2 sugestão (of, de); insinuação (of, de)
implicit *adj* 1 implícito (in, em) 2 absoluto; incondicional
implied *adj* implícito; subentendido
implode *v* implodir
implore *v* implorar, suplicar
imploring *adj* de súplica
implosion *n* implosão
imply *v* 1 sugerir; insinuar 2 implicar; envolver
impolite *adj* indelicado
impoliteness *n* indelicadeza; má educação
imponderable *adj* imponderável
import *n* 1 artigo importado 2 importação 3 *form* importância ▪ *v* importar (from, de)
importance *n* importância
important *adj* importante
importantly *adv* com importância
importer *n* importador
importune *v form* importunar
impose *v* 1 impor (on, a) 2 estabelecer; instituir 3 abusar (on, de)
imposing *adj* imponente; grandioso
imposition *n* 1 imposição 2 abuso
impossibility *n* [*pl* -ies] impossibilidade
impossible *adj,n* impossível
impostor *n* impostor
imposture *n form* impostura
impotence *n* impotência
impotent *adj* impotente
impound *v* confiscar
impoverish *v* 1 empobrecer 2 debilitar
impoverishment *n* empobrecimento
impracticable *adj* impraticável
impractical *adj* 1 inviável 2 pouco prático
impracticality *n* 1 inviabilidade 2 falta de sentido prático
imprecise *adj* impreciso; vago
imprecision *n* imprecisão
impregnate *v* 1 impregnar (with, de) 2 fecundar
impregnation *n* 1 impregnação 2 fecundação
impress *v* 1 impressionar 2 imprimir (on, em) 3 incutir (upon, em)
impression *n* 1 impressão (on, em) 2 imitação (of, de) 3 marca 4 (edição) impressão
impressionable *adj* impressionável
impressionism *n* impressionismo
impressionist *adj,n* impressionista
impressive *adj* impressionante
imprint *n* impressão, marca ▪ *v* 1 imprimir (on, em) 2 (memória) gravar (on, em)
imprison *v* aprisionar
imprisonment *n* prisão, detenção
improbability *n* [*pl* -ies] improbabilidade
improbable *adj* improvável
impromptu *adj* improvisado ▪ *adv* de improviso ▪ *n* improviso
improper *adj* 1 impróprio, inconveniente 2 incorreto[AO]
improve *v* melhorar, aperfeiçoar

improvement *n* melhoramento (in/on, em/de); melhoria (in/on, em/de)
improvisation *n* improviso
improvise *v* improvisar
imprudence *n form* imprudência
imprudent *adj form* imprudente
impudence *n form* insolência, descaramento
impudent *adj form* insolente; descarado
impugn *v form* impugnar; contestar
impulse *n* **1** impulso **2** estímulo; incentivo
impulsion *n form* impulso, ímpeto
impulsive *adj* impulsivo
impunity *n* impunidade; **with impunity** impunemente
impure *adj* impuro; contaminado
impurity *n* [*pl* -ies] impureza
imputation *n* imputação (of, to, de)
impute *v* imputar (to, a); atribuir (to, a)
in *prep* **1** em; **in bed** na cama; **in Lisbon** em Lisboa **2** a; **in the sun** ao sol **3** de; **in wood** de madeira ▪ *adv* **1** em casa; no local de trabalho; **to be in** estar em casa/no local de trabalho; (comboio, autocarro) ter chegado **2** para dentro; **it curves in at the edges** dobra-se para dentro nas extremidades ▪ *adj* **1** *col* na moda **2** (piada) privado ♦ **all in** tudo incluído; **to be in for** estar prestes a; **to be in on** saber de; ter conhecimento de; **to be in with** estar de boas relações com
inability *n* incapacidade (to, de)
inaccessible *adj* inacessível (to, a)
inaccuracy *n* [*pl* -ies] inexatidão[AO]
inaccurate *adj* inexato[AO]
inaction *n* inação[AO]
inactive *adj* inativo[AO]
inactivity *n* inatividade[AO]
inadequacy *n* incapacidade
inadequate *adj* **1** inadequado; impróprio **2** incapaz
inadmissible *adj* inadmissível
inadvisable *adj* desaconselhável; imprudente
inane *adj* idiota; imbecil
inanimate *adj* inanimado
inanity *n* imbecilidade
inapplicable *adj* inaplicável (to, a)
inappropriate *adj* impróprio (for/to, para)
inapt *adj form* impróprio
inarticulate *adj* **1** (pessoa) com dificuldades de expressão **2** (expressão) pouco claro
inattention *n* falta de atenção (to, a)
inattentive *adj* desatento (to, a)
inaudible *adj* inaudível
inaugural *adj* inaugural
inaugurate *v* **1** (presidente, etc.) empossar **2** inaugurar
inauguration *n* **1** inauguração **2** empossamento
inborn *adj* inato; congénito
incalculable *adj form* incalculável
incandescence *n* incandescência
incandescent *adj* **1** incandescente **2** arrebatado
incantation *n* encantamento, feitiço
incapability *n* incapacidade
incapable *adj* incapaz (of, de)
incapacitate *v form* incapacitar (for, para)
incapacity *n* [*pl* -ies] *form* incapacidade
incarnate *adj* encarnado ▪ *v form* encarnar
incarnation *n* **1** encarnação **2** personificação (of, de)
incautious *adj* descuidado; imprudente
incendiary *adj,n* incendiário
incense *n* incenso ▪ *v* enfurecer
incentive *n* incentivo; estímulo ▪ *adj* estimulante
incessant *adj* incessante, contínuo
incest *n* incesto
incestuous *adj* incestuoso
inch *n* [*pl* -es] polegada (2,54 cm) ▪ *v* avançar pouco a pouco ♦ **by inches** por pouco; **inch by inch** pouco a pouco; **not an inch** nada
incidence *n* incidência (of, de)
incident *n* incidente
incidental *adj* **1** casual; acidental **2** inerente (to, a) ▪ *n* eventualidade, imprevisto ♦ **incidental music** música de fundo
incidentally *adv* **1** a propósito **2** por acaso
incinerate *v* incinerar
incineration *n* incineração
incinerator *n* incineradora
incision *n* incisão
incisive *adj* incisivo; perspicaz
incisor *n* dente incisivo
incite *v* incitar (to, a); instigar (to, a)
incitement *n* incitamento (to, a); instigação (to, a)
inclination *n* inclinação ♦ **by inclination** por natureza

incline *v* **1** inclinar(-se) (to/towards, para) **2** predispor (to/towards, para) **3** ter tendência (to/towards, para) **4** (cabeça) curvar ▪ *n* inclinação; declive
inclined *adj* **1** (declive) inclinado **2** (vontade) disposto (to, a) **3** (talento) com inclinação (to, para) **4** com tendência (to, para)
include *v* incluir
including *prep* incluindo; **including me** contando comigo; **not including...** sem contar com...
inclusion *n* inclusão (in, em)
inclusive *adj* **1** inclusivo **2** inclusive; **from page 5 to 10 inclusive** da página 5 à 10 inclusive
incognito *adj,adv* incógnito
incoherence *n* incoerência
incoherent *adj* incoerente
income *n* rendimento(s); **income tax** imposto sobre os rendimentos
incoming *adj* **1** de chegada **2** futuro, próximo ▪ *n pl* receitas; rendimentos ♦ **incoming calls** chamadas do exterior
incommensurable *adj* incomensurável
incommensurate *adj* **1** desproporcionado (with, em relação a) **2** incomensurável
incommunicado *adj,adv* incomunicável
incomparable *adj* incomparável
incompatibility *n* incompatibilidade
incompatible *adj* incompatível (with, com)
incompetence *n* incompetência
incompetent *adj* incompetente
incomplete *adj* incompleto
incomprehensible *adj* incompreensível (to, para)
inconceivable *adj* inconcebível
inconclusive *adj* não conclusivo ♦ **to be inconclusive** não dar em nada
incongruent *adj* incongruente
incongruous *adj* **1** impróprio **2** estranho
inconsequential *adj* **1** inconsequente **2** sem importância
inconsiderate *adj* pouco atencioso (of, da parte de)
inconsistency *n* inconsistência
inconsistent *adj* inconsistente (with, com) ♦ **to be inconsistent with** não coincidir com
inconsolable *adj* inconsolável
inconspicuous *adj* discreto; que não dá nas vistas
inconstancy *n* inconstância
inconstant *adj* inconstante
incontinence *n* incontinência
incontinent *adj* incontinente
incontrovertible *adj* incontroverso
inconvenience *n* **1** incómodo; maçada **2** inconveniente ▪ *v* incomodar
inconvenient *adj* inconveniente, impróprio
incorporate *v* incorporar (in/into, em); incluir (in/into, em)
incorporation *n* incorporação; inclusão
incorrect *adj* **1** incorreto[AO]; errado **2** (comportamento) impróprio
incorrectly *adv* **1** incorretamente[AO] **2** inadequadamente
incorrigible *adj* incorrigível
incorrupt *adj* incorrupto
incorruptible *adj* incorruptível
increase *n* aumento (in, de); subida (in, de) ▪ *v* aumentar (in, de); subir (in, de)
increasing *adj* crescente
increasingly *adv* de forma crescente
incredible *adj* incrível; inacreditável
incredulity *n* incredulidade
incredulous *adj* incrédulo
increment *n* incremento; crescimento
incriminate *v* incriminar
incriminating *adj* incriminatório
incrimination *n* incriminação
incubate *v* **1** (ovos) chocar **2** (doença) incubar
incubation *n* incubação; (doença) **incubation period** período de incubação
incubator *n* incubadora
incur *v* **1** incorrer em; ficar sujeito a **2** sofrer
incurable *adj* **1** incurável **2** incorrigível ▪ *n* doente incurável
indebted *adj* **1** endividado **2** em dívida de gratidão (to, para com)
indecency *n* [*pl* -ies] indecência
indecent *adj* **1** indecente; obsceno **2** inconveniente
indecision *n* indecisão
indecisive *adj* **1** indeciso **2** inconclusivo
indeed *adv* realmente; de facto ▪ *interj* (surpresa) ai sim!; essa agora!
indefensible *adj* **1** injustificável; imperdoável **2** indefensável
indefinable *adj* indefinível
indefinite *adj* **1** indeterminado **2** indefinido

indefinitely *adv* **1** indefinidamente **2** indeterminadamente
indelible *adj* permanente, indelével
indelicacy *n* [*pl* -ies] indelicadeza
indelicate *adj* indelicado
indemnify *v* indemnizar (for, por)
indemnity *n* [*pl* -ies] indemnização
indent *n* **1** GB (encomenda) requisição **2** ⇒ **indentation** ▪ *v* **1** (texto) indentar **2** recortar; talhar **3** GB encomendar (for, -)
indentation *n* **1** (texto) indentação **2** entalhe; recorte
independence *n* independência
independent *adj* **1** independente (of, de) **2** imparcial
in-depth *adj* aprofundado; pormenorizado
indescribable *adj* indescritível
indestructible *adj* indestrutível
indeterminate *adj* indeterminado
index *n* **1** índice **2** indício (of, de) ▪ *v* indexar (to, a) ♦ **index finger** dedo indicador
India *n* Índia
Indian *adj,n* **1** indiano **2** índio ♦ **Indian ink** tinta da China; **Indian Ocean** oceano Índico
indicate *v* **1** indicar **2** sugerir **3** GB (carro) dar o pisca
indication *n* indicação; sinal
indicative *adj,n* indicativo
indicator *n* **1** indicador **2** GB (carro) pisca
indict *v* EUA acusar (for, de)
indictment *n* **1** sinal; prova **2** EUA acusação
indie *adj* (música, banda) independente
indifference *n* indiferença, desinteresse
indifferent *adj* **1** indiferente; desinteressado **2** medíocre; banal
indigenous *adj* indígena
indigestible *adj* **1** (comida) indigesto **2** (informação) confuso
indigestion *n* indigestão
indignant *adj* indignado (at, com)
indignation *n* indignação ♦ **indignation meeting** reunião de protesto
indigo *adj,n* (cor) índigo
indirect *adj* indireto[AO]
indirectly *adv* indiretamente[AO]
indiscipline *n* indisciplina
indiscreet *adj* indiscreto
indiscretion *n* indiscrição
indiscriminate *adj* indiscriminado
indispensable *adj* indispensável (to, para)
indisposed *adj* **1** maldisposto; indisposto **2** relutante (to, em)
indisposition *n* indisposição
indisputable *adj* incontestável
indissoluble *adj* indissolúvel
indistinct *adj* **1** indistinto **2** confuso
indistinctly *adv* indistintamente
individual *adj* **1** individual **2** pessoal; particular ▪ *n* indivíduo; pessoa
individualism *n* individualismo
individualist *n,adj* individualista
individualistic *adj* individualista
individuality *n* [*pl* -ies] individualidade
individualize *v* individualizar; personalizar
indivisible *adj* indivisível
Indo-European *adj,n* indo-europeu
indolence *n* indolência
indolent *adj* indolente
Indonesia *n* Indonésia
Indonesian *adj,n* indonésio
indoor *adj* **1** interior **2** (pista) coberto ♦ **indoor football** futebol de salão
indoors *adv* dentro de casa; **let's go indoors** vamos para dentro
indorse *v* ⇒ **endorse**
induce *v* **1** induzir (to, a); levar (to, a) **2** provocar; causar
inducement *n* incentivo; estímulo
induction *n* **1** indução **2** (cargo) indigitação ♦ **induction course** curso de formação
inductive *adj* indutivo
indulge *v* **1** satisfazer; ceder a **2** entregar-se (in, a)
indulgence *n* **1** indulgência **2** pequeno prazer, luxo
indulgent *adj* indulgente; tolerante
industrial *adj* industrial ♦ **industrial action** greve; **industrial disease** doença profissional
industrialist *n* industrial
industrialization *n* industrialização
industrialize *v* industrializar
industrious *adj* trabalhador; diligente
industry *n* [*pl* -ies] indústria
inebriate *v* embriagar
inebriating *adj* embriagante
inebriation *n* **1** embriaguez **2** entusiasmo
inedible *adj* não comestível

ineffective *adj* **1** ineficaz; inútil **2** incapaz; incompetente
ineffectual *adj* ineficaz; inútil
inefficiency *n* ineficiência
inefficient *adj* ineficiente
inelegant *adj* deselegante
ineligible *adj* inelegível (for, para)
inept *adj* **1** inábil; incapaz **2** (comentário) disparatado
ineptitude *n* inépcia; falta de jeito
inequality *n* [*pl* -ies] desigualdade
inert *adj* inerte
inertia *n* inércia
inevitability *n* inevitabilidade
inevitable *adj* inevitável
inexact *adj* inexato[AO]
inexactitude *n* inexatidão[AO]
inexcusable *adj* indesculpável
inexhaustible *adj* inesgotável
inexpensive *adj* (preço) acessível; barato
inexperience *n* inexperiência
inexperienced *adj* inexperiente
inexpert *adj* inábil
inexplicable *adj* inexplicável
inexpressible *adj* inexprimível
inexpressive *adj* inexpressivo
infallible *adj* infalível
infamous *adj* infame
infamy *n* [*pl* -ies] infâmia
infancy *n* **1** infância **2** início
infant *n* **1** bebé **2** (entre os 4 e os 7 anos) criança **3** menor de idade ◆ **infant mortality** mortalidade infantil; **infant school** pré-primária
infanticide *n* **1** (crime) infanticídio **2** (criminoso) infanticida
infantile *adj* infantil
infantry *n* infantaria
infantryman *n* [*pl* -men] soldado de infantaria
infatuated *adj* louco (with, por); apaixonado (with, por)
infatuation *n* paixão louca (with/for, por)
infect *v* **1** infetar[AO] (with, com) **2** (água, alimentos, etc.) contaminar **3** (sentimento) contagiar (with, com)
infection *n* **1** infeção[AO] **2** contágio
infectious *adj* **1** contagioso **2** (riso, entusiasmo) contagiante
infer *v* deduzir (from, de); inferir (from, de)
inference *n* inferência; dedução
inferior *adj,n* inferior
inferiority *n* inferioridade
infernal *adj* infernal
infertile *adj* estéril
infertility *n* infertilidade
infest *v* infestar
infidelity *n* [*pl* -ies] infidelidade
infill *n* enchimento
infiltrate *v* infiltrar-se
infiltration *n* infiltração
infiltrator *n* infiltrado
infinite *adj,n* infinito
infinitive *n* (verbo) infinitivo
infinity *n* **1** infinito **2** infinidade (of, de)
infirm *adj* doente; enfermo
infirmary *n* [*pl* -ies] enfermaria
inflame *v* inflamar(-se)
inflammable *adj* **1** (substância) inflamável **2** (situação) explosivo
inflammation *n* inflamação
inflammatory *adj* **1** inflamatório **2** explosivo
inflatable *adj,n* insuflável
inflate *v* **1** (de ar) encher **2** exagerar **3** inflacionar
inflated *adj* **1** cheio de ar **2** (preço) inflacionado **3** exagerado **4** empolado; pomposo
inflation *n* **1** ECON inflação **2** (ar, gases) enchimento
inflect *v* **1** (voz) infletir[AO] **2** (palavra) flexionar; declinar
inflection *n* **1** LING flexão **2** (voz) entoação
inflexibility *n* inflexibilidade
inflexible *adj* inflexível
inflict *v* **1** (sofrimento, castigo) infligir (on, a) **2** aplicar (on, a) **3** impor (on, a)
infliction *n* **1** (pena, castigo) aplicação **2** imposição
influence *n* influência (on, sobre) ▪ *v* influenciar ◆ **influence peddling** tráfico de influências
influential *adj* influente
influenza *n form* gripe
influx *n* [*pl* -es] afluência
info *n col* informação
inform *v* informar (of/about, de)
◇ **inform on/against** *v* denunciar; fazer queixa de
informal *adj* informal
informality *n* informalidade
informant *n* informador

information *n* informação ♦ **information superhighway** autoestrada[AO] de informação
informative *adj* informativo
informer *n* informador
infotainment *n* entretenimento cultural
infrared *adj,n* infravermelho
infrastructure *n* infraestrutura[AO]
infrequent *adj* raro; pouco frequente
infringe *v* violar; transgredir
◇ **infringe on/upon** *v* (direitos, liberdade) restringir; limitar
infringement *n* infração[AO] (of, de); violação (of, de)
infuriate *v* enfurecer
infuriating *adj* exasperante
infuse *v* (chá, plantas) pôr de infusão
infusion *n* **1** (bebida) infusão (of, de) **2** (capital, energia, etc.) injeção[AO] *fig* (of, de)
ingenious *adj* engenhoso; criativo
ingenuity *n* engenho; habilidade

Não confundir a palavra inglesa **ingenuity** com a palavra portuguesa **ingenuidade**, que se traduz por *naivety*.

ingenuous *adj form* ingénuo; inocente
ingot *n* (metal) lingote; barra
ingrained *adj* **1** (sujidade) entranhado **2** (hábito) inveterado
ingratitude *n* ingratidão
ingredient *n* **1** ingrediente **2** elemento; componente
ingrowing *adj* (unha) encravado
inhabit *v* habitar; morar em
inhabitant *n* habitante; morador
inhale *v* inalar; aspirar
inhaler *n* inalador
inherent *adj* inerente (in, a)
inherit *v* herdar (from, de)
inheritance *n* **1** herança **2** património
inhibit *v* inibir; coibir
inhibited *adj* inibido
inhibition *n* inibição
inhuman *adj* **1** desumano; cruel **2** não humano
inhumane *adj* desumano
inhumanity *n* desumanidade
inimitable *adj* inimitável
initial *adj* inicial; primeiro ▪ *n* (letra) inicial ▪ *v* rubricar
initialize *v* INFORM inicializar
initiate *adj,n* iniciado ▪ *v* iniciar
initiation *n* **1** iniciação **2** início; princípio
initiative *n* iniciativa
inject *v* **1** injetar[AO] **2** *fig* (dinheiro, energia, etc.) dar uma injeção[AO] de *fig*
injection *n* injeção[AO]
injunction *n* mandado
injure *v* **1** ferir **2** (sentimentos) ofender
injured *adj* **1** ferido **2** ofendido
injury *n* [*pl* -ies] **1** lesão; ferimento **2** ofensa; insulto ♦ (desporto) **injury time** tempo de descontos
injustice *n* injustiça
ink *n* tinta ▪ *v* pintar; manchar de tinta ♦ **ink bottle** tinteiro
◇ **ink in** *v* passar a tinta
inkling *n* **1** suspeita **2** ideia
inkwell *n* tinteiro
inky *adj* manchado de tinta
inlaid *adj* embutido (with, com)
inland *adj* (território) interior ▪ *adv* no interior; para o interior
in-laws *npl* sogros
inlay *n* **1** embutido **2** (dente) chumbo ▪ *v* embutir (with, com)
inlet *n* **1** angra, enseada **2** *téc* (líquido, gás) entrada, admissão
inmate *n* **1** (hospital) paciente interno **2** (prisão) detido
inmost *adj* mais íntimo
inn *n* **1** estalagem **2** taberna
innate *adj* inato
inner *adj* **1** interior; interno **2** íntimo; secreto ♦ **inner city** centro da cidade; **inner ear** ouvido interno; (pneu) **inner tube** câmara de ar[AO]
innocence *n* inocência ♦ **to plead innocence** declarar-se inocente
innocent *adj,n* inocente
innocuous *adj* inócuo; inofensivo
innovate *v* inovar
innovation *n* inovação
innovative *adj* inovador
innovator *n* inovador; pioneiro
innuendo *n* [*pl* -es] insinuação
innumerable *adj* inumerável
inoculate *v* vacinar (against, contra)
inoculation *n* vacina; inoculação
inoffensive *adj* inofensivo

inopportune *adj* inoportuno; inconveniente
inordinate *adj* desmesurado; excessivo
inorganic *adj* inorgânico
input *n* **1** (computador) entrada **2** contribuição; participação **3** investimento ▪ *v* (informação) introduzir
inquest *n* inquérito
inquire *v* perguntar
◇ **inquire into** *v* investigar
inquiring *adj* **1** interrogativo **2** curioso
inquiry *n* [*pl* -ies] **1** pergunta **2** investigação; inquérito ♦ **inquiry desk** (balcão de) informações
inquisition *n* **1** interrogatório **2** HIST [com maiúscula] Inquisição
inquisitive *adj* **1** interrogativo **2** curioso
inquisitor *n* **1** interrogador **2** HIST inquisidor
insalubrious *adj* insalubre
insane *adj* louco; maluco; **to go insane** enlouquecer
insanity *n* loucura
insatiable *adj* insaciável
inscribe *v* **1** gravar **2** (livro) dedicar a
inscription *n* **1** inscrição **2** (livro) dedicatória
insect *n* inseto[AO]
insecticide *adj,n* inseticida[AO]
insectivore *n* insectívoro[AO]
insectivorous *adj* insectívoro[AO]
insecure *adj* inseguro
insecurity *n* [*pl* -ies] insegurança
inseminate *v* inseminar
insemination *n* inseminação
insensible *adj* **1** *form* insensível (to, a) **2** *form* inconsciente (of, de)
insensitive *adj* insensível; indiferente
insensitivity *n* insensibilidade
inseparable *adj* inseparável (from, de)
insert *v* inserir (in/into, em) ▪ *n* (jornal, revista) encarte
insertion *n* inserção; introdução
in-service *adj* **1** (formação) contínuo **2** (curso) de aperfeiçoamento
inshore *adj* costeiro ▪ *adv* próximo da costa
inside *adj* interior ▪ *adv* dentro ▪ *prep* dentro de; em ▪ *n* **1** interior; o lado de dentro **2** *pl col* entranhas ♦ **to know something inside out** conhecer uma coisa como a palma da mão; **your shirt is inside out** a tua camisa está vestida do avesso
insider *n* (empresa, instituição) alguém de dentro
insight *n* **1** perspicácia **2** compreensão; conhecimento
insignia *n* [*pl* insignia] insígnia
insignificance *n* insignificância
insignificant *adj* insignificante
insincere *adj* falso
insincerity *n* [*pl* -ies] falsidade
insinuate *v* insinuar
insinuation *n* insinuação
insipid *adj* insípido
insist *v* insistir (on/upon, em)
insistence *n* insistência (on, em)
insistent *adj* insistente
insistently *adv* insistentemente
insole *n* palmilha
insolence *n* insolência
insolent *adj* insolente
insoluble *adj* **1** (substância) insolúvel; indissolúvel **2** (problema) sem solução
insolvency *n* insolvência; falência
insolvent *adj* insolvente; falido
insomnia *n* insónia
insomniac *n* pessoa que sofre de insónia
inspect *v* **1** inspecionar[AO] **2** verificar; examinar
inspection *n* **1** inspeção[AO]; vistoria **2** verificação
inspector *n* **1** inspetor[AO]; fiscal **2** GB (polícia) inspetor[AO]
inspiration *n* inspiração
inspirational *adj* inspirador
inspire *v* **1** inspirar; **to inspire trust in someone** inspirar confiança a alguém **2** incentivar (to, a); encorajar (to, a)
inspiring *adj* inspirador
instability *n* instabilidade
install *v* **1** (equipamento, software) instalar **2** (cargo) empossar
installation *n* **1** (equipamentos) instalação; montagem **2** (cargo) investidura
instalment *n* **1** prestação **2** (coleção) fascículo
instance *n* **1** exemplo; **for instance** por exemplo **2** DIR instância; **court of first instance** tribunal de primeira instância
instant *n* instante; momento ▪ *adj* **1** imediato **2** (comida) instantâneo ♦ **the next instant** logo a seguir
instantaneous *adj* instantâneo
instead *adv* em vez (of, de); em lugar (of, de)
instep *n* peito do pé

instigate *v* instigar; incitar
instigation *n* instigação (to, a); incitamento (to, a)
instigator *n* instigador
instil *v* incutir; infundir
instinct *n* **1** instinto **2** intuição; **to follow one's instincts** seguir a intuição
instinctive *adj* instintivo
institute *n* instituto ▪ *v* instituir; fundar
institution *n* **1** instituição **2** costume; tradição
institutional *adj* institucional
institutionalize *v* **1** internar **2** institucionalizar
instruct *v* **1** ordenar; mandar **2** *form* instruir **3** *form* informar
instruction *n* **1** instrução; **instructions for use** modo de emprego **2** diretiva[AO]; ordem
instructive *adj* instrutivo; educativo
instructor *n* instrutor
instrument *n* **1** instrumento **2** (pessoa) joguete
instrumental *adj* (música) instrumental
instrumentation *n* instrumentação; orquestração
insubordinate *adj* insubordinado
insubordination *n* insubordinação
insufferable *adj* insuportável
insufficiency *n* insuficiência
insufficient *adj* insuficiente (for/to, para)
insular *adj* (ilha) insular
insularity *n* (ilha) insularidade
insulate *v* **1** isolar (from/against, de) **2** proteger (from, de)
insulation *n* isolamento
insulin *n* insulina
insult *n* insulto; ofensa ▪ *v* insultar; ofender
insulting *adj* insultuoso; injurioso
insurance *n* **1** seguro; **all-risk insurance** seguro contra todos os riscos; **insurance policy** apólice de seguro **2** proteção[AO] (against, contra)
insure *v* fazer um seguro (against, contra)
insured *adj* no seguro, segurado
insurer *n* agente/companhia de seguros
insurrection *n* insurreição, rebelião
intact *adj* intacto
intake *n* **1** (ar) inalação **2** (comida, etc.) consumo **3** (grupo de pessoas) leva
intangible *adj* impalpável
integer *n* MAT número inteiro
integral *adj,n* integral
integrate *v* integrar(-se) (into/with, em)
integration *n* integração
integrity *n* integridade
intellect *n* **1** intelecto **2** (pessoa) intelectual
intellectual *adj,n* intelectual
intelligence *n* **1** inteligência; **intelligence quotient** quociente de inteligência **2** (serviços secretos) informação **3** serviços secretos; inteligência ♦ **Intelligence Department** Serviços Secretos
intelligent *adj* inteligente
intelligible *adj* inteligível; compreensível
intemperate *adj* **1** intemperado **2** (clima) rigoroso
intend *v* **1** tencionar; ter a intenção de **2** destinar (for, a)
intended *adj* **1** pretendido **2** destinado (for, a)
intense *adj* **1** intenso **2** (emoção) profundo
intensification *n* intensificação
intensify *v* intensificar(-se)
intensity *n* [*pl* -ies] intensidade
intensive *adj* intensivo; **intensive care** cuidados intensivos
intent *n* *form* intenção ▪ *adj* **1** fixo **2** determinado; **to be intent on** estar determinado a ♦ **to all intents and purposes** para todos os efeitos
intention *n* intenção
intentional *adj* intencional
intentionally *adv* intencionalmente
interact *v* interagir
interaction *n* interação[AO]
interactive *adj* interativo[AO]
intercede *v* *form* interceder
intercept *v* intercetar[AO]
interception *n* interceção[AO]
intercession *n* intercessão; mediação
interchange *n* intercâmbio ▪ *v* trocar (with, por)
interchangeable *adj* permutável
intercity *adj* intercidades
intercom *n* intercomunicador
interconnect *v* interligar(-se)
intercontinental *adj* intercontinental
intercostal *adj* intercostal
interdepartmental *adj* interdepartamental
interdependence *n* interdependência
interdependent *adj* interdependente

interdict *n* interdição ▪ *v* interditar
interest *n* **1** interesse (in, em) **2** juro **3** ECON participação (in, em); **she sold her interest in the company** ela vendeu a sua participação na empresa ▪ *v* interessar
interested *adj* interessado (in, em)
interest-free *adj* sem juros
interesting *adj* interessante
interestingly *adv* de forma interessante ◆ **interestingly enough** curiosamente
interface *n* interface (between, entre) ▪ *v* **1** funcionar como interface (de) **2** interagir (with, com)
interfere *v* interferir (in, em)
interference *n* interferência
interfering *adj* intrometido
interim *adj* interino, provisório
interior *adj,n* interior ◆ **interior decorator** decorador de interiores
interjection *n* interjeição
interlace *v* entrelaçar
interlock *v* **1** (dedos) entrelaçar **2** (peças) engrenar; encaixar
interlocutor *n form* interlocutor
interloper *n* intruso
interlude *n* **1** interlúdio **2** intervalo
intermarriage *n* **1** casamento misto **2** endogamia
intermediary *n* intermediário
intermediate *adj* intermédio
interminable *adj* interminável
intermingle *v* misturar(-se) (with, com); confundir(-se) (with, com)
intermission *n* EUA intervalo
intermittent *adj* intermitente
intern *n* **1** EUA (médico) interno **2** EUA estagiário ▪ *v* deter
internal *adj* interno, interior
internalize *v* interiorizar
international *adj* internacional ▪ *n* jogador internacional ◆ **International Monetary Fund** Fundo Monetário Internacional
internationalize *v* internacionalizar
internaut *n* cibernauta
internee *n* recluso; prisioneiro
Internet *n* Internet
internment *n* detenção
internship *n* **1** EUA (médico) internato **2** EUA estágio
interpellate *v* interpelar
interpersonal *adj* interpessoal
interplanetary *adj* interplanetário
interplay *n* interação[AO] (between, entre)
interpolate *v* interpolar
interpret *v* **1** interpretar **2** (tradução) servir de intérprete
interpretation *n* interpretação
interpreter *n* intérprete
interracial *adj* inter-racial
interrogate *v* interrogar
interrogation *n* interrogatório; **police interrogations** interrogatórios policiais ◆ **interrogation mark** ponto de interrogação
interrogative *adj* interrogativo
interrogator *n* interrogador
interrupt *v* interromper
interruption *n* interrupção
intersect *v* intersetar(-se)[AO]; cruzar(-se)
intersection *n* **1** (estradas) cruzamento **2** interseção[AO]
interstate *adj* interestadual ▪ *n* EUA autoestrada[AO] interestadual
intertwine *v* entrelaçar(-se)
interval *n* intervalo ◆ **at regular intervals** regularmente
intervene *v* **1** intervir (in, em) **2** (tempo) decorrer
intervening *adj* (tempo) intermédio; **in the intervening years** nos anos seguintes
intervention *n* intervenção (in, em)
interview *n* entrevista ▪ *v* entrevistar
interviewee *n* entrevistado
interviewer *n* entrevistador
interweave *v* entrelaçar
intestinal *adj* intestinal
intestine *n* intestino; **large/small intestine** intestino grosso/delgado
intimacy *n* [*pl* -ies] intimidade
intimate *adj* **1** íntimo (with, de) **2** profundo
intimation *n* insinuação, sugestão
intimidate *v* intimidar
intimidating *adj* que intimida
intimidation *n* intimidação
into *prep* **1** para; **he jumped into the water** ele saltou para a água **2** por; **to divide 50 into 8** dividir 50 por 8 **3** contra; **they crashed into a tree** eles bateram contra uma árvore ◆ **to be into** gostar de
intolerable *adj* intolerável
intolerant *adj* intolerante

intonation *n* entoação
intone *v* entoar
intoxicate *v* embriagar
intoxicating *adj* embriagante
intoxication *n* embriaguez
intransitive *adj* intransitivo
intravenous *adj* intravenoso
intrepid *adj* intrépido; audaz
intricacy *n* [*pl* -ies] **1** complexidade **2** *pl* pormenores
intricate *adj* complexo
intrigue *n* intriga, conspiração ▪ *v* intrigar
intriguer *n* intriguista
intriguing *adj* intrigante
intrinsic *adj* intrínseco
intro *n* [*pl* -s] *col* introdução
introduce *v* **1** apresentar (to, a) **2** introduzir (into, em) **3** instituir
introduction *n* **1** introdução **2** apresentação; **I'll make the introductions** eu faço as apresentações **3** iniciação (to, a) **4** (procedimento, lei, etc.) instituição
introductory *adj* introdutório
introspection *n* introspeção[AO]
introspective *adj* introspetivo[AO]
introvert *n* introvertido
introverted *adj* introvertido
intrude *v* intrometer-se (on, em); interferir (on, com)
intruder *n* intruso
intrusion *n* **1** invasão (upon, de) **2** interrupção
intrusive *adj* importuno; incómodo
intuition *n* intuição
intuitive *adj* intuitivo
inundate *v* (abundância) inundar (with, de)
inundation *n* enchente
invade *v* invadir
invader *n* invasor
invading *adj* invasor
invalid *adj,n* inválido ♦ **invalid chair** cadeira de rodas
invalidate *v* invalidar; anular
invalidation *n* invalidação; anulação
invaluable *adj* inestimável, incalculável
invariable *adj* invariável
invasion *n* invasão
invent *v* inventar
invention *n* **1** invenção **2** mentira **3** engenho; criatividade
inventive *adj* inventivo; criativo
inventiveness *n* inventividade; criatividade
inventor *n* inventor
inventory *n* [*pl* -ies] inventário (of, de) ▪ *v* fazer o inventário de
inverse *adj,n* inverso
inversion *n* inversão
invert *v* inverter
invertebrate *adj,n* invertebrado
inverted *adj* invertido ♦ **inverted commas** aspas
invest *v* **1** investir (in, em) **2** (poder, autoridade) conceder (with, -)
investigate *v* investigar
investigation *n* investigação
investigative *adj* de investigação
investigator *n* investigador; detetive[AO]
investment *n* investimento (in, em)
investor *n* investidor
inveterate *adj* inveterado
invidious *adj* **1** (tarefa) detestável **2** (comparação, escolha) injusto
invigilate *v* GB (exames) fazer a vigilância de
invigilation *n* GB (exames) vigilância
invigorate *v* revigorar
invigorating *adj* revigorante
invincible *adj* invencível
invisibility *n* invisibilidade
invisible *adj* invisível
invitation *n* convite (to, para); **by invitation (only)** por convite
invite *v* **1** convidar (to, para) **2** pedir ▪ *n col* convite
inviting *adj* convidativo; tentador
in vitro *loc* in vitro; **in vitro fertilization** fertilização in vitro
invocation *n* invocação
invoice *n* fatura[AO]; **to make out/draw up the invoice** passar a fatura[AO] ▪ *v* enviar a fatura[AO]
invoke *v* **1** invocar **2** implorar
involuntary *adj* involuntário
involve *v* implicar (in, em); envolver (in, em)
involved *adj* **1** envolvido **2** complicado; complexo
involvement *n* **1** envolvimento (in, em); participação (in, em) **2** relação (amorosa); ligação
invulnerability *n* invulnerabilidade
invulnerable *adj* invulnerável (to, a)
inward *adj* interior ▪ *adv* para dentro
inwardly *adv* interiormente; por dentro

inwards *adv* GB para dentro
IOC DESP [*abrev. de* International Olympic Committee] COI [*abrev. de* Comité Olímpico Internacional]
iodine *n* iodo
ion *n* ião
ionize *v* ionizar(-se)
iota *n* **1** ponta; um pouco; **not an iota of truth** sem ponta de verdade **2** (letra grega) iota
IP [*abrev. de* Internet Protocol] IP
IQ [*abrev. de* Intelligence Quotient] QI [*abrev. de* Quociente de Inteligência]
Iran *n* Irão
Iranian *adj,n* iraniano
Iraq *n* Iraque
Iraqi *adj,n* iraquiano
irascible *adj* irascível
irate *adj* irado
IRC (Internet) [*abrev. de* Internet Relay Chat] IRC
Ireland *n* Irlanda
iris *n* [*pl* -es] (olho, planta) íris
Irish *adj,n* irlandês ▪ *npl* **the Irish** os irlandeses
Irishman *n* irlandês
Irishwoman *n* irlandesa
iron *n* **1** ferro; **cast iron** ferro fundido **2** ferro de engomar **3** (golfe) taco **4** *pl* grilhões ▪ *adj* de ferro ▪ *v* (roupa) passar a ferro ♦ **to strike while the iron's hot** aproveitar a oportunidade
◇ **iron out** *v* **1** passar a ferro **2** (problema) resolver; solucionar
ironic *adj* irónico
ironically *adv* ironicamente
ironmonger *n* GB ferrageiro ♦ **ironmonger's (shop)** loja de ferragens
ironwork *n* objeto[AO] em ferro
ironworks *n* fundição (de ferro)
irony *n* ironia
irradiate *v* **1** expor a radiações **2** irradiar
irrational *adj* irracional
irreconcilable *adj* incompatível (with, com); inconciliável (with, com)
irrecoverable *adj* irrecuperável
irrefutable *adj* irrefutável
irregular *adj* irregular
irregularity *n* [*pl* -ies] irregularidade
irrelevance *n* irrelevância
irrelevant *adj* irrelevante (to, para)
irremediable *adj* irremediável
irreparable *adj* irreparável
irreplaceable *adj* insubstituível
irreproachable *adj* irrepreensível
irresistible *adj* irresistível
irresolute *adj* irresoluto, indeciso
irrespective *adj* sem ter em conta (of, -); sem prestar atenção (of, a)
irresponsibility *n* [*pl* -ies] irresponsabilidade
irresponsible *adj* irresponsável
irreverence *n* irreverência
irreverent *adj* irreverente
irreversible *adj* irreversível
irrevocable *adj* irrevogável
irrigate *v* irrigar
irrigation *n* irrigação ♦ **irrigation system** sistema de rega
irritant *adj* irritante ▪ *n* substância que causa irritação
irritate *v* irritar
irritating *adj* irritante
irritation *n* irritação
Islam *n* (religião) islão; (países muçulmanos) Islão
Islamic *adj* islâmico
island *n* ilha
islander *n* ilhéu
isle *n lit* ilha
isolate *v* isolar (from, de)
isolated *adj* isolado
isolation *n* isolamento ♦ **in isolation** separadamente
isosceles *adj* (triângulo) isósceles
isothermal *adj* isotérmico
ISP [*abrev. de* Internet service provider] ISP (entidade fornecedora de serviços de Internet)
Israel *n* Israel
Israeli *adj,n* israelita
Israelite *adj,n* (Bíblia) israelita
issue *n* **1** questão; tema **2** emissão; **a new issue of stamps** uma nova emissão de selos **3** (publicação) edição, número **4** DIR descendência ▪ *v* **1** emitir **2** publicar, editar **3** (encomenda) distribuir, entregar
issuer *n* emissor; **issuer bank** banco emissor
it *pron pess* **1** ele/ela, a ele/ela, o, a **2** isso, isto; **that's it!** é isso!; **it is raining** está a chover

It refere-se a coisas, animais ou crianças muito pequenas; é usado também como sujeito de verbos impessoais.

Italian *adj,n* italiano
italic *adj* itálico
Italy *n* Itália
itch *n* **1** comichão **2** *col* desejo; vontade ▪ *v* fazer comichão; ter comichão
itching *n* comichão ▪ *adj* ansioso, em pulgas *fig*
itchy *adj* que faz comichão
item *n* **1** item, ponto **2** peça; **an item of clothing** uma peça de roupa **3** notícia
itemize *v* detalhar, especificar
itinerary *n* itinerário
its *pron poss* (objetos, animais) seu; sua; dele; dela
itself *pron pess refl* se; si mesmo, ele próprio ♦ **in itself** em si; por si só
ivory *n* (material, cor) marfim ▪ *adj* **1** de marfim **2** (cor) marfim
Ivory Coast *n* Costa do Marfim
ivy *n* [*pl* -ies] hera

J

j *n* [*pl* j's] (letra) j
jab *n* **1** murro **2** GB *col* injeção[AO] ▪ *v* espetar
jabber *v col* tagarelar
jack *n* **1** (carro, etc.) macaco **2** (cartas) valete **3** (bowling) pino **4** ficha; **telephone jack** ficha do telefone
◇ **jack in** *v col* deixar
◇ **jack up** *v* **1** (carro) levantar com o macaco **2** (preços) subir
jackal *n* (animal) chacal
jackass *n* [*pl* -es] EUA *col,ofens* burro; estúpido
jackboot *n* **1** MIL bota de cano alto **2** (repressão) ditadura
jackdaw *n* (ave) gralha
jacket *n* **1** casaco **2** (livro) sobrecapa **3** EUA (disco) capa **4** GB (batata) casca
jackhammer *n* EUA martelo pneumático
jack-knife *n* navalha
jack-of-all-trades *n* habilidoso; faz-tudo
jackpot *n* jackpot ♦ **to hit the jackpot** sair-lhe a sorte grande
jacuzzi *n* jacúzi, jacuzzi
jade *n* (pedra, cor) jade
jaded *adj* cansado; saturado
jagged *adj* dentado
jaguar *n* jaguar
jail *n* prisão, cadeia ▪ *v* prender
jailbreak *n* GB evasão; fuga da prisão
jam *n* **1** geleia, compota **2** engarrafamento **3** *col* aperto, encrenca ▪ *v* **1** meter; **I can't jam anything else in here** não posso meter aqui mais nada **2** obstruir; bloquear **3** emperrar **4** (música) improvisar
Jamaica *n* Jamaica
Jamaican *adj,n* jamaicano
jamb *n* (janela, porta) umbral
jamboree *n* **1** *col* festa ruidosa **2** reunião de escuteiros
jamming *n* (rádio) interferência
jammy *adj* **1** com geleia **2** GB *col* sortudo
jam-packed *adj col* cheio, repleto
jangle *v* **1** (metal) chocalhar **2** transtornar ▪ *n* ruído metálico
janitor *n* porteiro
January *n* janeiro[AO]
Japan *n* Japão
Japanese *adj,n* japonês
jar *n* **1** frasco; pote **2** abalo; estremeção **3** GB *col* copo de cerveja ▪ *v* **1** abanar **2** chocar (with, com) **3** chiar; ranger
jargon *n* gíria; **medical jargon** gíria médica
jasmine *n* jasmim
jaundice *n* icterícia[AO]
jaunt *n* excursão ▪ *v* fazer uma excursão
jaunty *adj* alegre
javelin *n* DESP dardo; **javelin throwing** lançamento do dardo
jaw *n* **1** maxilar **2** *col* conversa, cavaqueira **3** *pl* mandíbulas ▪ *v col* tagarelar, conversar
jawbone *n* maxilar
jay *n* (ave) gaio
jaywalk *v* atravessar a rua de forma imprudente
jazz *n* **1** jazz **2** *cal* disparates; asneiras **3** *cal* animação ▪ *v* tocar música jazz
jazzy *adj* **1** *col* parecido com o jazz **2** *col* vistoso
jealous *adj* **1** ciumento **2** invejoso; com inveja (of, de)
jealousy *n* [*pl* -ies] **1** ciúme **2** inveja
jeep *n* jipe
jeer *v* apupar ▪ *n* apupo
jello *n* EUA gelatina
jelly *n* [*pl* -ies] **1** GB gelatina **2** geleia
jellyfish *n* alforreca
jemmy *n* [*pl* -ies] GB pé de cabra
jeopardize *v* arriscar, pôr em perigo
jeopardy *n* perigo, risco
jerk *v* **1** dar solavancos **2** sacudir ▪ *n* **1** solavanco **2** *cal* parvo, estúpido
jerky *adj* brusco
jersey *n* **1** GB camisola **2** (tecido) jérsei
jester *n* bobo
Jesuit *adj,n* REL jesuíta
Jesus *n* Jesus Cristo ▪ *interj col* (admiração, surpresa, susto) jesus!; credo!

jet *n* **1** jato[AO] (of, de) **2** azeviche ▪ *v* **1** *col* viajar em avião a jato[AO] **2** sair em jato[AO]
jet lag *n* (diferenças horárias) jet lag
jet-propelled *adj* com propulsão a jato[AO]
jetsam *n* carga lançada ao mar
jet set *n* jet set
jet-setter *n* membro do jet set; colunável
jettison *v* **1** alijar **2** desfazer-se de **3** (ideia, projeto, etc.) esquecer; abandonar
jetty *n* [*pl* -ies] molhe; quebra-mar
Jew *n* judeu
jewel *n* **1** pedra preciosa **2** joia[AO] ♦ **jewel case** caixa para CD
jeweller *n* joalheiro ♦ (estabelecimento) **jeweller's** joalharia
jewellery *n* joalharia, joias[AO]
Jewish *adj* judeu; judaico
jib *n* **1** (vela) bujarrona **2** lança de guindaste
jiffy *n* [*pl* -ies] *col* momento; instante
jig *n* (dança, música) jiga ▪ *v* dançar a jiga
jiggery-pokery *n col* trapaça; manha
jiggle *v col* sacudir
jigsaw *n* **1** puzzle **2** serra de fita
jihad *n* REL jihad
jilt *v* (relação) romper, acabar
jimmy *n* EUA ⇒ **jemmy**
jingle *v* tinir; chocalhar ▪ *n* **1** tinido **2** (publicidade) jingle
jinx *n* maldição; praga ▪ *v* enguiçar; dar azar a
jinxed *adj* enguiçado
jitters *npl col* nervosismo; **to get the jitters** ficar nervoso
jittery *adj col* nervoso; agitado
job *n* **1** emprego; **to be out of a job** estar desempregado **2** tarefa **3** função **4** (dificuldade) carga de trabalhos **5** *col* operação plástica **6** *col* golpe; assalto ♦ **to be just the job** ser mesmo aquilo que é preciso
job-hunting *n* procura de emprego
jobless *adj* desempregado
job-related *adj* de foro profissional
jock *n* **1** EUA *col* atleta, desportista **2** *col* disco--jóquei
jockey *n* jóquei ▪ *v* competir (for, -); disputar (for, -)
jockstrap *n* suspensório
jocose *adj* jocoso
jog *n* **1** empurrão; abanão **2** corrida ▪ *v* **1** empurrar **2** fazer jogging ♦ **jog my memory** refresca-me a memória
jogger *n* praticante de jogging
jogging *n* jogging
join *v* **1** juntar(-se); unir(-se) **2** alistar-se em; ingressar em **3** (clube, partido, etc.) aderir **4** (estrada, rio) confluir ▪ *n* junta; ligação
◇ **join in** *v* participar; tomar parte
◇ **join up** *v* MIL alistar-se
joiner *n* GB marceneiro
joinery *n* marcenaria
joint *n* **1** articulação **2** encaixe **3** GB peça de carne **4** *col* espelunca **5** *cal* charro ▪ *adj* comum, conjunto ▪ *v* (carne) talhar
jointly *adv* conjuntamente; em conjunto
joist *n* viga; barrote
joke *n* anedota; piada ▪ *v* brincar; **I was only joking!** estava a brincar!
joker *n* **1** brincalhão **2** (cartas) jóquer **3** *pej* idiota ♦ **the joker in the pack** a incógnita
jolly *adj* alegre; divertido
jolt *n* **1** solavanco **2** (emoção) abanão; baque ▪ *v* **1** dar solavancos **2** (susto, surpresa) sobressaltar
jostle *v* **1** empurrar(-se); acotovelar(-se) **2** (concorrência, competição) atropelar-se
jot *n* **not a/one jot** nem um bocadinho
◇ **jot down** *v* anotar, apontar
jotter *n* GB bloco de notas
journal *n* **1** jornal; boletim; **daily journal** jornal diário **2** diário
journalism *n* jornalismo
journalist *n* jornalista
journalistic *adj* jornalístico
journey *n* jornada; viagem
jovial *adj* alegre; jovial
joviality *n* jovialidade; alegria
jowl *npl* papada
joy *n* **1** alegria; júbilo **2** GB *col* sorte; sucesso
joyful *adj* alegre; feliz
joyless *adj* triste; infeliz
joyous *adj lit* alegre
joyride *n* passeio em carro roubado ▪ *v* passear em carro roubado
joystick *n* **1** INFORM joystick **2** *col* (avião) alavanca de direção[AO]
JPEG INFORM [*abrev. de* Joint Photographic Experts Group] JPEG
jubilee *n* jubileu
Judaism *n* judaísmo
judge *n* **1** DIR juiz **2** árbitro **3** especialista ▪ *v* **1** julgar **2** arbitrar **3** estimar; calcular **4** considerar

judgment *n* **1** sentença; decisão **2** opinião (on/about/of, sobre) **3** critério; princípios
judicial *adj* judicial
judiciary *n* magistratura
judo *n* judo
jug *n* **1** GB jarro, caneca **2** EUA cântaro, bilha
juggernaut *n* GB camião Tir
juggle *v* fazer malabarismo(s) (with, com)
juggler *n* malabarista
juggling *n* malabarismo
jugular *adj,n* jugular
juice *n* **1** sumo **2** suco; **digestive juices** sucos digestivos **3** GB *col* gasolina **4** GB *col* eletricidade[AO]
juicer *n* espremedor (de frutos)
juicy *adj* **1** sumarento **2** *col* picante; **all the juicy details** todos os pormenores picantes **3** *col* chorudo; **a juicy prize** um prémio chorudo
ju-jitsu *n* DESP jiu-jitsu
jukebox *n* jukebox
July *n* julho[AO]
jumble *n* confusão (of, de); baralhada (of, de) ▪ *v* misturar; baralhar ♦ GB **jumble sale** bazar
jumbo *adj col* grande; gigante ♦ (avião) **jumbo jet** jumbo
jump *n* **1** salto; pulo **2** subida em flecha **3** *fig* passo; avanço **4** (cavalo) obstáculo ▪ *v* **1** saltar; pular **2** sobressaltar-se; apanhar um susto **3** aumentar; disparar ♦ **to jump queues** passar à frente em filas; **to jump the gun** fazer uma falsa partida; **to jump to conclusions** tirar conclusões precipitadas
◇ **jump in** *v* **1** (conversa) intrometer-se **2** meter-se; envolver-se
◇ **jump on** *v col* cair em cima de; criticar
◇ **jump out at** *v* saltar à vista de
jumper *n* **1** GB camisola **2** EUA babeiro
jumpsuit *n* macacão
jumpy *adj col* nervoso; excitado
junction *n* cruzamento
June *n* junho[AO]
jungle *n* **1** selva; matagal **2** amálgama; desordem
junior *adj* novo; **he is junior to his brother** ele é mais novo do que o irmão ▪ *n* **1** novo **2** subordinado; subalterno **3** GB aluno da primária **4** DESP júnior ♦ GB (escola) **junior school** primeiro ciclo
junk *n* **1** tralha; lixo **2** (barco) junco ▪ *v col* deitar ao lixo ♦ **junk food** comida de plástico; (correio) **junk mail** publicidade não solicitada
junkie *n* **1** *cal* drogado **2** viciado
junta *n* POL junta militar
Jupiter *n* ASTRON,MIT Júpiter
Jurassic *adj* jurássico
juridical *adj* jurídico
jurisdiction *n* jurisdição; competência
jurisprudence *n* jurisprudência
jurist *n* jurista
juror *n* jurado
jury *n* [*pl* -ies] júri
juryman *n* [*pl* -men] jurado
jurywoman *n* [*pl* -men] jurada
just *adv* **1** mal; **he could just see them** ele mal os conseguia ver **2** apenas; só **3** quase; mesmo; **just now** agora mesmo **4** exatamente[AO] ▪ *adj* justo ♦ **just in case** por via das dúvidas
justice *n* **1** justiça **2** EUA juiz
justifiable *adj* justificável
justification *n* justificação; razão ♦ **in justification of** em defesa de
justify *v* justificar
justly *adv* justamente
justness *n* justiça
jut *v* sobressair; destacar-se ▪ *n* saliência
juvenile *adj* **1** menor; **juvenile court** tribunal de menores **2** *pej* infantil ▪ *n* DIR menor de idade

K

k *n* [*pl* k's] (letra) k
kale *n* couve de folhas frisadas
kaleidoscope *n* caleidoscópio
kamikaze *n,adj* kamikaze
kangaroo *n* canguru
karaoke *n* karaoke
karate *n* karaté, caraté; **karate chop** golpe de karaté
karateka *n* karateca
karma *n* carma
kayak *n* caiaque
Kazakhstan *n* Cazaquistão
kbps INFORM [*abrev. de* Kilobits per second] Kbps [*abrev. de* kilobits por segundo]
kebab *n* CUL kebab
kedgeree *n* prato quente de peixe, arroz e ovos
keel *n* NÁUT quilha
◇ **keel over** *v* **1** (barco) virar **2** (pessoa) cair
keen *adj* **1** ansioso (to, por) **2** entusiasmado (on/to, por); **to be keen on sports** ser um entusiasta do desporto **3** perspicaz **4** profundo; intenso **5** GB (preço) competitivo ♦ **to be keen on someone** ter um fraquinho por alguém
keenly *adv* **1** com entusiasmo **2** profundamente
keenness *n* **1** perspicácia **2** entusiasmo
keep *n* subsistência; sustento ▪ *v* **1** continuar; **keep singing** continua a cantar **2** (segredo) guardar **3** (comida) conservar-se **4** (promessa) cumprir **5** atrasar; reter **6** (animais) criar **7** manter-se; **keep still!** mantém-te quieto! ♦ **to keep an eye on** vigiar
◇ **keep away** *v* afastar(-se)
◇ **keep back** *v* **1** reservar; pôr de parte **2** reter; conter **3** não revelar
◇ **keep down** *v* **1** controlar; limitar **2** oprimir **3** (comida) aguentar (no estômago)
◇ **keep in** *v* conter
◇ **keep off** *v* **1** afastar(-se) **2** evitar **3** não falar de
◇ **keep on** *v* **1** continuar **2** não parar de falar
◇ **keep out** *v* manter afastado
◇ **keep out of** *v* não se meter em
◇ **keep to** *v* **1** cumprir; seguir **2** limitar a **3** ficar em
◇ **keep up** *v* **1** continuar **2** manter; **to keep up appearances** manter as aparências **3** manter acordado
◇ **keep up with** *v* **1** acompanhar; manter-se a par **2** manter contacto com
keeper *n* **1** (animais) tratador **2** guarda **3** GB *col* guarda-redes
keep-fit *n* GB ginástica de manutenção
keeping *n* **1** guarda; custódia **2** concordância; harmonia **3** conservação
keepsake *n* lembrança; recordação
keg *n* barril ♦ GB **keg beer** cerveja de barril
kennel *n* casota do cão
Kenya *n* Quénia
Kenyan *adj,n* queniano
kerb *n* GB (rua) passeio
kerchief *n* lenço
kernel *n* **1** (amêndoa, avelã) miolo **2** âmago; essência
ketchup *n* ketchup
kettle *n* chaleira
kettledrum *n* MÚS timbale
key *n* **1** chave **2** (computador, piano) tecla **3** MÚS tom **4** (mapa, gráfico) símbolo ▪ *adj* fundamental; essencial ▪ *v* digitar; introduzir ♦ **key rack** chaveiro
keyboard *n* **1** (computador, piano) teclado **2** *pl* MÚS instrumento de teclado
keyhole *n* buraco de fechadura
keypad *n* teclado numérico
keystone *n* **1** ARQ (arco) chave; fecho **2** pedra angular; base
keyword *n* palavra-chave
kg [*abrev. de* kilogram] kg [*abrev. de* quilograma]
khaki *adj,n* (tecido, cor) caqui

kick *n* **1** pontapé, chuto **2** coice, patada **3** *col* prazer; satisfação ▪ *v* **1** dar pontapés a; chutar **2** espernear
◇ **kick in** *v* **1** deitar abaixo com pontapés **2** EUA (ajuda, dinheiro) contribuir **3** *col* fazer efeito
◇ **kick off** *v* **1** *col* começar **2** (jogo) dar o pontapé de saída **3** EUA *col* bater a bota *col*
kickboxing *n* kickboxing
kickoff *n* **1** (futebol) pontapé de saída **2** *col* arranque
kid *n* **1** *col* miúdo, garoto **2** *col* filho **3** cabrito **4** pelica; **kid gloves** luvas de pelica ▪ *v* **1** *col* brincar; **I'm just kidding** estou a brincar **2** *col* meter-se com; gozar **3** *col* enganar ◆ EUA *col* **kid brother** irmão mais novo; **no kidding!** a sério?
kidnap *v* raptar ▪ *n* rapto
kidnapper *n* raptor
kidnapping *n* rapto
kidney *n* rim ◆ **kidney bean** feijão vermelho
kill *n* (animal) matança ▪ *v* **1** matar; **to kill oneself** suicidar-se **2** destruir; acabar com **3** desligar; **to kill a machine** desligar uma máquina **4** (dor) aliviar ◆ **to kill time** passar o tempo; **to kill two birds with one stone** matar dois coelhos duma cajadada
killer *n* **1** assassino **2** *col* arraso; coisa excecional[AO]
killing *n* assassínio; homicídio ▪ *adj* **1** cansativo; esgotante **2** mortal; fatal **3** *col* divertido
killjoy *n* desmancha-prazeres
kiln *n* (cal, tijolos) forno, fornalha
kilogram *n* quilograma, quilo
kiloliter *n* EUA ⇒ **kilolitre**
kilolitre *n* quilolitro
kilometer *n* EUA ⇒ **kilometre**
kilometre *n* quilómetro
kilometric *adj* quilométrico
kilowatt *n* quilowatt
kilt *n* (saia escocesa) *kilt*
kimono *n* quimono
kin *n* **the next of kin** a família mais próxima
kind *n* espécie; tipo; género; **what kind of person is he?** que tipo de pessoa é que ele é? ▪ *adj* **1** amável; simpático; **that's very kind of you** é muita amabilidade sua **2** generoso (to, para); bondoso (to, para) **3** inofensivo ◆ **kind of** mais ou menos; **nothing of the kind** nada disso
kindergarten *n* infantário
kind-hearted *adj* bondoso
kindle *v* **1** acender; atear **2** suscitar; despertar
kindling *n* acha; lenha
kindly *adv* **1** amavelmente; com amabilidade **2** *form* por favor; **would you kindly fill in this form?** fazia o favor de preencher este formulário? ◆ **not to take kindly to** não gostar de
kindness *n* bondade; amabilidade
kindred *adj* aparentado ◆ **kindred spirit** alma gémea
kinetic *adj* cinético
kinetics *n* FÍS cinética
king *n* rei; (cartas) **king of hearts** rei de copas ◆ **the three Kings** os três Reis Magos
kingdom *n* reino
king-size *adj* **1** extragrande **2** (cigarro) longo **3** *col* enorme; monumental
kink *n* **1** (fio, cabelo) nó **2** *col* tara; mania
kinky *adj* bizarro; excêntrico
kinship *n* **1** parentesco **2** semelhança; proximidade
kiosk *n* quiosque
kipper *n* arenque fumado
kiss *v* beijar(-se) ▪ *n* [*pl* -es] beijo
kit *n* **1** kit **2** equipamento
kitchen *n* cozinha ◆ **kitchen garden** horta
kitchenette *n* kitchenette
kitchenware *n* trem de cozinha
kite *n* **1** papagaio de papel; **to fly a kite** lançar um papagaio **2** (falcão) milhafre, peneireiro ▪ *v* **1** EUA *col* (preço) subir **2** EUA *col* falsificar cheque
kitsch *n,adj* kitsch
kitten *n* gatinho ◆ (fúria, preocupação) **to have kittens** ter um ataque
kitty *n* [*pl* -ies] **1** gatinho **2** (jogos) fundo comum; monte **3** *col* (dinheiro) vaquinha
kiwi *n* **1** (fruto, ave) quivi, kiwi **2** *col* neozelandês
klaxon *n* cláxon
kleptomania *n* cleptomania
kleptomaniac *adj,n* cleptomaníaco
km [*abrev. de* kilometre] km [*abrev. de* quilómetro]
knack *n* jeito (for, para); habilidade (for, para)
knapsack *n* mochila
knave *n* GB (baralho de cartas) valete

knead *v* **1** amassar; **to knead the dough** amassar a massa **2** (músculos) massajar
knee *n* joelho; **to be on one's knees** estar de joelhos ▪ *v* dar uma joelhada
kneecap *n* rótula ▪ *v* disparar aos joelhos de
knee-deep *adj* **1** até aos joelhos; **the river was knee-deep** o rio dava pelos joelhos **2** *fig* muito envolvido (in, em); **he is knee-deep in the affair** ele está muito envolvido no caso
kneel *v* ajoelhar-se
kneepad *n* joelheira
knell *n* dobre a finados ▪ *v* (sinos) dobrar a finados
knickers *npl* GB calcinhas
knick-knack *n* bibelô
knife *n* [*pl* knives] faca ▪ *v* apunhalar; esfaquear ♦ **to twist the knife in the wound** bater no ceguinho
knife-edge *n* gume de faca ♦ **on a knife-edge** por um fio
knight *n* **1** cavaleiro **2** (xadrez) cavalo ▪ *v* armar cavaleiro ♦ **the Knights of the Round Table** os cavaleiros da Távola Redonda
knighthood *n* dignidade de cavaleiro
knit *v* **1** tricotar **2** costurar; coser **3** unir (together, -); juntar (together, -) **4** (osso) solidificar ♦ **to knit one's brows** franzir o sobrolho
knob *n* **1** maçaneta; puxador **2** (em máquina) botão **3** ponta; bocadinho; **add a knob of butter** junte um bocadinho de manteiga **4** saliência; alto
knock *n* **1** pancada; batida; **a knock at the door** uma pancada na porta **2** golpe ▪ *v* **1** (porta, janela) bater (at/on, a) **2** palpitar; **my heart knocked like crazy** tinha o coração aos saltos **3** derrubar **4** *col* deitar abaixo; criticar ♦ *col* **knock on wood!** bate na madeira! ◇ **knock out** *v* **1** deixar inconsciente **2** (boxe) pôr fora de combate **3** *col* espantar **4** (equipa, etc.) eliminar
◇ **knock up** *v* **1** GB acordar **2** improvisar **3** (ténis) bater umas bolas **4** EUA *cal* engravidar
knockdown *adj* (preço) reduzido ▪ *n* combate livre
knocker *n* (porta) aldraba; batente
knockout *n* **1** (boxe) knockout **2** *col* maravilha; espanto ▪ *adj* **1** (boxe) knockout **2** (competição) eliminatório **3** *col* fantástico; espetacular[AO]
knoll *n* elevação; outeiro
knot *n* **1** nó; **to untie a knot** desfazer um nó; **the ship sailed at twenty knots** o barco navegava a vinte nós **2** (pessoas) grupo **3** (músculo) inchaço ▪ *v* dar um nó; atar ♦ **to tie oneself in knots** meter os pés pelas mãos
knotty *adj* **1** (problema) difícil **2** nodoso
know *v* **1** saber; **as far as I know** tanto quanto sei **2** conhecer; **to know by sight** conhecer de vista **3** aperceber-se; **I knew that something had gone wrong** apercebi-me de que algo tinha corrido mal **4** perceber (about/of, de); **he knows about the subject** ele percebe do assunto **5** reconhecer
know-all *n* GB *col* sabichão
know-how *n* know-how
knowing *adj* **1** sagaz; inteligente **2** (olhar, sorriso) cúmplice
know-it-all *n* EUA *col* sabichão
knowledge *n* conhecimento; saber; **to my knowledge** que eu saiba
known *adj* conhecido; famoso
knuckle *n* **1** (dedos) nó **2** (carne) pernil ◇ **knuckle under** *v col* submeter-se (to, a); ceder (to, a)
KO (boxe) [*abrev. de* knockout] KO
koala *n* coala
Koran *n* REL Corão; Alcorão
Korea *n* Coreia
Korean *adj,n* coreano
korfball *n* DESP corfebol
krone *n* [*pl* kroner] (moeda) coroa dinamarquesa/norueguesa
krypton *n* crípton
kudos *n* prestígio; glória ♦ **to get the kudos for** receber os louros por
kung fu *n* kung fu
Kurd *n* (pessoa) curdo
Kuwait *n* Kuwait; Koweit
Kuwaiti *adj,n* kuwaitiano; koweitiano

L

l *n* [*pl* l's] (letra) l
lab *n col* laboratório
label *n* **1** etiqueta; rótulo **2** companhia discográfica ▪ *v* **1** etiquetar **2** (pessoa) rotular (as, de)
labor *n,v* EUA ⇒ **labour**
laboratory *n* [*pl* -ies] laboratório
laborious *adj* laborioso; penoso
labour *n* **1** trabalho; **hard labour** trabalhos forçados **2** mão de obra **3** trabalho de parto; **to be in labour** estar em trabalho de parto ▪ *v* trabalhar no duro; esforçar-se ♦ **labour camp** campo de trabalhos forçados; **labour market** mercado de trabalho
labourer *n* trabalhador; operário
labyrinth *n* labirinto
lace *n* **1** renda; **lace towel** toalha de renda **2** (sapatos) cordão, atacador ▪ *v* **1** atar; apertar **2** (ingrediente) misturar (with, com)
◊ **lace up** *v* apertar os cordões de
lacerate *v* **1** lacerar; dilacerar **2** (crítica) arrasar; demolir
lack *n* falta; carência; escassez; **lack of balance** falta de equilíbrio; **lack of water** escassez de água ▪ *v* ter falta de; **to lack self-confidence** ser inseguro
lackey *n pej* lacaio
lacklustre *adj* desinteressante; apagado *fig*
laconic *adj* lacónico
lacquer *n* (verniz) laca ▪ *v* lacar
lacrimal *adj* lacrimal
lacy *adj* rendado
lad *n* GB *ant* moço; rapaz
ladder *n* **1** escada; escadote **2** (meias) malha caída **3** escala; **social ladder** escala social
ladle *n* (para sopa) concha ▪ *v* servir com concha
lady *n* [*pl* -ies] **1** senhora; **ladies and gentlemen** minhas senhoras e meus senhores; **ladies' room** casa de banho das senhoras **2** (título honorífico) [com maiúscula] Lady **3** REL [com maiúscula] Senhora; **Our Lady** Nossa Senhora
ladybird *n* GB joaninha
ladybug *n* EUA joaninha
ladyship *n* (título nobiliário) senhoria
lag *n* atraso; demora ▪ *v* **1** ficar para trás **2** GB (canos, etc.) isolar
lager *n* GB cerveja loura
lagoon *n* lagoa
laid-back *adj col* descontraído; relaxado
lair *n* **1** toca; covil **2** refúgio
laity *n* [*pl* -ies] os leigos
lake *n* lago
lamb *n* **1** cordeiro **2** (carne) cabrito; anho; borrego **3** *col* inocente ▪ *v* (ovelha) parir
lame *adj* **1** coxo; manco **2** (desculpa) pouco convincente; esfarrapado ▪ *v* estropiar
lament *n* lamento ▪ *v* lamentar(-se)
lamentation *n* lamentação
lamp *n* candeeiro; **turn out the lamp** desliga o candeeiro
lamppost *n* poste de iluminação pública
lamprey *n* lampreia
lampshade *n* quebra-luz; abajur
LAN INFORM [*abrev. de* Local Area Network] LAN
lancet *n* **1** lanceta; bisturi **2** ogiva
land *n* **1** terra; **to reach land** chegar a terra **2** terreno; terra; **a piece of land** um terreno **3** terra; país; **my native land** a minha terra natal **4** campo ▪ *v* **1** aterrar; pousar **2** (avião, barco) desembarcar **3** cair **4** *col* conseguir; fisgar **5** (peixe) apanhar **6** *col* (estalo, murro) pregar (in, em)
landfill *n* aterro
landing *n* **1** aterragem; **emergency landing** aterragem de emergência; **landing gear** trem de aterragem **2** (escadas) patamar **3** MIL desembarque **4** GB cais de desembarque
landlady *n* **1** senhoria **2** GB (pensão, bar) dona
landlord *n* **1** senhorio **2** GB (pensão, bar) dono
landmark *n* marco; **a landmark in painting** um marco na pintura
landmine *n* (explosivo) mina terrestre
landowner *n* proprietário de terras
landscape *n* **1** paisagem **2** panorama; **cultural landscape** panorama cultural ♦ **land-**

scape architect arquiteto[AO] paisagista; **landscape gardener** paisagista

landslide *n* **1** desmoronamento; desabamento **2** vitória esmagadora; **he won the elections by a landslide** ele teve uma vitória esmagadora nas eleições

lane *n* **1** (campo) vereda; caminho **2** (cidade) rua; viela; travessa **3** (estrada) faixa de rodagem **4** DESP pista **5** (avião, barco) rota

language *n* **1** língua; **foreign language** língua estrangeira **2** linguagem; **sign language** linguagem gestual

languid *adj* lânguido

languish *v* **1** definhar **2** (projeto) fracassar

lantern *n* lanterna

Laos *n* Laos

Laotian *adj,n* laosiano

lap *n* **1** regaço; colo **2** volta; **lap of honour** volta de honra **3** (de percurso) etapa; troço ▪ *v* **1** (corrida) dar volta de avanço **2** (ondas) marulhar

lapel *n* lapela

lapidate *v* lapidar

lapis lazuli *n* lápis-lazúli

Lapland *n* Lapónia

Laplander *n* lapão

lapse *n* **1** espaço de tempo **2** lapso; falha; **lapse of memory** lapso, esquecimento ▪ *v* **1** caducar; prescrever; **my insurance policy lapsed** a minha apólice de seguro caducou **2** (comportamento) cair (into, em)

laptop *n* computador portátil

larceny *n* [*pl* -ies] DIR roubo; furto

lard *n* banha de porco ▪ *v* (carne) lardear; entremear

larder *n* despensa

large *adj* **1** grande; **a large company** uma grande empresa; **a large amount of** uma grande quantidade de **2** vasto; amplo **3** (roupa) largo ♦ **at large** à solta; **how large is it?** qual é o tamanho?

largely *adv* em grande parte

lark *n* **1** (ave) cotovia **2** *col* brincadeira

larva *n* [*pl* -e] larva

laryngitis *n* laringite

larynx *n* [*pl* -es, larynges] laringe

lasagne ou **lasagna** *n* lasanha

lascivious *adj* lascivo

laser *n* laser; **laser beams** raios laser; **laser printer** impressora a laser

lash *n* [*pl* -es] **1** chicotada **2** chicote **3** pestana ▪ *v* **1** chicotear **2** (rabo) abanar **3** atar (to, a); amarrar (to, a) **4** fazer críticas violentas (into, a)

lass *n* rapariga; moça

lasso *n* (vaqueiros) laço ▪ *v* laçar

last *adj* **1** último; **the last lap** a última etapa **2** passado; anterior; **last week** na semana passada ▪ *adv* **1** da/pela última vez; **when I last saw him** da última vez que o vi **2** em último lugar; **to finish last** ficar em último ▪ *v* durar ▪ *n* **1** o último **2** resto ♦ **at last!** até que enfim!; **last but not least** por último, mas não menos importante; **the day before last** anteontem; **the last but one** o penúltimo; **the last but two** antepenúltimo

lastly *adv* por fim, por último

last-minute *adj* de última hora

latch *n* [*pl* -es] trinco ▪ *v* fechar com o trinco

late *adj* **1** atrasado; **he is always late** ele chega sempre atrasado **2** tardio **3** falecido; **my late father** o meu falecido pai ▪ *adv* tarde; **it was too late** foi demasiado tarde ♦ **in their late fifties** na casa dos cinquenta; **of late** ultimamente; **to keep late hours** deitar-se tarde

latecomer *n* atrasado

lately *adv* ultimamente; recentemente

late-night *adj* tardio; **late-night television** programas ao fim da noite

latent *adj* latente

later *adj* posterior; **at a later date** em data posterior ▪ *adv* mais tarde; depois; **an hour later** uma hora depois ♦ **see you later** até logo

lateral *adj* lateral

latest *adj* mais recente; **the latest news** as últimas notícias ♦ **at the latest** o mais tardar

latex *n* látex

lath *n* ripa

lathe *n* torno mecânico ♦ **lathe bed** bancada do torno

lather *n* **1** (sabão) espuma **2** (cavalo) suor ▪ *v* **1** ensaboar **2** fazer espuma

Latin *adj,n* latino ▪ *n* (língua) latim ♦ **Latin America** América Latina

latitude *n* latitude

latrine *n* latrina; retrete

latte *n* café com leite

latter *adj* **1** último; recente; **the latter months** os últimos meses **2** segundo; **the latter half of** a segunda metade de ▪ *n* último
lattice *n* entrançado ♦ (janela) **lattice window** gelosia
Latvia *n* Letónia
Latvian *adj,n* letão
laud *n* louvor ▪ *v* louvar
laugh *n* riso; risada; **to break into a laugh** desatar a rir ▪ *v* rir(-se) ♦ **he who laughs last laughs longest** quem ri por último ri melhor; **to laugh in someone's face** rir-se na cara de alguém
laughter *n* riso; risada
launch *n* [*pl* -es] **1** lancha **2** lançamento ▪ *v* **1** (barco, produto, etc.) lançar **2** iniciar
launching *n* (produto, nave, etc.) lançamento ♦ **launching pad** plataforma de lançamento
launder *v* **1** (dinheiro) branquear **2** *form* (roupa) lavar e passar
launderette *n* GB lavandaria automática
laundering *n* **1** lavagem **2** (dinheiro) branqueamento
laundromat *n* EUA lavandaria automática
laundry *n* [*pl* -ies] **1** roupa suja/lavada; **to do the laundry** tratar da roupa **2** lavandaria
laureate *adj,n* laureado
laurel *n* **1** loureiro **2** *pl* louros; glória
lava *n* lava
lavatory *n* [*pl* -ies] quarto de banho
lavender *n* alfazema, lavanda
lavish *adj* **1** generoso (with, com); liberal (with, com) **2** gastador; esbanjador ▪ *v* encher (on/upon, de); cobrir (on/upon, de)
law *n* **1** lei; **to break/keep the law** infringir/cumprir a lei **2** norma; regra **3** advocacia; direito; **to practise Law** exercer advocacia **4** *col* polícia ♦ **to take the law into one's own hands** fazer justiça pelas próprias mãos
law-abiding *adj* cumpridor da lei
lawbreaker *n* criminoso
lawful *adj* legal
lawless *adj* **1** ilegal; ilegítimo **2** anárquico
lawn *n* relva; relvado; **to mow the lawn** cortar a relva ♦ **lawn sprinkler** dispositivo de rega
lawnmower *n* cortador de relva
lawsuit *n* processo; ação[AO] judicial; **to bring a lawsuit against someone** processar alguém
lawyer *n* advogado
lax *adj* lasso; frouxo
laxative *adj,n* laxante
lay *n* contorno; configuração ▪ *adj* **1** leigo **2** laico ▪ *v* **1** pôr; colocar **2** (ovos) pôr **3** apostar (on, em) **4** (cilada, plano) armar; preparar **5** GB (mesa) pôr
◇ **lay down** *v* **1** pousar; **he laid down his glass** pousou o copo **2** (armas) depor **3** armazenar; guardar **4** (regras) estabelecer; impor
◇ **lay off** *v* **1** despedir **2** *col* deixar; abandonar **3** *col* deixar em paz; **lay off me!** deixa-me em paz!
◇ **lay out** *v* **1** espalhar; estender **2** (ideias, etc.) expor; apresentar **3** (casa, etc.) desenhar; conceber **4** *col* (dinheiro) gastar (on, em) **5** *col* atirar ao chão
◇ **lay over** *v* EUA passar a noite; pernoitar
layabout *n* GB *col* vadio; mandrião
layer *n* **1** camada; **a layer of dust** uma camada de pó **2** galinha poedeira ▪ *v* **1** dispor em camadas **2** (cabelo) escalar
layette *n* enxoval de bebé
layman *n* [*pl* -men] leigo
layout *n* disposição; arranjo; configuração
laziness *n* **1** preguiça, indolência **2** lentidão
lazy *adj* **1** preguiçoso; indolente **2** lento
lazybones *n col* mandrião, preguiçoso
lb [*abrev. de* pound] lb [*abrev. de* libra]
LCD (monitor) [*abrev. de* liquid crystal display] LCD
lead *n* **1** chumbo **2** (lápis) mina **3** dianteira **4** comando; chefia **5** vantagem **6** exemplo; **to follow somebody's lead** seguir o exemplo de alguém **7** (informação) pista **8** (filme, peça, etc.) papel principal **9** GB trela ▪ *v* **1** (caminho, porta) levar (to/into, a); dar (to/into, a) **2** liderar **3** guiar; conduzir **4** levar; **to lead a quiet life** levar uma vida calma
◇ **lead on** *v* enganar; levar *col*
leaded *adj* com chumbo; **leaded gasoline** gasolina com chumbo
leader *n* **1** líder; dirigente **2** GB (orquestra) primeiro-violino **3** EUA maestro **4** GB editorial
leadership *n* liderança, chefia
lead-free *adj* sem chumbo
lead-in *n* introdução
leading *adj* **1** principal **2** de destaque ♦ GB **leading article** editorial

leaf *n* [*pl* leaves] **1** folha **2** (mesa) aba ▪ *v* deitar folhas
◊ **leaf through** *v* folhear
leaflet *n* panfleto; folheto ▪ *v* distribuir folhetos
league *n* **1** DESP liga; **football league** liga de futebol **2** aliança, liga **3** classe, categoria; **they're not in the same league** eles não têm a mesma categoria ▪ *v* ligar, associar
leak *n* **1** fenda; buraco **2** (gás) fuga **3** fuga de informação **4** *cal* mija *pop* ▪ *v* **1** verter; vazar **2** (informação) divulgar (to, a); passar (to, a)
◊ **leak out** *v* (informação) ser divulgado
lean *n* carne magra ▪ *adj* **1** magro **2** difícil; **a lean period** um período difícil ▪ *v* **1** apoiar(-se) (against/on, em); encostar(-se) (against/on, a) **2** inclinar-se
leap *v* **1** saltar; pular; **to leap for joy** pular de alegria **2** aumentar ▪ *n* salto ♦ **leap year** ano bissexto
leapfrog *n* jogo do eixo ▪ *v* saltar ao eixo
learn *v* **1** aprender; **she learnt her lesson** ela aprendeu a lição **2** memorizar **3** ficar a saber (about/of, de)
learned *adj* erudito
learner *n* aluno; estudante; **learner driver** estudante de condução
lease *n* arrendamento, aluguer ▪ *v* alugar, arrendar
leasehold *n* arrendamento ▪ *adj* arrendado ▪ *adv* por arrendamento
leaseholder *n* arrendatário
leash *n* [*pl* -es] GB trela ♦ **to hold/keep someone on a short leash** manter a rédea curta
least *pron* mínimo, menos ▪ *adj* menos, menor, mínimo ▪ *adv* menos; **least of all** muito menos
leather *n* couro, cabedal
leave *n* **1** licença; **to be on leave** estar de licença **2** permissão (to, para) **3** partida, saída ▪ *v* **1** deixar; **leave me alone!** deixa-me em paz! **2** sair de **3** partir (for, para) **4** esquecer-se de ♦ **to be left** sobrar
◊ **leave behind** *v* abandonar; deixar ficar
◊ **leave out** *v* **1** excluir; omitir **2** ignorar; pôr de parte
leave-taking *n* despedida
Lebanese *adj,n* libanês
Lebanon *n* Líbano
lecherous *adj pej* lascivo
lecture *n* **1** conferência **2** (universidade) aula **3** repreensão ▪ *v* **1** fazer uma conferência (on, sobre) **2** (universidade) dar aulas **3** repreender
lecturer *n* **1** conferencista **2** (universidade) professor
ledge *n* **1** (montanha) borda, saliência **2** (janela) peitoril
ledger *n* (contabilidade) livro-mestre
leech *n* [*pl* -es] sanguessuga
leek *n* alho-porro, alho-francês
leer *n* olhar lascivo ▪ *v* olhar de soslaio
leeway *n* **1** AER,NÁUT deriva **2** *fig* espaço de manobra **3** *col* margem de segurança
left *adj* esquerdo ▪ *n* esquerda ▪ *adv* à esquerda; **turn left** vira à esquerda
left-handed *adj* esquerdino; canhoto
left-hander *n* **1** golpe com a esquerda **2** (pessoa) canhoto
leftover *n* **1** vestígio (from, de) **2** *pl* (refeição) restos, sobras ▪ *adj* restante
leg *n* **1** perna; **to break a leg** partir uma perna; **a table leg** a perna de uma cadeira **2** (animal) pata **3** (viagem, corrida) etapa ♦ **break a leg!** boa sorte!
legacy *n* [*pl* -ies] legado; herança
legal *adj* **1** legal **2** judicial; **the legal system** o sistema judicial ♦ EUA **legal holiday** feriado nacional; **to take legal advice** consultar um advogado
legality *n* [*pl* -ies] legalidade
legalization *n* legalização
legalize *v* legalizar
legend *n* lenda
legendary *adj* lendário
leggings *npl* calças elásticas de malha, leggings
legible *adj* legível
legion *n* legião (of, de)
legislate *v* legislar
legislation *n* legislação
legislative *adj* legislativo
legislator *n* legislador
legislature *n* legislatura
legitimacy *n* legitimidade
legitimate *adj* **1** legítimo **2** justo; justificado ▪ *v* legitimar
legitimize *v* legitimar
leguminous *adj* leguminoso
legwork *n* trabalho duro

leisure *n* **1** tempo livre **2** lazer; **leisure activities** passatempos ♦ **at leisure** sem pressas
lemon *n* **1** (fruto) limão; (árvore) limoeiro **2** (cor) amarelo-limão **3** GB *col* palerma
lemonade *n* limonada
lemur *n* lémure
lend *v* **1** emprestar; **I lent her my car** eu emprestei-lhe o meu carro **2** conferir (to, a) ♦ **to lend an ear** prestar atenção
length *n* **1** comprimento; **it has two metres in length** tem dois metros de comprimento; **overall length** comprimento total **2** (tempo) duração ♦ **at length** a fundo; detalhadamente
lengthen *v* **1** alongar; prolongar **2** (duração) estender-se, prolongar-se
lengthways *adv* longitudinalmente
lengthy *adj* **1** longo **2** prolongado
leniency *n* **1** indulgência **2** tolerância
lenient *adj* **1** indulgente **2** tolerante
lens *n* [*pl* -es] **1** lente; **contact lenses** lentes de contacto **2** (máquina fotográfica) objetiva[AO] **3** (olho) cristalino
Lent *n* REL Quaresma
lentil *n* lentilha
Leo *n* (constelação, signo) Leão
leopard *n* leopardo
leotard *n* (bailarinos, ginastas, acrobatas) malha justa
leper *n* leproso
leprechaun *n* duende
leprosy *n* lepra
leprous *adj* leproso
lesbian *adj,n* lésbica
lesbianism *n* lesbianismo
lesion *n* lesão
Lesotho *n* Lesoto
less *pron,prep,adv* menos; **less and less** cada vez menos; **ten less two is eight** dez menos dois é oito
lessen *v* diminuir
lesser *adj* menor; **these are lesser problems** são males menores
lesson *n* aula (in, de); lição (in, de)
let *n* **1** aluguer **2** estorvo ▪ *v* **1** deixar; permitir **2** alugar (to, a); **the room has been let to a student** o quarto foi alugado a um estudante ♦ **let alone** muito menos; **to let go of** largar
◇ **let down** *v* **1** desiludir; **he let me down** ele desiludiu-me **2** esvaziar **3** (bainha) descer
◇ **let in on** *v* pôr ao corrente de
◇ **let off** *v* **1** dispensar de **2** perdoar **3** disparar
◇ **let on** *v* **1** *col* (segredo) contar **2** dar a entender
◇ **let out** *v* **1** (pessoa, animal) deixar sair **2** (som) soltar **3** (espaço) alugar **4** (roupa) alargar
letdown *n* desilusão; deceção[AO]
lethal *adj* letal, mortífero
lethargic *adj* letárgico
lethargy *n* letargia
letter *n* **1** letra **2** carta; **to post a letter** pôr uma carta no correio ♦ **letter opener** abre--cartas
letterbox *n* caixa/marco de correio
lettering *n* **1** inscrição **2** rótulo; título
lettuce *n* alface
let-up *n* **1** abrandamento; diminuição **2** pausa
leucocyte *n* leucócito
leukaemia *n* GB leucemia
leukemia *n* EUA ⇒ **leukaemia**
levee *n* EUA dique; molhe
level *n* nível ▪ *adj* **1** horizontal, plano **2** raso; **a level spoonful of flour** uma colher rasa de farinha **3** ao mesmo nível (with, de) ▪ *v* **1** nivelar **2** demolir ♦ **level crossing** passagem de nível; *col* **on the level** honesto
◇ **level with** *v col* ser franco
lever *n* **1** alavanca **2** manivela ▪ *v* levantar por meio de alavanca
levitate *v* levitar
levitation *n* levitação
levy *n* [*pl* -ies] imposto; cobrança ▪ *v* lançar imposto (on, sobre)
lewd *adj* **1** lascivo **2** obsceno
lexical *adj* lexical
lexicographer *n* lexicógrafo
lexicography *n* lexicografia
lexicon *n* léxico
liability *n* [*pl* -ies] **1** responsabilidade (for, por) **2** *col* problema **3** *pl* ECON passivo
liable *adj* **1** capaz (to, de); **it's liable to happen** é provável que aconteça **2** sujeito (to, a), suscetível[AO] (to, de); **the script is liable to alterations** o guião está sujeito a alterações **3** responsável (for, por)

liaison *n* **1** cooperação; ligação **2** relação, caso amoroso
liar *n* mentiroso
libel *n* calúnia, difamação ▪ *v* caluniar, difamar
liberal *adj* **1** liberal **2** generoso **3** (tradução) livre ▪ *n* liberal
liberalism *n* liberalismo
liberalization *n* liberalização
liberalize *v* liberalizar
liberate *v* **1** libertar **2** emancipar **3** *col* roubar
liberation *n* **1** libertação **2** emancipação
liberator *n* libertador
Liberia *n* Libéria
Liberian *adj,n* liberiano
libertine *n* libertino
liberty *n* [*pl* -ies] **1** liberdade **2** atrevimento; **to take the liberty of doing something** tomar a liberdade de fazer alguma coisa
libidinous *adj* libidinoso
libido *n* PSIC líbido
Libra *n* [*pl* -s] (constelação, signo) Balança
librarian *n* bibliotecário
library *n* [*pl* -ies] biblioteca

Não confundir a palavra inglesa **library** com a palavra portuguesa **livraria**, que se traduz por *bookshop*.

libretto *n* [*pl* -s, libretti] MÚS libreto
Libya *n* Líbia
Libyan *adj,n* líbio
licence *n* **1** GB licença, autorização **2** GB liberdade ◆ **licence number** matrícula do automóvel
license *n* EUA ⇒ **licence** ▪ *v* autorizar; permitir
licensed *adj* **1** autorizado; **licensed manufacturer** fabricante autorizado **2** GB autorizado a vender bebidas alcoólicas
licentious *adj* licencioso
lichen *n* líquen
licit *adj* lícito
lick *v* **1** lamber **2** derrotar ▪ *n* **1** lambidela **2** *col* (tinta) bocado (of, de) **3** GB *col* velocidade **4** *col* soco, murro
lid *n* **1** tampa **2** (olho) pálpebra
lie *v* **1** estar deitado (on/in, em/a) **2** repousar **3** estar situado **4** mentir ▪ *n* mentira
◇ **lie back** *v* **1** recostar-se **2** relaxar
◇ **lie down** *v* deitar-se
Liechtenstein *n* Liechtenstein
lieu *n form* lugar
lieutenant *n* tenente
life *n* [*pl* -ves] vida; **life expectancy** esperança de vida
lifebelt *n* boia[AO] de salvação
lifeboat *n* barco salva-vidas
lifeguard *n* nadador-salvador
lifejacket *n* colete de salvação
lifeless *adj* morto; inanimado
lifelike *adj* fiel; realista
lifeline *n* **1** (mergulhador) corda salva-vidas **2** (palma da mão) linha da vida **3** *fig* tábua de salvação
lifelong *adj* de toda a vida
lifesaver *n* **1** nadador-salvador **2** *col* tábua de salvação
lifespan *n* **1** esperança de vida **2** período de validade
lifestyle *n* estilo de vida
lifetime *n* vida; **once in a lifetime** uma vez na vida
lift *n* **1** (pessoas) elevador **2** (carga) monta-cargas **3** boleia ▪ *v* **1** levantar **2** pegar em **3** (avião) transportar **4** *col* roubar **5** *col* plagiar
◇ **lift off** *v* (avião, nave espacial) descolar
lift-off *n* (avião, nave espacial) descolagem
ligament *n* ANAT ligamento
ligature *n* ligadura
light *n* **1** luz; **to switch/turn/put the light on** acender a luz **2** (estrada) semáforo **3** (veículo) farol **4** *col* lumes; **have you got a light?** tem lumes? ▪ *adj* **1** leve **2** (tonalidade) claro **3** suave ▪ *v* **1** acender(-se) **2** iluminar(-se) ◆ **light bulb** lâmpada; **to bring to light** trazer a público
◇ **light up** *v* iluminar(-se)
lighten *v* **1** (luz) iluminar **2** (cor) aclarar **3** (céu) clarear **4** (pessoa) alegrar-se **5** (peso, carga) aliviar **6** (impostos) reduzir
lighter *n* isqueiro
light-headed *adj* **1** (tonturas) atordoado **2** *pej* frívolo
light-hearted *adj* **1** alegre **2** divertido **3** despreocupado
lighthouse *n* farol
lighting *n* iluminação
lightly *adv* **1** levemente, ligeiramente **2** levianamente
lightness *n* **1** claridade **2** leveza **3** agilidade

lightning *n* relâmpago ♦ GB **lightning conductor** para-raios[AO]; EUA **lightning rod** para-raios[AO]; **lightning visit** visita relâmpago
lightweight *n* (boxe) peso leve ▪ *adj* **1** leve **2** *pej* superficial
light-year *n* ano-luz
like *v* **1** gostar; **I like him** gosto dele **2** querer; **I'd like a glass of water** eu queria um copo de água ▪ *prep* **1** como; **do it like him** faz como ele **2** (traço típico) de; **it is just like you to say that** é típico dizeres isso ▪ *adj* semelhante, parecido ▪ *conj* **1** *col* como; **she cooks like I do** ela cozinha como eu **2** como se; **he acts like he's the owner** ele age como se fosse o dono ▪ *adv col* tipo, cerca de; **it cost me something like 100 euros** custou-me cerca de 100 euros ▪ *n* **1** igual; coisa igual **2** *pl* gostos ♦ **like father, like son** tal pai, tal filho
likelihood *n* probabilidade (of, de)
likely *adj* **1** provável **2** *col* adequado ▪ *adv* provavelmente ♦ **not likely!** claro que não!
like-minded *adj* parecidos na forma de pensar
liken *v* comparar (to, a)
likeness *n* semelhança (to, com); parecença (to, com)
likewise *adv* igualmente; do mesmo modo
liking *n* gosto
lilac *n* (planta, flor, cor) lilás ▪ *adj* (cor) lilás
lily *n* [*pl* -ies] lírio
limb *n* **1** ANAT membro **2** BOT ramo ♦ **to be out on a limb** estar numa situação difícil
limbo *n* [*pl* -es] **1** REL limbo **2** *fig* incerteza
lime *n* **1** BOT lima **2** QUÍM cal ▪ *v* adubar com cal
limelight *n* TEAT ribalta ♦ **to be in the limelight** ser o centro das atenções
limestone *n* calcário
limit *n* limite (to/on, para); **to set a limit** estabelecer um limite ▪ *v* limitar (to, a), restringir (to, a)
limitation *n* **1** limite; limitação **2** restrição (on, sobre)
limited *adj* limitado; **limited edition** edição limitada ♦ **limited company** sociedade anónima
limousine *n* limusina
limp *v* coxear; mancar ▪ *n* coxeio ▪ *adj* frouxo, mole
limpet *n* (molusco) lapa
limpid *adj* límpido
linctus *n* xarope para a tosse
linden *n* tília
line *n* **1** linha **2** fila, bicha **3** (comboio, metro, autocarro) linha **4** POL orientação **5** especialidade; **line of business** ramo de trabalho **6** linha (telefónica) **7** LIT verso **8** TEAT,CIN deixa **9** NÁUT companhia ▪ *v* **1** traçar **2** enrugar **3** forrar **4** alinhar ♦ **in line with** de acordo com; **to step out of line** pisar o risco
◇ **line up** *v* **1** pôr(-se) em fila **2** preparar
lineage *n* linhagem
linear *adj* linear
linen *n* **1** linho **2** (lençóis, toalhas) roupa branca
liner *n* (navio) transatlântico
linesman *n* [*pl* -men] **1** guarda-linha **2** DESP árbitro auxiliar
line-up *n* **1** fila **2** alinhamento **3** DESP composição da equipa
linger *v* **1** ficar para trás; tardar **2** (cheiro, dor) persistir, perdurar
lingerie *n* lingerie
lingo *n* [*pl* -es] **1** *col* gíria; jargão **2** *pej* algaraviada
linguist *n* **1** linguista **2** *col* poliglota
linguistic *adj* linguístico
linguistics *n* linguística
lining *n* **1** forro **2** revestimento
link *n* **1** elo **2** ligação; vínculo **3** INFORM hiperligação, link ▪ *v* **1** unir **2** relacionar **3** INFORM linkar
◇ **link up** *v* **1** unir-se (with, a) **2** encontrar-se (with, com)
linkage *n* **1** conexão **2** sistema de ligação
linoleum *n* linóleo
linseed *n* (semente) linhaça
lion *n* leão
lioness *n* leoa
lip *n* **1** lábio; **lip balm/salve** batom de cieiro **2** (recipiente) borda **3** *col* insolência
lipid *n* lípido
liposuction *n* lipoaspiração
lip-read *v* ler os lábios
lipstick *n* batom
lip-synch *v* fazer playback (de)
liquefy *v* liquefazer(-se)
liqueur *n* licor
liquid *n* líquido ▪ *adj* **1** líquido **2** (visão) límpido
liquidate *v* liquidar
liquidation *n* liquidação
liquidity *n* ECON liquidez

liquidize *v* liquidificar
liquidizer *n* liquidificador
liquor *n* álcool; bebidas alcoólicas
liquorice *n* (planta) alcaçuz
lisp *v* ciciar ▪ *n* cicio
list *n* lista (of, de) ▪ *v* listar, catalogar ◆ **list price** preço de catálogo; **listed building** edifício de interesse histórico
listen *v* **1** escutar, ouvir (to, -); **listen to me** ouve-me **2** prestar atenção (to, a)
◇ **listen in** *v* **1** ouvir às escondidas **2** (rádio) escutar
listener *n* ouvinte
listening *n* escuta
listless *adj* apático; indiferente
liter *n* EUA litro
literacy *n* **1** literacia **2** competência; **computer literacy** competência informática
literal *adj* literal
literary *adj* literário
literate *adj* **1** alfabetizado **2** letrado
literature *n* **1** literatura **2** bibliografia **3** *col* folhetos
lithium *n* lítio
Lithuania *n* Lituânia
Lithuanian *adj,n* lituano
litigant *n* DIR litigante
litigate *v* DIR litigar
litigation *n* litígio
litigious *adj* litigioso; contencioso
litre *n* GB litro
litter *n* **1** lixo, detritos **2** ninhada **3** areia para gatos ▪ *v* **1** espalhar **2** sujar **3** (animal) parir
little *adj* **1** (tamanho, idade) pequeno **2** (extensão) curto **3** (quantidade) pouco ▪ *adv* pouco ◆ **as little as possible** o menos possível; **little finger** dedo mindinho
Little Bear *n* Ursa Menor
liturgical *adj* litúrgico
liturgy *n* [*pl* -ies] liturgia
live *adj* **1** vivo **2** (transmissão) em direto[AO] **3** (arma, circuito elétrico) carregado **4** (fogo) em brasas **5** (discussão) aceso ▪ *adv* ao vivo ▪ *v* **1** viver **2** morar
◇ **live on** *v* **1** viver de **2** sobreviver **3** ficar na memória
◇ **live together** *v* viver juntos
◇ **live up to** *v* **1** viver de acordo com **2** estar à altura de
livelihood *n* meio de subsistência ◆ **to earn one's livelihood** ganhar a vida
lively *adj* **1** animado **2** enérgico
liven *v* animar
◇ **liven up** *v* animar(-se)
liver *n* fígado
livery *n* [*pl* -ies] libré; uniforme
livestock *n* gado
livid *adj* **1** lívido, pálido **2** *col* furioso
living *adj* vivo ▪ *n* vida; **living conditions** condições de vida ▪ *npl* **the living** os vivos ◆ **living room** sala de estar
lizard *n* lagarto
llama *n* (animal) lama
load *n* **1** carga; carregamento **2** peso; **maximum load** peso máximo **3** (eletricidade) carga ▪ *v* carregar ◆ **loads of** montes de
◇ **load up** *v* (veículo, pessoa) carregar
loaded *adj* **1** (arma) carregado **2** (roleta, dados) viciado **3** (pergunta) tendencioso **4** *col* embriagado **5** *col* podre de rico
loaf *n* [*pl* loaves] **1** pão (de forma, cacete, etc.) **2** CUL rolo ▪ *v col* vadiar
loafer *n* **1** *col* mandrião **2** (calçado) mocassim
loan *n* empréstimo ▪ *v* emprestar
loanword *n* estrangeirismo
loath *adj* relutante (to, em)
loathe *v* detestar
loathsome *adj* detestável; repugnante
lob *adj* DESP lançamento ▪ *v* DESP lançar a bola muito alto
lobby *n* [*pl* -ies] **1** átrio; **hotel lobby** átrio do hotel **2** POL grupo de pressão, lobby ▪ *v* fazer pressão (against, contra; for, para)
lobe *n* lóbulo
lobotomy *n* lobotomia
lobster *n* lagosta
local *adj* **1** local **2** (dor) localizado ▪ *n* **1** *col* habitante local **2** *col* bar **3** EUA comboio suburbano
locality *n* [*pl* -ies] *form* localidade
localize *v* localizar(-se)
locally *adv* localmente
locate *v* **1** localizar; encontrar **2** situar **3** EUA estabelecer-se
location *n* **1** localização **2** CIN exteriores
loch *n* (Escócia) lago
lock *n* **1** fechadura **2** (canal) eclusa **3** (cabelo) anel ▪ *v* **1** fechar, trancar **2** encerrar, guardar **3** (mecanismo) bloquear

◇ **lock away** *v* **1** (objeto) fechar a sete chaves **2** (pessoa) fechar; trancar
◇ **lock in** *v* **1** fechar **2** prender
◇ **lock up** *v* **1** fechar à chave **2** meter na prisão
locker *n* cacifo ◆ **locker room** vestiário
locket *n* medalhão
locksmith *n* serralheiro
lockup *n* EUA *col* prisão
locomotion *n* locomoção
locomotive *n* locomotiva ▪ *adj* locomotor
locust *n* gafanhoto
lodge *n* **1** (jardim) pavilhão **2** (edifício) portaria **3** (vinho do Porto) cave ▪ *v* **1** alojar(-se) **2** (queixa) apresentar **3** (relatório) remeter
lodger *n* hóspede ◆ **to take in lodgers** alugar quartos
lodging *n* **1** alojamento **2** *pl* quartos alugados
loft *n* **1** sótão; águas-furtadas **2** palheiro **3** (igreja) galeria
lofty *adj* **1** (montanha, torre) alto **2** (sentimento, ideal) elevado **3** (edifício) grandioso **4** *pej* arrogante
log *n* **1** toro, cepo **2** registo; diário de bordo **3** *col* logaritmo ▪ *v* **1** registar **2** EUA cortar, devastar
logarithm *n* logaritmo
logbook *n* diário de bordo
logger *n* lenhador
logic *n* lógica
logical *adj* lógico
login *n* INFORM login
logistic *adj* logístico
logistics *n* logística
logo *n* logótipo
logon *n* INFORM logon
loin *n* CUL lombo
loincloth *n* tanga
loiter *v* **1** demorar **2** vadiar **3** rondar
LOL (Internet, e-mail) [*abrev. de* laughing out loud] LOL
loll *v* **1** recostar-se, refestelar-se **2** (cabeça) pender
lollipop *n* chupa-chupa
London *n* Londres
Londoner *n* londrino
lone *adj* **1** (caçador, explorador) solitário **2** (mãe, pai) solteiro
loneliness *n* solidão
lonely *adj* **1** (pessoa) sozinho, só **2** (lugar) isolado
loner *n* (pessoa) solitário
long *adj* (tamanho, tempo) longo ▪ *adv* muito tempo; **that was long ago** isso foi há imenso tempo ▪ *v* desejar, ansiar ◆ DESP **long jump** salto em comprimento; **long time no see!** há quanto tempo!; **as long as** enquanto; EUA *col* **so long** adeus
longbow *n* arco
long-distance *adj* **1** de longa distância; de longo curso **2** (telefonema) interurbano
longevity *n* longevidade
longhand *n* escrita à mão
longing *n* **1** anseio, desejo **2** nostalgia
longitude *n* longitude
longitudinal *adj* longitudinal
long-range *adj* **1** (planeamento, projeto) de longo prazo **2** (arma, míssil) de longo alcance
long-sighted *adj* **1** que vê mal ao perto **2** perspicaz
long-sleeved *adj* (roupa) de manga comprida
long-term *adj* a longo prazo
long-time *n* de longa data; antigo
loo *n* [*pl* -s] GB *col* casa de banho
look *n* **1** olhar **2** vista de olhos **3** (rosto) expressão **4** aspeto[AO] ▪ *v* **1** olhar (at, para) **2** procurar **3** parecer; **it looks like it's going to rain** parece que vai chover
◇ **look after** *v* **1** tratar de; cuidar de **2** tomar conta de **3** ocupar-se de
◇ **look ahead** *v* **1** olhar em frente **2** olhar para o futuro
◇ **look at** *v* **1** considerar **2** examinar
◇ **look back** *v* olhar para trás
◇ **look down on** *v* desprezar
◇ **look for** *v* procurar
◇ **look forward to** *v* esperar (ansiosamente)
◇ **look into** *v* examinar; investigar
◇ **look out** *v* ter cuidado/atenção
◇ **look up to** *v* admirar; respeitar
lookalike *n* sósia
lookout *n* **1** (posto) vigia **2** vigilante **3** vigilância **4** perspetiva[AO], panorama
look-up *n* consulta; pesquisa
loom *n* tear ▪ *v* **1** assomar, surgir **2** (ameaça) estar iminente
loony *adj,n col* doido, maluco ◆ *col* **loony bin** manicómio

loop *n* **1** laçada **2** presilha; ilhó **3** ELET circuito fechado **4** (linha férrea) desvio ▪ *v* **1** dar uma laçada **2** enrolar **3** fazer um looping
loophole *n* **1** buraco; abertura **2** lacuna
loose *adj* **1** largo, folgado **2** desapertado **3** solto **4** avulso **5** (tradução) livre **6** *pej* (comportamento) negligente, irresponsável ▪ *v* **1** soltar, desprender **2** (arma, míssil) disparar ♦ **loose change** trocos; **loose ends** pontas soltas
loosely *adv* **1** vagamente **2** aproximadamente **3** livremente
loosen *v* **1** soltar(-se); desapertar(-se); desatar(-se) **2** (controlo, pressão) abrandar ◇ **loosen up** *v* **1** soltar-se **2** relaxar
loot *n* **1** saque, pilhagem **2** *col* dinheiro ▪ *v* saquear, pilhar
looter *n* saqueador
lop *v* (árvores) desbastar, podar
lopsided *adj* inclinado; torto
lord *n* **1** senhor **2** (título) lorde **3** [com maiúscula] (nosso) Senhor; **good Lord!** meu Deus!; (oração) **Lord's prayer** Pai Nosso ▪ *v col* ordenar, dominar
lore *n* saber tradicional
lorry *n* [*pl* -ies] GB camião
lose *v* **1** perder **2** (relógio) atrasar-se em
loser *n* **1** perdedor, derrotado **2** *pej* falhado
loss *n* [*pl* -es] **1** perda **2** prejuízo **3** MIL baixa ♦ **it's your loss!** não sabes o que perdes!; **to be at a loss** ficar atrapalhado, sem saber o que fazer
lost *adj* **1** perdido **2** desperdiçado ♦ **get lost!** põe-te a andar!
lot *n* **1** sorte, destino **2** grande quantidade (of, de) **3** sorte; **the children drew lots** as crianças tiraram à sorte **4** lote; quinhão **5** *col* tudo, todo; **take the whole lot** leve tudo
lotion *n* loção
lottery *n* [*pl* -ies] **1** lotaria **2** rifa
lotto *n* loto
lotus *n* [*pl* -es] lótus
loud *adj* **1** alto; **out loud** em voz alta **2** ruidoso **3** vistoso; espalhafatoso ▪ *adv* **1** alto **2** ruidosamente
loudhailer *n* GB megafone
loudly *adv* **1** ruidosamente **2** de forma extravagante
loudspeaker *n* altifalante
lounge *n* **1** sala de estar **2** (descanso) pausa ▪ *v* **1** vaguear **2** recostar-se, refastelar-se
lounger *n* **1** (mobília) espreguiçadeira **2** *pej* vadio, mandrião
louse *n* [*pl* lice] **1** piolho **2** *col,pej* canalha
lousy *adj* **1** piolhoso **2** péssimo **3** miserável **4** *pej* infestado (with, de)
lout *n pej* rústico
lovable *adj* encantador; adorável
love *n* **1** amor (for, por) **2** paixão (of/for, por) ▪ *v* **1** amar; gostar de **2** *col* adorar ♦ **love affair** aventura, ligação amorosa; (ténis, pingue-pongue) **love all** zero a zero; **to be in love with** estar apaixonado por
lovebird *n* **1** periquito **2** *col* (namorado, noivo) pombinho *fig*
lovely *adj* **1** bonito **2** adorável; encantador
lover *n* **1** amante **2** apreciador (of, de)
lovesick *adj* perdidamente apaixonado
loving *adj* afetuoso[AO]; carinhoso ♦ **in loving memory of** em memória de
lovingly *adv* ternamente
low *adj* **1** (altitude, som, temperatura, valor) baixo **2** MÚS grave **3** (opinião) desfavorável **4** desanimado ▪ *adv* **1** baixo **2** em voz baixa; suavemente **3** barato ▪ *n* **1** ponto baixo **2** MET área de baixa pressão
low-cal *adj* (dieta, alimento) de baixas calorias
low-cut *adj* decotado
lower *v* **1** baixar, descer **2** reduzir em altura **3** (bandeira) arriar **4** rebaixar, humilhar **5** diminuir
lowest *adj* **1** o mais baixo, o inferior **2** ínfimo ♦ **at the lowest** no mínimo
low-fat *adj* (alimento) magro, dietético
low-key *adj* **1** discreto, sóbrio **2** (imagem) sombrio, escuro
lowly *adj* **1** baixo **2** humilde **3** submisso ▪ *adv* humildemente
low-necked *adj* decotado
low-pitched *adj* **1** (voz) grave **2** (telhado) com pouca inclinação
low-profile *adj* (evento, iniciativa) discreto, apagado
loyal *adj* **1** leal (to, a), fiel (to, a) **2** dedicado
loyalty *n* [*pl* -ies] lealdade (to, a), fidelidade (to, a)
lozenge *n* **1** GEOM losango **2** MED pastilha, rebuçado
lubricant *adj,n* lubrificante
lubricate *v* lubrificar
lucid *adj* **1** lúcido **2** (explicação) claro

lucidity *n* **1** lucidez **2** (explicação) clareza
luck *n* sorte ♦ **don't push your luck!** não abuses!; **just my luck!** isto só a mim!
luckily *adv* felizmente; por sorte
lucky *adj* feliz ♦ **lucky break** oportunidade; *irón* **you'll be lucky!** vais ter uma sorte!
lucrative *adj* lucrativo
ludicrous *adj* ridículo
lug *v* puxar com força (at, -); arrastar com dificuldade (at, -) ▪ *n* (objeto) pega, asa
luggage *n* bagagem
lukewarm *adj* **1** morno, tépido **2** pouco entusiástico
lull *n* **1** pausa (in, em); paragem (in, em) **2** acalmia ▪ *v* **1** acalmar **2** embalar
lullaby *n* [*pl* -ies] canção de embalar
lumbar *adj* lombar
lumber *n* **1** GB velharias **2** EUA lenha ▪ *v* **1** sobrecarregar (with, com) **2** EUA cortar lenha
lumberjack *n* lenhador
luminary *n* [*pl* -ies] **1** (pessoa) luminária **2** corpo luminoso
luminosity *n* luminosidade
luminous *adj* **1** (luz) luminoso **2** (sinal, tinta) fluorescente **3** (ideias) brilhante; inspirador
lump *n* **1** torrão (of, de) **2** pedaço (of, de) **3** grumo **4** MED caroço **5** *col* galo **6** *col* burro; imbecil ▪ *v* juntar(-se), amontoar(-se)
lunacy *n* loucura
lunar *adj* lunar
lunch *n* [*pl* -es] almoço; **to have/to take lunch** almoçar ▪ *v* **1** almoçar **2** dar almoço a
luncheon *n* *form* almoço
lunchtime *n* hora de almoço
lung *n* pulmão
lunge *n* **1** investida **2** (esgrima) estocada ▪ *v* **1** investir (at/towards, contra) **2** (esgrima) dar uma estocada (at/towards, contra)
lurch *n* [*pl* -es] **1** solavanco **2** (pessoa) cambaleio ▪ *v* **1** dar um solavanco **2** (pessoa) cambalear
lure *n* **1** atração[AO] (of, de) **2** engodo; chamariz ▪ *v* atrair
lurid *adj* **1** lúgubre, sinistro **2** (cor) berrante, garrido
lurk *v* ocultar-se (in, em); esconder-se (in, em)
luscious *adj* **1** agradável; delicioso **2** *col* (pessoa) apetitoso *fig*
lush *adj* **1** (vegetação) luxuriante **2** luxuoso ▪ *n* *cal* bêbedo
lust *n* **1** luxúria **2** ânsia (for, de)
lustful *adj* libidinoso
lustre *n* **1** lustro; brilho **2** (candelabro) lustre
lustrous *adj* lustroso; reluzente
lute *n* alaúde
luxurious *adj* luxuoso
luxury *n* [*pl* -ies] luxo; **to live in luxury** viver luxuosamente; **we can't afford luxuries** não nos podemos dar a luxos ♦ **luxury goods** artigos de luxo
lycra *n* (tecido) licra
lymph *n* linfa
lynch *v* linchar
lynching *n* linchamento
lynx *n* [*pl* -es, lynx] lince
lyre *n* MÚS lira
lyrical *adj* lírico
lyrics *npl* letra de canção

M

m *n* [*pl* m's] (letra) m
MA [*abrev. de* Master of Arts] mestrado em Letras; mestre em Letras
macabre *adj* macabro
macaroni *n* CUL macarrão
macaw *n* (ave) arara
mace *n* maça, clava
Macedonia *n* Macedónia
Macedonian *adj,n* macedónio
Machiavellian *adj* maquiavélico
machine *n* **1** máquina; (roupa) **machine washable** lavável à/na máquina **2** maquinismo **3** *téc* computador **4** *col* veículo **5** *col* motorizada **6** POL aparelho partidário ▪ *v* **1** trabalhar à máquina **2** coser à máquina ♦ **machine production** produção em série; **machine saw** serra mecânica
machine-gun *n* metralhadora ▪ *v* metralhar
machinery *n* **1** mecanismo **2** maquinaria
machismo *n* machismo
macho *adj,n* [*pl* -s] *pej* macho; machista
mackerel *n* [*pl* mackerel, -s] (peixe) cavala
mackintosh *n* [*pl* -es] casaco impermeável
macrobiotic *adj* macrobiótico
macrobiotics *n* macrobiótica
macrocosm *n* macrocosmo
macroscopic *adj* macroscópico
mad *adj* **1** doido (with, de) **2** (ciúmes, etc.) louco (with, de) **3** *col* louco (about/on, por); **they are mad about football** eles são loucos por futebol **4** *col* furioso (with/at, com) **5** (cão) raivoso ♦ **like mad** furiosamente; **mad cow disease** doença das vacas loucas; **to go mad** enlouquecer
Madagascan *adj,n* malgaxe
Madagascar *n* Madagáscar
madam *n* **1** senhora **2** *pej* mulher autoritária
madcap *adj,n* doidivanas, estouvado
madden *v* enlouquecer
made *adj* **1** feito, constituído **2** *col* garantido; **if you get that job you'll be made for life** se conseguires esse emprego, tens o futuro garantido
made-to-measure *adj* feito por medida
madhouse *n* [*pl* -s] manicómio
madman *n* [*pl* -men] doido
madness *n* loucura; demência
madrigal *n* madrigal
maestro *n* [*pl* -s] maestro
magazine *n* revista
magenta *adj,n* (cor) magenta
maggot *n* larva
magic *n* **1** magia; **black magic** magia negra **2** prestidigitação ▪ *adj* **1** mágico **2** encantador
magical *adj* **1** mágico **2** encantador
magician *n* **1** mágico **2** ilusionista
magistrate *n* magistrado
magma *n* magma
magnanimous *adj* magnânimo
magnate *n* magnata
magnesium *n* magnésio
magnet *n* **1** íman **2** eletroíman[AO] **3** *fig* fonte de atração[AO]
magnetic *adj* magnético; **magnetic tape** fita magnética; **magnetic personality** personalidade magnética
magnetism *n* magnetismo
magnetize *v* **1** atrair **2** fascinar **3** hipnotizar
magnificent *adj* magnificente, sumptuoso
magnify *v* **1** aumentar, ampliar **2** intensificar **3** exagerar **4** enaltecer
magnifying *adj* que amplia; que aumenta ♦ **magnifying glass** lupa
magnitude *n* magnitude; grandeza
magnolia *n* magnólia
magpie *n* (ave) pega
maharajah *n* marajá
mahogany *n* **1** (madeira) mogno **2** (cor) castanho-avermelhado
maid *n* **1** empregada, criada **2** (hotel) camareira ♦ **maid of honour** dama de honor
maiden *adj* **1** solteiro; **maiden name** nome de solteira **2** inaugural; (navio) **maiden voyage** viagem inaugural

mail *n* correio, correspondência ▪ *v* mandar pelo correio (to, para, a) ◆ **by return of mail** na volta do correio
mailbox *n* EUA caixa do correio
mailman *n* carteiro
maim *v* mutilar, estropiar
main *adj* principal, mais importante ▪ *n* **1** (gás, água) conduta principal **2** (eletricidade) cabo principal **3** *pl* rede elétrica[AO] **4** *pl* canalização principal
mainframe *n* (computador) mainframe, processador central
mainland *n* **1** continente **2** terra firme
mainline *adj* **1** (transporte) interurbano **2** EUA (corrente, tendência) dominante ▪ *v cal* (drogas) injetar(-se)[AO], chutar(-se) *cal*
mainly *adv* principalmente
mainstream *n* corrente dominante ▪ *adj* dominante
maintain *v* **1** manter **2** defender; **to maintain an argument** defender um ponto de vista **3** afirmar; **I maintain that** eu afirmo que **4** sustentar; **to maintain someone** sustentar alguém
maintenance *n* **1** manutenção; conservação **2** sustento; subsistência **3** GB DIR pensão de alimentos ◆ **maintenance man** encarregado da manutenção
maize *n* milho
majestic *adj* majestoso, imponente
majesty *n* [*pl* -ies] majestade; **Her Majesty** sua majestade
major *adj* **1** maior; **the major part** a maior parte **2** principal; **major role** papel principal **3** mais importante **4** MÚS maior; **B major** si maior ▪ *n* **1** MIL major **2** MIL comandante **3** EUA (curso universitário) especialização **4** EUA estudante universitário especializado em determinada área
◇ **major in** *v* EUA especializar-se em
majority *n* [*pl* -ies] **1** (quantidade) maioria (of, de); **to be in the majority** ser a maioria **2** (idade) maioridade
make *v* **1** fazer; produzir; fabricar **2** (decisão) tomar **3** forçar, obrigar **4** nomear; **he was made leader of the group** foi nomeado líder do grupo **5** ganhar **6** perfazer; somar **7** calcular **8** construir, criar **9** executar, realizar **10** conseguir ▪ *n* **1** forma, feitio **2** marca (of, de) **3** fabrico **4** carácter[AO] ◆ *col* **we just made it!** chegámos em cima da hora!
◇ **make of** *v* **1** pensar de; achar de **2** entender; compreender
◇ **make out** *v* **1** perceber; compreender **2** dar a entender **3** fingir **4** (cheque, recibo) passar **5** sair-se; sair-se bem
◇ **make up** *v* **1** maquilhar(-se) **2** (refeição, remédio) preparar **3** (cama) fazer **4** constituir; compor; **the book is made up of several parts** o livro é constituído por diversas partes **5** (história) inventar **6** completar **7** fazer as pazes
◇ **make up to** *v* **1** lisonjear **2** compensar; **I'll make it up to you one day** hei de compensar-te pelo que fizeste
make-believe *n* simulação, fingimento ▪ *adj* **1** falso **2** simulado
maker *n* **1** fabricante, produtor **2** criador
makeshift *adj* temporário, provisório
make-up *n* **1** maquilhagem; **make-up remover** desmaquilhante **2** (ator) caracterização[AO] **3** temperamento, carácter[AO]
making *n* **1** fabrico **2** construção **3** criação **4** preparação
maladjustment *n* **1** inadaptação **2** desajustamento
malady *n* [*pl* -ies] *form* doença
malaria *n* malária
Malawi *n* Malawi
Malawian *adj,n* malawiano
Malaysia *n* Malásia
Malaysian *adj* malaio
malcontent *adj,n* descontente
Maldives *n* Maldivas
Maldivian *adj,n* maldiviano
male *adj* **1** masculino; **male sex** sexo masculino **2** (planta, animal, ficha) macho ▪ *n* macho; varão ◆ **male screw** parafuso
malevolence *n* malevolência
malevolent *adj* malévolo
malformation *n* malformação
malfunction *n* **1** mau funcionamento **2** avaria ▪ *v* **1** funcionar mal **2** avariar
Mali *n* Mali
Malian *adj,n* maliano
malice *n* maldade; **out of malice** por maldade
malicious *adj* **1** (pessoa, intenção) maldoso **2** (prejuízo) doloso; intencional

malign *adj* **1** maligno **2** prejudicial ▪ *v* difamar, caluniar
malignant *adj* **1** mau; maléfico **2** maligno; **malignant tumor** tumor maligno
malinger *v* fazer-se doente
mall *n* **1** EUA centro comercial **2** passeio público
malleability *n* maleabilidade
malleable *adj* maleável
mallet *n* maço, malho, macete
malnutrition *n* malnutrição
malpractice *n* **1** culpa, delito **2** procedimento condenável **3** DIR negligência médica
malt *n* malte
Malta *n* Malta
Maltese *adj,n* maltês
maltreat *v* maltratar
maltreatment *n* maus tratos
mammal *n* mamífero
mammalian *adj* mamífero
mammary *adj* mamário
mammoth *n* mamute
man *n* [*pl* -men] **1** homem **2** ser humano **3** marido; namorado **4** (jogo de xadrez) peão **5** (jogo das damas) pedra ▪ *interj col* pá ▪ *v* tripular ♦ **I am your man** sou a pessoa que lhe convém; **no man's land** terra de ninguém
manacle *n* algema ▪ *v* algemar
manage *v* **1** dirigir; administrar; gerir **2** operar **3** conseguir; **how did you manage it?** como é que conseguiste? **4** (animal) domar, treinar **5** lidar com **6** ser bem sucedido em
management *n* **1** administração, gestão **2** corpos gerentes; gerência **3** uso, emprego **4** capacidade, habilidade
manager *n* **1** diretor[AO]; **manager's office** gabinete da direção[AO] **2** (empresa) gerente **3** (propriedade) administrador **4** TEAT,DESP empresário
managing *n* administração; gerência ▪ *adj* gerente ♦ **managing director** diretor-geral[AO]
mandarin *n* **1** (funcionário) mandarim **2** (fruto) tangerina
mandate *n* mandado, mandato; **electoral mandate** mandato de deputado ▪ *v* confiar sob mandato
mandatory *adj* obrigatório
mandible *n* **1** mandíbula **2** *pl* (inseto) pinças
mandolin *n* MÚS bandolim
mane *n* **1** (cavalo) crina; (leão) juba **2** (pessoa) cabeleira
manga *n* (banda desenhada) manga
manganese *n* manganésio
manger *n* manjedoura
mango *n* [*pl* -es, -s] (fruto) manga; **mango tree** mangueira
mangy *adj* **1** sarnento **2** *col* sujo
manhole *n* poço de inspeção[AO]
manhood *n* masculinidade; virilidade
mania *n* **1** PSIC mania (for, de) **2** obsessão
maniac *adj,n* **1** maníaco **2** fanático
maniacal *adj* maníaco
manic *adj* maníaco
manicure *n* (tratamento) manicure ▪ *v* fazer a manicure de
manicurist *n* (profissional) manicura
manifest *adj form* manifesto ▪ *v form* manifestar
manifestation *n* manifestação
manifesto *n* [*pl* -es, -s] manifesto
manifold *adj* **1** muitos **2** numerosos **3** diversos ▪ *n téc* (motor de automóvel) tubo de distribuição; **exhaust manifold** tubo de escape
manioc *n* mandioca
manipulate *v* **1** manejar; manusear **2** manipular **3** forjar, falsificar
manipulation *n* manipulação
manipulator *n* manipulador
mankind *n* a espécie humana; humanidade
manliness *n* **1** masculinidade **2** *fig* força, firmeza
manned *adj* tripulado
mannequin *n* (boneco) manequim
manner *n* **1** maneira; modo; **in this manner** deste modo **2** maneira de ser **3** comportamento **4** método; estilo; **in the manner of** ao estilo de **5** *pl* modos, maneiras **6** *pl* costumes ♦ **in a manner of speaking** por assim dizer
mannerism *n* **1** mania; tique **2** afetação[AO]
manoeuvre *n* **1** manobra **2** maquinação ▪ *v* **1** manobrar **2** maquinar, tramar **3** manipular
manor *n* **1** feudo **2** herdade
manpower *n* **1** mão de obra **2** MIL efetivos[AO] militares
mansion *n* **1** mansão; solar **2** *pl* GB edifício dividido em andares ou apartamentos
manslaughter *n* DIR homicídio involuntário
mantelpiece *n* **1** armação de tijolo, pedra, etc., por cima do fogão **2** prateleira de fogão
mantis *n* [*pl* -es] (inseto) louva-a-deus

mantle *n* **1** manto, capa **2** (neve, neblina) camada **3** (lâmpada, candeeiro) camisa incandescente ▪ *v* **1** cobrir, tapar **2** ficar coberto **3** estender-se como um manto
man-to-man *adv* de homem para homem
manual *adj* manual ▪ *n* manual; compêndio
manufacture *n* **1** manufatura[AO] **2** fabrico **3** indústria; **the woollen manufacture** a indústria de lanifícios ▪ *v* **1** manufaturar[AO]; fabricar **2** inventar, forjar
manufacturer *n* fabricante
manure *n* estrume; adubo ▪ *v* adubar; estrumar
manuscript *adj,n* manuscrito
many *adj* **1** muitos; **many of us** muitos de nós **2** diversos **3** numerosos ▪ *n* maioria ♦ **one too many** a mais; **twice as many** outros tantos
map *n* **1** mapa (of, de) **2** planta (de cidade) ▪ *v* **1** fazer o mapa de **2** delinear, traçar **3** indicar no mapa ♦ *col* **off the map** longínquo
maple *n* (planta) ácer
mar *v* **1** estragar **2** desfigurar
marathon *n* maratona; **marathon runner** maratonista
maraud *v* pilhar, saquear
marble *n* **1** mármore **2** (bola, jogo) berlinde ▪ *adj* marmóreo ▪ *v* marmorizar ♦ *col* **to lose one's marbles** perder o juízo
march *n* [*pl* -es] **1** marcha; **to be on march** estar em marcha **2** avanço, progresso **3** MÚS marcha; **bridal march** marcha nupcial **4** (acontecimentos) curso ▪ *v* **1** marchar **2** fazer uma manifestação **3** pôr em marcha **4** avançar
March *n* março[AO]
marcher *n* manifestante
marching *adj* que marcha ♦ **marching orders** ordem de despedimento
marchioness *n* [*pl* -es] marquesa
Mardi Gras *n* Terça-Feira de Carnaval
mare *n* égua
margarine *n* margarina
margin *n* **1** (lago, rio, texto impresso) margem **2** borda; orla **3** ECON margem de lucro
marginal *adj* **1** marginal **2** (alteração, diferença) pequeno, mínimo **3** (terra) pobre
marigold *n* BOT malmequer
marijuana *n* marijuana
marinade *n* marinada, vinha-d'alhos
marinate *v* CUL marinar
marine *adj* **1** marinho, marítimo; **marine insurance** seguro marítimo **2** naval; **marine engineer** engenheiro naval ▪ *n* **1** marinha **2** fuzileiro naval
marionette *n* marioneta; fantoche
marital *adj* marital; conjugal
maritime *adj* marítimo
marjoram *n* manjerona; orégãos
mark *n* **1** marca; sinal **2** (escola) nota, classificação **3** alvo, objetivo[AO] **4** cicatriz, arranhão **5** (antiga moeda) marco ▪ *v* **1** marcar **2** notar, assinalar **3** (exame, teste) classificar, avaliar **4** DESP (adversário) marcar ♦ **to mark someone's words** prestar atenção ao que alguém diz
marker *n* **1** indicador **2** (caneta, jogador) marcador **3** poste de sinalização **4** (escola) examinador
market *n* **1** mercado (for, para) **2** feira **3** comércio ▪ *v* comercializar, vender ♦ **on the market** à venda; **to come to the market** ser posto à venda
marketable *adj* comerciável, vendável
marketing *n* marketing
markka *n* (antiga moeda) marca
marksman *n* [*pl* -men] atirador
marl *n* (rocha) marga
marlin *n* (peixe) espadim
marmalade *n* (laranja, citrinos) compota
marmot *n* (mamífero) marmota
maroon *adj,n* (cor) bordeaux, castanho-avermelhado
marquee *n* tenda grande
marquis *n* marquês
marriage *n* casamento, matrimónio
marrow *n* **1** medula **2** *fig* âmago
marry *v* **1** casar(-se) **2** unir; juntar ◊ **marry off** *v* arranjar casamento
Mars *n* ASTRON,MIT Marte
marsh *n* [*pl* -es] pântano, paul ♦ **marsh gas** gás metano
marshal *n* **1** marechal **2** chefe do protocolo **3** EUA funcionário com funções de xerife; chefe de polícia ou de bombeiros ▪ *v* **1** dispor **2** ordenar **3** dirigir **4** acompanhar, guiar
marshland *n* lezíria
marshmallow *n* **1** (planta) alteia **2** (guloseima) goma
marshy *adj* pantanoso
marsupial *adj,n* marsupial

mart *n* mercado; feira
marten *n* (animal, pele) marta
martial *adj* marcial
Martian *adj,n* marciano
martyr *n* mártir ▪ *v* martirizar; atormentar
martyrdom *n* martírio; tormento
marvel *n* maravilha; prodígio ▪ *v* maravilhar-se (at, com)
marvellous *adj* maravilhoso, extraordinário
Marxism *n* marxismo
Marxist *adj,n* marxista
marzipan *n* maçapão
mascara *n* (cosmética) rímel
mascot *n* mascote
masculine *adj,n* masculino
masculinity *n* masculinidade
mash *n* **1** GB *col* puré de batata **2** farelada para animais ▪ *v* **1** amassar **2** reduzir a puré
mask *n* **1** máscara **2** disfarce ▪ *v* **1** mascarar **2** (sentimentos) esconder
masochism *n* masoquismo
masochist *n* masoquista
mason *n* **1** pedreiro **2** [com maiúscula] mação
masonic *adj* maçónico
masonry *n* maçonaria
masquerade *n* **1** mascarada **2** disfarce, dissimulação ▪ *v* **1** mascarar-se (as, de) **2** fazer-se passar (as, por)
mass *n* [*pl* -es] **1** massa (of, de) **2** FÍS massa **3** *pl* (quantidade) montão (of, de) **4** REL missa ▪ *v* juntar(-se), reunir(-se) ▪ *adj* **1** de massas **2** geral ♦ **mass media** meios de comunicação social; **mass production** produção em série
massacre *n* massacre; chacina ▪ *v* massacrar; chacinar
massage *n* massagem ▪ *v* massajar
masseur *n* massagista
masseuse *n* massagista
massif *n* GEOL maciço
massive *adj* **1** maciço; sólido **2** enorme **3** em grande escala; massivo
mass-market *adj* de grande consumo, de massas
mass-produce *v* fabricar em série; produzir em massa
mast *n* **1** mastro **2** antena transmissora
mastectomy *n* [*pl* -ies] mastectomia
master *n* **1** senhor **2** dono, patrão **3** mestre; conhecedor; **master hand** mão de mestre **4** original; **master copy** desenho original **5** capitão de navio mercante ▪ *v* **1** dominar, controlar **2** conhecer a fundo
mastermind *n* (pessoa responsável) cérebro
masterpiece *n* obra-prima
masterstroke *n* golpe de mestre
mastery *n* [*pl* -ies] **1** domínio, poder **2** mestria
masticate *v* mastigar, mascar
mastiff *n* (cão) mastim
mastodon *n* mastodonte
masturbate *v* masturbar(-se)
masturbation *n* masturbação
mat *n* **1** esteira **2** tapete de entrada **3** (para tachos, travessas) base ▪ *adj* baço; mate
match *n* [*pl* -es] **1** fósforo; **to strike a match** acender um fósforo **2** jogo, partida, desafio **3** luta, combate **4** par ideal (for, para) **5** adversário à altura (for, de) **6** ligação, união ▪ *v* **1** igualar (in/for, em) **2** combinar com
matchbox *n* caixa de fósforos
matching *n* **1** emparelhamento **2** junção **3** harmonização ▪ *adj* a condizer
matchless *adv* incomparável; sem par
matchmaker *n* casamenteiro
mate *n* **1** colega, camarada **2** companheiro, cônjuge **3** (xadrez) xeque-mate **4** (animais) macho, fêmea ▪ *v* **1** (animais) acasalar (with, com) **2** unir(-se), juntar(-se) **3** (xadrez) derrotar por xeque-mate
material *adj* **1** material **2** materialista **3** físico **4** relevante (to, para) ▪ *n* **1** material **2** matéria; **raw material** matéria-prima **3** informação (for, para)
materialism *n* materialismo
materialist *n* materialista
materialistic *adj* materialista, material
materialize *v* **1** materializar(-se) **2** aparecer de repente
maternal *adj* maternal, materno
maternity *n* [*pl* -ies] maternidade ♦ **maternity leave** licença de parto
mathematical *adj* **1** matemático **2** rigoroso, exato[AO]
mathematician *n* matemático
mathematics *n* matemática
maths *n col* matemática
matinée *n* matiné
matriarch *n* matriarca
matriarchy *n* matriarcado

matricide *n* **1** (crime) matricídio **2** (pessoa) matricida
matriculate *v* (universidade) matricular(-se)
matriculation *n* (universidade) matrícula
matrimonial *adj* matrimonial
matrimony *n* [*pl* -ies] matrimónio
matrix *n* [*pl* matrices, -es] **1** (útero, molde) matriz **2** rocha-mãe **3** *fig* fonte
matron *n* **1** GB enfermeira-chefe **2** matrona
matt *adj* mate
matter *n* **1** assunto, questão **2** problema **3** matéria; substância **4** material **5** *pl* situação; estado das coisas ▪ *v* importar, interessar ♦ **as a matter of fact** por acaso; **it doesn't matter** não faz mal; **no matter what** custe o que custar
matter-of-fact *adj* **1** (estilo, tom) prosaico **2** (pessoa) prático **3** (análise, opinião) factual
mattress *n* [*pl* -es] colchão
maturation *n* maturação
mature *adj* **1** maduro **2** (vinho) envelhecido **3** (decisão) ponderado **4** ECON vencido ▪ *v* **1** crescer **2** amadurecer **3** ECON vencer-se
maturity *n* **1** maturidade **2** ECON vencimento
maudlin *adj* piegas
maul *v* **1** ferir; maltratar **2** (obra, reputação) criticar severamente; arrasar *fig*
maundy *n* REL lava-pés
Maundy Thursday *n* REL Quinta-Feira Santa
Mauritania *n* Mauritânia
Mauritanian *adj,n* mauritano
Mauritian *adj,n* mauriciano
Mauritius *n* Maurícia
mausoleum *n* [*pl* -s, mausolea] mausoléu
mauve *adj,n* (cor) malva
maverick *adj,n* **1** inconformista **2** independente
mawkish *adj* **1** lamecha **2** insípido
maxim *n* máxima
maximize *v* maximizar
maximum *adj* máximo ▪ *n* [*pl* -s, maxima] máximo; **to a maximum** ao máximo
may *v* **1** poder; **may I come in?** posso entrar? **2** ser possível; **he may be tired** é possível que ele esteja cansado ♦ **be that as it may** seja como for; (expressão de desejo) **may you have a merry Christmas!** um bom Natal para ti!
May *n* maio[AO] ♦ **May Day** primeiro de Maio
maybe *adv* talvez; possivelmente
mayday *n* sinal de pedido de socorro; SOS
mayhem *n* caos
mayonnaise *n* maionese
mayor *n* presidente da câmara municipal
mayoress *n* [*pl* -es] **1** presidente de município **2** mulher do presidente de município
maze *n* **1** labirinto **2** confusão; desorientação; **to be in a maze** estar desorientado ▪ *v* desorientar; confundir
me *pron pess* **1** mim; **he made the call for me** ele fez a chamada por mim **2** me; **he bought me a drink** ele pagou-me uma bebida **3** eu; **that's me in the corner** sou eu no canto
meadow *n* prado
meagre *adj* (quantidade) escasso
meal *n* **1** refeição; **to prepare a meal** preparar uma refeição **2** farinha
mealtime *n* hora das refeições
mean *v* **1** significar; querer dizer **2** representar; significar **3** pretender, querer; **he meant well** ele só queria ajudar **4** tencionar **5** destinar **6** referir-se a; **do you mean my mother?** está a referir-se à minha mãe? ▪ *adj* **1** mau **2** maldoso (to, para) **3** *col* espetacular[AO] **4** médio ▪ *n* **1** média **2** meio-termo
meander *n* meandro; sinuosidade ▪ *v* **1** serpentear **2** andar sem destino
meaning *n* **1** significado, sentido **2** propósito, intenção ▪ *adj* expressivo; significativo
meaningful *adj* **1** significativo; expressivo **2** importante; sério
meaningless *adj* sem significado, sem sentido
meanness *n* malvadez
means *n* meio; modo; **by means of** por meio de ▪ *npl* recursos económicos; bens, posses ♦ **by all means!** com certeza!; **by no means** de forma alguma
meantime *adv* entretanto; **in the meantime** entretanto
meanwhile *adv* entretanto
measles *n* sarampo
measly *adj* **1** *col* desprezível; miserável **2** com sarampo
measurable *adj* mensurável
measure *n* **1** medida; **in a certain measure** em certa medida; **measure of length** medida de comprimento; **preventive measures** medidas preventivas **2** dose, propor-

ção **3** medição (of, de) **4** medidor; escala **5** MAT divisor **6** medida legislativa **7** MÚS compasso ▪ *v* **1** medir **2** tirar medidas (para um fato) ♦ **beyond measure** desmedidamente ◇ **measure up** *v* **1** tirar as medidas de **2** estar à altura (to, de)
measurement *n* **1** medição; cálculo **2** medida; tamanho
measuring *n* medição ♦ **measuring tape** fita métrica
meat *n* **1** carne; **fresh meat** carne fresca **2** substância ♦ *col* **easy meat** fácil de enganar; **meat grinder** picadora
meatball *n* almôndega
meatloaf *n* rolo de carne
meaty *adj* carnudo
mechanic *n* mecânico
mechanical *adj* mecânico
mechanics *n* mecânica
mechanism *n* mecanismo
mechanization *n* mecanização
mechanize *v* mecanizar
medal *n* medalha
medallion *n* medalhão
medallist *n* medalhista
meddle *v* intrometer-se (in/with, em)
meddler *n* metediço, intrometido
meddlesome *adj* intrometido
meddling *adj* intrometido
media *n* [*pl* -ae] meios de comunicação social, média
median *n* GEOM mediana ▪ *adj* mediano
mediate *v* mediar
mediation *n* mediação
mediator *n* mediador
medical *adj* médico ▪ *n col* exame médico
medication *n* medicação
medicinal *adj* medicinal
medicine *n* **1** medicina; **to practise medicine** exercer medicina **2** medicamento; fármaco ♦ *col* **to give someone a taste of their own medicine** pagar na mesma moeda
medieval *adj* medieval
mediocre *adj* medíocre
mediocrity *n* mediocridade
meditate *v* **1** meditar (on/upon, sobre) **2** planear
meditation *n* meditação (on/upon, sobre)
meditative *adj* meditativo
Mediterranean *adj* mediterrâneo ▪ *n* Mediterrâneo
medium *adj* médio; **of medium height** de altura/estatura média ▪ *n* [*pl* media, -s] **1** meio **2** meio de comunicação **3** meio ambiente **4** médium **5** veículo transmissor; meio ♦ (vinho) **medium dry** meio seco
medlar *n* **1** (árvore) nespereira **2** (fruto) nêspera
medley *n* **1** mistura (of, de) **2** MÚS,DESP medley
meek *adj* **1** meigo, dócil **2** passivo; submisso
meekness *n* **1** docilidade **2** passividade; submissão
meet *v* **1** encontrar(-se) **2** conhecer(-se); **nice to meet you** prazer em conhecê-lo **3** reunir-se **4** (aeroporto, estação) ir esperar **5** cumprir **6** defrontar; enfrentar ▪ *n* encontro desportivo ♦ **to meet halfway** chegar a um compromisso; **there's more to something/someone than meets the eye** ser mais do que parece
meeting *n* **1** reunião **2** encontro; **meeting place** ponto de encontro **3** junta, assembleia **4** comício **5** conferência **6** ponto de confluência
mega *adj* **1** *col* espetacular[AO], fantástico **2** *col* (sucesso) enorme
megahertz *n* mega-hertz
megalithic *adj* megalítico
megalomania *n* megalomania
megalomaniac *adj,n* megalómano
megaphone *n* megafone
melancholy *n* [*pl* -ies] melancolia ▪ *adj* melancólico
melanin *n* melanina
melanoma *n* melanoma
mellifluous *adj* melífluo
mellow *adj* **1** (fruto) maduro **2** (cor, som, vinho) suave **3** meigo, brando **4** sereno; ajuizado **5** (solo) rico **6** levemente embriagado ▪ *v* **1** amadurecer **2** suavizar
melodious *adj* melodioso
melodrama *n* melodrama
melodramatic *adj* melodramático
melody *n* [*pl* -ies] melodia
melon *n* melão
melt *v* derreter(-se); fundir(-se) ▪ *n* fusão ◇ **melt away** *v* **1** desaparecer **2** derreter(-se) ◇ **melt down** *v* fundir

◇ **melt into** *v* **1** fundir-se com **2** transformar--se gradualmente em **3** desfazer-se em; **to melt into tears** desfazer-se em lágrimas
meltdown *n* **1** (energia nuclear) fusão **2** *col* colapso
melting *adj* **1** fundente **2** (voz, tom) derretido; meloso ▪ *n* **1** derretimento **2** fusão ◆ **melting pot** mistura de culturas
member *n* membro ◆ **member state** estado--membro
membership *n* **1** qualidade de associado **2** conjunto de sócios
membrane *n* membrana
memento *n* [*pl* -es, -s] lembrança (of, de), recordação (of, de)
memo *n* memorando
memoir *n* **1** estudo, ensaio **2** *pl* (livro) memórias
memorabilia *npl* (objetos) recordações
memorable *adj* memorável
memorandum *n* [*pl* memoranda, -s] memorando
memorial *n* monumento de homenagem ▪ *adj* comemorativo ◆ **memorial service** homenagem fúnebre
memorization *n* memorização
memorize *v* memorizar, decorar
memory *n* [*pl* -ies] memória; **bad memory for names** má memória para nomes; **in memory of** em memória de; INFORM **memory card** cartão de memória
menace *n* **1** ameaça (to, a) **2** *col* horror, peste *fig*; **he's a menace!** ele é uma peste! ▪ *v* ameaçar
menacing *adj* ameaçador
mend *v* **1** arranjar; reparar **2** convalescer; recuperar ▪ *n* conserto; remendo ◆ **to mend one's ways** corrigir-se; emendar-se
mendicant *adj,n* mendicante
menial *adj* **1** (tarefa) menor **2** servil; inferior ▪ *n* *pej* criado, lacaio
meningitis *n* meningite
menopause *n* menopausa
menstrual *adj* menstrual
menstruate *v* menstruar
menstruation *n* menstruação
menswear *n* roupa de homem
mental *adj* **1** mental; **mental development** desenvolvimento intelectual **2** *col* doido; maluco
mentality *n* mentalidade
menthol *n* mentol
mention *v* mencionar, referir; citar ▪ *n* menção, alusão; referência ◆ **don't mention it!** não tens de quê!; **not to mention** além de
mentor *n* mentor
menu *n* **1** ementa; **what's on the menu?** qual é a ementa? **2** INFORM menu
mercantile *adj* mercantil
mercantilism *n* mercantilismo
mercenary *adj,n* mercenário
merchandise *n* mercadorias ▪ *v* comercializar; promover
merchant *n* comerciante; negociante ▪ *adj* mercante; **merchant navy** marinha mercante
merciful *adj* misericordioso
merciless *adj* cruel, implacável
mercury *n* [*pl* -ies] **1** mercúrio **2** ASTRON,MIT [com maiúscula] Mercúrio
mercy *n* [*pl* -ies] **1** misericórdia; compaixão **2** bênção; graça ◆ **at the mercy of** à mercê de; (ato) **mercy killing** eutanásia
mere *adj* mero, simples
merely *adv* meramente
merengue *n* (música, dança) merengue
merge *v* **1** combinar(-se) (with, com) **2** fundir(-se) (with, com) **3** submergir (into, em); desaparecer (into, em)
merger *n* ECON fusão
meridian *n* meridiano
meringue *n* CUL merengue
merit *n* **1** mérito; valor **2** qualidade, vantagem ▪ *v* merecer
mermaid *n* sereia
merrily *adv* alegremente
merriment *n* diversão; galhofa
merry *adj* **1** divertido, alegre **2** GB *col* alegre, levemente embriagado ◆ **merry Christmas!** feliz Natal!; **the more the merrier** quanto mais melhor
merry-go-round *n* carrossel
merrymaker *n* folião
mescaline *n* (droga) mescalina
mesh *n* [*pl* -es] **1** malha (de rede) **2** rede **3** armadilha ▪ *v* **1** apanhar com rede **2** emaranhar; enredar **3** condizer; conjugar-se **4** engrenar
mesmerize *v* hipnotizar
mess *n* [*pl* -es] **1** confusão, desordem; **to make a mess of** fazer uma salgalhada de

2 *col* sarilho; trapalhada 3 MIL messe ▪ *v* 1 pôr em desordem 2 estragar; sujar 3 MIL comer na messe ♦ **to be in a mess** estar uma confusão

◇ **mess up** *v* 1 desarrumar 2 sujar 3 deitar a perder 4 fazer asneira

◇ **mess with** *v* 1 envolver-se com; meter--se com 2 brincar com

message *n* mensagem; **to leave a message to** deixar um recado para ▪ *v* 1 mandar uma mensagem 2 transmitir uma comunicação ♦ (Internet) **message board** fórum de discussão; *col* **to get the message** perceber

messenger *n* mensageiro

messy *adj* 1 desarrumado; em desordem 2 confuso, complicado 3 desleixado

metabolic *adj* metabólico

metabolism *n* metabolismo

metal *n* metal; **metal detector** detetor[AO] de metais ▪ *v* metalizar

metalanguage *n* metalinguagem

metallic *adj* metálico; **metallic painting** pintura metalizada

metallurgical *adj* metalúrgico

metallurgy *n* metalurgia

metamorphose *v* metamorfosear (into, em)

metamorphosis *n* [*pl* metamorphoses] metamorfose

metaphor *n* metáfora (for, de)

metaphorical *adj* metafórico

metaphysical *adj* metafísico

metaphysics *n* metafísica

metastasis *n* [*pl* metastases] metástase

meteor *n* meteoro

meteoric *adj* meteórico

meteorite *n* meteorito

meteorological *adj* meteorológico

meteorologist *n* meteorologista

meteorology *n* meteorologia

meter *n* 1 contador, medidor; **meter reading** leitura do contador 2 EUA metro ▪ *v* medir, contar

methane *n* metano

method *n* 1 método; **method of payment** modo de pagamento 2 ordem; organização

methodical *adj* metódico

methodology *n* metodologia

meticulous *adj* meticuloso

métier *n* ofício, profissão

metonymy *n* metonímia

metre *n* 1 GB metro; **cubic metre** metro cúbico; **square metre** metro quadrado 2 GB métrica

metric *adj* métrico

metropolis *n* metrópole

metropolitan *adj* metropolitano

metrosexual *adj,n* metrossexual

mettle *n* 1 coragem; valentia 2 temperamento ♦ **to show one's mettle** mostrar aquilo de que se é capaz

mew *n* mio ▪ *v* miar

Mexican *adj,n* mexicano

Mexico *n* México

mezzanine *n* sobreloja, mezanino

mezzo-soprano *n* meio-soprano

mi *n* MÚS (nota) mi

miaow *v* miar ▪ *n* mio

mica *n* (mineral) mica

microbe *n* micróbio

microbiological *adj* microbiológico

microbiologist *n* microbiólogo

microbiology *n* microbiologia

microchip *n* microchip

microcomputer *n* microcomputador

microcosm *n* microcosmo

microfilm *n* microfilme ▪ *v* microfilmar

micron *n* mícron

microorganism *n* microrganismo

microphone *n* microfone

microprocessor *n* microprocessador

microscope *n* microscópio

microscopic *adj* microscópico

microscopy *n* microscopia

microwave *n* FÍS micro-onda[AO]; (forno) **microwave oven** micro-ondas[AO] ▪ *v* cozinhar no micro-ondas[AO]

midday *n* meio-dia

middle *n* 1 meio (of, de), centro (of, de); **in the middle of** no meio de 2 *col* cintura; cinta ▪ *adj* 1 médio; intermédio; **middle age** meia--idade 2 meio; central; **the middle car** o carro do meio ▪ *v* DESP centrar ♦ **the Middle Ages** a Idade Média; **the Middle East** o Médio Oriente

middle-aged *adj* de meia-idade

middle-class *adj* de classe média

middle-distance *adj* DESP (corrida) de meio--fundo

middleman *n* [*pl* -men] intermediário

middle-of-the-road *adj* **1** moderado **2** (música) comercial ▪ *n* música comercial
middleweight *n* (boxe) peso médio
midfield *n* **1** (futebol) área central **2** (futebolista) médio
midfielder *n* (futebolista) médio
midge *n* melga
midget *n* anão ▪ *adj* minúsculo
midland *adj,n* (região de um país) interior
midlife *n* meia-idade
midnight *n* meia-noite ♦ **Midnight Mass** missa do galo; **to burn the midnight oil** trabalhar/estudar até tarde
midpoint *n* **1** ponto central **2** ponto intermédio
midriff *n col* barriga
midst *n* meio; centro; **in the midst of** a meio de
midsummer *n* solstício do verão[AO]
midterm *n* **1** (escola) meio do semestre; meio do período **2** EUA (escola) exame realizado a meio do ano escolar
midway *adj,adv* a meio caminho
midweek *n* meio da semana
midwife *n* [*pl* -wives] parteira
midwinter *n* solstício do inverno[AO]
miffed *adj col* chateado
might *n* poder, força; **with might and main** com todas as suas forças
mighty *adj* **1** forte, poderoso **2** grandioso; enorme ▪ *adv* EUA *col* muito; **it was a mighty good concert** foi um concerto excelente
migraine *n* enxaqueca
migrant *n* migrante
migrate *v* migrar
migration *n* migração
migratory *adj* migratório
mike *n col* microfone
mild *adj* **1** suave; brando **2** (pessoa, carácter) calmo, moderado **3** temperado; **mild summer** verão[AO] temperado
mildew *n* míldio
mile *n* milha; **English mile** milha terrestre ♦ **this is miles better** isto é muitíssimo melhor; **to go the extra mile to** fazer mais um esforço para
mileage *n* **1** distância em milhas **2** quilometragem; **car with small mileage** carro com pouca quilometragem **3** quilómetros; **the company pays him mileage** a empresa paga-lhe os quilómetros
mileometer *n* conta-quilómetros
milestone *n* marco
militancy *n* militância
militant *adj,n* militante
militarism *n* militarismo
militarize *v* militarizar
military *adj* militar; **to do one's military service** cumprir o serviço militar ▪ *npl* **the military** os militares; o exército
militate *v* militar
militia *n* milícia
militiaman *n* [*pl* -men] miliciano
milk *n* leite ▪ *adj* de leite; lácteo ▪ *v* **1** dar leite **2** ordenhar; **to milk the cows** mungir as vacas **3** *fig* explorar; sugar ♦ **milk tooth** dente do leite; **no use crying over spilt milk** não vale a pena chorar sobre leite derramado
milkmaid *n* leiteira
milkman *n* [*pl* -men] leiteiro
milkshake *n* batido (de leite)
milky *adj* **1** lácteo **2** leitoso ♦ **Milky Way** Via Láctea
mill *n* **1** moinho; engenho; **coffee mill** moinho de café **2** fábrica ▪ *v* **1** moer; triturar **2** esmagar, amassar **3** (moeda) serrilhar **4** CUL bater (até fazer espuma) ♦ **to bring grist to the mill** levar a água ao seu moinho; **to go through the mill** passar as passas do Algarve
millenarian *adj,n* milenário
millennium *n* [*pl* -s, millennia] milénio
milligram *n* miligrama
milliliter *n* EUA mililitro
millilitre *n* GB mililitro
millimeter *n* EUA milímetro
millimetre *n* GB milímetro
millinery *n* **1** chapéus de senhora **2** (loja) chapelaria
million *n* milhão ♦ **not in a million years** nunca; **to be one in a million** ser excecional[AO]
millionaire *n* milionário
millionth *num ord,n* milionésimo
millipede *n* centopeia
millpond *n* (moinho) represa
millstone *n* (moinho) mó
millwheel *n* roda de moinho
mime *n* **1** (arte) mímica **2** (pessoa) mimo ▪ *v* **1** (mímica) mimar **2** fazer playback (de)

mimetic *adj* mimético
mimic *n* (artista) mimo ▪ *v* **1** imitar, copiar **2** simular; fingir
mimicry *n* **1** mímica **2** BIOL mimetismo
mimosa *n* (árvore, flor) mimosa
minaret *n* ARQ minarete
mince *v* **1** (carne, legumes, frutos) picar **2** *pej* andar com afetação[AO] **3** *pej* armar-se ▪ *n* carne picada
mind *n* **1** mente; cabeça; **it never crossed my mind** nunca me passou pela cabeça **2** espírito; alma; **peace of mind** paz de espírito **3** inteligência; cabeça; **to use one's mind** usar a inteligência **4** memória **5** atenção; **let's turn our minds to our work** vamos prestar atenção ao nosso trabalho **6** juízo; **to lose one's mind** perder o juízo ▪ *v* **1** prestar atenção, ter cuidado **2** importar; interessar **3** cuidar, tomar conta ◆ **do you mind?!** importas-te?!; **mind your own business** não tens nada com isso; **never mind** esquece
mind-blowing *adj* **1** *col* espantoso, incrível **2** *col* alucinante
mindful *adj* atento (of, a), cuidadoso (of, com)
mindless *adj* **1** sem interesse **2** sem sentido; gratuito **3** descuidado, negligente **4** indiferente (of, a)
mindset *n* mentalidade; forma de pensar
mine *pron poss* (o) meu; (a) minha; (os) meus; (as) minhas; **these glasses are mine** estes óculos são meus; **their house is much bigger than mine** a casa deles é muito maior do que a minha ▪ *n* (galeria, engenho) mina ▪ *v* **1** abrir minas **2** extrair; explorar **3** MIL minar **4** destruir, fazer explodir
minefield *n* campo minado
miner *n* mineiro
mineral *adj,n* mineral ◆ **mineral water** água mineral
mineralogist *n* mineralogista
mineralogy *n* mineralogia
mingle *v* **1** misturar (with, com), juntar (with, com) **2** associar(-se); ligar(-se) **3** confundir--se (in, with, com)
mingy *adj col* forreta; sovina
mini *n* minissaia
miniature *n* miniatura ▪ *adj* em miniatura ◆ **miniature golf** minigolfe
miniaturize *v* miniaturizar
minibar *n* (hotel, comboio) minibar
minibreak *n col* fim de semana prolongado, escapadinha
minibus *n* [*pl* -es] miniautocarro
minicam *n* máquina fotográfica muito pequena
minim *n* MÚS mínima
minimal *adj* **1** mínimo **2** (arte) minimalista
minimalism *n* minimalismo
minimize *v* minimizar
minimum *n* [*pl* -s, minima] mínimo; **to reduce to a minimum** reduzir ao mínimo ▪ *adj* mínimo; **minimum wage** salário mínimo
mining *n* **1** exploração mineira **2** indústria mineira
minion *n pej* lacaio
miniskirt *n* minissaia
minister *n* **1** POL ministro (of/for, de) **2** REL sacerdote
◇ **minister to** *v* ajudar; auxiliar
ministerial *adj* **1** ministerial **2** governamental
ministry *n* **1** ministério; **Ministry of Defence** ministério da Defesa **2** REL sacerdócio; **to join the ministry** tornar-se sacerdote
minivan *n* (veículo) monovolume
mink *n* (animal, pele) vison
minor *adj* **1** mínimo; pequeno **2** MÚS menor; **in B minor** em si menor **3** secundário; **minor role** papel secundário ▪ *n* DIR menor
minority *n* [*pl* -ies] **1** minoria; **ethnic minorities** minorias étnicas **2** DIR menoridade ▪ *adj* minoritário
minster *n* catedral; basílica
minstrel *n* menestrel, bardo
mint *n* **1** menta, hortelã **2** guloseima de menta **3** *col* muito dinheiro **4** [com maiúscula] Casa da Moeda ▪ *v* **1** (moeda) cunhar **2** (palavras) inventar
minuet *n* MÚS minuete
minus *adj* **1** negativo; ELET **minus charge** carga negativa **2** desfavorável; **his age is a minus factor** a idade dele é uma desvantagem ▪ *prep* **1** MAT menos; **10 minus 5 equals 5** 10 menos 5 é igual a 5 **2** negativo; **minus 20 degrees** 20 graus negativos **3** *col* sem; **he was minus one tooth** ele estava sem um dente ▪ *n* [*pl* -es] **1** MAT sinal menos (-) **2** desvantagem
minuscule *adj* minúsculo

minute *n* **1** (tempo, grau) minuto **2** *col* momento; instante; **hold on a minute** espera um momento **3** minuta **4** *pl* atas[AO] (of, de) **5** *pl* rascunho; notas ▪ *v* **1** fazer ata[AO]/minuta de **2** constar da ata[AO]; anotar na ata[AO] ▪ *adj* **1** diminuto; minúsculo **2** minucioso; detalhado ♦ **any minute now** a qualquer momento; **at the last minute** à última da hora; **this minute** imediatamente
minutely *adv* minuciosamente
minutiae *npl* particularidades (of, de), pormenores (of, de)
miracle *n* **1** milagre; **by a miracle** por milagre **2** maravilha, prodígio ▪ *adj* milagroso
miraculous *adj* miraculoso, milagroso
mirage *n* miragem
mire *n* atoleiro, lodaçal
mirror *n* **1** espelho **2** reflexo (of, de) ▪ *v* **1** espelhar, refletir[AO] **2** assemelhar-se a
misadventure *n* revés, infortúnio
misanthrope *n* misantropo
misanthropic *adj* misantrópico
misapply *v* aplicar erradamente; fazer mau uso de
misapprehend *v* compreender mal
misapprehension *n* equívoco; mal-entendido
misappropriate *v* **1** apropriar-se indevidamente de **2** empregar mal **3** administrar mal
misbegotten *adj* **1** ilegítimo **2** mal concebido **3** disparatado
misbehave *v* portar-se mal
misbehaviour *n* mau comportamento
miscalculate *v* calcular mal
miscalculation *n* erro de cálculo
miscarriage *n* **1** aborto espontâneo; **to have a miscarriage** sofrer um aborto **2** insucesso; malogro
miscarry *v* **1** sofrer um aborto espontâneo **2** (plano) falhar **3** (carta, encomenda) perder-se; extraviar-se
miscellaneous *adj* misto, misturado
miscellany *n* [*pl* -ies] **1** miscelânea **2** antologia
mischief *n* **1** travessura; partida **2** prejuízo, dano
mischievous *adj* **1** travesso; traquinas **2** maldoso
misconception *n* **1** ideia errada **2** equívoco
misconduct *n* mau procedimento, má conduta ▪ *v* dirigir mal; governar mal
misconstruction *n* interpretação errada
misconstrue *v* interpretar mal
misdeed *n* delito, crime
misdemeanour *n* **1** DIR delito pouco grave **2** má ação[AO]
misdirect *v* **1** orientar mal **2** endereçar erradamente **3** dar uma informação errada **4** (revólver, pistola) apontar mal **5** (soco, golpe) calcular mal
mise-en-scène *n* encenação
miser *n pej* avarento
miserable *adj* **1** miserável, infeliz; **to feel miserable** sentir-se infeliz **2** miserável, mau; **miserable weather** tempo miserável **3** *pej* desprezível, lastimoso
miserly *adj pej* avarento
misery *n* [*pl* -ies] **1** tristeza, infelicidade **2** miséria **3** angústia; aflição ♦ **to put someone out of his/her misery** acabar com o sofrimento de alguém; **to make someone's life a misery** tornar a vida de alguém um inferno
misfire *v* **1** (disparo, explosão) falhar **2** (motor) não pegar
misfit *n* inadaptado
misfortune *n* **1** infortúnio; desgraça **2** contratempo
misgiving *n* receio; incerteza, dúvida ▪ *adj* receoso; desconfiado
mishandle *v* **1** lidar mal com **2** maltratar
mishap *n* **1** contratempo; revés **2** acidente; percalço **3** avaria mecânica
mishear *v* ouvir mal
misinform *v* informar mal
misinformation *n* informação errada
misinterpret *v* interpretar mal
misinterpretation *n* interpretação errada
misjudge *v* **1** julgar mal **2** (quantidade, distância) calcular mal
mislay *v* perder, extraviar
mislead *v* **1** induzir em erro **2** enganar, iludir **3** guiar mal, desorientar
misleading *adj* ilusório; enganoso
misled *adj* extraviado, desencaminhado
mismanage *v* gerir mal; administrar mal
mismanagement *n* mau governo; má administração
misogynist *n* misógino
misogynous *adj* misógino
misogyny *n* misoginia

misplace *v* **1** colocar em lugar errado **2** perder **3** (afeto, confiança) depositar em pessoa indigna
misprint *n* erro de impressão ▪ *v* imprimir mal
mispronounce *v* pronunciar mal
mispronunciation *n* pronúncia incorreta[AO]
misquotation *n* citação errada
misquote *v* citar erradamente
misread *v* **1** ler mal **2** interpretar erradamente
misrepresent *v* deturpar; adulterar
misrepresentation *n* (factos, ideias) distorção; deturpação
misrule *n* **1** *form* desgoverno; mau governo **2** *form* desordem; confusão
miss *v* **1** faltar; não comparecer; **he's missed school** ele faltou à escola **2** (tiro) falhar **3** (oportunidade) deixar escapar, não aproveitar **4** perder; **I missed the bus** perdi o autocarro **5** ter saudades de; sentir falta de; **I miss the sun** sinto falta do sol **6** não reparar; não se aperceber **7** (acidente, situação desagradável) escapar de **8** (piada, comentário) não entender, não perceber **9** (motor) falhar **10** faltar; **there's a place missing** falta um lugar ▪ *n* **1** menina; **Miss Smith** a menina Smith **2** (título de beleza) miss **3** insucesso; falhanço **4** erro; engano **5** tiro perdido ♦ *col* **to miss the boat** deixar escapar uma oportunidade; **to have a near miss** escapar por pouco
◇ **miss out** *v* **1** (facto, informação, palavra) omitir **2** (oportunidade) não aproveitar; perder
missal *n* missal
misshapen *adj* disforme
missile *n* **1** míssil **2** projétil[AO]
missing *adj* **1** (objeto) perdido **2** (pessoa) desaparecido; **missing persons** desaparecidos
mission *n* missão; **mission accomplished** missão cumprida
missionary *adj,n* missionário
missis *n* **1** minha senhora, senhora **2** *col* (esposa) patroa *col*
missive *n* missiva; carta
misspell *v* soletrar ou escrever erradamente
mist *n* **1** névoa; neblina; bruma **2** vapor ▪ *v* (plantas) borrifar; salpicar
mistake *n* erro; engano ▪ *v* **1** compreender ou interpretar mal **2** confundir (for, com) ♦ **by mistake** sem querer; **make no mistake about it!** que fique bem claro!
mistaken *adj* **1** errado **2** enganado **3** trocado; **mistaken identities** identidades trocadas
mister *n* senhor; **Mr. Smith** Sr. Smith
mistime *v* (ataque, observação, gesto) calcular mal o tempo de
mistletoe *n* (planta) azevinho
mistranslate *v* traduzir incorretamente[AO]
mistreat *v* maltratar
mistress *n* [*pl* -es] **1** amante **2** patroa **3** dona de casa
mistrial *n* **1** erro judicial **2** EUA julgamento nulo
mistrust *n* desconfiança ▪ *v* desconfiar de, suspeitar de
mistrustful *adj* **1** desconfiado (of, em relação a) **2** receoso; apreensivo
misty *adj* **1** (tempo) nebuloso; enevoado **2** (vidro, espelho) embaciado **3** (olhos) turvo **4** (ideia) indistinto; vago
misunderstand *v* compreender mal; interpretar mal
misunderstanding *n* **1** mal-entendido; equívoco **2** discussão; questão
misuse *n* **1** (poder, autoridade) abuso (of, de) **2** (tempo, objetos, energia) uso indevido **3** (fundos) desvio ▪ *v* **1** (poder, autoridade) abusar de **2** (pessoas) tratar injustamente **3** (tempo, objeto, energia) empregar mal **4** (fundos) desviar
mite *n* **1** (inseto) ácaro **2** *col* pequerrucho
mitigate *v form* mitigar, atenuar
mitigating *adj* atenuante
mitigation *n form* mitigação; atenuação
mitre *n* **1** REL mitra **2** esquadria
mix *v* **1** misturar(-se); juntar(-se); **oil and water don't mix** azeite e água não se misturam **2** preparar; **she mixed a hot drink** ela preparou uma bebida quente **3** conviver (with, com) ▪ *n* [*pl* -es] **1** combinação (of, de); mistura (of, de) **2** mistura; preparado; **chocolate cake mix** preparado para bolo de chocolate
◇ **mix up** *v* **1** confundir **2** misturar; baralhar **3** preparar **4** (ingredientes) misturar bem **5** envolver-se (with, com)
mixed *adj* **1** misturado; combinado **2** (salada) misto **3** (reação, crítica) variável, variado **4** (sentimentos) confuso, contraditório **5** (escola, quarto de banho) misto

mixed-up *adj* **1** envolvido (in, em) **2** confuso, desorientado
mixer *n* **1** misturador **2** batedeira **3** refresco
mixture *n* **1** mistura (of, de) **2** preparado farmacêutico
mix-up *n* **1** confusão **2** engano
MMS *n* [*abrev. de* Multimedia Messaging Service] MMS (serviço de mensagens multimédia)
mnemonic *adj* mnemónico
mnemonics *n* mnemónica
moan *n* **1** gemido **2** lamento (about, de) ▪ *v* **1** gemer **2** lamentar-se; queixar-se **3** resmungar (at, com)
moat *n* fosso
mob *n* **1** multidão; ajuntamento **2** *col* grupo de pessoas **3** (crime organizado) [com maiúscula] máfia ▪ *v* **1** atacar; agredir **2** cercar; rodear ◆ **the Mob** a máfia
mobile *adj* **1** móvel **2** (televisão, rádio) portátil **3** (clínica, biblioteca) ambulante ▪ *n* (objeto decorativo) móbil ◆ **mobile phone** telemóvel
mobility *n* mobilidade
mobilization *n* mobilização
mobilize *v* **1** (população, exército) mobilizar **2** (ajudas, fundos) angariar
moccasin *n* (calçado) mocassim
mocha *n* (sabor, café) moca
mock *v* **1** *form* troçar de; gozar com **2** *form* imitar ridicularizando **3** *form* inutilizar ▪ *adj* a fingir; simulado ▪ *n* escárnio; troça
mockery *n* [*pl* -ies] **1** escárnio; troça **2** farsa ◆ **to make a mockery of** ridicularizar
modal *adj* modal; **modal verb** verbo modal
mode *n* **1** modo; maneira; forma **2** modo de funcionamento; **the camera is on 'auto' mode** a máquina fotográfica está em modo de funcionamento automático
model *n* **1** modelo; manequim **2** exemplo (of, de) **3** (carro, máquina) modelo ▪ *adj* **1** exemplar **2** modelo; **a model school** uma escola modelo **3** em miniatura; **model train** comboio em miniatura ▪ *v* **1** trabalhar como modelo **2** moldar
modelling *n* **1** modelismo **2** profissão de modelo; **she does modelling** ela trabalha como modelo
modem *n* modem
moderate *adj* **1** (preço, quantidade, opinião, comportamento) moderado, razoável **2** (forno) médio **3** (clima) temperado **4** (vento) bonançoso **5** (resultado) mediano ▪ *n* POL moderado ▪ *v* **1** acalmar(-se) **2** (debate, competição) moderar
moderation *n* moderação
moderator *n* **1** (discussão) moderador **2** (jogo, competição) árbitro
modern *adj* **1** (arte, história) contemporâneo **2** atual[AO]; novo; recente **3** (atitude, ideia) inovador **4** (língua) moderno; **modern Greek** grego moderno
modern-day *adj* moderno; atual[AO]
modernist *adj,n* modernista
modernity *n* modernidade
modernization *n* modernização
modernize *v* modernizar(-se)
modest *adj* **1** modesto (about, em relação a) **2** (quantia) módico, moderado **3** (atitude) pudico
modestly *adv* **1** modestamente **2** comedidamente
modesty *n* **1** modéstia, humildade; **modesty forbids** modéstia à parte **2** pudor
modification *n* modificação (to, a); alteração (to, a)
modifier *n* LING modificador
modify *v* modificar
modular *adj* modular
modulate *v* **1** (sinal de rádio) modular **2** (som) variar **3** MÚS passar de um som a outro
modulation *n* modulação
module *n* módulo
mogul *n* magnata; mandachuva[AO]
mohair *n* mohair
moist *adj* húmido; humedecido
moisten *v* humedecer(-se)
moisture *n* **1** humidade **2** orvalho
moisturize *v* **1** (pele) hidratar **2** humedecer; humidificar
moisturizer *n* creme hidratante
molar *adj,n* (dente) molar
molasses *n* melaço
Moldavia *n* Moldávia
Moldavian *adj,n* moldavo
mole *n* **1** (animal, espião) toupeira **2** (pele) sinal **3** QUÍM mole
molecular *adj* molecular
molecule *n* molécula
molehill *n* montículo de terra feito por uma toupeira
molest *v* **1** abusar sexualmente de **2** molestar

mollusc *n* molusco
mollycoddle *v* mimar, apaparicar
molt *n,v* EUA ⇒ **moult**
molten *adj* (metal, pedra) fundido, derretido
molybdenum *n* molibdénio
mom *n* EUA *col* mamã
moment *n* **1** momento; instante; **for the moment** por enquanto **2** momento oportuno (to, para)
momentary *adj* momentâneo; breve
momentous *adj* importante; decisivo
momentum *n* **1** força; pujança **2** FÍS momento; velocidade
Monaco *n* Mónaco
monarch *n* monarca
monarchical *adj* monárquico
monarchism *n* monarquismo
monarchist *n* monárquico
monarchy *n* monarquia
monastery *n* [*pl* -ies] mosteiro
monastic *adj* **1** monástico **2** simples; frugal
Monday *n* segunda-feira; **on Monday** na segunda
Monegasque *adj,n* monegasco
monetary *adj* monetário
money *n* dinheiro; **to earn money** ganhar dinheiro ♦ **money market** mercado financeiro; **money order** ordem de pagamento; **money doesn't grow on trees** o dinheiro não cai do céu
moneybags *n col* ricaço
moneybox *n* **1** mealheiro **2** caixa de esmolas
moneylender *n* agiota
moneymaker *n* produto rentável; negócio rentável
money-spinner *n* negócio rentável
Mongolia *n* Mongólia
Mongolian *adj,n* mongol
mongrel *n* **1** (cão) rafeiro **2** *col* coisa híbrida
monitor *n* **1** (televisão, computador) monitor **2** encarregado, responsável ▪ *v* **1** monitorizar, controlar **2** pôr sob escuta
monk *n* monge
monkey *n* **1** macaco **2** *col* (criança) traquina ♦ **monkey bars** espaldar; **monkey wrench** chave inglesa; **to make a monkey out of** ridicularizar
monochromatic *adj* monocromático
monochrome *adj* monocromático
monocle *n* monóculo
monogamous *adj* monógamo, monogâmico
monogamy *n* monogamia
monogram *n* monograma
monograph *n* monografia (on, sobre)
monokini *n* monoquíni
monolingual *adj* monolingue
monologue *n* monólogo
monoplane *n* monoplano
monopolization *n* monopolização
monopolize *v* monopolizar
monopoly *n* [*pl* -ies] monopólio (on, de)
monorail *n* monocarril
monosyllabic *adj* monossilábico
monosyllable *n* monossílabo
monotheism *n* monoteísmo
monotheistic *adj* monoteísta
monotone *n* tom monocórdico
monotonous *adj* monótono, enfadonho
monotony *n* monotonia
monoxide *n* monóxido
monsignor *n* [*pl* -i] monsenhor
monsoon *n* monção
monster *n* monstro ▪ *adj col* enorme, gigantesco
monstrosity *n* [*pl* -ies] monstruosidade
monstrous *adj* **1** monstruoso **2** descomunal **3** ultrajante; absurdo
Montenegrin *adj,n* montenegrino
Montenegro *n* Montenegro
month *n* mês; **once a month** uma vez por mês ♦ **for months** há séculos
monthly *adj* mensal ▪ *adv* mensalmente ▪ *n* [*pl* -ies] publicação mensal
monument *n* monumento (to, a); memorial (to, a)
monumental *adj* monumental; grandioso
moo *n* mugido ▪ *v* mugir
mooch *v* pedinchar; **he tried to mooch a beer from me** ele pedinchou-me uma cerveja
mood *n* **1** humor, disposição; **to be in a bad/good mood** estar de mau/bom humor **2** LING modo verbal ♦ **to be in a mood** estar com os azeites
moodiness *n* **1** instabilidade de humor **2** mau humor; rabugice **3** melancolia
moody *adj* **1** temperamental; instável **2** mal-humorado

moon *n* Lua; **full moon** Lua cheia; **half moon** meia-lua; **new moon** Lua nova ▪ *v col* mostrar o rabo ♦ **once in a blue moon** quando o rei faz anos; **to cry for the moon** pedir o impossível
moonbeam *n* raio lunar
moonless *adj* sem luar
moonlight *n* luar; **by/in the moonlight** ao luar ▪ *v col* ter dois empregos
moonlit *adj* iluminado pela Lua
moonshine *n* **1** luar **2** *col* tolice; devaneio **3** EUA bebida alcoólica ilegal
moonstruck *adj* aluado
moor *n* **1** charneca **2** [com maiúscula] mouro ▪ *v* ancorar, atracar
moorhen *n* (ave) galinhola
mooring *n* **1** ancoragem **2** ancoradouro **3** *pl* amarras, cabos **4** *pl fig* laços
Moorish *adj* mouro, mourisco
moorland *n* charneca
moose *n* alce
moot *adj* **1** controverso; discutível **2** EUA improvável; infundado ▪ *v* debater, discutir
mop *n* **1** esfregona; esfregão **2** *col* cabelo desgrenhado, juba ▪ *v* **1** esfregar, limpar com esfregão **2** (lágrimas, suor) secar ♦ EUA **to mop the floor with** arrasar por completo
mope *v* **1** sentir-se abatido, triste **2** entediar-se
moral *adj* **1** moral; **moral duty** dever moral **2** (pessoa) virtuoso, honrado ▪ *n* **1** moral; **the moral of the story** a moral da história **2** *pl* costumes; princípios
morale *n* moral; estado de espírito
moralist *n* moralista
morality *n* [*pl* -ies] **1** moralidade **2** ética; **Christian morality** a ética cristã ♦ TEAT **morality play** moralidade
moralize *v* dar lições de moral
morally *adv* moralmente; eticamente
moratorium *n* [*pl* -s, moratoria] **1** DIR moratória **2** interrupção (on, a)
moray *n* (peixe) moreia
morbid *adj* **1** mórbido **2** patológico
morbidity *n* morbidez
mordant *adj* (crítica, humor) mordaz
more *adj,adv* mais; **more expensive than** mais caro do que; **once more** mais uma vez ♦ **more and more** cada vez mais; **more often than not** frequentemente; **what's more** além disso
morello *n* ginja
moreover *adv form* além disso, ainda por cima
morgue *n* **1** morgue **2** *col* (jornal) arquivo
moribund *adj lit* moribundo
Mormon *n* mórmon
morning *n* manhã; **in the morning** da parte da manhã ▪ *adj* matinal; da manhã; **a morning walk** um passeio matinal ♦ **good morning!** bom dia!; **morning coat** fraque; (jornal) **morning paper** matutino
morning-after *adj* **1** do dia seguinte **2** de ressaca
Moroccan *adj,n* marroquino
morocco *n* marroquim
Morocco *n* Marrocos
moron *n col,pej* imbecil, idiota
morose *adj* macambúzio
morphine *n* morfina
morphology *n* morfologia
morrow *n* **1** *lit* amanhã **2** *lit* futuro
Morse *v* telegrafar em Morse ♦ **Morse code** código Morse
morsel *n* bocado; pedaço
mortal *adj,n* mortal
mortality *n* [*pl* -ies] mortalidade; **infant mortality** mortalidade infantil; **mortality rate** taxa de mortalidade
mortally *adv* **1** mortalmente; fatalmente **2** gravemente; extremamente
mortar *n* **1** almofariz **2** MIL morteiro **3** argamassa
mortgage *n* hipoteca; empréstimo ▪ *v* hipotecar
mortician *n* EUA armador fúnebre
mortifying *adj* humilhante; embaraçoso
mortise *n* encaixe; entalhe
mortuary *n* [*pl* -ies] **1** GB morgue **2** EUA sala funerária
mosaic *n* mosaico
Moslem *n,adj pej* muçulmano
mosque *n* mesquita
mosquito *n* [*pl* -es, -s] mosquito
moss *n* [*pl* -es] musgo
mossy *adj* musgoso
most *adj,adv* **1** mais; **most often** mais frequentemente **2** *form* muito; **most surprised** muito surpreendido **3** EUA *col* quase; **most**

every evening quase todas as noites **4** a maioria, a maior parte; **most of the shops** a maior parte das lojas **5** o maior número de; **most people** o maior número de pessoas ♦ **most likely** muito provavelmente; **at most** no máximo
mostly *adv* na maior parte das vezes
motel *n* motel
moth *n* (inseto) traça
mothball *n* bola de naftalina
moth-eaten *adj* **1** roído pela traça **2** em mau estado
mother *n* **1** mãe **2** REL madre, abadessa ▪ *v* **1** servir de mãe a, ser mãe de **2** proteger; cuidar de ♦ **mother country** país de origem; **mother hen** mãe galinha; **mother tongue** língua materna
motherboard *n* INFORM placa-mãe
motherhood *n* maternidade
mother-in-law *n* sogra
motherland *n* pátria; terra natal
motherly *adj* maternal, materno ▪ *adv* maternalmente
mother-of-pearl *n* madrepérola
mother-to-be *n* futura mãe
motif *n* motivo, tema
motion *n* **1** movimento; marcha **2** gesto; sinal **3** moção; **to pass/carry a motion** passar uma moção ▪ *v* fazer sinais; acenar ♦ CIN **in slow motion** em câmara lenta; EUA **motion picture** filme; **to go through the motions** fazer o frete
motionless *adj* imóvel; parado
motivate *v* motivar; estimular
motivation *n* motivação; estímulo
motive *n* motivo; causa ▪ *adj* motor; motriz; **motive power/force** força motriz
motley *adj* **1** multicolor **2** heterogéneo
motocross *n* motocrosse
motor *n* motor ▪ *adj* **1** motor; motriz **2** motorizado; **motor vehicle** veículo motorizado ♦ **motor show** salão automóvel
motorbike *n* GB *col* mota; motocicleta
motorboat *n* NÁUT barco a motor
motorcade *n* cortejo de automóveis
motorcycle *n* mota; motocicleta
motorcycling *n* motociclismo
motorcyclist *n* motociclista
motoring *adj* **1** motorizado; **motoring sports** desportos motorizados **2** automobilístico; **motoring offences** infrações[AO] na condução ▪ *n* automobilismo
motorist *n* automobilista
motorway *n* GB autoestrada[AO]
motto *n* [*pl* -es, -s] lema; divisa
mould *n* **1** molde; forma **2** bolor; mofo **3** húmus ▪ *v* **1** moldar; modelar; **to mould the dough** moldar a massa **2** exercer influência sobre; modificar **3** ganhar bolor
moulder *v* desfazer-se; reduzir-se a pó
mouldy *adj* bolorento; com bolor
moult *n* muda de pena ou de pelo[AO] ▪ *v* mudar as penas ou o pelo[AO]
mound *n* **1** monte; colina; elevação **2** (coisas) pilha; rima
mount *n* **1** monte; montanha **2** (animal) montada **3** terreiro **4** (quadro, fotografia) moldura **5** montagem; instalação ▪ *v* **1** (cavalo, bicicleta) montar **2** (campanha, ataque) lançar **3** (exposição, evento) organizar **4** (peça de teatro) pôr em cena **5** subir; galgar **6** (tenda) montar; armar **7** elevar-se; aumentar
mountain *n* **1** montanha; **mountain chain/range** serra; **mountain pass** desfiladeiro **2** *fig* monte (of, de) ▪ *adj* de montanha; **mountain bike** bicicleta de montanha ♦ **to make a mountain out of a molehill** fazer uma tempestade num copo de água
mountaineer *n* montanhista; alpinista ▪ *v* praticar montanhismo
mountaineering *n* montanhismo; alpinismo
mountainous *adj* **1** montanhoso **2** gigantesco; enorme
mounted *adj* **1** montado (a cavalo); **mounted police** polícia montada **2** armado; montado
mounting *adj* crescente
mourn *v* **1** chorar (for/over, por) **2** lamentar(-se) (for/over, por)
mourner *n* pessoa enlutada
mournful *adj* **1** choroso; pesaroso **2** lúgubre **3** melancólico
mourning *n* **1** luto; **to be in mourning** estar de luto **2** tristeza; sofrimento
mouse *n* [*pl* mice] **1** rato; **to catch mice** apanhar ratos; INFORM **mouse buttons** botões do rato **2** *fig,pej* pessoa tímida ou cobarde
mousetrap *n* ratoeira
mousse *n* (doce, cabelo) mousse
moustache *n* GB bigode; **to wear a moustache** ter bigode

mouth *n* 1 boca 2 (garrafa) gargalo 3 (rio) foz 4 (gruta, túnel) entrada; abertura ▪ *v* 1 dizer com os lábios mas sem fazer som nenhum 2 dizer da boca para fora 3 abocanhar 4 fazer caretas (at, a) ♦ **mouth organ** harmónica; **to make one's mouth water** fazer crescer água na boca; **watch your mouth!** tem tento na língua!
mouthful *n* 1 garfada; boca cheia 2 *col* difícil de pronunciar
mouthpiece *n* 1 MÚS embocadura 2 (telefone) bocal 3 porta-voz
mouth-to-mouth *n* boca a boca
mouthwash *n* elixir bucal
movable *adj* 1 móvel 2 amovível; mudável ▪ *n pl* DIR bens móveis
move *n* 1 movimento 2 mudança 3 (jogo) jogada; vez 4 passo; **to make the first move** dar o primeiro passo ▪ *v* 1 mudar(-se); **I moved to Australia** mudei-me para a Austrália 2 mudar; alterar 3 persuadir; **to move a person to do something** convencer alguém a fazer algo 4 (nódoa) limpar 5 propor 6 comover; **to move somebody to tears** levar alguém às lágrimas 7 mover-se; mexer-se; *col* **keep moving!** não parem! 8 jogar; **it's your turn to move** é a tua vez de jogar 9 avançar; evoluir
◇ **move along** *v* (fazer) avançar
◇ **move back** *v* 1 recuar; retroceder 2 fazer recuar 3 voltar para
◇ **move forward** *v* (fazer) avançar
◇ **move in** *v* (residência) mudar-se (to, para)
◇ **move on** *v* 1 (viagem) prosseguir; continuar 2 evoluir; avançar 3 (fazer) circular 4 (ponteiros do relógio) adiantar
◇ **move out** *v* 1 (casa) mudar-se; **they want to move out to a bigger house** eles querem mudar-se para uma casa maior 2 EUA *col* ir-se embora, partir; **let's move out!** vamos embora!
◇ **move over** *v* chegar(-se) para o lado; afastar(-se)
◇ **move up** *v* 1 ser promovido 2 chegar para o lado
movement *n* 1 (deslocação, atividade) movimento 2 transporte; **movement of freight** transporte de mercadorias 3 (relógio) mecanismo 4 MÚS andamento 5 MIL manobra
movie *n* 1 EUA filme 2 *pl* EUA cinema; **to go to the movies** ir ao cinema
moviegoer *n* espectador[AO] de cinema
moving *adj* 1 comovedor; emocionante 2 motor ▪ *n* 1 movimento, movimentação 2 (de residência) mudança; **moving van** camião de mudanças
mow *v* segar; cortar ▪ *n* EUA celeiro
mower *n* ceifeiro, segador
Mozambican *adj,n* moçambicano
Mozambique *n* Moçambique
MP3 INFORM [*abrev. de* MPEG audio layer 3] MP3
MPEG INFORM [*abrev. de* Moving Pictures Experts Group] MPEG
mph [*abrev. de* miles per hour]
Mr [*abrev. de* Mister] Sr. [*abrev. de* senhor]
Mrs (mulher casada) [*abrev. de* Mistress] Sra. [*abrev. de* senhora]
Ms *n* GB (solteira ou casada) menina; senhora
much *adj* muito; bastante ▪ *adv* 1 muito; bastante; **I don't like him much** eu não gosto muito dele 2 grandemente 3 bem 4 muitas vezes ♦ **as much as I know** tanto quanto sei; **how much?** quanto custa?; *col* **so much for** já chega de
muchness *n* quantidade; grandeza
muck *n* 1 porcaria; esterco 2 estrume ♦ **muck fly** mosca varejeira
mucous *adj* mucoso; viscoso ♦ **mucous membrane** mucosa
mucus *n* muco
mud *n* lama ▪ *v* enlamear ♦ **to sling/throw mud at** difamar
muddle *n* 1 confusão; desordem 2 sarilho; alhada; **to get in a muddle** meter-se numa alhada ▪ *v* 1 confundir; complicar 2 remexer 3 pôr em desordem 4 desnortear
muddy *adj* 1 (solo) lamacento 2 (sapatos, mãos) enlameado 3 (água) turvo 4 perturbado ▪ *v* 1 enlamear 2 (água) turvar 3 perturbar
mudguard *n* guarda-lamas
muesli *n* muesli
muff *n* (peça de vestuário) regalo ▪ *v* falhar; perder
muffin *n* muffin
muffle *v* 1 (som) abafar 2 agasalhar; aconchegar
muffler *n* 1 cachecol 2 EUA (automóvel) silenciador
mufti *n* (civilização árabe) mufti

mug *n* **1** caneca; **a mug of beer** uma caneca de cerveja **2** *cal* ventas; focinho **3** *cal* morcão ▪ *v cal* gamar *col*; roubar
mugger *n* gatuno; ladrão
muggins *n col* pacóvio
mugshot *n* (polícia) identificação fotográfica
mulatto *n* [*pl* -s, -es] mulato
mulberry *n* [*pl* -ies] **1** (fruto) amora **2** (planta) amoreira **3** cor de vinho
mulch *n* adubo orgânico
mule *n* **1** (animal) mula **2** *col* teimoso; cabeça-dura **3** *pl* (calçado) chinelas, socas
mull *n* (Escócia) promontório
◇ **mull over** *v* (problema, proposta) refletir[AO] sobre; ponderar
mullet *n* (peixe) salmonete
multicoloured *adj* multicolor; colorido
multicultural *adj* multicultural
multiculturalism *n* multiculturalismo
multifarious *adj* variado; diverso
multilateral *adj* multilateral
multilingual *adj* multilingue; poliglota
multimedia *adj,n* multimédia
multimillionaire *n* multimilionário
multinational *adj,n* multinacional
multiple *adj* múltiplo; diversificado ▪ *n* MAT múltiplo
multiplex *n* complexo de cinemas ▪ *adj* **1** múltiplo **2** complexo
multiplicand *n* MAT multiplicando
multiplication *n* MAT multiplicação; **multiplication sign** sinal da multiplicação; **multiplication table** tabuada
multiplicity *n* multiplicidade (of, de)
multiplier *n* MAT multiplicador
multiply *v* **1** multiplicar (by, por); **to multiply five by twelve** multiplicar cinco por doze **2** multiplicar-se
multipurpose *adj* multiusos
multiracial *adj* multirracial
multitasking *adj,n* INFORM multitarefa
multitude *n* multidão ♦ **a multitude of** um grande número de
multiuser *adj* INFORM partilhável
multivitamin *n* complexo multivitamínico
mum *n* GB mamã ♦ *col* (segredo) **mum's the word!** bico calado!; *col* (segredo) **to keep mum** manter a boca fechada
mumble *v* **1** resmungar por entre dentes **2** balbuciar
mumbo-jumbo *n col* treta; letra
mummy *n* [*pl* -ies] **1** múmia **2** GB *col* mamã
mumps *n* (doença) papeira
munch *v* mastigar ruidosamente
mundane *adj* **1** mundano **2** prosaico; vulgar
municipal *adj* municipal
municipality *n* [*pl* -ies] município
mural *adj* mural ▪ *n* pintura mural
murder *n* assassínio; homicídio; DIR **murder in the first degree** homicídio com premeditação; DIR **murder in the second degree** homicídio involuntário; **to commit murder** assassinar alguém ▪ *v* assassinar
murderer *n* assassino; homicida
murderous *adj* **1** assassino **2** cruel **3** mortal
murky *adj* obscuro; sombrio
murmur *n* murmúrio; sussurro; rumor ▪ *v* **1** murmurar; sussurrar **2** queixar-se
muscatel *n* (uva, vinho) moscatel
muscle *n* **1** músculo **2** *fig* força; pulso ♦ **not to move a muscle** não mexer um dedo
◇ **muscle in** *v* imiscuir-se em
muscular *adj* **1** muscular; **muscular pain** dor muscular **2** musculoso; musculado
musculature *n* musculatura
muse *n* musa ▪ *v* meditar (about/over, sobre)
museum *n* museu
mush *n* [*pl* -es] **1** polpa macia **2** EUA papa de farinha de milho ♦ *col* **that's all mush!** isso é tudo uma treta!
mushroom *n* cogumelo ▪ *v* proliferar; propagar-se
mushy *adj* **1** mole **2** (fruta) demasiado madura **3** (livro, peça) piegas; lamecha
music *n* música; **to listen to music** ouvir música ♦ **music hall** espetáculo[AO] de variedades
musical *adj* **1** musical **2** melodioso; harmonioso **3** (pessoa) com talento musical ▪ *n* (peça, filme) musical
musicality *n* musicalidade
musician *n* músico
musk *n* **1** (substância) almíscar **2** (animal) almiscareiro
musket *n* (arma) mosquete
musketeer *n* mosqueteiro
Muslim *adj,n* muçulmano
muslin *n* musselina
mussel *n* mexilhão

must *v* **1** dever; **he must be right** ele deve ter razão **2** ter de; **you must come with me** tens de vir comigo ▪ *n* **1** *col* coisa imprescindível, dever; **to be a must** ser imprescindível **2** mosto **3** mofo; bolor
mustache *n* EUA ⇒ **moustache**
mustard *n* mostarda
muster *v* reunir; juntar ♦ **to muster courage** ganhar coragem; **to pass muster** ser aceitável
must-have *adj* indispensável, essencial
musty *adj* bolorento; mofento
mutant *n* mutante
mutate *v* mudar (into, para); transformar-se (into, em)
mutation *n* **1** mutação; transformação **2** mudança; alteração
mute *adj* **1** mudo **2** (som) surdo ▪ *n* **1** mudo **2** MÚS (dispositivo) abafador ▪ *v* **1** suavizar; abafar **2** diminuir o som de; pôr mais baixo
mutilate *v* **1** mutilar **2** desfigurar; estragar **3** (mensagem) adulterar; distorcer
mutilation *n* mutilação
mutinous *adj* revoltoso; rebelde
mutiny *n* [*pl* -ies] motim; rebelião ▪ *v* amotinar-se (against, contra)
mutter *v* **1** resmungar por entre dentes (to, a) **2** queixar-se (about, de)
mutton *n* (carne) carneiro; **mutton chop** costeleta de carneiro
mutual *adj* **1** mútuo **2** recíproco; **their feelings were mutual** os seus sentimentos eram recíprocos **3** comum; **mutual friend** amigo comum
muzzle *n* **1** focinho **2** açaime **3** (arma) boca ▪ *v* **1** açaimar **2** *fig* silenciar
my *adj poss* meu; minha; meus; minhas; **my dear** meu caro, minha querida ♦ *col* **my foot!** o tanas!; **oh my!** meu Deus!
Myanmar *n* Mianmar
myopia *n* miopia
myopic *adj* míope
myrrh *n* (planta) mirra
myrtle *n* (planta) mirto, murta
myself *pron pess refl* eu mesmo; eu próprio; me; a mim mesmo; **I did it myself** eu próprio o fiz
mysterious *adj* misterioso
mystery *n* [*pl* -ies] mistério; enigma ♦ (romance) **mystery novel** policial
mystic *adj,n* místico
mystical *adj* místico
mysticism *n* misticismo
mystify *v* **1** mistificar **2** desconcertar
mystique *n* **1** mística **2** mistério
myth *n* mito
mythical *adj* **1** mítico **2** imaginário
mythological *adj* mitológico
mythology *n* mitologia

N

n *n* [*pl* n's] (letra) n
nab *v col* prender; caçar
nacre *n* nácar; madrepérola
nag *v* aborrecer (at, -); chatear (at, -); **to nag at somebody** chatear alguém
nail *n* **1** unha; **nail file** lima; **nail polish/varnish** verniz para as unhas **2** prego ▪ *v* **1** pregar; cravar **2** *col* apanhar ♦ **to hit the nail on the head** tocar no ponto principal
◇ **nail down** *v* **1** pregar **2** obrigar a tomar uma posição **3** chegar a acordo
nail-biter *n* **1** pessoa que rói as unhas **2** *col* momento de suspense
nail-biting *adj* (situação) de suspense; emocionante
naive *adj* ingénuo, inocente
naked *adj* **1** nu; despido **2** desprotegido; exposto ♦ **the naked truth** a verdade nua e crua; **with the naked eye** a olho nu
nakedness *n* nudez
name *n* **1** nome; **what's your name?** como é que te chamas? **2** reputação; nome ▪ *v* **1** dar nome; chamar; **he was named after his father** deram-lhe o nome do pai **2** nomear; designar ♦ **in name only** só no papel; **to call (somebody) names** insultar (alguém)
nameless *adj* **1** sem nome **2** anónimo; desconhecido **3** (emoção) indescritível
namely *adv* nomeadamente
namesake *n* homónimo
Namibia *n* Namíbia
Namibian *adj,n* namibiano
nanny *n* [*pl* -ies] **1** ama **2** GB *col* avó
nap *n* **1** sesta; sono ligeiro; **to take a nap** fazer a sesta **2** (pano) felpa ▪ *v* dormir a sesta; dormitar ♦ **to be caught napping** ser apanhado desprevenido
nape *n* nuca; **nape of the neck** cachaço
naphthalene *n* naftalina
napkin *n* guardanapo; **napkin ring** argola de guardanapo
nappy *n* [*pl* -ies] GB fralda; **disposable nappies** fraldas descartáveis
narcissism *n* narcisismo
narcissist *n* narcisista
narcissistic *adj* narcisista
narcissus *n* [*pl* -es, narcissi] narciso
narcotic *adj,n* narcótico
narrate *v* narrar
narration *n* narração
narrative *n* narrativa; história ▪ *adj* narrativo
narrator *n* narrador
narrow *adj* **1** estreito; apertado; **a narrow street** uma rua estreita **2** limitado **3** reduzido; escasso ▪ *v* **1** estreitar; reduzir **2** franzir
◇ **narrow down** *v* reduzir; limitar
narrowly *adv* **1** por pouco; à tangente **2** atentamente; de perto
narrow-minded *adj* tacanho; limitado
NASA *n* EUA [*abrev. de* National Aeronautics and Space Administration] NASA
nasal *adj* nasal
nasty *adj* **1** desagradável; **a nasty surprise** uma surpresa desagradável **2** perverso; maldoso **3** repugnante; **to have a nasty smell** cheirar mal **4** (ferimento, etc.) grave
natal *adj form* natal; **my natal town** a minha cidade natal
nation *n* **1** nação; país **2** povo
national *adj* nacional ▪ *n* cidadão ♦ **national anthem** hino nacional; **national costume** traje típico; **national holiday** feriado nacional
nationalism *n* nacionalismo
nationalist *adj,n* nacionalista
nationality *n* [*pl* -ies] nacionalidade
nationalization *n* nacionalização
nationalize *v* nacionalizar
native *n* nativo ▪ *adj* **1** natal; **native country** país natal **2** (animal, planta) autóctone; indígena **3** inato; natural ♦ **native forest** floresta virgem
Nativity *n* [*pl* -ies] REL Natividade; Natal
NATO [*abrev. de* North Atlantic Treaty Organization] OTAN [*abrev. de* Organização do Tratado do Atlântico Norte]

natty *adj col* elegante; giro
natural *adj* **1** natural; normal **2** (talento) inato **3** (atitude) autêntico; genuíno **4** (filho) biológico ▪ *n* ás; craque
naturalism *n* naturalismo
naturalist *adj,n* naturalista
naturalize *v* naturalizar(-se)
naturally *adv* **1** naturalmente **2** com naturalidade; espontaneamente **3** certamente; claro
nature *n* **1** natureza **2** índole; temperamento; **by nature** por natureza ♦ **nature study** ciências da natureza; **nature reserve** reserva natural
naturism *n* naturismo
naturist *adj,n* naturista
naughty *adj* **1** travesso; maroto **2** *col* (história, anedota) picante
Nauru *n* Nauru
Nauruan *adj,n* nauruano
nausea *n* náusea; enjoo
nauseate *v* **1** provocar náuseas; enjoar **2** enojar
nauseating *adj* **1** enjoativo **2** repugnante
nauseous *adj* **1** enjoado **2** nauseabundo
nautical *adj* náutico
naval *adj* naval
nave *n* (igreja) nave
navel *n* umbigo ♦ **navel string** cordão umbilical
navigability *n* navegabilidade
navigable *adj* navegável
navigate *v* **1** (avião, barco) navegar **2** (carro) fazer de copiloto[AO] **3** (Internet) navegar **4** (problema, situação) lidar com **5** *col* andar; caminhar
navigation *n* navegação
navigator *n* navegador
navy *n* [*pl* -ies] marinha ♦ **navy blue** azul-marinho
near *adv,prep* **1** próximo; perto; **near the window** perto da janela **2** quase; **near the end of the match** quase no final da partida **3** cerca de; **it lasted near a century** durou cerca dum século ▪ *adj* próximo; **near relation** parente próximo ▪ *v* aproximar-se; **as they neared town** à medida que se aproximavam da cidade ♦ **Near East** Próximo Oriente; **to be near at hand** estar à mão de semear;
nearby *adj* próximo; vizinho; **in the nearby town** na cidade vizinha ▪ *adv* perto; próximo; **I bought a house nearby** eu comprei uma casa perto
nearly *adv* quase; por pouco; **he nearly fell down** ele por pouco não caiu; **she is nearly sixteen** ela tem quase dezasseis anos ♦ **not nearly** nem pouco mais ou menos
nearness *n* proximidade
neat *adj* **1** limpo; impecável **2** EUA *col* fixe; espetacular[AO] **3** *form* engenhoso; astucioso **4** GB (bebida) puro
nebula *n* [*pl* -e, -s] ASTRON nebulosa
nebulous *adj* nebuloso
necessarily *adv* **1** necessariamente; **not necessarily** não necessariamente **2** inevitavelmente
necessary *adj* necessário; essencial
necessitate *v form* necessitar; precisar
necessity *n* [*pl* -ies] **1** necessidade **2** inevitabilidade ♦ **necessity is the mother of invention** a necessidade aguça o engenho;
neck *n* **1** pescoço **2** gola; colarinho **3** (garrafa, etc.) gargalo **4** (terra) istmo ♦ **a neck and neck competition** uma competição taco a taco; **to win by a neck** ganhar à tangente
necklace *n* colar
neckline *n* decote
necktie *n* EUA gravata
necromancer *n* necromante
necromancy *n* necromancia
necropolis *n* necrópole
nectar *n* néctar
nectarine *n* nectarina
née *adj* (nome) de solteira; **Anne Taylor, née Philips** Anne Taylor, em solteira Philips
need *n* **1** necessidade (for/of, de); **without the need for** sem necessidade de **2** falta; carência ▪ *v* precisar de; **need I say more?** é preciso dizer mais alguma coisa? ♦ **if need be** se for necessário
needle *n* **1** agulha; **pine needle** agulha de pinheiro; **to thread a needle** enfiar uma agulha **2** seringa; (em farmácias) **needle exchange** troca de seringas ▪ *v col* espicaçar, arreliar ♦ **to look for a needle in a haystack** procurar uma agulha num palheiro
needless *adj* escusado; desnecessário; **needless to say that** escusado será dizer que

needlework *n* costura
needy *adj* **1** pobre; necessitado **2** (afetivamente) carente
negation *n* **1** negação **2** contradição; desacordo
negative *adj* **1** negativo **2** *col* pessimista ▪ *n* **1** FOT negativo **2** resposta negativa; recusa **3** (teste) resultado negativo
neglect *n* **1** negligência; desleixo **2** (estado) abandono ▪ *v* **1** negligenciar; descurar **2** esquecer
neglectful *adj* negligente; descuidado
negligence *n* negligência
negligent *adj* negligente
negotiable *adj* **1** negociável **2** (caminho, estrada) transitável
negotiate *v* **1** negociar **2** (caminho, estrada) percorrer; atravessar
negotiation *n* negociação; **peace negotiation** negociações de paz
negotiator *n* negociador
neigh *v* relinchar ▪ *n* relincho
neighbor *n,v* EUA ⇒ **neighbour**
neighbour *n* **1** vizinho **2** país vizinho **3** (ser humano) próximo, semelhante ▪ *v* confinar (com)
neighbourhood *n* **1** vizinhança; redondezas; **he lives in the neighbourhood** ele vive nas redondezas; **a friendly neighbourhood** uma vizinhança simpática **2** zona; área
neighbouring *adj* vizinho; próximo
neighbourly *adj* amigável
neither *adj* nenhum; nenhuma; nenhum dos dois; **in neither case** em nenhum caso ▪ *conj* nem; **neither John nor Mark went to the cinema** nem o John nem o Mark foram ao cinema ▪ *adv* nem; também não; **he does not know, and neither does he care** ele não sabe e também não se importa
neoclassical *adj* neoclássico
Neolithic *adj* neolítico
neologism *n* neologismo
neon *n* néon; **neon advertising sign** anúncio luminoso
Nepal *n* Nepal
Nepalese *adj,n* nepalês
nephew *n* sobrinho
Neptune *n* ASTRON,MIT Neptuno
nerd *n* **1** *col,pej* totó; parolo **2** *col,pej* (tecnologia) fanático
nerve *n* **1** nervo **2** coragem **3** *col* atrevimento; lata *col*; **you've got a lot of nerve!** tens muita lata! **4** *pl* nervos; **to get on somebody's nerves** pôr os nervos em franja a alguém
nerve-racking *adj* enervante
nervous *adj* nervoso; **he is nervous about the exam** ele está nervoso por causa do exame
nervousness *n* nervosismo
nest *n* **1** ninho; **wasp's nest** ninho de vespas **2** lar ▪ *v* **1** fazer o ninho **2** abrigar-se
nestle *v* aninhar-se; aconchegar-se
net *n* **1** rede **2** *col* [com maiúscula] Internet ▪ *adj* (rendimento, preço, peso) líquido ▪ *v* **1** (peixe) apanhar com rede **2** *col* (golo) marcar **3** *col* (dinheiro) render **4** conseguir; obter
Netherlands *n* Países Baixos; Holanda
netiquette *n col* (Internet) netiqueta
nettle *n* urtiga ◆ **to grasp the nettle** atacar um problema de frente
network *n* rede ▪ *v* **1** (mensagem, programa) transmitir em rede **2** (computadores) ligar em rede
neuralgia *n* nevralgia
neuralgic *adj* nevrálgico
neurologist *n* neurologista
neurology *n* neurologia
neuron *n* neurónio
neurosis *n* [*pl* neuroses] neurose
neurosurgeon *n* neurocirurgião
neurosurgery *n* neurocirurgia
neurotic *adj,n* neurótico
neuter *adj* **1** neutro; **neuter noun** substantivo neutro; **to stand neuter** manter a neutralidade **2** (animal) castrado ▪ *n* LING género neutro ▪ *v* (animal) castrar
neutral *adj* **1** neutral; neutro **2** (automóvel) ponto morto **3** indiferente **4** (cor) neutro **5** QUÍM,ELET neutro ▪ *n* (automóvel) ponto morto
neutrality *n* neutralidade
neutralize *v* neutralizar
neutron *n* FÍS neutrão
never *adv* nunca; jamais; **never again** nunca mais ◆ **never is a long way** nunca digas desta água não beberei; **never mind!** não faz mal!
never-ending *adj* interminável; sem fim

nevertheless *adv* todavia; contudo
new *adj* **1** novo; **a new life** uma nova vida **2** recente; **a new discovery** uma descoberta recente **3** moderno **4** (pão, queijo) fresco ♦ **New Year's Day** Dia de Ano Novo
newbie *n col* (Internet, computadores) caloiro, novato
newborn *adj* recém-nascido
newcomer *n* recém-chegado
newly *adv* **1** recentemente; há pouco; **newly painted** pintado de fresco **2** novamente
news *n* **1** notícia; novidade; **this is good news** isto é que são boas notícias **2** (televisão, rádio) noticiário; **the eight o'clock news** o noticiário das oito ♦ **news conference** conferência de imprensa
newsagent *n* GB vendedor de jornais ♦ **newsagent's** GB quiosque
newscaster *n* EUA (televisão, rádio) pivô
newsflash *n* notícia de última hora
newsgroup *n* (Internet) grupo de discussão
newsletter *n* newsletter, boletim informativo
newspaper *n* jornal
newsreader *n* GB (televisão, rádio) pivô
newsroom *n* sala de redação[AO]
newsstand *n* quiosque
New Zealand *n* Nova Zelândia
New Zealander *adj,n* neozelandês
next *adj* **1** próximo; seguinte **2** junto (to, de); ao lado (to, de) ▪ *adv* depois; em seguida; **what next?** e depois? ♦ **next of kin** o parente mais chegado
NGO [*abrev. de* non-governmental organization] ONG [*abrev. de* organização não governamental]
nib *n* (caneta) bico; ponta
nibble *n* **1** mordidela; trinca **2** *pl col* aperitivos ▪ *v* **1** depenicar (at, -); debicar (at, -) **2** mordiscar
Nicaragua *n* Nicarágua
Nicaraguan *adj,n* nicaraguano
nice *adj* **1** simpático, amável; **how nice of you!** é simpático da sua parte **2** bom; agradável; **it is nice here** está-se bem aqui ♦ **nice one** essa foi boa; **nice to meet you** prazer em conhecer-te
nicely *adv* **1** bem; **nicely done** bem feito **2** inteligentemente; com esperteza
nicety *n* [*pl* -ies] detalhe; pormenor
niche *n* nicho
nick *n* **1** corte **2** GB *col* cadeia, prisão ▪ *v* **1** cortar **2** GB *col* apanhar **3** *col* roubar; surripiar
nickel *n* **1** níquel **2** EUA moeda de 5 centavos
nickname *n* alcunha ▪ *v* alcunhar
nicotine *n* nicotina
niece *n* sobrinha
Niger *n* (país, rio) Níger
Nigeria *n* Nigéria
Nigerian *adj,n* nigeriano
niggle *v* **1** irritar; chatear **2** arreliar-se **3** cismar ▪ *n* cisma
night *n* noite; **night school** escola noturna[AO]; **night shift** turno da noite ♦ **to have an early night** deitar-se cedo
nightclub *n* clube noturno[AO]
nightdress *n* camisa de noite
nightfall *n* anoitecer; **at nightfall** ao cair da noite
nightingale *n* rouxinol
nightly *adj* noturno[AO] ▪ *adv* todas as noites
nightmare *n* pesadelo
nil *n* **1** nada **2** GB (jogo) zero; **the score was two goals to nil** o resultado foi de dois a zero
nimble *adj* **1** ágil; hábil **2** (pensamento) vivo; rápido
nine *num card,n* nove ♦ MAT **to cast out the nines** tirar a prova dos nove
nineteen *num card,n* dezanove ♦ *col* **to talk nineteen to the dozen** falar pelos cotovelos
nineteenth *num ord,n* décimo nono ♦ **on the nineteenth** no dia dezanove
ninetieth *num ord,n* nonagésimo
ninety *num card,n* [*pl* -ies] noventa ♦ (década) **the nineties** os anos noventa; **to be in one's nineties** ter 90 e tal anos
ninth *num ord,n* nono ♦ **on the ninth** no dia nove
nip *n* **1** gole; trago **2** beliscão ▪ *v* **1** mordiscar (at, -) **2** *col* dar uma saltada (to, a)
nipple *n* **1** mamilo **2** EUA (biberão) tetina
nippy *adj* **1** *col* (tempo) fresco **2** GB *col* rápido
nit *n* **1** lêndea **2** GB *col* estúpido; parvo ♦ **to pick nits** pôr defeitos em tudo
nitpicker *n col* coca-bichinhos
nitpicking *adj col* implicante; niquento
nitre *n* salitre
nitric *adj* QUÍM nítrico
nitrogen *n* azoto; nitrogénio

nitroglycerine *n* nitroglicerina
nitwit *n col* imbecil; pateta
no *adv,n* não; **she said no** ela disse que não; **the no won in the referendum** o não venceu no referendo ▪ *adj* nenhum; nenhuma; **there was no mistake** não houve engano ♦ **in no time** num instante; **no more** nunca mais; **no one** ninguém; **no way!** nem pensar!
no. [*abrev. de* number] n.° [*abrev. de* número]
nobble *v* **1** GB *col* chamar a atenção **2** GB *col* subornar
nobility *n* [*pl* -ies] nobreza
noble *adj* **1** nobre; **a man of noble character** um homem de carácter[AO] nobre **2** imponente; majestoso; **a noble building** um edifício imponente **3** (gás) raro ▪ *n* nobre
nobleman *n* [*pl* -men] nobre; aristocrata
noblewoman *n* [*pl* -men] nobre; aristocrata
nobody *pron* ninguém; **nobody is perfect** ninguém é perfeito ▪ *n* [*pl* -ies] zé-ninguém
noctambulist *n* sonâmbulo
nocturnal *adj* (animal) notívago[AO]
nocturne *n* MÚS noturno[AO]
nod *n* aceno com a cabeça ▪ *v* **1** acenar com a cabeça (to, a) **2** (sono) cabecear **3** (vento, brisa) agitar-se
◇ **nod off** *v* dormitar
node *n* **1** (ramo) nó **2** nódulo
nodule *n* nódulo
noise *n* **1** ruído; barulho **2** *téc* interferência ▪ *v* (rumor, etc.) espalhar; pôr a circular ♦ **noise pollution** poluição sonora
noiseless *adj* silencioso; sem barulho
noisy *adj* ruidoso; barulhento
nomad *adj,n* nómada
nomadic *adj* nómada
nomenclature *n* nomenclatura
nominal *adj* nominal
nominate *v* **1** nomear; **he was nominated for best actor** ele foi nomeado para melhor ator[AO] **2** propor como candidato; **to nominate someone for** apresentar alguém como candidato a
nomination *n* nomeação
nominative *adj,n* nominativo
nominee *n* nomeado; candidato
nonalcoholic *adj* sem álcool
nonchalance *n* indiferença
nonchalant *adj* indiferente
nondescript *adj* banal
none *pron* nenhum, nenhuma; **none of you** nenhum de vocês ♦ **none of that!** acaba lá com isso!; **that's none of your business** isso não te diz respeito
nonentity *n* [*pl* -ies] *pej* nulidade
nonetheless *adv form* contudo; todavia
non-existent *adj* inexistente
no-nonsense *adj* prático
nonsense *n* absurdo; disparate
nonsensical *adj* absurdo; ridículo
non-smoker *n* não fumador
non-smoking *adj* **1** reservado a não fumadores **2** não fumador
nonstop *adj* **1** (viagem) direto[AO]; sem paragens; **a nonstop train** um comboio direto[AO] **2** contínuo
noodles *npl* (massa) macarronete
nook *n* recanto
noon *n* meio-dia
noose *n* nó corredio
nope *adv col* não
nor *conj* nem; **neither you nor I** nem tu nem eu
Nordic *adj,n* nórdico; escandinavo
norm *n* norma
normal *adj,n* normal ♦ **in normal circumstances** normalmente
normality *n* normalidade
normalize *v* normalizar
north *n* norte; **due north** em direção[AO] ao norte ▪ *adj* (do) norte ▪ *adv* para norte ♦ **North Pole** Polo[AO] Norte
northeast *adj,n* nordeste ▪ *adv* para nordeste
northerly *adj* do norte; **northerly latitude** latitude norte
northern *adj* do norte ♦ **northern hemisphere** hemisfério norte
northerner *n* (pessoa) nortenho
Northern Ireland *n* Irlanda do Norte
northernmost *adj* mais a norte
North Korea *n* Coreia do Norte
north-northeast *adj,n* nor-nordeste ▪ *adv* para nor-nordeste
north-northwest *adj,n* nor-noroeste ▪ *adv* para nor-noroeste
northward *adv,adj* para norte
northwards *adv* para norte
northwest *adj,n* noroeste ▪ *adv* para noroeste
Norway *n* Noruega

Norwegian *adj,n* norueguês
nose *n* **1** nariz; (animal) focinho **2** olfato[AO]; (animal) faro **3** (avião) nariz **4** (vinho) aroma ▪ *v* **1** andar cuidadosamente **2** farejar ♦ **(right) under somebody's nose** mesmo debaixo do nariz de alguém; **to stick one's nose into something** meter o nariz onde não se é chamado
nosebleed *n* hemorragia nasal
nosedive *n* **1** (avião) voo picado **2** (preços, etc.) baixa acentuada; **to take a nosedive** descer a pique ▪ *v* **1** (avião) descer em voo picado **2** baixar acentuadamente
no-show *n* **1** pessoa que não comparece **2** não comparência
nostalgia *n* nostalgia (for, de/por)
nostalgic *adj* nostálgico
nostril *n* narina
nosy *adj pej* intrometido; coscuvilheiro
not *adv* não; nem; **not always** nem sempre; **not yet** ainda não
notable *adj,n* notável
notably *adv* **1** notavelmente **2** particularmente
notation *n* notação
notch *n* [*pl* -es] **1** entalhe; corte; ranhura **2** (montanhas) desfiladeiro; garganta ▪ *v* entalhar
note *n* **1** nota; GB **false note** nota falsa; **to take notes** tirar notas; **worthy of note** digno de nota **2** bilhete **3** MÚS nota **4** marca; cunho ▪ *v* **1** notar; reparar em **2** realçar; salientar ◊ **note down** *v* apontar; anotar
notebook *n* caderno
noted *adj* famoso (for, por); conhecido (for, por)
notepad *n* bloco de apontamentos
noteworthy *adj* notável; digno de registo
nothing *pron* nada; **nothing of the sort** nada disso ▪ *n* zero; **he is a nothing** ele é um zero ♦ **it's all or nothing** é pegar ou largar; **nothing ventured nothing gained** quem não arrisca não petisca
nothingness *n* nada; não existência
notice *v* notar; reparar ▪ *n* **1** atenção; **to attract notice** chamar a atenção **2** aviso; **advance notice** aviso prévio; **notice of receipt** aviso de receção[AO] **3** (livro, filme, etc.) crítica; comentário **4** pré-aviso; **notice of strike** pré-aviso de greve **5** notificação; ordem; **until further notice** até nova ordem **6** anúncio
noticeable *adj* visível; evidente
notification *n form* notificação
notify *v* notificar (of, de); comunicar (of, -)
notion *n* noção (of, de); ideia (of, de)
notoriety *n* [*pl* -ies] notoriedade; fama
notorious *adj* famoso (por maus motivos)
notwithstanding *prep,conj form* apesar de; não obstante
nougat *n* (doce) nogado
nought *n* GB zero
noun *n* nome; substantivo; **common/proper noun** nome comum/próprio; **noun phrase** sintagma/grupo nominal
nourish *v* nutrir; alimentar
nourishing *adj* nutritivo
nourishment *n form* nutrição
novel *n* romance; **novel writer** romancista ▪ *adj* novo; original
novelist *n* romancista
novelty *n* [*pl* -ies] novidade
November *n* novembro[AO]
novice *n* **1** novato; principiante **2** REL noviço
now *adv* **1** agora; hoje em dia **2** imediatamente; **leave now!** saia imediatamente! ▪ *conj* uma vez que; agora que; **now that you're ready** uma vez que está pronto ▪ *n* agora; presente; **till now** até agora ♦ **by now** por estas horas; **now and then** de vez em quando
nowadays *adv* hoje em dia; atualmente[AO]
nowhere *adv* em parte alguma; em lado nenhum
noxious *adj form* tóxico; nocivo
nozzle *n* bico; bocal
nuance *n* nuance; matiz
nuclear *adj* nuclear
nucleus *n* [*pl* nuclei] núcleo
nude *adj,n* nu, nua; **to paint nudes** pintar nus; **in the nude** nu
nudge *n* cotovelada ▪ *v* **1** acotovelar **2** incentivar; instigar
nudism *n* nudismo
nudist *n* nudista
nudity *n* nudez
nugget *n* **1** (metal) pepita; **gold nugget** pepita de ouro **2** panado; **chicken nuggets** panados de frango
nuisance *n* maçada

nuke *n col* arma nuclear ▪ *v* **1** *col* atacar com armas nucleares **2** *col* cozinhar no micro--ondas[AO]
null *adj* nulo; sem validade
nullify *v* anular, invalidar
nullity *n* [*pl* -ies] DIR nulidade
numb *adj* **1** entorpecido; dormente **2** paralisado (with, de); **numb with fear** paralisado de medo ▪ *v* entorpecer; paralisar
number *n* **1** (algarismo, espetáculo, revista, jornal) número **2** quantidade; **a large number of people** uma grande quantidade de gente ▪ *v* numerar ◆ GB **number plate** número da matrícula
numberless *adj lit* sem número; inumerável
numbness *n* entorpecimento
numeral *n* algarismo; número; **Roman numerals** numeração romana
numerator *n* MAT numerador
numerical *adj* numérico
numerous *adj* numeroso; inúmero
numismatics *n* numismática
numismatist *n* numismata
nun *n* freira
nuptial *adj* nupcial
nurse *n* enfermeiro ▪ *v* **1** (doentes) tratar; assistir **2** (sentimento) acalentar; alimentar **3** amamentar
nursery *n* [*pl* -ies] **1** creche; infantário **2** (plantas) viveiro ◆ **nursery school** infantário; **nursery tale** conto infantil
nursing *n* enfermagem ◆ **nursing home** lar de idosos
nurture *n form* criação; educação ▪ *v* **1** *form* criar; educar **2** *form* alimentar; acalentar
nut *n* **1** fruto seco (noz, amêndoa, avelã) **2** (parafuso) porca **3** *col* tolo, maluco, doido **4** *col* fanático **5** *col* tola *col* ◆ **a hard nut to crack** um osso duro de roer; **the nuts and bolts** o básico; o essencial
nutcase *n col,ofens* maluco
nutcracker *n* quebra-nozes
nutmeg *n* noz-moscada
nutrient *n* nutriente
nutrition *n* nutrição
nutritionist *n* nutricionista
nutritious *adj* nutritivo
nuts *adj col* louco, doido
nutshell *n* casca de noz ◆ **in a nutshell** em suma
nutty *adj* **1** *col* doido, maluco **2** a noz; de noz
nuzzle *v* (pessoa) encostar o nariz
nylon *n* nylon
nymph *n* ninfa
nymphomaniac *n* ninfomaníaca

O

o *n* [*pl* o's] (letra) o
O *interj* (chamamento) ó
oaf *n* imbecil; idiota
oak *n* carvalho
oar *n* remo ♦ *col* **to stick one's oar in** meter--se onde não se é chamado
oarsman *n* [*pl* -men] remador
oasis *n* [*pl* oases] oásis
oat *n* aveia
oath *n* [*pl* -s] juramento; **to be under oath** estar sob juramento
oatmeal *n* **1** farinha de aveia **2** EUA papas de aveia
obedience *n* obediência ♦ **in obedience to** em conformidade com
obedient *adj* obediente; dócil
obelisk *n* obelisco
obese *adj* obeso
obesity *n* obesidade
obey *v* obedecer; acatar
obituary *n* necrologia; obituário
object *n* **1** objeto[AO] **2** fim; objetivo[AO] **3** motivo; tema **4** inconveniente **5** LING objeto[AO]; complemento ▪ *v* **1** objetar[AO] (to, a) **2** protestar; (tribunal) **I object!** protesto! ♦ **to be no object** não ser um problema de maior
objection *n* objeção[AO] (to, a); oposição (to, a)
objective *adj* objetivo[AO] ▪ *n* **1** objetivo[AO]; propósito **2** FOT objetiva[AO]
objectivity *n* objetividade[AO]
objector *n* objetor[AO]; opositor ♦ **conscientious objector** objetor[AO] de consciência
obligate *v* EUA obrigar (to, a)
obligation *n* obrigação (to, de); dever (to, de); **to be under an obligation to somebody** estar em dívida para com alguém
obligatory *adj* obrigatório
oblige *v* **1** obrigar (to, a) **2** agradar; fazer a vontade a; **will you oblige me?** fazes-me a vontade? ♦ **I'd be obliged if** ficaria grato se; **much obliged** muito agradecido
obliging *adj* prestável; atencioso
oblique *adj* **1** oblíquo; diagonal **2** (olhar) de lado **3** indireto[AO] ▪ *n* GB barra oblíqua
obliterate *v* **1** destruir; eliminar **2** (ideia, sentimento) fazer desaparecer
obliteration *n* **1** obliteração **2** esquecimento
oblivion *n* **1** esquecimento; **to fall/sink into oblivion** cair no esquecimento **2** alheamento
oblivious *adj* inconsciente (of/to, de); desconhecedor (of/to, de); **to be oblivious to something** não ter consciência de algo
oblong *adj* **1** retangular[AO] **2** EUA oval ▪ *n* retângulo[AO]
obnoxious *adj* detestável; repugnante
oboe *n* oboé
oboist *n* oboísta
obscene *adj* obsceno
obscenity *n* [*pl* -ies] obscenidade
obscure *adj* **1** obscuro; pouco claro **2** pouco conhecido ▪ *v* ocultar
obscurity *n* [*pl* -ies] **1** obscuridade **2** esquecimento; **to fall into obscurity** cair no esquecimento
observance *n* **1** (lei) observância; cumprimento **2** rito; prática; **religious observances** práticas religiosas
observant *adj* **1** observador; atento **2** cumpridor
observation *n* **1** observação **2** vigilância; (investigação policial) **to be under observation** estar sob vigilância
observatory *n* [*pl* -ies] observatório
observe *v* **1** observar **2** cumprir; respeitar; **to observe the law** cumprir a lei
observer *n* **1** observador **2** espectador[AO]
obsess *v* obcecar
obsession *n* obsessão
obsessional *adj* obsessivo
obsessive *adj* obsessivo
obsolete *adj* obsoleto; ultrapassado
obstacle *n* **1** impedimento; dificuldade **2** obstáculo; DESP **obstacle race** corrida de obstáculos
obstetrician *n* obstetra

obstetrics *n* obstetrícia
obstinacy *n* obstinação
obstinate *adj* **1** obstinado; teimoso **2** (problema) persistente
obstruct *v* **1** obstruir; tapar **2** impedir
obstruction *n* **1** obstrução (of, a); **obstruction of justice** obstrução da justiça **2** bloqueio; oclusão ◆ (estrada) **beware of obstructions** atenção às obras; (trânsito) **to cause an obstruction** impedir a circulação
obstructive *adj* **1** obstrucionista **2** obstrutivo
obtain *v* obter; conseguir; alcançar
obtrusive *adj* incómodo; importuno
obtuse *adj* obtuso; **obtuse angle** ângulo obtuso
obvious *adj* óbvio; evidente
occasion *n* **1** ocasião; **on the occasion of** por ocasião de **2** oportunidade; **on the first occasion** na primeira oportunidade ◆ **on occasion** de vez em quando
occasional *adj* ocasional; esporádico
occasionally *adv* de vez em quando; ocasionalmente
occidental *adj* ocidental
occlusion *n* oclusão; obstrução
occlusive *adj* (consoante) oclusivo ▪ *n* consoante oclusiva
occult *adj,n* oculto
occultism *n* ocultismo
occupancy *n form* ocupação
occupant *n* **1** ocupante **2** inquilino
occupation *n* **1** ocupação, profissão **2** passatempo **3** ocupação; tomada de posse
occupational *adj* ocupacional
occupier *n* ocupante
occupy *v* **1** (tempo, espaço) ocupar **2** (cargo, função) desempenhar; exercer **3** habitar; morar em
occur *v* **1** acontecer, ocorrer **2** surgir; aparecer
◇ **occur to** *v* ocorrer; vir à memória
occurrence *n* ocorrência; acontecimento
ocean *n* **1** oceano **2** *col* montes (of, de)
oceanarium *n* [*pl* -s, oceanaria] oceanário
Oceania *n* Oceânia
oceanic *adj* oceânico
ochre *n,adj* (cor) ocre
o'clock *adv* horas; **it's seven o'clock** são sete horas
octagon *n* octógono
octagonal *adj* octogonal
octane *n* QUÍM octana
octave *n* MÚS,LIT oitava
October *n* outubro[AO]
octogenarian *adj,n* octogenário
octopus *n* [*pl* -es] polvo
ocular *adj* ocular
odd *adj* **1** estranho; invulgar **2** ímpar; **odd number** número ímpar **3** sem par **4** ocasional; acidental; **at odd times** quando calha; **odd jobs** biscates ◆ **odd man out** exceção[AO]
oddity *n* [*pl* -ies] excentricidade, singularidade
oddly *adv* estranhamente ◆ **oddly enough** curiosamente
odds *npl* probabilidades; hipóteses; **against all odds** contra todas as probabilidades
ode *n* LIT ode
odious *adj form* odioso
odontological *adj* odontológico
odontologist *n* odontologista
odontology *n* odontologia
odor *n* EUA ⇒ **odour**
odour *n* **1** GB odor; cheiro **2** GB perfume; fragrância
odourless *adj* sem cheiro
oedema *n* GB edema
oenology *n* GB enologia
oesophagus *n* [*pl* -es, oesophagi] GB esófago
of *prep* **1** de **2** por; **of his own choice** por escolha própria **3** sobre; acerca de **4** (horas) antes; **ten minutes of eleven** dez minutos antes das onze ◆ **of course** claro
off *prep* **1** de; **he took the door off its hinges** ele tirou a porta dos gonzos **2** longe de; **off the village** longe da vila **3** junto a; **off the main road** junto à estrada principal ▪ *adv* **1** longe; **they were far off** eles estavam longe **2** completamente; inteiramente ▪ *adj* **1** (veículo) do lado direito **2** desligado; **the machine is off** a máquina está desligada **3** *col* inaceitável **4** livre; **in one's off time** nos tempos livres **5** (alimento) que não é fresco **6** cancelado; **the wedding is off** o casamento está cancelado ◆ **off and on** de quando em quando; **off season** época baixa; **off they go!** lá vão eles!; **20 per cent off** desconto de 20 por cento
offal *n* (vísceras) miúdos

off-chance *n* **on the off-chance** na esperança de
off-colour *adj* **1** indisposto; adoentado **2** (história, piada) picante
offence *n* **1** GB crime; delito **2** GB ofensa; injúria; **no offence** não me leves a mal
offend *v* **1** ofender; injuriar **2** (lei, etc.) transgredir; violar ♦ **to be easily offended** ser muito suscetível[AO]
offender *n* delinquente; infrator[AO]
offense *n* EUA ⇒ **offence**
offensive *adj* ofensivo; **offensive language** linguagem ofensiva; **offensive weapon** arma ofensiva ▪ *n* MIL ofensiva
offer *n* **1** oferta; proposta; **the offer stands** a oferta mantém-se **2** promoção; **to be on offer** estar em promoção ▪ *v* **1** oferecer(-se) **2** (ocasião, oportunidade) proporcionar **3** apresentar; **to offer an explanation** apresentar uma explicação
offering *n* **1** oferta; oferecimento **2** REL oferenda
offhand *adj* **1** brusco; ríspido **2** improvisado; espontâneo ▪ *adv* **1** imediatamente **2** de improviso; **to play offhand** tocar de improviso
office *n* **1** gabinete; escritório **2** repartição; **post office** posto de correios **3** cargo; função **4** EUA consultório médico **5** (governo) [com maiúscula] ministério ♦ **office hours** horas de expediente; **to be in office** estar no poder
officer *n* **1** oficial; **officer of the navy** oficial da marinha; **customs officer** oficial da alfândega **2** agente da polícia **3** (governo) funcionário
official *adj* oficial ▪ *n* alto funcionário
officially *adv* oficialmente
officious *adj* oficioso
offing *n* **to be in the offing** estar em perspetiva[AO]
off-licence *n* GB (loja) garrafeira
off-limits *adj* de acesso interdito
offline *adj* INFORM offline
offshoot *n* **1** (planta) renovo **2** ramificação
offshore *adj* **1** costeiro **2** ECON offshore ▪ *adv* ao largo; no mar alto
offside *n* **1** GB (carro) lado do condutor **2** (futebol, etc.) fora de jogo
offspring *n* **1** descendência **2** ninhada
off-the-record *adj* não oficial
off-white *adj* esbranquiçado
often *adv* muitas vezes; frequentemente ♦ **as often as possible** tantas vezes quanto possível; **how often have you been here?** quantas vezes vieste aqui?
ogive *n* ARQ ogiva
ogle *v* comer com os olhos ▪ *n* olhar de desejo
ogre *n* ogre
oh *interj* oh!; **oh my God!** oh meu Deus!
ohm *n* FÍS ohm
oil *n* **1** óleo **2** petróleo; **oil refinery** refinaria de petróleo ▪ *v* olear; lubrificar ♦ **oil pipeline** oleoduto; **oil tanker** petroleiro
oilcan *n* almotolia
oilcloth *n* oleado
oilskin *n* **1** (tecido) oleado **2** impermeável
oily *adj* **1** oleoso; gorduroso **2** pegajoso
oink *n* (porco) grunhido ▪ *v* grunhir
ointment *n* unguento ♦ **the fly in the ointment** a pedra no sapato
OK ou **okay** *interj* muito bem!; OK! ▪ *adj* **1** bom **2** aceitável **3** *col* fixe ▪ *adv* bem; **to be doing okay** estar a sair-se bem ▪ *v col* autorizar; aprovar ▪ *n col* autorização
old *adj* **1** velho; idoso; **an old man** um senhor idoso; **to grow old** envelhecer **2** antigo ▪ *n* **the old** os idosos ♦ **good old days** bons velhos tempos; **how old are you?** que idade tens?; **I am 13 years old** tenho treze anos; **old age** velhice
old-fashioned *adj* antiquado; ultrapassado
oldie *n* **1** *col* (canção, filme) clássico **2** *col* velho
oligarchy *n* [*pl* -es] oligarquia
olive *n* **1** azeitona; **olive oil** azeite **2** oliveira **3** (cor) verde-azeitona
Olympiad *n* olimpíada
Olympic *adj* olímpico ♦ **the Olympic Games** os Jogos Olímpicos
Olympics *n* Jogos Olímpicos
Olympus *n* MIT Olimpo
Oman *n* Omã
Omani *adj,n* omanense
ombudsman *n* delegado da procuradoria-geral
omega *n* (letra grega) ómega
omelet *n* EUA omeleta
omelette *n* omeleta
omen *n* agoiro; presságio
ominous *adj* agourento
omission *n* omissão

omit *v* omitir; excluir
omnibus *n* [*pl* -es] **1** antologia **2** GB (rádio, televisão) compacto ▪ *adj* EUA múltiplo; **omnibus bill** projeto[AO] de lei múltipla
omnipotence *n* omnipotência
omnipotent *adj* omnipotente
omnipresent *adj* omnipresente
omniscience *n* omnisciência
omniscient *adj* omnisciente
on *prep* **1** em; sobre; em cima de; **on the table** em cima da mesa; **on Monday** na segunda-feira **2** sobre; acerca de; **a conference on education** uma conferência sobre a educação ▪ *adv* ligado; aceso ♦ **on and off** intermitentemente; **on and on** sem cessar; **the beer is on me** quem paga a cerveja sou eu; **to have nothing on** estar nu
once *adv* **1** uma vez; **I've been here once** já estive cá uma vez **2** antigamente ▪ *conj* assim que; mal ♦ **at once** imediatamente; de uma só vez; **once again** de novo; **once upon a time** era uma vez; **this once** desta vez
oncologist *n* oncologista
oncology *n* oncologia
oncoming *adj* **1** (trânsito) em direção[AO] contrária **2** futuro; próximo
one *num card,n* um, uma; **a thousand and one** mil e um; **one after the other** um a seguir ao outro; **one by one** um a um ▪ *adj* único; um só; **their one goal** o único propósito deles ▪ *pron* um, uma; **one Mr Jones** um tal de Sr. Jones ♦ **one and the same** o mesmo; **that's a good one!** boa piada!; **who is this one?** quem é este?
one-night stand *n* **1** *col* aventura de uma noite **2** (espetáculo) representação única
one-off *adj* GB único ▪ *n* GB peça única
one-piece *adj* de uma só peça
onerous *adj form* oneroso
oneself *pron* se; si próprio; si mesmo; **to cut oneself** cortar-se
one-sided *adj* **1** parcial; tendencioso **2** unilateral
one-to-one *adj* **1** individualizado; personalizado **2** com correspondência mútua
one-way *adj* **1** de sentido único; **one-way street** rua de sentido único **2** de ida; **one-way ticket** bilhete de ida **3** unilateral
ongoing *adj* em curso
onion *n* cebola ♦ **to know one's onions** saber com que linhas se cose
online *adj,adv* (Internet) online
onlooker *n* espectador[AO]; **to be an onlooker at** assistir a
only *adj* único; **only child** filho único ▪ *adv* só; somente; apenas ▪ *conj col* só que; **I like the dress, only it is too expensive** eu gosto do vestido, só que é demasiado caro ♦ **if only** se ao menos; **it's only fair** nada mais justo; **not only** não só
onomatopoeia *n* onomatopeia
onomatopoeic *adj* onomatopaico
onrush *n* [*pl* -es] avalanche; afluxo
onset *n* **1** começo (of, de); princípio (of, de) **2** investida; ataque
onshore *adj* **1** em terra **2** (vento) do mar
onslaught *n* ataque (on, a)
onto *prep* para
onus *n form* ónus; responsabilidade
onward *adj* para a frente; progressivo
onwards *adv* para diante; para a frente; **from now onwards** de agora em diante
onyx *n* [*pl* -es] (mineral) ónix
oops *interj* (falta de jeito) ups!
ooze *n* lama; lodo ▪ *v* **1** verter **2** transbordar (with, -); **to ooze with confidence** transbordar confiança
opal *n* (mineral) opala
opaque *adj* **1** opaco; baço **2** (sentido) pouco claro
open *adj* **1** aberto; **an open letter** uma carta aberta; **with open arms** de braços abertos **2** franco; **to be open with a person** ser franco com alguém **3** por resolver; **an open issue** um assunto em aberto ▪ *v* **1** abrir **2** inaugurar **3** estrear; **the film opened yesterday** o filme estreou ontem ▪ *n* **1** ar livre **2** DESP open ♦ **to open fire** abrir fogo; (facto) **to be out in the open** ser conhecido
◊ **open into/onto** *v* dar para
◊ **open out** *v* **1** desdobrar **2** (estrada, etc.) alargar **3** (pessoa) abrir-se
◊ **open up** *v* **1** abrir **2** (negócio, loja) abrir **3** (arma) abrir fogo **4** (pessoa) abrir-se
open-air *adj* ao ar livre, a céu aberto
opencast *adj* GB (mina) a céu aberto
open-ended *adj* **1** (tema) que está em aberto **2** (pergunta) de desenvolvimento **3** ilimitado

opener *n* abridor ♦ EUA *col* **for openers** para começar
open-eyed *adj* **1** com os olhos bem abertos **2** atento; alerta
open-handed *adj* generoso
open-hearted *adj* franco
opening *n* **1** abertura; inauguração; **opening ceremony** cerimónia de abertura **2** abertura (in, em); buraco (in, em) **3** oportunidade (for, para) **4** (emprego) vaga (for, para) **5** (floresta) clareira ▪ *adj* de abertura; de estreia; **opening night** noite de estreia ♦ **opening hours** horário de atendimento
openly *adv* abertamente
open-minded *adj* tolerante
opera *n* ópera
operate *v* **1** funcionar; **to be operated by electricity** funcionar a eletricidade[AO] **2** (máquina) manejar; manobrar **3** trabalhar; **our company operates in the whole world** a nossa empresa trabalha no mundo inteiro **4** (negócio) gerir; explorar **5** (cirurgia) operar (on, -)
operating *adj* **1** operatório; GB **operating theatre** bloco operatório; EUA **operating room** bloco operatório **2** operativo; INFORM **operating system** sistema operativo **3** (instruções) de funcionamento
operation *n* **1** operação; **police operation** operação policial; (cirurgia) **to have an operation** ser operado **2** negócio, atividade[AO] **3** (máquina, etc.) funcionamento **4** (lei) vigor
operational *adj* operacional
operative *adj* **1** operativo; eficaz **2** em vigor **3** operatório; cirúrgico ▪ *n* **1** operário; trabalhador **2** EUA agente secreto
operator *n* **1** telefonista; **to dial the operator** ligar à telefonista **2** operador **3** *col* manipulador
operetta *n* opereta
ophthalmic *adj* oftálmico
ophthalmological *adj* oftalmológico
ophthalmologist *n* oftalmologista
ophthalmology *n* oftalmologia
opinion *n* **1** opinião **2** (especialista) parecer ♦ **opinion poll** sondagem
opium *n* ópio
opponent *n* **1** adversário **2** opositor ▪ *adj* oposto; contrário
opportune *adj* oportuno; apropriado
opportunism *n* oportunismo
opportunist *n* oportunista
opportunistic *adj* oportunista
opportunity *n* [*pl* -ies] oportunidade ♦ **at the earliest opportunity** logo que possível
oppose *v* **1** opor(-se); **to oppose a marriage** opor-se a um casamento **2** confrontar
opposing *adj* **1** oposto, contrário **2** adversário; **the opposing team** a equipa adversária
opposite *adj* **1** oposto; contrário; **the opposite sex** o sexo oposto **2** da frente; do outro lado; **the opposite house** a casa em frente ▪ *n* oposto (of, de); contrário (of, de) ▪ *prep* defronte de; em frente de ▪ *adv* em frente
opposition *n* **1** oposição (to, a) **2** adversário **3** POL oposição
oppress *v* **1** oprimir; tiranizar **2** afligir; angustiar
oppression *n* **1** opressão **2** angústia
oppressive *adj* **1** (poder) tirânico **2** (tempo) abafado; sufocante **3** (situação) angustiante
oppressor *n* opressor, tirano
opt *v* optar (for, por; between, entre)
◇ **opt out** *v* abandonar; deixar de participar
optic *adj* ótico[AO]
optical *adj* **1** ótico[AO]; **optical fibre** fibra ótica[AO] **2** visual; **optical effects** efeitos visuais ♦ **optical illusion** ilusão de ótica[AO]
optician *n* oculista
optics *n* FÍS ótica[AO]
optimal *adj* ideal
optimism *n* otimismo[AO]
optimist *n* otimista[AO]
optimistic *adj* otimista[AO]
optimization *n* otimização[AO]
optimize *v* otimizar[AO]
optimum *adj* ótimo[AO]; ideal ▪ *n* o ideal
option *n* opção; alternativa
optional *adj* opcional
optometrist *n* optometrista
optometry *n* optometria
opulence *n* opulência
opulent *adj* opulento
or *conj* ou; **or something** ou qualquer coisa ♦ **either... or** ou... ou; **or else** senão; **whether.. or** quer... quer
oracle *n* oráculo
oral *adj* oral; **oral hygiene** higiene oral ▪ *n* exame oral

orange *n* **1** (fruto, cor) laranja; **orange peel** casca de laranja **2** laranjeira; **orange blossom** flores de laranjeira ▪ *adj* (cor) laranja
orangeade *n* laranjada
orator *n form* orador
oratory *n* [*pl* -ies] **1** oratória, retórica **2** oratório
orb *n lit* orbe; esfera
orbit *n* **1** órbita; **the Earth's orbit** a órbita da Terra **2** esfera de ação[AO] ▪ *v* orbitar
orbital *adj* orbital
orchard *n* pomar
orchestra *n* orquestra ◆ (teatro) **orchestra stalls** primeira plateia
orchestral *adj* orquestral
orchestrate *v* **1** MÚS orquestrar **2** planear; organizar
orchestration *n* **1** orquestração **2** planificação; organização
orchid *n* orquídea
ordain *v* **1** ordenar; **to be ordained priest** ser ordenado padre **2** decretar; decidir
ordeal *n* provação; má experiência
order *n* **1** ordem; **by order of** por ordem de **2** (restaurante, bar) pedido **3** encomenda (for, de) **4** vale; **postal order** vale postal **5** BOT,ZOOL,REL ordem **6** (condecoração) ordem; **Order of Knighthood** Ordem da Cavalaria ▪ *v* **1** ordenar **2** encomendar **3** pôr em ordem **4** (restaurante) pedir; fazer o pedido ◆ **in order to** para; **out of order** fora de serviço
orderliness *n* ordem
orderly *adj* **1** arrumado **2** ordeiro; calmo ▪ *n* [*pl* -ies] empregado de hospital
ordinal *adj,n* ordinal
ordinance *n* **1** ordem; determinação; **police ordinance** determinação policial **2** EUA norma; regulamento **3** cerimonial; rito
ordinary *adj* **1** normal; habitual **2** banal; vulgar
ordination *n* REL ordenação
ordnance *n* artilharia; **piece of ordnance** peça de artilharia
ore *n* minério
oregano *n* orégão
organ *n* órgão; **organ donor** dador de órgãos; **vital organ** órgão vital
organic *adj* **1** orgânico **2** intrínseco
organism *n* organismo
organist *n* organista
organization *n* organização
organizational *adj* organizacional
organize *v* **1** organizar **2** (trabalhadores) sindicalizar-se
organizer *n* organizador
orgasm *n* orgasmo
orgy *n* [*pl* -ies] orgia
orient *v* orientar
Orient *n lit* Oriente
oriental *adj* oriental
orientate *v* orientar (to, para); **to orientate oneself** orientar-se
orientation *n* orientação
orifice *n* orifício
origin *n* origem; **of humble origins** de origens humildes
original *adj,n* original
originality *n* [*pl* -ies] originalidade
originate *v* ter origem (in, em); surgir (in, em)
ornament *n* ornamento; adorno ▪ *v* ornamentar; adornar
ornamental *adj* ornamental; decorativo
ornamentation *n* ornamentação
ornate *adj* **1** adornado; enfeitado **2** (linguagem) elaborado; rebuscado
orphan *n* órfão ▪ *v* deixar órfão
orphanage *n* orfanato
orthodontics *n* ortodontia
orthodontist *n* ortodontista
orthodox *adj* ortodoxo
orthodoxy *n* ortodoxia
orthographic *adj* ortográfico
orthography *n* ortografia
orthopaedic *adj* ortopédico
orthopaedics *n* ortopedia
oscillate *v* oscilar; baloiçar
oscillation *n* oscilação
osmosis *n* osmose
ostensible *adj* aparente, pretenso
ostentation *n pej* ostentação
ostentatious *adj* faustoso, aparatoso
osteopath *n* osteopata
osteopathy *n* osteopatia
ostracism *n* ostracismo
ostracize *v* ostracizar
ostrich *n* [*pl* -es] avestruz
other *adj* **1** outro, outra, outros, outras **2** diferente ▪ *pron* o outro, a outra; **one shot the other** um alvejou o outro ▪ *adv* de outro modo ◆ **in other words** por outras palavras; **on the other hand** por outro lado

otherwise *adv* de outro modo
otter *n* lontra
ouch *interj* (dor súbita) ai!
ought *v* [sempre seguido da preposição *to*] dever; **I ought to have said yes** eu devia ter dito que sim
ounce *n* **1** (peso) onça (=28,35 gramas) **2** *col* pingo (of, de); **an ounce of decency** um pingo de decência
our *adj poss* nosso, nossa
ours *pron poss* (o) nosso, (a) nossa; **a friend of ours** um amigo nosso; **their house is much bigger than ours** a casa deles é muito maior do que a nossa
ourselves *pron pess refl* nós mesmos; **we heard ourselves on the radio** nós ouvimo-nos a nós próprios na rádio
oust *v* expulsar
out *adv* **1** fora; **out of the country** fora do país **2** longe ▪ *adj* **1** apagado **2** (flor) aberto **3** acabado; terminado **4** errado; **your calculations are out** os teus cálculos estão errados **5** inconsciente **6** exterior **7** (livro, etc.) publicado ▪ *prep* fora (of, de) ▪ *v* revelar a homossexualidade de ▪ *n* desculpa; escapatória ◆ **out of** devido a
outbid *v* (leilão) cobrir o lance
outboard *adj* externo
outbreak *n* surto (of, de); **outbreak of an epidemic** surto epidémico
outbuilding *n* anexo
outburst *n* explosão *fig*; ataque
outcast *adj* marginalizado ▪ *n* marginal
outclass *v* exceder, superar
outcome *n* resultado
outcry *n* [*pl* -ies] protesto
outdated *adj* ultrapassado, antiquado
outdo *v* superar; ultrapassar
outdoor *adj* exterior; ao ar livre
outdoors *adv* ao ar livre ▪ *n* ar livre; natureza
outer *adj* exterior; externo
outermost *adj* extremo; o mais afastado
outfit *n* **1** (roupa) fato; conjunto **2** *col* (trabalho) equipa **3** equipamento ▪ *v* equipar
outfitter *n* EUA loja de equipamento desportivo
outflank *v* **1** ganhar vantagem sobre **2** MIL flanquear
outflow *n* saída; fuga
outgoing *adj* **1** extrovertido **2** (governo, presidente) cessante **3** de saída; **outgoing calls** chamadas para o exterior; **outgoing mail** correio de saída
outgoings *npl* GB despesas habituais
outgrow *v* **1** crescer demasiado para; deixar de caber em **2** crescer mais que **3** deixar para trás; pôr de parte
outhouse *n* **1** GB (casa) anexo **2** EUA casa de banho exterior
outing *n* passeio, excursão
outlandish *adj* estranho, bizarro
outlast *v* **1** durar mais do que **2** sobreviver a
outlaw *n* fora da lei ▪ *v* proibir, tornar ilegal
outlay *n* investimento inicial ▪ *v* desembolsar
outlet *n* **1** escape (for, para) **2** ponto de venda **3** (loja) outlet **4** EUA tomada (elétrica[AO]) **5** escoadouro; cano
outline *n* **1** contorno **2** esquema **3** plano geral; resumo ▪ *v* **1** esboçar, dar uma ideia geral de **2** esquematizar **3** contornar
outlive *v* durar mais do que; sobreviver a
outlook *n* **1** atitude (on, em relação a); perspetiva[AO] (on, em relação a) **2** previsão **3** vista (over, sobre)
outlying *adj* afastado, distante
outmanoeuvre *v* levar a melhor sobre
outmoded *adj* fora de moda, antiquado
outnumber *v* ultrapassar em número, exceder
out-of-date *adj* **1** desatualizado[AO] **2** (documento) caducado
out-of-the-way *adj* **1** distante; afastado **2** insólito; invulgar
outpatient *n* (hospital) paciente externo
outpost *n* MIL posto avançado
output *n* **1** produção; rendimento **2** potência **3** INFORM saída, output
outrage *n* **1** indignação, escândalo **2** afronta (against, contra) **3** atrocidade **4** atentado ▪ *v* indignar, ultrajar
outrageous *adj* **1** escandaloso; chocante **2** (preço) exorbitante **3** extravagante
outrider *n* membro de escolta
outright *adj* **1** categórico; total **2** (inimigo) declarado **3** (vitória, vencedor) absoluto ▪ *adv* **1** abertamente; frontalmente **2** completamente **3** imediatamente **4** a pronto pagamento

outrun *v* **1** passar à frente de; ir mais depressa que **2** ultrapassar; exceder
outsell *v* vender mais que
outset *n* princípio, início
outshine *v* brilhar mais que; ofuscar
outside *adv* lá fora; no exterior ▪ *prep* **1** fora de **2** para além de **3** fora, exceto[AO] ▪ *adj* **1** exterior; externo **2** (hipótese, possibilidade) remoto **3** (número, valor) máximo ▪ *n* **1** exterior; parte externa **2** aparência **3** GB (estrada) direita
outsider *n* **1** estranho; pessoa de fora **2** desconhecido
outsize *adj* **1** enorme **2** de tamanho grande
outskirts *npl* arredores
outsmart *v* levar a melhor sobre; ser mais esperto que
outspoken *adj* franco, direto[AO]
outspread *adj* estendido; aberto
outstanding *adj* **1** notável; extraordinário **2** (importância) vital **3** (questão, trabalho) pendente; por resolver **4** (dívida) por saldar
outstay *v* demorar mais do que
outstrip *v* ultrapassar; superar
outvote *v* vencer na votação
outward *adj* **1** exterior, externo **2** de ida; **outward journey** viagem de ida ▪ *adv* para fora; para o exterior
outwardly *adv* exteriormente, aparentemente
outwards *adv* GB para fora; para o exterior
outweigh *v* **1** ser mais pesado que **2** superar
outwit *v* ser mais esperto do que; despistar
oval *adj,n* oval
ovary *n* [*pl* -ies] ovário
ovation *n* ovação; aplausos
oven *n* forno ◆ (calor) **it's like an oven in here** isto aqui parece um forno
over *prep* **1** sobre; em cima de; por cima de **2** do outro lado; **over the street** do outro lado da rua **3** mais de; **over twenty people** para cima de vinte pessoas **4** por, durante; **over dinner** durante o jantar **5** por; **he travelled all over the world** ele viajou por todo o mundo ▪ *adv* **1** abaixo **2** do outro lado; ao lado; **sit over here** senta-te deste lado **3** acima **4** de sobra; de reserva; **she had no money over** ela não tinha dinheiro nenhum de sobra **5** todo; por completo; **read it over** lê até ao fim **6** outra vez; **I had to do everything over again** tive que fazer tudo de novo ◆ **over and above** para além de; **over and over** vezes sem conta; **to be all over** estar tudo acabado
overact *v* (peça, filme) representar com exagero
overall *adj* **1** global; total; **overall cost** custo total **2** (vencedor, vitória) absoluto ▪ *adv* **1** em geral; globalmente **2** ao todo; no total **3** na classificação geral ▪ *n* **1** GB bata **2** *pl* GB fato-macaco; macacão **3** *pl* EUA jardineiras
overawe *v* intimidar; aterrar
overbalance *v* **1** GB desequilibrar(-se) **2** EUA pesar mais que
overbear *v* dominar; subjugar
overbearing *adj* prepotente; autoritário
overboard *adv* ao mar; à água; **to fall overboard** cair ao mar ◆ **to go overboard** ir longe de mais
overbooking *n* overbooking, excesso de reservas
overburden *v* sobrecarregar
overcast *adj* nublado, encoberto
overcharge *v* **1** cobrar um preço excessivo **2** (bateria, rede elétrica) sobrecarregar
overcoat *n* sobretudo
overcome *v* **1** (dificuldade, obstáculo) ultrapassar **2** (adversário) derrotar **3** dominar; apoderar-se de
overcook *v* cozer demasiado
overcrowd *v* encher de gente; sobrelotar
overcrowded *adj* **1** superlotado; a abarrotar **2** superpovoado
overdo *v* **1** exagerar em; abusar de **2** CUL cozer demasiado
overdone *adj* CUL muito passado
overdose *n* overdose
overdraft *n* descoberto bancário; **a €200 overdraft** um saldo negativo de €200
overdraw *v* sacar a descoberto sobre; **he overdrew his account by €10** ficou com um saldo negativo de €10
overdrawn *adj* com saldo negativo; a descoberto
overdressed *adj* bem vestido de mais (para a ocasião)
overdue *adj* **1** atrasado; **the bus is overdue** o autocarro está atrasado **2** ECON vencido; por pagar
overeat *v* comer demasiado
overestimate *v* sobrestimar; sobrevalorizar ▪ *n* estimativa exagerada

overflow *v* **1** transbordar (with, de) **2** alargar--se (into, a) ▪ *n* **1** excesso **2** enchente **3** transbordamento; cheia **4** tubo de descarga
overgrown *adj* **1** coberto (with, de); cheio (with, de) **2** demasiado grande
overhaul *n* revisão geral ▪ *v* **1** fazer uma revisão geral a **2** ultrapassar
overhead *adv* **1** em cima; no alto **2** por cima da cabeça ▪ *adj* **1** aéreo; no alto **2** por cima da cabeça; **overhead kick** pontapé de bicicleta **3** (custos, despesas) geral ▪ *n* ECON despesas gerais
overhear *v* ouvir por acaso
overheat *v* sobreaquecer
overindulge *v* **1** (comida, bebida) abusar (in, de) **2** fazer as vontades a
overjoyed *adj* radiante (at, com); felicíssimo (at, com)
overkill *n* excesso; exagero
overland *adj* terrestre ▪ *adv* por terra
overlap *n* **1** sobreposição **2** coincidência ▪ *v* **1** sobrepor-se (a) **2** coincidir (with, com)
overleaf *adv* no verso; do outro lado da página; **see overleaf** ver no verso
overload *n* **1** sobrecarga **2** excesso; **information overload** excesso de informação ▪ *v* sobrecarregar
overlook *v* **1** não reparar em; **you've overlooked the fact that...** escapou-te o facto de que... **2** ignorar **3** (erro, defeito) desculpar; deixar passar **4** ter vista para; dar para
overly *adv* demasiadamente
overnight *adv* **1** durante a noite; **to stay overnight** passar a noite **2** de um dia para o outro; **it all happened overnight** aconteceu tudo de repente
overpass *n* EUA viaduto
overpopulated *adj* sobrepovoado
overpopulation *n* excesso populacional
overpower *v* dominar
overpowering *adj* **1** intenso; avassalador **2** (cheiro) muito forte **3** (calor) opressivo; excessivo **4** dominador
overpriced *adj* excessivamente caro
overproduction *n* superprodução
overrate *v* sobrevalorizar; sobrestimar
overreact *v* (reação) exagerar (to, em relação a)
override *v* **1** anular **2** sobrepor-se a
overriding *adj* primordial, principal
overrule *v* **1** (decisão) revogar; anular **2** (objeção) indeferir
overrun *v* **1** infestar; **to be overrun with** estar infestado de **2** invadir **3** exceder (o tempo/orçamento previsto)
overseas *adj* **1** externo; estrangeiro **2** ultramarino ▪ *adv* no estrangeiro, para o estrangeiro
oversee *v* supervisionar
overseer *n* encarregado; supervisor
overshoot *v* **1** (pista) sair de **2** (limite, prazo) ultrapassar; exceder
oversight *n* **1** omissão, lapso **2** *form* supervisão
oversized *adj* desproporcionado; demasiado grande
oversleep *v* adormecer; não acordar a tempo
overstate *v* exagerar
overstatement *n* exagero
overstep *v* **1** (limites) ultrapassar; passar **2** (autoridade) abusar de ♦ **to overstep the mark** passar das marcas
overt *adj* manifesto; declarado
overtake *v* **1** (na estrada) ultrapassar **2** superar; ultrapassar **3** dominar; apoderar-se de
over-the-counter *adj* **1** (produtos farmacêuticos) não sujeito a receita médica **2** ECON (ações, transações) paralelo (à Bolsa)
overthrow *v* (governo, dirigente) derrubar; depor ▪ *n* derrube; deposição
overtime *n* **1** horas extraordinárias; **to work overtime** fazer horas extraordinárias **2** EUA DESP prolongamento
overtone *n* conotação
overture *n* **1** MÚS abertura **2** tentativa de aproximação
overturn *v* **1** virar (de pernas para o ar); (carro) capotar **2** (decisão, acusação) anular; revogar **3** (governo) derrubar; depor
overview *n* perspetiva[AO] geral
overweight *adj* (bagagem, pessoa) com excesso de peso
overwhelm *v* dominar; avassalar; esmagar
overwhelming *adj* **1** esmagador; avassalador **2** (desejo, necessidade) irresistível **3** (prova) irrefutável
ovulate *v* ter ovulação
ovulation *n* ovulação

ovum *n* [*pl* ova] *téc* óvulo
owe *v* (dinheiro gratidão) dever; estar em dívida para com; **how much do I owe you?** quanto lhe devo?; **I owe my parents a lot** devo muito aos meus pais
owing *adj* (quantia, dinheiro) em dívida; em falta
owing to *prep* devido a
owl *n* mocho; coruja
own *adj* próprio; do próprio; **my own sister** a minha própria irmã ▪ *v* ser dono de; ter ♦ **own goal** autogolo; **on one's own** sozinho; sem auxílio
◇ **own up** *v* confessar; admitir
owner *n* proprietário, dono
ownership *n* posse; propriedade
ox *n* [*pl* oxen] boi
oxide *n* óxido
oxidize *v* oxidar
oxygen *n* oxigénio
oyster *n* ostra; **oyster bed** viveiro de ostras
ozone *n* ozono; **ozone hole** buraco do ozono; **ozone layer** camada do ozono
ozone-friendly *adj* amigo do ozono

P

p *n* [*pl* p's] (letra) p
pace *n* **1** ritmo **2** passo ▪ *v* **1** percorrer; **to pace up and down** andar de um lado para o outro **2** marcar o ritmo (de) ♦ **to keep pace with** acompanhar
pacemaker *n* **1** (aparelho) pacemaker **2** (atleta em corrida) lebre
pacific *adj lit* pacífico; sossegado
Pacific *n* (oceano) Pacífico
pacifier *n* **1** EUA chupeta **2** pacificador
pacifism *n* pacifismo
pacifist *adj,n* pacifista
pacify *v* acalmar
pack *n* **1** conjunto; pack **2** EUA (tabaco) maço **3** EUA pacote; embalagem **4** mochila **5** (cartas) baralho **6** (lobos, cães) matilha **7** (gente) bando **8** (corrida) pelotão **9** (mentiras) chorrilho ▪ *v* **1** fazer as malas **2** arrumar (em saco/mala) **3** empacotar; embalar **4** encher
◇ **pack up** *v* **1** fazer as malas **2** empacotar **3** avariar
package *n* pacote; embalagem; embrulho ▪ *v* **1** embalar; empacotar **2** promover; publicitar ♦ **package holiday** pacote de férias
packaging *n* **1** embalagem; embrulho **2** (publicidade) tratamento da imagem pública
packed *adj* cheio; a abarrotar ♦ **packed lunch** merenda
packet *n* **1** pacote **2** maço **3** encomenda **4** *col* dinheirão; **to cost a packet** custar os olhos da cara
packing *n* **1** empacotamento; embalagem **2** material de embrulho ♦ **to do one's packing** fazer as malas
pact *n* pacto
pad *n* **1** almofada **2** (papel) bloco **3** (pata de animal, carimbo) almofada **4** (críquete, hóquei) caneleira ▪ *v* **1** almofadar **2** andar silenciosamente
◇ **pad out** *v* (texto) encher; meter palha
padded *adj* acolchoado; almofadado
paddle *n* **1** remo **2** EUA (pingue-pongue) raquete ▪ *v* **1** remar **2** chapinhar; patinhar
paddy *n* [*pl* -ies] arrozal
padlock *n* aloquete; cadeado ▪ *v* fechar com um aloquete
paediatric *adj* GB pediátrico
paediatrician *n* GB pediatra
paediatrics *n* MED pediatria
paedophile *n* GB pedófilo
paedophilia *n* GB pedofilia
pagan *adj,n* pagão
page *n* **1** página; **on the front page** na primeira página **2** pajem **3** paquete; mensageiro ▪ *v* **1** (em altifalante) chamar **2** (pager) contactar
pageant *n* **1** representação histórica; quadro vivo **2** EUA concurso de beleza
pager *n* pager
paid *adj* pago; remunerado ♦ **to put paid to** pôr termo a
pail *n* EUA balde
pain *n* **1** dor; sofrimento; **to cause pain** fazer sofrer **2** *col* chato; chatice ▪ *v* fazer sofrer; afligir ♦ *col* **a pain in the ass** um chato; uma chatice; **to be at pains to** esforçar-se por
painful *adj* **1** doloroso **2** penoso
painkiller *n* analgésico
painless *adj* **1** sem dor; indolor **2** fácil; sem esforço
painstaking *adj* escrupuloso; meticuloso
paint *n* tinta ▪ *v* **1** pintar **2** descrever; retratar ♦ **wet paint** pintado de fresco
paintball *n* paintball
paintbrush *n* pincel
painter *n* pintor
painting *n* **1** pintura **2** quadro; pintura
pair *n* par; parelha; **pair of shoes** par de sapatos; **the pair of you** vocês os dois ▪ *v* emparelhar ♦ **a pair of scissors** uma tesoura; **a pair of trousers** um par de calças
◇ **pair off** *v* formar pares
pajamas *npl* EUA pijama; **in one's pajamas** de/em pijama
Pakistan *n* Paquistão
Pakistani *adj,n* paquistanês
pal *n col* companheiro; amigalhaço

palace *n* palácio
Palaeolithic *adj* paleolítico
palaeontology *n* paleontologia
palatal *adj,n* palatal
palate *n* **1** palato **2** paladar; gosto
pale *adj* **1** pálido; sem cor; **to turn pale** empalidecer **2** (luz) ténue ▪ *v* empalidecer
Palestinian *adj,n* palestino
palette *n* paleta ◆ **palette knife** espátula
palisade *n* paliçada
pall *n* **1** caixão **2** (de fumo, poeira) nuvem escura **3** manto; cobertura **4** pano mortuário ▪ *v* perder o encanto
palliative *adj,n* paliativo
palm *n* **1** (mão) palma **2** palmeira ▪ *v* esconder com a mão ◆ **Palm Sunday** Domingo de Ramos; **to have someone in the palm of one's hand** ter alguém nas mãos
◇ **palm off** *v* impingir
palmtop *n* palmtop, computador de bolso
palpable *adj* palpável; **a palpable lie** uma mentira óbvia
palpate *v* apalpar
palpitate *v* palpitar
palpitation *n* palpitação
pamper *v* mimar; acarinhar
pamphlet *n* panfleto
pan *n* **1** tacho, panela **2** (balança) prato **3** EUA (forno) tabuleiro ▪ *v* **1** (metais preciosos) separar **2** *col* criticar, arrasar
panama *n* (chapéu) panamá
pancake *n* CUL panqueca ◆ GB **Pancake Day/Pancake Tuesday** terça-feira de Carnaval

Na Grã-Bretanha, a terça-feira de Carnaval também tem o nome de *Pancake Day*, devido à tradição de comer panquecas no último dia antes do início da Quaresma.

pancreas *n* pâncreas
panda *n* panda
pandemonium *n* pandemónio
pane *n* vidro, vidraça
panel *n* **1** painel; **control panel** painel de controlo **2** DIR lista de jurados; júri
pang *n* **1** angústia **2** dor súbita
panic *n* pânico; **panic attack** ataque de pânico ▪ *v* entrar em pânico
panicky *adj col* nervoso, ansioso
panic-stricken *adj* aterrorizado
panorama *n* **1** panorama **2** panorâmica
panoramic *adj* panorâmico
pant *v* ofegar; **to pant for breath** estar sem fôlego
pantheism *n* panteísmo
pantheist *n* panteísta
pantheistic *adj* panteísta
pantheon *n* panteão
panther *n* **1** pantera **2** EUA puma
panties *npl* EUA calcinhas
pantomime *n* pantomina
pantry *n* [*pl* -ies] **1** despensa **2** copa
pants *npl* **1** GB cuecas **2** EUA calças
pantyhose *npl* EUA collants; meia-calça
papal *adj* papal, pontifício
paparazzi *npl* paparazzi
papaya *n* papaia
paper *n* **1** papel **2** jornal **3** artigo; palestra **4** (escola, universidade) prova, exame **5** trabalho escrito **6** papel de parede **7** *pl* documentos ▪ *adj* de papel ▪ *v* forrar a papel ◆ **paper knife** corta-papéis; **paper punch** furador; **on paper** em teoria; por escrito
paperback *n* livro de capa mole
paperclip *n* clipe
paperweight *n* pisa-papéis
paperwork *n* trabalho burocrático; papelada
paprika *n* paprica
Papuan *adj,n* papuano
Papua New Guinea *n* Papua Nova Guiné
papyrus *n* [*pl* papyri] (planta, manuscrito) papiro
par *n* **1** igualdade; equivalência **2** média; **above par** acima da média
parable *n* (narração) parábola
parabola *n* [*pl* -s] GEOM parábola
parabolic *adj* parabólico
parachute *n* paraquedas[AO] ▪ *v* saltar/lançar de paraquedas[AO]
parachutist *n* paraquedista[AO]
parade *n* **1** desfile, cortejo; **fashion parade** desfile de moda **2** MIL parada **3** GB zona comercial ▪ *v* **1** desfilar **2** exibir, ostentar **3** passar em revista **4** pavonear-se
paradigm *n* paradigma
paradise *n* paraíso
paradox *n* [*pl* -es] paradoxo
paraffin *n* parafina
paraglider *n* **1** (planador) parapente **2** praticante de parapente

paragliding *n* (atividade) parapente
paragraph *n* **1** parágrafo; **full stop, new paragraph** ponto final, parágrafo **2** (jornais) pequena notícia
Paraguay *n* Paraguai
Paraguayan *adj,n* paraguaio
parakeet *n* periquito
parallel *adj* **1** paralelo (to/with, a); **parallel lines** linhas paralelas **2** análogo; semelhante ▪ *n* **1** paralelo, equivalente **2** paralelismo, analogia **3** GEOG paralelo ▪ *v* ser equivalente a ♦ DESP **parallel bars** barras paralelas; **without parallel** sem paralelo, nunca visto
parallelism *n* paralelismo
parallelogram *n* paralelogramo
paralyse *v* GB paralisar
paralysis *n* [*pl* -lyses] **1** MED paralisia **2** paralisação
paralytic *adj,n* MED paralítico
paralyze *v* EUA paralisar
paramedic *n* paramédico
parameter *n* parâmetro
paramount *adj* primordial
paranoia *n* paranoia[AO]
paranoiac *adj,n* paranoico[AO]
paranoid *adj,n* paranoico[AO]
paranormal *adj* paranormal
parapet *n* (de telhado, ponte) parapeito
paraphernalia *n* parafernália
paraphrase *n* paráfrase ▪ *v* parafrasear
paraplegic *n,adj* paraplégico
parapsychology *n* parapsicologia
parasailing *n* parasailing
parasite *n* parasita
parasitic *adj* parasita; parasitário
parasol *n* guarda-sol
paratrooper *n* MIL paraquedista[AO]
paratroops *npl* MIL paraquedistas[AO]
parcel *n* **1** embrulho; encomenda **2** (terreno) parcela, lote ▪ *v* embrulhar
◇ **parcel off** *v* dividir em lotes
parch *v* ressequir, secar
parched *adj* **1** seco; ressequido **2** *col* cheio de sede
parchment *n* pergaminho
pardon *n* **1** *form* perdão **2** indulto ▪ *v* **1** *form* perdoar **2** conceder indulto a ♦ **I beg your pardon?** como disse?; **I beg your pardon** peço desculpa; **pardon me 1** desculpe **2** com licença; *col* **pardon my French** desculpe a linguagem
parent *n* **1** pai, mãe **2** *pl* pais ♦ **parent company** empresa mãe

> Não confundir a palavra inglesa **parent** com a palavra portuguesa **parente**, que se traduz por *relative*.

parental *adj* parental; dos pais
parenthesis *n* [*pl* -theses] parêntese, parêntesis; **in parentheses** entre parênteses
parenthood *n* parentalidade
parietal *adj,n* parietal
parish *n* [*pl* -es] paróquia; **parish priest** pároco
parishioner *n* paroquiano
parity *n* **1** (direitos) paridade; igualdade **2** ECON paridade monetária
park *n* parque; **car park** parque de estacionamento; **park bench** banco de jardim ▪ *v* (veículos) estacionar ♦ **to park oneself** instalar-se, abancar
parking *n* (veículos) estacionamento ♦ EUA **parking lot** parque de estacionamento; **parking meter** parquímetro; **parking ticket** multa de estacionamento; **no parking** estacionamento proibido
parliament *n* parlamento; **member of Parliament** deputado
parliamentary *adj* parlamentar
parlour *n* loja; estabelecimento; **beauty parlour** salão de beleza
Parmesan *n* (queijo) parmesão
parochial *adj* **1** *pej* provinciano **2** paroquial
parody *n* [*pl* -ies] **1** (texto, filme, atuação) paródia **2** mau exemplo ▪ *v* parodiar
parole *n* liberdade condicional; **on parole** em liberdade condicional ▪ *v* soltar em liberdade condicional
parquet *n* parquê
parricide *n* **1** (crime) parricídio **2** (pessoa) parricida
parrot *n* papagaio ▪ *v* papaguear ♦ GB **as sick as a parrot** muito desiludido
parsley *n* (planta) salsa
parson *n* pároco; vigário
part *n* **1** parte; **to be a part of** fazer parte de **2** peça; componente; **spare part** peça sobresselente **3** papel; função **4** TEAT,CIN papel **5**

MÚS parte, partitura **6** EUA (cabelo) risca ▪ *adv* em parte ▪ *v* **1** separar(-se) **2** (cabelo) fazer a risca ♦ **on somebody's part** da parte de alguém; **to take part in** participar em
partake *v* **1** *form* participar (in, em) **2** *form* (comida, bebida) tomar (of, -)
partial *adj* parcial ♦ **to be partial to** gostar muito de
partiality *n* [*pl* -ies] **1** parcialidade **2** preferência (for, por); predileção[AO] (for, por)
partially *adv* parcialmente
participant *adj,n* participante (in, em)
participate *v* participar (in, em)
participation *n* participação
participle *n* particípio
particle *n* partícula ♦ **not a particle of truth in** nem um pingo de verdade em
particular *adj* **1** específico **2** particular; especial **3** esquisito (about, com); picuinhas (about, com) ▪ *n* **1** detalhe **2** *pl* informações detalhadas ♦ **in particular** em especial
particularity *n* [*pl* -ies] *form* particularidade; peculiaridade
particularly *adv* especialmente; particularmente ♦ **not particularly!** nem por isso!
parting *n* **1** separação; adeus; despedida **2** GB (cabelo) risca ▪ *adj* de despedida
partisan *n* **1** partidário; militante **2** guerrilheiro
partition *n* divisória, divisão ▪ *v* dividir
partly *adv* em parte
partner *n* **1** sócio **2** companheiro **3** parceiro; **partners in crime** cúmplices **4** (dança) par
partnership *n* **1** sociedade **2** parceria
partridge *n* perdiz
part-time *adj,adv* em part-time
party *n* [*pl* -ies] **1** festa; **to give/throw a party** dar uma festa **2** POL partido **3** grupo **4** DIR parte ▪ *v* EUA *col* divertir-se
pass *v* **1** passar **2** chegar; dar **3** (lei, proposta) aprovar **4** ultrapassar; exceder **5** (teste, ano) passar (em/a) **6** proferir; dizer **7** passar-se; suceder **8** recusar ▪ *n* [*pl* -es] **1** passe **2** (teste) aprovação; positiva **3** desfiladeiro **4** fase; etapa ♦ *col* **to make a pass at somebody** atirar-se a alguém
◇ **pass away** *v* falecer
◇ **pass for** *v* fazer-se passar por
◇ **pass out** *v* desmaiar
passage *n* **1** passagem **2** corredor **3** (livro, peça musical) excerto; trecho **4** (lei) promulgação **5** (viagem) passagem, bilhete
passageway *n* corredor; passagem
passbook *n* caderneta bancária
passenger *n* passageiro
passer-by *n* [*pl* passers-by] transeunte
passing *n* **1** passagem **2** fim **3** falecimento **4** aprovação ▪ *adj* **1** passageiro; breve **2** que passa ♦ **in passing** de passagem
passion *n* paixão (for, por) ♦ **passion fruit** maracujá
passionate *adj* apaixonado
passionately *adv* apaixonadamente
passive *adj* passivo ▪ *n* (gramática) passiva
passivity *n* passividade
passport *n* passaporte ♦ **passport photo** foto tipo passe
password *n* senha de acesso, password
past *adj* **1** último **2** passado **3** anterior ▪ *n* passado ▪ *prep* **1** a seguir a; **just past** logo a seguir **2** depois de; **half past six** seis e meia ▪ *adv* em frente
pasta *n* CUL massa
paste *n* **1** CUL (pastéis) massa **2** patê **3** cola ▪ *v* colar
pastel *n* (lápis, desenho, tons) pastel
pasteurization *n* pasteurização
pasteurize *v* pasteurizar
pastime *n* passatempo
pasting *n* **1** GB *col* (agressão, derrota) tareia, sova **2** INFORM colagem
pastor *n* (igreja protestante) pastor
pastoral *adj* **1** pastoral **2** pastoril, bucólico
pastry *n* [*pl* -ies] **1** massa (para tartes); **puff pastry** massa folhada **2** pastel de massa folhada; folhado
pasture *n* pasto, pastagem ▪ *v* apascentar
pasty *adj* **1** pálido **2** pastoso ▪ *n* [*pl* -ies] CUL bola
pat *v* **1** dar palmadinhas em **2** acariciar, afagar ▪ *n* palmadinha ▪ *adj* pronto ♦ **to pat somebody on the back** elogiar alguém
patch *n* [*pl* -es] **1** mancha **2** remendo **3** (olho) pala **4** pedaço de terra **5** (ferida) adesivo ▪ *v* remendar
pâté *n* patê
patent *n* patente ▪ *adj* **1** patenteado **2** *form* evidente; óbvio ▪ *v* patentear
paternal *adj* **1** paternal **2** paterno

paternalistic *adj* paternalista
paternity *n* paternidade
path *n* [*pl* -s] **1** caminho **2** percurso
pathetic *adj* patético
pathological *adj* patológico
pathologist *n* patologista
pathology *n* patologia
pathway *n* caminho
patience *n* **1** paciência; **to have the patience of Job** ter a paciência de um santo **2** GB (jogo de cartas) paciência
patient *n* paciente, doente ▪ *adj* paciente
patiently *adv* pacientemente
patio *n* pátio; terraço
patriarch *n* patriarca
patriarchal *adj* patriarcal
patrician *adj,n* patrício
patrimony *n* [*pl* -ies] *form* património
patriot *n* patriota
patriotic *adj* patriótico
patriotism *n* patriotismo
patrol *n* patrulha; ronda ▪ *v* patrulhar; fazer a ronda ♦ **patrol car** carro-patrulha; **to be on patrol** estar em patrulha
patron *n* patrono; **patron of the arts** mecenas ♦ **patron saint** santo padroeiro
patronage *n* **1** patrocínio **2** mecenato
patronize *v* **1** tratar de forma condescendente **2** patrocinar
patronizing *adj* paternalista; condescendente
pattern *n* **1** padrão **2** modelo; exemplo **3** amostra **4** molde ▪ *v* modelar
paunch *n* [*pl* -es] *col* pança
pause *n* pausa ▪ *v* parar
pave *v* pavimentar ♦ **to pave the way for** preparar o terreno para
pavement *n* **1** GB passeio **2** EUA pavimento
pavilion *n* pavilhão
paw *n* **1** (animal) pata **2** *col* manápula; pata ▪ *v* **1** (animal) raspar (com a pata) **2** *col* apalpar
pawn *n* **1** (xadrez) peão **2** *fig* joguete ▪ *v* empenhar, pôr no prego
pawnshop *n* casa de penhores
pawpaw *n* GB papaia
pay *v* **1** pagar; **to pay (in) cash** pagar em dinheiro **2** compensar; **crime doesn't pay** o crime não compensa **3** render; dar lucro ▪ *n* salário; ordenado
◇ **pay back** *v* **1** (dívida) pagar **2** pagar a (alguém) na mesma moeda
◇ **pay off** *v* **1** compensar; valer a pena **2** liquidar; saldar **3** pagar a totalidade de **4** subornar **5** despedir
payable *adj* pagável ♦ (cheque) **payable to** à ordem de
pay-as-you-go *adj* sem assinatura; pré-pago
payback *n* vingança
payday *n* dia de pagamento
payment *n* **1** pagamento; **down payment** entrada; **monthly payment** mensalidade **2** recompensa; **as payment for** como recompensa por
payphone *n* telefone público
payroll *n* folha de pagamentos
PC [*abrev. de* Personal Computer] PC
PDA *n* [*abrev. de* Personal Digital Assistant] PDA
PDF *n* [*abrev. de* portable document format] PDF
pea *n* ervilha
peace *n* paz ♦ **to hold your peace** ficar calado; **to keep the peace** manter a ordem
peaceful *adj* **1** pacífico **2** sossegado
peacekeeping *adj* de manutenção da paz
peacetime *n* tempos de paz
peach *n* [*pl* -es] **1** pêssego **2** cor de pêssego
peacock *n* pavão
peak *n* **1** pico **2** auge; apogeu **3** GB (boné, chapéu) pala ▪ *v* atingir o ponto máximo ▪ *adj* máximo ♦ GB (televisão) **peak time** horário nobre
peal *n* **1** (sinos) repique **2** carrilhão **3** estrondo ▪ *v* ressoar; repicar
peanut *n* **1** amendoim; **peanut butter** manteiga de amendoim **2** *pl col* ninharia
pear *n* pera[AO]
pearl *n* **1** pérola **2** preciosidade; joia[AO] ♦ **to cast pearls before swine** dar pérolas a porcos
peasant *n* **1** camponês **2** *pej* campónio; bronco
peck *v* **1** (pássaro) bicar; picar **2** dar um beijo em ▪ *n* **1** bicada **2** beijoca
pectoral *adj* peitoral
peculiar *adj* **1** estranho; esquisito **2** próprio (to, de); característico[AO] (to, de)
peculiarity *n* [*pl* -ies] **1** particularidade **2** peculiaridade; singularidade
peculiarly *adv* **1** particularmente; especialmente **2** caracteristicamente[AO]; tipicamente

pecuniary *adj* pecuniário
pedagogical *adj* pedagógico
pedal *n* pedal ▪ *v* **1** pedalar **2** andar de bicicleta
pedant *n* pedante
peddle *v* **1** vender de porta em porta **2** (drogas) traficar **3** (boatos) espalhar
peddler *n* **1** EUA vendedor ambulante **2** (drogas) traficante
pedestal *n* pedestal
pedestrian *n* peão ▪ *adj* **1** para peões; pedonal; GB **pedestrian crossing** passadeira **2** pedestre **3** vulgar; desinteressante
pediatrician *n* EUA pediatra
pediatrics *n* EUA pediatria
pedigree *n* (animais) pedigree ▪ *adj* (animais) com pedigree
pedlar *n* GB vendedor ambulante
pedophile *n* EUA pedófilo
pedophilia *n* EUA pedofilia
pee *v col* fazer chichi ▪ *n col* chichi; **to have a pee** fazer chichi
peek *v* espreitar ▪ *n* espreitadela; **to take a peek at** dar uma espreitadela a
peel *v* **1** descascar **2** tirar; descolar ▪ *n* (fruta) casca
peeler *n* descascador
peeling *n* **1** ação[AO] de descascar **2** *pl* cascas
peep *v* **1** espreitar **2** (sol) raiar, romper ▪ *n* **1** espreitadela; olhadela **2** (rato) guincho **3** (pássaro) pio
peer *n* **1** par; igual; **one's peers** os seus iguais **2** GB nobre ▪ *v* olhar com atenção, observar
peeve *v col* irritar
peevish *adj* irritadiço; rabugento
peg *n* **1** cabide **2** (tenda) espia **3** GB mola da roupa **4** (instrumento de cordas) cravelha ▪ *v* **1** prender com molas **2** fixar, segurar **3** (preços, salários) fixar
pejorative *adj form* pejorativo
pelican *n* pelicano
pelt *n* (animal) pele; pelo[AO] ▪ *v* **1** atingir; **to pelt somebody with something** atirar algo a alguém **2** (chuva, granizo) cair com força **3** *col* ir disparado
pelvic *adj* pélvico
pelvis *n* [*pl* pelves] pélvis; bacia
pen *n* **1** caneta **2** (animais) cercado **3** (criança) parque ▪ *v form* escrever; redigir ◆ (escritor) **pen name** pseudónimo; EUA **pen pal** correspondente
penal *adj* **1** penal **2** punível por lei
penalization *n* penalização
penalize *v* **1** penalizar **2** punir **3** prejudicar
penalty *n* [*pl* -ies] **1** pena; **death penalty** pena de morte **2** multa **3** grande penalidade, penálti; **penalty area** grande área
penance *n* penitência
pencil *n* lápis; **pencil box/case** estojo; **pencil sharpener** aguça ▪ *v* EUA escrever a lápis
pendant *n* (joia) pendente; pingente
pendulum *n* (relógio) pêndulo
penetrate *v* **1** penetrar (em) **2** infiltrar-se em **3** atravessar
penetrating *adj* **1** penetrante **2** (som) agudo **3** perspicaz; astuto
penetration *n* penetração
penfriend *n* GB correspondente
penguin *n* pinguim
penicillin *n* penicilina
peninsula *n* península
peninsular *adj* peninsular
penis *n* pénis
penitence *n* penitência
penitent *adj,n form* penitente
penitentiary *n* [*pl* -ies] EUA penitenciária
penknife *n* [*pl* -knives] canivete
pennant *n* bandeira triangular
penniless *adj* sem um tostão; miserável
penny *n* [*pl* pence, pennies] GB (moeda) péni; EUA cêntimo ◆ **a penny for your thoughts** em que pensas?; **in for a penny, in for a pound** perdido por cem, perdido por mil
penny-pinching *adj* avarento
pension *n* **1** pensão **2** reforma
pensioner *n* GB pensionista, reformado
pensive *adj* pensativo
pentagon *n* pentágono
pentameter *n* pentâmetro
pentathlete *n* pentatleta
pentathlon *n* pentatlo
Pentecost *n* Pentecostes
penthouse *n* apartamento luxuoso no último andar
penultimate *adj* penúltimo
people *npl* pessoas; gente; **a lot of people** muita gente ▪ *n* povo; **the Portuguese people** o povo português ▪ *v* povoar

pep *n col* energia; vigor ♦ *col* **pep talk** discurso para levantar o moral
pepper *n* **1** pimenta; **pepper mill** moinho de pimenta; **pepper pot** pimenteiro **2** pimento ▪ *v* **1** apimentar **2** crivar de balas
peppercorn *n* grão de pimenta
peppermint *n* hortelã-pimenta
pepperoni *n* chourição
per *prep* por; **kilometres per hour** quilómetros por hora
perceive *v* **1** perceber, entender **2** considerar, encarar **3** detetar[AO], notar
percent *adj,adv* por cento; **70 percent** 70 por cento
percentage *n* percentagem; **in percentage terms** em termos percentuais
perceptible *adj* percetível[AO]
perception *n* **1** perceção[AO] **2** perspetiva[AO]; ponto de vista **3** perspicácia
perceptive *adj* perspicaz
perch *n* [*pl* -es] **1** poleiro **2** ponto elevado; posição elevada **3** (peixe) perca ▪ *v* empoleirar-se (on, em); pousar (on, em)
percolate *v* **1** passar; infiltrar-se **2** (café) filtrar; fazer **3** (notícia, novidade) chegar; circular
percolator *n* cafeteira de filtro
percussion *n* **1** (instrumentos) percussão **2** percussionistas
percussionist *n* percussionista
peremptory *adj* perentório[AO]; autoritário
perennial *adj* **1** perene; perpétuo; eterno **2** (planta) perene
perfect *adj* perfeito ▪ *v* aperfeiçoar
perfection *n* **1** perfeição **2** aperfeiçoamento
perfectionist *adj,n* perfeccionista[AO]
perfectly *adv* **1** perfeitamente **2** na perfeição
perfidious *adj* pérfido
perforate *v* perfurar
perforated *adj* **1** perfurado **2** picotado
perform *v* **1** (ação, tarefa, estudo) levar a cabo; (função, deveres) cumprir; (papel) desempenhar **2** (artista) atuar[AO] **3** (peça) representar; (concerto) realizar; (peça musical) executar **4** ter uma prestação; **to perform well** ter uma boa prestação
performance *n* **1** desempenho; prestação **2** atuação[AO]; interpretação **3** espetáculo[AO] **4** (ação, tarefa, estudo) realização, execução; (função, deveres) cumprimento **5** *col* proeza; trabalheira
performer *n* artista; intérprete
performing *adj* **1** relacionado com o espetáculo[AO]; **performing arts** artes do espetáculo[AO] **2** (animal) amestrado
perfume *n* perfume ▪ *v* perfumar
perfunctory *adj* (gesto, sorriso) mecânico; automático
perhaps *adv* talvez; **perhaps not** talvez não
peril *n form* perigo
perilous *adj form* perigoso
perimeter *n* perímetro
period *n* **1** período; época **2** EUA ponto final **3** menstruação; período **4** tempo letivo[AO] ▪ *adj* de época
periodic *adj* periódico; **periodic table** tabela periódica
periodical *n* publicação periódica ▪ *adj* periódico
periodically *adv* periodicamente
periodicity *n* [*pl* -ies] periodicidade
peripheral *adj* **1** periférico **2** secundário ▪ *n* INFORM periférico
periphery *n* [*pl* -ies] periferia
periphrasis *n* [*pl* periphrases] perífrase
periphrastic *adj* perifrástico
periscope *n* periscópio
perish *v lit* morrer
perjure *v* **to perjure yourself** prestar falso testemunho
perjury *n* [*pl* -ies] DIR perjúrio; falso testemunho; **to commit perjury** cometer perjúrio
perk *n col* regalia; privilégio ▪ *v col* fazer café
perky *adj col* alegre; animado
perm *n* (cabelo) permanente ▪ *v* fazer uma permanente em
permanence *n* permanência; continuidade
permanent *adj* **1** permanente **2** estável; fixo **3** (dentição) definitivo ▪ *n* EUA (cabelo) permanente
permanently *adv* **1** para sempre **2** irremediavelmente
permeable *adj* permeável (to, a)
permeate *v* **1** (cheiro, ideias, sentimentos) impregnar **2** infiltrar-se
permission *n* permissão, autorização
permissive *adj* permissivo; tolerante
permit *n* licença; autorização
permutation *n* permutação
pernickety *adj* GB *col* picuinhas
peroxide *n* **1** peróxido **2** água oxigenada

perpendicular *adj,n* perpendicular
perpetrate *v form* perpetrar; cometer
perpetrator *n form* (de crime) autor
perpetual *adj* **1** perpétuo **2** incessante; ininterrupto
perpetuate *v* perpetuar; eternizar
perplex *v* deixar perplexo
perplexed *adj* perplexo (by, com)
perplexity *n* [*pl* -ies] perplexidade
per se *adv* em si; por si mesmo
persecute *v* perseguir
persecution *n* perseguição; **persecution complex** mania da perseguição
persecutor *n* perseguidor
perseverance *n* perseverança; persistência
persevere *v* perseverar (in, em); persistir (in, em)
Persian *adj,n* persa ♦ **Persian carpet** tapete persa; **Persian cat** gato Persa
persimmon *n* dióspiro
persist *v* **1** persistir; subsistir **2** insistir (in, em); teimar (in, em)
persistence *n* persistência
persistent *adj* persistente
person *n* [*pl* people, -s] pessoa ♦ **in person** pessoalmente
persona *n* [*pl* -ae] imagem; personagem
personal *adj* **1** pessoal **2** particular; privado; **personal life** vida privada ♦ **personal computer** computador pessoal; **personal organizer** agenda; **personal stereo** leitor de CD portátil
personality *n* [*pl* -ies] personalidade
personalize *v* personalizar
personally *adv* pessoalmente ♦ **to take something personally** levar algo a peito
personification *n* personificação
personify *v* personificar
personnel *n* pessoal ♦ (empresa) **personnel department** departamento de recursos humanos
perspective *n* perspetiva[AO]
perspiration *n* transpiração
perspire *v* transpirar
persuade *v* persuadir, convencer
persuasion *n* persuasão
persuasive *adj* persuasivo
pertain *v* **1** perdurar, existir **2** ser relativo (to, a), pertencer (to, a)
pertinence *n* pertinência, relevância
pertinent *adj* pertinente; relevante
Peru *n* Peru
Peruvian *adj,n* peruano
pervade *v* **1** (cheiros) exalar, invadir **2** (ideias, sentimentos) espalhar-se em
pervasive *adj* penetrante, intenso
perverse *adj* perverso
perversion *n* **1** perversão **2** distorção
perversity *n* [*pl* -ies] perversidade
pervert *n* pervertido, tarado ▪ *v* **1** perverter **2** distorcer
peseta *n* (antiga moeda) peseta
pesky *adj* EUA *cal* incómodo; aborrecido
pessimism *n* pessimismo
pessimist *n* pessimista
pessimistic *adj* pessimista
pest *n* **1** praga **2** *col* pestinha
pester *v col* incomodar, importunar
pesticide *n* pesticida
pestle *n* pilão
pet *n* **1** animal de estimação **2** GB amor, querido **3** *pej* favorito, queridinho ▪ *v* **1** fazer festas a **2** *col* acariciar-se ▪ *adj* preferido, favorito ♦ **pet name** alcunha
petal *n* pétala
petard *n* petardo
peter *v* diminuir, desaparecer
petition *n* **1** petição; abaixo-assinado **2** (a tribunal) requerimento ▪ *v* **1** enviar uma petição a **2** (a tribunal) requerer
petitioner *n* **1** peticionário; signatário **2** DIR queixoso
petrify *v* **1** petrificar **2** aterrorizar
petrol *n* GB gasolina; **petrol station** bomba de gasolina; **petrol tank** depósito de gasolina ♦ **petrol bomb** cocktail molotov
petroleum *n* petróleo ♦ **petroleum jelly** vaselina
petticoat *n* (vestuário) combinação
pettiness *n* **1** insignificância, irrelevância **2** mesquinhez
petty *adj* **1** irrelevante, insignificante **2** mesquinho ♦ **petty cash** fundo de maneio; **petty officer** oficial de marinha
petulance *n* impertinência
petulant *adj* impertinente
pew *n* (igreja) banco ▪ *interj* EUA que cheirete!
phalanx *n* [*pl* phalanges] ANAT falange
phallus *n* [*pl* -es] falo
phantasm *n lit* ilusão

phantom *n* **1** *lit* fantasma **2** *lit* ilusão ▪ *adj* imaginário
Pharaoh *n* faraó
pharmaceutical *adj* farmacêutico
pharmacist *n* farmacêutico ♦ GB **pharmacist's** farmácia
pharmacological *adj* farmacológico
pharmacology *n* farmacologia
pharmacy *n* [*pl* -ies] farmácia
pharyngitis *n* faringite
pharynx *n* [*pl* pharynges] faringe
phase *n* fase ▪ *v* fazer por etapas/fases, fasear
PhD *n* doutoramento; **John Leek, PhD** Doutor John Leek
pheasant *n* faisão
phenomenal *adj* fenomenal, extraordinário
phenomenon *n* [*pl* phenomena] fenómeno
phew *interj* (cansaço, calor, alívio) ufa!
philanthropic *adj* filantrópico
philanthropist *n* filantropo
philanthropy *n* [*pl* -ies] filantropia
philatelic *adj* filatélico
philatelist *n* filatelista
philately *n* filatelia
philharmonic *adj* filarmónico
Philippines *n* Filipinas
philological *adj* filológico
philologist *n* filólogo
philology *n* filologia
philosopher *n* filósofo
philosophical *adj* **1** filosófico **2** resignado
philosophize *v* filosofar
philosophy *n* filosofia
phlegm *n* muco nasal
phlegmatic *adj* fleumático, impassível
phobia *n* fobia
phoenix *n* [*pl* -es] fénix
phone *n* telefone; **phone book** lista telefónica; **phone call** telefonema ▪ *v* telefonar ◇ **phone in** *v* **1** (para o local de trabalho) telefonar; **to phone in sick** telefonar para avisar que se está doente **2** (num programa) participar através do telefone
phonecard *n* cartão telefónico
phone-in *n* programa de rádio ou televisão com participação telefónica do público
phoneme *n* fonema
phonetics *n* fonética
phoney *adj col* falso; fingido ▪ *n* **1** impostor **2** falsificação
phonology *n* fonologia
phosphorescence *n* fosforescência
phosphorescent *adj* fosforescente
phosphorus *n* (elemento químico) fósforo
photo *n* foto, fotografia; **photo booth** cabina de fotos instantâneas; (moda) **photo session/shoot** sessão de fotografias
photocopier *n* fotocopiadora
photocopy *n* [*pl* -ies] fotocópia ▪ *v* fotocopiar
photoelectric *adj* fotoelétrico[AO]
photogenic *adj* fotogénico
photograph *n* fotografia ▪ *v* fotografar ♦ **to photograph well/badly** ser/não ser fotogénico
photographer *n* fotógrafo
photographic *adj* fotográfico
photography *n* fotografia
photojournalism *n* fotojornalismo
photomontage *n* fotomontagem
photon *n* fotão
photosensitive *adj* fotossensível
photosynthesis *n* fotossíntese
phrasal *adj* relativo a expressão ou grupo de palavras ♦ **phrasal verb** verbo seguido de advérbio ou preposição (ou ambos)
phrase *n* **1** expressão **2** grupo de palavras; sintagma **3** frase musical ▪ *v* formular, exprimir ♦ **phrase book** guia de conversação
phrasing *n* **1** formulação, termos **2** MÚS fraseado
phut *n col* **to go phut**; avariar, dar o berro
physical *adj* físico; **to get physical** chegar à violência física ▪ *n* exame médico
physically *adv* fisicamente
physician *n* EUA médico
physicist *n* (profissão) físico
physics *n* (ciência) física
physiognomy *n* [*pl* -ies] fisionomia
physiological *adj* fisiológico
physiologist *n* fisiologista
physiology *n* fisiologia
physiotherapist *n* GB fisioterapeuta
physiotherapy *n* GB fisioterapia
physique *n* constituição física; físico
pi *n* pi
pianist *n* pianista
piano *n* piano; **to play the piano** tocar piano ▪ *adv,adj* MÚS piano

picaresque *adj* picaresco
piccolo *n* flautim
pick *v* **1** escolher **2** (flores, frutos) colher, apanhar **3** tirar; arrancar ▪ *n* **1** EUA escolha **2** picareta **3** *col* (instrumento musical) palheta ♦ **to pick a fight** começar uma discussão; provocar uma luta; **to pick one's nose** tirar macacos do nariz; **to pick somebody's pocket** roubar a carteira a alguém
◇ **pick off** *v* **1** abater **2** arrancar
◇ **pick on** *v* **1** implicar com; meter-se com **2** escolher
◇ **pick out** *v* **1** escolher **2** reconhecer; identificar **3** tocar de ouvido
◇ **pick up** *v* **1** pegar em; apanhar **2** ir buscar **3** melhorar **4** (telefone) atender **5** ganhar; arrecadar **6** (velocidade) ganhar **7** (hábito, doença) apanhar
pickaxe *n* picareta
picker *n* apanhador, colhedor
picket *n* **1** (soldados, grevistas) piquete **2** grevista **3** estaca; **picket fence** cerca, vedação ▪ *v* **1** formar piquete **2** protestar
pickle *n* **1** EUA pickle **2** GB vinagre; escabeche ♦ *col* **to be in a (pretty) pickle** estar metido numa alhada
picklock *n* gazua
pickpocket *n* carteirista
pick-up *n* **1** (carrinha) pick-up **2** melhoria **3** recolha **4** *col* engate amoroso **5** EUA aceleração
picky *adj* difícil de satisfazer; exigente
picnic *n* piquenique ▪ *v* fazer/organizar um piquenique ♦ **to be no picnic** não ser pera[AO] doce
pictorial *adj* **1** pictórico **2** ilustrado; em imagens
picture *n* **1** imagem; **to draw a picture** fazer um desenho **2** fotografia **3** quadro; pintura **4** retrato **5** filme **6** panorama ▪ *v* **1** imaginar **2** descrever **3** representar ♦ *col* **to get the picture** perceber
picturesque *adj* pitoresco
pidgin *n* (língua) pidgin
pie *n* **1** tarte **2** GB empada

A palavra **pie** designa uma tarte ou empada coberta e com recheio. Quando a tarte não é coberta, usa-se *tart* ou *flan*.

piece *n* **1** pedaço; bocado; **a piece of advice** um conselho; **a piece of cake** uma fatia de bolo; **a piece of paper** um papel **2** peça; **a piece of clothing** uma peça de roupa **3** (arte) obra; peça **4** notícia; artigo jornalístico **5** moeda ♦ *col* **to be a piece of cake** ser canja; *col* **to go to pieces** ir-se abaixo
piecemeal *adj* irregular ▪ *adv* de forma irregular
piecework *n* trabalho pago à peça
pier *n* **1** cais; molhe **2** pilar
pierce *v* **1** furar; **to have one's ears pierced** furar as orelhas **2** atravessar **3** perfurar; trespassar **4** (barreira) romper
piercing *adj* **1** (olhar) penetrante **2** (som, voz) agudo **3** (vento) cortante **4** (crítica, observação) incisivo **5** (sentimentos) doloroso ▪ *n* piercing, píreingue
piety *n* [*pl* -ies] piedade; devoção
pig *n* **1** porco **2** *col,pej* (pessoas) porco, sujo **3** *col,pej* alarve, comilão ▪ *v col* (comida) enfardar
pigeon *n* pombo
pigeonhole *n* compartimento para documentos ▪ *v* **1** rotular; classificar **2** adiar
piggery *n* [*pl* -ies] chiqueiro
piggy *n* [*pl* -ies] porquinho ♦ **piggy eyes** olhos muito pequenos
piggyback *n* cavalitas ▪ *adv* às cavalitas ▪ *v* apoiar-se (on, em); encostar-se (on, a)
piglet *n* leitão
pigment *n* pigmento
pigmentation *n* pigmentação
pigskin *n* **1** pele de porco **2** EUA *col* bola de futebol americano
pigsty *n* [*pl* -ies] chiqueiro, pocilga
pigtail *n* trança
pike *n* **1** (peixe) lúcio **2** EUA autoestrada[AO] com portagem **3** (lança) pique
Pilates *n* (exercícios) pilates
pilchard *n* sardinha
pile *n* **1** monte; pilha **2** casarão **3** (alcatifa, veludo) pelo[AO] **4** *col* fortuna **5** *pl* hemorroidas[AO] ▪ *v* empilhar, amontoar; encher
◇ **pile up** *v* **1** amontoar-se; acumular-se **2** empilhar
pile-up *n* choque em cadeia
pilfer *v* surripiar, roubar
pilgrim *n* peregrino

pilgrimage *n* peregrinação
pill *n* **1** comprimido **2** (contracetivo) pílula **3** EUA *col* chato ▪ *v* ganhar borboto
pillage *v* pilhar, saquear ▪ *n* pilhagem, saque
pillar *n* **1** pilar **2** coluna comemorativa **3** (de fumo) coluna
pillbox *n* caixa para remédios
pillory *n* [*pl* -ies] estrutura de madeira, em local público, onde eram expostos os criminosos ▪ *v* ridicularizar
pillow *n* almofada
pillowcase *n* fronha da almofada
pilot *n* piloto ▪ *v* **1** pilotar **2** testar **3** levar ♦ **pilot light** chama piloto
pimento *n* pimento
pimp *n* proxeneta, chulo
pimple *n* borbulha
pin *n* **1** alfinete **2** EUA alfinete de peito **3** EUA crachá **4** pin **5** (ficha) perno **6** (ossos partidos) parafuso **7** (bowling) meco **8** (granada) patilha; cavilha **9** (golfe) haste com bandeira **10** *pl* GB *col* pernas ▪ *v* **1** prender com alfinetes **2** pregar, prender ♦ **pins and needles** formigueiro
◇ **pin down** *v* **1** identificar **2** obrigar a tomar uma decisão
PIN (multibanco) [*abrev. de* Personal Identification Number] PIN; código (do multibanco)
pinball *n* (jogo eletrónico) flipper
pincers *npl* **1** tenaz; turquês **2** (animal) pinças
pinch *v* **1** beliscar **2** (sapatos) apertar; magoar **3** apertar com os dedos **4** GB *col* gamar; roubar ▪ *n* [*pl* -es] **1** beliscão **2** pitada
pine *n* **1** pinheiro **2** (madeira) pinho ▪ *v* **1** estar desgostoso **2** sentir saudades (for, de)
pineapple *n* ananás
pinewood *n* **1** (madeira) pinho **2** pinhal
ping-pong *n col* pingue-pongue
pinion *v* amarrar ▪ *n* roda dentada
pink *adj* cor-de-rosa; **to turn pink** corar ▪ *n* **1** cor-de-rosa **2** (flor) cravina
pinkie *n col* dedo mínimo
pinnacle *n* **1** pináculo **2** auge
pinpoint *v* **1** precisar; especificar **2** apontar; identificar ▪ *n* pontinho ▪ *adj* exato[AO]
pinprick *n* **1** picada de alfinete **2** pequeno inconveniente
pinstripe *n* **1** risca **2** tecido às riscas ▪ *adj* às riscas
pint *n* **1** (medida) pinto (56,8 centilitros no Reino Unido ou 47,3 centilitros nos EUA) **2** GB cerveja
pint-sized *adj col* muito pequeno; mínimo
pioneer *n* **1** pioneiro **2** explorador ▪ *v* explorar, descobrir
pip *n* **1** GB (fruta) pevide **2** EUA (dados, dominó) pinta **3** *pl* GB (rádio) sinal horário ▪ *v* GB *col* (corrida, concurso) derrotar
pipe *n* **1** cano; tubo; (automóvel) **exhaust pipe** tubo de escape **2** cachimbo **3** flauta rústica **4** *pl* gaita de foles ▪ *v* **1** canalizar **2** (bolos) enfeitar **3** debruar **4** tocar flauta ♦ GB (em loja, restaurante) **piped music** música ambiente
◇ **pipe down** *v* calar-se
pipeline *n* (cano) conduta; **gas pipeline** gasoduto; **oil pipeline** oleoduto
piper *n* MÚS gaiteiro
pipette *n* pipeta
piping *n* **1** canalização, canos; conduta **2** (costura) galão ▪ *adj* (voz) aguda ♦ **to be piping hot** estar a escaldar
pique *n form* ressentimento ▪ *v* **1** *form* melindrar **2** EUA espicaçar
piracy *n* [*pl* -ies] pirataria
piranha *n* piranha
pirate *n* pirata ▪ *v* piratear
pirogue *n* piroga
pirouette *n* pirueta ▪ *v* fazer piruetas
Pisces *n* (constelação, signo) Peixes
piss *v cal* mijar ▪ *n* **1** *cal* mijo **2** *cal* mijadela
◇ **piss off** *v cal* desaparecer
pissed *adj* **1** GB *cal* podre de bêbedo **2** EUA *cal* lixado, muito zangado
pistachio *n* pistácio
pistol *n* pistola
piston *n* pistão, êmbolo
pit *n* **1** buraco; cova **2** mina (de carvão) **3** marca (na pele) **4** *col* pocilga *fig* **5** (teatro) plateia **6** EUA (fruta) caroço **7** *col* sovaco **8** *pl* (corridas de automóveis) boxes ▪ *v* **1** esburacar **2** marcar **3** EUA (fruta) retirar o caroço de
pitch *n* [*pl* -es] **1** GB DESP campo **2** intensidade; grau **3** (de um som) tom **4** (vendedor) conversa **5** (basebol) lançamento **6** piche; pez **7** inclinação; declive ▪ *v* **1** lançar; arremessar **2** DESP lançar **3** ser projetado[AO] **4** (avião, navio) abanar **5** nivelar **6** (tenda) montar **7** (voz) colocar
pitch-black *adj* negro; muito escuro
pitch-dark *adj* negro; muito escuro

pitcher *n* **1** GB bilha, cântaro **2** EUA caneca, jarro **3** (basebol) lançador
pitchfork *n* forcado, forquilha
pitfall *n* dificuldade
pitiable *adj* lastimoso, miserável
pitiful *adj* lastimável, miserável
pitiless *adj* **1** impiedoso **2** (vento, sol) fortíssimo
pity *n* [*pl* -ies] pena (for, de); **what a pity!** que pena! ▪ *v* ter pena de ◆ **for pity's sake!** pelo amor de Deus!
pivot *n* eixo; ponto central ▪ *v* girar
pixel *n* pixel
pixie *n* duende
pizza *n* pizza, piza
pizzeria *n* pizzaria, pizaria
placard *n* cartaz
place *n* **1** lugar; local; sítio **2** (assento, cargo, oportunidade, função) lugar; (curso) vaga **3** *col* casa **4** (corrida, competição) posição **5** MAT casa; **decimal place** casa decimal ▪ *v* **1** colocar; pôr **2** atribuir **3** (encomenda, aposta) fazer; realizar **4** situar; identificar **5** (emprego) colocar
placebo *n* placebo
placement *n* **1** colocação **2** estágio
placenta *n* [*pl* -s, -e] placenta
placid *adj* calmo; tranquilo
plagiarism *n* plágio
plagiarist *n* plagiador
plagiarize *v* plagiar
plague *n* **1** peste **2** epidemia **3** praga ▪ *v* **1** atormentar, afligir **2** perseguir
plaice *n* [*pl* plaice] (peixe) solha
plaid *n* **1** padrão escocês **2** manta do traje tradicional escocês
plain *adj* **1** óbvio; claro; evidente **2** simples **3** sincero; direto[AO] **4** pouco atraente ▪ *n* planície ▪ *adv col* absolutamente, completamente ◆ (polícia) **in plain clothes** à paisana
plainly *adv* **1** nitidamente **2** claramente **3** simplesmente
plaintiff *n* DIR queixoso
plaintive *adj* lamentoso
plait *n* GB trança ▪ *v* GB entrançar
plan *n* **1** plano, projeto[AO], programa; **to have plans** ter planos **2** (cidade) mapa; (edifício, divisão) planta **3** diagrama ▪ *v* planear, programar
plane *n* **1** avião **2** plano, nível **3** GEOM plano **4** plaina ▪ *v* **1** aplainar **2** (pássaros) planar
planet *n* planeta
planetarium *n* planetário
planetary *adj* planetário
plank *n* **1** tábua, prancha **2** ponto principal
plankton *n* plâncton
planner *n* **1** planeador **2** agenda
planning *n* planeamento; **family planning** planeamento familiar
plant *n* **1** planta **2** fábrica **3** GB equipamento, maquinaria **4** *col* prova incriminatória **5** informador ▪ *v* **1** plantar; semear **2** colocar, pôr
plantation *n* **1** plantação **2** mata
plaque *n* **1** placa **2** (dentes) placa bacteriana
plasma *n* plasma ◆ (écrã) **plasma screen** plasma
plaster *n* **1** estuque **2** gesso; **in plaster** engessado **3** GB penso rápido ▪ *v* **1** empastar **2** encher; cobrir **3** (no jornal) escarrapachar **4** estucar ◆ (molde) **plaster cast** gesso; **plaster of Paris** gesso
plastered *adj col* bêbedo
plasterer *n* estucador
plastic *n* plástico ▪ *adj* plástico; de plástico ◆ **plastic arts** artes plásticas; **plastic surgery** cirurgia plástica
Plasticine *n* GB plasticina
plate *n* **1** prato **2** placa **3** (de veículo) matrícula **4** camada; folha **5** chapa fotográfica **6** ilustração **7** GB aparelho (para os dentes) ▪ *v* revestir
plateau *n* [*pl* -s, -x] planalto
plateful *n* pratada
platelet *n* (sangue) plaqueta
platform *n* **1** plataforma **2** estrado, palanque **3** programa partidário **4** (sapatos) sola grossa, cunha
platinum *n* platina
platonic *adj* platónico
platoon *n* MIL pelotão
platter *n* travessa ◆ **on a silver platter** de mão beijada; de bandeja
platypus *n* [*pl* -es] ornitorrinco
plausible *adj* **1** (explicação, desculpa) plausível **2** (mentiroso) convincente
play *v* **1** brincar **2** (desporto, jogo) jogar **3** (personagem) fazer de **4** (papel) desempenhar **5** (peça de teatro) estar em cena; (filme) estar em exibição **6** (instrumento) tocar **7** (CD, gravação) pôr a tocar **8** fazer-se de ▪ *n* **1** brincadeira **2** (teatro) peça **3** jogo; **fair play** jogo limpo **4** folga ◆

play on words trocadilho; **to come into play** entrar em jogo/linha de conta
◇ **play along** *v* entrar no jogo
◇ **play back** *v* (gravação) voltar a pôr
◇ **play off** *v* **1** defrontar na final **2** opor
◇ **play on** *v* aproveitar-se de; explorar

play-act *v* fazer teatro

playback *n* GB (filme, cassete) repetição

playboy *n* playboy

player *n* **1** jogador **2** músico **3** (aparelho) leitor; **CD player** leitor de CD **4** interveniente

playful *adj* brincalhão

playground *n* recreio

playgroup *n* GB infantário

playhouse *n* **1** casa de espetáculos[AO] **2** (crianças) casa para brincar

play-off *n* **1** jogo de desempate **2** *pl* EUA finais

playroom *n* quarto de brincar

playschool *n* GB jardim de infância

plaything *n* (pessoa) joguete

playtime *n* **1** GB (escola) hora do recreio **2** tempo para brincar

playwright *n* dramaturgo

plaza *n* **1** praça **2** EUA centro comercial

PLC [*abrev. de* Public Limited Company] SA [*abrev. de* Sociedade Anónima]

plea *n* **1** apelo, pedido **2** alegação, declaração ◆ **on the plea of** sob o pretexto de

plead *v* **1** suplicar, apelar **2** declarar-se; **to plead guilty/not guilty/innocent** declarar-se culpado/não culpado/inocente **3** alegar; **to plead ignorance** alegar desconhecimento

pleasant *adj* agradável, simpático

please *interj* por favor, se faz favor ▪ *v* **1** agradar, contentar **2** querer ◆ **if you please** se faz favor

pleased *adj* contente; satisfeito ◆ **pleased to meet you!** muito prazer!

pleasurable *adj* agradável

pleasure *n* prazer ◆ **my pleasure** tive todo o gosto, foi um prazer, de nada; **with pleasure** com todo o gosto

pleat *n* prega

plebeian *n* plebeu

plebiscite *n* plebiscito

pledge *n* **1** compromisso; promessa **2** penhor; garantia ▪ *v* **1** prometer, comprometer-se **2** fazer jurar

plenary *adj,n* [*pl* -ies] plenário

plenitude *n form* abundância

plentiful *adj* abundante

plenty *pron* muito ▪ *adv* suficientemente, bastante ▪ *n* fartura, abundância ◆ **in plenty** em abundância

pleonasm *n* pleonasmo

pliable *adj* **1** flexível, maleável **2** influenciável

pliers *npl* alicate

plinth *n* plinto

plod *v* **1** arrastar-se, caminhar com esforço **2** trabalhar com esforço

plonk *v* **1** deixar(-se) cair **2** afundar ▪ *n* **1** ruído surdo **2** *col* (vinho) zurrapa

plop *n* (água) chape ▪ *v* cair

plot *n* **1** conspiração **2** (livro, filme) enredo, intriga **3** terreno **4** jazigo ▪ *v* **1** conspirar, tramar **2** (gráfico) traçar, desenhar **3** assinalar

plotter *n* **1** conspirador **2** plotter, traçador

plough *n* arado; charrua ▪ *v* lavrar, arar

plow *n,v* EUA ⇒ **plough**

ploy *n* [*pl* -s] estratagema; artimanha

pluck *v* **1** arrancar **2** depenar **3** (instrumentos de cordas) dedilhar **4** resgatar, pôr a salvo

plug *n* **1** (eletricidade) ficha **2** GB *col* tomada **3** tampa; (ouvidos) tampão; (banheira, lavatório) tampa do ralo **4** (parafuso) bucha ▪ *v* **1** tapar, encher **2** promover
◇ **plug in** *v* ligar (à tomada)

plughole *n* ralo

plum *n* ameixa; **plum tree** ameixeira

plumb *v* sondar, explorar ▪ *adv col* exatamente[AO]; em cheio ▪ *adj* vertical

plumber *n* canalizador

plumbing *n* canalização

plume *n* **1** pluma **2** penacho **3** (de fumo) nuvem

plummet *v* cair a pique

plump *adj* rechonchudo, roliço ▪ *v* atirar

plunder *v* pilhar, saquear ▪ *n* pilhagem, saque

plunge *v* **1** cair **2** despenhar-se **3** mergulhar **4** descer a pique ▪ *n* **1** queda acentuada, descida a pique **2** mergulho ◆ **to take the plunge** dar o passo decisivo

plunger *n* **1** limpa-canos **2** êmbolo

plunk *v* **1** *col* atirar(-se) **2** *col* refastelar-se **3** *col* instalar **4** *col* cair pesadamente

pluperfect *n* pretérito mais-que-perfeito

plural *n,adj* plural

pluralism *n* pluralismo

pluralist *adj,n* pluralista
plurality *n* [*pl* -ies] **1** pluralidade **2** EUA maioria relativa
plus *prep* mais; **two plus eight** dois mais oito ▪ *n* **1** *col* vantagem, mais-valia **2** MAT sinal mais ▪ *adj* positivo; **plus five degrees** cinco graus positivos ▪ *conj* além disso
plush *adj col* luxuoso ▪ *n* [*pl* -es] felpa
Pluto *n* Plutão
plutonium *n* plutónio
ply *v* (navio, autocarro) fazer carreira ▪ *n* **1** (tecidos) fio **2** (papel, madeira) folha; camada
◇ **ply with** *v* **1** encher de; empanturrar com **2** inundar de
plywood *n* (madeira) contraplacado
p.m. *adv* da tarde; da noite; **the appointment is at 4 p.m.** a consulta é às quatro da tarde
pneumatic *adj* pneumático
pneumonia *n* pneumonia
PO [*abrev. de* Post Office] estação dos correios
poach *v* **1** (ovos) escalfar **2** (carne, peixe) cozer **3** caçar furtivamente **4** roubar
poacher *n* caçador furtivo
PO Box *n* apartado
pocket *n* **1** bolso **2** bolsa **3** foco, núcleo **4** (bilhar) buraco ▪ *v* **1** meter ao bolso **2** embolsar ◆ GB (crianças) **pocket money** semanada
pocketbook *n* EUA (dinheiro) carteira
pocketful *n* **a pocketful of** um bolso cheio de
pocketknife *n* canivete
pockmark *n* marca de varicela
pod *n* vagem
podcast *n* podcast
podgy *adj* rechonchudo, roliço
podiatrist *n* EUA podólogo
podiatry *n* EUA podologia
podium *n* [*pl* -ia] pódio
poem *n* poema
poet *n* poeta
poetic *adj* poético
poetry *n* poesia
pogrom *n* extermínio
poignant *adj* pungente; comovente
point *n* **1** ponto **2** momento; altura; **at one point** a certa altura **3** questão; caso; **to be beside the point** não vir ao caso **4** aspeto[AO]; ponto; **good/bad points** aspetos[AO] positivos/negativos **5** objetivo[AO]; **the whole point is to...** o objetivo[AO] é precisamente... **6** ponta; bico **7** (telefone, eletricidade) tomada **8** *pl* (caminhos de ferro) agulhas ▪ *v* **1** apontar (at/to, para) **2** marcar; indicar ◆ **point of view** ponto de vista; **to get the point** perceber; **to get to the point** ir direto[AO] ao assunto
◇ **point out** *v* **1** apontar para; indicar **2** salientar; mencionar
point-blank *adv* **1** (dizer) diretamente[AO]; (recusar, negar) categoricamente **2** (disparar) à queima-roupa
pointed *adj* **1** pontiagudo; bicudo; **pointed nose** nariz pontiagudo **2** (olhar) reprovador
pointer *n* **1** *col* dica; indicação **2** indicador; pista **3** (balança, bússola, mapa) ponteiro **4** INFORM cursor
pointless *adj* inútil, vão
poise *n* **1** serenidade; segurança **2** porte; postura ▪ *v* equilibrar
poison *n* veneno ▪ *v* **1** envenenar **2** contaminar
poisoning *n* **1** envenenamento **2** intoxicação; **food poisoning** intoxicação alimentar
poisonous *adj* **1** venenoso **2** tóxico
poke *v* **1** espetar; meter; tocar **2** (lume) atiçar **3** espreitar; aparecer ▪ *n* **1** empurrão; encontrão **2** cotovelada ◆ *col* **to poke fun at** fazer pouco de; *col* **to poke your nose into** meter-se onde não se é chamado
poker *n* **1** (fogo) atiçador **2** (jogo de cartas) póquer ◆ *col* **poker face** rosto inexpressivo
poky *adj col* (casa, quarto) minúsculo; apertado
Poland *n* Polónia
polar *adj* polar
polarity *n* polaridade
polarize *v* polarizar
Polaroid *n* polaroide[AO]
pole *n* **1** polo[AO]; **North/South Pole** polo[AO] norte/sul **2** poste; (bandeira) mastro **3** varão; vara **4** (esqui) bastão ◆ **Pole Star** Estrela Polar; **pole vault** salto à vara
Pole *n* polaco
poleaxe *n* machado de guerra ▪ *v* derrubar; atirar ao chão
polecat *n* **1** toirão **2** EUA doninha fedorenta
polemic *adj form* polémico
police *npl* polícia; **police station** esquadra da polícia; **to join the police** entrar para a polícia ▪ *v* policiar
policeman *n* [*pl* -men] (homem) polícia

policewoman *n* [*pl* -men] (mulher) polícia
policy *n* [*pl* -ies] **1** política; **the company policy** a política da empresa **2** (seguros) apólice
polio *n* poliomielite
polish *v* **1** polir; **to polish the floor** polir o chão **2** engraxar **3** encerar ▪ *n* **1** polimento **2** graxa **3** requinte
◇ **polish off** *v* **1** EUA *col* (homicídio) despachar **2** *col* (comida) acabar com
Polish *adj,n* polaco
polite *adj* bem-educado, delicado
politeness *n* educação, delicadeza
politic *adj form* prudente
political *adj* político
politically *adv* politicamente
politician *n* político
politics *n* política
polka *n* (dança, música) polca
poll *n* **1** sondagem; **opinion poll** sondagem de opinião **2** votação; **to go to the polls** ir votar **3** *pl* urnas ▪ *v* **1** inquirir; sondar **2** (votos) receber, obter
pollen *n* pólen
polling *n* votação; escrutínio ◆ GB **polling booth** cabina de voto
pollutant *n* poluente
pollute *v* poluir; contaminar
pollution *n* poluição
polo *n* polo[AO]; **water polo** polo[AO] aquático
polonium *n* polónio
polygamist *n* polígamo
polygamous *adj* polígamo
polygamy *n* poligamia
polyglot *adj,n* poliglota
polygon *n* polígono
polygraph *n* polígrafo
polyhedron *n* [*pl* -s, polyhedra] poliedro
Polynesia *n* Polinésia
Polynesian *adj,n* polinésio
polynomial *n* polinómio
polyp *n* pólipo
polyphonic *adj* polifónico
polyphony *n* polifonia
polysyllabic *adj* polissilábico
polysyllable *n* polissílabo
polytechnic *n* politécnico
polytheism *n* politeísmo
polytheistic *adj* politeísta
polyunsaturated *adj* polinsaturado
pomegranate *n* romã
pommel *n* **1** (espada) pomo **2** (sela) arção ◆ **pommel horse** cavalo com arções
pomp *n* pompa; fausto
pompom *n* pompom
pompous *adj* pomposo; aparatoso
pond *n* pequeno lago
ponder *v* refletir[AO]; meditar
ponderous *adj* (livro, texto, discurso, movimento) pesado
pontiff *n* pontífice
pontificate *n* pontificado
pontoon *n* pontão
pony *n* [*pl* -ies] pónei; **to ride a pony** andar de pónei
ponytail *n* (penteado) rabo de cavalo
poo *n* GB *col* cocó; caca ▪ *v* GB *col* fazer cocó
pooch *n col* cachorro
poodle *n* cão-d'água
pooh *interj* **1** *col* que cheirete! **2** *col* que idiotice!
pooh-pooh *v col* desprezar, desdenhar
pool *n* **1** piscina **2** lago; poça; charco **3** bilhar (americano); **to shoot pool** jogar bilhar **4** *pl* totobola ▪ *v* (esforço, conhecimento) juntar
poop *n* **1** (navio) popa **2** EUA *col* cocó ▪ *v col* fazer cocó
poor *adj* **1** pobre **2** fraco; mau; **poor quality** fraca qualidade **3** coitado, pobre; **poor thing!** coitadinho! ▪ *npl* **the poor** os pobres
poorly *adv* mal; deficientemente; **poorly paid** mal pago ▪ *adj* GB adoentado, doente
pop *n* **1** estalido, estoiro **2** (música) pop **3** EUA *col* pai ▪ *v* **1** estalar; estourar **2** (rolha, botão) saltar **3** *col* ir; passar; **to pop into** dar um salto a; **to pop round to** passar por **4** *col* aparecer **5** *col* pôr; meter **6** (ouvido) estalar ◆ EUA **pop quiz** teste surpresa
◇ **pop off** *v* bater a bota; esticar o pernil
◇ **pop up** *v* aparecer
popcorn *n* pipocas
Pope *n* REL Papa
poplar *n* choupo; álamo
poplin *n* (tecido) popelina
poppy *n* [*pl* -ies] papoila
popsicle *n* EUA gelado (de água)
populace *n form* povo; população
popular *adj* **1** popular **2** (opinião, crença) generalizado
popularity *n* popularidade
popularize *v* popularizar

popularly *adv* popularmente; vulgarmente
populate *v* povoar; habitar
population *n* população
populism *n* populismo
populist *adj,n* populista
populous *adj* populoso
pop-up *n* (computador, Internet) pop-up
porcelain *n* porcelana
porch *n* [*pl* -es] **1** átrio **2** EUA alpendre
porcupine *n* porco-espinho
pore *n* poro
pork *n* carne de porco; **pork chops** costeletas de porco
porn *n col* pornografia
pornographic *adj* pornográfico
pornography *n* pornografia
porosity *n* [*pl* -ies] porosidade
porous *adj* poroso
porridge *n* papas de aveia
port *n* **1** porto; **to leave port** sair do porto **2** vinho do Porto **3** NÁUT bombordo **4** INFORM porta
portable *adj* portátil; **portable TV set** televisor portátil
portal *n* portal
porter *n* **1** (de bagagem) carregador **2** porteiro
portfolio *n* **1** (documentos) portfólio **2** POL pasta; **the economics portfolio** pasta da economia **3** ECON carteira
porthole *n* (navio) vigia; (avião) janela
portico *n* [*pl* -s, -es] pórtico
portion *n* **1** porção; pedaço **2** (refeição) dose ▪ *v* repartir
portrait *n* retrato
portray *v* retratar
portrayal *n* retrato; representação
Portugal *n* Portugal
Portuguese *adj,n* português
pose *v* **1** (questão, desafio, ameaça) colocar **2** (para retrato) posar **3** fazer-se passar (as, por) **4** exibir-se; armar-se ▪ *n* pose
poser *n* questão complicada
posh *adj* **1** *col* elegante; fino **2** GB *col* queque, beto
position *n* **1** posição; **to be in position** estar a postos **2** localização **3** situação; **in a difficult position** numa situação difícil **4** cargo; posto **5** (lista classificativa) lugar; **in fourth position** em quarto lugar ▪ *v* posicionar; colocar
positive *adj* **1** positivo **2** certo; **to be positive** ter a certeza absoluta **3** firme; categórico **4** irrefutável **5** *col* autêntico ▪ *n* **1** aspeto[AO] positivo **2** (experiência, análise) resultado positivo
positively *adv* **1** absolutamente **2** sem quaisquer dúvidas
positivism *n* positivismo
positivist *adj,n* positivista
possess *v* possuir, ter
possession *n* **1** posse **2** *pl* bens **3** (território) possessão
possessive *adj,n* possessivo
possessor *n* possuidor
possibility *n* [*pl* -ies] **1** possibilidade **2** *pl* potencial
possible *adj* possível
possibly *adv* possivelmente; talvez
post *n* **1** GB correio; **by return of post** na volta do correio **2** cargo; posto **3** poste **4** (grupo de discussão, blogue) post; mensagem ▪ *v* **1** pôr no correio; enviar por correio **2** anunciar; afixar **3** (emprego, posto) deslocar **4** (em grupo de discussão, blogue) postar ♦ **post office** correios; *col* **to keep somebody posted** manter alguém informado
postage *n* portes; franquia postal
postal *adj* postal ♦ **postal vote** voto por correio
postbox *n* GB marco de correio
postcard *n* postal
postcode *n* GB código postal
postdate *v* pós-datar
poster *n* **1** cartaz **2** póster
posterior *adj* posterior
posterity *n* [*pl* -ies] posteridade
postgraduate *n* pós-graduado ▪ *adj* de pós-graduação
posthumous *adj* póstumo
post-it *n* post-it
postman *n* [*pl* -men] carteiro
postmark *n* (correio) carimbo ▪ *v* carimbar
postpone *v* adiar
postponement *n* adiamento
postscript *n* pós-escrito
postulate *n* postulado ▪ *v* postular
posture *n* **1** postura **2** atitude
post-war *adj* do pós-guerra; **post-war period** pós-guerra
pot *n* **1** panela **2** vaso **3** bule **4** cafeteira **5** frasco; boião; pote **6** taça de barro **7** *col*

marijuana ▪ *v* **1** plantar em vaso **2** (animal) caçar **3** (bilhar) acertar no buraco ♦ *col* **the pot calling the kettle black** diz o roto para o nu
potash *n* potassa
potassium *n* potássio
potato *n* [*pl* -es] batata ♦ EUA **potato chips** batatas fritas (de pacote); GB **potato crisps** batatas fritas (de pacote)
potbelly *n col* pança
potency *n* potência
potent *adj* potente
potential *adj,n* potencial
pothole *n* buraco na estrada
potion *n* poção; **magical potion** poção mágica
potter *n* oleiro; ceramista
pottery *n* [*pl* -ies] **1** olaria **2** louça de barro
potty *adj col* maluco, doido ▪ *n* [*pl* -ies] *col* bacio, penico
pouch *n* [*pl* -es] bolsa
pouffe *n* (assento) pufe
poultry *n* **1** aves domésticas; **poultry farming** criação de aves domésticas **2** carne de aves
pounce *v* lançar-se (on/upon, sobre); atirar-se (on/upon, sobre) ▪ *n* ataque
pound *n* **1** (moeda, peso) libra **2** (animais perdidos, abandonados) canil **3** (carros rebocados) depósito ▪ *v* **1** bater **2** martelar **3** caminhar pesadamente **4** palpitar; latejar **5** triturar
pounding *n* **1** pancadas **2** batida **3** sova, tareia
pour *v* **1** deitar; **to pour water into a glass** deitar água num copo **2** servir; **to pour a drink** servir uma bebida **3** chover torrencialmente **4** sair **5** afluir; convergir
pout *v* fazer beicinho ▪ *n* beicinho
poverty *n* pobreza
powder *n* **1** pó **2** pólvora ▪ *v* polvilhar
power *n* **1** poder **2** força **3** autoridade **4** energia; potência **5** eletricidade[AO]; luz; **power failure** corte de eletricidade[AO] **6** (nação) potência **7** MAT potência ▪ *v* fornecer energia a ♦ **power line** cabo de eletricidade[AO]; **power station** central elétrica[AO]
powerful *adj* **1** poderoso; potente; **a powerful car** um carro potente **2** (remédio, droga) forte **3** (cheiro, sabor, luz) intenso
powerless *adj* impotente; sem força
practicable *adj* praticável; viável
practical *adj* **1** prático **2** eficaz **3** habilidoso ▪ *n col* exame prático
practically *adv* **1** praticamente **2** na prática
practice *n* **1** hábito, costume; **to be common practice** ser prática corrente **2** exercício, treino **3** prática; **in practice** na prática **4** procedimento **5** (médico, advogado) consultório ▪ *v* EUA ⇒ **practise** ♦ **practice makes perfect** pratica e serás mestre
practise *v* **1** praticar; **to practise a religion** praticar uma religião **2** treinar; **he is practising English** ele está a treinar o Inglês **3** (profissão) exercer
practitioner *n* profissional
pragmatic *adj* pragmático
pragmatism *n* pragmatismo
prairie *n* pradaria
praise *n* elogio; louvor ▪ *v* elogiar; louvar
praiseworthy *adj* louvável; digno de louvor
pram *n* GB carrinho de bebé
prance *v* **1** gingar-se, pavonear-se **2** (cavalo) fazer cabriolas, saltar
prank *n* partida; brincadeira
prankster *n* **1** brincalhão **2** *pej* engraçadinho
prat *n cal* palerma, parvo
prattle *v col* tagarelar (about, sobre) ▪ *n col* tagarelice
prawn *n* gamba
praxis *n* [*pl* -es, praxes] prática; exercício
pray *v* **1** rezar (for, por) **2** rogar; suplicar
prayer *n* **1** oração **2** súplica; rogo
preach *v* **1** pregar; **to preach a sermon on** pregar um sermão sobre **2** defender; advogar ♦ **to practise what you preach** praticar o que se defende
preacher *n* **1** pregador **2** EUA REL pastor
preamble *n* preâmbulo
prearrange *v* combinar previamente
precarious *adj* precário
precariousness *n* precariedade
precaution *n* precaução; cautela
precede *v* **1** preceder **2** anteceder
precedence *n* **1** precedência **2** prioridade
precedent *n* precedente; antecedente
preceding *adj* precedente; antecedente
precept *n* preceito, norma
precinct *n* **1** área, zona; recinto **2** EUA (policial, administrativo) circunscrição **3** *pl* instalações

precious *adj* **1** precioso, valioso **2** querido; *irón* **here is your precious car!** eis o teu querido carro! **3** *pej* afetado[AO]
precipice *n* precipício; despenhadeiro
precipitate *v* precipitar
precipitation *n* precipitação
precipitous *adj* **1** (pessoa, ato) precipitado **2** (lugar, terreno) íngreme
précis *n* resumo
precise *adj* **1** preciso; exato[AO] **2** meticuloso, minucioso
precisely *adv* precisamente; **precisely so** exatamente[AO]
precision *n* precisão; exatidão[AO]
preclude *v* impedir (from, de), evitar (from, -)
precocious *adj* precoce
preconception *n* preconceito
precursor *n* precursor (of, to, de)
predate *v* **1** anteceder **2** antedatar, pré-datar
predator *n* predador
predatory *adj* predatório; voraz
predecessor *n* predecessor, antecessor
predestination *n* predestinação
predestine *v* predestinar
predetermine *v* predeterminar
predicament *n* **1** aperto, dificuldade **2** dilema
predicate *n* predicado
predict *v* predizer, prever
predictable *adj* previsível
prediction *n* previsão
predispose *v* predispor (to, para)
predisposition *n* predisposição
predominance *n* predomínio, preponderância
predominant *adj* predominante
predominate *v* predominar
prefab *n col* casa pré-fabricada
prefabricated *adj* pré-fabricado
preface *n* prefácio (to, a); prólogo (to, de) ▪ *v* prefaciar
prefect *n* **1** (aluno) delegado **2** POL prefeito
prefer *v* preferir (to, a) ♦ **to prefer charges against** apresentar queixa contra
preferable *adj* preferível (to, a); melhor
preference *n* preferência
preferential *adj* preferencial
prefigure *v* prefigurar
prefix *n* **1** (palavra) prefixo **2** (telefone) indicativo
pregnancy *n* gravidez
pregnant *adj* **1** grávida; **to get pregnant** engravidar **2** (animal) prenhe
preheat *v* aquecer previamente
prehistoric *adj* pré-histórico
prehistory *n* pré-história
prejudge *v* julgar antecipadamente
prejudice *n* preconceito ▪ *v* **1** influenciar, predispor **2** lesar; prejudicar ♦ **to the prejudice of** em detrimento de
prejudicial *adj* prejudicial (to, para)
prelate *n* REL prelado
preliminary *adj* preliminar ▪ *n* [*pl* -ies] **1** preliminar **2** DESP eliminatória
prelude *n* prelúdio (to, de)
premature *adj* prematuro; precoce
premier *n* primeiro-ministro ▪ *adj* melhor; mais importante
premiere *n* (filme, peça) estreia
premise *n* **1** premissa **2** *pl* instalações, recinto
premium *n* prémio; brinde; recompensa
premonition *n* premonição; pressentimento
premonitory *adj* premonitório
prenatal *adj* pré-natal
preoccupation *n* **1** preocupação **2** obsessão
preoccupied *adj* **1** preocupado (with, com); obcecado (with, com) **2** absorto
preoccupy *v* preocupar
prep *n* GB *col* trabalhos de casa; **have you done your prep?** já acabaste os trabalhos de casa? ♦ GB *col* **prep school** escola de ensino básico privada
prepaid *adj* **1** pré-pago **2** com porte pago
preparation *n* **1** preparação **2** CUL,MED preparado **3** *pl* preparativos
preparatory *adj* preparatório ♦ GB **preparatory school** escola de ensino básico privada
prepare *v* **1** preparar (for, para) **2** organizar
prepayment *n* pré-pagamento
preponderance *n* preponderância; predomínio
preposition *n* preposição
prepossessing *adj* cativante; atraente
preposterous *adj* absurdo; escandaloso
preppy *adj,n* EUA *col* betinho; queque
prerogative *n* prerrogativa; privilégio
presage *n* presságio ▪ *v* pressagiar

prescribe *v* **1** (medicação) receitar **2** recomendar **3** *form* ditar; ordenar
prescription *n* **1** receita médica **2** medicamento **3** diretiva[AO]
prescriptive *adj* prescritivo
presence *n* presença
present *adj,n* presente ▪ *v* **1** oferecer **2** (relatório, documento, credencial) apresentar **3** (problema, dificuldade) representar, constituir **4** (filme, peça, programa) exibir, dar ♦ LING **present perfect** pretérito perfeito; LING **present tense** presente
presentable *adj* apresentável
presentation *n* **1** apresentação **2** oferta, presente **3** representação teatral
presenter *n* (rádio, televisão) apresentador
presentiment *n form* pressentimento (of, de)
presently *adv* **1** em breve **2** presentemente, agora
preservation *n* **1** preservação; conservação **2** manutenção; **the preservation of peace** a manutenção da paz
preservative *n* conservante; **no added preservatives** sem conservantes
preserve *n* **1** CUL legumes de conserva **2** CUL compota **3** reserva ▪ *v* **1** (comida) conservar **2** preservar **3** (memória) guardar; (reputação) proteger
preset *v* programar
preside *v* presidir (at/over, a)
presidency *n* [*pl* -ies] presidência
president *n* **1** presidente **2** EUA (colégio) diretor[AO]; reitor **3** (banco, companhia) diretor[AO]
president-elect *n* presidente eleito (antes de tomar posse)
presidential *adj* presidencial
press *n* [*pl* -es] **1** (jornais, revistas) imprensa **2** prelo, impressora **3** prensa; lagar **4** pressão; **give the button another press** carrega outra vez no botão ▪ *v* **1** premir, carregar; **to press a button** carregar num botão **2** comprimir **3** pressionar **4** (planta, fruta) espremer **5** apertar(-se) (on, -) ♦ **press conference** conferência de imprensa; **press release** comunicado à imprensa; **to press charges against** apresentar queixa contra
pressing *adj* **1** urgente **2** crítico **3** insistente ▪ *n* **1** insistência **2** compressão
pressman *n* [*pl* -men] GB jornalista; repórter
press-up *n* DESP (exercício físico) flexão

pressure *n* **1** FÍS,MEC *téc* pressão **2** MED tensão **3** força; **wind pressure** força eólica **4** pressão psicológica **5** urgência ▪ *v* pressionar (into/to, a) ♦ **pressure cooker** panela de pressão
pressurize *v* **1** pressurizar **2** pressionar
prestige *n* prestígio
prestigious *adj* prestigiado
presumably *adv* presumivelmente
presume *v* **1** presumir; supor; **I presume so** suponho que sim **2** abusar (on, de)
presumption *n* **1** conjetura[AO]; suposição **2** descaramento, desplante
presumptuous *adj* impertinente; inoportuno
presuppose *v form* pressupor; inferir
presupposition *n* pressuposição
pretence *n* **1** GB pretensão **2** GB pretexto, desculpa
pretend *v* **1** fingir (to, -), simular (to, -) **2** pretender
pretender *n* **1** pretendente **2** fingidor
pretense *n* **1** EUA pretensão **2** EUA pretexto, desculpa
pretension *n* pretensão (to, a)
pretentious *adj* pretensioso; vaidoso
pretentiousness *n* pretensiosismo; petulância
pretext *n* pretexto
pretty *adj* **1** bonito, lindo **2** elegante; gentil ▪ *adv col* bem; **that is pretty good** isso é bem bom ♦ **pretty much the same** mais ou menos o mesmo
prevail *v* **1** prevalecer (in/among, em) **2** levar a melhor (over, sobre)
prevailing *adj* **1** predominante **2** corrente
prevalent *adj* preponderante; predominante
prevaricate *v* usar subterfúgios
prevarication *n* evasiva; subterfúgio
prevent *v* **1** prevenir; evitar **2** impedir (from, de)
preventable *adj* evitável
prevention *n* prevenção ♦ **prevention is better than cure** mais vale prevenir que remediar
preventive *adj* preventivo
preview *n* CIN antestreia ▪ *v* **1** apresentar em antestreia **2** ver em antestreia
previous *adj* prévio; anterior
previously *adv* **1** previamente; antecipadamente **2** antes
prewash *n* pré-lavagem

prey *n* **1** presa **2** pilhagem; saque **3** rapina ◆ **birds of prey** aves de rapina
◇ **prey on/upon** *v* **1** (animal, ave) cair sobre **2** (pessoa) aproveitar-se de

price *n* **1** preço; custo **2** valor **3** prémio ▪ *v* **1** fixar o preço **2** avaliar ◆ **not at any price** por nada deste mundo

priceless *adj* **1** sem preço; inestimável **2** valioso; precioso **3** impagável

prick *n* **1** picadela; alfinetada **2** ferrão; aguilhão **3** espinho **4** remorso **5** *cal* pila *col* ▪ *v* **1** picar **2** furar **3** causar um formigueiro **4** (cabelo, pele) arrepiar

prickle *n* **1** pico; espinho **2** sensação de formigueiro ▪ *v* **1** picar; furar **2** causar sensação de formigueiro

prickly *adj* **1** (planta) com espinhos **2** que dá a sensação de formigueiro **3** melindroso **4** (assunto) delicado

pride *n* **1** orgulho; **to have pride in** ter orgulho em **2** (de leões) bando ◆ **to be one's pride and joy** ser a menina dos olhos de alguém; **to pride oneself on** orgulhar-se de

priest *n* padre; sacerdote ▪ *v* REL ordenar

priestess *n* sacerdotisa

priesthood *n* **1** sacerdócio; **to enter the priesthood** fazer-se padre **2** clero

priestly *adj* sacerdotal

prig *n pej* pedante; convencido

priggish *adj* pretensioso; afetado[AO]

prim *adj* afetado[AO]; cerimonioso

primacy *n* [*pl* -ies] primazia

prima donna *n* prima-dona

primarily *adv* principalmente; essencialmente

primary *adj* **1** prioritário; primordial **2** primário

primate *n* primata

prime *adj* **1** primeiro; primitivo **2** básico, fundamental **3** do melhor que há **4** clássico; **a prime example** um exemplo clássico **5** MAT primo ▪ *n* **1** auge; ponto máximo **2** MAT número primo ▪ *v* preparar ◆ **prime minister** primeiro-ministro; (televisão) **prime time** horário nobre

primeval *adj* primitivo; primordial

primitive *adj* **1** primitivo **2** original **3** simples; rudimentar

primrose *n* (planta) primavera

prince *n* príncipe ◆ **prince charming** príncipe encantado

princess *n* princesa

principal *adj* principal ▪ *n* **1** (escola) diretor[AO]; (universidade) reitor **2** chefe; dirigente **3** (teatro, ópera, etc.) protagonista

principality *n* [*pl* -ies] principado

principally *adv* principalmente; sobretudo

principle *n* **1** princípio; **guiding principle** princípio orientador **2** causa; origem **3** FÍS lei geral **4** QUÍM princípio ativo[AO] ◆ **in principle** teoricamente

print *v* **1** imprimir **2** publicar **3** gravar (on, em); marcar (on, em) **4** (fotografia) tirar provas **5** estampar ▪ *n* **1** impressão **2** caracteres[AO] **3** estampa; gravura **4** pegada **5** impressão digital **6** (fotografia) prova ▪ *adj* (roupa) estampado ◆ **print run** tiragem; **small print** caracteres[AO] minúsculos

printer *n* **1** impressora **2** impressor; tipógrafo

printing *n* impressão ◆ **printing press** impressora

printout *n* (computador) impressão

prior *adj* **1** anterior; precedente **2** prévio **3** prioritário ▪ *n* REL prior

priority *n* [*pl* -ies] prioridade ◆ **priority message** mensagem urgente; **priority right** (direito de) preferência

prise *v* **1** estroncar; abrir à força **2** (informações) arrancar

prism *n* prisma

prison *n* prisão; cadeia

prisoner *n* preso; prisioneiro

pristine *adj* perfeito; impecável

privacy *n* [*pl* -ies] **1** privacidade **2** intimidade

private *adj* **1** privado **2** confidencial; secreto **3** particular; pessoal; **strictly private** estritamente pessoal **4** (lugar) escondido; isolado **5** (pessoa) reservado ▪ *n* **1** soldado raso **2** *pl col* partes íntimas

privately *adv* **1** em particular; em privado **2** secretamente, em segredo **3** intimamente, no íntimo

privation *n* privação; carência

privatization *n* privatização

privatize *v* privatizar

privilege *n* **1** privilégio; honra **2** regalia; benefício **3** imunidade **4** (médico, advogado) sigilo profissional ▪ *v* privilegiar; conceder um privilégio a

prize *n* **1** prémio; galardão **2** sorte; **prize drawing** tirar à sorte ▪ *adj* **1** premiado **2** magnífico; extraordinário **3** clássico ▪ *v* valorizar ♦ *col* **no prizes for guessing** isto é de caras
prizewinner *n* premiado
prizewinning *adj* premiado; ganhador
pro *n* [*pl* -s] *col* profissional ▪ *prep* a favor de ♦ **the pros and cons of** os pós e os contras de
proactive *adj* pró-ativo[AO]
probability *n* [*pl* -ies] probabilidade ♦ **in all probability** muito provavelmente
probable *adj* **1** provável **2** verosímil
probably *adv* provavelmente
probation *n* **1** estágio; prova; **to be on probation** estar a estagiar **2** DIR liberdade condicional; **to be on probation** estar em liberdade condicional
probe *v* **1** sondar (for, para); explorar (for, para) **2** investigar (into, -) ▪ *n* sonda
probity *n form* probidade
problem *n* problema; *col* **no problem!** não há crise!
problematic *adj* problemático
procedure *n* procedimento
proceed *v* **1** seguir; avançar **2** prosseguir (with, com); continuar (with, com) **3** passar (to, a) ▪ *n pl* (dinheiro) receitas
proceeding *n* **1** atuação[AO]; conduta **2** procedimento **3** *pl* ata[AO] **4** *pl* DIR ação[AO] em tribunal **5** *pl* debate **6** processo
process *n* **1** processo **2** curso; marcha ▪ *v* **1** (dados) processar **2** preparar **3** (matérias-primas) transformar ♦ **in the process** em simultâneo
processing *n* processamento
procession *n* **1** procissão **2** cortejo **3** comitiva ▪ *v* **1** desfilar em cortejo **2** ir em procissão
processor *n* processador; INFORM **word processor** processador de texto
proclaim *v* proclamar; anunciar
proclamation *n* proclamação; declaração
procrastinate *v* procrastinar; adiar
procreate *v* procriar
procreation *n* procriação
procurator *n* procurador
procure *v* **1** conseguir; obter **2** proporcionar; garantir
prod *v* **1** empurrar **2** dar palmada **3** espicaçar; estimular ▪ *n* **1** empurrão leve; palmada **2** estímulo
prodigal *adj* **1** pródigo **2** esbanjador
prodigious *adj* **1** prodigioso **2** maravilhoso; estupendo
prodigy *n* [*pl* -ies] prodígio
produce *n* **1** produto **2** produção ▪ *v* **1** produzir; gerar **2** apresentar **3** preparar; **he produced a fine dinner** ele preparou um jantar requintado **4** (peça, filme) produzir
producer *n* produtor
product *n* **1** produto **2** produção **3** rendimento **4** proveito; ganho
production *n* **1** produção **2** (documentos) apresentação **3** publicação **4** produto **5** obra literária ou musical
productive *adj* produtivo
productivity *n* produtividade
profanation *n* profanação
profane *adj* **1** profano **2** blasfemo **3** pagão
profess *v* **1** confessar; professar **2** (religião) praticar; seguir
profession *n* **1** profissão; carreira **2** afirmação; declaração
professional *adj,n* profissional
professionalism *n* profissionalismo
professor *n* professor universitário
professorship *n* **1** GB (universidade) cátedra; cargo de professor universitário **2** (universidade) disciplina; cadeira
proffer *v* **1** oferecer; estender **2** (conselho) proferir; dar **3** apresentar; propor
proficiency *n* [*pl* -ies] competência; proficiência ♦ **proficiency course** curso de aperfeiçoamento
proficient *adj* hábil; perito
profile *n* **1** perfil; silhueta **2** contorno; recorte ♦ **high profile** posição de destaque; proeminência; **low profile** discrição; reserva
profit *n* **1** lucro; ganho **2** proveito; vantagem ▪ *v* lucrar (by/from, com)
profitability *n* lucro
profitable *adj* **1** lucrativo; rentável **2** proveitoso; vantajoso
profiteer *n pej* explorador; especulador ▪ *v pej* explorar; especular
profiterole *n* CUL profiterole
profound *adj* **1** profundo **2** marcante **3** perspicaz
profuse *adj* abundante; copioso
profusion *n* abundância
progeny *n* descendência; prole

prognosis *n* [*pl* prognoses] **1** prognóstico **2** vaticínio
prognosticate *v* prognosticar
prognostication *n* prognosticação
program *n* **1** (computador) programa **2** EUA ⇒ **programme** ▪ *v* **1** (computador) programar **2** EUA ⇒ **programme**
programme *n* GB programa ▪ *v* GB programar
programmer *n* (computador) programador
programming *n* programação
progress *n* [*pl* -es] progresso; avanço ▪ *v* **1** progredir; melhorar **2** avançar; prosseguir ♦ **to be in progress** estar em curso
progression *n* progressão; avanço
progressive *adj* **1** progressivo; gradual **2** para a frente; evolutivo **3** progressista
prohibit *v* **1** proibir (from, de) **2** impedir
prohibition *n* proibição; interdição
prohibitive *adj* proibitivo
project *n* **1** projeto[AO]; plano **2** trabalho; estudo ▪ *v* **1** projetar(-se)[AO] **2** delinear; planear **3** voltar-se **4** transparecer; aparecer
projectile *n* projétil[AO]
projection *n* **1** projeção[AO]; lançamento **2** saliência; prolongamento **3** (filme) projeção[AO] **4** imagem mental
projector *n* **1** (de imagens) projetor[AO] **2** (de luz) holofote **3** (pessoa) projetista[AO]
proletarian *adj,n* proletário
proletariat *n* proletariado
pro-life *adj* pró-vida, antiaborto
proliferate *v* proliferar
proliferation *n* proliferação
prolific *adj* prolífico
prologue *n* prólogo; preâmbulo
prolong *v* prolongar
prom *n* **1** *col* esplanada **2** EUA baile de estudantes
promenade *n* passeio marítimo ♦ GB **promenade concert** concerto promenade
prominence *n* proeminência ♦ **to give prominence to** dar realce a
prominent *adj* proeminente
promiscuity *n* promiscuidade
promiscuous *adj* promíscuo
promise *n* **1** promessa; **to keep one's promise** cumprir o prometido **2** (pessoa, acontecimento) esperança **3** sinal ▪ *v* **1** prometer; jurar **2** garantir **3** prenunciar; anunciar
promising *adj* **1** prometedor **2** esperançoso
promissory *adj* promissório ♦ ECON **promissory note** promissória
promontory *n* [*pl* -ies] promontório
promote *v* **1** (emprego, marketing) promover **2** fomentar; estimular **3** (projeto de lei) apoiar; defender
promoter *n* **1** promotor **2** (evento desportivo, artístico) organizador
promotion *n* **1** promoção **2** progresso; fomento
prompt *adj* **1** imediato **2** pronto; **prompt payment** pronto pagamento **3** rápido; **prompt service** serviço rápido **4** (mercadoria) para entrega imediata ▪ *adv* em ponto ▪ *v* **1** provocar; levar a **2** inspirar **3** (ator) servir de ponto a ▪ *n* **1** prazo (de pagamento) **2** (ator) indicação dada pelo ponto
prompter *n* (teatro) ponto
promptly *adv* **1** prontamente; imediatamente **2** pontualmente
promulgate *v* promulgar
promulgation *n* promulgação
prone *adj* **1** propenso (to, a) **2** estendido; estatelado **3** (terreno) inclinado; íngreme
prong *n* dente de garfo
pronoun *n* pronome
pronounce *v* **1** (dizer, sentença) pronunciar **2** (opinião) pronunciar-se (on, sobre)
pronounced *adj* pronunciado; acentuado
pronouncement *n form* declaração
pronunciation *n* pronúncia
proof *n* [*pl* -s] **1** prova **2** (bebida) teor alcoólico ▪ *adj form* à prova (against, de); resistente (against, a) ♦ **the proof of the pudding is in the eating** só experimentando é que se sabe
prop *n* **1** suporte; apoio **2** (peça, filme) adereço ▪ *v* **1** apoiar **2** sustentar; suportar
propaganda *n* propaganda
propagandist *adj,n* propagandista
propagate *v* **1** propagar(-se); espalhar(-se) **2** divulgar; difundir **3** transmitir
propagation *n* propagação
propel *v* **1** impelir **2** impulsionar; mover
propeller *n* hélice
propelling *adj* propulsor ▪ *n* propulsão ♦ **propelling pencil** lapiseira de minas
propensity *n* [*pl* -ies] propensão (to/for, para); tendência (to/for, para)

proper *adj* **1** apropriado; adequado **2** próprio; decente **3** característico[AO]; peculiar **4** autêntico; verdadeiro
properly *adv* **1** corretamente[AO]; devidamente **2** adequadamente; apropriadamente
property *n* [*pl* -ies] propriedade
prophecy *n* [*pl* -ies] profecia
prophesy *v* profetizar; predizer
prophet *n* profeta
prophetess *n* profetisa
prophetic *adj* profético
prophylactic *adj* profilático[AO] ▪ *n* **1** medicamento preventivo **2** EUA *col* preservativo
prophylaxis *n* profilaxia
proponent *n* proponente; defensor
proportion *n* **1** proporção **2** parte; percentagem **3** *pl* dimensões; tamanho ▪ *v* tornar proporcional; harmonizar ♦ **in proportion to/with** em relação a; **to get things out of proportion** exagerar as coisas
proportional *adj* proporcional (to, a)
proportionate *adj form* proporcional (to, a)
proposal *n* **1** proposta (to, para) **2** pedido de casamento
propose *v* **1** propor; apresentar **2** pedir em casamento (to, -) ♦ **to propose a toast to** fazer um brinde a
proposition *n* **1** proposta; oferta **2** MAT proposição
proprietary *adj* **1** registado; patenteado **2** relativo a propriedade
proprietor *n* proprietário; dono
propriety *n* [*pl* -ies] **1** probidade; correção[AO] **2** *pl* boas maneiras
propulsion *n* propulsão
prosaic *adj* prosaico
proscribe *v* banir; exilar
prose *n* prosa
prosecute *v* processar (for, por); mover ação[AO] judicial contra
prosecution *n* **1** ação[AO] judicial **2** acusação; **witness for the prosecution** testemunha de acusação
prosecutor *n* advogado de acusação
prospect *n* **1** perspetiva[AO] (of, de); esperança (of, de) **2** *pl* expectativas[AO] (for, de) ▪ *v* andar em busca (for, de); sondar (for, -)
prospective *adj* **1** em perspetiva[AO] **2** futuro **3** possível; provável
prospectus *n* [*pl* -es] prospeto[AO]; folheto
prosper *v* prosperar; florescer
prosperity *n* [*pl* -ies] prosperidade
prosperous *adj* próspero
prostate *n* próstata
prostitute *n* prostituto; prostituta ▪ *v* prostituir
prostitution *n* prostituição
prostrate *adj* prostrado
protagonist *n* protagonista
protect *v* **1** proteger; defender **2** auxiliar; amparar
protection *n* proteção[AO]; defesa
protectionism *n* ECON protecionismo[AO]
protectionist *adj,n* protecionista[AO]
protective *adj* protetor[AO]; de proteção[AO] ♦ (testemunhas, prisioneiros em risco) **protective custody** guarda preventiva
protector *n* protetor[AO]
protégé *n* protegido, favorito
protein *n* proteína
protest *n* **1** protesto (against, contra) **2** reclamação ▪ *v* **1** protestar **2** insistir
Protestant *adj,n* REL protestante
Protestantism *n* REL protestantismo
protester *n* manifestante; protestante
protocol *n* protocolo
proton *n* protão
prototype *n* protótipo
protracted *adj* prolongado; demorado
protractor *n* **1** GEOM transferidor **2** ANAT músculo extensor
protuberance *n* protuberância; saliência
proud *adj* **1** orgulhoso; **to be proud of** ter orgulho em **2** arrogante; vaidoso **3** sumptuoso; imponente
prove *v* **1** provar; demonstrar **2** verificar a autenticidade de **3** pôr à prova; experimentar ♦ **to prove oneself** mostrar o que se vale
provenance *n* proveniência; procedência
proverb *n* provérbio
proverbial *adj* proverbial
provide *v* **1** fornecer; abastecer **2** proporcionar **3** (lei, regra, decisão) suster; estipular ◊ **provide for** *v* cuidar de; tratar de
provided *adj* abastecido; preparado ▪ *conj* desde que; contanto que
providence *n* providência
providential *adj* providencial; oportuno
provider *n* fornecedor; abastecedor
providing *conj* desde que; contanto que

province *n* **1** província **2** competência; domínio
provincial *adj* **1** regional **2** de província **3** provinciano ▪ *n* provinciano
provision *n* **1** provisão **2** abastecimento; fornecimento **3** *pl* provisões; mantimentos **4** preparação; preparativos **5** cláusula ▪ *v* abastecer; fornecer
provisional *adj* provisório
provocation *n* provocação
provocative *adj* provocante; provocador
provoke *v* **1** provocar **2** irritar; exasperar
prow *n* (navio) proa
prowl *v* rondar ♦ **to be on the prowl** andar à caça
prowler *n* gatuno
proximity *n* [*pl* -ies] proximidade; vizinhança
proxy *n* [*pl* -ies] **1** procurador; delegado **2** procuração; **by proxy** por procuração
prude *n pej* puritano; pudico
prudence *n* prudência; discrição
prudent *adj* prudente; cauteloso
prudish *adj pej* puritano; pudico
prune *n* ameixa seca ▪ *v* **1** aparar; podar **2** cortar; reduzir
pruning *n* poda; **pruning scissors** tesoura de poda
pry *v* **1** intrometer-se (into, em) **2** coscuvilhar (about, sobre) **3** EUA forçar; estroncar
prying *adj* intrometido; curioso
psalm *n* (Bíblia) salmo
pseudonym *n* pseudónimo (of, de; for, para)
psyche *n* psique
psychedelic *adj* psicadélico
psychiatric *adj* psiquiátrico
psychiatrist *n* psiquiatra
psychiatry *n* psiquiatria
psychic *adj* **1** psíquico **2** extrassensorial[AO] ▪ *n* médium
psycho *adj,n col* psicopata
psychoanalysis *n* psicanálise
psychoanalyst *n* psicanalista
psychological *adj* psicológico
psychologist *n* psicólogo
psychology *n* psicologia
psychopath *adj,n* psicopata
psychopathic *adj* psicopata
psychosis *n* [*pl* psychoses] psicose
psychotherapy *n* psicoterapia
psychotic *adj,n* psicótico
pub *n* pub
puberty *n* puberdade
pubic *adj* púbico
pubis *n* [*pl* pubes] (osso) púbis
public *adj,n* público ♦ EUA **public defender** advogado oficioso
publication *n* (livro, revista, jornal) publicação
publicist *n* agente publicitário
publicity *n* publicidade; **publicity agent** agente publicitário; **publicity campaign** campanha publicitária
publicize *v* divulgar; publicitar
publish *v* **1** publicar **2** tornar público; divulgar
publisher *n* **1** (empresa) editora **2** (pessoa) editor
publishing *n* (livro) publicação ♦ **publishing house** editora
puck *n* (hóquei no gelo) disco
pucker *v* (cara, lábios, sobrancelhas) enrugar; franzir
pudding *n* **1** pudim **2** (sobremesa) doce
puddle *n* **1** poça de água **2** charco; lamaçal **3** argila ▪ *v* **1** chapinar; chafurdar **2** (argila) amassar
puerile *adj* pueril; infantil
puff *n* **1** (cigarro, charuto, etc.) inalação; passa *col* **2** sopro; lufada; **a puff of wind** uma lufada de vento **3** (bolo) sonho **4** GB *col* fôlego **5** elogio excessivo ▪ *v* **1** soprar **2** inchar **3** respirar com dificuldade **4** fumar **5** elogiar excessivamente ♦ **puff pastry** massa folhada
puffy *adj* **1** inchado **2** sem fôlego **3** (roupa) entufado
pugilism *n* pugilismo
pugilist *n* pugilista
puke *v col* vomitar ▪ *n col* vomitado
pull *v* **1** puxar **2** arrancar; tirar **3** atrair; obter **4** (tabaco) fumar **5** (músculo) distender **6** GB *col* engatar; atrair **7** remar **8** (arma) sacar **9** (carro) encostar; parar ▪ *n* **1** puxão **2** força de atração[AO] **3** chamamento; atração[AO] **4** vantagem; influência **5** (tabaco) baforada **6** (bebida) golada **7** maçaneta; puxador ♦ **to pull a face** fazer uma careta; ficar de trombas; **to pull a fast one** enganar; **to pull somebody's leg** enfiar uma peta a alguém; **to pull strings** puxar os cordelinhos
◇ **pull apart** *v* **1** separar **2** criticar; deitar por terra
◇ **pull away** *v* **1** (carro, autocarro) arrancar **2** (comboio) partir

◇ **pull down** *v* **1** baixar **2** demolir; deitar abaixo **3** (psicologicamente) pôr em baixo
◇ **pull in** *v* **1** (carro, autocarro) parar, encostar **2** (comboio) chegar **3** (polícia) deter
◇ **pull off** *v* **1** conseguir; concretizar **2** (casaco, sapatos, luvas) tirar **3** (veículo) arrancar
◇ **pull out** *v* **1** (arma) sacar **2** (tropas) retirar **3** (dente, unha) tirar; extrair **4** (tomada) desligar **5** retirar-se **6** (comboio) sair da estação **7** (veículo) arrancar
◇ **pull over** *v* (carro) parar, encostar
◇ **pull through** *v* **1** (doença) safar-se **2** (problema, embaraço) resolver
◇ **pull up** *v* **1** (veículo) parar; encostar **2** recuperar **3** içar **4** (planta) arrancar **5** (cadeira) puxar
pull-out *n* **1** destacável, colecionável[AO] **2** MIL retirada
pullover *n* pulôver, camisola
pulmonary *adj* pulmonar
pulp *n* **1** polpa **2** massa; pasta; **wood pulp** pasta de papel **3** polpa dentária ▪ *adj* (livros, revistas) de má qualidade; sensacionalista ▪ *v* reduzir a polpa
pulpit *n* púlpito
pulsate *v* pulsar; palpitar
pulse *n* **1** pulso; pulsação; **pulse rate** pulsações por minuto **2** cadência **3** *pl* leguminosas ▪ *v* **1** pulsar; palpitar **2** vibrar
pulverize *v* **1** pulverizar **2** *col* derrotar completamente
puma *n* puma
pumice *n* pedra-pomes
pump *n* **1** bomba; **gas pump** bomba de gasolina **2** bombeação **3** *pl* GB (desporto) sapatilhas **4** *pl* GB (dança) sabrinas **5** *pl* EUA sapatos de tacão alto ▪ *v* **1** bombear **2** (petróleo) extrair **3** latejar **4** *col* sondar **5** *col* (informação, segredo) arrancar
pumpkin *n* abóbora-menina
pun *n* trocadilho ▪ *v* fazer trocadilhos
punch *v* **1** dar um murro a, socar **2** furar; perfurar **3** picotar **4** (botão, tecla) carregar ▪ *n* [*pl* -es] **1** soco; murro **2** furador **3** (bebida) ponche **4** força; vigor
punch-drunk *adj* aturdido; confuso
punch-up *n col* luta
punctual *adj* pontual
punctuality *n* pontualidade
punctually *adv* pontualmente
punctuate *v* **1** pontuar **2** interromper
punctuation *n* pontuação; **punctuation marks** sinais de pontuação
pundit *n* especialista; perito
pungent *adj* **1** (sabor, cheiro) forte **2** (som) agudo **3** (dor) lancinante **4** mordaz
punish *v* punir; castigar
punishable *adj* punível
punishment *n* **1** castigo; punição **2** DIR pena
punitive *adj* **1** punitivo **2** (preços, impostos) proibitivo
punk *n* **1** punk **2** EUA *col* malandro, patife
punt *n* **1** barca; chalana **2** passeio de chalana **3** GB *col* aposta ▪ *v* viajar de chalana
puny *adj* **1** enfezado; franzino **2** insignificante
pup *n* **1** cachorrinho **2** (foca, lontra) filhote
pupil *n* **1** aluno **2** (olho) pupila
puppet *n* fantoche; marioneta ♦ **puppet government** governo fantoche
puppy *n* [*pl* -ies] cachorrinho
purchase *n* compra; aquisição ▪ *v* comprar; adquirir
pure *adj* **1** puro **2** genuíno; autêntico **3** simples **4** inocente ♦ **pure and simple** pura e simplesmente
purée *n* puré
purely *adv* puramente; simplesmente
purgatory *n* purgatório
purge *n* **1** purga; purgante **2** purgação ▪ *v* purgar; limpar
purification *n* purificação
purify *v* purificar
purist *n* purista
puritan *adj,n* puritano
puritanism *n* puritanismo
purity *n* pureza
purple *adj,n* (cor) púrpura; roxo
purpose *n* objetivo[AO]; finalidade ♦ **on purpose** de propósito
purposeful *adj* determinado; resoluto
purposely *adv* de propósito; deliberadamente
purr *n* (gato) ronrom ▪ *v* **1** (gato) ronronar **2** (motor) fazer ruído surdo
purse *n* **1** GB porta-moedas **2** GB carteira **3** EUA bolsa; mala **4** *fig* dinheiro; fundos ▪ *v* franzir; enrugar
pursue *v* **1** prosseguir; continuar **2** perseguir; seguir
pursuit *n* **1** perseguição **2** busca; procura **3** atividade[AO]; ocupação

pus *n* pus

push *v* **1** empurrar **2** pressionar **3** convencer (into, a) **4** *col* (droga) traficar **5** impingir **6** *col* fazer campanha ▪ *n* [*pl* -es] **1** empurrão; encontrão **2** estímulo; incentivo **3** MIL avanço; investida **4** *col* dinamismo; iniciativa ◆ **to push your luck** abusar da sorte

◇ **push in** *v* GB *col* (fila) passar à frente

◇ **push through** *v* (lei) fazer aprovar

◇ **push up** *v* fazer subir

Não confundir a palavra inglesa **push** com a palavra portuguesa **puxar**, que se traduz por *to pull, to drag*.

pushchair *n* GB carrinho de bebé

pusher *n col* (droga) traficante

pushover *n col* **to be a pushover** ser canja; ser fácil de levar ou derrotar

push-up *n* EUA (exercício físico) flexão

pushy *adj* insistente; agressivo

puss *n* [*pl* -es] **1** *col* bichano; gatinho **2** EUA *cal* ventas

pussy *n* **1** *col* bichano; gatinho **2** EUA *col,ofens* medricas

put *v* **1** pôr; colocar; **to put a question** colocar uma questão **2** juntar; adicionar **3** propor; apresentar ◆ **to put an end to** acabar com; **to put to bed** deitar

◇ **put about/around** *v col* espalhar; fazer constar

◇ **put across** *v* transmitir, comunicar

◇ **put aside** *v* **1** pôr de lado **2** ignorar; esquecer **3** poupar

◇ **put away** *v* **1** arrumar **2** (prisão) prender; (hospício) internar **3** poupar

◇ **put back** *v* **1** voltar a pôr no lugar **2** atrasar **3** adiar **4** *col* (bebida) deitar abaixo

◇ **put by** *v* poupar; pôr de lado

◇ **put down** *v* **1** pousar; **put down the glass** pousa o copo **2** apontar; anotar **3** pôr fim a **4** humilhar **5** (animal) abater

◇ **put forward** *v* **1** avançar com; sugerir **2** propor; nomear

◇ **put in** *v* **1** empregar **2** apresentar; submeter **3** instalar; colocar **4** acrescentar

◇ **put off** *v* **1** adiar **2** convencer a mudar de ideias

◇ **put on** *v* **1** vestir; pôr **2** aplicar **3** levar à cena **4** (peso) aumentar de **5** (televisão, rádio) ligar **6** (disco, cassete, filme de vídeo) pôr **7** pôr ao lume **8** fazer (uma aposta) **9** aumentar **10** gozar com

◇ **put out** *v* **1** anunciar; publicar **2** (luz) apagar **3** pôr fora; pôr de fora **4** estender **5** (osso) deslocar **6** dar-se ao trabalho

◇ **put through** *v* **1** (chamada telefónica) passar; ligar **2** concluir; aprovar **3** submeter a

◇ **put together** *v* montar; organizar

◇ **put up** *v* **1** construir **2** montar **3** colar **4** dar luta a **5** apresentar **6** emprestar; fornecer **7** subir; aumentar **8** dar alojamento

◇ **put up to** *v* convencer a

◇ **put up with** *v* aturar; tolerar

putrefaction *n* putrefação[AO]

putrefy *v* apodrecer

putt *n* (golfe) tacada leve na bola ▪ *v* (golfe) dar uma tacada leve na bola

putter *n* (golfe) putter

put-up *adj col* planeado; engendrado

puzzle *v* intrigar; confundir ▪ *n* **1** puzzle **2** quebra-cabeças

puzzled *adj* perplexo; confuso

puzzling *adj* estranho; intrigante

PVC *n* [*abrev. de* polyvinyl chloride] PVC (cloreto de polivinilo)

pygmy *adj,n* pigmeu

pyjamas *npl* pijama

pyramid *n* pirâmide

pyre *n* pira funerária

pyromania *n* piromania

pyromaniac *n* piromaníaco

pyrotechnics *n* pirotecnia ▪ *npl* (espetáculo) fogo de artifício

Q

q *n* [*pl* q's] (letra) q
Qatar *n* Catar
Qatari *adj,n* catarense
Q-tip *n* EUA cotonete
qua *prep form* na qualidade de; como
quack *n* **1** (pato) grasnido **2** *col,pej* curandeiro **3** charlatão ▪ *v* grasnar
quadrangle *n* **1** pátio interior **2** quadrângulo
quadrant *n* quadrante
quadrilateral *adj,n* quadrilátero
quadrille *n* (dança) quadrilha
quadruped *adj,n* quadrúpede
quadruple *adj,n* quádruplo ▪ *v* quadruplicar
quadruplicate *v* quadruplicar ▪ *adj,n* quadruplicado
quagmire *n* **1** lamaçal; atoleiro **2** encrenca
quail *n* (ave) codorniz
quaint *adj* pitoresco
quake *v* tremer (with, de) ▪ *n col* tremor de terra
qualification *n* **1** requisito (to, para) **2** competência **3** restrição; limitação **4** (competição) qualificação **5** *pl* habilitações; **academic qualifications** habilitações académicas
qualified *adj* **1** habilitado; qualificado **2** limitado; condicional
qualifier *n* **1** prova de qualificação **2** (pessoa, equipa) classificado **3** LING modificador
qualify *v* **1** estar habilitado (for, para) **2** habilitar (for, para) **3** (competição) qualificar-se **4** LING qualificar; modificar
qualifying *adj* qualificativo ♦ **qualifying exam** exame de admissão; **qualifying round** eliminatória
qualitative *adj* qualitativo
quality *n* [*pl* -ies] **1** qualidade **2** característica[AO]; atributo ▪ *adj* de qualidade
qualm *n* dúvida; incerteza
quandary *n* [*pl* -ies] dilema
quantify *v* quantificar
quantitative *adj* quantitativo
quantity *n* [*pl* -ies] quantidade
quantum *n* [*pl* quanta] FÍS quantum; **quantum physics** física quântica ♦ (grande progresso) **quantum leap** salto em frente
quarantine *n* quarentena ▪ *v* pôr de quarentena
quarrel *n* discussão; desentendimento ▪ *v* discutir (about/over, por)
◇ **quarrel with** *v* (ideia, etc.) discordar de
quarrelsome *adj* conflituoso
quarry *n* [*pl* -ies] **1** pedreira **2** (caça) presa ▪ *v* (pedreira) extrair (from, de)
quart *n* medida equivalente a 1,14 litros no Reino Unido e 0,95 nos EUA
quarter *n* **1** quarto; **a quarter of a mile** um quarto de milha; **it's a quarter past six** são seis e um quarto; **moon at the first quarter** Lua no quarto crescente **2** bairro; quarteirão **3** trimestre **4** EUA moeda de 25 cêntimos **5** *pl* alojamento ▪ *v* **1** dividir em quatro **2** alojar ♦ **at close quarters** de perto; EUA MÚS **quarter note** semínima
quarterfinal *n* DESP quartos de final
quarterly *adj* trimestral ▪ *adv* trimestralmente ▪ *n* publicação trimestral
quartermaster *n* **1** NÁUT contramestre **2** MIL furriel
quartet *n* quarteto
quartz *n* (mineral) quartzo
quash *v* **1** DIR anular; invalidar **2** esmagar; sufocar
quaternary *adj* quaternário
quaver *v* (voz) tremer ▪ *n* **1** GB MÚS colcheia **2** (voz) tremor
quavering *adj,n* trémulo
quay *n* cais
queasiness *n* enjoo; náuseas
queasy *adj* enjoado; maldisposto
queen *n* **1** rainha **2** (jogo de cartas) dama **3** (xadrez) rainha **4** *ofens* maricas *ofens* ▪ *v* (xadrez) levar peão a dama ♦ **queen bee** abelha-mestra
queenly *adj* próprio de rainha
queer *adj,n ofens* bicha *ofens*; maricas *ofens*

quell *v* **1** (rebelião) sufocar; esmagar **2** (sentimento) dissipar
quench *v* **1** (sede) saciar **2** (incêndio) extinguir, apagar
query *n* [*pl* -ies] **1** pergunta; dúvida **2** ponto de interrogação ▪ *v* perguntar (whether, se)
quest *n lit* busca; procura ▪ *v lit* andar à procura
question *n* **1** pergunta; questão; **question mark** ponto de interrogação **2** questão, assunto **3** dúvida; incerteza; **there is no question** não há dúvidas ▪ *v* **1** interrogar **2** questionar; pôr em dúvida ♦ **to pop the question** pedir em casamento
questionable *adj* **1** questionável **2** duvidoso
questioner *n* interrogador
questioning *adj* interrogativo ▪ *n* interrogatório
questionnaire *n* questionário escrito
queue *n* GB fila, bicha; **to stand in queue** estar na fila ▪ *v* GB fazer fila
quibble *n* objeção[AO] insignificante, picuinhice ▪ *v* ser picuinhas
quibbler *n* picuinhas
quiche *n* quiche
quick *adj* **1** rápido; veloz **2** perspicaz; esperto ▪ *adv* depressa ▪ *n* **1** (unha) sabugo **2** âmago
quicken *v* **1** acelerar(-se); **to quicken the pace** acelerar o passo **2** intensificar(-se)
quicklime *n* cal viva
quickly *adv* rapidamente; depressa
quickness *n* **1** rapidez **2** perspicácia
quicksand *n* areia movediça
quick-tempered *adj* irritadiço; irascível
quick-witted *adj* perspicaz
quid *n* GB *col* (dinheiro) libra
quid pro quo *n* troca
quiet *adj* **1** silencioso **2** tranquilo; calmo **3** calado; reservado **4** discreto; sóbrio **5** (negócio) parado, fraco ▪ *n* **1** silêncio **2** tranquilidade; sossego ▪ *v* EUA acalmar(-se) ♦ (segredo) **on the quiet** pela calada; **quiet!** pouco barulho!; **to keep quiet** não abrir a boca
quieten *v* GB acalmar(-se)
quietly *adv* **1** (voz) baixinho **2** calmamente; tranquilamente **3** discretamente
quill *n* **1** (ave) pluma **2** pena de escrever **3** (porco-espinho) espinho
quilt *n* **1** colcha **2** GB edredão ▪ *v* acolchoar
quilted *adj* acolchoado
quince *n* marmelo; **quince jam** marmelada
quinine *n* QUÍM quinina
quintessence *n form* quinta-essência
quintessential *adj* típico
quintet *n* quinteto
quintuple *adj* quíntuplo ▪ *v* quintuplicar
quintuplet *n* (gémeos) quíntuplo
quip *v* gracejar ▪ *n* gracejo
quirk *n* **1** particularidade **2** capricho; **by a quirk of fate** por um capricho do destino
quirky *adj* peculiar
quit *v* **1** (escola, emprego, etc.) abandonar; deixar **2** parar de; **quit it!** para[AO] com isso!; **to quit smoking** deixar de fumar
quite *adv* **1** muito; bastante **2** razoavelmente; mais ou menos; **I quite like maths** eu até gosto de matemática **3** GB completamente; **you're quite right** tens toda a razão **4** bem; exatamente[AO]
quits *adj col* quites; pago ♦ *col* **to call it quits** dar o assunto por terminado
quitter *n* desistente
quiver *v* tremer; estremecer ▪ *n* tremura; estremecimento
quiz *n* [*pl* -zes] **1** concurso **2** EUA questionário; teste ▪ *v* perguntar; interrogar
quorum *n* (assembleia) quórum
quota *n* quota; quinhão
quotation *n* **1** citação **2** orçamento ♦ **quotation marks** aspas
quote *n* **1** citação **2** orçamento **3** *pl* aspas; **in quotes** entre aspas ▪ *v* **1** citar **2** fixar um preço para
quotient *n* MAT quociente

R

r *n* [*pl* r's] (letra) r
rabbi *n* [*pl* -s] REL rabino; rabi
rabbit *n* **1** coelho **2** pele de coelho
rabble *n* turba; multidão
rabble-rouser *n* demagogo
rabies *n* (doença) raiva
race *n* **1** corrida **2** raça **3** (animal, planta) espécie **4** *pl* corridas de cavalos ▪ *v* **1** DESP correr; competir **2** correr **3** (pulsação, etc.) acelerar; disparar **4** (motor) acelerar
racecourse *n* GB hipódromo
racegoer *n* aficionado por corridas de cavalos
racehorse *n* cavalo de corrida
racer *n* **1** (pessoa) corredor **2** DESP cavalo/carro/barco de corrida
racetrack *n* **1** pista de corridas **2** EUA hipódromo
racial *adj* racial
racing *n* (cavalos, carros, bicicletas) corrida ▪ *adj* de corrida
racism *n* racismo
racist *adj,n* racista
rack *n* **1** prateleira; estante **2** (instrumento de tortura) cavalete **3** (carne) costeleta ▪ *v* torturar; atormentar ♦ **to rack one's brains** dar voltas à cabeça
racket *n* **1** raqueta **2** *col* barulheira; algazarra **3** *col* trapaça; fraude
racketeer *n pej* escroque; explorador
racketeering *n pej* exploração
racy *adj* (anedota, história) picante
radar *n* radar
radial *adj* radial
radiance *n* brilho; esplendor
radiant *adj* **1** radiante **2** esplendoroso
radiate *v* irradiar; difundir
radiation *n* radiação
radiator *n* radiador
radical *adj* **1** radical **2** EUA *cal* muito bom ▪ *n* radical
radicalism *n* radicalismo
radio *n* rádio; **radio contact** contacto via rádio ▪ *v* contactar via rádio ♦ **radio amateur** radioamador
radioactive *adj* radioativo[AO]
radioactivity *n* radioatividade[AO]
radio-controlled *adj* telecomandado
radiography *n* radiografia
radiotherapy *n* radioterapia
radish *n* rabanete
radium *n* (elemento químico) rádio
radius *n* [*pl* radii] **1** raio; **within a 200 metre radius** num raio de 200 metros **2** (osso) rádio
radon *n* rádon
raffle *n* rifa; sorteio ▪ *v* rifar; sortear
raft *n* **1** jangada **2** (barco) salva-vidas
rafter *n* (telhado) viga, barrote
rag *n* **1** trapo; farrapo; **in rags** esfarrapado **2** *pej* jornaleco ♦ **glad rags** roupa de domingo; **rag doll** boneca de trapos
rage *n* raiva; ira; fúria; **in a rage** num acesso de raiva ▪ *v* **1** insurgir-se (at/against, contra) **2** (guerra, tempestade) assolar **3** (doença, incêndio) propagar-se rapidamente ♦ *col* **to be all the rage** estar na moda
ragged *adj* **1** (roupa) esfarrapado **2** (pessoa) maltrapilho **3** estafado; esfalfado **4** (superfície, contorno) irregular
raid *n* **1** raide, ataque **2** (polícia) rusga **3** assalto ▪ *v* **1** atacar **2** assaltar **3** (polícia) fazer uma rusga
raider *n* assaltante
rail *n* **1** corrimão **2** comboio; **to go by rail** ir de comboio **3** carril **4** parapeito ♦ *col* **to go off the rails** descarrilar
railing *n* grade
railroad *n* EUA caminho de ferro ▪ *v* **1** pressionar (into, a) **2** EUA enviar por comboio
railway *n* GB caminho de ferro ♦ **railway engine** locomotiva
rain *n* chuva; **in the rain** à chuva ▪ *v* chover ♦ **come rain or shine** faça chuva ou faça sol; **it never rains but it pours** um mal nunca

vem só; **to be raining cats and dogs** estar a chover a potes
rainbow *n* arco-íris
raincoat *n* gabardina
raindrop *n* gota de chuva
rainfall *n* pluviosidade
rainforest *n* floresta tropical
rainproof *adj* impermeável
rainstorm *n* chuva torrencial; carga d'água
rainy *adj* chuvoso; **a rainy day** um dia de chuva
raise *v* **1** levantar; erguer; alçar; **to raise one's voice** levantar a voz **2** (impostos, salários, preços) aumentar **3** melhorar **4** (animais, filhos) criar **5** (pergunta, cerco, embargo) levantar **6** (dinheiro) arrecadar, angariar **7** (jogo de cartas) subir aposta **8** edificar; erguer **9** MAT levantar à potência de ▪ *n* EUA (salário) aumento; **to get a raise** conseguir um aumento
raisin *n* uva-passa
rajah *n* rajá
rake *n* **1** ancinho **2** inclinação ▪ *v* **1** (ancinho) limpar, revolver **2** vasculhar
◇ **rake in** *v* (dinheiro) ganhar
◇ **rake up** *v* **1** (passado) revolver **2** juntar
rally *n* **1** comício **2** (corrida) rali, rally **3** recuperação ▪ *v* **1** reunir(-se); unir(-se) **2** recuperar; **to rally from an illness** recuperar de uma doença
◇ **rally round** *v* dar apoio
ram *n* **1** carneiro **2** *téc* êmbolo ▪ *v* chocar; abalroar ◆ **to ram something down somebody's throat** impingir alguma coisa a alguém
RAM INFORM [*abrev. de* random access memory] RAM
ramble *n* GB passeio; caminhada ▪ *v* **1** GB passear; caminhar **2** balbuciar **3** (planta) crescer em todas as direções[AO]
rambling *adj* **1** (edifício) cheio de recantos **2** (discurso, texto) incoerente; desconexo
ramification *n* consequência; repercussão
ramp *n* **1** rampa **2** GB lomba
rampage *n* agitação; alvoroço; **to be on the rampage** alvoroçar-se ▪ *v* provocar distúrbios
rampant *adj* **1** descontrolado **2** (planta) que se espalha em todas as direções[AO]
rampart *n* muralha
ramrod *n* (espingarda, pistola) vareta
ramshackle *adj* em mau estado
ranch *n* [*pl* -es] fazenda; rancho
rancher *n* rancheiro; fazendeiro
rancid *adj* rançoso
rancor *n* EUA rancor
rancorous *adj* rancoroso
rancour *n* GB rancor
random *adj* aleatório, casual ◆ **at random** aleatoriamente, ao acaso
randomize *v* randomizar
range *n* **1** gama; **top of the range** topo de gama **2** limite; **within the range of** no limite de **3** alcance; **out of range** fora do alcance **4** (voz, instrumento) registo **5** (montanhas) cordilheira **6** EUA pasto **7** EUA fogão ▪ *v* **1** abarcar; abranger **2** variar (from/between, entre) **3** vaguear (over/through, por)
◇ **range against** *v* discordar de
◇ **range with** *v* concordar com
ranger *n* guarda-florestal
rank *n* **1** posto; categoria **2** fila; fileira **3** classe social ▪ *v* **1** classificar **2** ser considerado (-, as) **3** ser hierarquicamente superior a ▪ *adj* **1** malcheiroso **2** completo; total **3** (planta) viçoso
ranking *n* ranking; classificação ▪ *adj* do posto mais elevado; **the ranking officer** o oficial mais graduado
rankle *v* dilacerar; amargurar
ransack *v* **1** saquear; pilhar **2** esquadrinhar
ransom *n* resgate; **to pay ransom** pagar resgate ▪ *v* pagar resgate por ◆ **to hold somebody to ransom** pôr alguém entre a espada e a parede
rant *v* desatinar *col*; mandar vir *col*; **to rant and rave** desatinar *col* ▪ *n* discurso alto e zangado
rap *n* **1** MÚS rap **2** pancada **3** EUA *col* acusação **4** EUA *col* punição, castigo ▪ *v* **1** bater **2** fazer rap **3** criticar severamente (for, por) ◆ **to take the rap for** apanhar com as culpas de
rape *v* (sexualmente) violar ▪ *n* (sexual) violação; **attempted rape** tentativa de violação
rapid *adj* rápido; veloz
rapidity *n* rapidez; velocidade
rapist *n* (sexual) violador
rappel *n* EUA DESP rapel ▪ *v* EUA DESP praticar rapel
rapport *n* afinidade (with, com; between, entre)
rapt *adj* absorto; extasiado
rapture *n* êxtase; enlevo
rare *adj* **1** raro **2** valioso **3** (carne) malpassado

rarefied *adj* **1** *pej* elitista **2** (ar) rarefeito; **to become rarefied** rarefazer-se
rarely *adv* raramente
rarity *n* [*pl* -ies] raridade
rascal *adj* (criança) diabrete
rash *adj* precipitado; irrefletido[AO] ▪ *n* [*pl* -es] **1** (pele) erupção, irritação **2** série; sucessão
rasher *n* GB (fiambre, bacon) fatia
rashness *n* precipitação; irreflexão
rasp *n* **1** som áspero **2** lima; raspadeira ▪ *v* **1** raspar; limar **2** dizer em voz áspera **3** ranger
raspberry *n* [*pl* -ies] framboesa ◆ **to blow a raspberry** pôr a língua de fora
rat *n* **1** ratazana **2** *col,pej* vira-casaca ▪ *v* caçar ratos ◆ **I smell a rat!** aqui há gato!; **to look like a drowned rat** estar com um aspeto[AO] miserável
◇ **rat on** *v col* bufar *cal*; denunciar
ratchet *n* (máquina) dente de engrenagem
rate *n* **1** velocidade, ritmo **2** taxa **3** preço; valor **4** classe; categoria ▪ *v* **1** ser considerado (as, -); **he rates as one of the best players** ele é considerado um dos melhores jogadores **2** avaliar; classificar **3** merecer ◆ **at any rate** de qualquer modo; **at this rate** por este andar
rateable *adj* tributável; taxável
ratepayer *n* GB (impostos) contribuinte
rather *adv* **1** bastante; **a rather difficult question** uma pergunta bastante difícil **2** em vez de; **tea rather than coffee** chá em vez de café **3** mais do que; **it was a lecture rather than a talk** aquilo foi mais uma palestra do que uma conversa ◆ **I would rather...than...** preferia...a...
ratification *n* ratificação; homologação
ratify *v* (tratado, acordo) ratificar; homologar
rating *n* **1** nível; **popularity rating** nível de popularidade **2** (filme) classificação **3** *pl* (televisão, rádio) índices de audiência
ratio *n* razão; proporção
ration *n* **1** ração; racionamento **2** dose; porção **3** *pl* mantimento ▪ *v* racionar
◇ **ration out** *v* racionar
rational *adj* **1** racional **2** razoável; sensato
rationale *n form* fundamento lógico
rationalize *v* **1** (comportamento, etc.) justificar; fundamentar **2** GB (negócio) racionalizar
rattle *n* **1** barulho; chocalhada **2** (brinquedo) guizo ▪ *v* **1** abanar; agitar **2** (veículo) mover-se ruidosamente **3** enervar; irritar
◇ **rattle off** *v* dizer muito depressa
◇ **rattle on** *v* falar sem parar
rattlesnake *n* cascavel
raucous *adj* **1** rouco; roufenho **2** barulhento
raunchy *adj col* libidinoso
ravage *n* **1** devastação; destruição **2** *pl* estragos, danos ▪ *v* devastar; destruir
rave *v* **1** empolgar-se (over, com); entusiasmar-se (over, com) **2** delirar; tresvariar **3** desatinar *col* ▪ *adj* elogioso ▪ *n* **1** (festa) rave **2** EUA (livro, filme) crítica favorável
raven *n* corvo
ravenous *adj* **1** (pessoa) esfomeado **2** (apetite) devorador
raver *n col* frequentador de festas
ravine *n* ravina; barranco
raving *adj* louco; tresloucado; **raving mad** completamente louco ▪ *n pl* desvario; delírio
ravioli *n* (comida italiana) ravióli
ravish *v* **1** *lit* (sexualmente) violar **2** *lit* encantar; extasiar
ravishing *adj* encantador; arrebatador
raw *adj* **1** (comida) cru **2** em bruto; **raw metal** metal bruto; **raw sugar** açúcar não refinado **3** (pele) esfolado; em carne viva **4** inexperiente **5** (sentimentos) puro **6** realista; **a raw description** uma descrição realista ◆ **raw material** matéria-prima; **to touch a raw nerve** tocar num ponto fraco de alguém
ray *n* **1** (sol, luz) raio **2** réstia; **a ray of hope** uma réstia de esperança **3** (peixe) raia
raze *v* arrasar; destruir
razor *n* gilete; **electric razor** máquina de barbear; **razor blade** lâmina de barbear ▪ *v* (barba, cabelo) rapar
razor-sharp *adj* **1** (lâmina, dente) muito afiado **2** (espírito, inteligência) muito agudo
RDA [*abrev. de* recommended daily allowance] DDR [*abrev. de* dose diária recomendada]
re *n* MÚS ré
reach *v* **1** alcançar; atingir **2** (braço, mão) estender **3** (acordo, conclusão, etc.) chegar a **4** contactar ▪ *n* **1** alcance; **out of reach** fora do alcance **2** distância; **within easy reach** a pouca distância
react *v* reagir (to, a)

reaction *n* **1** reação[AO] (to, a); **gut reaction** reação[AO] imediata **2** *pl* reflexos; **quick reactions** reflexos rápidos
reactionary *adj,n* reacionário[AO]
reactive *adj* **1** reativo[AO] **2** QUÍM reagente
reactor *n* reator[AO]
read *v* **1** ler **2** interpretar **3** GB (universidade) estudar **4** marcar, indicar; **the thermometer reads 39°** o termómetro marca 39º **5** entender ▪ *n* ◆ **do you read me?** está a ouvir-me?
◇ **read out** *v* ler em voz alta
readable *adj* **1** (caligrafia) legível **2** (livro, etc.) de leitura agradável
reader *n* **1** leitor **2** livro de leitura **3** GB (universidade) professor adjunto
readily *adv* **1** rapidamente **2** prontamente; de boa vontade
readiness *n* **1** prontidão **2** boa vontade (to, para)
reading *n* **1** leitura **2** interpretação
readjust *v* **1** adaptar-se (to, a) **2** reajustar
readmit *v* readmitir
ready *adj* **1** pronto; preparado **2** rápido; imediato **3** disposto (to, a); **always ready to help** sempre disposto a ajudar
ready-made *adj* **1** pronto; **a ready-made meal** uma refeição pronta a comer **2** banal, vulgar; **ready-made ideas** ideias banais
ready-mix *adj* instantâneo; **ready-mix pudding** pudim instantâneo
ready-to-wear *adj* pronto-a-vestir
reagent *n* QUÍM reagente
real *adj* **1** verdadeiro; **real gold** ouro verdadeiro **2** real; **the real world** o mundo real **3** completo; **a real idiot** um perfeito idiota ▪ *adv* EUA *col* muito ▪ *n* real; realidade ◆ EUA **are you for real?** estás a falar a sério?
realism *n* realismo
realist *adj,n* realista
realistic *adj* realista
reality *n* [*pl* -ies] realidade; (sonho) **to become a reality** concretizar-se ◆ (televisão) **reality show** reality show
realization *n* **1** constatação; consciencialização **2** realização; **the realization of a dream** a realização de um sonho
realize *v* **1** aperceber-se; estar ciente **2** realizar; concretizar
really *adv* realmente; mesmo; de facto ◆ **oh, really?** ai sim?; **really?** a sério?; **really!** francamente!
realm *n* **1** domínio; esfera **2** reino
real-time *adj* INFORM em tempo real
ream *n* **1** (papel) resma **2** *pl col* páginas e páginas
reap *v* ceifar; colher ◆ **you reap what you who sow** conforme se semeia assim se colhe
reaper *n* **1** ceifeiro; segador **2** (máquina) ceifeira
rear *n* **1** traseiras **2** retaguarda **3** *col* traseiro ▪ *adj* traseiro ▪ *v* **1** criar; **I decided to rear ducks** eu decidi criar patos **2** erguer-se **3** (cavalo) empinar-se
rearguard *n* MIL retaguarda
rearmost *adj* último
rearview mirror *n* (carro) espelho retrovisor
reason *n* razão; **name me two reasons** dá-me duas razões; **to bring somebody to reason** chamar alguém à razão ▪ *v* pensar; raciocinar
◇ **reason with** *v* chamar à razão; **I tried to reason with him** tentei chamá-lo à razão
reasonable *adj* razoável; **a reasonable price** um preço razoável; **be reasonable!** sê razoável!
reasonably *adv* **1** racionalmente; sensatamente **2** razoavelmente
reasoning *n* raciocínio
reassure *v* tranquilizar; reconfortar
reassuring *adj* tranquilizante; reconfortante
rebate *n* **1** reembolso; devolução; **tax rebate** reembolso de imposto **2** desconto; abatimento
rebel *n* rebelde ▪ *v* revoltar-se (against, contra)
rebellion *n* rebelião; revolta
rebellious *adj* rebelde
rebirth *n* renascimento
reboot *v* (computador) reiniciar
rebound *n* ressalto ▪ *v* **1** ressaltar; **the ball rebounded** a bola ressaltou **2** recuperar ◆ **to be on the rebound** terminar relação e iniciar outra
◇ **rebound on/upon** *v* sair pela culatra
rebuild *v* reconstruir
rebuke *n form* censura; repreensão ▪ *v form* censurar (for, por); repreender (for, por)
rebut *v form* refutar; rebater

recall *v* **1** lembrar-se; recordar-se; **as I recall** tanto quanto me lembro **2** fazer lembrar; evocar **3** ordenar o regresso de **4** (produto) retirar do mercado ▪ *n* **1** recordação; memória **2** convocação para regressar **3** (produto) retirada do mercado
recap *v* recapitular ▪ *n* recapitulação
recapitulate *v* recapitular
recapitulation *n* recapitulação
recapture *n* **1** recaptura **2** retomada; reconquista **3** recriação ▪ *v* **1** recapturar **2** reconquistar **3** recriar
recast *v* **1** reorganizar **2** (filme, peça) redistribuir; **all the parts were recast** todos os papéis foram reatribuídos
recede *v* **1** recuar **2** desaparecer; diluir-se **3** diminuir; baixar
receding *adj* (queixo) metido para dentro ♦ (cabelo) **receding hairline** entradas
receipt *n* **1** recibo **2** *form* receção[AO]; **to pay on receipt** pagar após a receção[AO] **3** *pl* receitas ▪ *v* passar recibo
receive *v* **1** receber **2** (clube, organização) admitir (into, em) **3** (rádio, televisão) captar **4** (bens roubados) recetar[AO]
receiver *n* **1** (telefone) auscultador **2** (bens roubados) recetador[AO] **3** (aparelho) recetor[AO]
recent *adj* recente
recently *adv* recentemente; ultimamente ♦ **as recently as yesterday** ainda ontem
reception *n* **1** (acolhimento, festa) receção[AO] **2** (rádio, televisão) captação ♦ GB **reception room** sala de espera
receptionist *n* rececionista[AO]
receptive *adj* recetivo[AO], aberto
recess *n* **1** pausa; interrupção **2** EUA (aulas) intervalo **3** (parede) nicho
recession *n* recessão
recharge *v* recarregar
recipe *n* CUL receita
recipient *n* recetor[AO]
reciprocal *adj* recíproco
reciprocity *n* reciprocidade
recital *n* recital
recite *v* recitar; declamar
reckless *adj* imprudente
reckon *v* **1** supor; imaginar **2** considerar
reckoning *n* cálculos; **by my reckoning** segundo os meus cálculos
reclaim *v* **1** reclamar; reivindicar **2** recuperar **3** reciclar
reclamation *n* **1** reivindicação **2** (lixo, resíduos) reciclagem
recline *v form* reclinar(-se)
reclining *adj* **1** reclinável **2** reclinado
recluse *n* eremita
recognition *n* **1** reconhecimento; **beyond recognition** irreconhecível **2** aceitação
recognize *v* **1** reconhecer **2** aceitar
recoil *v* **1** recuar (at, perante); retroceder (at, perante) **2** (arma de fogo) dar coice ▪ *n* **1** recuo **2** (arma de fogo) coice
recollect *v form* lembrar-se de; recordar
recollection *n form* recordação
recommend *v* **1** recomendar; aconselhar **2** *form* confiar; entregar
recommendation *n* recomendação
recompense *n form* indemnização ▪ *v form* indemnizar
reconcile *v* **1** conciliar; harmonizar **2** reconciliar
reconciliation *n* **1** reconciliação **2** conciliação
reconquest *n* reconquista
reconsider *v* reconsiderar
reconstitute *v* reconstituir; reorganizar
reconstruct *v* **1** reconstruir **2** reconstituir; **to reconstruct a crime** fazer a reconstituição de um crime
reconstruction *n* **1** reconstrução **2** reconstituição
record *n* **1** registo; **to keep a record of** fazer um registo de **2** disco; **vinyl record** disco em vinil **3** recorde **4** cadastro ▪ *v* **1** registar **2** gravar; **to record on videotape** gravar em vídeo ♦ **for the record** para que conste; **off the record** confidencialmente
recorder *n* **1** gravador **2** registador **3** MÚS flauta
recording *n* **1** gravação; **recording studio** estúdio de gravação **2** registo
recourse *n form* recurso
recover *v* recuperar
recovery *n* [*pl* -ies] recuperação; **economic recovery** recuperação económica; **recovery from an accident** recuperação após um acidente
recreate *v* recriar
recreation *n* divertimento; lazer ♦ GB **recreation ground** campo de jogos
recreational *adj* lúdico; recreativo

recriminate *v* recriminar
recrimination *n* recriminação
recruit *n* **1** MIL recruta **2** novo membro ▪ *v* recrutar
recruitment *n* recrutamento
rectal *adj* retal[AO]
rectangle *n* retângulo[AO]
rectangular *adj* retangular[AO]
rectification *n* retificação[AO]; correção[AO]
rectify *v* retificar[AO]; corrigir
rectilinear *adj* retilíneo[AO]
rector *n* **1** (universidade) reitor **2** pároco
rectum *n* reto[AO]
recuperate *v* recuperar
recuperation *n* recuperação
recur *v* repetir-se
recurrence *n* repetição; recorrência
recurrent *adj* que se repete; recorrente
recurring *adj* que se repete; recorrente
recycle *v* reciclar
recycling *n* reciclagem
red *adj* **1** (cor) vermelho, encarnado **2** (face) corado **3** (cabelo) ruivo **4** (vinho) tinto ▪ *n* **1** (cor) vermelho **2** vinho tinto ♦ **red alert** alerta máximo; **Red Cross** Cruz Vermelha; **red herring** pista falsa; *col* (burocracia) **red tape** papelada
redden *v* **1** avermelhar(-se) **2** corar; ruborizar-se
redecorate *v* decorar novamente
redeem *v* **1** redimir **2** (penhor) resgatar **3** (dívida) saldar **4** *form* (promessa, dever) cumprir
redemption *n* **1** redenção; salvação **2** (dinheiro) resgate ♦ **to be past redemption** não ter hipótese de salvação
red-handed *adj* **to catch somebody red-handed** apanhar alguém com a boca na botija *fig*
redhead *n* ruivo
red-hot *adj* **1** incandescente **2** *col* ardente; entusiasta
redirect *v* **1** redirecionar[AO]; desviar **2** (carta, etc.) reenviar
redneck *n* EUA *col,pej* provinciano
redouble *v* redobrar
redress *n* *form* indemnização ▪ *v* *form* remediar; reparar
reduce *v* reduzir
reduction *n* **1** redução **2** (preços) baixa; abatimento
redundancy *n* [*pl* -ies] **1** GB despedimento; **redundancy payment** indemnização por despedimento **2** redundância
redundant *adj* **1** GB desempregado **2** redundante; excessivo
reef *n* **1** recife; baixio; **coral reef** recife de corais **2** filão; veio
reek *n* cheirete; fedor ▪ *v* tresandar (of, a); feder (of, a)
reel *n* bobina; rolo; **paper in reels** papel em rolos ▪ *v* **1** cambalear **2** ficar zonzo
re-enact *v* reconstituir
re-entry *n* [*pl* -ies] reentrada
re-establish *v* restabelecer; repor
refectory *n* [*pl* -ies] refeitório
refer *v* **1** referir(-se) (to, a); **referring to your letter** com referência à sua carta **2** remeter (to, para); mandar (to, para); **I was referred to a cardiologist** remeteram-me para um cardiologista **3** consultar (to, -); **to refer to a dictionary** consultar um dicionário
referee *n* **1** árbitro **2** GB avaliador **3** mediador ▪ *v* arbitrar
reference *n* **1** referência (to, a); **with reference to** com referência a **2** consulta (to, a) **3** referência; recomendação; **reference letter** carta de recomendação
referendum *n* [*pl* -s, referenda] referendo
referral *n* indicação (to, de); recomendação (to, de)
refill *n* **1** recarga **2** (bebida) rodada ▪ *v* voltar a encher
refine *v* **1** purificar **2** refinar; aperfeiçoar
refined *adj* refinado; **refined salt/sugar** sal/açúcar refinado
refinement *n* **1** refinação **2** aperfeiçoamento
refinery *n* [*pl* -ies] refinaria; **oil refinery** refinaria de petróleo
refit *v* reparar; consertar ▪ *n* reparação; conserto
reflect *v* refletir[AO]
reflection *n* **1** reflexo **2** reflexão; meditação
reflective *adj* **1** refletor[AO]; **reflective jacket** casaco refletor[AO] **2** meditativo **3** indicativo; **to be reflective of** ser um reflexo de
reflex *adj,n* reflexo
reflexive *adj* (verbo, pronome) reflexo
reforest *v* reflorestar
reforestation *n* reflorestação
reform *n* reforma; restruturação

reformation *n* **1** *form* reforma; remodelação **2** HIST,REL [com maiúscula] Reforma
reformatory *n* [*pl* -ies] EUA reformatório
reformer *n* reformista
reformist *adj,n* reformista
refraction *n* refração[AO]
refrain *n* refrão ▪ *v form* abster-se (from, de)
refresh *v* **1** refrescar **2** (Internet) atualizar[AO]
refresher *n* curso de reciclagem; ação[AO] de formação
refreshing *adj* **1** refrescante **2** repousante; reparador
refreshment *n* **1** alimento; comida **2** repouso; descanso **3** *pl* comes e bebes
refrigerate *v* refrigerar
refrigerator *n* frigorífico
refuel *v* (combustível) reabastecer(-se)
refuge *n* refúgio; **to seek refuge** procurar refúgio
refugee *n* refugiado
refund *n* reembolso; restituição ▪ *v* reembolsar; restituir
refurbish *v* remodelar; redecorar
refusal *n* recusa; rejeição; **to take no refusal** insistir
refuse *v* **1** recusar; rejeitar **2** negar ▪ *n* lixo; detritos
regain *v* recuperar; readquirir
regal *adj* real; régio
regale *v* divertir; entreter
regalia *n* indumentária
regard *n* **1** consideração; estima **2** *pl* cumprimentos; **best regards** com os melhores cumprimentos ▪ *v* **1** considerar **2** dizer respeito; **this does not regard you** isto não te diz respeito
regarding *prep* em relação a; relativamente a
regardless *adv col* apesar de tudo ♦ **regardless of** apesar de
regatta *n* regata
regency *n* [*pl* -ies] regência
regenerate *v* regenerar(-se)
regent *adj,n* regente
reggae *n* reggae
regime *n* **1** regime; **democratic regime** regime democrático **2** dieta
regiment *n* regimento ▪ *v* **1** arregimentar **2** disciplinar
region *n* **1** região **2** *pl* província ♦ (medida, preço) **in the region of** cerca de
regional *adj* regional
register *n* **1** registo **2** EUA caixa registadora ▪ *v* **1** registar **2** inscrever(-se); matricular(-se) **3** (carta) registar **4** (instrumento) indicar; mostrar
registered *adj* **1** registado; **a registered letter** uma carta registada **2** inscrito; matriculado
registrar *n* **1** funcionário administrativo **2** conservador do registo civil
registration *n* **1** registo; **registration of a letter** registo de uma carta **2** GB (veículo) matrícula **3** inscrição; **registration fee** taxa de inscrição
registry *n* [*pl* -ies] registo
regression *n* regressão
regressive *adj* regressivo
regret *n* arrependimento ▪ *v* arrepender-se de ♦ **to send one's regrets** enviar as suas desculpas
regretful *adj* arrependido
regrettable *adj* lamentável
regular *adj* **1** regular **2** normal **3** habitual; frequente; **regular customers** clientes habituais ▪ *n* cliente habitual
regularity *n* regularidade
regularize *v* regularizar
regulate *v* regular
regulation *n* **1** regulamento; regra **2** regulação
regulator *n* regulador
regurgitate *v* regurgitar
regurgitation *n* regurgitação
rehabilitate *v* **1** reabilitar **2** (edifício) recuperar; restaurar
rehabilitation *n* **1** reabilitação **2** (edifício) restauro; recuperação
rehearsal *n* ensaio
rehearse *v* ensaiar
reign *n* reinado; reino ▪ *v* reinar
reimburse *v* reembolsar
rein *n* **1** rédea **2** domínio; controlo ▪ *v* controlar; dominar
reincarnate *v* reencarnar
reincarnation *n* reencarnação
reindeer *n* [*pl* reindeer, -s] rena
reinforce *v* reforçar
reinforcement *n* reforço
reinstate *v* **1** reintegrar; readmitir **2** restabelecer
reissue *v* reeditar ▪ *n* reedição

reiterate *v* reiterar
reiteration *n* reiteração
reject *v* rejeitar ▪ *n* **1** artigo defeituoso **2** pessoa marginalizada
rejection *n* rejeição
rejoice *v* regozijar-se; alegrar-se
rejuvenate *v* **1** rejuvenescer **2** renovar
rejuvenation *n* **1** rejuvenescimento **2** renovação
rekindle *v* (sentimento, etc.) reacender; reavivar
relapse *n* recaída ▪ *v* **1** (doença) recair (into, em) **2** reincidir (into, em)
relate *v* **1** relacionar(-se) (to, com) **2** *form* relatar; contar
related *adj* **1** relacionado **2** (família) aparentado
relation *n* **1** relação; **in relation to** em relação a **2** parente
relationship *n* **1** relacionamento; relação **2** relação amorosa **3** parentesco
relative *n* parente ▪ *adj* **1** relativo; **relative pronoun** pronome relativo **2** *form* referente; **relative to** referente a
relatively *adv* relativamente
relativity *n* FÍS relatividade
relax *v* **1** relaxar; descontrair **2** afrouxar; moderar
relaxation *n* **1** relaxamento **2** descontração[AO] **3** abrandamento; moderação
relaxing *adj* relaxante
relay *n* **1** (corrida) estafeta **2** turno; **in relays** por turnos **3** (televisão, rádio) retransmissor ▪ *v* **1** transmitir **2** (televisão, rádio) retransmitir
release *n* **1** libertação; **release on bail** libertação sob fiança **2** (disco, livro, produto) lançamento **3** emissão; **release of toxic gas** emissão de gás tóxico **4** publicação **5** (máquina) interruptor[AO] ▪ *v* **1** soltar, libertar **2** (disco, livro, bomba, etc.) lançar **3** tornar público **4** desbloquear; **to release money** desbloquear verbas
relegate *v* **1** relegar (to, para) **2** GB (equipa) descer de divisão
relent *v* **1** ceder **2** abrandar; afrouxar
relentless *adj* implacável
relevance *n* relevância; pertinência
relevant *adj* relevante; pertinente
reliability *n* fiabilidade; confiança
reliable *adj* **1** fiável; de confiança **2** (informação, fonte) seguro; fidedigno
reliance *n* dependência (on/upon, de)
reliant *adj* dependente (on/upon, de)
relic *n* relíquia
relief *n* **1** alívio **2** auxílio; **relief fund** fundo de auxílio **3** relevo; **relief map** mapa em relevo **4** (guerra) libertação **5** substituto
relieve *v* **1** aliviar **2** substituir; render; **to relieve a sentry** render uma sentinela **3** ajudar; auxiliar
religion *n* **1** religião **2** fé; **to loose one's religion** perder a fé
religious *adj* **1** religioso **2** crente; devoto
religiously *adv* religiosamente
religiousness *n* religiosidade
relinquish *v* abdicar de
relish *n* **1** prazer; satisfação **2** condimento; tempero ▪ *v* apreciar; gostar de
reload *v* recarregar
reluctant *adj* relutante
rely *v* **1** depender (on/upon, de) **2** confiar (on, em); **can you rely on him?** pode-se confiar nele?
remain *v* **1** permanecer, ficar **2** restar; **if you take 5 from 9, 4 remains** se a 9 tirares 5, restam 4 ◆ (carta) **I remain, yours truly** com os melhores cumprimentos
remainder *n* **1** restantes; **the remainder are in London** os restantes estão em Londres **2** resto; **I gave away the remainder of the books** dei o resto dos livros
remaining *adj* restante
remains *npl* **1** restos **2** restos mortais
remake *v* **1** refazer **2** (filme, etc.) fazer uma nova versão ▪ *n* (filme, etc.) nova versão; remake
remark *n* comentário, observação ▪ *v* comentar; observar
remarkable *adj* notável; espantoso
remedial *adj* **1** (aula, medida) de apoio; de recuperação **2** (exercício, tratamento) terapêutico; de reabilitação
remedy *n* [*pl* -ies] **1** remédio **2** recurso (for, para) ▪ *v* remediar
remember *v* recordar; lembrar-se; **don't you remember me?** não se lembra de mim? ◆ **to remember by heart** saber de cor
◇ **remember to** *v* mandar cumprimentos; **remember me to him** manda-lhe cumprimentos meus

remembrance *n* lembrança; recordação ♦ **in remembrance of** em memória de
remind *v* **1** lembrar; **remind me to buy a pen** lembra-me de comprar uma caneta **2** fazer lembrar (of, -); **he reminds me of my father** ele faz-me lembrar o meu pai
reminder *n* **1** recordação; lembrança **2** aviso
reminiscence *n* **1** reminiscência; recordação **2** *pl* memórias
remission *n* **1** remissão; perdão **2** GB (pena) redução de pena **3** (doença) remissão
remix *v* (música) fazer um remix de ▪ *n* (música) remix
remnant *n* resto; **remnant sale** saldo de restos
remorse *n* remorso; **to feel remorse** sentir remorsos
remote *adj* **1** remoto; distante **2** (ideia, possibilidade) vago **3** (pessoa) reservado ▪ *n col* (televisão, aparelhagem) comando ♦ **remote control 1** controlo remoto **2** (televisão, etc.) comando
remotely *adv* **1** remotamente **2** vagamente
removable *adj* amovível; removível
removal *n* **1** remoção; retirada **2** GB mudança; **removal company** empresa de mudanças
remove *v* **1** remover; eliminar; **to remove a stain** tirar uma nódoa **2** demitir (from, de); destituir (from, de); **he was removed from government** ele foi destituído do governo
remover *n* **1** dissolvente **2** *pl* GB companhia de mudanças
remunerate *v form* remunerar; pagar
remuneration *n form* remuneração
Renaissance *n* HIST Renascimento
renal *adj* renal
render *v* **1** tornar; **to render impossible** tornar impossível **2** *form* prestar (to, a); conceder (to, a); **to render help to somebody** prestar ajuda a alguém **3** traduzir (from, de; into, para) **4** (papel, canção) interpretar ♦ **to render good for evil** pagar o mal com o bem; **to render thanks to** agradecer a
renew *v* **1** renovar; **to renew a contract** renovar um contrato **2** reatar **3** (peças) substituir
renewable *adj* renovável
renewal *n* **1** renovação **2** recomeço; reatamento
rennet *n* (leite) coalho
renounce *v* **1** *form* renunciar; abdicar; **he renounced the throne** ele abdicou do trono **2** *form* rejeitar; repudiar
renovate *v* restaurar
renovation *n* restauro
renown *n* renome; fama
renowned *adj* famoso (for, por); célebre (for, por)
rent *n* renda; aluguer ▪ *v* arrendar, alugar
rental *n* aluguer
renter *n* arrendatário
renunciation *n* renúncia; abdicação
reopen *v* reabrir
reopening *n* reabertura
reorganization *n* reorganização
reorganize *v* reorganizar
repair *n* reparação; conserto; **under repair** em conserto ▪ *v* **1** reparar; consertar; **I had my car repaired** eu mandei consertar o meu carro **2** remediar; reparar ♦ **repair part** peça sobresselente; **repair shop** oficina
repartee *n* réplica; reposta pronta
repatriate *v* repatriar
repay *v* **1** (dinheiro) devolver; reembolsar **2** retribuir; **how will I ever be able to repay you?** como é que eu algum dia te irei retribuir? **3** (esforço, tempo) compensar; valer a pena
repayable *adj* reembolsável
repeal *v* revogar; anular ▪ *n* revogação; anulação
repeat *v* **1** repetir; **to repeat oneself** repetir-se **2** (confidência, segredo) revelar; contar **3** GB *col* (sabor) vir à boca (on, -) ▪ *n* repetição
repeatedly *adv* repetidamente
repel *v* **1** repelir; afastar **2** repugnar
repellent *adj* repelente; repugnante ▪ *n* repelente; **insect repellent** repelente de insetos[AO]
repent *v form* arrepender-se (of, de)
repentant *adj form* arrependido
repercussion *n* repercussão; consequência
repertoire *n* **1** reportório, repertório **2** capacidade; potencialidade
repertory *n* [*pl* -ies] teatro de repertório
repetition *n* repetição
repetitive *adj* repetitivo
rephrase *v* reformular
replace *v* **1** substituir (with, por) **2** repor; restituir
replacement *n* **1** substituição; **replacement parts** peças sobresselentes **2** substituto

replay *v* **1** (jogo) repetir **2** (cassete) ver ou ouvir novamente ▪ *n* **1** jogo de desempate **2** repetição
replenish *v form* reabastecer
replete *adj* repleto (with, de)
replica *n* réplica, cópia
reply *v* **1** responder (to, a) **2** reagir ▪ *n* resposta (to, a); (carta) **in reply to** em resposta a
report *n* **1** relatório (on, sobre) **2** reportagem **3** GB (escola) boletim de avaliação; EUA (escola) **report card** boletim de avaliação **4** rumor, boato **5** estrondo ▪ *v* **1** noticiar **2** comunicar, informar **3** anunciar **4** denunciar **5** apresentar-se (to, a); **visitors must report to the reception desk** os visitantes têm de se apresentar na receção[AO] ♦ (emprego) **to report sick** meter baixa
reportedly *adv* alegadamente; supostamente
reporter *n* repórter
repository *n* [*pl* -ies] **1** *form* armazém **2** *form* (conhecimentos) repositório
reprehensible *adj* repreensível, censurável
represent *v* **1** representar **2** descrever
representation *n* **1** representação **2** *pl* GB queixa
representative *n* **1** representante **2** EUA (câmara dos representantes) [com maiúscula] deputado ▪ *adj* representativo
repress *v* conter, reprimir
repression *n* repressão
reprieve *v* (pena) indultar, perdoar ▪ *n* indulto
reprimand *v* repreender, censurar ▪ *n* reprimenda, repreensão
reprint *n* reimpressão, reedição ▪ *v* reimprimir, reeditar
reprisal *n* represália; retaliação
reproach *n* [*pl* -es] censura, repreensão ▪ *v* censurar, repreender
reproachful *adj* reprovador
reproduce *v* reproduzir(-se)
reproduction *n* reprodução
reproductive *adj* reprodutor, reprodutivo
reproof *n form* reprovação, censura
reprove *v* censurar, reprovar
reptile *n* réptil
republic *n* república
republican *n,adj* republicano
republicanism *n* republicanismo
republish *v* reeditar
repudiate *v form* repudiar, rejeitar
repudiation *n form* repúdio, rejeição
repugnance *n form* repugnância
repulse *v* **1** repelir **2** rejeitar; recusar ▪ *n* **1** repulsa **2** rejeição
repulsion *n* **1** repugnância, aversão **2** FÍS repulsão magnética
repulsive *adj* repulsivo, repugnante
reputation *n* reputação (for, de), fama (for, de)
repute *n* reputação, fama
request *n* **1** pedido (for, de); solicitação (for, de) **2** (rádio) discos pedidos ▪ *v* pedir, solicitar; **you are requested to attend the meeting** solicitamos a sua comparência na reunião
require *v* **1** requerer, necessitar; **it requires great care** requer grandes cuidados **2** exigir, obrigar; **as required by law** como a lei obriga
requirement *n* **1** necessidade, exigência; **to meet a requirement** satisfazer uma exigência **2** (admissão) condição, requisito
requisite *adj form* requerido, exigido ▪ *n form* requisito
requisition *n* requisição ▪ *v* requisitar
rerun *v* **1** (gravação, série, filme) repor; tornar a passar **2** repetir ▪ *n* **1** (filme, programa) reposição **2** repetição
resale *n* revenda
reschedule *v* **1** tornar a marcar; adiar **2** (dívida) prorrogar o vencimento de
rescind *v* rescindir
rescission *n* rescisão
rescue *v* salvar, resgatar ▪ *n* salvamento, resgate; **to come to one's rescue** vir em auxílio de alguém
rescuer *n* salvador
research *n* [*pl* -es] investigação (into/on, sobre) ▪ *v* investigar (into/on, sobre)
researcher *n* investigador
resemblance *n* parecença (between, entre; to, com), semelhança (between, entre; to, com)
resemble *v* parecer-se com, assemelhar-se a
resent *v* ofender-se com, levar a mal
resentful *adj* ressentido, melindrado
resentment *n* ressentimento
reservation *n* **1** reserva **2** EUA (índios, animais) reserva

reserve *v* reservar ▪ *n* **1** reserva; **natural reserve** reserva natural; **to be held in reserve** estar na reserva **2** (leilão, etc.) preço mínimo **3** *pl* MIL reserva
reserved *adj* (direito, lugar, pessoa) reservado
reservoir *n* **1** reservatório **2** (motor) depósito
reset *v* **1** reajustar; acertar **2** (computador) reiniciar
reside *v form* residir, morar
residence *n* residência; **to take up residence in** fixar residência em
residency *n* [*pl* -ies] EUA (médico) internato complementar
resident *adj,n* residente ▪ *n* EUA (médico) interno complementar
residential *adj* residencial
residual *adj* **1** *form* residual **2** líquido; **residual income** rendimento líquido
residue *n* resíduo
resign *v* demitir-se (from, de) ◆ **to resign yourself to** resignar-se a
resignation *n* **1** demissão; **letter of resignation** carta de demissão **2** resignação
resilience *n* (material, pessoa) resiliência
resilient *adj* (material, pessoa) resiliente
resin *n* resina
resist *v* resistir
resistance *n* resistência
resistant *adj* resistente
resistor *n* ELET resistência
resit *n* GB (exame) repescagem ▪ *v* GB (exame) repetir
resolute *adj* resoluto, decidido
resolution *n* **1** resolução, decisão; **to make a resolution** tomar uma decisão **2** solução **3** (ecrã, imagem) resolução
resolve *v* resolver
resonance *n* ressonância
resort *n* **1** estância; **holiday resort** estância de férias **2** recurso; **as a last resort** em último recurso
◇ **resort to** *v* recorrer a
resource *n* recurso, meio ▪ *v* (meios) equipar, fornecer
resourceful *adj* engenhoso; despachado
respect *n* respeito (for, por); **with all due respect** com o devido respeito ▪ *v* respeitar ◆ (carta comercial) **in respect of** a respeito de; **in some respects** em alguns aspetos[AO]; **to give/send your respects** dar/mandar cumprimentos
respectability *n* [*pl* -ies] respeitabilidade
respectable *adj* **1** respeitável **2** aceitável, satisfatório
respectful *adj* respeitoso; **to be respectful of** ter respeito por
respecting *prep* respeitante a, referente a
respective *adj* respetivo[AO]
respectively *adv* respetivamente[AO]
respiration *n form* respiração
respirator *n* **1** ventilador **2** máscara antigás
respiratory *adj* respiratório
respond *v* responder; reagir
response *n* resposta, reação[AO]
responsibility *n* [*pl* -ies] **1** responsabilidade (for, por) **2** dever, obrigação
responsible *adj* responsável (for, por)
responsive *adj* recetivo[AO]
rest *v* **1** descansar **2** apoiar; encostar **3** estar apoiado; estar encostado ▪ *n* **1** resto **2** descanso, repouso **3** apoio, base **4** MÚS pausa ◆ **at rest** parado; GB *col* **give it a rest!** muda de assunto!; EUA **rest area** área de serviço; (morte) **rest in peace** descanse em paz; EUA **rest room** casa de banho pública
restaurant *n* restaurante ◆ GB (comboio) **restaurant car** carruagem-restaurante
restful *adj* tranquilo, sossegado
restive *adj* inquieto
restless *adj* **1** inquieto, agitado **2** (noite) agitado; **to have a restless night** dormir mal
restlessness *n* inquietação, impaciência
restoration *n* **1** (edifício, objeto) restauro **2** (tradição, lei) reintrodução **3** (regime político) restauração **4** (bens) restituição
restore *v* **1** restituir **2** (confiança, visão) devolver; (ordem) restabelecer **3** recuperar **4** (edifício, objeto) restaurar **5** (tradição, lei) reintroduzir
restorer *n* (arte) restaurador
restrain *v* **1** impedir (from, de) **2** controlar **3** conter, restringir ◆ **restraining order** (pessoa perigosa) proibição de contacto; (obra) embargo
restraint *n* **1** restrição; contenção **2** sangue-frio; comedimento **3** cinto de segurança
restrict *v* restringir, limitar
restricted *adj* **1** restrito, limitado **2** (acesso) reservado; (zona) de acesso reservado **3** GB confidencial
restriction *n* restrição, limitação
restructure *v* restruturar; reorganizar

result *n* resultado, consequência ▪ *v* resultar (from, de)
◇ **result in** *v* levar a; provocar
resultant *adj* resultante
resume *v* **1** *form* retomar; **to resume one's seat** retomar o seu lugar **2** *form* recomeçar
résumé *n* **1** resumo **2** EUA currículo
resurface *v* **1** voltar à superfície **2** reaparecer **3** repavimentar
resurgence *n* ressurgimento; reaparecimento
resurrect *v* ressuscitar
resurrection *n* **1** ressurreição **2** retoma
resuscitate *v* (respiração) reanimar
resuscitation *n* reanimação
retail *n* venda a retalho; **retail price** preço de venda ao público ▪ *adv* a retalho ▪ *v* **1** vender (ao público) **2** estar à venda (at/for, por)
retailer *n* comerciante, retalhista
retain *v* **1** conservar; manter **2** reter **3** contratar
retainer *n* quantia fixa (para assegurar os serviços futuros de alguém)
retaliate *v* retaliar
retaliation *n* retaliação, represália
retard *v* *form* retardar, atrasar ▪ *n* *col,ofens* atrasado mental *ofens*
retch *v* sentir vómitos; **to make somebody retch** dar vómitos a alguém
retention *n* retenção
retentive *adj* retentivo
rethink *v* repensar
reticence *n* reserva; discrição
reticent *adj* reservado
retina *n* [*pl* -s, -e] retina
retinue *n* comitiva; séquito
retire *v* **1** reformar-se, aposentar-se **2** retirar-se **3** (corrida, competição) desistir, abandonar
retired *adj* reformado, aposentado
retirement *n* **1** reforma; aposentação **2** afastamento (from, de) **3** (corrida, competição) abandono (from, de) ◆ **retirement home** lar de idosos
retiring *adj* **1** (pessoa) reservado, introvertido **2** (de cargo ou posto) cessante
retort *v* retorquir, ripostar ▪ *n* resposta; réplica
retouch *v* retocar
retrace *v* **1** (caminho, viagem) refazer **2** reconstituir
retract *v* **1** *form* desmentir; desdizer **2** *form* retirar **3** *téc* retrair; recolher
retrain *v* (formação) reciclar(-se); reconverter(-se)
retread *v* recauchutar
retreat *v* **1** (exército) bater em retirada; retirar-se **2** recuar **3** (nível das águas) baixar **4** retirar-se; recolher-se **5** ECON desvalorizar-se ▪ *n* **1** retirada **2** fuga; **a retreat from reality** uma fuga à realidade **3** recuo **4** refúgio **5** retiro
retrial *n* DIR novo julgamento
retribution *n* vingança, desforra
retrieval *n* **1** recuperação **2** salvação; **lost beyond retrieval** irremediavelmente perdido **3** INFORM (informação) extração[AO]
retrieve *v* **1** ir buscar; trazer **2** recuperar; reaver **3** (situação) remediar; salvar **4** INFORM (dados, informação) extrair
retriever *n* cão de caça
retroactive *adj* retroativo[AO]
retrograde *adj* retrógrado
retrogressive *adj* retrógrado
retrospect *n* retrospeção[AO] ◆ **in retrospect** em retrospetiva[AO]
retrospective *adj* **1** retrospetivo[AO] **2** com efeitos retroativos[AO] ▪ *n* retrospetiva[AO]
retrovirus *n* retrovírus
retry *v* **1** submeter a novo julgamento **2** voltar a tentar
return *v* **1** voltar; regressar **2** devolver **3** (favor, sorriso, elogio) retribuir **4** responder **5** (veredito) proferir **6** (lucro, prejuízo) obter ▪ *n* **1** regresso **2** devolução **3** lucro, retorno **4** declaração; **tax return** declaração de rendimentos
reunify *v* reunificar
reunion *n* **1** reunião, encontro **2** reencontro
reunite *v* **1** voltar a unir; juntar **2** reencontrar; **to be reunited with** reencontrar-se com
reusable *adj* reutilizável
reuse *v* reutilizar
rev *n* *col* rotação (de motor de automóvel); *col* **rev counter** conta-rotações
reveal *v* **1** revelar **2** mostrar; dar a ver
revealing *adj* **1** revelador, elucidativo **2** (roupa) decotado
revelation *n* revelação
reveller *n* folião; borguista
revelry *n* [*pl* -ies] festança
revenge *n* vingança ▪ *v* vingar
revengeful *adj* vingativo
revenue *n* (dinheiro) receitas

revere *v* reverenciar, respeitar
reverence *n* reverência, respeito
reverend *n,adj* reverendo
reverent *adj* reverente
reverential *adj* respeitoso
reverie *n* devaneio, fantasia
reversal *n* **1** inversão, mudança **2** revés, contratempo
reverse *v* **1** inverter, trocar **2** fazer marcha-atrás **3** DIR anular, invalidar ▪ *n* **1** contrário, inverso **2** marcha-atrás; **reverse gear** mudança de marcha-atrás ▪ *adj* inverso, contrário; **in reverse order** na ordem inversa
reversible *adj* reversível
reversing light *n* luz de marcha-atrás
reversion *n* **1** retorno **2** restituição, devolução
revert *v* regressar
review *n* **1** revisão **2** análise; balanço **3** (de livro, filme, álbum, etc.) crítica **4** relatório **5** MIL revista; inspeção[AO] ▪ *v* **1** reconsiderar; reavaliar **2** passar em revista **3** escrever uma crítica a **4** EUA rever a matéria; estudar **5** EUA rever **6** MIL passar revista a
reviewer *n* crítico
revise *v* **1** (ideias, planos, texto, estimativa) rever **2** GB rever a matéria; estudar
revision *n* **1** alteração; modificação **2** reavaliação **3** GB revisão da matéria
revival *n* **1** ressurgimento **2** (peça de teatro) reposição em cena
revive *v* **1** revigorar-se **2** dar novo alento a **3** (pessoa) reanimar **4** recuperar; restabelecer **5** (peça de teatro) repor
revocation *n* revogação
revoke *v* revogar
revolt *n* revolta ▪ *v* **1** revoltar-se; insurgir-se **2** repugnar
revolting *adj* revoltante, repugnante
revolution *n* revolução
revolutionary *adj,n* revolucionário
revolutionize *v* revolucionar
revolve *v* girar, rodar
revolver *n* revólver
revolving *adj* giratório
revue *n* (espetáculo) revista
revulsion *n* repugnância
reward *n* recompensa ▪ *v* recompensar
rewarding *adj* recompensador, gratificante
rewind *v* rebobinar
rewrite *v* reescrever
rhapsody *n* [*pl* -ies] **1** MÚS rapsódia **2** exaltação
rhenium *n* rénio
rhetoric *n* retórica
rhetorical *adj* retórico
rheumatic *adj* reumático
rheumatism *n* reumatismo
rhinitis *n* rinite
rhino *n col* rinoceronte
rhinoceros *n* rinoceronte
rhombus *n* GEOM losango, rombo
rhyme *n* **1** rima **2** verso; **to write in rhyme** escrever em verso **3** cantilena ▪ *v* rimar ♦ **without rhyme or reason** sem pés nem cabeça
rhythm *n* ritmo
rhythmic *adj* rítmico
rib *n* **1** costela **2** costeleta ▪ *v col* gozar com
ribbon *n* **1** fita **2** tira; faixa **3** insígnia militar
rice *n* arroz
rich *adj* **1** rico; (alimentos) **rich in proteins** rico em proteínas; **to get rich** ficar rico **2** (cheiro, som, cor) intenso, forte **3** (alimentos) pesado **4** (solo) fértil ▪ *npl* **the rich** os ricos
richly *adv* ricamente, luxuosamente
richness *n* riqueza
rickets *n* raquitismo
ricochet *v* fazer ricochete ▪ *n* ricochete
rid *v* livrar, libertar ♦ **to get rid of** livrar-se de
riddance *n* **goodbye and good riddance!** adeus, que já vais tarde!, vai e não voltes!
riddle *n* **1** enigma **2** charada, adivinha **3** crivo, peneira ▪ *v* crivar
ride *v* **1** andar a cavalo; montar **2** (bicicleta, mota) andar de **3** (carro, transporte público) ir de ▪ *n* **1** (de transporte) viagem **2** passeio; volta **3** EUA boleia ♦ **to take somebody for a ride** enganar alguém
rider *n* **1** cavaleiro **2** motociclista **3** ciclista **4** (transporte público) utente
ridge *n* **1** cume, crista **2** (telhado) cumeeira ▪ *v* sulcar
ridicule *n* ridículo, gozo ▪ *v* ridicularizar
ridiculous *adj* ridículo
riding *n* equitação
rife *adj* abundante, corrente
riff-raff *n pej* gentalha; ralé
rifle *n* espingarda ▪ *v* vasculhar, revolver ♦ **rifle range** carreira de tiro

rifleman *n* [*pl* -men] fuzileiro
rift *n* **1** fenda, fissura **2** (nuvens) brecha **3** (desentendimentos) rutura[AO]
rig *v* **1** manipular; falsear **2** (embarcação) armar; aparelhar ■ *n* **1** plataforma petrolífera **2** EUA *col* camião **3** (embarcação) armação
rigging *n* **1** NÁUT cordame **2** (eleições) manipulação, fraude
right *adj* **1** direito **2** certo, correto[AO]; **that's right!** exato[AO]! **3** adequado; apropriado **4** justo ■ *adv* **1** bem; corretamente[AO] **2** exatamente[AO]; mesmo; **right now** neste preciso momento **3** já; **I'll be right back** volto já **4** à direita **5** completamente ■ *n* **1** direito; **human rights** direitos humanos **2** bem; **right and wrong** o bem e o mal **3** direita, lado direito ■ *v* endireitar, corrigir; **to right a wrong** corrigir um erro ■ *interj col* com certeza!, pronto!, certo!
righteous *adj* **1** justo, imparcial **2** justificado
rightful *adj* legítimo
right-hand *adj* direito; (automóvel) **right-hand drive** com o volante do lado direito
right-handed *adj* destro
rightly *adv* **1** justificadamente **2** corretamente[AO], justamente ♦ **and rightly so** e com razão
right-minded *adj* reto[AO]; sensato
right-wing *adj* POL de direita
right-winger *n* POL partidário da direita
rigid *adj* **1** rígido **2** inflexível **3** hirto ♦ **to be bored rigid** estar a apanhar uma seca
rigidity *n* rigidez
rigmarole *n* confusão; trapalhada
rigor *n* EUA rigor
rigorous *adj* rigoroso
rigour *n* GB rigor
rile *v col* irritar, enervar
rim *n* **1** borda, extremidade **2** (óculos) aro **3** (bicicleta) jante ■ *v* circundar
rind *n* **1** (fruta, queijo) casca **2** (bacon) couro
ring *n* **1** anel **2** argola; aro **3** roda; círculo **4** (campainha, telefone, sino) toque **5** anilha **6** (criminosos) rede **7** (boxe) ringue **8** (circo) pista **9** GB *col* telefonadela ■ *v* **1** cercar; rodear **2** (campainha, telefone, sino) tocar **3** GB telefonar **4** soar **5** (ouvidos) zumbir ♦ **to ring a bell** ser familiar
◇ **ring back** *v* voltar a telefonar
◇ **ring up** *v* GB telefonar
ringleader *n* (quadrilha, motim) cabecilha
ringside *n* (circo, ringue de boxe) primeira fila ■ *adj* de primeira fila
ringtone *n* (telemóvel) toque
rink *n* (patinagem) rinque
rinse *v* **1** enxaguar, passar por água **2** (boca) bochechar **3** (cabelo) pintar ■ *n* **1** enxaguadela **2** (dentes) elixir **3** (cabelo) coloração
riot *n* motim, tumulto, revolta ■ *v* amotinar-se, revoltar-se
rioter *n* desordeiro
riotous *adj* desordeiro, agitador
rip *v* **1** rasgar **2** arrancar ■ *n* rasgão ♦ *col* **to let rip (at somebody)** desatinar (com alguém)
◇ **rip off** *v* **1** arrancar **2** (objeto, clientes) roubar
ripe *adj* **1** maduro **2** (queijo) curado **3** (cheiro) azedo ♦ **the time is ripe (for)** é uma altura oportuna para
ripen *v* amadurecer
rip-off *n* **1** *col* roubalheira; roubo **2** *col* imitação; cópia
ripple *v* ondular, ondear; **to ripple through** percorrer ■ *n* ondulação, onda ♦ **ripple effect** efeito bola de neve
rise *n* **1** subida; aumento **2** ascensão **3** elevação ■ *v* **1** subir **2** levantar-se; erguer-se **3** (som, voz) subir de tom **4** (massa, bolos, pão) crescer **5** (sol, lua, rio) nascer **6** revoltar-se **7** ressuscitar ♦ **to rise to the occasion** mostrar-se à altura das circunstâncias
◇ **rise up** *v* **1** revoltar-se **2** (edifício, montanha) erguer-se **3** levantar-se
risible *adj* risível
rising *n* rebelião, revolta ■ *adj* ascendente, crescente
risk *n* risco, perigo ■ *v* arriscar; **to risk doing something** arriscar-se a fazer algo
risky *adj* arriscado
rissole *n* **1** croquete **2** rissol
rite *n* rito ♦ **last rites** extrema-unção
ritual *n,adj* ritual
ritzy *adj col* elegante; chique
rival *adj,n* rival; concorrente ■ *v* rivalizar com; competir com
rivalry *n* [*pl* -ies] **1** rivalidade **2** competição; concorrência
river *n* rio; **down river** a jusante; **up river** a montante
riverside *n* margem

rivet *n* **1** rebite **2** prego ▪ *v* **1** rebitar; unir **2** prender; fixar **3** cativar; fascinar
riveting *adj* cativante, sedutor
road *n* estrada, rua; **main road** estrada/rua principal; **road safety** segurança rodoviária ♦ (bebida) **one for the road** uma para o caminho; **road tax** imposto de circulação automóvel; *col* **to hit the road** fazer-se à estrada
roadblock *n* barreira (na estrada)
roadside *n* (estrada) berma
roadway *n* (estrada) faixa de rodagem
roadworks *n* obras na estrada
roam *v* **1** vaguear, errar **2** (olhar) percorrer
roaming *n* (telemóvel) roaming
roar *v* **1** rugir, bramir **2** vociferar ▪ *n* **1** rugido, bramido **2** estrondo **3** barulheira
roast *v* **1** assar **2** torrar, tostar **3** *col* criticar ▪ *n* **1** assado **2** EUA (festa) homenagem ▪ *adj* assado
roaster *n* **1** assador; grelha **2** forno de assar
roasting *adj* **1** de/para assar **2** abrasador, tórrido
rob *v* **1** roubar, assaltar **2** privar (of, de) ♦ *col* **to rob somebody blind** burlar/intrujar alguém
robber *n* ladrão, gatuno
robbery *n* [*pl* -ies] assalto, roubo; **armed robbery** assalto à mão armada
robe *n* **1** manto; túnica **2** roupão, robe
robin *n* **1** pisco-de-peito-ruivo **2** tordo-americano
robot *n* robô
robust *adj* **1** robusto, forte **2** firme
robustness *n* robustez
rock *n* **1** rocha, rochedo **2** EUA pedra **3** (música) rock ▪ *v* **1** embalar, baloiçar **2** agitar, abalar **3** *col* ser espetacular[AO]; ser o maior ♦ (bebidas) **on the rocks** com gelo; *col* **to hit rock bottom** bater no fundo; *col* **to rock the boat** provocar agitação
rocker *n* **1** (cadeira, berço) embaladeira **2** (artista, fã) roqueiro **3** EUA cadeira de baloiço ♦ *col* **to be off your rocker** não bater bem
rocket *n* **1** foguetão **2** míssil **3** foguete ▪ *v* **1** subir em flecha **2** ascender ♦ GB *col* **to give somebody a rocket** dar uma descasca a alguém
rocky *adj* pedregoso, rochoso
rococo *adj,n* rococó
rod *n* **1** vara; vareta **2** cana; **fishing rod** cana de pesca **3** barra
rodent *n* roedor
rodeo *n* rodeio (de gado)
roe *n* (peixe) ova
roentgenium *n* roentgénio
rogue *n joc* maroto, malandro
roguish *adj* maroto, malandro
role *n* (função) papel; **supporting role** papel secundário ♦ (pessoa) **role model** modelo
role-play *n* dramatização
roll *n* **1** rolo; **roll of film** rolo (fotográfico) **2** pão; **a cheese roll** um pão com queijo **3** EUA pacote **4** cambalhota **5** lista; **electoral roll** caderno eleitoral **6** (avião, embarcação) balanço **7** (gordura) pneu **8** (som) rufar **9** (dados) lançamento ▪ *v* **1** rolar **2** rebolar **3** enrolar **4** (mangas) arregaçar **5** (com rolo da massa) alisar **6** cair; deslizar **7** (câmaras) estar em ação[AO] **8** (avião, embarcação) balançar **9** (trovão) ribombar; (tambor) rufar **10** (dados) lançar **11** (olhos) revirar ♦ **(all) rolled into one** tudo num só; EUA **to be ready to roll** estar pronto para arrancar
◊ **roll over** *v* virar-se
◊ **roll up** *v* **1** enrolar **2** arregaçar **3** (janela de carro) fechar **4** chegar
roller *n* **1** rolo, cilindro **2** (mar) vagalhão ♦ **roller blind** persiana de enrolar; **roller coaster** montanha-russa; **roller skate** patim
Rollerblade *n* patim em linha ▪ *v* andar de patins em linha
roller-skate *v* andar de patins
rolling *adj* **1** ondulante **2** contínuo, regular ♦ **rolling pin** rolo da massa
roll-on *n* (desodorizante) roll-on
roly-poly *adj col* rechonchudo, roliço
ROM INFORM [*abrev. de* read-only memory] ROM
Roman *adj,n* romano
romance *n* **1** romance; aventura amorosa **2** magia, encanto **3** história de amor ▪ *v* romancear
Romania *n* Roménia
Romanian *adj,n* romeno
romantic *adj,n* romântico
romanticism *n* romantismo
romp *v* brincar, fazer diabruras ▪ *n* brincadeira, travessura
rompers *npl* (para criança) fato-macaco; babygro

roof *n* [*pl* -s] **1** telhado **2** (túnel) teto[AO] **3** (veículos) tejadilho **4** céu da boca ▪ *v* cobrir com telhado ♦ (tejadilho de carro) **roof rack** porta-bagagens; **to go through the roof 1** subir em flecha **2** ir aos arames *col*
roofing *n* **1** materiais para telhados **2** construção/manutenção de telhados
rooftop *n* telhado
rook *n* **1** (ave) gralha **2** (xadrez) torre
rookie *adj,n* **1** EUA *col* novato, principiante **2** EUA DESP júnior
room *n* **1** sala **2** quarto; (hotel) **a double/single bedroom** quarto duplo/single **3** espaço; **to make room for** arranjar espaço para ▪ *v* EUA (quarto) dividir ♦ (hotel) **room service** serviço de quartos; **room temperature** temperatura ambiente; **there's room for improvement** há muito a fazer
roommate *n* **1** companheiro de quarto **2** EUA companheiro de casa
roomy *adj* espaçoso, amplo
roost *n* poleiro ▪ *v* (aves) empoleirar-se
rooster *n* EUA galo
root *n* **1** raiz **2** origem, causa; **to be/lie at the root of** estar na origem de **3** (de palavra) radical ▪ *v* **1** enraizar **2** remexer, vasculhar
◇ **root out** *v* erradicar
rope *n* **1** corda **2** cabo ▪ *v* atar, amarrar ♦ **to be on the ropes** estar nas últimas; **to know the ropes** estar por dentro de um assunto
rosary *n* [*pl* -ies] rosário
rose *n* (flor) rosa; **rose garden** roseiral ▪ *adj,n* cor-de-rosa ♦ *col* **to be coming up roses** estar a correr lindamente
rosebud *n* (rosa) botão
rose-coloured *adj* cor-de-rosa
rosemary *n* [*pl* -ies] alecrim
roster *n* (lista) escala, turno ▪ *v* (serviço) escalar
rosy *adj* **1** rosado, róseo **2** risonho, promissor
rot *v* **1** apodrecer **2** decompor(-se) ▪ *n* **1** podridão **2** deterioração
rota *n* GB (lista) escala, turno
rotary *adj* rotativo ▪ *n* [*pl* -ies] EUA rotunda
rotate *v* **1** girar, rodar **2** alternar
rotation *n* rotação
rotten *adj* **1** podre **2** estragado **3** desonesto **4** *col* terrível, horrível ▪ *adv col* de mais
rough *adj* **1** áspero, rugoso **2** difícil, árduo **3** aproximado; **a rough estimate** uma estimativa aproximada **4** (mar) agitado **5** (terreno) acidentado **6** violento **7** grosseiro **8** tosco
rough-and-ready *adj* **1** rudimentar **2** improvisado
roughen *v* tornar(-se) rugoso ou áspero
roughly *adv* **1** aproximadamente; cerca de **2** grosseiramente; rudemente ♦ **roughly speaking** falando por alto
roughneck *n* EUA grosseirão; rude
roulette *n* roleta
round *adj* **1** redondo; circular **2** arredondado ▪ *adv* **1** à roda; à volta; em redor **2** de mão em mão **3** a/para todos ▪ *prep* **1** à volta de **2** por volta de; mais ou menos ▪ *n* **1** ronda **2** (bebidas) rodada **3** (desporto) partida **4** (boxe) round ▪ *v* **1** arredondar **2** (esquina) virar, dobrar ♦ **round trip** viagem de ida e volta; **the other way round** ao contrário
roundabout *n* **1** GB rotunda **2** GB carrossel ▪ *adj* indireto[AO]
round-the-clock *adj* 24 horas por dia
rouse *v* **1** *form* despertar **2** incitar **3** despertar; (suspeitas) levantar **4** enfurecer
rousing *adj* estimulante
rout *v* derrotar; arrasar ▪ *n* derrota total
route *n* **1** caminho; itinerário **2** linha; percurso; **bus route** linha do autocarro ▪ *v* enviar
routine *n* **1** rotina **2** (artista) número **3** INFORM rotina ▪ *adj* de rotina; rotineiro
row *n* **1** fila **2** GB discussão; desentendimento **3** GB barulheira ▪ *v* **1** remar **2** praticar remo **3** GB discutir
rowdy *adj,n* arruaceiro; desordeiro
rower *n* remador
rowing *n* (atividade, desporto) remo
royal *adj* **1** (monarquia) real **2** majestoso; magnificente ♦ **royal blue** azul real
royalist *n* monárquico
royalty *n* [*pl* -ies] **1** realeza; membro da realeza **2** *pl* direitos de autor; royalties
rpm [*abrev. de* revolutions per minute] rpm [*abrev. de* rotações por minuto]
rub *v* **1** esfregar **2** friccionar **3** (protetor solar, creme) passar; espalhar **4** limpar; polir ▪ *n* fricção; massagem ♦ **there's the rub** aqui é que a porca torce o rabo
◇ **rub off** *v* **1** limpar **2** apagar **3** (entusiasmo, confiança) passar (on, para)

rubber *n* **1** borracha **2** GB (para apagar lápis) borracha **3** GB (para apagar giz) apagador ♦ **rubber band** elástico
rubber-stamp *v* aprovar (sem pensar o suficiente)
rubbish *n* **1** lixo **2** *col* porcaria **3** *col* disparates
rubble *n* escombros; entulho
ruby *n* [*pl* -ies] rubi
rucksack *n* GB mochila
ruddy *adj* (rosto) rosado, corado ♦ *col* **that ruddy dog!** o raio do cão!
rude *adj* **1** mal-educado; grosseiro **2** ordinário; indecente
rudely *adv* **1** com má educação **2** abruptamente
rudeness *n* **1** falta de educação **2** indecência
rudiment *n* rudimento
rudimentary *adj* **1** rudimentar **2** elementar; básico
ruffle *v* **1** (penas, pelo) eriçar **2** franzir **3** encrespar **4** perturbar; enervar ▪ *n* folho
rug *n* **1** tapete **2** manta **3** EUA capachinho
rugby *n* râguebi
rugged *adj* **1** (terreno) acidentado, escarpado **2** resistente **3** rude
ruin *v* **1** estragar; destruir **2** arruinar ▪ *n* ruína ♦ **to be the ruin of** ser a desgraça de
ruinous *adj* **1** desastroso; arrasador **2** (preço) incomportável
rule *n* **1** regra; norma; **against the rules** contra as regras **2** governo; domínio; **under rule of** sob o domínio de **3** régua ▪ *v* **1** governar; chefiar **2** decidir; pronunciar-se **3** reger; guiar **4** (linha) traçar **5** *col* ser o maior
◇ **rule out** *v* excluir; pôr de parte
ruled *adj* (papel) pautado
ruler *n* **1** governante **2** soberano, monarca **3** régua
ruling *adj* **1** dominante; preponderante **2** no poder ▪ *n* decisão; parecer
rum *n* (bebida) rum
rumble *n* **1** estrondo **2** EUA *col* luta entre gangues rivais ▪ *v* **1** ribombar; retumbar **2** (estômago) roncar
ruminant *adj,n* ruminante
ruminate *v* **1** matutar (on, em) **2** ruminar
rummage *v* procurar; vasculhar; remexer ▪ *n* procura ♦ EUA **rummage sale** feira (para beneficência); bazar
rumour *n* rumor; boato ♦ **to be rumoured** dizer-se, comentar-se
rump *n* **1** (bovino) alcatra, rabadilha; (cavalo) garupa; (ave) rabadela **2** *col* traseiro **3** resto
rumple *v* amarrotar; enrodilhar
run *v* **1** correr **2** governar; gerir **3** (máquina) funcionar **4** candidatar-se (for, a) **5** levar (de carro) **6** passar; percorrer **7** (nariz) pingar **8** (programa) passar; (artigo, notícia) publicar **9** (peça de teatro) estar em cena **10** INFORM correr; executar ▪ *n* **1** corrida **2** (transportes públicos) carreira; percurso **3** série, sucessão **4** marcha; curso ♦ **in the long/short run** a longo/curto prazo; **to be on the run** andar em fuga; **to be running late** estar atrasado; **to run dry** secar
◇ **run across** *v* dar de caras com
◇ **run away** *v* fugir (from, de)
◇ **run away with** *v* **1** fugir com **2** deixar-se levar por
◇ **run down** *v* **1** atropelar **2** criticar; deitar abaixo **3** (pilha) acabar
◇ **run into** *v* **1** dar de caras com **2** (problemas, dificuldades) arranjar **3** (mau tempo) apanhar **4** chegar a **5** (veículo) esbarrar(-se) contra
◇ **run out** *v* **1** ficar (of, sem) **2** acabar(-se); esgotar(-se) **3** caducar
◇ **run over** *v* **1** atropelar **2** recapitular **3** transbordar
◇ **run through** *v* **1** recapitular **2** passar os olhos por
◇ **run up against** *v* deparar-se com
runaway *adj* **1** fugitivo, em fuga **2** desgovernado; descontrolado **3** (inflação) galopante **4** (sucesso) estrondoso ▪ *n* fugitivo
rundown *n* **1** resumo (com informação essencial) **2** redução; diminuição
rung *n* **1** (escada de mão) degrau **2** nível
run-in *n* *col* briga; desentendimento
runner *n* **1** corredor **2** cavalo (participante numa corrida) **3** contrabandista **4** mensageiro **5** (tapete) passadeira
runner-up *n* segundo classificado
running *n* **1** corrida **2** atletismo; **running shoes** sapatilhas; **running track** pista de atletismo **3** comando; direção[AO] ▪ *adj* **1** (água) corrente **2** contínuo; constante ▪ *adv* consecutivamente
runny *adj* **1** (nariz) a pingar **2** (olhos) lacrimejante **3** líquido **4** pouco cozinhado

run-off *n* **1** prova final; desempate **2** (eleições) segunda volta
run-through *n* ensaio
run-up *n* **1** período preparatório **2** corrida preparatória
runway *n* **1** (aviões) pista **2** EUA passerelle
rupee *n* (moeda) rupia
rupture *n* **1** rutura[AO] **2** desentendimento; desavença **3** hérnia ■ *v* **1** quebrar **2** romper
rural *adj* rural
ruse *n* estratagema; artimanha
rush *v* **1** apressar(-se) **2** fazer à pressa **3** enviar com urgência ■ *n* [*pl* -es] **1** pressa; **there's no rush** não há pressa **2** correria **3** enchente; grande movimento **4** corrida; grande procura ♦ **rush hour** hora de ponta
◇ **rush out** *v* publicar à pressa
rusk *n* biscoito (para bebés)
Russia *n* Rússia
Russian *adj,n* russo ♦ **Russian roulette** roleta russa
rust *n* ferrugem ■ *v* enferrujar
rustic *adj* rústico ■ *n* campónio
rustle *v* **1** (vestido, folha) roçagar **2** murmurar **3** (gado) roubar ■ *n* murmúrio; sussurro
rustler *n* ladrão de gado
rustproof *adj* inoxidável
rusty *adj* ferrugento; enferrujado
rut *n* **1** sulco **2** cio ■ *v* sulcar ♦ **to be stuck in a rut** ser escravo da rotina
ruthless *adj* implacável; impiedoso
ruthlessness *n* impiedade; crueldade
Rwanda *n* Ruanda
Rwandan *adj,n* ruandês
rye *n* centeio; **rye bread** pão de centeio

S

s *n* [*pl* s's] (letra) s
sabbatical *n* licença sabática ▪ *adj* sabático
sabotage *n* sabotagem ▪ *v* sabotar
saboteur *n* sabotador
sachet *n* saqueta
sack *n* **1** saco; **sack race** corrida de sacos **2** GB *col* despedimento; **to get the sack** ser despedido ▪ *v* **1** *col* despedir **2** saquear
sacrament *n* sacramento
sacred *adj* **1** sagrado **2** (arte) sacro
sacrifice *n* sacrifício; **to make sacrifices** fazer sacrifícios ▪ *v* sacrificar
sacrilege *n* sacrilégio
sacristy *n* [*pl* -ies] sacristia
sad *adj* triste ♦ **it's sad** é uma pena; **sad to say that** lamento dizer que
sadden *v form* entristecer
saddle *n* **1** (cavalo) sela **2** (bicicleta) selim; (mota) assento ▪ *v* **1** (cavalo) selar **2** sobrecarregar (with, de) **3** encarregar (with, de)
saddlebag *n* **1** alforge **2** (bicicleta) bolsa (de selim)
sadism *n* sadismo
sadist *n* sádico
sadistic *adj* sádico
sadly *adv* **1** infelizmente **2** tristemente
sadness *n* tristeza
sadomasochism *n* sadomasoquismo
sadomasochist *n* sadomasoquista
sadomasochistic *adj* sadomasoquista
safari *n* safári
safe *adj* **1** seguro; **a safe area** uma zona segura **2** em segurança; a salvo; **we were safe from attack** estávamos a salvo de ataques **3** cuidadoso **4** certo; **a safe bet** uma aposta certa ▪ *n* cofre ♦ **better safe than sorry** mais vale prevenir do que remediar; **safe and sound** são e salvo
safeguard *v* salvaguardar ▪ *n* salvaguarda
safekeeping *n* **for safekeeping** por uma questão de segurança
safely *adv* **1** em segurança **2** com cuidado **3** em local seguro **4** (afirmar, concluir) com segurança
safety *n* segurança; **safety belt** cinto de segurança; **safety pin** alfinete de ama; **safety razor** gilete
saffron *n* **1** açafrão **2** cor de açafrão
sag *v* **1** vergar, curvar; ceder **2** (pele) descair ▪ *n* (superfície) cova
saga *n* saga
sagacious *adj form* sensato
sagacity *n form* sensatez
sage *n* **1** (planta) salva **2** *form* sábio
Sagittarius *n* (signo) Sagitário
said *adj form* dito; referido
sail *v* **1** navegar **2** andar de barco; velejar **3** pilotar **4** zarpar **5** dirigir-se ▪ *n* (navio, moinho) vela; **to hoist the sails** içar as velas
sailing *n* **1** (passatempo, desporto) vela; **to go sailing** praticar vela **2** navegação **3** saída (de uma embarcação) ♦ **sailing boat** barco à vela; **sailing ship** veleiro
sailor *n* marinheiro; marujo ♦ **to be a good sailor** não enjoar no mar
saint *n* santo
saintly *adj* santo; de santo
sake *n* causa; motivo; **for the sake of** por causa de ♦ *col* **for God's sake!** por amor de Deus!; **for your own sake** para teu próprio bem
salad *n* salada; **salad bowl** saladeira
salamander *n* salamandra
salami *n* salame
salaried *adj* **1** (trabalhador) assalariado **2** (cargo) remunerado
salary *n* [*pl* -ies] salário mensal
sale *n* **1** venda; **for sale** à venda **2** *pl* saldos; **all shops are on sales** todas as lojas estão em saldos
salesman *n* [*pl* -men] vendedor
salesperson *n* vendedor
saleswoman *n* [*pl* -men] vendedora
salient *adj form* mais relevante; principal

saline *adj* salino ♦ **saline solution** soro fisiológico
salinity *n* salinidade
saliva *n* saliva
salivary *adj* salivar
salivate *v* salivar
sallow *adj* pálido, macilento
sally *n* [*pl* -ies] **1** investida, ofensiva **2** gracejo
salmon *n* [*pl* salmon] salmão
salon *n* **1** (estética) salão **2** (roupa) boutique **3** (de artistas, escritores) tertúlia
saloon *n* **1** GB (carro) três volumes **2** (no Oeste americano) saloon **3** (em pub, hotel) bar **4** (navio) salão
salsa *n* (música, dança) salsa
salt *n* sal; **bath salts** sais de banho; **a pinch of salt** uma pitada de sal ▪ *v* salgar ▪ *adj* salgado
saltpetre *n* salitre
salty *adj* salgado
salutary *adj form* benéfico
salutation *n* saudação
salute *v* **1** MIL fazer continência (a) **2** *form* saudar ▪ *n* **1** MIL continência **2** (canhão) salva **3** saudação
salvage *v* (bens) salvar; resgatar ▪ *n* **1** salvamento; resgate **2** (objetos) salvados
salvation *n* salvação
salvo *n* [*pl* -s, -es] **1** (tiros) salva **2** (de gargalhadas, palmas) explosão
Samaritan *adj,n* samaritano
same *adj* mesmo; **at the same time** ao mesmo tempo ▪ *pron* **the same** o mesmo, igual ▪ *adv* **the same** da mesma forma ♦ **all the same** mesmo assim; **it's all the same to me** é-me indiferente; **same to you!** igualmente!
Samoan *adj,n* samoano
sample *n* amostra ▪ *v* **1** (comida) provar, experimentar **2** (situação) experimentar; testar **3** (ciência) recolher amostra de **4** MÚS misturar
samurai *n* [*pl* samurai] samurai
sanatorium *n* [*pl* sanatoria] sanatório
sanctify *v* santificar
sanction *n* sanção; **to impose sanctions on** impor sanções a ▪ *v form* sancionar
sanctity *n* [*pl* -ies] santidade
sanctuary *n* [*pl* -ies] **1** (proteção) refúgio; abrigo **2** (animais) reserva natural **3** (parte de igreja) sacrário **4** direito de asilo
sand *n* **1** areia **2** areal ▪ *v* (madeira, metal) lixar
sandal *n* sandália
sandalwood *n* (árvore, essência) sândalo
sandbank *n* banco de areia, baixio
sandman *n* João Pestana
sandpaper *n* lixa ▪ *v* lixar
sandstone *n* arenito; grés
sandstorm *n* tempestade de areia
sandwich *n* [*pl* -es] sanduíche; sande ▪ *v* entalar (between, em, entre)
sandy *adj* **1** arenoso; com areia **2** (cabelo) louro arruivado
sane *adj* **1** mentalmente são; equilibrado **2** sensato; razoável
sanitary *adj* **1** sanitário; **sanitary facilities** instalações sanitárias **2** higiénico; **sanitary towel/napkin** penso higiénico
sanitation *n* condições sanitárias
sanity *n* **1** sanidade mental **2** sensatez
Sanskrit *adj,n* sânscrito
Santa Claus *n* Pai Natal
sap *n* **1** seiva **2** EUA *col* tanso; inocente ▪ *v* esgotar; esvaziar
sapper *n* MIL sapador
sapphire *n* safira
sarcasm *n* sarcasmo
sarcastic *adj* sarcástico
sarcophagus *n* [*pl* sarcophagi] sarcófago
sardine *n* sardinha ♦ **to be packed like sardines** estar como sardinha em lata
sardonic *adj* sarcástico; cínico
sash *n* [*pl* -es] (sobre fato, vestido) faixa ♦ **sash window** janela de guilhotina
Satan *n* Satanás
satanic *adj* satânico
satchel *n* (para a escola) pasta; sacola
satellite *n* satélite; **by satellite** via satélite ♦ **satellite dish** antena parabólica
satiate *v* saciar
satin *n* cetim ▪ *adj* acetinado; de cetim
satire *n* sátira
satirical *adj* satírico
satirize *v* satirizar
satisfaction *n* **1** satisfação **2** (requisitos) preenchimento **3** compensação
satisfactory *adj* satisfatório
satisfied *adj* **1** satisfeito; contente **2** convencido; persuadido
satisfy *v* **1** (desejo, curiosidade, fome, necessidades) satisfazer **2** (requisitos, condições) preencher;

reunir **3** (dívida) liquidar; (credor) pagar a **4** convencer
saturate *v* **1** *form* ensopar **2** (líquido, mercado, espaço) encher
saturation *n* saturação
Saturday *n* sábado; **on Saturday** no sábado
Saturn *n* Saturno
sauce *n* molho; **sauce boat** molheira
saucepan *n* panela (com pega); caçarola
saucer *n* pires
saucy *adj* **1** atrevido, descarado **2** (dito) brejeiro
Saudi Arabia *n* Arábia Saudita
Saudi Arabian *adj,n* saudita
sauerkraut *n* (couve) chucrute
sauna *n* sauna
saunter *v* passear; andar despreocupadamente
sausage *n* salsicha
sauté *v* CUL saltear ▪ *adj* salteado
savage *adj* **1** selvagem **2** brutal; feroz ▪ *n pej* selvagem ▪ *v* **1** (animal) atacar ferozmente **2** (pessoa) criticar duramente
savagery *n* [*pl* -ies] selvajaria; barbaridade
savannah *n* savana
save *v* **1** salvar **2** (dinheiro, tempo, energia) juntar **3** guardar **4** DESP (golo, remate) defender **5** INFORM guardar, gravar ▪ *n* (futebol) defesa ▪ *prep form* exceto[AO]; salvo ▪ *conj form* a não ser que
saving *n* **1** (tempo, dinheiro) poupança **2** *pl* poupanças, economias ♦ **savings account** conta poupança
saviour *n* salvador
savour *v* saborear ▪ *n* sabor; aroma
savoury *adj* **1** salgado; **savoury snacks** salgadinhos **2** apetitoso **3** amistoso; agradável
saw *n* (carpintaria) serra ▪ *v* (madeira) serrar
sawdust *n* serradura, serrim
sawmill *n* (oficina) serração
sax *n col* saxofone
Saxon *n,adj* saxão
saxophone *n* saxofone
saxophonist *n* saxofonista
say *v* **1** dizer; **who says?** quem disse? **2** sugerir; **I say we should forget the whole thing** sugiro que esqueçamos isto tudo ▪ *n* **1** voto na matéria **2** opinião ▪ *interj* EUA olhe!; olha! ♦ **easier said than done** falar é fácil; **"Is it big?" "I'll say!"** "É grande?" "Se é!"; **let's just say (that)** digamos apenas que; **no sooner said than done** dito e feito; **that is to say** quer dizer
saying *n* ditado; **as the saying goes** como diz o ditado
scab *n* **1** (ferida) crosta **2** *pej* fura-greves
scabies *n* sarna
scaffold *n* **1** (obras) andaime **2** (execuções) cadafalso
scaffolding *n* andaimes
scald *v* queimar; escaldar ▪ *n* queimadura; escaldadela
scale *n* **1** escala; **drawing to scale** desenho à escala **2** grandeza; tamanho **3** EUA balança **4** (peixe) escama **5** (em canalização, máquina) (depósito de) calcário **6** (dentes) tártaro **7** *pl* balança; **a set of kitchen scales** uma balança de cozinha ▪ *v* **1** (montanhas) escalar **2** (peixe) escamar
◇ **scale down** *v* reduzir
scalene *adj* **scalene triangle** triângulo escaleno
scallop *n* **1** (molusco) vieira **2** EUA CUL escalope
scalp *n* **1** couro cabeludo **2** (troféu de guerra) escalpo ▪ *v* **1** arrancar o escalpo a **2** EUA vender no mercado negro
scalpel *n* bisturi
scaly *adj* **1** (pele) seco, áspero **2** escamoso
scam *n col* falcatrua; vigarice
scamper *v* correr
scan *v* **1** inspecionar[AO] **2** (texto) ler na diagonal **3** fazer uma ecografia/radiografia a **4** (câmara, radar) controlar **5** INFORM digitalizar, scanear **6** INFORM examinar; **to scan for viruses** procurar vírus
scandal *n* escândalo
scandalize *v* escandalizar
scandalous *adj* escandaloso; vergonhoso
scanner *n* scanner
scant *adj* escasso; pouco; **to pay scant attention** prestar pouca atenção
scanty *adj* reduzido
scapegoat *n* bode expiatório
scapula *n* [*pl* -ae] omoplata
scar *n* **1** (pele, superfície) cicatriz **2** marca; mazela ▪ *v* **1** deixar com cicatriz(es) **2** marcar negativamente
scarce *adj* escasso; insuficiente ♦ *col* **to make oneself scarce** pôr-se a milhas
scarcely *adv* **1** mal; quase não; **scarcely ever** quase nunca **2** dificilmente; certamente

não; **this is scarcely the place to talk** este não é o melhor sítio para falar
scarcity *n* escassez
scare *v* assustar(-se) ▪ *n* **1** alarme; pânico **2** susto; **to give somebody a scare** pregar um susto a alguém
scarecrow *n* espantalho
scared *adj* assustado; **to be scared of** ter medo de
scaremonger *n* alarmista
scarf *n* [*pl* -s, -ves] **1** cachecol **2** lenço; echarpe
scarlet *adj,n* (cor) escarlate ◆ **scarlet fever** escarlatina
scarp *n* escarpa
scary *adj col* assustador
scathing *adj* mordaz; sarcástico
scatter *v* **1** espalhar **2** dispersar
scatterbrain *n col* cabeça no ar, cabeça de vento
scatterbrained *adj col* despassarado
scatty *adj col* distraído; despassarado
scavenge *v* vasculhar; remexer
scenario *n* [*pl* -s] **1** cenário, panorama; **in the worst-case scenario** na pior das hipóteses **2** guião
scene *n* **1** cena **2** local; **the scene of the crime** o local do crime **3** *col* (discussão) cena; **to make a scene** fazer uma cena ◆ **behind the scenes** nos bastidores
scenery *n* **1** vista; paisagem **2** TEAT cenário
scenic *adj* **1** (vista) panorâmico **2** TEAT cénico
scent *n* **1** cheiro; aroma **2** GB perfume **3** cheiro; rasto ▪ *v* **1** (cheiro) farejar **2** pressentir
sceptic *n* GB cético[AO]
sceptical *adj* GB cético[AO]
scepticism *n* GB ceticismo[AO]
sceptre *n* cetro[AO]
schedule *n* **1** agenda; programa; **ahead of schedule** adiantado; **behind schedule** atrasado **2** horário ▪ *v* agendar; marcar
scheduling *n* programação; planeamento
schematic *adj* esquemático
scheme *n* esquema ▪ *v* conspirar, maquinar
schemer *n* intriguista; conspirador
scheming *adj* calculista
schism *n* cisma; dissidência
schist *n* xisto
schizophrenia *n* esquizofrenia
schizophrenic *adj,n* esquizofrénico
schmuck *n* EUA *col* parvo
scholar *n* **1** (académico) erudito **2** (aluno) bolseiro
scholarly *adj* **1** erudito **2** académico
scholarship *n* bolsa de estudos; **scholarship holder** bolseiro
school *n* **1** escola; **to go to school** ir para a escola **2** (atividade) aulas; **before school** antes das aulas **3** faculdade; **Law school** faculdade de Direito **4** cardume ▪ *v* instruir; ensinar
schoolbag *n* (para escola) pasta; mochila
schoolbook *n* manual escolar
schoolboy *n* aluno; estudante
schoolchild *n* [*pl* -children] criança (que anda na escola); aluno
schoolgirl *n* aluna; estudante
schooling *n* instrução; estudos
schoolmate *n* GB colega de escola
schoolroom *n* sala de aula
schoolteacher *n* professor
schoolwork *n* trabalho escolar
schoolyard *n* EUA recreio
sciatic *adj* ciático
sciatica *n* (dor) ciática
science *n* ciência
scientific *adj* científico
scientist *n* cientista
sci-fi *n col* ficção científica
scissors *npl* tesoura; **a pair of scissors** uma tesoura
sclerosis *n* esclerose
scoff *v* **1** escarnecer (at, de), troçar (at, de) **2** GB *col* devorar ▪ *n* chacota, troça
scold *v* repreender; ralhar
scolding *n* repreensão; reprimenda
scone *n* scone
scoop *n* **1** (utensílio) colher **2** (gelado) bola **3** furo jornalístico, cacha ▪ *v* **1** (com colher) tirar **2** apanhar; pegar **3** (jornal) revelar em primeira mão
scoot *v col* pôr-se a mexer
scooter *n* **1** scooter **2** trotineta
scope *n* **1** alcance; âmbito; **within the scope of** no âmbito de **2** oportunidade; possibilidades
scorch *v* **1** queimar; chamuscar **2** (plantas) secar, ressequir **3** GB (carro) ir a grande velocidade ▪ *n* [*pl* -es] queimadura
scorcher *n col* dia abrasador
scorching *adj* abrasador

score *n* **1** pontuação; resultado **2** partitura **3** banda sonora **4** (teste) nota ▪ *v* **1** (golo, ponto) marcar **2** atribuir pontuação a **3** *col* (vitória, sucesso) conseguir; atingir ♦ *col* **on that score** a esse respeito; **to settle a score** ajustar contas
scoreboard *n* marcador, painel de resultados
scorer *n* **1** (basquetebol, críquete) marcador **2** (futebol, hóquei, andebol) goleador
scorn *n* desprezo, desdém ▪ *v* **1** desprezar, desdenhar **2** recusar
scornful *adj* desdenhoso
Scorpio *n* [*pl* -s] (signo) Escorpião
scorpion *n* escorpião
Scot *n* escocês
scotch *v* pôr fim a; acabar com
Scotch *n* uísque (escocês) ♦ EUA **Scotch tape** fita-cola
Scotland *n* Escócia
Scotsman *n* [*pl* -men] escocês
Scotswoman *n* [*pl* -men] escocesa
Scottish *adj* escocês ▪ *npl* **the Scottish** escoceses
scour *v* **1** (busca) vasculhar; esquadrinhar **2** (tachos, panelas) esfregar
scourge *n* **1** flagelo **2** açoite ▪ *v* **1** devastar; fustigar **2** açoitar
scout *n* **1** escuteiro **2** (soldado) batedor **3** avião de reconhecimento ▪ *v* MIL explorar; fazer reconhecimento
scowl *v* fazer má cara; franzir o sobrolho ▪ *n* cara feia
scrabble *v* **1** procurar às apalpadelas **2** esgadanhar
scraggy *adj* esquelético
scram *v col* pôr-se a andar, pôr-se a mexer
scramble *v* **1** trepar; escalar **2** disputar, lutar **3** (mensagem, informação) codificar **4** (ovos) mexer ▪ *n* **1** subida difícil **2** disputa, luta
scrap *n* **1** bocado, pedaço **2** sucata; ferro-velho; **scrap dealer** sucateiro **3** *col* pega, bulha **4** *pl* (comida) restos, sobras ▪ *v* deitar fora
scrape *v* **1** raspar **2** roçar **3** (pele) esfolar **4** (carro, pintura) arranhar **5** ganhar por pouco ▪ *n* **1** arranhadela, arranhão **2** *col* enrascada, sarilho **3** (som) chiadela
scraper *n* (utensílio) raspadeira, raspador
scrapheap *n* monte de sucata ♦ **on the scrapheap** de lado
scratch *v* **1** coçar(-se) **2** arranhar **3** raspar ▪ *n* [*pl* -es] arranhão; **without a scratch** sem um arranhão ♦ **to be up to scratch** ser razoável; **to start from scratch** começar do zero
scrawl *v* sarrabiscar; rabiscar ▪ *n* sarrabisco; gatafunho
scream *v* gritar; berrar ▪ *n* grito ♦ *col* **to be a scream** ser de partir a rir
screech *n* [*pl* -es] guincho ▪ *v* guinchar; chiar
screen *n* **1** (computador, televisão) ecrã **2** (cinema) tela **3** biombo ▪ *v* **1** (saúde) submeter a exame **2** proteger **3** tapar **4** exibir; projetar[AO] **5** fazer a triagem de
screening *n* **1** (filme) projeção[AO] **2** (doença) despistagem **3** (programa) emissão
screenplay *n* (cinema, televisão) argumento
screensaver *n* INFORM screensaver
screenshot *n* imagem de ecrã
screenwriter *n* argumentista
screw *n* parafuso ▪ *v* **1** aparafusar; atarraxar **2** amarfanhar **3** *cal* lixar; estragar ♦ *cal* **screw you!** vai-te lixar!
◇ **screw up** *v cal* meter água; fazer asneira
screwball *adj,n* EUA *col* chanfrado; maluco
screwdriver *n* **1** chave de parafusos, chave de fendas **2** (bebida) vodka com laranja
screwed-up *adj col* marado; perturbado
scribble *v* rabiscar, sarrabiscar ▪ *n* rabisco, sarrabisco
scribe *n* **1** (Antigo Egito) escriba **2** (Idade Média) copista
script *n* **1** guião **2** letra; caligrafia **3** (árabe, cirílico) alfabeto **4** GB folha de respostas (de exame) **5** INFORM script
scripture *n* escrito sagrado; Escritura
scriptwriter *n* guionista
scroll *n* **1** (pergaminho, papel) rolo **2** ARQ voluta ▪ *v* INFORM (informação no ecrã) deslocar, mover
scrollbar *n* INFORM barra de deslocamento
scrooge *n* avarento
scrotum *n* [*pl* -s, scrota] escroto
scrounge *v col* (dinheiro) cravar; sacar
scrub *v* **1** limpar, esfregando **2** *col* desistir de ▪ *n* **1** mato **2** esfrega, esfregadela
scrubber *n* **1** (para esfregar) escova **2** (gases) purificador; filtro
scruff *n* [*pl* -s] maltrapilho

scruffy *adj* desmazelado; desleixado
scruple *n* escrúpulo
scrupulous *adj* escrupuloso
scrutinize *v* examinar minuciosamente; escrutinar
scrutiny *n* [*pl* -ies] exame minucioso
scuba *n* escafandro autónomo ♦ **scuba diving** mergulho
scuff *v* **1** (pés) arrastar **2** (sapatos) gastar; estragar
scull *n* remo curto ■ *v* remar
scullery *n* [*pl* -ies] (cozinha) copa
sculpt *v* esculpir
sculptor *n* escultor
sculpture *n* escultura
scum *n* **1** (resíduos) espuma suja **2** (metais) escória **3** *pej* ralé, escumalha
scumbag *n cal* patife, sacana
scupper *v* **1** *col* deitar por terra; arruinar **2** afundar deliberadamente (o próprio navio)
scurry *v* correr ■ *n* [*pl* -ies] correria
scurvy *n* escorbuto
scuttle *v* **1** andar em passo rápido **2** EUA deitar por terra **3** afundar
scythe *n* gadanha ■ *v* segar, ceifar
sea *n* mar; **sea air** maresia; **sea wall** paredão ♦ **sea bass** robalo; **sea horse** cavalo-marinho
seafarer *n* navegante; marinheiro
seafood *n* marisco; **seafood restaurant** marisqueira
seafront *n* marginal; frente de mar
seagull *n* gaivota
seal *n* **1** (animal) foca **2** selo, carimbo ■ *v* **1** selar **2** fechar hermeticamente; vedar ♦ **my lips are sealed** a minha boca é um túmulo
seam *n* **1** costura **2** (mineral, informação) filão ♦ **to be bursting at the seams** estar a rebentar pelas costuras
seaman *n* [*pl* -men] marinheiro
seamanship *n* náutica
seamstress *n* [*pl* -es] costureira, modista
seamy *adj* sórdido
seance *n* sessão espírita
seaplane *n* hidroavião
seaport *n* porto marítimo
sear *v* **1** queimar **2** marcar **3** secar
search *n* [*pl* -es] **1** procura; busca **2** INFORM pesquisa; **search engine** motor de pesquisa ■ *v* **1** procurar **2** fazer busca; revistar ♦ DIR **search warrant** mandado de busca
searcher *n* pesquisador, investigador
searchlight *n* holofote
seascape *n* paisagem marítima
seashell *n* concha
seashore *n* costa; litoral
seasick *adj* enjoado; **to get seasick** enjoar a andar de barco
seasickness *n* enjoo (em viagens no mar)
seaside *n* beira-mar; praia ♦ **seaside resort** estância balnear
season *n* **1** (do ano, moda) estação **2** época; **dry season** época seca **3** (espetáculos) temporada, época; **season ticket** bilhete para uma época **4** (festividade) quadra **5** (de filmes) ciclo ■ *v* **1** (comida) temperar **2** (madeira) secar
seasonable *adj* próprio da época
seasonal *adj* sazonal
seasoning *n* tempero
seat *n* **1** assento; (carro) banco **2** lugar; **this seat is taken** este lugar está ocupado **3** (numa assembleia) lugar; assento ■ *v* **1** ter uma lotação de; comportar **2** sentar; **please be seated** queiram sentar-se ♦ **seat belt** cinto de segurança
seating *n* assentos; lugares sentados
seaward *adv* em direção[AO] ao mar
seaweed *n* alga (marinha)
sebaceous *adj* sebáceo
sec *n col* segundo
secession *n* secessão
seclude *v* separar (from, de); isolar (from, de)
seclusion *n* isolamento
second *num ord,n* segundo ■ *n* **1** (tempo) segundo; **by the second** ao segundo **2** momento, instante **3** (veículos) segunda (velocidade) **4** artigo com defeito **5** braço direito; assistente ■ *adv* em segundo lugar ■ *v* apoiar ♦ **on second thoughts** pensando melhor; **on the second** no dia dois; **to be second to none** ser insuperável
secondary *adj* secundário
second-best *adj* segundo melhor; **to come off second-best** ficar em segundo lugar ■ *n* segunda escolha
second-class *adj* **1** de segunda categoria **2** (transportes) de segunda classe **3** (correio) normal
second-hand *adj,adv* em segunda mão

secondly *adv* segundo; em segundo lugar
second-rate *adj* de qualidade inferior; de fraca qualidade
secrecy *n* **1** sigilo **2** secretismo; mistério
secret *adj* **1** secreto; **secret admirer** admirador secreto **2** misterioso ▪ *n* segredo
secretariat *n* POL secretariado
secretary *n* [*pl* -ies] **1** (funcionário) secretário **2** POL (Reino Unido) ministro; (Estados Unidos) secretário de Estado
secrete *v* (secreção) segregar
secretion *n* secreção
secretive *adj* sigiloso, reservado
secretly *adv* secretamente; em segredo
sect *n* seita
sectarian *adj* sectário
section *n* **1** secção **2** (leis) parágrafo **3** (da sociedade) setor[AO] ▪ *v* cortar
sector *n* setor[AO]
secular *adj* secular
secure *adj* **1** seguro; **to feel secure** sentir-se seguro **2** protegido; em segurança **3** (situação) certo; estável ▪ *v* **1** assegurar; obter **2** proteger **3** (objetos) prender; fixar
securely *adv* **1** com firmeza; **securely fastened** bem apertado **2** firmemente **3** com segurança
security *n* [*pl* -ies] **1** segurança **2** (empréstimos) garantia **3** *pl* ações[AO]; títulos ◆ (Nações Unidas) **Security Council** Conselho de Segurança
sedan *n* EUA (automóvel) três volumes, sedã
sedate *adj* tranquilo; calmo; pacífico ▪ *v* sedar, administrar sedativo a
sedation *n* tratamento com sedativos ◆ **to be under sedation** estar sob efeito de sedativos
sedative *adj,n* sedativo, calmante
sedentary *adj* sedentário
sediment *n* sedimento
sedimentation *n* sedimentação
seduce *v* **1** (relação amorosa) seduzir **2** incitar (into, a)
seducer *n* sedutor
seduction *n* sedução
seductive *adj* sedutor; atraente
see *v* **1** (sentido) ver **2** (raciocínio) entender; compreender **3** encontrar-se com; ver **4** namorar com; andar com **5** certificar-se de; assegurar-se de **6** acompanhar, levar ▪ *n* diocese ◆ **see you!** até à vista!; **see you tomorrow** até amanhã; **you see** sabes
◇ **see off** *v* acompanhar; despedir-se de
◇ **see through** *v* **1** (intenções) entender, perceber **2** (apoio) acompanhar durante
◇ **see to** *v* tratar de; encarregar-se de; **to see to it that...** certificar-se de que...
seed *n* **1** semente **2** EUA (maçã, laranja) pevide **3** *fig* origem **4** (ténis) cabeça de série ▪ *v* **1** semear (with, -) **2** tirar semente, pevide ou caroço a
seedy *adj col* (aparência) com mau aspeto[AO]
seeing *conj* **seeing as/that** visto que; já que
seek *v* **1** procurar; buscar **2** solicitar; pedir **3** tentar; esforçar-se por
seem *v* parecer; **so it seems** parece que sim
seeming *adj* aparente
seemingly *adv* **1** aparentemente **2** segundo parece
seep *v* infiltrar-se
seesaw *n* balancé
seethe *v* **1** (irritação) ferver (with, de) **2** (local) fervilhar (with, de)
segment *n* **1** segmento **2** (fruta) gomo ▪ *v* segmentar
segmentation *n* segmentação
segregate *v* segregar; separar
segregation *n* segregação; separação
seismic *adj* sísmico
seismograph *n* sismógrafo
seismology *n* sismologia
seize *v* **1** agarrar **2** tomar; conquistar **3** capturar **4** (droga, objetos roubados) apreender **5** (emoção) apoderar-se de
seizure *n* **1** (poder, país) tomada; conquista **2** (droga, objetos roubados) apreensão **3** ataque; **epileptic seizure** ataque epilético[AO]
seldom *adv* raramente
select *v* escolher; selecionar[AO] ▪ *adj* seleto[AO]
selection *n* **1** (processo) seleção[AO] **2** (lojas) coleção[AO]; artigos **3** (livros) coletânea[AO]
selective *adj* seletivo[AO]
selector *n* **1** (mecanismo) seletor[AO] **2** DESP selecionador[AO]
selenium *n* selénio
self *n* [*pl* selves] eu; **inner self** eu interior
self-absorbed *adj* centrado em si mesmo; egocêntrico
self-adhesive *adj* autocolante
self-assurance *n* autoconfiança

self-assured *adj* autoconfiante, seguro de si mesmo
self-centred *adj* egocêntrico
self-confidence *n* autoconfiança
self-confident *adj* autoconfiante
self-conscious *adj* **1** inibido; envergonhado **2** afetado[AO]; artificial
self-contained *adj* autossuficiente[AO]; independente
self-control *n* autodomínio, autocontrolo
self-criticism *n* autocrítica
self-defeating *adj* contraproducente
self-defence *n* autodefesa; DIR **in self-defence** em legítima defesa
self-denial *n* abnegação; renúncia
self-destruction *n* autodestruição
self-destructive *adj* autodestrutivo
self-esteem *n* amor-próprio; autoestima[AO]
self-explanatory *adj* fácil de entender; evidente
self-governing *adj* autónomo; independente
self-government *n* autonomia; independência
self-help *n* autoajuda[AO]
self-indulgent *adj* autocomplacente
self-interest *n* interesse próprio
selfish *adj* egoísta
selfishness *n* egoísmo
selfless *adj* altruísta
self-made *adj* que venceu devido ao seu esforço
self-portrait *n* autorretrato[AO]
self-reliance *n* independência, autonomia
self-respect *n* autoestima[AO]; amor-próprio
self-righteous *adj* arrogante; moralista
self-service *n* autosserviço[AO], self-service
self-sufficiency *n* autossuficiência[AO]
self-sufficient *adj* autossuficiente[AO]
self-taught *adj* autodidata[AO]
sell *v* vender
◇ **sell out** *v* **1** (venda) esgotar **2** vender-se; trair uma causa
seller *n* vendedor
selling *n* venda
Sellotape *n* fita-cola
semantic *adj* semântico
semantics *n* semântica
semaphore *n* código de bandeiras
semblance *n* aparência, aspeto[AO]
semen *n* sémen
semester *n* semestre
semiautomatic *adj* semiautomático
semibreve *n* GB MÚS semibreve
semicircle *n* semicírculo
semicolon *n* ponto e vírgula
semiconscious *adj* semiconsciente
semi-final *n* meia-final, semifinal
semi-finalist *n* semifinalista
seminal *adj* seminal
seminar *n* seminário, conferência
seminary *n* [*pl* -ies] REL seminário
Semite *n* semita
Semitic *adj* semita
semivowel *n* semivogal
semolina *n* sêmola
senate *n* senado
senator *n* senador
send *v* **1** (cumprimentos, carta) enviar; mandar **2** (mensagem) transmitir **3** pôr; **to send somebody crazy** pôr alguém doido
◇ **send for** *v* **1** pedir; **to send for help** pedir ajuda, ir buscar ajuda **2** (pessoa) mandar vir
◇ **send in** *v* **1** enviar (por correio) **2** (tropas) enviar **3** mandar (alguém) entrar
◇ **send off** *v* **1** enviar (por correio) **2** GB (jogador) expulsar
sender *n* remetente
send-off *n col* despedida
Senegal *n* Senegal
Senegalese *adj,n* senegalês
senile *adj* senil
senility *n* senilidade
senior *adj* **1** superior; sénior **2** mais velho; mais antigo **3** GB (escola) secundário **4** EUA (escola) finalista **5** DESP para seniores ▪ *n* **1** pessoa mais velha; **he's six years her senior** é mais velho do que ela seis anos **2** superior **3** EUA (aluno) finalista **4** EUA idoso **5** GB DESP sénior
seniority *n* (numa função) antiguidade
sensation *n* sensação ♦ **to cause a sensation** fazer sensação
sensational *adj* **1** sensacional; fantástico **2** sensacionalista
sensationalism *n* sensacionalismo
sense *n* **1** (físico) sentido; **the five senses** os cinco sentidos **2** sensação; perceção[AO] **3** bom senso **4** (palavras) sentido ▪ *v* pressentir; intuir ♦ **in a sense** de certo modo; **to come to one's senses** recuperar os sentidos; **to make sense** fazer sentido

senseless *adj* **1** sem sentido **2** inconsciente; sem sentidos **3** insensato
sensibility *n* [*pl* -ies] sensibilidade
sensible *adj* **1** sensato **2** (roupas) prático; funcional

> Não confundir a palavra inglesa **sensible** com a palavra portuguesa **sensível** que se traduz por *sensitive*.

sensitive *adj* (emoções, assunto) sensível
sensitivity *n* **1** (emoções) sensibilidade **2** (reações) suscetibilidade[AO]
sensitize *v* sensibilizar; alertar
sensor *n* sensor
sensory *adj* sensorial ♦ **sensory organs** órgãos dos sentidos
sensual *adj* sensual
sensuality *n* sensualidade
sensuous *adj* sensual
sentence *n* **1** frase **2** pena; **to serve a sentence** cumprir uma pena ▪ *v* condenar (to, a)
sentiment *n* **1** *form* sentimento **2** sentimentalismo
sentimental *adj* **1** sentimental **2** sentimentalista
sentimentality *n* sentimentalismo
sentry *n* [*pl* -ies] sentinela ♦ **sentry box** guarita
separate *adj* **1** separado **2** diferente; distinto ▪ *v* **1** separar(-se) (from, de) **2** dividir(-se) **3** distinguir; diferenciar ♦ **to go separate ways** ir cada um para o seu lado
separately *adv* separadamente
separation *n* separação
separatism *n* separatismo
separatist *adj,n* separatista
separator *n* (máquina) separador
sepia *n* sépia
September *n* setembro[AO]
septic *adj* séptico[AO]; **septic poisoning** septicemia; **septic tank** fossa séptica[AO]
sequel *n* **1** consequência; resultado **2** (de filme, livro) sequela; continuação
sequence *n* **1** sequência; ordem **2** série (of, de); cadeia (of, de) **3** (de filme) cena; sequência
sequential *adj* sequencial
sequester *v* **1** (júri) manter isolado **2** DIR ⇒ **sequestrate**
sequestrate *v* DIR penhorar; (até pagamento de dívida) arrestar
sequestration *n* DIR penhora; (até pagamento de dívida) arresto
sequin *n* lantejoula
serenade *n* serenata ▪ *v* fazer uma serenata
serene *adj* sereno; calmo; tranquilo ♦ **His/Her Serene Highness** Sua Alteza Sereníssima
serenity *n* serenidade; tranquilidade
serf *n* [*pl* -s] (feudalismo) servo
serge *n* sarja
sergeant *n* **1** MIL sargento **2** (polícia) chefe
serial *adj* **1** em série; **serial killer** assassino em série **2** de série; **serial number** número de série **3** (publicação) em fascículos ▪ *n* **1** (televisão) série **2** (texto) folhetim
series *n* [*pl* series] **1** série; sucessão **2** sequência **3** (palestras, filmes) ciclo **4** TV,ELET série
serious *adj* (expressão, situação, carácter) sério
seriously *adv* **1** (situação) gravemente **2** (sem brincadeiras) seriamente, a sério
seriousness *n* seriedade; gravidade ♦ **in all seriousness** muito seriamente
sermon *n* sermão
serpent *n* *lit* serpente
serum *n* (sanguíneo, para vacina) soro
servant *n* **1** (em casas) empregado **2** (em empresas) funcionário
serve *v* **1** servir; **dinner is served** o jantar está na mesa; **to serve as a warning** servir de aviso **2** (cliente) atender **3** desempenhar funções **4** (quantidade de comida) chegar para **5** (pena de prisão) cumprir **6** (ténis, voleibol) servir ▪ *n* (ténis, voleibol) serviço ♦ **to serve a purpose** servir para alguma coisa; **it serves you right!** é bem feito!
server *n* **1** INFORM servidor **2** DESP jogador que serve **3** talher **4** EUA empregado (de mesa)
service *n* **1** serviço; **service provider** fornecedor de acesso à Internet; **to be on service** estar de serviço **2** serviço religioso, missa **3** atendimento **4** (veículo) revisão ▪ *v* **1** servir **2** (carro) fazer uma revisão a
serviceable *adj* que pode ser usado; operacional
serviette *n* GB guardanapo
servile *adj* servil
servitude *n* servidão; escravidão
sesame *n* sésamo

session *n* **1** sessão; **photo session** sessão fotográfica; **to meet in closed session** reunir-se à porta fechada **2** EUA período letivo[AO]
set *v* **1** colocar; pôr **2** (trabalho, tarefa) atribuir **3** (data, preço, limite) marcar **4** (recorde, objetivo) estabelecer **5** (relógio, mecanismo) acertar **6** (sol) pôr-se **7** montar; preparar ▪ *n* **1** conjunto; grupo; (louça) serviço; (lençóis) jogo **2** aparelho; **TV set** televisor **3** local de filmagens, estúdio **4** cenário **5** (cantor, banda) atuação[AO] **6** (ténis, vólei) set **7** MAT conjunto **8** círculo social ▪ *adj* **1** fixo; pré-definido; **a set menu** um menu fixo **2** preparado; **are you set?** estão preparados?
◇ **set about** *v* começar; meter mãos à obra
◇ **set against** *v* **1** (inimizades) virar contra; pôr contra **2** contrapor a
◇ **set apart** *v* **1** distinguir; tornar diferente **2** reservar; destinar
◇ **set aside** *v* **1** (tempo, dinheiro) reservar; destinar **2** (sentimento, convicção) pôr de lado; rejeitar
◇ **set back** *v* **1** (processo) atrasar **2** *col* (dinheiro) custar
◇ **set down** *v* **1** (passageiros) deixar sair; largar **2** anotar; assentar
◇ **set in** *v* instalar-se; chegar
◇ **set off** *v* **1** (viagem) partir **2** (processo) desencadear **3** (bomba) detonar **4** (alarme) fazer disparar **5** (cor, traço) realçar
◇ **set on** *v* **1** atacar com violência **2** fazer atacar
◇ **set out** *v* **1** partir **2** resolver; propor-se **3** organizar **4** expor; apresentar **5** dar os primeiros passos
◇ **set to** *v* meter mãos à obra
◇ **set up** *v* **1** (negócio) abrir; montar **2** iniciar negócio **3** *col* tramar **4** construir; erguer **5** (estrutura, aparelho) montar **6** marcar; organizar **7** dar energia a
setback *n* revés; contrariedade
settee *n* sofá
setting *n* **1** cenário; ambiente **2** (de botão, interruptor) posição **3** parâmetro **4** (joias) engaste **5** arranjo musical
settle *v* **1** resolver; decidir **2** combinar; acordar **3** tratar de **4** instalar-se; **to settle back** recostar-se **5** estabelecer-se; fixar-se **6** povoar; colonizar **7** (poeira) assentar **8** (pássaro, olhar) pousar **9** liquidar; saldar
◇ **settle down** *v* **1** sossegar; acalmar(-se) **2** assentar
◇ **settle in** *v* (nova situação) adaptar-se; instalar-se
◇ **settle up** *v* pagar a conta
settled *adj* **1** fixo; estável **2** povoado **3** instalado; confortável
settlement *n* **1** acordo; contrato **2** (local) povoação **3** (processo) povoamento; colonização **4** pagamento; liquidação
settler *n* povoador; colono
set-to *n col* briga
seven *num card,n* sete
seventeen *num card,n* dezassete
seventeenth *num ord,n* décimo sétimo ♦ **on the seventeenth** no dia dezassete
seventh *num ord,n* sétimo ♦ **on the seventh** no dia sete
seventieth *num ord,n* septuagésimo
seventy *num card,n* setenta ♦ (década) **the seventies** os anos setenta; **to be in one's seventies** ter 70 e tal anos
sever *v* **1** *form* cortar; (parte do corpo) decepar **2** *form* (relações) romper
several *adj* vários
severe *adj* **1** muito grave **2** (pessoa, expressão) severo **3** (tarefa, teste) difícil **4** (aspeto, decoração) sóbrio
severity *n* [*pl* -ies] **1** (situação) gravidade **2** (comportamento) severidade
sew *v* coser; costurar
sewage *n* águas residuais; esgotos ♦ **sewage farm** estação de tratamento de águas residuais
sewer *n* esgoto, cano de esgoto
sewerage *n* sistema de esgotos
sewing *n* costura; **sewing machine** máquina de costura
sex *n* [*pl* -es] sexo ♦ **sex appeal** atração[AO] sexual; **to have sex with** ter relações sexuais com
sexism *n* sexismo
sexist *adj,n* sexista
sexologist *n* sexólogo
sexology *n* sexologia
sextet *n* sexteto
sexton *n* sacristão
sextuple *adj,n* sêxtuplo ▪ *v* sextuplicar
sexual *adj* sexual
sexuality *n* sexualidade

sexy *adj* sensual; sexy
Seychelles *npl* Seicheles
shabby *adj* **1** (roupas) gasto; coçado **2** (edifício, objeto) em mau estado **3** (pessoa) esfarrapado
shack *n* casebre, barraca
◇ **shack up** *v* ir viver junto (with, com)
shackle *n* grilheta ▪ *v* algemar; acorrentar
shade *n* **1** sombra **2** (candeeiro) quebra-luz, abajur **3** (cor) tom, tonalidade **4** EUA estore **5** *pl col* óculos de sol ▪ *v* escurecer; sombrear
shadow *n* **1** sombra **2** escuridão ▪ *v* **1** seguir de perto; vigiar **2** cobrir de sombra ◆ **beyond a shadow of a doubt** sem sombra de dúvidas; POL **shadow cabinet** governo-sombra
shady *adj* **1** (local) à sombra; abrigado do sol **2** (ato, negócio) desonesto; obscuro
shaft *n* **1** passagem **2** (de elevador, mina) poço **3** haste; cabo **4** (luz) nesga **5** MEC veio; eixo **6** seta; dardo
shaggy *adj* desgrenhado
shah *n* xá
shake *v* **1** sacudir; abanar; agitar **2** tremer **3** (estado mental) abalar ▪ *n* **1** abanão; sacudidela **2** (bebida) batido **3** tremor ◆ *col* **shake a leg!** despachem-se!; **shake before use** agitar antes de usar
◇ **shake off** *v* livrar-se de
◇ **shake up** *v* **1** (líquidos) mexer; agitar **2** (equilíbrio mental) abalar; afetar[AO]
shaken *adj* perturbado; abalado
shaker *n* misturador
shaky *adj* **1** trémulo **2** instável **3** tremido
shall *v* **1** [usa-se para formar o futuro na 1ª pessoa do singular e do plural] **I shall miss her** vou sentir a falta dela **2 let's try again, shall we?** vamos tentar outra vez, está bem?; (sugestões, perguntas) **shall I go with you?** queres que vá contigo? **3** (obrigação) dever; **the goods shall be delivered to the buyer** os artigos deverão ser entregues ao comprador
shallow *adj* **1** (águas) pouco profundo, baixo **2** (pessoa, ideia) fútil; superficial
sham *n* **1** farsa; embuste **2** impostor ▪ *adj* falso ▪ *v* fingir
shamble *v* caminhar tropegamente
shambles *n* confusão, desordem, caos
shame *n* **1** vergonha **2** pena; **what a shame!** que pena! ▪ *v* humilhar ◆ **shame on you!** devias ter vergonha!
shamefaced *adj* envergonhado
shameful *adj* vergonhoso
shameless *adj* descarado; desavergonhado
shampoo *n* champô ▪ *v* lavar com champô
shank *n* **1** (ferramenta) haste **2** (de pessoa) canela; (de animal) perna
shanty *n* [*pl* -ies] barraca; casebre ◆ **shanty town** bairro de lata
shape *n* **1** forma; feitio; **in the shape of** sob a forma de **2** forma física; **to keep in shape** manter a forma **3** (pessoa) figura; vulto ▪ *v* modelar; moldar
◇ **shape up** *v* **1** atinar; ganhar juízo **2** andar; evoluir
shapeless *adj* sem forma
share *n* **1** parte, quinhão **2** ECON ação[AO] ▪ *v* partilhar
shareholder *n* acionista[AO]
shareware *n* shareware
shark *n* **1** tubarão **2** *col* vigarista
sharp *adj* **1** afiado; aguçado **2** (descida, aumento) acentuado **3** (som, dor) agudo **4** (diferença) marcante **5** (tom) ríspido; (crítica) duro **6** (forma, contorno) definido **7** perspicaz **8** elegante **9** (curva) apertado **10** (sabor) ácido, azedo **11** (rosto, nariz) comprido **12** MÚS sustenido ▪ *adv* (hora) em ponto ▪ *n* MÚS sustenido
sharpen *v* **1** (objeto) afiar **2** (apetite) aguçar; abrir **3** (situação) intensificar, agudizar
sharpener *n* afiador; **pencil sharpener** apara-lápis, aguça
sharpshooter *n* bom atirador
shatter *v* **1** quebrar(-se); despedaçar(-se) **2** (emoções, sonhos) destroçar; destruir **3** abalar; arrasar
shave *v* **1** fazer a barba (a) **2** depilar (com lâmina); rapar **3** reduzir; ajustar ◆ **to have a shave** fazer a barba
shaver *n* máquina de barbear
shaving *n* **1** barbear **2** *pl* aparas ◆ **shaving brush** pincel de barba; **shaving cream/foam** creme/espuma de barbear
shawl *n* xaile
she *pron pess* **1** (pessoa, animal) ela **2** aquela ▪ *n* (bebé) menina; (animal) fêmea
sheaf *n* [*pl* -ves] **1** (palha) molho; feixe **2** (papel) maço
shear *v* (ovelhas) tosquiar
shears *npl* tesoura de poda

sheath *n* **1** (faca, espada) bainha **2** (objeto) invólucro
sheathe *v* **1** (faca, espada) embainhar **2** revestir, forrar
shed *n* barracão; cabana ▪ *v* **1** livrar-se de **2** (folhas, penas, pelo) largar **3** deixar cair **4** (água, sangue, lágrima) derramar ♦ **to shed light on the matter** esclarecer o assunto
sheen *n* lustro; brilho
sheep *n* [*pl* sheep] ovelha; carneiro; **a flock of sheep** um rebanho de ovelhas
sheepdog *n* cão-pastor
sheer *adj* **1** (ênfase) puro; mero **2** enorme **3** (superfície) íngreme **4** (tecido) fino e transparente
sheet *n* **1** lençol **2** (papel) folha **3** placa; chapa **4** camada
sheikh *n* (chefe árabe) xeque
shelf *n* [*pl* -ves] prateleira
shell *n* **1** concha; (tartaruga) carapaça **2** (ovo, noz, feijão, ervilha) casca **3** bomba; projétil[AO] **4** EUA (balas) cartucho **5** (edifício) estrutura; (navio) casco **6** (timidez) concha ▪ *v* **1** bombardear **2** (ovo, noz, feijão, ervilha) descascar
◇ **shell out** *v col* desembolsar
shellfish *n* marisco
shelter *n* **1** abrigo **2** (proteção) refúgio ▪ *v* **1** abrigar(-se) **2** proteger(se) **3** acolher ♦ **to take shelter** proteger-se
shelve *v* **1** (processo) suspender; interromper **2** descer a pique
shepherd *n* pastor ♦ CUL **shepherd's pie** empadão
sheriff *n* xerife
sherry *n* xerez
shield *n* **1** (arma de defesa) escudo **2** proteção[AO], defesa ▪ *v* proteger
shift *n* **1** viragem; mudança **2** (trabalho) turno **3** (teclado) shift ▪ *v* **1** mexer-se no lugar **2** mudar de **3** desviar **4** mudar(-se); alterar(-se) **5** (recursos) canalizar **6** (nódoas) tirar
shifty *adj* finório
shilling *n* (moeda antiga) xelim
shin *n* (perna) canela
shinbone *n* tíbia
shindig *n* [*pl* -ies] *col* festança; festarola
shine *v* **1** brilhar **2** (lanterna, foco) apontar **3** (calçado) engraxar ▪ *n* brilho; luminosidade ♦ **to take a shine to someone** simpatizar de imediato com alguém
shingle *n* pedrinhas
shiny *adj* brilhante
ship *n* navio ▪ *v* enviar por barco
shipmate *n* companheiro de bordo
shipment *n* **1** embarque **2** (mercadoria) carregamento
shipowner *n* (navio) armador
shipping *n* **1** embarcações; navios **2** embarque **3** envio; transporte
shipwreck *n* **1** (acontecimento) naufrágio **2** barco naufragado ♦ **to be shipwrecked** naufragar
shipyard *n* estaleiro
shire *n* (antiga designação) condado
shirk *v* esquivar-se a; furtar-se a
shirt *n* camisa ♦ **to keep one's shirt on** manter a calma
shiver *n* arrepio; tremor ▪ *v* (medo, frio) tremer ♦ **it gives me the shivers** provoca-me arrepios
shivery *adj* a tremer ♦ **to feel shivery** estar com arrepios
shoal *n* (peixes) cardume
shock *n* choque; **to get a shock** apanhar um choque; **in a state of shock** em estado de choque ▪ *v* **1** (emoções) chocar; abalar **2** (mentalidades) escandalizar ♦ **shock absorber** amortecedor
shocking *adj* **1** chocante; revoltante **2** *col* terrível ♦ (cor) **shocking pink** rosa-choque
shoddy *adj* mal feito; tosco
shoe *n* **1** sapato; **to take off one's shoes** descalçar os sapatos **2** (indústria) calçado **3** (cavalos) ferradura ▪ *v* (cavalos) pôr ferradura ♦ **put yourself in my shoes** põe-te no meu lugar; **to fill someone's shoes** ocupar o lugar de alguém
shoehorn *n* calçadeira
shoelace *n* GB (sapatos) atacador; cordão
shoemaker *n* sapateiro
shoestring *n* EUA (sapatos) atacador; cordão
shoot *v* **1** dar um tiro em; alvejar **2** disparar; **don't shoot!** não dispare! **3** matar (com um tiro); abater **4** caçar **5** (flime, cena) filmar **6** rematar; chutar ▪ *n* **1** (planta) rebento **2** filmagem; sessão fotográfica **3** caçada ♦ EUA **shoot! 1** diz lá! **2** bolas!
◇ **shoot down** *v* **1** (arma de tiro) abater **2** (ideias, opiniões) rebater, deitar por terra
shooter *n* atirador

shooting *n* 1 tiroteio 2 assassinato 3 fuzilamento 4 caça (a tiro) 5 filmagem; rodagem ◆ **shooting star** estrela cadente
shop *n* 1 (venda) loja 2 oficina ▪ *v* fazer compras ◆ **shop assistant** empregado de balcão; **shop window** montra; **to set up shop** estabelecer-se
shopkeeper *n* comerciante; lojista
shoplifter *n* ladrão (numa loja)
shoplifting *n* roubo (em lojas)
shopper *n* comprador; freguês
shopping *n* compras; **to go shopping** ir às compras ◆ **shopping centre** centro comercial
shore *n* 1 praia; beira-mar 2 costa; litoral
short *adj* 1 curto; pequeno 2 baixo 3 breve 4 com falta (of/on, de); **to be short on something** ter falta de alguma coisa 5 pouco; escasso 6 brusco ▪ *n* 1 *col* curta-metragem 2 *col* curto-circuito 3 GB (bebida) shot 4 *pl* calções ◆ **short circuit** curto-circuito; **short cut** atalho; **short story** conto; **for short** para abreviar; **in short** em resumo
shortage *n* falta, escassez
shortcake *n* bolachas amanteigadas
short-circuit *v* 1 entrar em curto-circuito 2 provocar um curto-circuito em
shortcoming *n* 1 (pessoas) defeito; falha 2 (coisa) lacuna; falta
shorten *v* 1 (dimensões) diminuir; encurtar 2 (assunto) abreviar; resumir
shortfall *n* défice; buraco
shorthand *n* estenografia
short-list *v* (para prémio, emprego) selecionar[AO]
short-lived *adj* passageiro; temporário
shortly *adv* 1 dentro de momentos, em breve 2 rispidamente, bruscamente ◆ **shortly after** pouco depois; **shortly before** pouco antes
short-range *adj* 1 (arma) de curto alcance 2 (objetivos, previsão) a curto prazo
short-sighted *adj* 1 GB míope 2 (pessoa, projeto) de vistas curtas; limitado
short-staffed *adj* com pouco pessoal
short-tempered *adj* irritadiço; implicante
short-term *adj* 1 (fim próximo) de curta duração 2 (efeitos) a curto prazo
shot *n* 1 tiro, disparo; **to take a shot at someone** disparar contra alguém 2 (canhão, espingarda) bala 3 *col* tentativa 4 fotografia 5 (filme) plano; **a close shot** um grande plano 6 *col* injeção[AO], vacina 7 (lançamento do peso) peso 8 EUA (bebida) shot ◆ **a shot in the dark** um tiro no escuro; **big shot** manda-chuva[AO]; **to do something like a shot** não pensar duas vezes
shotgun *n* caçadeira
should *v* 1 dever; **you should have seen it** devias ter visto; (agradecimento) **you shoudn't!** não era preciso! 2 haver de; **how should I know?** como é que eu havia de saber? 3 *form* [em orações condicionais] **if I should die** se eu morrer 4 *form* [forma do condicional] **I should be grateful** ficar-lhe-ia grato
shoulder *n* 1 ombro 2 (animal) pá 3 EUA (estrada) berma ▪ *v* 1 arcar com; assumir 2 colocar aos ombros 3 abrir caminho ◆ **shoulder blade** omoplata; **shoulder pad** chumaço (nos ombros); **a shoulder to cry on** um ombro amigo
shout *v* gritar; berrar ▪ *n* grito, berro
shouting *n* gritaria; berreiro ◆ **a shouting match** uma peixeirada *col*
shove *v* 1 dar um encontrão a; empurrar 2 atirar, enfiar ▪ *n* empurrão, encontrão
◇ **shove off** *v* GB *col* **shove off!** desaparece!
shovel *n* 1 (utensílio) pá 2 (máquina) escavadora ▪ *v* cavar, escavar
show *n* 1 espetáculo[AO] 2 (rádio, televisão) programa 3 mostra, exposição ▪ *v* 1 mostrar; indicar 2 (exposição) expor 3 (mancha, estado) ver-se; notar-se 4 *col* (comparência) aparecer ◆ **show business** mundo do espetáculo[AO]
◇ **show off** *v* 1 armar-se; dar nas vistas 2 exibir; ostentar 3 (característica) realçar
◇ **show up** *v* 1 (pessoa) aparecer 2 (mancha, revelação) notar-se; ver-se 3 (característica, defeito) descobrir; realçar 4 (perante alguém) envergonhar
showbiz *n col* indústria do espetáculo[AO]
showcase *n* 1 (sessão) mostra; apresentação 2 (exposição) vitrina; expositor
showdown *n* ajuste de contas
shower *n* 1 chuveiro; **to be in the shower** estar no chuveiro 2 (banho) duche; **to take a shower** tomar um duche 3 aguaceiro ▪ *v* 1 tomar um duche 2 inundar ◆ **shower cap** touca do banho; **shower gel** gel de banho
showerproof *adj* impermeável
showgirl *n* 1 corista 2 bailarina
showing *n* 1 (filme, arte) exibição 2 (equipa, candidato) prestação

showman *n* [*pl* -men] **1** empresário de espetáculos[AO] **2** artista
show-off *n* (pessoa) exibicionista; gabarola
showpiece *n* **1** modelo; exemplo **2** orgulho
showroom *n* sala de exposições
showy *adj* vistoso
shrapnel *n* (bomba) estilhaços
shred *n* **1** trapo; farrapo **2** bocado; tira; **to rip something to shreds** cortar alguma coisa às tiras **3** vestígio; resquício ▪ *v* **1** cortar às tiras **2** esfiar
shredder *n* (máquina) destruidor de papel
shrewd *adj* astuto; perspicaz
shriek *v* guinchar; chiar ▪ *n* guincho; chio
shrill *adj* estridente; agudo ▪ *v* guinchar; gritar
shrimp *n* **1** camarão; EUA gamba **2** *col* meia-leca *col*; minorca *col*
shrine *n* **1** (local) santuário **2** (recipiente, túmulo) relicário
shrink *v* **1** encolher **2** diminuir **3** recuar ▪ *n* **1** *col* psiquiatra **2** *col* psicólogo
shrivel *v* encarquilhar; murchar
shroud *n* **1** mortalha; sudário **2** (de mistério, secretismo, silêncio) manto; véu ▪ *v* envolver (in, em)
shrub *n* arbusto
shrug *v* (ombros) encolher
◇ **shrug off** *v* não fazer caso de
shudder *v* **1** (emoções) estremecer; sobressaltar-se **2** (máquinas, veículos) abanar; dar solavancos ▪ *n* **1** (emoções) arrepio; calafrio **2** (movimento) abanão; solavanco
shuffle *v* **1** andar arrastando os pés **2** misturar; remexer **3** (cartas) baralhar
shun *v* evitar intencionalmente; esquivar-se a
shunt *v* **1** (pessoas, objetos) deslocar **2** (comboios) mudar de linha
shush *v* calar; mandar calar ▪ *interj* chiu!, caluda!
shut *v* **1** fechar **2** trilhar; entalar ▪ *adj* fechado
◇ **shut away** *v* guardar a sete chaves
◇ **shut down** *v* (estabelecimento comercial, fábrica) fechar; encerrar
◇ **shut in** *v* fechar (lá dentro); **he shut himself in** fechou-se lá dentro
◇ **shut off** *v* **1** (aparelho, máquina) desligar(-se) **2** (gás, água) cortar **3** separar; isolar
◇ **shut out** *v* **1** afastar; excluir **2** não deixar entrar **3** não deixar passar
◇ **shut up** *v* **1** calar(-se); **shut up!** cala-te!, está calado! **2** fechar
shutdown *n* **1** (fábrica) encerramento **2** (máquina) paragem
shutter *n* **1** portada **2** persiana **3** FOT obturador
shuttle *n* **1** (meios de transporte) serviço de ligação **2** vaivém ▪ *v* **1** transportar **2** viajar
shuttlecock *n* (badminton) volante
shy *adj* **1** acanhado; tímido **2** (animais) assustadiço ▪ *v* (cavalo) espantar-se; assustar-se ◆ EUA **shy of** com falta de
◇ **shy away from** *v* ter medo de; fugir de
Siamese *adj,n* siamês; **Siamese cat** gato siamês; **Siamese twins** gémeos siameses
sibilant *adj,n* sibilante
sibling *n form* irmão; irmã
Sicilian *adj,n* siciliano
Sicily *n* Sicília
sick *adj* **1** doente **2** GB enjoado **3** *col* farto **4** doentio **5** (piada) de mau gosto ▪ *n* **1** GB *col* vómito **2** *pl* **the sick** doentes ◆ **sick leave** baixa médica; GB **to be sick** vomitar
sickbay *n* (em escola, barco) enfermaria
sicken *v* **1** enojar **2** adoecer; **to be sickening for something** andar a chocar algo
sickle *n* foice
sickly *adj* **1** propenso a doenças **2** débil; frágil **3** enjoativo **4** (cor) horroroso
sickness *n* **1** doença **2** enjoo, náusea
side *n* **1** lado **2** beira; margem; borda **3** flanco **4** encosta **5** página ▪ *adj* **1** lateral **2** (questão, problema) secundário; menor ◆ **to take sides** tomar partido
◇ **side with** *v* tomar o partido de
sideboard *n* **1** (mobília) aparador; louceiro **2** *pl* GB suíças
sideburns *npl* suíças
sidekick *n col* parceiro; braço direito
sidelight *n* **1** informação (acidental mas esclarecedora) **2** GB farolim
sideline *n* **1** (trabalho) biscate **2** linha lateral ▪ *v* excluir
sidelong *adj* de soslaio; de esguelha
sidewalk *n* EUA passeio; **sidewalk artist** artista de rua
sideways *adv* para o lado, de lado ▪ *adj* de lado, de esguelha
siege *n* cerco; **to lift a siege** levantar um cerco

Sierra Leone *n* Serra Leoa
Sierra Leonean *adj,n* serra-leonês
siesta *n* sesta
sieve *n* peneira ▪ *v* peneirar
sift *v* **1** peneirar **2** verificar ao pormenor; passar a pente fino
sigh *v* suspirar ▪ *n* suspiro
sight *n* **1** (sentido) visão **2** vista; **by sight** de vista **3** paisagem; panorama **4** (arma) mira ▪ *v* avistar; **to sight land** avistar terra
sighting *n* avistamento
sightseeing *n* passeio turístico ♦ **sightseeing tour** visita guiada
sign *n* **1** sinal **2** tabuleta **3** (zodíaco) signo ▪ *v* **1** (documento, livro) assinar **2** (empresa, publicidade) contratar ♦ **sign language** língua/linguagem gestual
◇ **sign away** *v* (por escrito) renunciar a
◇ **sign in** *v* **1** registar-se (à entrada) **2** autorizar entrada a
◇ **sign off** *v* (carta) terminar
◇ **sign out** *v* assinar o registo de saída
◇ **sign over** *v* (bens) assinar cedência de
◇ **sign up** *v* **1** inscrever-se; matricular-se **2** (emprego) recrutar; contratar
signal *n* sinal ▪ *v* **1** dar/fazer sinal **2** assinalar **3** manifestar; dar sinais de
signalman *n* [*pl* -men] (caminhos de ferro) controlador de tráfego
signatory *n* signatário
signature *n* assinatura; **to collect signatures** recolher assinaturas
significance *n* **1** significado; importância; relevância **2** (palavras, atos) sentido
significant *adj* significativo
signify *v* **1** significar **2** ter importância **3** *form* (sentimentos) exprimir
signpost *n* **1** placa de sinalização **2** (instruções) sinal; indicação ▪ *v* **1** (estrada, local) sinalizar **2** assinalar; indicar
silence *n* silêncio; **a one-minute silence** um minuto de silêncio ▪ *v* silenciar, calar ▪ *interj* silêncio!
silencer *n* silenciador
silent *adj* **1** silencioso **2** (pessoa) calado **3** (filme, cinema, som) mudo
silhouette *n* silhueta
silica *n* sílica
silicon *n* silício
silicone *n* silicone
silk *n* seda
silken *adj* **1** sedoso **2** (material) de seda
silkworm *n* bicho-da-seda
silky *adj* **1** sedoso **2** suave
sill *n* **1** (janela) parapeito **2** (veículos) estribo
silly *adj* **1** tolo, pateta **2** ridículo ♦ *col* **to bore somebody silly** aborrecer alguém de morte; *col* **to laugh oneself silly** rir até mais não
silo *n* silo
silt *n* (rio) sedimentos
silver *n* **1** prata **2** objetos[AO] de prata **3** moedas de pequeno valor ▪ *adj* **1** de prata **2** (cor) prateado ♦ GB **silver paper** papel de alumínio
silverware *n* **1** (prata) baixela **2** EUA talheres
similar *adj* parecido, semelhante
similarity *n* [*pl* -ies] parecença, semelhança
similarly *adv* **1** de forma semelhante **2** da mesma forma
simile *n* símile, comparação
simmer *v* cozer/ferver em lume brando ▪ *n* lume brando; ponto de fervura
simple *adj* **1** simples **2** simplório ♦ *col* **keep it simple** não compliques; **pure and simple** tão-só
simple-minded *adj* ingénuo; simplório
simplicity *n* simplicidade
simplification *n* simplificação
simplistic *adj* simplista
simply *adv* **1** simplesmente, meramente **2** (estilo) de modo simples **3** (recursos) modestamente
simulate *v* simular; fingir
simulation *n* simulação; fingimento
simulator *n* simulador
simultaneity *n* simultaneidade
simultaneous *adj* simultâneo
sin *n* pecado; GB **for my sins** para mal dos meus pecados ▪ *v* pecar
since *conj* **1** (tempo) desde que **2** (causa) visto que; já que ▪ *prep* desde; **since when?** desde quando? ▪ *adv* desde aí; **long since** há muito tempo
sincere *adj* sincero
sincerely *adv* sinceramente ♦ EUA (carta comercial) **Sincerely (yours)** Com os melhores cumprimentos; GB (carta comercial) **Yours sincerely** Atenciosamente
sincerity *n* sinceridade
sine *n* MAT seno

sinew *n* tendão
sinewy *adj* magro e musculado
sinful *adj* pecaminoso
sing *v* cantar
Singapore *n* Singapura
Singaporean *adj,n* singapurense
singe *v* chamuscar
singer *n* cantor
singing *n* canto
single *adj* **1** único; **not a single** nem um único **2** solteiro; **single bed** cama de solteiro **3** GB (bilhete) de ida ▪ *n* **1** (disco) single **2** GB (bilhete) ida **3** quarto individual **4** EUA nota de um dólar **5** *pl* (ténis, badminton) singles
◇ **single out** *v* **1** destacar; distinguir **2** escolher; selecionar[AO]
single-handed *adj,adv* sozinho; sem ajuda
single-minded *adj* resoluto; decidido
singlet *n* GB t-shirt ou camisola interior sem mangas
singly *adv* isoladamente; separadamente
singsong *n* **1** voz aos altos e baixos **2** cantoria
singular *n* singular ▪ *adj* **1** singular **2** único **3** invulgar
sinister *adj* sinistro
sink *v* **1** afundar(-se) **2** diminuir; baixar **3** (veículo) atolar-se **4** espetar; cravar ▪ *n* **1** lava-louça **2** lavatório
◇ **sink in** *v* ser compreendido
sinner *n* pecador
sinuous *adj* sinuoso, tortuoso
sinus *n* [*pl* -es] seio nasal
sinusitis *n* sinusite
sip *v* bebericar ▪ *n* gole, trago
siphon *n* sifão
sir *n* **1** senhor; **Dear Sir** Exmo. Senhor; **Dear Sir or Madam** Exmo(a). Senhor(a) **2** GB professor; stor *col* **3** (título honorífico) [com maiúscula] Sir
sire *n* **1** (rei) majestade; senhor **2** (cavalo) pai
siren *n* **1** sirene **2** sereia
sirloin *n* lombo de vaca
sissy *adj,n col,pej* maricas
sister *n* **1** irmã **2** companheira **3** (semelhança) congénere **4** REL (freira) [com maiúscula] Irmã
sister-in-law *n* [*pl* sisters-in-law] cunhada
sisterly *adj* de irmã
sit *v* **1** sentar-se; estar sentado **2** sentar **3** (localização) situar-se **4** (objeto) estar **5** (organização) ser membro (in/on, de) **6** reunir-se **7** tomar conta (for, de) ◆ **to sit tight** manter-se firme
◇ **sit back** *v col* recostar-se; relaxar
◇ **sit down** *v* sentar(-se)
◇ **sit up** *v* **1** (após ter estado deitado) sentar-se **2** (noitada) ficar a pé **3** (atenção) estar alerta
sitcom *n* sitcom
site *n* **1** local; terreno; **on site** no local **2** (Internet) site; sítio ◆ **to be sited in** estar localizado em
sitter *n* **1** (fotografia, pintura) modelo **2** EUA ama **3** GB (futebol) baliza aberta; **to miss a sitter** falhar um golo de baliza aberta
sitting *n* **1** (refeições) vez; turno **2** (fotografia, pintura, parlamento) sessão ◆ **sitting duck** presa fácil; **sitting room** sala de estar
situate *v form* situar
situation *n* situação
sit-up *n* (exercício) abdominal
six *num card,n* seis ◆ *col* (confusão) **to be at sixes and sevens** estar de pernas para o ar
sixteen *num card,n* dezasseis
sixteenth *num ord,n* décimo sexto ◆ **on the sixteenth** no dia dezasseis
sixth *num ord,n* sexto ◆ **on the sixth** no dia seis
sixtieth *num ord,n* sexagésimo
sixty *num card,n* sessenta ◆ (década) **the sixties** os anos sessenta; **to be in one's sixties** ter 60 e tal anos
size *n* **1** tamanho; **to cut to size** cortar à medida **2** (roupa) tamanho, número; (calçado) número ▪ *v* **1** redimensionar **2** selecionar[AO] pelo tamanho **3** registar o tamanho de ◆ **that's about the size of it** é mais ou menos isso
◇ **size up** *v* (acontecimentos) avaliar; analisar
sizeable *adj* avultado; considerável
sizzle *v* (fritos) estalar; fritar ▪ *n* estalidos
skate *n* **1** patim; **a pair of skates** um par de patins **2** (peixe) raia ▪ *v* **1** (gelo, superfície lisa) patinar **2** andar de patins ◆ **to be skating on thin ice** andar a brincar com o fogo
skateboard *n* (prancha) skate ▪ *v* andar de skate
skater *n* **1** patinador **2** praticante de skate
skating *n* patinagem ◆ **skating rink** ringue de patinagem
skeleton *n* **1** esqueleto; **the human skeleton** o esqueleto humano **2** (trabalho escrito) esboço **3** (edifício) estrutura ◆ **skeleton key**

chave-mestra; **skeleton service** serviços mínimos
skeptic *n* EUA cético[AO]
skeptical *adj* EUA cético[AO]
skepticism *n* EUA ceticismo[AO]
sketch *n* [*pl* -es] 1 esboço; **to make a sketch** fazer um esboço 2 (humor) sketch; rábula ▪ *v* esboçar ◆ **sketch map** croquis
sketchy *adj* superficial; vago
skew *v* 1 enviesar; distorcer 2 desviar-se
skewer *n* espeto ▪ *v* espetar, enfiar espeto em
ski *n* [*pl* skis] esqui; **ski run** pista de esqui ▪ *v* esquiar
skid *v* 1 (automóvel) derrapar 2 (pessoas) escorregar ▪ *n* 1 (veículos) derrapagem; (pneus) **skid marks** marcas de derrapagem 2 (pessoas) escorregadela
skier *n* esquiador
skiing *n* esqui; **to go skiing** fazer esqui
skilful *adj* hábil, habilidoso
skill *n* 1 perícia, habilidade 2 aptidão, capacidade
skilled *adj* 1 especializado; perito 2 hábil; experiente
skim *v* 1 (gordura) retirar 2 (leite) desnatar 3 dar uma vista de olhos a; passar os olhos por 4 roçar em 5 (pedra, seixo) atirar (para rio, lago)
skimmed *adj* (leite) magro, desnatado
skimp *v* restringir (on, -); poupar (on, em)
skimpy *adj* 1 muito pequeno; curtíssimo 2 (refeição) pobre
skin *n* 1 pele 2 (frutos) casca 3 (superfície) película ▪ *v* 1 (frutos) descascar 2 (animais) esfolar 3 (parte do corpo) esfolar; esmurrar ◆ **to be skin and bone** só ter pele e osso
skin-deep *adj* superficial, aparente
skinflint *n col* forreta; sovina
skinhead *n* cabeça-rapada, skinhead
skinny *adj col* magricela, escanzelado
skint *adj col* teso; sem dinheiro
skip *v* 1 saltitar, pular 2 GB saltar à corda 3 (aula) faltar a 4 (capítulo, refeição) passar à frente; avançar ▪ *n* 1 salto, pulo 2 (lixo) contentor
skipper *n* (barco, equipa) capitão
skirmish *n* [*pl* -es] escaramuça, confronto ▪ *v* discutir
skirt *n* 1 saia 2 *pl* (vestido, casaco) aba 3 capa protetora[AO] ▪ *v* contornar
skit *n* paródia
skive *v* GB *col* (aulas, trabalho) baldar-se
skiver *n* GB *col* (pessoa) baldas; cábula
skulk *v* tentar passar despercebido; **to skulk around** rondar
skull *n* 1 crânio 2 *col* cabeça
skunk *n* 1 doninha fedorenta 2 *cal* canalha; patife
sky *n* [*pl* skies] céu ◆ **the sky's the limit** tudo é possível
sky-blue *adj* azul-celeste
skydiving *n* paraquedismo[AO]
skylight *n* claraboia[AO]
skyline *n* linha do horizonte
skyscraper *n* arranha-céus
slab *n* 1 (pedra, madeira) laje; placa, bloco 2 porção
slack *adj* 1 frouxo; solto 2 (corda, pele) lasso, bambo 3 (pessoa) indolente, mole 4 (negócio, período) morto, parado ▪ *n* 1 (corda) folga 2 (orçamento) excedente ▪ *v* desleixar-se
slacken *v* 1 (atividade, ritmo) abrandar, afrouxar 2 alargar
slacker *n col* preguiçoso, mandrião
slag *n* escória
slalom *n* slalom
slam *v* 1 (janela, porta) bater (com); **to slam the door in someone's face** bater com a porta na cara de alguém 2 (com estrondo) pousar; atirar 3 criticar; arrasar com ▪ *n* (porta) estrondo
slammer *n cal* cadeia, prisão
slander *n* calúnia, difamação ▪ *v* caluniar, difamar
slanderous *adj* difamatório
slang *n* gíria; calão
slant *v* 1 inclinar(-se) 2 apresentar de forma parcial ▪ *n* 1 inclinação; declive; **on a slant** em declive 2 (opinião) tendência
slanted *adj* 1 inclinado 2 tendencioso; parcial
slap *v* 1 dar uma bofetada a 2 (objeto) atirar, arremessar ▪ *n* 1 estalada, bofetada 2 (nas costas) pancada ▪ *adv col* em cheio
slapdash *adj* descuidado; às três pancadas
slap-up *adj col* (refeição) substancial
slash *v* 1 cortar 2 (pneus) rasgar 3 (caminho) abrir 4 reduzir drasticamente ▪ *n* [*pl* -es] 1 (objeto cortante) golpe, corte 2 (linha oblíqua) barra

slat *n* **1** (madeira) ripa **2** (persiana) tira
slate *n* **1** (pedra, quadro) ardósia **2** telha **3** POL lista de candidatos ▪ *v col* (crítica) arrasar ♦ **to wipe the slate clean** pôr uma pedra no assunto
slaughter *v* **1** (animais) abater **2** (pessoas) massacrar, chacinar **3** *col* trucidar ▪ *n* **1** (animais) abate **2** (pessoas) massacre, chacina
slaughterhouse *n* matadouro
Slav *n* eslavo
slave *n* escravo ▪ *v* esfalfar-se (away, -)
slaver *v* babar-se (over, por)
slavery *n* escravatura, escravidão
Slavic *adj* eslavo
slavish *adj* servil; subserviente
slay *v* **1** *lit* matar **2** (linguagem jornalística) assassinar
sleaze *n* sordidez; desonestidade
sleazebag *n* EUA *col* sacana
sleazy *adj* **1** *col* (lugar) sórdido **2** *col* (pessoa) nojento
sledge *n* trenó ▪ *v* andar de trenó
sleek *adj* **1** lustroso, brilhante **2** elegante **3** bem-vestido
sleep *n* sono; **to go to sleep** adormecer ▪ *v* dormir; **to sleep like a log** dormir como uma pedra
◇ **sleep in** *v* dormir até mais tarde
◇ **sleep over** *v* ficar para dormir
sleeper *n* **1** pessoa adormecida **2** (comboio) carruagem-cama
sleepiness *n* sonolência
sleeping *n* **1** sono **2** ato[AO] de dormir; **sleeping problems** dificuldades em dormir ♦ **Sleeping Beauty** bela Adormecida; **sleeping car** carruagem-cama
sleepless *adj* (noite) em branco, em claro
sleepwalk *v* ser sonâmbulo
sleepwalker *n* sonâmbulo
sleepwalking *n* sonambulismo
sleepy *adj* **1** sonolento; com sono; **to be sleepy** ter sono **2** (lugar) sossegado, pacato
sleepyhead *n col* dorminhoco
sleet *n* neve com chuva ▪ *v* cair neve com chuva
sleeve *n* **1** manga; **to roll up one's sleeves** arregaçar as mangas **2** (CD, disco) capa; bolsa
sleeveless *adj* sem mangas
sleigh *n* trenó (puxado por animais)
sleight *n* **a sleight of hand** um passe de mágica
slender *adj* **1** (aspeto) esguio; elegante **2** (recursos, esperanças) escasso
slice *n* **1** fatia; **a slice of bread** uma fatia de pão; **a slice of the profits** uma fatia dos lucros **2** (peixe) posta **3** (bolos, fritos) espátula ▪ *v* **1** cortar em fatias **2** cortar, rasgar **3** EUA cortar, reduzir
slick *adj* **1** *pej* habilidoso **2** *pej* manhoso; dissimulado
slide *v* **1** escorregar **2** deslizar **3** baixar; decrescer ▪ *n* **1** escorregão; escorrega **2** deslize, escorregadela **3** (cabelo) bandolete **4** slide, diapositivo **5** queda, decréscimo **6** (microscópio) lamela
slight *adj* **1** (nível, quantidade) leve, ligeiro **2** (aspeto) delicado, frágil ▪ *v* desprezar; desconsiderar ♦ **I haven't the slightest idea** não faço a menor ideia
slim *adj* **1** (pessoa) elegante; magro **2** (objeto) fino, estreito **3** (hipótese, maioria) pequeno ▪ *v* tentar emagrecer
slime *n* **1** limo; lodo **2** muco
slimy *adj* **1** viscoso **2** *pej* bajulador
sling *v* **1** *col* atirar **2** pendurar ▪ *n* **1** (braço ao peito) ligadura **2** porta-bebés, marsúpio
slingshot *n* EUA fisga
slink *v* esgueirar-se; ir à socapa
slip *v* **1** escorregar **2** esgueirar-se **3** colocar (depressa); meter; enfiar **4** piorar; baixar ▪ *n* **1** deslize, lapso **2** (papel) tira **3** escorregadela **4** (roupa interior) combinação **5** (almofada) fronha
slipknot *n* nó corredio
slipper *n* chinelo (de quarto); pantufa
slippery *adj* **1** (piso) escorregadio **2** *col* traiçoeiro
slipshod *adj* desleixado; descuidado
slit *n* racha, fenda ▪ *v* cortar
slither *v* **1** (cobra) deslizar **2** escorregar **3** (veículo) patinar
sliver *n* lasca; estilhaço
slob *n* desleixado; desmazelado
slobber *v* babar-se
sloe *n* abrunho
slog *v* **1** *col* (trabalho, estudo) esfalfar-se **2** *col* andar com dificuldade ▪ *n col* estafa
slogan *n* (publicidade) slogan

slop *v* entornar ▪ *n* **1** (ração animal) lavagem **2** *col* mistela
slope *n* **1** (montanha, vale) encosta, ladeira **2** (superfície) declive ▪ *v* **1** inclinar-se **2** (superfície) ter um declive
sloping *adj* inclinado
sloppy *adj* **1** desmazelado; descuidado **2** (roupa) largueirão **3** GB *col* piegas; lamechas
sloshed *adj col* bêbedo, com os copos
slot *n* **1** (máquina, contentor) ranhura **2** espaço televisivo ▪ *v* **1** (máquina) inserir **2** (objeto) encaixar
sloth *n* (animal, comportamento) preguiça
slouch *v* (postura) andar de ombros caídos ▪ *n* [*pl* -es] postura desleixada
slough *n* lamaçal, pântano
◇ **slough off** *v* (pele) perder; mudar de
Slovak ou **Slovakian** *adj,n* eslovaco
Slovakia *n* Eslováquia
Slovenia *n* Eslovénia
Slovenian *adj,n* esloveno
slovenly *adj* desmazelado, desleixado
slow *adj* **1** lento, vagaroso; **in slow motion** em câmara lenta **2** (reação) demorado **3** (relógio) atrasado **4** (comércio, negócios) fraco, parado ▪ *adv* devagar ▪ *v* abrandar, afrouxar ♦ (autoestrada) **slow lane** faixa destinada ao trânsito lento
◇ **slow down** *v* abrandar
slowcoach *n* [*pl* -es] GB *col* molengão; indolente
slowdown *n* **1** (movimento, ritmo) abrandamento **2** EUA greve de zelo
slowly *adv* devagar, lentamente
slug *n* **1** lesma **2** *col* (bebida) trago, gole **3** EUA *col* (armas) bala ▪ *v col* esmurrar, socar
sluggish *adj* lento, vagaroso
sluice *n* comporta ▪ *v* (com água corrente) lavar, enxaguar
slum *n* **1** bairro degradado **2** *col* espelunca
slump *v* **1** cair a pique **2** (pessoa) atirar-se; cair ▪ *n* **1** queda acentuada **2** crise; recessão
slur *v* **1** (palavras) arrastar; enrolar **2** caluniar, difamar **3** MÚS ligar ▪ *n* **1** afronta; difamação **2** MÚS ligadura
slurp *v* sorver ruidosamente
slush *n* **1** neve derretida **2** *col* lamechice ♦ (corrupção) **slush fund** luvas
sly *adj* **1** manhoso, astuto **2** (olhar, sorriso) cúmplice
smack *v* **1** dar uma palmada a **2** bater com; atirar **3** *col* dar um murro em ▪ *n* **1** (mão aberta) palmada **2** (barulho) estalido; pancada **3** *col* murro, soco **4** *cal* (droga) heroína ▪ *adv col* diretamente[AO]; em cheio
smacker *n* **1** *pop* beijoca **2** GB *cal* libra **3** EUA *cal* dólar
small *adj* **1** (dimensões) pequeno **2** (letras) minúsculo **3** (importância) insignificante **4** (voz) suave ♦ **small talk** conversa de treta
small-minded *adj pej* mesquinho
smallpox *n* varíola
small-scale *adj* de pequena dimensão
small-town *adj* provinciano; de província
smarmy *adj col* graxista; bajulador
smart *adj* **1** inteligente **2** chique **3** rápido, ligeiro ▪ *v* **1** (olhos) arder **2** sofrer (from, com) ♦ *cal* **smart arse/ass** espertinho
smarten *v* melhorar o aspeto[AO] de
smash *v* **1** partir, despedaçar **2** desfazer(-se); esmagar(-se) **3** colidir (into, contra) ▪ *n* [*pl* -es] **1** estrondo **2** (automóvel) colisão ♦ (canção, filme) **smash hit** êxito esmagador
smash-up *n col* acidente de trânsito; colisão
smattering *n* conhecimento superficial
smear *v* **1** besuntar **2** engordurar **3** (pintura) borratar **4** difamar ▪ *n* **1** mancha, nódoa **2** difamação
smell *n* **1** cheiro, odor **2** mau cheiro, cheirete; **what a smell!** que cheirete! **3** olfato[AO] ▪ *v* **1** cheirar **2** cheirar mal
smelly *adj* malcheiroso
smelt *v* fundir
smile *v* sorrir ▪ *n* sorriso
smirk *v* sorrir (com ar trocista, arrogante) ▪ *n* sorrisinho (de troça, arrogância)
smock *n* bata
smog *n* (nevoeiro e poluição) smog
smoke *n* **1** fumo **2** cigarro; **to have a smoke** fumar um cigarro **3** *cal* (droga) erva ▪ *v* **1** fumar **2** (carne, peixe) defumar ♦ **there's no smoke without fire** não há fumo sem fogo; **to go up in smoke 1** ir por água abaixo **2** arder
smoke-free *adj* onde não se pode fumar
smoker *n* fumador
smoking *n* ato[AO] ou hábito de fumar; **to give up smoking** deixar de fumar ▪ *adj* para fumadores ♦ **no smoking** proibido fumar

smoky *adj* **1** cheio de fumo **2** fumarento **3** (cheiro, sabor) a fumo
smooth *adj* **1** suave; macio **2** liso **3** (massa) uniforme **4** agradável **5** eficiente; sem problemas **6** demasiado simpático ▪ *v* **1** alisar **2** espalhar
smoothie *n* **1** *col* conquistador **2** (bebida) batido
smoothly *adv* **1** suavemente **2** sem problemas; sobre rodas *fig*
smother *v* **1** sufocar; asfixiar **2** cobrir **3** (risos, bocejo) abafar **4** (fogo) apagar
smoulder *v* arder a fogo lento
SMS *n* [*abrev. de* Short Message Service] SMS
smudge *n* mancha, borrão ▪ *v* **1** borratar **2** manchar(-se)
smug *adj* presunçoso
smuggle *v* **1** contrabandear **2** passar clandestinamente
smuggler *n* **1** contrabandista **2** (droga) traficante
smuggling *n* **1** contrabando **2** (de droga) tráfico
smut *n* **1** *col* obscenidade, indecência **2** fuligem
snack *n* *col* refeição leve; lanche ▪ *v* petiscar ◆ **snack bar** snack-bar
snag *n* **1** obstáculo; dificuldade **2** objeto[AO] cortante ou saliente (gancho, prego, etc.) **3** fio puxado ▪ *v* **1** (malha) repuxar **2** EUA *col* conseguir
snail *n* caracol ◆ *col* **snail mail** correio tradicional
snake *n* cobra, serpente ▪ *v* serpentear
snakebite *n* mordedura de cobra
snakeskin *n* pele de cobra
snap *v* **1** (ramo, pau, corda) partir; quebrar **2** estalar; **to snap one's fingers** estalar os dedos **3** ser ríspido (at, com) **4** passar-se *col*; explodir **5** (animal) morder **6** *col* fotografar ▪ *n* **1** estalo, estalido **2** (fotografia) instantâneo **3** EUA (fecho) mola ▪ *adj* precipitado
snappy *adj* **1** (título, slogan) curto e eficaz **2** irritadiço **3** *col* elegante **4** alegre
snapshot *n* (fotografia) instantâneo
snare *n* **1** armadilha **2** cilada ▪ *v* enredar, armar cilada
snarl *v* **1** (animal) rosnar (at, a) **2** (pessoa) resmungar ▪ *n* rosnadela
snatch *v* **1** tirar; arrancar **2** roubar por esticão **3** raptar **4** (oportunidade) agarrar ▪ *n* [*pl* -es] **1** tentativa de agarrar (at, em) **2** (conversa, música) bocado; fragmento **3** roubo por esticão **4** rapto
snazzy *adj col* elegante; vistoso
sneak *v* **1** esgueirar-se **2** passar sem ninguém ver **3** *col* roubar; fanar
sneaker *n* EUA sapatilha
sneaking *adj* **1** secreto **2** (suspeita, impressão) ligeiro
sneer *v* fazer troça (at, de) ▪ *n* sorriso trocista
sneeze *v* espirrar ▪ *n* espirro
sniff *v* **1** fungar **2** cheirar **3** farejar **4** (drogas) snifar ▪ *n* **1** fungadela **2** indício; sinal
snigger *n* riso abafado ▪ *v* rir à socapa
snip *n* tesourada ▪ *v* cortar (com tesoura) ◆ GB **to be a snip** ser uma pechincha
snipe *v* **1** disparar **2** dizer mal ▪ *n* (ave) narceja
sniper *n* atirador furtivo
snippet *n* **1** fragmento **2** excerto
snitch *v* **1** *col* fazer queixinhas (on, de) **2** *col* roubar; gamar ▪ *n col* bufo, queixinhas
snob *n* snobe
snobbery *n* snobismo
snobbish *adj* snobe
snog *v col* curtir ▪ *n col* marmelada
snooker *n* snooker ▪ *v col* tramar, lixar
snoop *v col* bisbilhotar ▪ *n col* bisbilhoteiro
snooze *n col* soneca ▪ *v col* dormitar
snore *v* ressonar ▪ *n* ronco
snorkel *n* (mergulho) tubo de respiração ▪ *v* praticar mergulho com tubo de respiração
snorkelling *n* mergulho (com tubo de respiração)
snort *v* **1** resfolegar, bufar **2** (droga) snifar
snot *n col* ranho
snotty *adj col* ranhoso
snout *n* **1** focinho **2** GB *col* (preso) bufo *col*
snow *n* neve ▪ *v* nevar ◆ **Snow White** Branca de Neve
snowball *n* bola de neve ▪ *v* crescer, desenvolver-se
snowboard *n* prancha de snowboard ▪ *v* fazer snowboard
snowboarding *n* snowboard
snowflake *n* floco de neve
snowman *n* [*pl* -men] boneco de neve
snowmobile *n* moto para a neve
snowstorm *n* nevão

snowy *adj* **1** com neve **2** branco como neve
snub *v* desprezar ▪ *n* humilhação ▪ *adj* (nariz) arrebitado
snuff *v* **1** (vela) extinguir **2** (animal) farejar ▪ *n* rapé ♦ **to snuff it** esticar o pernil
snug *adj* **1** confortável, aconchegado **2** (roupa) que assenta bem
snuggle *v* aconchegar-se
so *adv* **1** tão; **it's so big!** é tão grande! **2** também; **so do/am I** também eu **3** assim **4** pois **5** sim/não; **I don't think so** acho que não; **I think so** acho que sim **6** então ▪ *conj* **1** por isso; portanto **2** então **3** para que, para ♦ **so be it!** que assim seja!; **so far, so good** até aqui, tudo bem; EUA **so long!** adeus!
soak *v* **1** embeber (in, em) **2** pôr de molho **3** encharcar
so-and-so *n* [*pl* -s] fulano, sujeito
soap *n* **1** sabão, sabonete **2** *col* telenovela ▪ *v* ensaboar ♦ **soap dish** saboneteira; **soap powder** detergente da roupa
soar *v* **1** (preços, etc.) subir em flecha **2** planar **3** erguer-se, elevar-se **4** intensificar-se
sob *v* (choro) soluçar ▪ *n* soluço ♦ **sob story**; **to sob your heart out** desfazer-se em soluços
sober *adj* sóbrio ▪ *v* ficar sério
◊ **sober up** *v* ficar sóbrio
sobriety *n* **1** sobriedade **2** seriedade
so-called *adj* **1** chamado, assim chamado **2** suposto
soccer *n* futebol

No Reino Unido, a palavra **soccer** é mais informal que **football.** Nos Estados Unidos, só se usa **soccer** para evitar confusão com o futebol americano.

sociable *adj* sociável
social *adj* social
socialism *n* socialismo
socialist *adj,n* socialista
socialize *v* socializar
society *n* [*pl* -ies] **1** sociedade **2** associação
sociological *adj* sociológico
sociologist *n* sociólogo
sociology *n* sociologia
sock *n* **1** peúga **2** *col* soco ▪ *v* socar
socket *n* **1** (eletricidade) tomada **2** (num aparelho) saída **3** (olho) órbita **4** (lâmpada) casquilho
soda *n* **1** EUA (refresco) gasosa **2** água gaseificada **3** QUÍM soda
sodden *adj* encharcado
sodium *n* sódio
sodomy *n* sodomia
sofa *n* sofá ♦ **sofa bed** sofá-cama
soft *adj* **1** macio; suave **2** mole **3** (som, cor, luz) suave **4** (vento, chuva) fraco **5** bondoso **6** pouco firme **7** cobarde **8** fácil ♦ **soft drink** refrigerante; **soft drug** droga leve
softball *n* **1** softbol **2** bola de softbol
soften *v* **1** suavizar **2** amolecer **3** atenuar **4** amortecer
softener *n* (roupa, água) amaciador
softhearted *adj* bondoso
softie *n* **1** *col* sentimental **2** *col* fraco, banana
softly *adv* **1** suavemente **2** baixinho; sem fazer barulho
soft-spoken *adj* com uma voz suave
software *n* software
soggy *adj* **1** encharcado, ensopado **2** (terreno) lamacento
soil *n* solo; **on British soil** em solo britânico ▪ *v* sujar
solar *adj* solar; **the solar system** o sistema solar
solarium *n* [*pl* solaria] solário
solder *n* (liga metálica) solda ▪ *v* soldar
soldier *n* soldado, militar ♦ **soldier of fortune** mercenário
sole *adj* **1** único **2** exclusivo ▪ *n* **1** (pé) planta **2** (sapato) sola **3** (peixe) linguado
solely *adv* unicamente; somente
solemn *adj* solene
solemnity *n* [*pl* -ies] solenidade
solemnize *v* (casamento) solenizar
sol-fa *n* MÚS solfejo
solicit *v* **1** (apoio, dinheiro, informações) solicitar **2** prostituir-se (abordando pessoas na rua)
soliciting *n* prostituição (por abordagem na rua)
solicitor *n* **1** GB advogado **2** EUA vendedor; promotor
solicitous *adj* solícito
solid *adj* **1** sólido **2** maciço **3** compacto; denso **4** firme, estável **5** forte; resistente **6** unânime, unido **7** contínuo ▪ *n* sólido
solidarity *n* [*pl* -ies] solidariedade

solidify *v* solidificar
solidity *n* [*pl* -ies] solidez
soliloquy *n* [*pl* -ies] solilóquio
solitaire *n* **1** (joia) solitário **2** EUA (jogo de cartas) paciência
solitary *adj* **1** solitário **2** isolado ▪ *npl* [*pl* -ies] *col* (prisão) solitária
solitude *n* solidão
solo *n* [*pl* -s] (música, jogo) solo
soloist *n* solista
Solomon Islands *n* Ilhas Salomão
solstice *n* solstício; **summer solstice** solstício de verão[AO]
soluble *adj* solúvel
solute *n* soluto
solution *n* solução
solve *v* resolver; solucionar
solvency *n* [*pl* -ies] solvência
solvent *adj,n* solvente
Somali *adj,n* somáli
Somalia *n* Somália
somatic *adj* somático
sombre *adj* **1** sombrio **2** melancólico
some *adj,pron* **1** algum, alguma, alguns, algumas; **some years ago** há alguns anos **2** um pouco (de) ▪ *adv* **1** um tanto; **would you like some more?** queres mais? **2** cerca de; **some 20 people** umas 20 pessoas
somebody *pron* alguém; **somebody else** outra pessoa
somehow *adv* **1** de algum modo **2** não sei porquê
someone *pron* alguém; **someone else** outra pessoa
somersault *n* **1** salto mortal; **double somersault** duplo salto mortal **2** cambalhota ▪ *v* **1** dar um salto mortal **2** dar uma cambalhota
something *pron* alguma coisa; qualquer coisa; **something else** outra coisa ◆ **to be something else** ser qualquer coisa de espetacular[AO]
sometime *adv* **1** em determinada altura; **sometime soon** em breve **2** qualquer dia; um dia destes
sometimes *adv* **1** algumas vezes; às vezes **2** de vez em quando
somewhat *adv,pron* um tanto, um pouco
somewhere *adv* em alguma parte, algures; **somewhere else** em qualquer outra parte
son *n* filho
sonar *n* sonar
sonata *n* sonata
song *n* **1** canção **2** canto
songbird *n* ave canora
songwriter *n* MÚS compositor
sonic *adj* sónico
son-in-law *n* genro
sonnet *n* soneto
soon *adv* **1** em breve; brevemente; **soon after** pouco depois **2** cedo; **as soon as possible** o mais cedo possível **3** depressa ◆ **as soon as** assim que; logo que; **no sooner said than done** dito e feito; **see you soon!** até à próxima!
soot *n* fuligem
soothe *v* acalmar; aliviar
soothing *adj* calmante; reconfortante
sophistication *n* sofisticação
soporific *adj* soporífero
soppy *adj col* piegas, meloso
soprano *n* [*pl* -s] MÚS soprano
sorbet *n* sorvete
sorcerer *n* feiticeiro
sorceress *n* [*pl* -es] feiticeira
sorcery *n* [*pl* -ies] feitiçaria
sordid *adj* **1** sórdido **2** imundo
sore *adj* **1** dorido **2** inflamado **3** aborrecido (about, com) ▪ *n* chaga; ferida ◆ **sore point** assunto delicado
sorrel *n* (planta) azeda
sorrow *n* tristeza; mágoa; dor
sorry *adj* **1** arrependido **2** lastimoso ◆ **(I'm) sorry!** desculpe!, desculpa!; lamento!; **to be sorry** lamentar; **to feel sorry for** sentir pena de
sort *n* espécie; tipo; género; **what sort of...?** que tipo de...? ▪ *v* **1** ordenar, organizar **2** separar ◆ **nothing of the sort** nada disso ◇ **sort out** *n* **1** pôr de parte **2** resolver **3** *col* tratar de
sorting *n* **1** seleção[AO]; triagem **2** distribuição **3** classificação
SOS *n* SOS; pedido de ajuda
so-so *adj,adv* assim-assim
soufflé *n* soufflé, suflé
soul *n* **1** alma **2** espírito **3** essência (of, de) **4** (música) soul
soulmate *n* alma gémea
sound *n* **1** som **2** barulho ▪ *v* **1** parecer **2** soar **3** (aviso, recomendação) lançar **4** (alarme)

fazer soar **5** pronunciar **6** sondar ▪ *adj* **1** prudente; sensato **2** são, saudável **3** em boas condições **4** (sono) profundo ▪ *adv* profundamente; **sound asleep** profundamente adormecido ◆ **I don't like the sound of it** isso não me agrada

soundly *adv* **1** (dormir) profundamente **2** acertadamente, sensatamente **3** completamente

soundproof *adj* insonorizado ▪ *v* insonorizar

soundtrack *n* banda sonora

soup *n* sopa

sour *adj* azedo ▪ *v* azedar

source *n* **1** fonte; **a very reliable source** uma fonte segura **2** origem **3** (rio) nascente

south *n* sul ▪ *adj* (do) sul ▪ *adv* para o sul

South Africa *n* África do Sul

South-African *adj,n* sul-africano

southeast *adj,n* sudeste, sueste ▪ *adv* em direção[AO] ao sudeste

southeastern *adj* do sudeste

southerly *adj* do sul; meridional

southern *adj* **1** do sul; meridional **2** sulista

southerner *n* habitante do Sul

South Korea *n* Coreia do Sul

South Korean *adj,n* sul-coreano

south-southeast *adj,n* su-sudeste ▪ *adv* para su-sudeste

south-southwest *adj,n* su-sudoeste ▪ *adv* para su-sudoeste

southwest *n,adj* sudoeste ▪ *adv* em direção[AO] ao sudoeste

southwesterly *adj* do sudoeste

southwestern *adj* de sudoeste

souvenir *n* lembrança, recordação

sovereign *n* **1** soberano **2** libra de ouro ▪ *adj* (país, poder) soberano

sovereignty *n* [*pl* -ies] soberania

Soviet *adj,n* soviético

sow *v* **1** semear **2** disseminar; espalhar ◆ **as you sow, so shall you reap** cada um colhe aquilo que semeia

sower *n* semeador

soy *n* EUA soja

soya *n* GB soja ◆ **soya bean** semente de soja

spa *n* estância termal, termas, spa

space *n* **1** espaço **2** lugar ▪ *v* espaçar ◆ **space shuttle** vaivém espacial

spacecraft *n* nave espacial

spaceship *n* nave espacial

spacing *n* **1** espaçamento **2** intervalo

spacious *adj* espaçoso

spade *n* **1** pá **2** *pl* (cartas) espadas

spaghetti *n* esparguete

Spain *n* Espanha

spam *n* spam ▪ *v* enviar correio eletrónico[AO] não solicitado a

span *n* **1** período de tempo; espaço **2** (ave) envergadura ▪ *v* **1** abranger; abarcar **2** atravessar

Spaniard *n* espanhol

Spanish *adj,n* espanhol ▪ *npl* **the Spanish** os espanhóis

spank *v* dar palmadas no rabo de

spanking *n* palmadas no rabo ▪ *adj col* espantoso

spanner *n* GB chave-inglesa

spar *v* **1** praticar boxe **2** discutir ▪ *n* mastro

spare *v* **1** ter disponível **2** dispensar; ceder **3** poupar; **to spare no expense** não olhar a gastos; **spare me the details** poupa-me os detalhes **4** sobrar; **we have money to spare** ainda nos sobra algum dinheiro ▪ *adj* **1** disponível; a mais; **a spare bedroom** um quarto disponível **2** livre **3** sobresselente; de reserva **4** (estilo) sóbrio ▪ *n* peça sobresselente

spark *n* faísca ▪ *v* **1** provocar; desencadear **2** faiscar

sparkle *v* **1** brilhar; reluzir **2** estar animado ▪ *n* **1** brilho **2** vivacidade

sparkling *adj* **1** cintilante **2** (vinho) espumante; (água) com gás **3** excelente **4** animado

sparrow *n* pardal

sparse *adj* **1** escasso **2** disperso

spasm *n* **1** espasmo **2** acesso (of, de)

spasmodic *adj* **1** espasmódico **2** intermitente

spate *n* **1** (ataques, assaltos) onda; vaga **2** série

spatial *adj* espacial

spatter *v* **1** salpicar **2** (chuva) cair; bater ▪ *n* salpico

spatula *n* espátula

spawn *v* **1** desovar **2** gerar ▪ *n* (peixe, rãs) ovas

speak *v* **1** falar; **do you speak English?** sabes falar inglês? **2** dizer; exprimir; **to speak the truth** dizer a verdade **3** discursar ◆ **generally speaking** em termos gerais; **so to speak** por assim dizer

◇ **speak out** *v* exprimir a sua opinião

◇ **speak up** *v* **1** falar mais alto **2** dizer o que se pensa
speaker *n* **1** locutor **2** orador **3** falante **4** coluna de som
spear *n* **1** lança **2** arpão ▪ *v* atravessar com lança
spearhead *n* líder; dirigente ▪ *v* liderar
spearmint *n* hortelã; menta
spec *n* **1** pormenor técnico **2** *pl col* óculos
special *adj* **1** especial **2** (sessão, assembleia) extraordinário ▪ *n* **1** algo especial **2** prato do dia
specialist *n,adj* especialista (in, em)
speciality *n* [*pl* -ies] GB especialidade
specialization *n* especialização
specialize *v* especializar-se (in, em)
specially *adv* especialmente
specialty *n* [*pl* -ies] EUA especialidade
species *n* espécie
specific *adj* específico
specification *n* **1** especificação **2** descrição
specify *v* especificar; **unless otherwise specified** salvo especificação em contrário
specimen *n* **1** amostra **2** espécime
specious *adj* enganador; falso
speck *n* **1** mancha **2** partícula
spectacle *n* **1** espetáculo[AO]; exibição **2** *pl form* óculos
spectacular *adj* **1** espetacular[AO] **2** aparatoso
spectator *n* espectador[AO]
spectre *n* espetro[AO]; fantasma
speculate *v* especular
speculation *n* especulação
speculative *adj* especulativo
speculator *n* especulador
speech *n* [*pl* -es] **1** discurso; **reported speech** discurso indireto[AO] **2** fala; **speech therapy** terapia da fala **3** expressão; **freedom of speech** liberdade de expressão ◆ (banda desenhada) **speech bubble** balão de fala
speechless *adj* sem palavras, mudo
speed *n* **1** velocidade; **speed limit** limite de velocidade **2** rapidez **3** pressa **4** *col* anfetamina, speed ▪ *v* **1** apressar-se **2** conduzir a grande velocidade
◇ **speed up** *v* acelerar
speeding *n* excesso de velocidade; **speeding ticket** multa por excesso de velocidade
speedway *n* (motociclismo) speedway
speedy *adj* rápido
spell *v* **1** escrever (corretamente[AO]); soletrar; **how do you spell that?** como é que isso se escreve? **2** (resultado) significar **3** EUA substituir ▪ *n* **1** feitiço **2** breve período
◇ **spell out** *v* **1** explicar **2** soletrar
spellbinding *adj* fascinante
spellbound *adj* encantado, enfeitiçado
spellchecker *n* (computador) corretor[AO] ortográfico
spelling *n* ortografia; **spelling mistake** erro ortográfico
spend *v* **1** (dinheiro, recurso) gastar (on, em) **2** (tempo) passar **3** (tempo livre) empregar; ocupar **4** (energia, força) consumir
spender *n* gastador
spending *n* despesas; gastos
spendthrift *n* gastador
sperm *n* **1** espermatozoide[AO] **2** esperma
spew *v* **1** (fogo, fumo) lançar **2** *col* vomitar
sphere *n* esfera
spherical *adj* esférico
sphincter *n* esfíncter
sphinx *n* [*pl* -es, sphinges] esfinge
spice *n* **1** especiaria **2** interesse ▪ *v* condimentar
spicy *adj* **1** condimentado **2** picante
spider *n* aranha; **spider's web** teia de aranha
spike *n* **1** pico; ponta afiada **2** espiga ▪ *v* **1** esfaquear **2** espetar; cravar **3** pôr droga ou bebida forte em
spill *v* **1** entornar(-se); derramar(-se) **2** (multidão) debandar; sair em bando ▪ *n* **1** (líquido) derramamento **2** tombo
spin *v* **1** rodar; girar **2** (cabeça, imagem) andar à roda **3** fiar; (teia de aranha) tecer **4** (roupa) centrifugar **5** andar a grande velocidade ▪ *n* movimento rotativo; rotação
◇ **spin out** *v* **1** fazer durar; prolongar **2** (dinheiro) esticar; fazer render
spinach *n* espinafre(s)
spinal *adj* espinal; **spinal column** coluna vertebral
spindle *n* **1** fuso **2** eixo
spin-dry *v* (roupa) secar na máquina
spine *n* **1** coluna vertebral **2** (cato, porco-espinho) espinho **3** (livro) lombada
spine-chilling *adj* arrepiante; horripilante
spinner *n* **1** fiadeiro **2** anzol giratório

spinning *n* fiação ♦ **spinning wheel** roda de fiar
spinster *n* solteirona
spiny *adj* espinhoso
spiral *n* espiral ▪ *adj* em espiral ▪ *v* **1** mover-se em espiral **2** disparar ♦ **spiral staircase** escada em caracol
spire *n* pináculo
spirit *n* **1** espírito **2** atitude **3** coragem, garra **4** *pl* estado de espírito **5** *pl* bebidas alcoólicas ▪ *v* fazer desaparecer
spirited *adj* **1** dinâmico, com garra **2** animado
spiritual *adj,n* espiritual
spiritualism *n* espiritismo
spiritualist *n* espírita, espiritista
spirituality *n* [*pl* -ies] espiritualidade
spiritually *adv* espiritualmente
spit *v* **1** cuspir **2** chuviscar **3** (gato) bufar; (cobra) cuspir **4** crepitar; estalar **5** gritar; bufar ▪ *n* **1** cuspo **2** (churrasco) espeto **3** ponta de terra ♦ *col* **spit it out!** desembucha!
spite *n* rancor; **out of spite** por despeito ▪ *v* aborrecer; irritar ♦ **in spite of** apesar de
spiteful *adj* rancoroso
spitefully *adv* rancorosamente
spittle *n* saliva
splash *v* **1** salpicar (with, de/com) **2** chapinhar **3** (imagem, notícia) escarrapachar **4** (mar) bater ▪ *n* [*pl* -es] **1** barulho de algo a mover-se ou a cair na água **2** salpico; mancha **3** *col* (de bebida) gota; nico
splatter *v* salpicar
splay *v* **1** separar(-se) **2** (pernas) abrir(-se)
spleen *n* **1** baço **2** má disposição
splendid *adj* esplêndido
splendour *n* esplendor
splice *v* (corda, fita, filme) juntar; unir ▪ *n* união, junção
spliff *n* [*pl* -s] GB *cal* charro
splint *n* tala
splinter *n* **1** (madeira) lasca, farpa **2** fragmento; estilhaço ▪ *v* **1** estilhaçar(-se); lascar(-se) **2** (grupo) dividir(-se)
split *v* **1** dividir(-se) **2** separar(-se) **3** rasgar(-se); romper(-se) **4** (cabeça) rachar; (lábio) rasgar **5** (lucros, despesas) dividir ▪ *n* **1** rasgão **2** racha **3** divisão **4** *pl* espargata
◇ **split up** *v* **1** dividir **2** (casal, grupo) separar-se
splitting *adj* (dor de cabeça) muito forte
splutter *v* **1** balbuciar **2** crepitar
spoil *v* **1** estragar; **you'll spoil your appetite** vais perder o apetite **2** estragar com mimos **3** mimar **4** (comida) estragar(-se) **5** (voto) preencher mal (para que seja anulado)
spoilsport *n col* desmancha-prazeres
spoke *n* **1** (roda) raio **2** (guarda-chuva) vareta
spokesman *n* [*pl* -men] (homem) porta-voz
spokesperson *n* porta-voz
spokeswoman *n* [*pl* -men] (mulher) porta-voz
sponge *n* esponja ▪ *v* **1** lavar com esponja **2** absorver; chupar **3** explorar
sponger *n* parasita
spongy *adj* esponjoso
sponsor *n* **1** patrocinador **2** padrinho, madrinha **3** responsável ▪ *v* **1** patrocinar **2** apadrinhar **3** promover
spontaneity *n* [*pl* -ies] espontaneidade
spontaneous *adj* espontâneo
spook *n col* fantasma ▪ *v* assustar
spooky *adj* **1** *col* que mete medo **2** EUA assustadiço
spool *n* **1** carrinho de linhas **2** bobina ▪ *v* enrolar
spoon *n* colher ▪ *v* tirar/mexer com colher
spoonful *n* colherada
sporadic *adj* esporádico
spore *n* esporo
sport *n* desporto ▪ *v* ostentar
sporting *adj* **1** desportivo **2** desportista
sports *adj* desportivo
sportsman *n* [*pl* -men] (homem) desportista
sportsperson *n* desportista
sportswear *n* roupa desportiva
sportswoman *n* [*pl* -men] (mulher) desportista
spot *n* **1** mancha **2** pinta; ponto **3** borbulha **4** sítio; lugar **5** gota **6** *col* bocado **7** *col* foco; holofote ▪ *v* **1** *col* dar com, encontrar **2** manchar ♦ **on the spot** imediatamente
spotless *adj* sem manchas; imaculado
spotlight *n* holofote, projetor[AO] ▪ *v* **1** iluminar com holofotes **2** dar relevo a ♦ **to be in the spotlight** ser o centro das atenções
spotted *adj* **1** às bolas **2** malhado
spouse *n* cônjuge (marido/mulher)
spout *n* **1** (bule) bico **2** esguicho, jato[AO] ▪ *v* **1** (líquido) jorrar; esguichar **2** (baleia) lançar jato[AO] de água

sprain *v* (pé, pulso) torcer ▪ *n* entorse
sprawl *v* **1** escarrapachar-se; estender-se **2** espalhar-se desorganizadamente
spray *n* **1** gotas; borrifo **2** (jato, pulverizador) spray **3** laca **4** ramo ▪ *v* **1** pulverizar **2** borrifar
spread *v* **1** estender(-se), espalhar(-se) **2** (manteiga, compota) espalhar, barrar **3** (ideia, notícia) divulgar ▪ *n* **1** propagação; divulgação **2** extensão **3** conjunto; leque **4** alimento para barrar; **cheese spread** queijo para barrar **5** *col* banquete
spreadsheet *n* folha de cálculo
spree *n* farra; borga
sprig *n* raminho
sprightly *adj* animado, alegre
spring *n* **1** primavera[AO] **2** mola **3** elasticidade **4** nascente **5** salto **6** energia ▪ *v* **1** saltar **2** surgir **3** provir **4** brotar
◇ **spring up** *v* **1** (dúvida) surgir **2** (planta) brotar
springboard *n* **1** trampolim **2** (natação) prancha de saltos **3** rampa de lançamento
sprinkle *v* **1** borrifar **2** polvilhar ▪ *n* **1** borrifo, salpico **2** EUA chuvisco
sprinkler *n* **1** sistema de rega **2** sistema de extinção de incêndios
sprint *n* DESP sprint ▪ *v* **1** sprintar **2** arrancar
sprinter *n* velocista, sprinter
sprout *v* **1** brotar **2** surgir; aparecer ▪ *n* **1** rebento **2** couve
spruce *adj* asseado
spud *n col* batata
spur *n* **1** estímulo; impulso **2** (cavalo) espora **3** (estrada, caminhos de ferro) ramal ▪ *v* **1** espicaçar **2** (cavalo) esporear ♦ **on the spur of the moment** por impulso
spurious *adj* falso, ilusório
spurn *v* desprezar; desdenhar
spurt *v* **1** jorrar **2** arrancar ▪ *n* **1** esguicho, jorro **2** acesso (of, de)
spy *n* [*pl* spies] espião ▪ *v* **1** espiar **2** vigiar
spying *n* espionagem
squabble *v* discutir ▪ *n* rixa; discussão
squad *n* **1** (polícia) brigada; unidade **2** MIL pelotão **3** equipa; seleção[AO] ♦ **squad car** carro-patrulha
squadron *n* **1** MIL esquadrão **2** (navios) esquadra **3** (aviões) esquadrilha
squalid *adj* imundo
squall *n* **1** (vento) rajada **2** tempestade ▪ *v* guinchar
squalor *n* miséria
squander *v* **1** (dinheiro) esbanjar (on, em) **2** desperdiçar
square *n* **1** quadrado **2** (cidade) praça **3** (tabuleiro de jogo) casa **4** esquadro **5** *col* retrógrado ▪ *adj* **1** quadrado; **square metre** metro quadrado **2** em ângulo reto[AO] **3** paralelo (with, a) **4** *col* quite; **we're square** estamos quites **5** retrógrado, quadrado ▪ *v* **1** dar forma de quadrado a **2** endireitar **3** igualar **4** elevar ao quadrado **5** *col* subornar ▪ *adv* **1** diretamente[AO]; de frente **2** em perpendicular ♦ **from square one** do zero; **to play fair and square** fazer jogo limpo
squash *v* **1** esborrachar; esmagar **2** apertar(-se); entalar(-se) **3** reprimir ▪ *n* [*pl* -es] **1** DESP squash **2** apertão **3** sumo de fruta **4** abóbora
squat *v* **1** agachar-se **2** ocupar (edifício ou terreno, sem autorização) ▪ *n* (posição) cócoras ▪ *adj* (pessoa) atarracado
squawk *v* **1** grasnar **2** gritar ▪ *n* **1** grasnido **2** grito agudo
squeak *v* **1** (rato, calçado) chiar **2** (porta, soalho) ranger **3** guinchar ▪ *n* **1** rangido **2** guincho
squeal *n* guincho ▪ *v* **1** guinchar **2** *col* bufar (on, -)
squeamish *adj* **1** suscetível[AO] **2** que se enoja facilmente
squeeze *v* **1** apertar **2** espremer **3** meter; enfiar **4** *col* (ameaças) extorquir **5** oprimir ▪ *n* **1** aperto **2** pequena quantidade
◇ **squeeze in** *v* **1** arranjar tempo para **2** arranjar espaço para
squelch *v* **1** fazer um barulho semelhante ao de passos na lama **2** EUA extinguir; reprimir
squib *n* **1** (fogo de artifício) bicha de rabear **2** sátira
squid *n* lula
squint *v* **1** olhar (para algo), semicerrando os olhos **2** ser estrábico ▪ *n* estrabismo
squire *n* **1** fidalgo rural **2** escudeiro
squirm *v* **1** contorcer-se **2** sentir embaraço
squirrel *n* esquilo
squirt *v* **1** esguichar **2** jorrar ▪ *n* **1** esguicho **2** *col* fedelho
Sri Lanka *n* Sri Lanca

Sri Lankan *adj* do Sri Lanka ▪ *n* natural ou habitante do Sri Lanka
stab *v* **1** apunhalar **2** espetar ▪ *n* **1** facada; punhalada **2** dor aguda; pontada **3** tentativa (at, de)
stability *n* estabilidade
stabilization *n* estabilização
stabilize *v* estabilizar
stable *adj* estável ▪ *n* estábulo; cavalariça
stack *n* **1** pilha (of, de) **2** *col* montão (of, de) **3** chaminé ▪ *v* **1** empilhar **2** encher
◇ **stack up** *v* **1** empilhar **2** acumular-se **3** equiparar-se
stadium *n* [*pl* -s, stadia] estádio
staff *n* **1** (empresa) pessoal **2** (escola, universidade) corpo docente **3** (instituição) corpo administrativo **4** bastão ▪ *v* prover de pessoal
stag *n* [*pl* -s, stag] veado macho ◆ **stag party** despedida de solteiro
stage *n* **1** período; fase **2** momento **3** palco; **stage fright** medo de entrar em palco ▪ *v* **1** encenar **2** organizar
stagecoach *n* diligência
stage-manage *v* encenar
stagger *v* **1** cambalear **2** desconcertar **3** alterar o horário de ▪ *n* cambaleio
staggering *adj* surpreendente, assombroso
staging *n* encenação
stagnant *adj* estagnado
stagnate *v* estagnar
stagnation *n* estagnação
stain *n* **1** nódoa **2** coloração ▪ *v* **1** manchar **2** tingir ◆ **stain remover** tira-nódoas
stainless *adj* sem mancha ◆ **stainless steel** aço inoxidável
stair *n* **1** degrau **2** *pl* escadas; **flight of stairs** lanço de escadas
staircase *n* escadaria
stake *n* **1** estaca **2** (condenado à morte) fogueira **3** participação; quota **4** aposta ▪ *v* **1** apostar **2** pôr estacas em ◆ **at stake** em jogo
◇ **stake out** *v* **1** vigiar **2** delimitar com estacas
stalactite *n* estalactite
stalagmite *n* estalagmite
stale *adj* **1** (alimento, pão) duro; seco **2** (ar) viciado; saturado **3** (informação, notícia) desatualizado[AO]; antigo **4** (história, piada) velho; gasto
stalemate *n* beco sem saída; impasse
stalk *n* **1** caule **2** pedúnculo ▪ *v* perseguir; assediar
stall *n* **1** (feira, mercado) banca; barraca **2** (cavalariça) coxia **3** cubículo **4** *pl* (teatro) plateia ▪ *v* **1** (veículo, motor) (deixar) ir abaixo **2** empatar **3** chegar a um impasse
stallion *n* (cavalo) garanhão
stamen *n* estame
stamina *n* resistência, vigor
stammer *v* gaguejar ▪ *n* gaguez
stamp *n* **1** selo **2** carimbo **3** marca **4** carácter[AO] **5** bater dos pés/cascos no chão ▪ *v* **1** carimbar **2** (carta) selar **3** gravar **4** bater com o pé **5** pisar com força
◇ **stamp out** *v* **1** acabar com **2** (com os pés) apagar
stampede *n* debandada ▪ *v* fugir em debandada
stance *n* posição; postura
stand *v* **1** estar (em pé) **2** levantar-se **3** suportar; **I can't stand him!** não o suporto! **4** colocar **5** manter-se em vigor **6** (bebida, refeição) pagar **7** candidatar-se (for, a) ▪ *n* **1** posição (on, em relação a) **2** quiosque; banca **3** stand **4** suporte **5** (estádio) bancada **6** praça de táxis
◇ **stand back** *v* distanciar-se
◇ **stand by** *v* **1** apoiar **2** (promessa, decisão) manter **3** ficar parado **4** estar a postos
◇ **stand down** *v* demitir-se
◇ **stand for** *v* **1** significar **2** tolerar
◇ **stand in** *v* substituir (for, -)
◇ **stand out** *v* sobressair; destacar-se
◇ **stand up** *v* **1** levantar-se **2** ficar em pé **3** resistir **4** *col* deixar pendurado
standard *n* **1** padrão; nível **2** norma; nível de exigência **3** parâmetro; critério **4** princípio **5** estandarte ▪ *adj* **1** estandardizado **2** oficial **3** (língua) padrão
standard-bearer *n* porta-estandarte
standardization *n* estandardização
standardize *v* estandardizar
stand-in *n* **1** substituto **2** (filme) duplo
standing *adj* **1** permanente **2** em pé, de pé ▪ *n* **1** reputação; estatuto **2** duração
standoffish *adj* distante; reservado
standstill *n* **1** paralisação; imobilização **2** impasse
stanza *n* estância, estrofe

staple *n* **1** agrafe, agrafo **2** alimento essencial **3** produto principal ▪ *v* agrafar ▪ *adj* principal; básico
stapler *n* agrafador
star *n* **1** estrela; **film/movie star** estrela de cinema **2** protagonista **3** asterisco ▪ *v* **1** (ator, atriz) entrar como protagonista **2** ter (alguém) como protagonista **3** marcar com asterisco
starboard *n* estibordo
starch *n* [*pl* -es] **1** amido; fécula **2** (roupa) goma ▪ *v* engomar
stare *v* olhar fixamente (at, para) ▪ *n* olhar fixo
starfish *n* estrela-do-mar
stark *adj* **1** austero **2** (lugar) deserto **3** (facto, verdade) completo, perfeito **4** notório, claro ▪ *adv* completamente; **stark naked** nu em pelo[AO]
starlight *n* luz das estrelas
starling *n* estorninho
starlit *adj* estrelado
starry *adj* estrelado
starry-eyed *adj* ingénuo; sonhador
start *v* **1** começar **2** provocar; **to start a fire** provocar um incêndio **3** (negócio) montar **4** (carro, motor) pegar ▪ *n* **1** início; **from the start** desde o princípio **2** avanço (on, em relação a) **3** linha de partida **4** partida
◇ **start off** *v* **1** começar **2** partir
◇ **start out** *v* começar
◇ **start up** *v* **1** (empresa, negócio) constituir **2** (motor) ligar; (carro) pôr a trabalhar
starter *n* **1** entrada, aperitivo **2** participante numa corrida **3** DESP juiz de partida **4** (automóvel) motor de arranque ◆ **for starters** para começar
startle *v* sobressaltar
startling *adj* **1** surpreendente **2** alarmante
starvation *n* fome; **to die of starvation** morrer de fome
starve *v* **1** passar fome **2** matar à fome **3** privar (of, de)
starving *adj* morto de fome; esfomeado
stash *v* **1** *col* esconder **2** *col* guardar ▪ *n* [*pl* -es] *col* porção escondida
state *n* estado ▪ *v* **1** declarar **2** indicar **3** estabelecer
stately *adj* imponente, majestoso
statement *n* **1** afirmação **2** declaração; comunicado **3** depoimento **4** extrato[AO] bancário **5** relatório
statesman *n* [*pl* -men] estadista
static *adj* **1** estático **2** estável ▪ *n* interferências (numa transmissão radiofónica ou televisiva)
statics *n* FÍS estática
station *n* **1** (comboios) estação; (autocarros, camionetas) terminal **2** estação; posto; **fire station** quartel; **space station** estação espacial **3** (polícia) esquadra **4** (rádio, televisão) estação **5** (energia) central ▪ *v* **1** colocar **2** posicionar
stationary *adj* **1** parado **2** fixo **3** sem alteração
stationer *n* dono de papelaria ◆ **stationer's** papelaria
statistic *n* **1** (número) estatística **2** *fig* número
statistical *adj* estatístico
statistics *n* estatística
statue *n* estátua
statuette *n* estatueta
stature *n* **1** estatura **2** valor, importância
status *n* [*pl* -es] **1** posição, estatuto; **social status** posição social **2** estado; **civil status** estado civil
statute *n* **1** lei **2** estatuto
statutory *adj* previsto pela lei
staunch *adj* fiel; leal ▪ *v* estancar
stave *n* **1** estaca **2** (pipa) aduela **3** (escada) degrau **4** pauta (musical) ▪ *v* quebrar
stay *v* **1** ficar; **to stay to dinner** ficar para jantar **2** permanecer **3** estar hospedado ▪ *n* **1** estadia **2** (ordem, decisão) adiamento, suspensão **3** (navio) estai ◆ **to stay put** ficar no mesmo sítio
◇ **stay away** *v* **1** manter-se longe (from, de) **2** não voltar
◇ **stay in** *v* ficar em casa
◇ **stay up** *v* ficar acordado
stead *n form* lugar; **in someone's stead** no lugar de alguém
steadfast *adj* **1** firme; inabalável **2** incondicional
steadiness *n* **1** segurança, estabilidade **2** serenidade **3** constância
steady *adj* **1** estável **2** consistente **3** firme; seguro **4** uniforme **5** de confiança **6** (relação, namoro) oficial ▪ *v* **1** equilibrar(-se) **2** estabilizar **3** acalmar ◆ **steady!** cuidado!
steak *n* bife

steal *v* **1** roubar (from, de) **2** esgueirar-se ▪ *n* EUA *col* pechincha
stealth *n* coisa feita pela calada
stealthy *adj* furtivo; dissimulado
steam *n* vapor; **steam engine** máquina a vapor ▪ *v* **1** cozer no vapor **2** fumegar **3** aplicar vapor em **4** passar, deitando fumo ♦ **to let off steam** aliviar a tensão
steamboat *n* barco a vapor
steamer *n* **1** navio a vapor **2** panela de pressão
steamship *n* navio a vapor
steamy *adj* **1** embaciado **2** escaldante
steel *n* aço; **to have nerves of steel** ter nervos de aço
steelworks *n* siderurgia
steep *adj* **1** íngreme **2** (aumento) acentuado **3** (preço) exorbitante ▪ *v* embeber, demolhar
steeplechase *n* (hipismo, atletismo) corrida de obstáculos
steer *v* **1** conduzir **2** guiar ▪ *n* novilho castrado
steering *n* (automóvel) direção[AO] ♦ **steering wheel** volante
stellar *adj* estelar
stem *n* **1** caule **2** (copo) pé; haste **3** (cachimbo) tubo **4** (palavra) radical ▪ *v* **1** deter; conter **2** estancar **3** proceder
stench *n* [*pl* -es] fedor
stenographer *n* EUA estenógrafo
stenography *n* EUA estenografia
step *n* **1** passo **2** degrau **3** medida; **to take steps** tomar medidas **4** grau; etapa **5** (exercício físico) step **6** MÚS intervalo **7** *pl* GB escadote ▪ *v* **1** dar passos; andar **2** pisar ♦ **mind your step!** tenha cuidado!
◇ **step forward** *v* voluntariar-se; oferecer-se
◇ **step in** *v* intervir
stepbrother *n* meio-irmão
stepchild *n* [*pl* -children] enteado
stepdaughter *n* enteada
stepfather *n* padrasto
stepladder *n* escadote
stepmother *n* madrasta
steppe *n* estepe
stepsister *n* meia-irmã
stepson *n* enteado
stereo *adj* estéreo ▪ *n* aparelhagem de som
stereotype *n* estereótipo ▪ *v* estereotipar
sterile *adj* **1** estéril **2** esterilizado **3** (solo) infértil
sterility *n* esterilidade
sterilization *n* esterilização
sterilize *v* esterilizar
sterling *n* (moeda) libra esterlina ▪ *adj* **1** (ouro, prata) de lei **2** excelente
stern *adj* **1** severo **2** implacável ▪ *n* (navio) popa
sternum *n* [*pl* -s, sterna] esterno
steroid *n* esteroide[AO]
stethoscope *n* estetoscópio
stew *n* estufado ▪ *v* estufar
steward *n* **1** (avião) comissário/assistente de bordo **2** (navio) camareiro **3** GB organizador
stewardess *n* **1** (avião) assistente de bordo **2** (navio) camareira
stewed *adj* **1** estufado **2** (chá) forte e amargo
stick *n* **1** pau **2** vara **3** pedaço; barra; **glue stick** batom de cola **4** bengala **5** (hóquei, golfe) stick ▪ *v* **1** espetar **2** colar **3** afixar; **stick no bills** afixação proibida **4** encravar **5** *col* enfiar **6** *col* aguentar **7** ser aceite; pegar *col*; **the name stuck** o nome pegou
◇ **stick around** *v col* deixar-se ficar
◇ **stick out** *v* **1** (língua, cabeça) pôr de fora **2** sobressair **3** aguentar
◇ **stick to** *v* **1** cumprir; manter **2** limitar-se a; cingir-se a
◇ **stick together** *v col* manter-se unido
sticker *n* **1** autocolante **2** cromo
stick-in-the-mud *n col* caturra; bota de elástico
stickler *n* picuinhas
stick-up *n col* assalto à mão armada
sticky *adj* **1** pegajoso **2** adesivo **3** (tempo) abafado **4** *col* embaraçoso
stiff *adj* **1** rígido; teso **2** (músculo) dorido **3** perro **4** duro; severo **5** tenso **6** espesso **7** (bebida alcoólica) forte ▪ *adv col* muito ▪ *n cal* cadáver
stiffen *v* **1** ficar tenso **2** enrijecer; endurecer **3** (músculos) ficar dorido
stifle *v* **1** asfixiar **2** reprimir
stifling *adj* (ar) asfixiante
stigma *n* estigma
stigmatize *v* estigmatizar
stiletto *n* [*pl* -s] **1** (sapato) salto-agulha **2** (punhal) estilete

still *adv* **1** ainda; **do you still play tennis?** ainda jogas ténis? **2** mesmo assim ▪ *adj* **1** quieto **2** calmo **3** (bebida) sem gás ▪ *n* **1** *lit* calma; sossego **2** alambique
stillbirth *n* nascimento de criança já morta
stillborn *adj* nado-morto
stilt *n* **1** estaca **2** *pl* andas
stimulant *n* **1** estimulante **2** estímulo (to, a)
stimulate *v* estimular
stimulating *adj* estimulante
stimulation *n* estimulação
stimulus *n* [*pl* stimuli] estímulo
sting *v* **1** picar **2** (ferida) arder **3** ferir; ofender **4** instigar ▪ *n* **1** ferrão **2** picadela **3** ardência; dor aguda **4** EUA burla
stingy *adj col* avarento
stink *v* **1** cheirar mal; tresandar **2** *col* não prestar ▪ *n* fedor (of, a)
stinking *adj* **1** fedorento **2** *col* péssimo **3** *col* maldito ◆ *col* **to be stinking rich** ser podre de rico
stint *n* período ▪ *v* **1** privar (on, de) **2** poupar
stipulate *v* estipular
stipulation *n* estipulação
stir *v* **1** (com colher, pau) mexer **2** mexer-se **3** agitar; revolver **4** incitar (to, a) **5** (memórias, sentimento) avivar **6** *col* provocar confusão ▪ *n* **1** alvoroço **2** mexida
stir-crazy *adj* doido
stir-fry *v* CUL saltear
stirrup *n* estribo
stitch *n* [*pl* -es] **1** ponto **2** pontada ▪ *v* **1** coser **2** costurar ◆ **a stitch in time saves nine** mais vale prevenir do que remediar
stock *n* **1** stock; **out of stock** esgotado **2** ECON ação[AO]; **stock exchange** bolsa de valores **3** CUL caldo **4** gado **5** estirpe; linhagem ▪ *v* **1** ter em stock **2** fornecer; abastecer ▪ *adj* em stock ◆ EUA **stock company** sociedade anónima
stockade *n* paliçada
stockbroker *n* corretor da bolsa
stockholder *n* EUA acionista[AO]
stocking *n* meia
stockpile *n* reservas ▪ *v* armazenar
stockroom *n* armazém
stocky *adj* atarracado
stoic *n,adj* estoico[AO]
stoical *adj* estoico[AO]
stoicism *n* estoicismo
stoke *v* **1** (lume) atiçar **2** (fornalha) alimentar **3** (inveja, fúria) fazer aumentar
stole *n* estola
stolid *adj* imperturbável
stomach *n* **1** estômago **2** barriga; **stomach ache** dor de barriga ▪ *v* aguentar; suportar ◆ **to turn your stomach** dar voltas ao estômago
stomp *v* andar com passo pesado
stone *n* **1** pedra **2** (fruto) caroço **3** lápide **4** (bexiga, rins) cálculo ▪ *v* **1** apedrejar **2** descaroçar ◆ **stone dead** mortinho da silva
stone-cold *adj* gelado ◆ **to be stone-cold sober** estar totalmente sóbrio
stoned *adj* **1** *col* (drogado) pedrado **2** *col* podre de bêbedo
stonemason *n* pedreiro
stonework *n* alvenaria
stooge *n* pau-mandado, fantoche
stool *n* **1** banco (sem costas) **2** excremento
stoop *v* inclinar-se; curvar-se ▪ *n* **1** corcunda **2** EUA (porta) soleira
stop *v* **1** parar; deixar de; **stop it!** para[AO] com isso! **2** deter **3** acabar **4** interromper **5** impedir (from, de) **6** suspender ▪ *n* **1** interrupção; pausa **2** fim **3** (transportes) paragem **4** ponto final
◇ **stop by** *v* passar por (cá/aí); dar um salto (cá/aí)
◇ **stop in** *v* passar por (cá/aí); dar um salto (cá/aí)
◇ **stop off** *v col* (durante uma viagem) parar
◇ **stop over** *v* **1** (durante uma viagem) parar **2** (voo) fazer escala
◇ **stop up** *v* **1** não se deitar; ficar a pé **2** (buraco, cano) tapar
stopcock *n* torneira de segurança
stopgap *n* solução provisória; remedeio
stoplight *n* **1** GB sinal vermelho **2** EUA semáforo **3** EUA luz de travagem
stopover *n* **1** paragem **2** (voo) escala
stoppage *n* **1** paralisação; greve **2** paragem; interrupção **3** obstrução
stopper *n* rolha
stopping *n* paragem; travagem ◆ (condução) **stopping distance** distância de segurança
stopwatch *n* cronómetro
storage *n* armazenamento
store *n* **1** armazém comercial **2** EUA loja **3** reserva ▪ *v* armazenar

storehouse *n* **1** armazém; depósito **2** (informação) fonte
storekeeper *n* EUA comerciante; lojista
storey *n* GB andar, piso; **a two-storey building** um edifício de dois andares
stork *n* cegonha
storm *n* **1** tempestade **2** onda; **a storm of protest** uma onda de protestos ▪ *v* **1** invadir **2** ir de rompante **3** vociferar ♦ **a storm in a teacup** uma tempestade num copo de água
stormy *adj* **1** tempestuoso **2** turbulento
story *n* [*pl* -ies] **1** história **2** (jornal) artigo **3** mentira **4** EUA piso, andar ♦ (jornal) **cover story** artigo principal; **end of story!** e ponto final!; e acabou-se!; **to cut a long story short** resumindo
storybook *n* livro de histórias infantis
storyline *n* intriga, enredo
storyteller *n* contador de histórias
stout *adj* **1** robusto **2** resistente **3** corajoso; determinado ▪ *n* cerveja preta
stove *n* **1** fogão **2** fogão de sala
stow *v* **1** arrumar **2** carregar
◇ **stow away** *v* viajar clandestinamente
stowage *n* capacidade de carga
stowaway *n* (avião, navio) passageiro clandestino
straddle *v* **1** sentar-se com as pernas abertas **2** abranger
strafe *v* bombardear
straggle *v* **1** ficar para trás **2** crescer de modo irregular **3** dispersar-se
straight *adj* **1** (linha) reto[AO]; (parte do corpo, roupa) direito; (cabelo) liso **2** (pessoa) sincero **3** arrumado **4** (escolha) claro **5** consecutivo **6** *col* heterossexual **7** EUA (bebida) puro ▪ *adv* **1** a direito; em linha reta[AO] **2** diretamente[AO] **3** imediatamente **4** direito; **to sit up straight** sentar-se direito **5** com sinceridade; **to play it straight** ser sincero ▪ *n* **1** *col* heterossexual **2** GB (pista) reta[AO] ♦ **let me get this straight** deixa-me ver se estou a perceber
straightaway *adv* imediatamente
straighten *v* endireitar(-se)
◇ **straighten out** *v* **1** resolver **2** endireitar(-se)
◇ **straighten up** *v* **1** (pessoa) endireitar-se **2** arrumar
straightforward *adj* **1** direto[AO]; frontal **2** simples; claro
strain *n* **1** tensão; pressão **2** problema; dificuldade **3** luxação **4** traço de carácter[AO] **5** puxão **6** espécie; (vírus) estirpe ▪ *v* **1** (músculo) distender **2** (voz, vista) forçar **3** esticar **4** coar; filtrar
strainer *n* coador; passador
strait *n* estreito ♦ **to be in dire straits** estar em apuros
straitjacket *n* camisa de forças
strand *n* **1** fio **2** parte
stranded *adj* **1** (navio) encalhado **2** preso; sem hipótese de sair
strange *adj* **1** estranho **2** desconhecido ▪ *adv* EUA de forma estranha ♦ **strange to say** por estranho que pareça; **to feel strange** não se sentir bem
strangely *adv* estranhamente; surpreendentemente
strangeness *n* estranheza
stranger *n* **1** estranho; desconhecido **2** forasteiro
strangle *v* **1** estrangular **2** sufocar
strangler *n* estrangulador
strangulation *n* estrangulamento
strap *n* **1** (relógio) correia **2** (vestido, soutien) alça **3** tira; fita **4** presilha ▪ *v* **1** apertar; prender **2** (perna, braço) ligar ♦ **to be strapped in** ter o cinto de segurança posto
strapless *adj* sem alças
stratagem *n* estratagema
strategic *adj* estratégico
strategist *n* estratego
strategy *n* estratégia
stratosphere *n* estratosfera
stratum *n* [*pl* strata] estrato; camada
stratus *n* [*pl* strati] (nuvem) estrato
straw *n* **1** (haste seca) palha **2** (para beber) palhinha ♦ **that was the last straw!** isso foi a última gota!
strawberry *n* [*pl* -ies] **1** morango **2** morangueiro
stray *v* **1** afastar-se; desviar-se **2** ir por maus caminhos ▪ *adj* **1** (animal) vadio **2** (objeto) perdido **3** (pessoa) isolado ▪ *n* animal vadio
streak *n* **1** listra; risca **2** (cabelo) madeixa **3** veia; **an artistic streak** uma veia artística **4** maré; **to be on a winning/loosing streak** estar em maré de sorte/de azar ▪ *v* **1** listrar **2** passar como um raio

stream *n* **1** ribeiro **2** corrente **3** fluxo **4** enchente, maré ▪ *v* **1** fluir; correr **2** passar em massa
streamer *n* **1** bandeirola **2** serpentina
streamline *v* **1** dar forma aerodinâmica a **2** agilizar
street *n* rua
streetcar *n* EUA carro elétrico[AO]
streetlamp *n* candeeiro de iluminação pública
strength *n* **1** força **2** resistência **3** ponto forte **4** (vento, sol, luz) intensidade **5** (moeda) valor ♦ **in strength** em grande número
strengthen *v* fortalecer(-se); reforçar(-se)
strenuous *adj* **1** extenuante **2** vigoroso
stress *n* [*pl* -es] **1** stress; pressão **2** FÍS tensão **3** ênfase; **to lay stress on** realçar **4** acento tónico ▪ *v* **1** realçar; salientar **2** insistir em **3** acentuar
stressful *adj* stressante; desgastante
stretch *v* **1** esticar(-se) **2** estender(-se) **3** espreguiçar-se **4** espalhar-se **5** (paciência) pôr à prova **6** (regras) não ligar a **7** (verdade, factos) distorcer ▪ *n* [*pl* -es] **1** (terreno, água) extensão **2** reta[AO]; **the final stretch** a reta[AO] final **3** elasticidade **4** (exercício) alongamento
stretcher *n* maca
stretcher-bearer *n* maqueiro
strew *v* espalhar; derramar
strict *adj* **1** (pessoa) severo; rigoroso **2** (regras) rígido; estrito
strictly *adv* **1** estritamente **2** exatamente[AO] **3** severamente
stride *v* andar a passos largos ▪ *n* **1** passada **2** progresso
strident *adj* **1** (voz, som) estridente **2** (opinião, protesto) forte
strife *n* conflito(s)
strike *v* **1** bater em; atingir **2** chocar contra **3** atacar **4** (pensamento, ideia) ocorrer **5** (raio, relâmpago) fulminar **6** (fósforo) acender **7** (golpe) desferir **8** (relógio) dar horas **9** fazer greve **10** rematar; chutar **11** (petróleo, ouro) encontrar ▪ *n* **1** greve; **to be on strike** estar em greve **2** ataque **3** remate **4** descoberta
◇ **strike back** *v* (agressão) ripostar
◇ **strike down** *v* **1** matar; **to be struck down** morrer **2** derrubar à pancada
strikebreaker *n* fura-greves
striker *n* **1** grevista **2** (futebol) ponta de lança
striking *adj* **1** impressionante; notável **2** em greve
string *n* **1** cordel; fio; cordão **2** cadeia; sequência **3** (instrumento musical, raqueta) corda **4** colar ▪ *v* **1** pendurar **2** enfiar (num fio) ♦ **to pull strings** mexer uns cordelinhos
stringent *adj* severo; rigoroso
strip *v* **1** despir(-se) **2** fazer striptease **3** tirar; arrancar **4** (cama) tirar a roupa de **5** despojar (of, de) ▪ *n* **1** tira; faixa **2** equipamento **3** striptease
stripe *n* **1** risca, listra **2** MIL galão
striped *adj* às riscas
striptease *n* striptease
strive *v* **1** empenhar-se (to, em) **2** lutar
stroke *n* **1** golpe; **a stroke of genius** um golpe de génio **2** acidente vascular cerebral **3** pincelada **4** (natação) braçada **5** (remo) remada **6** (golfe) tacada **7** carícia **8** (sino, relógio) badalada ▪ *v* acariciar
stroll *v* **1** passear **2** andar descontraidamente ▪ *n* passeio
stroller *n* **1** pessoa que passeia **2** EUA carrinho de bebé
strong *adj* **1** forte **2** resistente **3** firme **4** convincente; sólido **5** (apoio) grande **6** (linguagem) impróprio **7** (sotaque) carregado
stronghold *n* **1** baluarte **2** reduto
strontium *n* estrôncio
structural *adj* estrutural
structure *n* estrutura ▪ *v* estruturar
struggle *n* luta ▪ *v* lutar
strut *v* pavonear-se ▪ *n* suporte
stub *n* **1** (cigarro) beata **2** (recibo, livro de cheques) talão **3** (lápis) coto
stubble *n* **1** barba por fazer **2** restolho
stubborn *adj* teimoso; **stubborn as a mule** teimoso que nem um burro
stubbornness *n* teimosia
stubby *adj* roliço
stucco *n* estuque ▪ *v* estucar
stuck *adj* **1** encravado **2** entalado **3** preso **4** atolado
stuck-up *adj* arrogante; presumido
stud *n* **1** (cavalo) garanhão **2** (sapatilha) pitão **3** brinco pequeno e redondo **4** (punho) botão ▪ *v* salpicar
student *n* **1** estudante; aluno **2** estudioso (of, de)
studied *adj* estudado; calculado

studio *n* **1** estúdio **2** atelier **3** (dança) academia ♦ **studio couch** sofá-cama
studious *adj* **1** estudioso; aplicado **2** cuidadoso
study *n* [*pl* -ies] **1** estudo **2** gabinete de trabalho ▪ *v* **1** estudar **2** (proposta) analisar
stuff *n* **1** *col* coisas **2** *col* tralha **3** material; equipamento **4** matéria; essência ▪ *v* **1** rechear (with, de) **2** encher **3** meter **4** *col* empanturrar **5** (animal morto) empalhar
stuffing *n* **1** CUL recheio **2** enchimento
stuffy *adj* **1** (espaço) abafado **2** cheio de cerimónias
stumble *v* **1** tropeçar (over/on, em) **2** andar aos tropeções **3** atrapalhar-se (over/through, em) ▪ *n* tropeção
stump *n* **1** (árvore) cepo **2** (membro amputado, vela, lápis) coto, toco ▪ *v* **1** *col* deixar perplexo **2** caminhar com passos pesados
stun *v* **1** atordoar **2** aturdir; assombrar
stunned *adj* espantado; estupefacto
stunning *adj* **1** lindo; deslumbrante **2** impressionante
stunt *n* **1** cena perigosa **2** manobra; truque **3** brincadeira; gracinha; **to pull a stunt** fazer uma gracinha
stuntman *n* (cinema) duplo
stupefaction *n* estupefação[AO]
stupefy *v* deixar estupefacto
stupendous *adj* estupendo
stupid *adj* estúpido; parvo
stupidity *n* estupidez
stupor *n* (quase inconsciência) estupor
sturdy *adj* **1** robusto **2** resistente **3** firme
sturgeon *n* esturjão
stutter *v* gaguejar ▪ *n* gaguez
sty *n* [*pl* -ies] **1** pocilga **2** terçolho
stye *n* terçolho
style *n* **1** estilo **2** moda **3** modelo ▪ *v* **1** desenhar; conceber **2** *form* denominar, intitular
stylish *adj* na moda; com estilo
stylist *n* **1** cabeleireiro **2** (empresa, produto) responsável pela imagem
stylistic *adj* estilístico
stylistics *n* estilística
suave *adj* delicado
sub *n* **1** *col* submarino **2** *col* assinatura **3** *col* substituto ▪ *v* substituir (for, -)
subaltern *n* oficial subalterno
subaquatic *adj* subaquático
subconscious *adj,n* subconsciente
subcontract *v* subcontratar ▪ *n* **1** subempreitada **2** subcontrato
subdivide *v* subdividir(-se)
subdivision *n* subdivisão
subdue *v* **1** dominar; controlar **2** (emoções) reprimir
subheading *n* subtítulo
subject *n* **1** tema; assunto **2** (escola) disciplina **3** súbdito **4** (experiência) cobaia **5** (gramática) sujeito ▪ *adj* **1** sujeito (to, a) **2** propenso (to, a) ▪ *v* **1** subjugar; dominar **2** submeter (to, a)
subjection *n* sujeição, subordinação
subjective *adj* subjetivo[AO]
subjugate *v* subjugar; dominar
subjugation *n* subjugação
subjunctive *adj,n* conjuntivo
sublet *v* subalugar (to, a) ▪ *n* subarrendamento
sublime *adj,n* sublime
submarine *adj,n* submarino
submerge *v* submergir; imergir
submersible *adj,n* submersível
submersion *n* submersão
submission *n* **1** submissão (to, a) **2** (candidatura) apresentação **3** *form* opinião; parecer
submissive *adj* submisso
submit *v* **1** submeter, apresentar **2** submeter--se (to, a) **3** *form* alegar
subordinate *adj,n* subordinado ▪ *v* subordinar; sujeitar
subordination *n* subordinação
subpoena *n* DIR intimação, citação ▪ *v* intimar, citar
subscribe *v* **1** (publicação, serviço, ação) subscrever **2** GB (instituição) dar uma contribuição (to, para)
subscriber *n* **1** subscritor **2** partidário
subscript *adj,n* subscrito
subscription *n* **1** subscrição **2** (publicação periódica) assinatura
subsequent *adj form* posterior ♦ **subsequent to** após
subside *v* **1** aluir; desabar **2** (mau tempo, vento) amainar **3** (dor, raiva) diminuir **4** (nível da água) baixar
subsidiary *adj* **1** secundário **2** subsidiário ▪ *n* [*pl* -ies] filial
subsidize *v* subsidiar
subsidy *n* [*pl* -ies] subsídio
subsist *v* subsistir

subsistence *n* subsistência
subsoil *n* subsolo
subspecies *n* subespécie
substance *n* **1** substância **2** essência; importância **3** (boato, comentário) fundamento
substantial *adj* **1** substancial **2** sólido **3** (refeição) nutritivo
substantially *adv* substancialmente
substantiate *v* demonstrar a veracidade de; fundamentar
substitute *n* **1** substituto **2** suplente **3** sucedâneo ▪ *v* substituir
substitution *n* substituição
substructure *n* infraestrutura[AO]
subterfuge *n* subterfúgio
subterranean *adj* subterrâneo
subtitle *n* **1** (filme, programa) legenda **2** (obra) subtítulo ▪ *v* legendar
subtle *adj* **1** subtil **2** ténue **3** engenhoso **4** perspicaz
subtlety *n* [*pl* -ies] subtileza
subtly *adv* subtilmente
subtotal *n* subtotal
subtract *v* subtrair; **to subtract 10 from 30** subtrair 10 a 30
subtraction *n* subtração[AO]
suburb *n* subúrbio
suburban *adj* **1** suburbano **2** tacanho
suburbia *n* subúrbios
subversion *n* subversão
subversive *adj* subversivo ▪ *n* pessoa subversiva
subvert *v* subverter
subway *n* **1** EUA metro **2** GB passagem subterrânea
sub-zero *adj* (temperatura) abaixo de zero; negativo
succeed *v* **1** ser bem sucedido; ter êxito **2** surtir o efeito desejado **3** triunfar **4** suceder a ♦ **nothing succeeds like success** sucesso atrai sucesso
succeeding *adj* seguinte; sucessivo
success *n* [*pl* -es] sucesso; êxito ♦ **to prove a success** ser bem sucedido
successful *adj* bem-sucedido
successfully *adv* com êxito
succession *n* sucessão ♦ **in succession** consecutivo
successive *adj* sucessivo
successor *n* sucessor
succinct *adj* sucinto
succulent *adj* suculento
succumb *v* sucumbir (to, a)
such *adj,pron* **1** tal **2** tão; **he's such a nice man** é um homem tão simpático **3** tanto; **she spoke with such conviction** falou com tanta convicção ♦ **such and such** tal e tal; **such as** tal como; como por exemplo
suchlike *adj* do género; idêntico ▪ *pron* coisas do género
suck *v* **1** chupar **2** aspirar; sugar **3** mamar **4** *col* não prestar (para nada) ▪ *n* chupadela ◊ **suck up** *v col* dar graxa (to, a)
sucker *n* **1** *col* otário, trouxa **2** ventosa **3** EUA chupa-chupa ♦ **to be a sucker for** ser tolinho por
suckle *v* **1** amamentar **2** mamar
suction *n* sucção ♦ **suction cap** ventosa
Sudan *n* Sudão
Sudanese *adj,n* sudanês
sudden *adj* súbito; repentino ♦ **all of a sudden** de repente
suddenly *adv* subitamente; inesperadamente
sue *v* DIR processar
suede *n* camurça
suffer *v* **1** sofrer (from, de) **2** ressentir-se **3** tolerar
suffering *n* sofrimento; padecimento
sufficient *adj* suficiente
suffix *n* [*pl* -es] sufixo
suffocate *v* sufocar
suffocation *n* sufocação
suffrage *n* direito de voto
sugar *n* **1** açúcar **2** colher de açúcar ▪ *v* adoçar
sugar-coated *adj* coberto de açúcar
sugary *adj* **1** açucarado **2** lisonjeiro
suggest *v* **1** sugerir **2** insinuar
suggestible *adj* sugestionável
suggestion *n* **1** sugestão; **to make a suggestion** dar uma sugestão **2** indício **3** insinuação
suggestive *adj* sugestivo
suicidal *adj* suicida
suicide *n* suicídio; **to commit suicide** suicidar-se
suit *n* **1** fato **2** DIR processo **3** (cartas de jogo) naipe ▪ *v* **1** convir a **2** adaptar **3** (roupa, cor) ficar bem a ♦ **suit yourself!** faz o que bem entenderes!

suitability *n* **1** adequação **2** conveniência
suitable *adj* **1** adequado **2** conveniente
suitably *adv* convenientemente
suitcase *n* mala de viagem
suite *n* **1** (hotel, peça musical) suite **2** comitiva **3** (software) pacote; conjunto
sulk *v* amuar; estar de mau humor ▪ *n* amuo; mau humor
sulky *n* [*pl* -ies] **1** mal-humorado **2** que costuma amuar
sullen *adj* **1** carrancudo **2** (rosto) carregado **3** (tempo) sombrio
sulphate *n* GB sulfato
sulphur *n* GB enxofre
sulphuric *adj* GB sulfúrico
sultan *n* sultão
sultana *n* sultana
sum *n* **1** soma **2** conta; cálculo ♦ **in sum** em suma
◇ **sum up** *v* resumir
summarize *v* resumir
summary *n* [*pl* -ies] resumo ▪ *adj* sumário ♦ **in summary** resumindo
summer *n* verão[AO] ▪ *v* passar o verão[AO] ♦ **summer holidays** férias de verão[AO]
summertime *n* verão[AO]
summit *n* **1** (montanha) cume **2** cimeira **3** auge
summon *v* **1** *form* chamar **2** *form* intimar **3** *form* convocar
◇ **summon up** *v* **1** evocar **2** (coragem, energias) ganhar
summons *n* [*pl* -es] intimação ▪ *v* intimar
sumptuous *adj* sumptuoso
sun *n* Sol
sunbathe *v* tomar um banho de sol
sunbeam *n* raio de sol
sunbed *n* **1** aparelho bronzeador **2** espreguiçadeira
sunblock *n* protetor[AO] solar
sunburn *n* queimadura solar; escaldão
suncream *n* protetor[AO] solar
Sunday *n* domingo; **on Sunday** no domingo
sundial *n* relógio de sol
sundown *n* pôr do sol
sunflower *n* girassol
sunglasses *npl* óculos de sol
sunken *adj* **1** submerso **2** (rosto, olhos) encovado
sunlight *n* luz do Sol
sunlit *adj* iluminado pelo sol
sunny *adj* **1** soalheiro; ensolarado **2** radiante
sunrise *n* nascer do Sol
sunscreen *n* protetor[AO] solar
sunset *n* pôr do sol
sunshade *n* **1** guarda-sol **2** sombrinha **3** toldo
sunshine *n* **1** sol; **in the sunshine** ao sol **2** alegria
sunstroke *n* insolação
suntan *n* bronzeado; **to get a suntan** bronzear-se
super *adv* EUA *col* super
superb *adj* soberbo; magnífico
superficial *adj* superficial
superficiality *n* superficialidade
superfluous *adj* supérfluo
superhuman *adj* sobre-humano
superimpose *v* sobrepor (on, a)
superior *adj* **1** superior **2** excecional[AO], excelente **3** arrogante, presunçoso ▪ *n* superior
superiority *n* superioridade
superlative *adj,n* (gramática) superlativo
superman *n* [*pl* -men] super-homem
supermarket *n* supermercado
supermodel *n* (moda) top model
supernatural *adj,n* sobrenatural
superpower *n* superpotência
supersede *v* suplantar, ultrapassar
supersonic *adj* supersónico
superstar *n* superestrela
superstition *n* superstição
superstitious *adj* supersticioso
superstore *n* hipermercado, grande superfície
supervise *v* **1** supervisionar **2** orientar **3** fiscalizar; inspecionar[AO]
supervision *n* **1** supervisão **2** orientação **3** fiscalização
supervisor *n* **1** supervisor **2** orientador
superwoman *n* [*pl* -men] super-mulher
supper *n* **1** jantar; **to have supper** jantar **2** ceia
supple *adj* flexível; maleável
supplement *n* suplemento; complemento ▪ *v* complementar
supplementary *adj* suplementar
supplier *n* fornecedor
supply *n* **1** abastecimento, fornecimento **2** provisão, reserva **3** material; **office supplies** material de escritório ▪ *v* fornecer,

abastecer ♦ **supply and demand** oferta e procura
support *v* **1** apoiar **2** (família) sustentar **3** (instituição) contribuir para **4** (peso, teoria, ideia) sustentar **5** (equipa) ser adepto de **6** (vício) alimentar ▪ *n* **1** apoio; **financial support** apoio financeiro **2** assistência; **technical support** assistência técnica **3** auxílio **4** suporte **5** sustento
supporter *n* apoiante
supporting *adj* **1** de apoio; de suporte **2** (ator, papel) secundário
supportive *adj* compreensivo; solidário
suppose *v* **1** supor; imaginar; **I suppose not** suponho que não **2** crer, julgar **3** pressupor
supposition *n* suposição
suppository *n* [*pl* -ies] supositório
suppress *v* **1** (revolta) reprimir **2** (provas, informações) ocultar **3** (sentimentos, sorriso, bocejo) reprimir **4** (texto, obra) suprimir **5** enfraquecer
suppression *n* **1** repressão **2** supressão
supremacy *n* [*pl* -ies] supremacia
supreme *adj* **1** supremo; **of supreme importance** de importância vital **2** (esforço) descomunal
surcharge *n* sobretaxa ▪ *v* cobrar uma sobretaxa a
sure *adj* certo; seguro ♦ **sure!** claro!; **for sure** de certeza; **sure enough** de facto
surely *adv* certamente
surety *n* [*pl* -ies] **1** caução; fiança **2** fiador
surf *n* (ondas) espuma ▪ *v* **1** surfar **2** (Internet) navegar
surface *n* superfície; **on the surface** à superfície ▪ *v* **1** vir à superfície **2** aparecer ▪ *adj* **1** superficial **2** de superfície
surfboard *n* prancha de surf
surfer *n* surfista
surfing *n* surf
surge *n* **1** (sentimento, pessoas) onda **2** aumento súbito (in, de) ▪ *v* **1** (multidão) lançar-se **2** (ondas) rebentar **3** (valor, preço) disparar
surgeon *n* cirurgião
surgery *n* [*pl* -ies] **1** cirurgia **2** GB consultório **3** GB consulta **4** EUA sala de operações
surgical *adj* cirúrgico
Surinam *n* Suriname
Surinamese *adj,n* surinamês
surmount *v* **1** (obstáculo, problema) superar, vencer **2** coroar; encimar
surmountable *adj* superável
surname *n* apelido
surpass *v* superar; ultrapassar
surplus *adj,n* excedente
surprise *n* surpresa; **to make a surprise** fazer uma surpresa ▪ *v* surpreender
surprising *adj* surpreendente
surreal *adj* surreal
surrealism *n* surrealismo
surrealist *adj,n* surrealista
surrender *v* **1** render-se (to, a), entregar-se (to, a) **2** (cidade, exército) entregar **3** abdicar de; abrir mão de ▪ *n* **1** rendição **2** renúncia
surrogate *n* substituto ♦ **surrogate mother** mãe de aluguer
surround *v* **1** cercar; rodear **2** (inimigo, edifício) cercar
surrounding *adj* circundante; envolvente
surroundings *npl* ambiente
surveillance *n* vigilância; **surveillance cameras** câmaras de vigilância
survey *n* **1** inquérito, sondagem **2** levantamento; **aerial survey** levantamento aéreo **3** vistoria; inspeção[AO] ▪ *v* **1** inquirir; sondar **2** fazer o levantamento de **3** examinar; analisar
surveyor *n* **1** inspetor[AO] **2** topógrafo
survival *n* sobrevivência
survive *v* **1** sobreviver (a) **2** subsistir
survivor *n* sobrevivente
susceptibility *n* [*pl* -ies] suscetibilidade[AO] (to, a)
susceptible *adj* suscetível[AO]
suspect *adj,n* suspeito ▪ *v* **1** suspeitar de **2** duvidar de **3** imaginar
suspend *v* suspender
suspender *n* **1** liga de meia; **suspender belt** cinto de liga **2** *pl* EUA suspensórios
suspense *n* suspense; expectativa[AO]
suspension *n* suspensão
suspicion *n* **1** suspeita; **on suspicion of** sob suspeita de **2** desconfiança **3** sinal, indício
suspicious *adj* **1** desconfiado **2** suspeito
sustain *v* **1** (interesse, esperanças) manter **2** sustentar **3** dar forças a **4** (estragos, derrota) sofrer
sustainable *adj* sustentável
sustained *adj* sustentado; continuado
suture *n* sutura
swagger *v* pavonear-se ▪ *n* pavoneio

swallow *n* **1** andorinha **2** gole, trago ▪ *v* **1** engolir **2** (história) acreditar
swamp *n* pântano ▪ *v* **1** inundar **2** encher (with, de); atolar (with, de)
swan *n* cisne
swank *v col* armar-se ▪ *n* **1** *col* armanço **2** *col* gabarola; fanfarrão
swap *v col* trocar ▪ *n col* troca
swarm *n* **1** (abelhas) enxame **2** (mosquitos) nuvem **3** (pessoas) multidão ▪ *v* aglomerar-se
swastika *n* suástica
swat *v* **1** esmagar (inseto[AO]) **2** tentar acertar em
swatter *n* (objeto) mata-moscas
sway *v* **1** oscilar, balançar **2** influenciar ▪ *n* **1** oscilação, balanço **2** influência, domínio; **to hold sway over** dominar
Swaziland *n* Suazilândia
swear *v* **1** jurar **2** fazer jurar; **to swear somebody to secrecy** fazer alguém jurar que não conta a ninguém **3** dizer palavrões
swearword *n* palavrão
sweat *n* suor, transpiração ▪ *v* **1** suar, transpirar **2** *col* preocupar-se ♦ *col* **no sweat!** não há problema!
sweater *n* camisola
sweatshirt *n* camisola de algodão, sweatshirt
sweaty *adj* **1** suado; transpirado **2** que faz suar
Swede *n* (pessoa) sueco
Sweden *n* Suécia
Swedish *adj,n* sueco ▪ *npl* **the Swedish** os suecos
sweep *v* **1** varrer; limpar **2** empurrar; afastar **3** arrastar **4** arrasar ▪ *n* **1** varredela **2** extensão; alcance **3** curva ♦ (atração) **to sweep somebody off his/her feet** fazer alguém perder a cabeça
sweeper *n* **1** varredor **2** máquina de varrer
sweeping *adj* **1** (alteração, reforma) radical **2** simplista **3** (vitória) extraordinário
sweet *adj* **1** (sabor) doce **2** encantador, amoroso **3** (criança, objeto, animal) querido, fofinho **4** (cheiro) doce, suave **5** (som) melodioso ▪ *n* **1** GB doce; guloseima **2** GB sobremesa
sweeten *v* **1** adoçar **2** tornar mais atrativo[AO]
sweetener *n* adoçante
sweetheart *n* querido
sweetie *n* **1** doçura; amorzinho **2** doce, rebuçado
sweetness *n* **1** doçura **2** suavidade **3** encanto
swell *v* **1** inchar **2** avolumar(-se) **3** intensificar-se ▪ *n* **1** ondulação **2** MÚS crescendo **3** curva
swelling *n* **1** inchaço **2** protuberância
swelter *v* (calor) abafar; sufocar
swerve *n* (automóvel) guinada ▪ *v* **1** guinar **2** desviar-se
swift *adj* **1** rápido **2** veloz ▪ *n* gavião
swim *v* **1** nadar **2** (cabeça) andar à roda ♦ **to go for a swim** ir nadar; **to swim against the tide** remar contra a maré
swimmer *n* nadador
swimming *n* natação; **swimming pool** piscina; **swimming trunks** calções de banho
swimsuit *n* fato de banho
swindle *v* burlar; ludibriar ▪ *n* falcatrua
swindler *n* burlista; aldrabão
swine *n* **1** suíno; porco **2** *col* patife; sacana
swing *v* **1** balançar **2** virar(-se); **to swing around** dar meia-volta **3** oscilar **4** tentar bater; **to swing at something/somebody** tentar acertar em algo/alguém **5** andar de baloiço ▪ *n* **1** baloiço **2** balanço; oscilação **3** viragem; mudança **4** MÚS swing
swipe *v* **1** bater em **2** *col* gamar; fanar ▪ *n* forte pancada
swirl *v* **1** rodopiar **2** fazer andar à roda ▪ *n* redemoinho
Swiss *adj,n* suíço ▪ *npl* **the Swiss** os suíços
switch *n* [*pl* -es] **1** interruptor[AO]; **to turn the switch on/off** ligar/desligar o interruptor[AO] **2** mudança; viragem **3** troca ▪ *v* **1** mudar **2** trocar
◊ **switch off** *v* desligar
◊ **switch on** *v* ligar
switchboard *n* **1** central telefónica **2** quadro elétrico[AO]
Switzerland *n* Suíça
swivel *n* eixo ▪ *v* rodar; girar ♦ **swivel chair** cadeira giratória
swoon *v* **1** extasiar-se **2** desfalecer, desmaiar ▪ *n* desfalecimento
swoop *v* **1** (ave, avião) descer em voo picado **2** fazer uma rusga ▪ *n* **1** (ave, avião) voo picado **2** rusga
swop *n,v* ⇒ **swap**

sword *n* espada
swordfish *n* peixe-espada
swordsman *n* [*pl* -men] espadachim
swot *n col* (escola) marrão ■ *v col* (escola) marrar
syllabic *adj* silábico
syllable *n* sílaba
symbiosis *n* simbiose
symbol *n* símbolo
symbolic *adj* simbólico
symbolism *n* simbolismo
symbolize *v* simbolizar
symmetrical *adj* simétrico
symmetry *n* simetria
sympathetic *adj* **1** compreensivo **2** solidário

Não confundir a palavra inglesa **sympathetic** com a palavra portuguesa **simpático**, que se traduz por *nice, friendly*.

sympathize *v* **1** compreender (with, -) **2** solidarizar-se **3** ter pena (with, de); agradar
sympathizer *n* apoiante
sympathy *n* [*pl* -ies] **1** pena; compaixão **2** solidariedade **3** compreensão **4** pêsames; **a letter of sympathy** uma carta de pêsames
symphonic *adj* sinfónico
symphony *n* [*pl* -ies] sinfonia ♦ **symphony orchestra** orquestra sinfónica
symposium *n* [*pl* -s, symposia] simpósio
symptom *n* sintoma
symptomatic *adj* sintomático
synagogue *n* sinagoga
synchronize *v* sincronizar
synchronous *adj* sincrónico
syncope *n* síncope
syndicalism *n* sindicalismo
syndicate *n* associação ■ *v* (texto, foto) publicar em vários jornais e/ou revistas
syndrome *n* síndrome
synonym *n* sinónimo
synonymous *adj* sinónimo
synonymy *n* sinonímia
synopsis *n* [*pl* synopses] sinopse
syntactic *adj* sintático[AO]
syntax *n* [*pl* -es] sintaxe
synthesis *n* [*pl* syntheses] síntese
synthesize *v* sintetizar
synthetic *adj* sintético
syphilis *n* sífilis
Syria *n* Síria
Syrian *adj,n* sírio
syringe *n* seringa
syrup *n* **1** xarope **2** calda; **peach syrup** calda de pêssego
system *n* **1** sistema **2** método; **to lack system** não ter método ♦ *col* (desabafar) **to get something out of one's system** despejar tudo cá para fora
systematic *adj* sistemático
systematize *v* sistematizar
systole *n* sístole

T

t *n* [*pl* t's] (letra) t

tab *n* **1** etiqueta **2** (pagamento) conta **3** (Internet) separador **4** EUA (lata) argola

table *n* **1** mesa **2** quadro; tabela; **table of contents** índice **3** MAT tabuada **4** comensais **5** tábua ▪ *v* **1** GB apresentar **2** EUA adiar

tablecloth *n* toalha de mesa

tablespoon *n* colher de sopa

tablet *n* **1** comprimido; pastilha **2** tabuleta; placa **3** EUA bloco (de folhas)

tableware *n* artigos para a cozinha e sala de jantar

tabloid *n* (jornal) tabloide[AO]

taboo *adj,n* tabu

tabulate *v* dispor em tabelas ou colunas

tacit *adj* tácito

taciturn *adj* taciturno

tack *n* **1** (prego) tacha **2** EUA pionés **3** tática[AO]; estratégia **4** (navio) rumo; mudança de direção[AO] **5** (costura) alinhavo ▪ *v* pregar com tacha

tackle *v* **1** lidar com; resolver **2** confrontar **3** (futebol) tentar tirar a bola a; (râguebi, futebol americano) placar ▪ *n* **1** equipamento **2** (futebol) entrada; (râguebi, futebol americano) placagem

tacky *adj* **1** pegajoso **2** *col* piroso

tact *n* tato[AO]; diplomacia

tactic *n* **1** tática[AO] **2** *pl* tática[AO] militar

tactical *adj* tático[AO]; estratégico

tactician *n* estratega

tactile *adj* táctil[AO]

tactless *adj* sem tato[AO]; sem diplomacia

tadpole *n* girino

taffeta *n* tafetá

tag *n* **1** etiqueta **2** rótulo **3** (jogo) caçadinhas ▪ *v* **1** etiquetar **2** rotular

◊ **tag along** *v* ir atrás; seguir

Tahiti *n* Taiti

Tahitian *adj,n* taitiano

tail *n* **1** cauda; rabo **2** (vestido, cometa) cauda **3** (camisa) fralda **4** retaguarda **5** (carro, avião) traseira **6** *pl* fraque **7** *pl* (moeda) coroa ▪ *v* **1** seguir de perto **2** perseguir

tailback *n* GB fila de trânsito

tailgate *n* porta da mala do carro

tailor *n* alfaiate ▪ *v* fazer à medida

taint *n* mancha ▪ *v* manchar; contaminar

Taiwan *n* Taiwan

Taiwanese *adj,n* taiwanês

Tajik *adj,n* tajique

Tajikistan *n* Tajiquistão

take *v* **1** tomar; **to take a drink** tomar uma bebida **2** levar **3** pegar em **4** tirar; **he took the bottle out of the fridge** ele tirou a garrafa do frigorífico **5** agarrar; **he took me by my arm** ele agarrou-me pelo braço **6** subtrair; **take ten from fifteen** subtrai dez a quinze **7** aguentar; suportar **8** escolher **9** precisar, necessitar; **it takes courage to do what he did** é preciso coragem para fazer o que ele fez **10** (consequências) assumir **11** (telefonema) atender ▪ *n* (cinema) take ◆ **take it from me** acredita em mim; **take it or leave it** é pegar ou largar; **to take a stand** marcar uma posição; (espetáculo, evento) **to take place** acontecer

◊ **take after** *v* (semelhança) sair a

◊ **take away** *v* **1** tirar **2** levar (embora) **3** subtrair

◊ **take back** *v* **1** devolver **2** aceitar de volta **3** retirar **4** fazer lembrar

◊ **take in** *v* **1** acolher; alojar **2** enganar **3** abranger; incluir **4** compreender

◊ **take off** *v* **1** (roupa, calçado) tirar **2** retirar **3** levantar voo **4** *col* fugir; pôr-se a andar **5** (férias, folga) tirar

◊ **take out** *v* **1** convidar para sair **2** tirar; extrair **3** (dinheiro) levantar **4** *col* matar **5** EUA (comida) levar (para comer em casa)

◊ **take out on** *v* descarregar em

◊ **take over** *v* **1** assumir o controlo de **2** invadir; ocupar **3** (empresa, negócio) adquirir

◊ **take to** *v* **1** gostar de **2** habituar-se a

◊ **take up** *v* **1** (atividade, hobby) dedicar-se a **2** (tempo, espaço) ocupar **3** recomeçar **4** (proposta, desafio) aceitar **5** (posição) assumir

takeaway *n* takeaway
takeoff *n* **1** (avião) descolagem **2** imitação; caricatura
takeover *n* **1** tomada de posse **2** (empresa) aquisição
talc *n* (pó) talco
talcum powder *n* pó de talco
tale *n* história; conto
talent *n* **1** talento **2** jeito
talented *adj* talentoso
talisman *n* talismã
talk *v* **1** falar; **to talk sport** falar de desporto **2** conversar ▪ *n* **1** conversa **2** palestra **3** rumor; boato **4** *pl* conversações ♦ (televisão) **talk show** talk-show
talkative *adj* falador
talking-to *n col* descompostura; ensaboadela
tall *adj* alto; **how tall are you?** qual é a tua altura? ♦ **tall story** história inverosímil
tallow *v* ensebar ▪ *n* sebo
tambourine *n* pandeireta
tame *adj* **1** manso **2** (atividade) monótono ▪ *v* **1** domesticar; amansar **2** controlar
tamer *n* domador
tampon *n* (higiene íntima) tampão
tan *n* **1** bronzeado; **to get a tan** bronzear-se **2** castanho claro ▪ *v* **1** bronzear(-se) **2** (couro) curtir
tandem *adj* (bicicleta) tandem ♦ **in tandem with** conjuntamente com
tang *n* **1** travo **2** cheiro forte
tangent *n* tangente
tangerine *n* tangerina
tangible *adj* concreto; palpável
tangle *n* **1** emaranhado **2** confusão **3** discussão ▪ *v* emaranhar(-se); enredar(-se)
tango *n* tango ▪ *v* dançar o tango
tank *n* **1** reservatório, tanque **2** (gasolina, gasóleo) depósito **3** MIL tanque
tankard *n* caneca de cerveja (de estanho ou prata)
tanker *n* **1** petroleiro **2** camião-cisterna
tanner *n* curtidor
tannery *n* [*pl* -ies] fábrica de curtumes
tantamount *adj* equivalente
tantrum *n* birra
Tanzania *n* Tanzânia
Tanzanian *adj,n* tanzaniano
tap *n* **1** torneira **2** pancada ligeira; palmada **3** escuta telefónica **4** sapateado ▪ *v* **1** dar pancadinhas **2** (com os pés, mãos) bater **3** aproveitar; recorrer a **4** (telefone) pôr escutas ♦ (cerveja) **on tap** em barril
tape *n* **1** fita **2** cassete **3** DESP meta **4** fita métrica ▪ *v* **1** gravar **2** colar com fita-cola ♦ **tape measure** fita métrica; **tape recorder** gravador
taper *v* estreitar; afunilar ▪ *n* vela delgada
tapestry *n* [*pl* -ies] tapeçaria
tapeworm *n* ténia
tapioca *n* CUL tapioca
tar *n* alcatrão ▪ *v* alcatroar
tarantula *n* tarântula
tardy *adj* **1** tardio; atrasado **2** vagaroso
target *n* **1** alvo; **target practice** tiro ao alvo **2** objetivo[AO] **3** (crítica) objeto[AO] ▪ *v* apontar; visar
tariff *n* **1** tarifa **2** tabela de preços; tarifário
tarnish *v* **1** (metal, superfície) deslustrar **2** (reputação) manchar ▪ *n* perda de brilho
tarpaulin *n* lona
tarragon *n* estragão
tart *n* tarte ▪ *adj* **1** (sabor) azedo; amargo **2** (tom) ríspido
tartar *n* tártaro
task *n* tarefa; trabalho; **to carry out a task** executar uma tarefa ▪ *v* incumbir de
tassel *n* (almofada, cortina) borla
taste *n* **1** gosto; **good taste** bom gosto **2** paladar **3** prova; amostra ▪ *v* **1** saber (a) **2** provar ♦ **taste buds** papilas gustativas
tasteful *adj* com bom gosto
tasteless *adj* **1** sem gosto; insosso **2** de mau gosto
taster *n* provador
tasty *adj* saboroso
tatters *npl* farrapos
tattoo *n* **1** tatuagem **2** parada militar ▪ *v* tatuar
taunt *v* provocar; atormentar ▪ *n* insulto; provocação
Taurus *n* (constelação, signo) Touro
taut *adj* **1** (arame, fio) esticado **2** (músculo, pessoa) tenso
tavern *n* taberna
tawdry *adj* espalhafatoso; vistoso
tax *n* [*pl* -es] imposto; **free of tax** isento de impostos ▪ *v* **1** taxar; tributar **2** pôr à prova; testar ♦ **tax disc** selo automóvel; **tax return** declaração de impostos

taxable *adj* (bens, rendimento, etc.) coletável[AO]; tributável
taxation *n* tributação
tax-deductible *adj* (despesa) dedutível nos impostos
tax-exempt *adj* isento de imposto
tax-free *adj* livre de impostos
taxi *n* táxi; **taxi stand** praça de táxis; **to take a taxi** apanhar um táxi
taxicab *n* táxi
taximeter *n* taxímetro
taxpayer *n* contribuinte
tea *n* **1** chá; **a cup of tea** uma chávena de chá **2** GB lanche
teach *v* **1** ensinar **2** amestrar; treinar ♦ **to teach someone a lesson** dar uma lição a alguém; *col* **that'll teach you!** é para aprenderes!
teacher *n* professor
teaching *n* **1** ensino; **teaching staff** corpo docente **2** *pl* ensinamentos; doutrina
teacup *n* chávena de chá
team *n* **1** equipa; **football team** equipa de futebol **2** (animais) parelha ▪ *v* juntar
◇ **team up** *v* formar equipa (with, com)
teamwork *n* trabalho de equipa/grupo
teapot *n* bule
tear *n* **1** lágrima **2** rasgão ▪ *v* **1** rasgar(-se); romper(-se) **2** arrancar **3** irromper **4** dilacerar ♦ **tear gas** gás lacrimogéneo; **to be bored to tears** estar morto de tédio
◇ **tear down** *v* (construção) deitar abaixo
◇ **tear up** *v* rasgar aos bocadinhos
teardrop *n* lágrima
tearful *adj* choroso
tease *v* arreliar; meter-se com; implicar com ▪ *n* **1** gozão; provocador **2** provocação
teaser *n col* pergunta difícil
teaspoon *n* colher de chá
teat *n* **1** (animal) teta **2** GB (biberão) tetina
teatime *n* GB hora do chá, hora do lanche
technical *adj* técnico; **technical support** assistência técnica
technicality *n* [*pl* -ies] questão técnica; pormenor técnico
technician *n* técnico
technique *n* técnica
techno *n* (música) tecno
technological *adj* tecnológico
technology *n* tecnologia
tedious *adj* fastidioso; aborrecido
teem *v* abundar (with, de); abarrotar (with, de)
teenage *adj* adolescente
teenager *n* adolescente
teeny *adj col* pequenino; minúsculo
teethe *v* começar a ter dentes
teething *n* dentição
teetotal *adj* abstémio
teetotaller *n* abstémio
TEFL *n* GB [*abrev. de* teaching English as a foreign language] ensino do inglês como língua estrangeira
telecommunications *npl* telecomunicações
telegram *n* telegrama
telegraph *n* telégrafo ▪ *v* telegrafar, mandar telegrama
telegraphic *adj* telegráfico
telepathic *adj* telepático
telepathy *n* telepatia
telephone *n* telefone; **on the telephone** ao telefone; **telephone book** lista telefónica ▪ *v* telefonar (a)
telephonist *n* GB telefonista
telephony *n* telefonia
teleprompter *n* EUA teleponto
telesales *n* televendas
telescope *n* telescópio ▪ *v* **1** condensar; resumir **2** encaixar(-se)
telescopic *adj* telescópico
teleshopping *n* telecompras
teletext *n* teletexto
television *n* televisão; **television set** televisor; **to watch television** ver televisão
tell *v* **1** dizer; **to tell the truth** dizer a verdade **2** contar; **tell me what happened** conta-me o que aconteceu **3** falar; **tell me about yourself** fale-me de si **4** mandar; **he told me to leave** ele mandou-me sair **5** distinguir; **I can't tell one from the other** eu não consigo distinguir um do outro **6** fazer-se notar; **her anger was beginning to tell** a sua fúria começava a fazer-se notar ♦ **I told you so!** eu avisei-te!
◇ **tell apart** *v* distinguir
◇ **tell off** *v* repreender; ralhar
◇ **tell on** *v* denunciar; fazer queixa de
teller *n* **1** (banco) caixa **2** (eleições) delegado de contagem de votos
telling *adj* **1** significativo **2** revelador
telltale *adj* revelador ▪ *n* GB queixinhas

telly *n col* televisão
temerity *n* temeridade
temper *n* **1** mau humor; **to be in a temper** estar irritado **2** humor; disposição ▪ *v* **1** moderar **2** (metal) temperar
temperament *n* temperamento, carácter[AO]
temperamental *adj* temperamental, caprichoso
temperance *n* moderação
temperate *adj* (clima) temperado
temperature *n* **1** temperatura **2** febre; **to have a temperature** ter febre
tempest *n lit* tempestade; tormenta ♦ **a tempest in a teapot** uma tempestade num copo de água
tempestuous *adj* tempestuoso; turbulento
temple *n* **1** templo **2** ANAT fonte, têmpora
tempo *n* [*pl* -s, tempi] **1** MÚS tempo **2** ritmo
temporal *adj form* temporal
temporary *adj* temporário; provisório
tempt *v* tentar, seduzir
temptation *n* tentação
tempting *adj* tentador; sedutor
ten *num card,n* dez ♦ **in tens** às dezenas
tenable *adj* **1** (ideia, teoria) sustentável, defensável **2** (cargo, bolsa) concedido (for, durante)
tenacious *adj* tenaz; persistente
tenacity *n* tenacidade; firmeza
tenancy *n* [*pl* -ies] arrendamento
tenant *n* inquilino
tend *v* **1** tender (to, a); ter tendência (to, a/para) **2** cuidar de; tratar de **3** guardar
tendency *n* [*pl* -ies] tendência; propensão
tendentious *adj* tendencioso
tender *adj* **1** (gesto, pessoa) terno; meigo **2** (assunto, questão) delicado; sensível **3** (alimento) tenro **4** dorido ▪ *n* oferta; proposta ▪ *v* **1** apresentar uma proposta (for, para) **2** apresentar; **to tender one's resignation** apresentar a demissão
tender-hearted *adj* compassivo, bondoso
tenderness *n* ternura
tendon *n* tendão
tendril *n* gavinha
tenement *n* prédio (principalmente numa zona pobre)
tenner *n* **1** GB *col* nota de dez libras **2** EUA *col* nota de dez dólares
tennis *n* ténis; **tennis court** campo de ténis; **to play tennis** jogar ténis
tenor *n* **1** MÚS tenor **2** conteúdo; teor
tense *adj* **1** tenso **2** esticado ▪ *v* retesar; esticar ▪ *n* tempo verbal
tension *n* tensão
tent *n* tenda; barraca
tentacle *n* tentáculo
tentative *adj* **1** provisório **2** tímido; hesitante
tenth *num ord,n* décimo ♦ **on the tenth** no dia dez
tenuous *adj* ténue
tenure *n* **1** (cargo) ocupação **2** (propriedade) posse
tepid *adj* tépido; morno
term *n* **1** termo; **in terms of** em termos de **2** período (letivo[AO]) **3** prazo; data de vencimento **4** MAT termo **5** *pl* condições; **on equal terms** em igualdade de circunstâncias **6** *pl* relações ▪ *v* **1** chamar **2** classificar (as, de)
terminal *adj* **1** terminal **2** irreversível ▪ *n* terminal
terminate *v* **1** terminar; acabar **2** (gravidez) interromper **3** (contrato) rescindir
termination *n* **1** terminação; termo **2** interrupção da gravidez **3** (contrato) rescisão
terminology *n* terminologia
terminus *n* [*pl* termini] término, estação terminal
termite *n* térmite
terrace *n* **1** terraço **2** socalco **3** *pl* (estádio) bancadas
terrain *n* terreno
terrapin *n* tartaruga (de água doce)
terrestrial *adj* terrestre
terrible *adj* **1** terrível **2** péssimo
terribly *adv* **1** terrivelmente **2** extremamente, tremendamente
terrific *adj* **1** espantoso; formidável **2** tremendo; enorme
terrified *adj* aterrorizado
terrify *v* aterrorizar; apavorar
terrifying *adj* assustador, terrível
territorial *adj* territorial
territory *n* [*pl* -ies] território
terror *n* **1** terror; pavor **2** *col* (criança) pestinha; terrorista
terrorism *n* terrorismo
terrorist *n* terrorista
terrorize *v* aterrorizar, aterrar
terse *adj* conciso, seco
tertiary *adj* terciário

test *n* teste; **blood test** análise ao sangue ▪ *v* **1** testar **2** submeter a um teste (for, a); **he tested negative** a análise (dele) deu negativo ◆ **test flight** voo experimental; **test tube** tubo de ensaio
testament *n* **1** testemunho (to, de) **2** testamento
tester *n* **1** pessoa que faz um teste **2** aparelho de verificação **3** amostra
testicle *n* testículo
testify *v* **1** testemunhar, depor **2** declarar solenemente; **to testify under oath** declarar sob juramento
testimonial *n* **1** testemunho **2** recomendação
testimony *n* [*pl* -ies] **1** testemunho, depoimento **2** demonstração
testy *adj* irritadiço
tetanus *n* tétano
tether *n* (animal) corda, corrente ▪ *v* (animal) prender com corda ou corrente
text *n* **1** texto (original) **2** (telemóvel) mensagem **3** passagem bíblica **4** obra; excerto
textbook *n* manual escolar ▪ *adj* ideal
textile *n* **1** têxtil **2** *pl* produto têxtil
textual *adj* textual
texture *n* textura
Thai *adj,n* tailandês
Thailand *n* Tailândia
than *conj* **1** (do) que; **bigger than** maior que; **more than ever** mais do que nunca **2** de; **more than a month** mais de um mês
thank *v* agradecer ◆ **thank God!** graças a Deus!
thankful *adj* grato; agradecido
thankless *adj* ingrato
thanks *interj col* obrigado ▪ *npl* agradecimento; gratidão ◆ **thanks to** graças a
thanksgiving *n* ação[AO] de graças

O Dia de Ação de Graças é celebrado nos EUA na quarta quinta-feira do mês de novembro[AO]. Nesta altura, é frequente as famílias reunirem-se para uma refeição tradicional, cujo prato principal é peru recheado.

that *adj,pron dem* [*pl* those] **1** aquele, aquela; esse, essa; **at that moment** nesse momento **2** aquilo; isso; **after that** depois disso ▪ *pron rel* que; **the flowers that you bought** as flores que compraste ▪ *conj* que; **it's important that you remember that** é importante que te lembres disso ▪ *adv* tão; tanto; **I can't walk that far** não consigo andar tanto ◆ **and that's that!** e ponto final!; **that is (to say)** isto é; **that's it 1** já está **2** é isso
thatch *n* [*pl* -es] telhado de colmo ▪ *v* (telhado) cobrir com colmo
thaw *v* **1** (neve) derreter **2** (alimento) descongelar ▪ *n* degelo
the *art def* o, a, os, as
theatre *n* **1** teatro; **to go to the theatre** ir ao teatro; **theatre of war** teatro de guerra **2** EUA (edifício) cinema **3** GB sala de operações
theatrical *adj* teatral
theft *n* roubo; furto
their *adj poss* deles, delas; seu, sua, seus, suas; **their house** a casa deles
theirs *pron poss* deles, delas; seu, sua, seus, suas; **a friend of theirs** um amigo deles
them *pron pess* **1** os, as; **I didn't see them** não os vi **2** lhes; **don't tell them** não lhes contes **3** eles, elas; **it's them** são eles
theme *n* **1** tema, assunto **2** motivo musical
themselves *pron pess refl* eles mesmos, elas mesmas; se; a si mesmos; **they cut themselves** cortaram-se
then *adv* **1** naquela altura; então; **back then** naquele tempo **2** depois; a seguir **3** então; portanto **4** então; **goodbye, then!** então, adeus! ▪ *adj* desse tempo; de então; **the then secretary** o secretário de então ◆ **but then/then again** mas também; por outro lado
theological *adj* teológico
theology *n* teologia
theorem *n* teorema
theoretical *adj* teórico
theoretician *n* teórico
theorize *v* teorizar (about/on, acerca de)
theory *n* [*pl* -ies] teoria
therapeutic *adj* terapêutico
therapeutics *n* terapêutica
therapist *n* terapeuta
therapy *n* terapia
there *adv* **1** ali; lá; **it's there** está ali **2** aí; **who is there?** quem está aí? ▪ *interj* pronto!; **there, I've said it!** pronto, já disse! ◆ **I've been there before** já passei por isso; **there to be** haver, existir

thereabouts *adv* **1** por aí; por ali **2** cerca de; aproximadamente
thereafter *adv form* em seguida; posteriormente
thereby *adv form* por conseguinte; assim
therefore *adv,conj* portanto; por isso
therein *adv form* aí; nisso; **there in lies...** aí reside..., aí está...
thereupon *adv* **1** *form* por causa disso **2** *form* ali; lá **3** *form* acerca disso
thermal *adj* **1** térmico **2** termal
thermometer *n* termómetro
thermonuclear *adj* termonuclear
thermos *n* (garrafa) termo(s)
thermostat *n* termóstato
thesaurus *n* [*pl* -es, thesauri] thesaurus
these *adj,pron dem* estes; estas
thesis *n* [*pl* theses] tese
they *pron pess* eles, elas ◆ **they say that...** dizem que...
thick *adj* **1** grosso **2** (substância líquida) espesso **3** (nevoeiro, vegetação) denso; compacto **4** *col* tapado, estúpido **5** abundante **6** (sotaque) cerrado **7** (voz) rouco ◆ **through thick and thin** em todas as alturas; para o que der e vier
thicken *v* **1** engrossar **2** tornar(-se) espesso
thicket *n* mata; matagal
thickly *adv* **1** em fatias grossas; em camadas espessas **2** densamente
thickset *adj* robusto
thief *n* [*pl* thieves] ladrão
thieve *v* roubar
thigh *n* coxa
thighbone *n* fémur
thimble *n* dedal
thin *adj* **1** magro **2** (cabelo) fino **3** (cor, luz) pálido, esbatido **4** (argumento, desculpa) pouco convincente ▪ *v* **1** (em número) diminuir **2** (líquido) diluir **3** (cabelo) enfraquecer
thing *n* coisa; **as things are** no estado atual[AO] das coisas ◆ **poor thing!** pobrezinho!
think *v* **1** pensar; **to think twice** pensar duas vezes **2** julgar; achar; **I think so** acho que sim **3** raciocinar; **I wasn't thinking** não raciocinei **4** lembrar-se **5** considerar
◇ **think through** *v* considerar bem; refletir[AO] sobre/em
thinker *n* pensador
thinking *n* **1** pensamento; reflexão **2** opinião ▪ *adj* pensante; inteligente
thinly *adv* **1** em fatias finas; numa camada fina **2** pouco
third *num ord,n* terceiro ◆ **on the third** no dia três
third-degree *adj* de terceiro grau
third-rate *adj* de terceira categoria
thirst *n* sede
thirsty *adj* sedento, sequioso; **to be thirsty** ter sede
thirteen *num card,n* treze
thirteenth *num ord,n* décimo terceiro ◆ **on the thirteenth** no dia treze
thirtieth *num ord,n* trigésimo ◆ **on the thirtieth** no dia trinta
thirty *num card,n* trinta ◆ (década) **the thirties** os anos trinta; **to be in one's thirties** ter 30 e tal anos
this *adj,pron dem* [*pl* these] **1** este, esta **2** isto ▪ *adv* assim; **fold it like this** dobre-o assim
thistle *n* cardo
thong *n* **1** correia **2** tanga **3** EUA chinelo de dedo
thoracic *adj* torácico
thorax *n* [*pl* -es, thoraces] tórax
thorn *n* espinho ◆ **a thorn in somebody's side** uma pedra no sapato de alguém
thorny *adj* **1** (planta) espinhoso **2** difícil; complicado
thorough *adj* **1** profundo; exaustivo **2** minucioso; meticuloso
thoroughfare *n* rua principal ◆ **no thoroughfare** passagem proibida
thoroughgoing *adj* profundo; minucioso
thoroughly *adv* **1** completamente, inteiramente **2** minuciosamente
those *adj,pron dem* esses, essas; aqueles, aquelas
though *conj* embora; ainda que; **though a bit expensive** ainda que um pouco caro ▪ *adv* mesmo assim; **isn't it strange, though?** mas não achas estranho? ◆ **strange though it may appear** por muito estranho que pareça
thought *n* **1** pensamento **2** ideia; intenção **3** reflexão
thoughtful *adj* **1** atencioso, amável **2** pensativo, meditativo
thoughtless *adj* **1** sem consideração **2** irrefletido[AO]
thousand *num card,n* mil

thousandth *num ord,n* milésimo
thrall *n* escravo; servo
thrash *v* **1** dar uma sova em **2** sacudir(-se); contorcer(-se) **3** *col* (equipa) derrotar ■ *n* [*pl* -es] batimento
thrashing *n* **1** sova, tareia **2** *col* (num jogo) derrota; humilhação
thread *n* **1** linha; fio **2** (história) fio condutor **3** (luz) réstia; fio **4** (parafuso) espiral ■ *v* **1** enfiar; **to thread the needle** enfiar a agulha **2** abrir caminho; atravessar
threadbare *adj* **1** (roupa) gasto, coçado **2** (desculpa) esfarrapado *fig*
threat *n* ameaça
threaten *v* **1** ameaçar **2** (chuva) prenunciar; (tempestade) estar iminente
threatening *adj* ameaçador; intimidatório
three *num card,n* três
three-dimensional *adj* **1** a três dimensões **2** (personagem) com densidade psicológica
thresh *v* (cereal) malhar, debulhar
thresher *n* **1** (máquina) debulhadora **2** (pessoa) malhador
threshing *n* (cereal) debulha, malha
threshold *n* **1** soleira, entrada **2** limiar
thrift *n* economia, poupança
thrifty *adj* poupado, económico
thrill *n* **1** emoção; excitação **2** arrepio, calafrio ■ *v* emocionar, fazer vibrar
thriller *n* thriller, tríler
thrilling *adj* emocionante; excitante
thrive *v* prosperar; desenvolver-se
thriving *adj* próspero; florescente
throat *n* garganta ◆ **to cut one's own throat** cavar a própria sepultura
throb *v* **1** pulsar; palpitar **2** (cabeça) latejar ■ *n* **1** pulsação **2** latejo **3** vibração
thrombosis *n* trombose
throne *n* trono
throng *n* multidão ■ *v* amontoar(-se); apinhar(-se)
throttle *v* estrangular ■ *n* MEC válvula reguladora
through *prep* **1** através de; por **2** por meio de **3** devido a **4** durante; **all through the night** durante toda a noite **5** EUA até; **Monday through Friday** segunda a sexta ■ *adv* **1** através **2** de um lado para o outro **3** do princípio ao fim **4** completamente; totalmente ◆ **through and through** completamente
throughout *prep* **1** por todo; ao longo de; **throughout the country** em todo o país **2** em todo; ao longo de; **throughout the year** durante todo o ano ■ *adv* **1** por toda a parte **2** do princípio ao fim **3** completamente
throw *v* **1** atirar; lançar **2** derrubar; atirar ao chão **3** (dúvida, suspeita) lançar **4** deixar sem reação[AO] **5** (alavanca, chave) acionar[AO] ■ *n* **1** lançamento; arremesso **2** (jogo) jogada; lance ◆ **to throw a party** dar uma festa
◇ **throw away** *v* **1** deitar fora **2** (dinheiro, oportunidade) desperdiçar
◇ **throw in** *v* **1** (numa venda) incluir; oferecer **2** (comentário) fazer
◇ **throw out** *v* **1** deitar fora **2** expulsar **3** rejeitar; reprovar **4** (fumo, calor, cheiro) produzir; deitar
◇ **throw up** *v* **1** vomitar **2** revelar **3** (água, pó, pedras) levantar; atirar
throwaway *adj* descartável
throw-in *n* DESP lançamento (para colocar a bola em jogo)
thrush *n* [*pl* -es] (ave) tordo
thrust *v* **1** empurrar; atirar **2** enfiar **3** cravar ■ *n* **1** empurrão **2** ataque; golpe **3** ideia central **4** propulsão
thud *n* baque; ruído surdo
thug *n* indivíduo violento
thumb *n* (dedo) polegar ■ *v* **1** pedir boleia **2** mexer em (algo) com o polegar
◇ **thumb through** *v* folhear
thumbtack *n* EUA pionés
thump *v* **1** dar um murro em; bater em **2** atirar com; pousar com força **3** (coração) bater muito depressa ■ *n* **1** baque **2** *col* murro
thumping *adj col* enorme
thunder *n* **1** trovões, trovoada **2** estrondo ■ *v* **1** trovejar **2** vociferar
thunderbolt *n* raio, relâmpago
thunderstorm *n* trovoada; tempestade (com trovões)
thunderstruck *adj form* pasmado
Thursday *n* quinta-feira; **on Thursday** na quinta-feira
thus *adv form* assim ◆ **thus far** até aqui
thwart *v* frustrar
thyme *n* tomilho
thyroid *n* tiroide[AO]

tiara *n* tiara
Tibet *n* Tibete
Tibetan *adj,n* tibetano
tibia *n* [*pl* -e, -s] tíbia
tic *n* tique
tick *n* **1** (relógio) tiquetaque **2** (sinal) visto **3** carraça **4** *col* instante, momento; **just a tick!** só um segundo! ▪ *v* **1** (relógio) fazer tiquetaque **2** marcar com visto, assinalar
◇ **tick off** *v* **1** GB marcar **2** GB ralhar a **3** EUA irritar
ticket *n* **1** bilhete; **return ticket** bilhete de ida e volta; **ticket office** bilheteira **2** multa **3** etiqueta **4** senha, ticket ▪ *v* **1** vender bilhetes **2** EUA multar
ticking *n* **1** (relógio) tiquetaque **2** (colchões, travesseiros) tela
tickle *v* **1** fazer cócegas (a) **2** fazer comichão (a); picar **3** divertir ▪ *n* **1** cócegas **2** comichão
ticklish *adj* **1** que tem cócegas **2** delicado; melindroso
tidal *adj* de maré ♦ **tidal wave** maremoto
tide *n* **1** maré; **at high tide** na maré alta; **at low tide** na maré baixa **2** (moda) corrente **3** (crimes, violência) maré; onda ♦ **to go against the tide** remar contra a maré; **to go with the tide** seguir ao sabor da corrente
tidy *adj* **1** arrumado **2** asseado; limpo ▪ *v* arrumar
tie *v* **1** amarrar **2** atar; apertar **3** ligar; relacionar **4** sujeitar; prender **5** empatar ▪ *n* **1** gravata **2** corda; fio **3** laço; **family ties** laços familiares **4** empate **5** jogo (que faz parte de uma competição)
◇ **tie down** *v* **1** atar; prender **2** ser uma prisão para
◇ **tie up** *v* **1** amarrar **2** ocupar **3** relacionar **4** (negócio) fechar **5** (trânsito) bloquear; (linha telefónica) ocupar
tier *n* **1** fila, fileira **2** (bolo) camada **3** (hierarquia) nível
tiff *n col* (namorados) arrufo
tiger *n* tigre
tight *adj* **1** apertado **2** firme **3** (segurança, horário, orçamento) apertado **4** esticado **5** (competição) renhido **6** *col* avarento; forreta ▪ *adv* **1** firmemente **2** hermeticamente
tighten *v* **1** apertar **2** (corda) esticar **3** (controlo, segurança) reforçar
tight-fisted *adj* forreta
tightrope *n* (equilibrismo) corda (bamba)
tights *npl* GB meia-calça; collants; **a pair of tights** uns collants
tigress *n* tigre-fêmea
tile *n* **1** azulejo **2** ladrilho **3** telha ▪ *v* **1** cobrir com azulejos **2** ladrilhar **3** cobrir com telha
till *conj col* até (que) ▪ *prep col* até ▪ *n* GB caixa (registadora) ▪ *v* cultivar; lavrar
tilt *v* **1** inclinar; pender **2** atacar ▪ *n* **1** inclinação **2** tentativa; **a tilt at something** uma tentativa para ganhar algo **3** preferência **4** torneio
timber *n* **1** madeira **2** viga de madeira
timbre *n form* timbre
time *n* **1** tempo; **to save time** poupar tempo **2** altura; momento **3** época; **in my time** no meu tempo **4** hora, horas; **arrival time** hora de chegada; **on time** a horas **5** vez; **this time** desta vez **6** MÚS compasso ▪ *v* **1** escolher o momento para **2** cronometrar ♦ **for the time being** por agora; **time off** folga; férias; DESP (corrida) **time trial** contrarrelógio[AO]; **time zone** fuso horário
timekeeper *n* cronómetro
timeless *adj* intemporal
timeline *n* barra cronológica
timely *adj* oportuno
timetable *n* **1** horário **2** programa
timid *adj* medroso
timidity *n* acanhamento
timing *n* **1** momento escolhido **2** sentido de oportunidade; **good timing** bom sentido de oportunidade **3** cronometragem
tin *n* **1** estanho **2** GB lata **3** GB CUL forma
tinderbox *n* **1** caixa com material para fazer lume **2** (situação) barril de pólvora
tinfoil *n* papel de estanho
tinge *n* **1** matiz; tom **2** laivo ▪ *v* dar cor a, colorir
tingle *v* **1** (sensação na pele) picar **2** vibrar (with, de) ▪ *n* formigueiro
tinker *n* latoeiro ▪ *v* emendar
tinkle *n* tilintar; chocalhar ▪ *v* (fazer) tilintar; (fazer) tinir
tin-opener *n* GB abre-latas
tinsel *n* tiras de papel brilhante
tint *n* **1** matiz; cor **2** (cabelo) tinta ▪ *v* **1** colorir **2** (cabelo) pintar
tiny *adj* muito pequeno; minúsculo

tip *n* **1** ponta **2** gorjeta **3** dica; conselho **4** GB lixeira **5** (corrida de cavalos, Bolsa) indicação **6** (polícia) denúncia ■ *v* **1** virar(-se); inclinar(-se) **2** deitar; despejar **3** dar uma gorjeta (a) **4** dar uma informação secreta a **5** sugerir
tipple *n col* bebida (alcoólica)
tipsy *adj* (embriaguez) alegre; tocado
tiptoe *n* ponta dos pés; **on tiptoe** em bicos de pés ■ *v* andar em bicos de pés
tirade *n* crítica violenta
tire *n* EUA pneu ■ *v* cansar(-se) (of, de) ◇ **tire out** *v* deixar exausto
tired *adj* **1** fatigado; cansado **2** farto (of, de)
tireless *adj* incansável; infatigável
tiresome *adj* **1** irritante **2** enfadonho
tiring *adj* cansativo, fatigante
tissue *n* **1** tecido; **muscular tissue** tecido muscular **2** lenço de papel ◆ **tissue paper** papel de seda
tit *n* **1** (pássaro) chapim **2** *col* mama
titan *n* titã
titanium *n* titânio
titbit *n* **1** guloseima **2** pedaço; **a titbit of gossip** um mexerico
tithe *n* dízimo
titillate *v* titilar
title *n* **1** título **2** forma de tratamento **3** direito (to, a) **4** *pl* (filme, programa) genérico ■ *v* intitular
titleholder *n* **1** DESP detentor do título **2** detentor de título de propriedade
tittle-tattle *n* tagarelice; coscuvilhice
to *prep* **1** a; para; (direção) **to go to Paris** ir a/para Paris; [em complemento indireto] **a gift to his wife** um presente para a mulher **2** (posição) a; **to the left of** à esquerda de **3** (limite) até; a; **from beginning to end** do princípio ao fim **4** (tempo que falta) para; **a quarter to five** cinco menos um quarto **5** (opinião, reação) para; **to my despair** para meu desespero **6** com; **to speak to somebody** falar com alguém **7** de; **the heir to the throne** o herdeiro do trono **8** junto a **9** segundo; **to my knowledge** segundo sei ■ *adv* **1** até ficar fechado; **push the door to** encoste a porta **2** para diante; para a frente ◆ **to and fro** dum lado para o outro
toad *n* **1** sapo **2** *col* pessoa desprezível
toadstool *n* cogumelo venenoso
toady *n* lambe-botas, bajulador ■ *v* bajular
toast *n* **1** torradas **2** brinde; **to propose a toast** propor um brinde ■ *v* **1** beber à saúde de alguém; brindar **2** torrar; tostar **3** aquecer
toaster *n* torradeira
tobacco *n* tabaco
tobacconist *n* dono de tabacaria
toboggan *n* tobogã
today *adv* **1** hoje; **today week** de hoje a uma semana **2** atualmente[AO]
toddle *v* dar os primeiros passos
toddler *n* criança que começa a andar
toe *n* **1** dedo do pé **2** (sapato) biqueira
toecap *n* (calçado) biqueira
toffee *n* caramelo
toga *n* toga
together *adv* **1** juntos; **they work together** eles trabalham juntos **2** um ao outro **3** ao mesmo tempo ◆ **all together!** todos ao mesmo tempo!
Togo *n* Togo
Togolese *adj,n* togolês
toilet *n* **1** sanita; **to flush the toilet** puxar o autoclismo **2** GB casa de banho ◆ **toilet paper** papel higiénico
toke *n col* (droga) passa ■ *v col* (droga) dar uma passa
token *n* **1** prova; sinal **2** (para trocar) vale **3** (máquina) ficha **4** GB cheque-oferta
tolar *n* (antiga moeda) tolar
tolerable *adj* **1** tolerável; suportável **2** razoável
tolerably *adv* razoavelmente
tolerance *n* tolerância
tolerant *adj* tolerante
tolerate *v* tolerar; suportar
toll *n* **1** (pagamento) portagem; **toll road** estrada com portagem **2** número de vítimas **3** consequências negativas; **to take its toll** ter consequências negativas, deixar mazelas **4** (sino) dobre ■ *v* tocar a finados
tollbooth *n* (cabina) portagem
toll-free *adj* EUA (telefone) gratuito; **toll-free number** número verde ■ *adv* EUA gratuitamente
tom *n col* gato (macho)
tomato *n* [*pl* -es] tomate
tomb *n* túmulo; sepultura
tombola *n* (jogo) tômbola; (recipiente) **tombola drum** tômbola
tomboy *n* maria-rapaz
tombstone *n* lápide, pedra tumular

tomcat *n* gato
tome *n* tomo; volume
tomorrow *adv,n* amanhã; **tomorrow afternoon** amanhã à tarde
ton *n* **1** tonelada **2** *pl col* toneladas; montes
tone *n* **1** tom de voz **2** (atitude, cor) tom **3** nível; **to lower the tone of** baixar o nível de **4** sinal; **engaged tone** sinal de ocupado **5** entoação ▪ *v* (pele, músculos) tonificar
◇ **tone down** *v* atenuar; suavizar
toner *n* **1** (impressora, fotocopiadora) toner **2** (cosmética) loção; tónico
Tonga *n* Tonga
Tongan *adj,n* tonganês
tongs *npl* tenazes; (gelo, salada) pinça
tongue *n* **1** língua; **to stick out one's tongue** pôr a língua de fora; **mother tongue** língua materna **2** (sapato) lingueta **3** labareda **4** (sino) badalo ▪ *v* lamber ◆ **tongue twister** trava-língua
tonic *n* **1** água tónica **2** tónico **3** fortificante **4** MÚS tónica
tonight *adv* esta noite; hoje à noite
tonsil *n* amígdala
tonsillitis *n* amigdalite
too *adv* **1** demasiado; **it's too expensive** é demasiado caro **2** muito; **you're too kind** é muito amável **3** também; **me too** também eu **4** ainda por cima
tool *n* **1** ferramenta; instrumento **2** (pessoa) joguete
toolbar *n* INFORM barra de ferramentas
toolbox *n* caixa de ferramentas
toot *n* buzinadela ▪ *v* **1** buzinar **2** (buzina) tocar
tooth *n* [*pl* teeth] dente; **tooth of a saw** dente de serra; **wisdom tooth** dente do siso
toothache *n* dor de dentes
toothbrush *n* escova dos dentes
toothpaste *n* pasta dos dentes; dentífrico
toothpick *n* palito
top *n* **1** parte de cima; topo **2** (caneta, garrafa) tampa **3** primeiro lugar **4** parte de cima; **bikini top** parte de cima do biquíni **5** (brinquedo) pião **6** (mesa) cabeceira ▪ *adj* **1** superior; **top layer** camada superior **2** melhor ▪ *v* **1** superar, ultrapassar **2** encimar **3** rematar **4** cobrir
topaz *n* [*pl* -es] topázio
topic *n* tópico; assunto
topical *adj* **1** atual[AO] **2** de uso externo, tópico
topless *adj* em/de topless
topmost *adj* mais alto; superior
topography *n* topografia
topple *v* **1** (deixar) cair **2** (governo, governante) derrubar
top-secret *adj* ultrassecreto[AO]
topsoil *n* camada superior do solo
topsy-turvy *adj* virado de pernas para o ar, em pantanas
torch *n* [*pl* -es] **1** GB lanterna **2** tocha; archote ▪ *v* pegar fogo a
toreador *n* toureiro
torment *n* **1** tormento; angústia **2** sofrimento ▪ *v* **1** atormentar; afligir **2** arreliar; meter-se com
tornado *n* [*pl* -es, -s] tornado
torpedo *n* [*pl* -es] torpedo
torrent *n* torrente
torrential *adj* torrencial
torrid *adj* tórrido; abrasador
torso *n* torso
tortilla *n* tortilha
tortoise *n* tartaruga terrestre
tortuous *adj* tortuoso; sinuoso
torture *n* tortura ▪ *v* torturar
Tory *n* [*pl* -ies] GB membro do Partido Conservador
toss *v* **1** atirar **2** sacudir **3** (moeda) atirar ao ar ▪ *n* **1** lançamento **2** sacudidela **3** (cabeça) aceno
toss-up *n* situação duvidosa; incerteza
tot *n* **1** *col* criança pequena; rebento **2** (bebida alcoólica) golinho
total *adj,n* total; **in total** no total; **total cost** custo total ▪ *v* totalizar; ascender a
totalitarian *adj* totalitário
totality *n form* totalidade
totally *adv* totalmente; completamente
totter *v* **1** cambalear **2** enfraquecer
toucan *n* (ave) tucano
touch *v* **1** tocar em **2** mexer em **3** chegar a **4** comover; emocionar **5** afetar[AO]; dizer respeito a ▪ *n* [*pl* -es] **1** tato[AO] **2** toque **3** contacto; **to be in touch with** estar em contacto com **4** retoque **5** jeito; **to lose one's touch** perder o jeito
◇ **touch down** *v* (avião) aterrar
◇ **touch on/upon** *v* mencionar
touch-and-go *adj col* incerto; arriscado
touching *adj* tocante; comovente
touchline *n* DESP linha lateral

touch-sensitive *adj* táctil[AO]; **touch-sensitive screen** ecrã táctil[AO]
touchy *adj* **1** suscetível[AO]; sensível **2** (questão, assunto) delicado
tough *adj* **1** duro; difícil **2** severo; **to be tough on** ser severo com **3** resistente; rijo **4** exigente
toughen *v* **1** endurecer **2** fortalecer(-se)
toughness *n* **1** dificuldade **2** dureza **3** resistência
toupee *n* capachinho; chinó
tour *n* **1** excursão; viagem organizada; **tour operator** operador turístico **2** visita; **guided tour** visita guiada **3** digressão; tournée ▪ *v* viajar por
tourism *n* turismo
tourist *n* turista ▪ *adj* turístico; **tourist attraction** atração[AO] turística; (avião) **tourist class** classe económica; **tourist office** posto de turismo
touristy *adj col,pej* demasiado turístico
tournament *n* torneio
tourniquet *n* torniquete
tout *v* **1** elogiar; apontar **2** GB vender no mercado negro **3** promover ▪ *n* GB candongueiro
tow *v* rebocar ▪ *n* reboque; **on tow** a reboque
towards *prep* **1** (direção, objetivo) para **2** (atitude) com respeito a; relativamente a **3** (tempo) perto de; quase em
towel *n* toalha; **towel rail** toalheiro ▪ *v* secar com uma toalha ♦ *col* **to throw in the towel** dar o braço a torcer
tower *n* torre
town *n* **1** cidade; **a small town** um cidade pequena, uma vila **2** (cidade) centro, baixa ♦ **town hall** câmara municipal; *col* **to be out on the town** sair à noite
towrope *n* cabo de reboque
toxic *adj* tóxico
toxicity *n* toxicidade
toxin *n* toxina
toy *n* brinquedo
◇ **toy with** *v* brincar com
trace *v* **1** encontrar; localizar **2** descobrir as origens de **3** pesquisar; investigar **4** traçar; desenhar **5** decalcar ▪ *n* **1** vestígio; traço; sinal **2** rasto; pista
trachea *n* [*pl* -s, -e] traqueia
tracing *n* decalque
track *n* **1** marca **2** rasto; pegada **3** caminho; trilho **4** (corridas) pista **5** linha férrea; carris **6** EUA (comboios) cais **7** música; faixa **8** (som gravado) pista ▪ *v* **1** seguir a pista de **2** monitorizar ♦ EUA **track and field** atletismo; **to keep track of** estar a par de
◇ **track down** *v* encontrar; localizar
tracksuit *n* fato de treino
tract *n* **1** aparelho; trato[AO]; **digestive tract** aparelho digestivo **2** extensão; área
traction *n* tração[AO]
tractor *n* trator[AO]
trade *n* **1** comércio; **foreign trade** comércio externo **2** tráfico **3** indústria; **tourist trade** indústria do turismo **4** ofício; profissão **5** troca ▪ *v* **1** comercializar; negociar **2** (empresa) estar em atividade[AO] **3** (ações) vender **4** trocar ♦ **trade union** sindicato
trademark *n* **1** marca comercial **2** imagem de marca
trade-off *n* compromisso; acordo
trader *n* comerciante; negociante
tradition *n* tradição
traditional *adj* tradicional
traffic *n* **1** trânsito; tráfego; **traffic jam** engarrafamento; **traffic lights** semáforo; **traffic sign** sinal de trânsito **2** tráfico; **drug traffic** tráfico de droga ▪ *v* traficar (in, -)
trafficker *n* traficante
tragedy *n* [*pl* -ies] tragédia
tragic *adj* trágico
tragicomedy *n* [*pl* -ies] tragicomédia
tragicomic *adj* tragicómico
trail *v* **1** arrastar(-se) **2** seguir a pista de; perseguir **3** estar a perder ▪ *n* **1** rasto **2** trilho; caminho
trailblazer *n* pioneiro; precursor
trailer *n* **1** atrelado **2** EUA caravana **3** (cinema) trailer
train *n* **1** comboio; **by train** de comboio **2** sequência; **a train of events** uma sequência de eventos **3** fila **4** (vestido) cauda **5** comitiva, séquito ▪ *v* **1** formar; qualificar **2** estudar **3** treinar
trainee *n* **1** estagiário; **trainee teacher** professor estagiário **2** aprendiz
trainer *n* **1** treinador **2** instrutor; formador **3** GB (calçado) sapatilha
training *n* **1** formação; **training course** curso de formação **2** (físico) treino

trait *n* traço; característica[AO]
traitor *n* traidor (to, de)
trajectory *n* [*pl* -ies] trajetória[AO]
tram *n* elétrico[AO]
tramlines *npl* **1** carris do elétrico[AO] **2** (ténis) linhas laterais
trammel *v* dificultar; estorvar
tramp *n* **1** pedinte; mendigo; vagabundo **2** caminhada; estopada ▪ *v* **1** caminhar pesadamente **2** palmilhar; percorrer a pé
trample *v* **1** pisar; calcar **2** espezinhar (on/over, -); pisar (on/over, -)
trampoline *n* trampolim
trance *n* **1** transe; **to go into a trance** entrar em transe **2** obsessão; fixação
tranquillity *n* tranquilidade
tranquillize *v* tranquilizar
tranquillizer *n* calmante, sedativo
transact *v* transacionar[AO]
transaction *n* **1** transação[AO] **2** *pl* ata[AO] de reunião
transatlantic *adj* transatlântico
transcend *v* transcender; superar
transcendental *adj* transcendente; transcendental
transcribe *v* transcrever
transcript *n* transcrição
transcription *n* transcrição
transfer *v* **1** transferir(-se) (to, para) **2** ser transferido (to, para) **3** (chamada) passar **4** (viagem) fazer transbordo **5** (doença) transmitir **6** (bens) passar para o nome de ▪ *n* **1** transferência **2** transbordo **3** (entre aeroporto e hotel) transfer **4** (bens) transmissão
transferable *adj* transmissível
transfigure *v* transfigurar
transform *v* transformar (into, em)
transformation *n* transformação
transformer *n* ELET transformador
transfusion *n* transfusão
transgress *v* transgredir
transgression *n* transgressão
transistor *n* transístor
transit *n* **1** trânsito; movimento **2** transporte
transition *n* transição
transitional *adj* de transição
transitive *adj* (verbo) transitivo
translate *v* **1** traduzir **2** transpor; passar; **he translated his ideas into action** ele pôs em prática as suas ideias
translation *n* **1** tradução **2** transposição
translator *n* tradutor
transmission *n* **1** transmissão **2** (rádio, televisão) emissão
transmit *v* **1** transmitir **2** emitir
transmitter *n* transmissor
transparency *n* [*pl* -ies] transparência
transparent *adj* **1** transparente **2** claro, evidente
transplant *v* **1** transplantar **2** transferir ▪ *n* transplante
transport *n* transporte; **public transport** transportes públicos ▪ *v* transportar
transportation *n* EUA transporte; **means of transportation** meio de transporte
transpose *v* transpor
transsexual *n,adj* transexual
transverse *adj* transversal
transvestite *n* travesti
trap *n* **1** armadilha **2** beco sem saída *fig* **3** carruagem com duas rodas ▪ *v* **1** capturar **2** encurralar **3** enganar
trapdoor *n* alçapão
trapeze *n* (circo) trapézio
trapezium *n* GEOM trapézio
trash *n* **1** EUA lixo; **trash can** balde do lixo **2** *col* disparates; asneiras **3** *col* porcaria **4** EUA *col* gentinha ▪ *v* **1** *col* destruir **2** *col* criticar
trashy *adj* de má qualidade; sem valor
trauma *n* **1** trauma **2** traumatismo
traumatic *adj* traumático
traumatize *v* traumatizar
travel *v* **1** viajar **2** andar; deslocar-se **3** (luz) propagar-se ▪ *n* viagens; **travel agency** agência de viagens
traveller *n* viajante ♦ **traveller's cheque** cheque de viagem
travelling *adj* **1** itinerante **2** viajante **3** de viagem ▪ *n* viagens ♦ **travelling salesman** caixeiro viajante
travelogue *n* filme, documentário ou livro sobre viagens
travesty *n* [*pl* -ies] paródia
tray *n* [*pl* -s] tabuleiro; bandeja
treacherous *adj* **1** traiçoeiro **2** perigoso
treachery *n* [*pl* -ies] traição; deslealdade
treacle *n* GB melaço
tread *v* calcar; pisar; **you trod on my foot!** calcaste-me! ▪ *n* **1** passo; maneira de andar

2 (degrau, pneu) piso ◆ **to tread on someone's toes** pisar os calos de alguém
treadmill *n* 1 monotonia; rotina 2 (ginástica) passadeira
treason *n* (contra um país) traição
treasure *n* tesouro ▪ *v* estimar; apreciar muito
treasurer *n* tesoureiro
treasury *n* [*pl* -ies] tesouro (público)
treat *v* 1 tratar; **to treat a patient** tratar um doente 2 encarar; **to treat something seriously** levar algo a sério 3 (surpresa, presente) brindar (to, com) ▪ *n* 1 prazer 2 convite ◆ **my treat!** pago eu!
treatise *n* (estudo) tratado
treatment *n* tratamento
treaty *n* [*pl* -ies] (entre países) tratado
treble *adj* 1 MÚS agudo, de soprano 2 GB triplo ▪ *n* 1 MÚS notas agudas 2 MÚS soprano ▪ *v* GB triplicar ◆ MÚS **treble clef** clave de sol
tree *n* árvore
treetop *n* copa da árvore
trek *n* caminhada ▪ *v* 1 caminhar 2 fazer trekking
tremble *v* 1 tremer; estremecer 2 balançar
tremendous *adj* 1 tremendo 2 formidável; esplêndido
tremor *n* tremor
trench *n* [*pl* -es] 1 trincheira 2 fosso; vala ◆ **trench coat** gabardina
trend *n* tendência
trendy *adj* na moda
trespass *v* (propriedade alheia) invadir (on, -) ▪ *n* [*pl* -es] (propriedade alheia) invasão ◆ **no trespassing** entrada proibida
trespasser *n* intruso
trial *n* 1 julgamento; **to stand trial** ser julgado 2 teste; prova; **trial period** período de experiência 3 provação ▪ *v* GB testar
triangle *n* 1 triângulo 2 MÚS ferrinhos 3 EUA esquadro
triangular *adj* triangular
triathlon *n* triatlo
tribe *n* tribo
tribunal *n* tribunal
tribune *n* 1 tribuna 2 tribuno
tribute *n* 1 homenagem; **to pay tribute to** prestar homenagem a 2 tributo
trick *n* 1 truque 2 partida; **to play a trick on** pregar uma partida a 3 GB mania 4 (jogo de cartas) vaza ▪ *v* enganar ▪ *adj* traiçoeiro ◆ **to do the trick** resultar; funcionar
trickle *v* 1 gotejar; pingar 2 (grupo) entrar às pinguinhas ▪ *n* (líquido) fio
tricky *adj* 1 complicado, difícil 2 manhoso
tricycle *n* triciclo
trident *n* tridente
trifle *n* ninharia; bagatela
◇ **trifle with** *v* não levar a sério; brincar com
trigger *n* (arma) gatilho ▪ *v* desencadear; provocar
trigonometry *n* trigonometria
trike *n col* triciclo
trillion *n* 1 bilião 2 GB *ant* trilião
trilogy *n* [*pl* -ies] trilogia
trim *v* 1 aparar 2 (planta, arbusto) podar 3 reduzir 4 enfeitar ▪ *n* 1 (cabelo) aparadela 2 enfeite 3 acabamento; remate ▪ *adj* 1 elegante; em forma 2 bem tratado
trimester *n* 1 trimestre 2 EUA período letivo[AO]
Trinidad and Tobago *n* Trindade e Tobago
trinity *n* [*pl* -ies] *form* trindade
trinket *n* bugiganga
trio *n* [*pl* -s] trio
trip *n* 1 viagem 2 tropeção 3 *cal* (drogas) pedrada *cal* ▪ *v* 1 tropeçar (over, em) 2 passar rasteira; fazer cair
tripe *n* 1 CUL tripas 2 *col* disparates
triple *adj,n* triplo ▪ *v* triplicar
triplet *n* 1 trigémeo 2 LIT terceto
triplicate *adj,n* triplicado
tripod *n* tripé
tripper *n* GB excursionista
triumph *n* 1 triunfo; vitória 2 regozijo; júbilo ▪ *v* triunfar
triumphal *adj* triunfal
triumphant *adj* 1 triunfante; vitorioso 2 exultante
trivial *adj* insignificante; trivial
triviality *n* [*pl* -ies] trivialidade
troglodyte *n* troglodita
trolley *n* 1 GB carrinho (de compras) 2 GB (comida, bebidas) carrinho 3 EUA elétrico[AO] 4 trólei
trombone *n* trombone
trombonist *n* trombonista
troop *n* 1 MIL cavalaria 2 multidão 3 *pl* tropas ▪ *v* deslocar-se em conjunto
trooper *n* 1 soldado de cavalaria 2 EUA agente da polícia estatal
trophy *n* [*pl* -ies] troféu

tropic *n* trópico; **Tropic of Cancer/Capricorn** trópico de Câncer/Capricórnio
tropical *adj* tropical
trot *v* **1** trotar **2** caminhar a passo rápido **3** *col* andar ▪ *n* **1** (cavalo) trote **2** passo rápido **3** *pl col* diarreia
trotter *n* **1** (porco) chispe **2** cavalo de trote
troubadour *n* trovador
trouble *n* **1** problema **2** dificuldade **3** sarilhos; **to get into trouble** meter-se em sarilhos **4** discussões; conflitos **5** incómodo; trabalho; **to take the trouble to** dar-se ao trabalho de ▪ *v* **1** preocupar; afligir **2** incomodar; perturbar
troubled *adj* **1** perturbado; aflito **2** agitado
trouble-free *adj* sem problemas; tranquilo
troublemaker *n* desordeiro; arruaceiro
troublesome *adj* problemático
trousers *npl* calças
trout *n* [*pl* trout] truta
truancy *n* (escola) absentismo
truant *n* (escola) gazeteiro ◆ *col* **to play truant** fazer gazeta às aulas
truce *n* tréguas
truck *n* **1** camião **2** carrinha **3** (comboio) vagão de mercadorias ▪ *v* transportar de camião
trucker *n* EUA camionista
true *adj* **1** verdadeiro **2** fiel, leal ▪ *adv* em linha reta[AO]; a direito ◆ (sonho) **to come true** concretizar-se
truffle *n* (cogumelo, doce) trufa
truly *adv* **1** verdadeiramente **2** sinceramente
trump *n* (cartas) trunfo ▪ *v* (cartas) trunfar
trumpet *n* trompete, trombeta ▪ *v* **1** anunciar aos quatro ventos **2** (elefante) barrir
trumpeter *n* trompetista
truncate *v* truncar
truncheon *n* bastão; cassetete
trunk *n* **1** (pessoa, árvore) tronco **2** baú; arca **3** EUA mala do carro, bagageira **4** (elefante) tromba **5** *pl* calções de banho ◆ **trunk call** chamada de longa distância
trust *n* **1** confiança **2** responsabilidade; **a position of trust** uma posição de responsabilidade **3** associação; **charitable trust** associação de caridade **4** (dinheiro) fundo ▪ *v* confiar em; acreditar em
trustee *n* **1** (herança) curador **2** administrador
trusting *adj* confiante; crédulo
trustworthy *adj* digno de confiança
truth *n* [*pl* -s] **1** verdade; **to tell the truth** dizer a verdade **2** veracidade
truthful *adj* **1** verdadeiro; sincero **2** (descrição, retrato) fiel
try *v* **1** tentar; **to try to do something** tentar fazer algo **2** experimentar; **to try doing something** experimentar fazer algo **3** (comida, bebida) provar **4** (porta, janela) tentar abrir **5** DIR julgar ▪ *n* **1** tentativa **2** ensaio
◇ **try on** *v* (roupa) experimentar
trying *adj* penoso, duro
tsar *n* czar
tsarina *n* czarina
T-shirt *n* t-shirt
tub *n* **1** EUA banheira **2** tina **3** (margarina, gelado) embalagem
tuba *n* tuba
tubby *adj* gorducho; rechonchudo
tube *n* **1** tubo **2** metro (de Londres) **3** EUA *col* televisão ◆ *col* **to go down the tubes** ir por água abaixo
tuber *n* tubérculo
tuberculosis *n* tuberculose
tuck *v* **1** enfiar, meter **2** esconder **3** (costura) fazer pregas ▪ *n* (costura) prega; dobra
◇ **tuck in** *v* **1** aconchegar na cama **2** *col* (comida) atacar **3** (fraldas da camisa) meter para dentro
Tuesday *n* terça-feira
tuft *n* tufo
tug *v* **1** puxar, dar puxões **2** (navio) rebocar ▪ *n* **1** (navio) rebocador **2** puxão
tuition *n* **1** instrução **2** EUA propinas
tulip *n* túlipa
tumble *v* **1** cair **2** andar aos tropeções **3** (preço, valor) descer abruptamente ▪ *n* trambolhão; tombo ◆ GB **tumble dryer** máquina de secar roupa
tumbler *n* copo (sem pé)
tummy *n* [*pl* -ies] *col* barriga
tumour *n* tumor
tumult *n* tumulto
tuna *n* atum
tune *n* melodia; música ▪ *v* **1** (instrumento musical, motor) afinar **2** (rádio, televisão) sintonizar ◆ **in tune** afinado; **out of tune** desafinado
◇ **tune in** *v* (rádio, televisão) ligar; sintonizar
◇ **tune out** *v* deixar de prestar atenção
tuner *n* **1** (pianos) afinador **2** (rádio, televisão) sintonizador

tungsten *n* tungsténio
tunic *n* túnica
tuning *n* **1** afinação **2** (carro) tuning ♦ **tuning fork** diapasão
Tunisia *n* Tunísia
Tunisian *adj,n* tunisino
tunnel *n* túnel ▪ *v* abrir túnel
tunny *n* [*pl* -ies] GB atum
turban *n* turbante
turbine *n* turbina
turbulence *n* turbulência
turbulent *adj* turbulento
tureen *n* terrina
turf *n* [*pl* -s, turves] **1** relva; relvado **2** DESP hipismo ▪ *v* cobrir de relva
Turk *n* turco
turkey *n* **1** peru **2** EUA *col* idiota **3** EUA (filme, peça) fiasco
Turkey *n* Turquia
Turkish *adj,n* turco ♦ **Turkish bath** banho turco
Turkmen *n,adj* turquemeno
Turkmenistan *n* Turquemenistão
turmoil *n* confusão; agitação
turn *v* **1** virar(-se); **to turn right** virar à direita **2** girar; rodar **3** ficar; **to turn red** ficar vermelho, corar **4** fazer (anos); **to turn forty** fazer quarenta anos **5** (jogo) dar a volta a ▪ *n* **1** vez; **it's your turn** é a tua vez **2** volta **3** mudança; **turn of events** reviravolta **4** viragem; **to make a right turn** virar à direita **5** curva ♦ **in turn 1** como consequência **2** à vez; **to take turns** revezar-se
◇ **turn down** *v* **1** recusar; não aceitar **2** (som) baixar
◇ **turn in** *v* **1** entregar à polícia **2** ir-se deitar
◇ **turn off** *v* **1** (aparelho, luz) desligar **2** (torneira) fechar **3** (estrada) sair (de) **4** fazer perder o interesse
◇ **turn on** *v* **1** (aparelho, luz) ligar **2** (torneira) abrir **3** atacar; atirar-se a **4** excitar **5** interessar; entusiasmar
◇ **turn out** *v* **1** acabar; resultar **2** revelar-se; **it turns out that...** afinal... **3** (luz) apagar **4** comparecer **5** expulsar
◇ **turn over** *v* **1** virar(-se) ao contrário **2** capotar **3** (direito, responsabilidade) passar **4** (criminoso) entregar
◇ **turn up** *v* **1** (volume) pôr mais alto **2** (gás, aquecimento) pôr mais forte **3** aparecer
turnabout *n* reviravolta, mudança radical
turncoat *n pej* vira-casaca
turning *n* GB via (que parte de uma estrada) ♦ **turning point** ponto de viragem
turnip *n* nabo
turn-off *n* **1** (estrada) saída **2** *col* desincentivo
turn-on *n col* estímulo; coisa excitante
turnout *n* **1** afluência; adesão **2** (eleições) afluência às urnas
turnover *n* **1** volume de negócios **2** rotatividade de empregados
turnpike *n* EUA estrada com portagem
turntable *n* **1** (gira-discos) prato **2** (ferrovia) plataforma giratória
turn-up *n* (calças) dobra
turquoise *n* (mineral) turquesa ▪ *adj,n* (cor) azul-turquesa
turtle *n* tartaruga
turtledove *n* (ave) rola
turtleneck *n* camisola de gola alta
tussle *n* rixa; bulha ▪ *v* lutar; andar à bulha
tutor *n* **1** professor particular; explicador **2** professor universitário ▪ *v* **1** ensinar **2** dar explicações de
tutorial *n* **1** (universidade) seminário **2** INFORM tutorial
tutti-frutti *n* tutti-frutti
tuxedo *n* [*pl* -s] EUA smoking
twang *n* **1** voz fanhosa **2** zunido ▪ *v* **1** (corda) tanger **2** zunir
tweak *v* **1** dar um puxão a **2** torcer ▪ *n* puxão; beliscão
tweed *n* **1** (tecido) tweed **2** *pl* roupa de tweed
tweezers *npl* pinça
twelfth *num ord,n* décimo segundo ♦ **on the twelfth** no dia doze
twelve *num card,n* doze
twentieth *adj,num ord* vigésimo ♦ **on the twentieth** no dia vinte
twenty *num card,n* vinte ♦ (década) **the twenties** os anos vinte; **to be in one's twenties** ter 20 e tal anos
twice *adv* duas vezes ♦ **once bitten, twice shy** gato escaldado de água fria tem medo; **once or twice** algumas vezes
twig *n* (árvore) galho ▪ *v col* perceber, compreender
twilight *n* crepúsculo
twin *adj,n* gémeo ▪ *v* geminar ♦ **twin town** cidade geminada
twine *n* cordel; guita ▪ *v* enroscar; entrelaçar

twinkle *v* cintilar; brilhar ▪ *n* cintilação; brilho
twirl *v* girar; rodar ▪ *n* rodopio; volta
twist *v* **1** torcer **2** girar; rodar **3** enrolar(-se) **4** contorcer-se **5** fazer uma curva **6** deturpar ▪ *n* **1** torção **2** (papel) cartucho **3** (limão) rodela (torcida) **4** curva **5** reviravolta **6** (dança) twist
twisted *adj* **1** torcido; enrolado **2** perverso
twister *n* **1** *col* aldrabão; vigarista **2** EUA *col* tornado
twit *n col* idiota, parvo
twitch *v* **1** contrair-se **2** tremelicar **3** puxar; arrancar com um puxão ▪ *n* [*pl* -es] **1** tique nervoso **2** puxão
twitter *v* **1** chilrear **2** tagarelar ▪ *n* chilreio
two *num card,n* dois ♦ *col* **that makes two of us** já somos dois
two-faced *adj* hipócrita; falso
twopence *n* GB moeda de dois pence
tycoon *n* magnata
type *n* **1** tipo **2** tipo de letra ▪ *v* (em máquina, computador) digitar; datilografar[AO]
typescript *n* cópia datilografada[AO]
typesetter *n* TIP compositor
typesetting *n* TIP composição
typewriter *n* máquina de escrever
typhoid *n* febre tifoide[AO]
typhoon *n* tufão
typhus *n* tifo
typical *adj* típico ♦ **typical!** para variar!
typing *n* datilografia[AO]
typist *n* datilógrafo[AO]
typography *n* composição gráfica
tyrannical *adj* tirânico
tyranny *n* [*pl* -ies] tirania
tyrant *n* tirano
tyre *n* GB pneu

U

u *n* [*pl* u's] (letra) u
udder *n* teta
UFO [*abrev. de* Unknown Flying Object] OVNI [*abrev. de* Objeto Voador Não Identificado]
Uganda *n* Uganda
Ugandan *adj,n* ugandês
ugly *adj* **1** feio **2** desagradável; horrível ♦ **ugly duckling** patinho feio
UK [*abrev. de* United Kingdom] Reino Unido
Ukraine *n* Ucrânia
Ukrainian *adj,n* ucraniano
ulcer *n* úlcera
ulterior *adj* **1** oculto **2** (ocasião); posterior ♦ **ulterior motive** segundas intenções
ultimate *adj* **1** derradeiro; final **2** supremo; máximo **3** fundamental
ultimately *adv* **1** em última análise; no fim das contas **2** fundamentalmente
ultimatum *n* [*pl* -s, ultimata] ultimato
ultramarine *adj,n* azul-marinho
ultramodern *adj* ultramoderno
ultrasound *n* **1** ultrassom[AO] **2** ecografia
ultraviolet *adj* ultravioleta
umbilical *adj* umbilical
umbrage *n* ofensa; ressentimento
umbrella *n* guarda-chuva; chapéu de chuva
umpire *n* (ténis, basebol, críquete) árbitro ▪ *v* arbitrar
umpteenth *adj col* enésimo; **for the umpteenth time** pela enésima vez
UN *n* [*abrev. de* United Nations] ONU [*abrev. de* Organização das Nações Unidas]
unabashed *adj* descarado
unable *adj* incapaz; **to be unable to do something** não poder/conseguir fazer algo
unabridged *adj* integral; completo
unacceptable *adj* inaceitável; intolerável
unaccompanied *adj* **1** só; sem companhia **2** MÚS a solo
unaccountable *adj* **1** inexplicável **2** inimputável
unaccounted for *adj* desaparecido
unaccustomed *adj* **1** desacostumado (to, de) **2** pouco habitual
unacknowledged *adj* **1** não reconhecido **2** ignorado **3** não oficial
unacquainted *adj* pouco familiarizado (with, com)
unafraid *adj* receoso; **to be unafraid of** não ter medo de
unaided *adj* sem ajuda
unambiguous *adj* inequívoco
unanimity *n* unanimidade
unanimous *adj* unânime; **by a unanimous vote** por unanimidade
unannounced *adj* **1** sem avisar **2** não anunciado; inesperado
unanswerable *adj* **1** incontestável; irrefutável **2** insolúvel
unanswered *adj* sem resposta
unapproachable *adj* inacessível
unashamed *adj* descarado
unassuming *adj* despretensioso; modesto
unattached *adj* **1** sem ligação; independente **2** descomprometido
unattainable *adj* inalcançável, inatingível
unattended *adj* sozinho; sem vigilância
unattractive *adj* **1** pouco atraente **2** desagradável
unauthorized *adj* não autorizado
unavailable *adj* **1** indisponível **2** (pessoa) ocupado
unavoidable *adj* inevitável
unaware *adj* **to be unaware of** não ter consciência de, ignorar, desconhecer
unawares *adv* de surpresa; desprevenido
unbalanced *adj* **1** desequilibrado **2** (mentalmente) perturbado **3** tendencioso
unbearable *adj* insuportável; insustentável
unbeatable *adj* imbatível
unbecoming *adj* **1** impróprio **2** que não fica bem; que não favorece
unbelievable *adj* inacreditável
unbeliever *n* descrente
unbending *adj* intransigente; inflexível

unbiased *adj* imparcial
unblock *v* **1** (canos, nariz) desentupir **2** desobstruir **3** desbloquear
unbolt *v* destrancar; desaferrolhar
unborn *adj* **1** por nascer **2** vindouro
unbreathable *adj* irrespirável
unbridled *adj* desenfreado; incontrolável
unburden *v* (de trabalho, preocupações) aliviar
unbutton *v* desabotoar
uncanny *adj* misterioso; estranho
uncertain *adj* **1** incerto; duvidoso **2** inconstante **3** desconhecido; indefinido **4** hesitante
uncertainty *n* [*pl* -ies] incerteza
unchallenged *adj* incontestado
unchanging *adj* inalterável
uncharacteristic *adj* incaracterístico[AO]
uncharitable *adj* duro; injusto
unchecked *adj* desenfreado; descontrolado
uncivilized *adj* **1** pouco civilizado **2** primitivo
unclaimed *adj* por reclamar; por reivindicar
uncle *n* tio
unclear *adj* pouco claro; confuso
uncoil *v* desenrolar(-se); estender(-se)
uncomfortable *adj* **1** desconfortável **2** desagradável; incómodo
uncommitted *adj* não comprometido
uncommon *adj* fora do vulgar; invulgar
uncompromising *adj* inflexível; intransigente
unconcerned *adj* despreocupado; indiferente
unconditional *adj* incondicional; sem reservas
unconnected *adj* distinto; sem relação
unconscious *adj* **1** inconsciente **2** não ciente; **to be unconscious of** não estar ciente de ■ *n* inconsciente
unconsciousness *n* inconsciência
unconstitutional *adj* inconstitucional
uncontrollable *adj* incontrolável; irresistível
unconventional *adj* pouco convencional
uncooperative *adj* que não colabora
uncork *v* tirar a rolha de; abrir; **to uncork a bottle** abrir uma garrafa
uncountable *adj* não contável
uncouth *adj* grosseiro; tosco
uncover *v* **1** destapar **2** desenterrar **3** desvendar; revelar
unction *n* REL unção
uncurl *v* **1** desencaracolar **2** desenrolar(-se)
uncut *adj* **1** não cortado; por cortar **2** (livro, filme) integral **3** (pedra preciosa) não talhado; em bruto
undated *adj* sem data; não datado
undaunted *adj* intrépido; destemido
undecided *adj* **1** indeciso **2** (questão) pendente; por resolver
undelivered *adj* não entregue
undeniable *adj* inegável; incontestável
under *prep* **1** por baixo de; debaixo de; sob **2** abaixo de; menos de; **under €100** menos de €100 **3** sob; em; **under discussion** em discussão; **under pressure** sob pressão **4** (superior hierárquico) às ordens de **5** (lei, regra) de acordo com **6** (num livro, lista) em ■ *adv* para baixo
underage *adj* por menores de idade; **underage drinking** consumo de álcool por menores
underbrush *n* EUA vegetação rasteira; mato
undercarriage *n* trem de aterragem
underclothes *npl* roupa interior
undercoat *n* (tinta) primeira demão
undercover *adj* **1** (investigação, operação) secreto **2** (agente) à paisana; infiltrado
undercurrent *n* **1** corrente submarina **2** sentimento latente
underdeveloped *adj* subdesenvolvido
underdone *adj* (alimento) malpassado
underestimate *v* **1** subestimar **2** subavaliar
undergarment *n* peça de roupa interior
undergo *v* passar por; **to undergo a change** sofrer uma alteração; **to undergo treatment** estar em tratamento
undergraduate *n* estudante universitário (de licenciatura) ■ *adj* universitário (de licenciatura)
underground *adj* **1** subterrâneo **2** clandestino ■ *adv* **1** debaixo da terra **2** na clandestinidade
undergrowth *n* vegetação rasteira
underhand *adj* dissimulado; clandestino
underlie *v* subjazer a; ser subjacente a
underline *v* **1** sublinhar **2** salientar; realçar
underlying *adj* subjacente
undermentioned *adj* abaixo mencionado
undermine *v* **1** minar; destruir **2** enfraquecer; debilitar
underneath *prep* por baixo de; para baixo de ■ *adv* **1** por baixo, para baixo **2** em baixo,

na parte de baixo **3** interiormente; no íntimo ▪ *n* fundo; parte inferior
undernourished *adj* subalimentado
undernourishment *n* subnutrição
underpaid *adj* mal pago
underpants *npl* cuecas
underpass *n* passagem subterrânea
underplay *v* minimizar; depreciar
underprivileged *adj* desfavorecido ▪ *npl* **the underprivileged** os desfavorecidos
underrate *v* subavaliar; subestimar
underscore *v* **1** sublinhar **2** salientar; realçar
undersea *adj* submarino
undershirt *n* EUA camisola interior
underside *n* lado de baixo
undersigned *adj,n* abaixo assinado; **I, the undersigned** eu, abaixo assinado
underskirt *n* saia de baixo
understand *v* compreender; entender; perceber
understanding *n* **1** compreensão; perceção[AO]; **to have an understanding of something** compreender algo **2** acordo; entendimento **3** compreensão; tolerância **4** interpretação ▪ *adj* compreensivo ♦ **on the understanding that** na condição de que
understatement *n* atenuação dos factos; eufemismo
understudy *n* [*pl* -ies] (ator de teatro) substituto
undertake *v* **1** encarregar-se de; assumir **2** comprometer-se
undertaker *n* agente funerário
undertaking *n* **1** empreendimento; tarefa; projeto[AO] **2** garantia; promessa
undertone *n* **1** voz baixa; **to speak in an undertone** falar num murmúrio **2** laivo, indício
undervalue *v* subvalorizar
underwater *adj* submarino; subaquático ▪ *adv* debaixo de água
underwear *n* roupa interior
underworld *n* **1** submundo **2** MIT inferno
underwrite *v* **1** apoiar financeiramente **2** (apólice, ações) garantir
underwriter *n* **1** seguradora **2** avaliador (de seguros)
undeserved *adj* imerecido; indevido
undesirable *adj* indesejável
undetected *adj* sem ser detetado[AO]; despercebido
undeterred *adj* que não se deixa desencorajar (by, por)
undies *npl col* roupa interior
undignified *adj* indigno; pouco digno
undiluted *adj* **1** não diluído **2** genuíno, puro
undisciplined *adj* indisciplinado
undiscovered *adj* por descobrir; desconhecido
undisguised *adj* manifesto; assumido
undisputed *adj* incontestável; inquestionável
undisturbed *adj* **1** intacto **2** ininterrupto **3** impassível; imperturbável
undivided *adj* indiviso; uno ♦ **you have my undivided attention** sou todo ouvidos
undo *v* **1** desfazer; desmanchar **2** (erro, mal) reparar **3** desatar; **to undo a knot** desfazer um nó **4** (fecho) abrir **5** (compromisso, ordem) anular
undone *adj* **1** inacabado, incompleto **2** (roupa) desapertado
undress *v* **1** despir(-se) **2** (ferida) tirar penso
undue *adj form* excessivo
undulate *v form* ondular
undulation *n form* ondulação
unduly *adv form* excessivamente; exageradamente
unearned *adj* injusto; imerecido
unearth *v* **1** desenterrar **2** descobrir
unearthly *adj* **1** sobrenatural **2** estranho **3** *col* (hora, tempo) impróprio
uneasy *adj* **1** preocupado; **to be uneasy about** estar preocupado com **2** (sensação, atmosfera) incómodo; desagradável **3** agitado
uneconomical *adj* pouco económico
uneducated *adj* com poucos estudos; sem instrução
unemotional *adj* **1** frio; impassível **2** objetivo[AO]
unemployed *adj* desempregado ▪ *npl* **the unemployed** os desempregados
unemployment *n* desemprego; GB **unemployment benefit** subsídio de desemprego; EUA **unemployment compensation** subsídio de desemprego
unequal *adj* desigual; desequilibrado
unequalled *adj* sem igual; incomparável
unequivocal *adj form* inequívoco
unerring *adj* infalível

UNESCO [*abrev. de* United Nations Educational, Scientific and Cultural Organisation] UNESCO
unethical *adj* pouco ético
uneven *adj* **1** irregular **2** desigual **3** (número) ímpar
uneventful *adj* calmo; sossegado
unexceptional *adj* banal; corriqueiro
unexpected *adj* inesperado; imprevisto
unexpectedly *adv* inesperadamente
unexplored *adj* desconhecido; por explorar
unfair *adj* **1** injusto **2** falso; desleal
unfaithful *adj* infiel (to, a)
unfamiliar *adj* **1** desconhecido; **this place is unfamiliar to me** este local é-me desconhecido **2** pouco familiarizado; **to be unfamiliar with** não estar familiarizado com
unfashionable *adj* fora de moda
unfasten *v* desapertar
unfavourable *adj* desfavorável
unfeasible *adj* irrealizável
unfinished *adj* inacabado; incompleto ♦ **unfinished business** assunto pendente
unfit *adj* **1** em baixo de forma; **to be unfit** não estar em forma **2** impróprio; **unfit for consumption** impróprio para consumo **3** sem capacidade (for, de; to, para)
unfold *v* **1** desdobrar(-se); abrir(-se) **2** desvendar(-se); revelar(-se) **3** (ideias, capacidades) desenvolver-se
unforeseen *adj* imprevisto; inesperado
unforgettable *adj* inesquecível
unforgivable *adj* imperdoável
unfortunate *adj* **1** sem sorte **2** infeliz; lamentável
unfortunately *adv* infelizmente; lamentavelmente
unfriendly *adj* **1** antipático **2** hostil
unfruitful *adj* infrutífero
unfulfilled *adj* **1** frustrado; insatisfeito **2** (sonho, ambição) por realizar
unfurl *v* **1** (bandeira, vela, etc.) desfraldar(-se) **2** abrir(-se); desenrolar(-se)
unfurnished *adj* por mobilar; desmobilado
ungainly *adj* desajeitado
ungodly *adj* ímpio; pecaminoso ♦ **at an ungodly hour** tarde e a más horas
ungrammatical *adj* LING agramatical
ungrateful *adj* ingrato
unguarded *adj* **1** sem vigilância; sem proteção[AO] **2** (momento) de descuido; de distração[AO]
unhappily *adv* **1** infelizmente; lamentavelmente **2** tristemente
unhappiness *n* infelicidade
unhappy *adj* **1** infeliz; **unhappy remark** comentário infeliz **2** descontente (with, com)
unharmed *adj* ileso
unhealthy *adj* **1** pouco saudável; que faz mal **2** (pessoa) adoentado **3** doentio
unheard *adj* não ouvido; não atendido ♦ **unheard of** sem precedentes
unhelpful *adj* **1** inútil **2** (pessoa) pouco prestável
unhinge *v* **1** (porta, janela) desengonçar **2** (mentalmente) transtornar
unholy *adj* **1** ímpio; pecaminoso **2** profano **3** *col* terrível
unhook *v* desenganchar
unhurt *adj* ileso
unhygienic *adj* insalubre
UNICEF [*abrev. de* United Nations Children's Fund] UNICEF (Fundo das Nações Unidas para a Infância)
unicorn *n* unicórnio
unidentified *adj* não identificado
unification *n* unificação
uniform *adj* uniforme ▪ *n* uniforme; farda; **dressed in uniform** fardado
uniformity *n* uniformidade
unify *v* unificar; unir
unilateral *adj* unilateral
unimaginable *adj* **1** inimaginável **2** inconcebível
unimaginative *adj* sem imaginação
unimpaired *adj* intacto
unimportant *adj* sem importância; irrelevante
uninhabited *adj* desabitado; despovoado
uninhibited *adj* desinibido; descomplexado
uninitiated *adj* leigo
uninstall *v* INFORM desinstalar
unintentional *adj* involuntário; não intencional
uninterested *adj* desinteressado
uninteresting *adj* sem interesse; desinteressante
uninvited *adj* sem ser convidado
union *n* **1** união **2** (trabalhadores) sindicato; **union card** cartão do sindicato ♦ **Union Jack** bandeira do Reino Unido
unionist *adj,n* sindicalista

unique *adj* **1** único **2** exclusivo (to, de)
unisex *adj* unissexo
unison *n* **in unison** em uníssono
unit *n* **1** unidade; **unit of measurement** unidade de medida **2** (mobiliário) módulo **3** (hospital) serviço; departamento
unite *v* unir(-se)
united *adj* unido; conjunto
United Arab Emirates *n* Emiratos Árabes Unidos
United Kingdom *n* Reino Unido
United States of America *n* Estados Unidos da América
unity *n* [*pl* -ies] **1** unidade **2** harmonia; **they lived in perfect unity** eles viviam em perfeita harmonia
universal *adj* universal
universe *n* universo
university *n* [*pl* -ies] universidade
unjust *adj* injusto
unjustifiable *adj* injustificável
unkempt *adj* **1** (aparência) mal arranjado; descuidado **2** (cabelo, barba) desgrenhado
unkind *adj* indelicado; pouco amável
unknown *adj,n* desconhecido ♦ **unknown quantity** incógnita
unlawful *adj* ilegal; ilícito
unleash *v* desencadear
unless *conj* a não ser que; a menos que; se não
unlike *prep* **1** diferente de; **this is unlike everything I've ever seen** isto é diferente de qualquer coisa que eu já tenha visto **2** não típico de; **it's unlike him to do such a thing** isto nem parece dele **3** ao contrário de; **unlike me, he really loves sports** ao contrário de mim, ele gosta mesmo de desporto ▪ *adj* diferente; **they are quite unlike** são bastante diferentes ♦ MAT (mais e menos) **unlike signs** sinais contrários
unlikely *adj* **1** pouco provável; improvável **2** inverosímil
unlimited *adj* ilimitado
unlit *adj* não iluminado
unload *v* **1** descarregar **2** desabafar (onto, com) **3** *col* livrar-se de
unloading *n* descarga
unlock *v* **1** (com chave) abrir; destrancar **2** esclarecer; desvendar
unluckily *adv* por azar
unlucky *adj* **1** sem sorte; azarado; **how unlucky!** que azar! **2** que dá azar
unmade *adj* **1** (cama) por fazer **2** (estrada) por asfaltar
unmanageable *adj* incontrolável
unmanned *adj* não tripulado
unmarked *adj* **1** não identificado **2** despercebido **3** (jogador) desmarcado
unmarried *adj* solteiro
unmask *v* desmascarar
unmentionable *adj,n* (tema) tabu
unmistakable *adj* inconfundível
unmitigated *adj* completo, total
unmoved *adj* insensível (by, a); indiferente (by, a)
unnamed *adj* anónimo, desconhecido
unnatural *adj* anormal; não natural
unnecessary *adj* desnecessário
unnerve *v* enervar
unnoticed *adj* despercebido; **to pass/go unnoticed** passar despercebido
unnumbered *adj* **1** não numerado **2** *lit* inumerável
unobtrusive *adj* discreto
unofficial *adj* não oficial
unorthodox *adj* pouco ortodoxo
unpack *v* **1** (malas) desfazer **2** (objetos) desempacotar; desembalar
unpaid *adj* **1** por pagar; **unpaid bills** contas por pagar **2** não remunerado; **unpaid traineeship** estágio não remunerado
unpalatable *adj* **1** (ideia) intolerável **2** (comida) intragável
unparalleled *adj form* sem paralelo, sem igual
unpatriotic *adj* antipatriótico
unplanned *adj* inesperado; imprevisto
unpleasant *adj* desagradável
unplug *v* (tomada) desligar
unplugged *adj* acústico; **unplugged concert** concerto acústico
unpopular *adj* impopular
unpopularity *n* impopularidade
unprecedented *adj* sem precedentes, sem igual
unpredictable *adj* imprevisível
unpremeditated *adj* não premeditado
unprepared *adj* **1** não preparado; mal preparado **2** improvisado
unpretentious *adj* despretensioso; simples
unprintable *adj* que não se pode imprimir

unprofessional *adj* pouco profissional
unprofitable *adj* (empresa, negócio) não rentável
unprovoked *adj* sem razão; não provocado
unpunished *adj* impune; **to go unpunished** ficar impune
unqualified *adj* **1** não qualificado (for, para) **2** incondicional; sem reservas
unquestionable *adj* inquestionável, indiscutível
unquestioning *adj* (obediência, fé) incondicional, total
unquote *adv* fim de citação
unravel *v* **1** (fios, etc.) desenredar(-se); desemaranhar(-se) **2** (problema, mistério) decifrar
unread *adj* **1** por ler **2** (pessoa) pouco lido
unreal *adj* **1** irreal **2** falso, ilusório **3** *col* fantástico, excelente
unrealistic *adj* irrealista
unreasonable *adj* **1** pouco razoável **2** (preço) exorbitante
unrecognizable *adj* irreconhecível
unrecognized *adj* não reconhecido ♦ **to go unrecognized** passar despercebido
unrefined *adj* **1** (açúcar, óleo) não refinado **2** (pessoa) grosseiro; inculto
unrelated *adj* **1** não relacionado **2** (pessoas) não aparentado
unrelenting *adj* **1** *form* incessante, ininterrupto **2** *form* (pessoas) implacável
unreliable *adj* que não é de confiança
unrepentant *adj* impenitente
unreservedly *adj* incondicionalmente; totalmente
unrest *n* agitação
unripe *adj* (frutos) verde, não maduro
unrivalled *adj form* inigualável
unroll *v* desenrolar(-se)
unruffled *adj* calmo, sereno
unruly *adj* rebelde
unsafe *adj* **1** perigoso **2** sem proteção[AO]
unsaid *adj* não mencionado; **to be left unsaid** ficar por dizer
unsalted *adj* sem sal
unsatisfactory *adj* insatisfatório; insuficiente
unsavoury *adj* **1** insípido **2** (pessoa, lugar) com má reputação **3** (assunto) desagradável
unscathed *adj* ileso
unscented *adj* sem perfume
unscrupulous *adj* sem escrúpulos
unseasonable *adj* (tempo) fora de época
unseat *v* (cavalo, cargo) derrubar
unseemly *adj form* impróprio, indecoroso
unseen *adj* **1** invisível **2** inédito, nunca visto
unselfish *adj* altruísta
unsettle *v* perturbar, desassossegar
unsettled *adj* **1** incerto **2** (tempo) instável **3** agitado, desassossegado **4** (problema) por resolver
unshakeable *adj* inabalável
unsheathe *v* (espada) desembainhar
unsightly *adj* feio; inestético
unskilled *adj* não especializado; **unskilled worker** operário não especializado
unsociable *adj* antissocial[AO]
unsolicited *adj* não solicitado
unsophisticated *adj* **1** pouco sofisticado; simples **2** rudimentar
unsound *adj* incerto; arriscado
unsparing *adj* **1** *form* generoso **2** *form* implacável
unspeakable *adj* **1** indizível **2** (dor) atroz
unspecified *adj* indeterminado
unstable *adj* instável
unsteady *adj* **1** instável **2** trémulo ♦ **to be unsteady on one's feet** ter as pernas bambas
unstoppable *adj* imparável
unstressed *adj* (sílaba) átono, não acentuado
unsuccessful *adj* fracassado; falhado
unsuitable *adj* impróprio, inadequado
unsure *adj* inseguro ♦ **to be unsure** não ter a certeza; **to be unsure of oneself** não ter confiança em si mesmo
unsurmountable *adj* insuperável
unsuspecting *adj* que não desconfia de nada
unswerving *adj* inabalável; constante
unsympathetic *adj* **1** pouco compreensivo; insensível **2** desagradável
untangle *v* **1** desemaranhar **2** (problema) resolver
unthinkable *adj* impensável, inconcebível
untidy *adj* desarrumado
untie *v* desatar, desapertar
until *prep* até; **until now/then** até agora/então ■ *conj* até (que)
untimely *adj* **1** *form* precoce, prematuro **2** *form* inoportuno

untold *adj* **1** incalculável; imenso **2** nunca contado
untouchable *adj* intocável
untried *adj* **1** inexperiente **2** não testado
untrue *adj* **1** falso **2** infiel (to, a)
unused *adj* **1** novo; por estrear **2** não acostumado (to, a); não habituado (to, a)
unusual *adj* **1** raro; invulgar **2** estranho; insólito ♦ **that's unusual!** que estranho!
unusually *adv* excecionalmente[AO], invulgarmente
unveil *v* **1** desvelar **2** revelar; dar a conhecer
unwanted *adj* indesejado
unwarranted *adj form* injustificado
unwelcome *adj* **1** desagradável; incómodo **2** indesejável
unwell *adj form* adoentado
unwholesome *adj* insalubre; doentio
unwilling *adj* **1** relutante (to, em); reticente (to, em) **2** de má vontade
unwillingly *adv* de má vontade; com relutância
unwind *v* **1** desenrolar(-se); desdobrar(-se) **2** descontrair; relaxar
unwise *adj* insensato, imprudente
unworkable *adj* impraticável
unworthy *adj* **1** *form* indigno **2** *form* impróprio
unwrap *v* desembrulhar
unwritten *adj* **1** não escrito **2** (acordo) verbal
unzip *v* **1** abrir o fecho de **2** (ficheiro) descompactar
up *adv* **1** para cima; **from 18 up** dos 18 para cima **2** em cima, acima; **he lives one floor up from me** ele vive um andar acima de mim **3** (valor, som) alto; **to turn the volume up** pôr o volume mais alto **4** *col* pronto; **lunch is up!** o almoço está pronto! **5** até; **up to 20 people** até 20 pessoas **6** acordado ▪ *adj* **1** para cima; **the up lift** o elevador para cima **2** (rua) em obras **3** à altura (to, de); capaz (to, de); **he is not up to the job** ele não está à altura do emprego **4** alegre, divertido ▪ *n* alto; **ups and downs** altos e baixos ▪ *v* **1** aumentar **2** pôr-se de pé ♦ (envolvimento) **up to your years/neck in** até às orelhas; **it's up to you** é contigo; **to be up for it** alinhar; **what's up?** o que se passa?
upbeat *adj col* otimista[AO]
upbringing *n* (infância) educação
update *v* **1** atualizar[AO] **2** pôr ao corrente (on, de) ▪ *n* atualização[AO] (on, de)
upfront *adj* **1** sincero; franco **2** adiantado; **upfront payment** pagamento adiantado
upgrade *v* **1** (computador, máquina) atualizar[AO] **2** (emprego) promover ▪ *n* **1** (computador, máquina) upgrade; atualização[AO] **2** (emprego) promoção
upheaval *n* agitação; convulsão
uphill *adj* **1** ascendente **2** árduo, penoso ▪ *adv* monte acima
uphold *v* apoiar; defender; **to uphold the law** fazer cumprir a lei
upholster *v* estofar, acolchoar
upholsterer *n* estofador
upkeep *n* **1** conservação; manutenção **2** despesas de conservação
uplift *n* **1** ânimo **2** aumento **3** elevação ▪ *v* **1** animar; encorajar **2** elevar; erguer
uplifting *adj* edificante
upload *v* INFORM carregar; fazer o upload de ▪ *n* INFORM carregamento; upload
upmarket *adj* GB de luxo; topo de gama
upon *prep* em; sobre; **to be based upon something** ser baseado em alguma coisa
upper *adj* **1** superior; **the upper window** a janela superior **2** (parte, posição) alto, elevado; **the upper class** a classe alta ▪ *n* **1** gáspea **2** *cal* (droga) anfetamina ♦ **upper case** maiúsculas; **to gain/get/have the upper hand** levar a melhor
upper-class *adj* de classe alta
uppermost *adj* **1** mais alto **2** predominante; preponderante
upright *adj* **1** (posição) direito; vertical **2** íntegro; honesto
uproar *n* tumulto, alvoroço
uproot *v* **1** (árvore, planta) arrancar **2** (pessoa) desenraizar
upset *n* **1** contrariedade, contratempo **2** (competição) revés **3** *col* desarranjo, indisposição; **stomach/tummy upset** desarranjo intestinal ▪ *v* **1** transtornar; preocupar **2** derrotar; vencer **3** afetar[AO]; prejudicar ▪ *adj* aborrecido (about/at, com)
upsetting *adj* preocupante
upshot *n* desfecho, desenlace
upstairs *adv* **1** para cima **2** no andar de cima, lá em cima ▪ *adj* de cima
upstart *n pej* presumido
uptake *n* **1** consumo **2** BIOL absorção ♦ **to be quick on the uptake** ser perspicaz
uptight *adj* **1** *col* tenso; crispado **2** *col* inibido

up-to-date *adj* **1** atualizado[AO]; em dia **2** moderno; recente
up-to-the-minute *adj* (informação) de última hora
uptown *adv* na parte alta da cidade ▪ *n* parte alta da cidade
upturn *n* crescimento (in, de)
upward *adj* **1** ascendente; para cima **2** (tendência) em alta
upwards *adv* para cima; **to look upwards** olhar para cima ♦ **upwards of** mais de
uranium *n* urânio
Uranus *n* (planeta, divindade) Urano
urban *adj* urbano
urbane *adj* cortês; educado
urea *n* ureia
ureter *n* uréter
urethra *n* uretra
urge *n* impulso irresistível ▪ *v* **1** incitar **2** recomendar; aconselhar
urgency *n* urgência; **a matter of urgency** um assunto urgente
urgent *adj* urgente; premente; **to be in urgent need of** estar a precisar urgentemente de
urinal *n* urinol
urinary *adj* urinário
urinate *v* urinar
urine *n* urina
URL (Internet) [*abrev. de* uniform/universal resource locator] URL
urn *n* **1** urna **2** chaleira, cafeteira
urology *n* urologia
Uruguay *n* Uruguai
Uruguayan *adj,n* uruguaio
us *pron pess* **1** nos; **he gave us a book** ele deu-nos um livro **2** nós; **all of us** todos nós; **with us** connosco **3** GB *col* me; **give us a look** deixa-me ver
USA [*abrev. de* United States of America] EUA [*abrev. de* Estados Unidos da América]
usable *adj* utilizável
usage *n* **1** uso; utilização **2** costume; **an old usage** um costume antigo **3** tratamento
USB *n* INFORM [*abrev. de* universal serial bus] USB
use *n* uso; utilização; **to be in use** usar-se ▪ *v* **1** usar; utilizar **2** (droga) consumir ♦ **it's no use** é escusado; **to be out of use** estar fora de serviço; *col* **use your head** puxa pela cabeça; **what's the use (of)?** o que é que adianta?
◇ **use up** *v* acabar com; gastar
used *adj* **1** usado; em segunda mão; **hardly used** como novo **2** acostumado (to, a); habituado (to, a); **to get used to** habituar-se a
used to *v* costumar; **I used to smoke** eu costumava fumar
useful *adj* **1** útil, prestável; **to make yourself useful** ser prestável **2** GB *col* competente, capaz
usefulness *n* utilidade
useless *adj* inútil; **to feel useless** sentir-se inútil
user *n* **1** utilizador; utente **2** *cal* (drogas) consumidor
user-friendly *adj* de fácil utilização
username *n* nome de utilizador
usher *n* **1** (cinema, teatro) arrumador **2** (tribunal) oficial de diligências **3** (casamento) mestre de cerimónias ▪ *v* conduzir (to/into, a)
usherette *n* (teatro, cinema) arrumadora
usual *adj* usual; habitual ▪ *n* **the usual** o costume ♦ **as usual** como de costume; como sempre
usually *adv* usualmente; normalmente
usurp *v form* usurpar
utensil *n* utensílio
uterus *n* [*pl* -es, uteri] útero
utilitarian *adj form* prático
utility *n* [*pl* -ies] **1** *form* utilidade **2** serviço; **public utilities** serviços públicos **3** INFORM utilitário ▪ *adj* utilitário ♦ (casa) **utility room** lavandaria; (carro) **utility vehicle** comercial
utilize *v form* utilizar
utmost *adj* extremo, máximo ▪ *n* máximo; **to do/try your utmost** dar o máximo
utopia *n* utopia
utopian *adj* utópico
utter *adj* perfeito, completo; **you're an utter idiot** tu és um perfeito idiota ▪ *v* **1** *form* proferir; pronunciar **2** *form* dar; soltar; **to utter a cry** dar um grito
utterance *n* **1** *form* afirmação **2** *form* expressão
utterly *adv* completamente, totalmente
U-turn *n* **1** (veículo) inversão de marcha **2** reviravolta
UV [*abrev. de* ultraviolet] UV [*abrev. de* ultravioleta]
Uzbek *adj,n* usbeque
Uzbekistan *n* Usbequistão

V

v *n* [*pl* v's] (letra) v
vacancy *n* [*pl* -ies] **1** (emprego) vaga **2** (hotel) quarto livre
vacant *adj* **1** vago, vazio; **vacant lot** baldio **2** (expressão) vago; ausente ◆ (jornal) **situations vacant** ofertas de emprego
vacate *v* **1** *form* (quarto, apartamento) desocupar **2** *form* (cargo) deixar
vacation *n* **1** GB férias judiciais/letivas[AO] **2** EUA férias; **to go on vacation** ir de férias; **to take a vacation** tirar férias ▪ *v* EUA passar férias (in/at, em)
vacationer *n* EUA pessoa que está em férias
vaccinate *v* vacinar
vaccination *n* vacinação
vaccine *n* vacina
vacillate *v form* vacilar; hesitar
vacillation *n form* vacilação; hesitação
vacuous *adj form* vazio
vacuum *n* **1** vácuo **2** vazio **3** (limpeza) aspiradela ▪ *v* aspirar ◆ GB **vacuum flask** garrafa-termo
vacuum-clean *v* (limpeza) aspirar
vacuum-packed *adj* embalado a vácuo
vagabond *n* vagabundo
vagina *n* vagina
vagrancy *n* [*pl* -ies] vadiagem
vagrant *n* vagabundo, vadio
vague *adj* vago, impreciso ◆ **to be vague about something** não dar detalhes em relação a
vaguely *adv* vagamente
vagueness *n* imprecisão
vain *adj* **1** vão; infrutífero **2** *pej* vaidoso ◆ **in vain** em vão
valance *n* **1** dossel **2** EUA sanefa
valentine *n* **1** cartão de S. Valentim **2** destinatário de um cartão de S. Valentim
valet *n* **1** (hotel) camareiro **2** (hotel, restaurante, etc.) arrumador de carros
valiant *adj lit* valente, corajoso
valid *adj* **1** (prazo) válido **2** (argumento, etc.) fundamentado; pertinente
validate *v* **1** validar; legitimar **2** legalizar
validation *n* **1** validação; legitimação **2** legalização
validity *n* [*pl* -ies] **1** (prazo) validade **2** (argumento, prova) valor; pertinência
valley *n* vale
valour *n lit* valentia; bravura
valuable *adj* **1** valioso; de valor **2** (informação, recurso, tempo) precioso; (experiência) enriquecedor ▪ *n pl* objetos[AO] de valor
valuation *n* avaliação; estimativa
value *n* valor; **cultural values** valores culturais; **to be of great value** ser muito valioso ▪ *v* **1** valorizar; apreciar **2** *téc* avaliar ◆ **value added tax** imposto sobre o valor acrescentado
valued *adj* estimado, apreciado
valueless *adj* sem valor
valuer *n* avaliador
valve *n* válvula
vampire *n* vampiro
van *n* **1** furgoneta **2** EUA carrinha **3** (comboio) furgão
vanadium *n* vanádio
vandal *n* vândalo
vandalism *n* vandalismo
vandalize *v* vandalizar
vane *n* **1** cata-vento **2** (hélice) pá
vanguard *n* vanguarda; **to be in the vanguard of** estar na vanguarda de
vanilla *n* baunilha ▪ *adj* de baunilha; **vanilla essence** essência de baunilha
vanish *v* **1** desaparecer **2** dissipar-se; desvanecer-se **3** (espécie) extinguir-se
vanishing *n* desaparecimento
vanity *n* [*pl* -ies] **1** vaidade; presunção **2** futilidade **3** EUA toucador ◆ **vanity case** estojo de maquilhagem
vanquish *v lit* vencer; conquistar
vantage *n* vantagem
Vanuatu *n* Vanuatu
vapor *n* EUA vapor
vaporize *v* **1** vaporizar **2** evaporar-se

vaporizer *n* vaporizador; pulverizador
vapour *n* GB vapor
variable *adj* **1** variável, desigual **2** (tempo) instável **3** (velocidade) regulável ▪ *n* MAT variável
variance *n* diferença; discrepância
variant *n* variante
variation *n* variação
varicose *adj* varicoso; **varicose veins** varizes
varied *adj* variado; diverso
variety *n* [*pl* -ies] **1** variedade; diversidade **2** género, tipo, espécie ◆ **variety show** espetáculo[AO] de variedades
various *adj* **1** variado; diverso **2** vários; **at various times** em várias ocasiões
varnish *n* verniz; **nail varnish** verniz das unhas ▪ *v* envernizar
vary *v* **1** variar **2** alterar **3** diversificar
vascular *adj* vascular
vase *n* jarra
vasectomy *n* vasectomia
vaseline *n* vaselina
vassal *n* vassalo, súbdito
vast *adj* **1** vasto, extenso **2** imenso, esmagador
vastness *n* vastidão; imensidão
vat *n* **1** cuba, vasilha **2** barril
VAT [*abrev. de* Value Added Tax] IVA [*abrev. de* Imposto sobre o Valor Acrescentado]
Vatican *n* Vaticano
vault *n* **1** casa-forte **2** jazigo, cripta **3** salto; DESP **pole vault** salto com vara **4** ARQ abóbada ▪ *v* saltar
vaulting *n* ARQ abaulamento ▪ *adj* (ambição) desmedido ◆ DESP (equipamento) **vaulting horse** cavalo
VCR [*abrev. de* Video Cassette Recorder] VCR
veal *n* carne de vitela
vector *n* **1** MAT vetor[AO] **2** (doença) portador **3** (aeronave) direção[AO]
veer *v* **1** virar; mudar de direção[AO] **2** mudar de opinião ▪ *n* **1** mudança de direção[AO]; desvio **2** mudança de opinião
vegan *n,adj* vegetariano
vegetable *n* **1** legume; **green vegetables** hortaliças, verduras **2** (planta) vegetal **3** *col* (pessoa) vegetal ▪ *adj* vegetal; **vegetable oils** óleos vegetais ◆ **vegetable garden** horta
vegetarian *adj,n* vegetariano
vegetarianism *n* vegetarianismo
vegetate *v* vegetar
vegetation *n* vegetação
veggie *adj,n col* vegetariano
vehemence *n* veemência
vehement *adj* veemente
vehicle *n* **1** veículo; **motor vehicles** veículos motorizados **2** meio; **a vehicle for getting something** um meio para obter alguma coisa
vehicular *adj* de veículos; **vehicular traffic** circulação automóvel
veil *n* véu ▪ *v* **1** velar, cobrir com véu **2** envolver, encobrir ◆ **to draw a veil over something** pôr uma pedra no assunto
veiled *adj* velado
vein *n* **1** ANAT veia **2** BOT,ZOOL nervura **3** MIN veio; filão **4** *fig* linha, estilo
velcro *n* velcro
velocity *n* [*pl* -ies] velocidade, rapidez
velodrome *n* velódromo
velum *n* [*pl* -a] (boca) véu palatino
velvet *n* veludo
velvety *adj* aveludado
venal *adj* venal
vendetta *n* contenda; rixa
vendor *n* vendedor ambulante
veneer *n* **1** (madeira) folheado **2** aparência, verniz *fig*; **a veneer of happiness** uma aparência de felicidade ▪ *v* folhear
venerable *adj* venerável
venerate *v* venerar; reverenciar
veneration *n* veneração
venereal *adj* venéreo
Venetian *adj,n* veneziano ◆ **Venetian blind** estore; veneziana
Venezuela *n* Venezuela
Venezuelan *adj,n* venezuelano
vengeance *n* vingança (on/upon, de); **to take vengeance on somebody** vingar-se de alguém
vengeful *adj* vingativo
venial *adj* venial
venison *n* carne de veado
venom *n* **1** veneno **2** ódio, rancor
venomous *adj* venenoso
venous *adj* venoso
vent *n* **1** (ar) saída, respiradouro **2** (animais) orifício **3** (roupa) racha, abertura ▪ *v* descarregar ◆ **to give vent to** dar livre curso a
ventilate *v* **1** arejar, ventilar **2** *form* debater
ventilation *n* **1** ventilação **2** *form* discussão, debate

ventilator *n* ventilador
ventricle *n* ventrículo
ventriloquist *n* ventríloquo
venture *n* empreendimento arriscado ▪ *v* 1 aventurar-se, arriscar 2 ousar, atrever-se a 3 (jogo) apostar, arriscar ♦ **nothing ventured, nothing gained** quem não arrisca, não petisca
venue *n* 1 local 2 ponto de encontro 3 (jurisdição) foro
veracity *n* veracidade
veranda *n* varanda
verb *n* verbo
verbal *adj* 1 oral; **verbal skills** competências orais 2 verbal ♦ **verbal noun** gerúndio
verbalize *v* verbalizar
verbena *n* (planta) verbena
verbose *adj* verboso, prolixo
verdict *n* 1 veredito[AO] 2 opinião; **to pass one's verdict on** dar a sua opinião sobre
verdigris *n* verdete
verge *n* 1 limite 2 borda, orla, margem ♦ **on the verge of** à beira de
◇ **verge on/upon** *v* 1 tocar as raias de 2 estar à beira de 3 (idade) andar à volta de
verifiable *adj* verificável
verification *n* verificação; comprovação
verify *v* verificar; comprovar
verisimilitude *n* verosimilhança
vermicelli *n* CUL aletria
vermin *n* 1 bicharada 2 *pej* (pessoas) escumalha
vermouth *n* vermute
vernacular *adj,n* vernáculo
verruca *n* [*pl* -e] verruga
versatile *adj* versátil; multifacetado
versatility *n* versatilidade
verse *n* 1 verso(s); **blank verse** verso livre; **in verse** em verso 2 estrofe 3 (Bíblia) versículo
version *n* 1 versão 2 tradução
versus *prep* versus; contra; (jogo, torneio) **Portugal versus France** Portugal contra França
vertebra *n* [*pl* -ae] vértebra
vertebrate *adj,n* vertebrado
vertex *n* [*pl* -es, vertices] vértice
vertical *adj,n* vertical
vertigo *n* vertigem; **to suffer from vertigo** ter vertigens
verve *n* 1 verve 2 entusiasmo; energia
very *adv* 1 muito; **I am very sorry** sinto muito 2 precisamente; **the very next morning** precisamente na manhã seguinte ▪ *adj* 1 precisamente; **at that very instant** naquele preciso instante 2 mesmo; **at the very beginning/end** mesmo no princípio/fim ♦ **the very idea/thought of...** só de pensar em...
vessel *n* 1 navio, embarcação 2 *form* recipiente 3 ANAT vaso; **blood vessel** vaso sanguíneo
vest *n* 1 GB camisola interior 2 EUA colete ▪ *v* investir; conferir
vestibule *n* vestíbulo, átrio
vestige *n* vestígio; indício
vestment *n* vestes; paramento
vestry *n* [*pl* -ies] sacristia
vet *n* 1 *col* veterinário 2 EUA *col* veterano de guerra ▪ *v* GB examinar atentamente
veteran *adj,n* veterano
veterinarian *n* EUA veterinário
veterinary *adj* veterinário
veto *n* [*pl* -es] veto (on, em); **to use one's veto** usar o direito de veto ▪ *v* 1 vetar 2 rejeitar
vex *v* 1 aborrecer 2 embaraçar
vexation *n form* contrariedade; aborrecimento
vexed *adj* 1 aborrecido; incomodado 2 (questão, tema) polémico; controverso
vexing *adj* incómodo
VHS *n* [*abrev. de* video home system] VHS
via *prep* 1 via; **to travel via Milan** viajar via Milão 2 através de
viability *n* viabilidade
viable *adj* 1 viável 2 (estrada) em boas condições
viaduct *n* viaduto
vibrant *adj* 1 (som) vibrante 2 dinâmico; animado 3 (cores, luz) forte, vivo
vibrate *v* vibrar
vibration *n* 1 vibração 2 FÍS oscilação
vibrator *n* vibrador
vicar *n* 1 (Igreja Católica) vigário, pároco 2 (Igreja Anglicana) pastor
vicarage *n* 1 casa do pároco 2 (funções do pároco) vicariato
vicarious *adj* 1 (experiência, situação) indireto[AO] 2 (poder) delegado
vice *n* 1 vício 2 imoralidade, depravação 3 (ferramenta) torno
vice versa *adv* vice-versa, reciprocamente

vicinity *n* [*pl* -ies] vizinhança, proximidade; **in the vicinity of** nas proximidades de, aproximadamente
vicious *adj* **1** cruel **2** maldoso **3** (pancada, golpe, ataque) violento **4** (animais) feroz ♦ **vicious circle** círculo vicioso
victim *n* vítima
victimize *v* **1** perseguir; discriminar **2** vitimizar
victorious *adj* vitorioso; vencedor; **to be victorious over** vencer
victory *n* [*pl* -ies] vitória; triunfo
video *n* (filme, cassete, aparelho) vídeo; **available on video** disponível em vídeo ▪ *v* gravar em vídeo ♦ **video game** videojogo; **video recorder** videogravador
videoconference *n* videoconferência
videodisc *n* videodisco
videophone *n* videofone
videotape *n* videocassete ▪ *v* gravar em vídeo
videotext *n* videotexto
vie *v* competir; disputar
Vietnam *n* Vietname
Vietnamese *adj,n* vietnamita
view *n* **1** vista, panorama **2** opinião (about/on, sobre); **in my view** na minha opinião **3** perspetiva[AO], visão **4** intenção; **with the view of** com a intenção de ▪ *v* **1** ver **2** examinar, inspecionar[AO] **3** encarar; considerar ♦ **on view** em exibição, aberto ao público
viewer *n* **1** telespectador[AO] **2** (aparelho) visor
viewing *n* **1** observação **2** inspeção[AO]; exame **3** programação televisiva; **viewing audience** telespectadores[AO] **4** (compra de casa) visita
viewpoint *n* ponto de vista, perspetiva[AO]
vigil *n* vigília
vigilance *n* vigilância
vigilant *adj* vigilante; alerta
vignette *n* **1** vinheta **2** ART esboço
vigor *n* EUA vigor, energia
vigorous *adj* vigoroso; enérgico
vigour *n* GB vigor, energia
Viking *adj,n* viking, viquingue
vile *adj* **1** vil, desprezível **2** *col* nojento **3** *col* (temperamento, tempo) horrível
vilify *v* difamar; caluniar
villa *n* **1** casa de campo **2** casa de férias
village *n* aldeia
villager *n* GB aldeão
villain *n* **1** *col* patife **2** vilão; **the villain of the piece** o mau da fita
villainous *adj* ignóbil; infame
villainy *n* [*pl* -ies] vileza
vindicate *v* **1** (ato, método) justificar **2** (argumento, opinião) confirmar
vindication *n* defesa; justificação
vindictive *adj* vingativo
vine *n* **1** vinha, videira **2** planta trepadeira
vinegar *n* vinagre
vineyard *n* vinha
vintage *n* **1** ano de colheita excecional[AO] **2** (vinho) vintage ▪ *adj* **1** de excelente qualidade **2** (vinho) vintage
vinyl *n* vinil
violate *v* **1** (leis, normas) violar; infringir **2** (local sagrado, sepultura) profanar
violation *n* **1** violação; **violation of the human rights** violação dos direitos humanos **2** transgressão **3** (locais sagrados, sepulturas) profanação
violence *n* violência
violent *adj* **1** violento **2** (emoções) intenso
violet *n* (flor, cor) violeta ▪ *adj* (cor) violeta
violin *n* violino
violinist *n* violinista
VIP [*abrev. de* Very Important Person] VIP
viper *n* víbora
virgin *n* virgem ▪ *adj* **1** virgem; **virgin forest** floresta virgem **2** virginal; puro
Virgin Islands *npl* Ilhas Virgens
virginity *n* virgindade
Virgo *n* (constelação, signo) Virgem
virile *adj* viril
virility *n* virilidade
virologist *n* virologista
virology *n* virologia
virtual *adj* virtual
virtually *adv* **1** virtualmente **2** na prática; **she's virtually the leader** na prática, é ela a chefe **3** praticamente; quase; **it's virtually the same thing** é quase a mesma coisa
virtue *n* **1** virtude **2** vantagem; mérito **3** propriedade; **healing virtue** propriedades curativas ♦ **by virtue of/in virtue of** em virtude de
virtuosity *n* [*pl* -ies] virtuosismo
virtuous *adj* virtuoso
virus *n* [*pl* -es] vírus ♦ (computador) **virus checker** antivírus
visa *n* (passaporte) visto ▪ *v* (passaporte) visar
visceral *adj* visceral
viscount *n* visconde

viscountess *n* viscondessa
viscous *adj* viscoso
visibility *n* visibilidade
visible *adj* visível (to, a)
visibly *adv* visivelmente; manifestamente
vision *n* **1** visão; **to have/see visions** ter visões **2** (sentido) vista; **to have good vision** ter boa vista
visionary *adj,n* visionário
visit *n* **1** visita; **to be on a visit to** estar de visita a **2** (médico) visita, consulta; **home visit** visita domiciliária ■ *v* **1** visitar; ir ver **2** GB (médico, advogado) consultar
visitation *n* **1** *form* visita oficial **2** *col* visita prolongada
visiting *adj* de visita; visitante; **visiting hours** horário de visitas
visitor *n* **1** visita; convidado; **to have a visitor** receber uma visita **2** turista, visitante
visor *n* **1** viseira **2** EUA (boné) pala **3** (carro) pala
vista *n* **1** vista; panorama **2** *fig* perspetiva[AO]
visual *adj* visual ◆ (computador) **visual display unit** ecrã
visualization *n* visualização
visualize *v* visualizar
vital *adj* **1** essencial; imprescindível **2** (órgão) vital
vitality *n* vitalidade; vigor
vitamin *n* vitamina; **vitamin deficiency** avitaminose
viticulture *n* viticultura
vitreous *adj* vítreo
vivacious *adj* alegre; animado
vivid *adj* **1** (descrição) nítido; pormenorizado **2** (luz) intenso; brilhante **3** (imaginação) fértil
vividly *adv* **1** nitidamente; pormenorizadamente **2** intensamente
vividness *n* **1** vivacidade **2** nitidez **3** (luz) intensidade; brilho
vixen *n* **1** raposa fêmea **2** *pej* megera
vizier *n* vizir
V-neck *n* **1** decote em V **2** blusa com decote em V
vocabulary *n* [*pl* -ies] vocabulário
vocal *adj* **1** vocal **2** franco; sincero **3** barulhento ■ *n* MÚS pista de voz
vocalic *adj* vocálico
vocalist *n* vocalista, cantor
vocation *n* vocação (for, para)
vocational *adj* profissional; vocacional
vocative *adj,n* vocativo
vociferate *v* vociferar; gritar
vodka *n* vodca, vodka
vogue *n* (moda) voga; **to be in vogue** estar em voga
voice *n* **1** voz; (frase) **in the active/passive voice** na voz ativa[AO]/passiva **2** voto (in, em); **to have no voice in the matter** não ter voto na matéria ■ *v* dar voz a
voiced *adj* **1** expresso, verbalizado **2** (som) sonoro
voice-over *n* (comentário em) voz-off
void *n* vazio; vácuo ■ *adj* **1** DIR nulo, inválido **2** desprovido; **void of interest** sem interesse ■ *v* DIR anular, invalidar
volatile *adj* **1** (economia, mercado) instável **2** (situação) explosivo **3** (pessoa) volúvel; inconstante **4** (líquido) volátil
vol-au-vent *n* CUL vol-au-vent
volcanic *adj* **1** vulcânico **2** (temperamento) explosivo
volcano *n* [*pl* -es] vulcão
volition *n* vontade; **of one's own volition** por sua própria vontade
volley *n* **1** (artilharia) salva **2** chuva *fig*; torrente *fig* **3** DESP batida na bola antes de ela tocar o chão ■ *v* **1** (salva, rajada) disparar **2** DESP bater a bola no ar
volleyball *n* voleibol
volt *n* ELET volt
voltage *n* voltagem, tensão; **high/low voltage** alta/baixa tensão
voltaic *adj* voltaico; **voltaic cell** pilha voltaica
voluble *adj* **1** falador **2** (discurso) fluente
volume *n* (quantidade, livro, som) volume ◆ **volume control** botão de som; **to speak volumes** dizer tudo
voluminous *adj* **1** volumoso **2** (roupa) largo **3** (autor, escritor) produtivo
voluntary *adj* voluntário
volunteer *n* voluntário (for, para) ■ *v* **1** (informação, ajuda, sugestão) oferecer **2** oferecer-se (for/to, para) **3** MIL alistar-se como voluntário
voluptuous *adj* voluptuoso, sensual
vomit *v* vomitar ■ *n* vómito
voodoo *n* vudu
voracious *adj* **1** (apetite) voraz, devorador **2** (leitor) insaciável
vortex *n* [*pl* vortices, -es] **1** vórtice **2** (situação, sensação) turbilhão

vote *n* **1** voto (for, a favor; against, contra) **2** votação **3** direito de voto ▪ *v* **1** votar (for, a favor; against, contra; on, em) **2** eleger **3** *col* propor; sugerir; **I vote that that we go** proponho que vamos ♦ **vote of confidence** voto de confiança; **vote of no confidence** moção de censura

voter *n* eleitor

voting *n* votação ♦ EUA **voting booth** cabina de voto; GB **voting paper** boletim de voto

vouch *n* **1** garantia **2** caução ▪ *v* **1** responder (for, por) **2** garantir (for, -), atestar (for, -)

voucher *n* **1** vale, voucher **2** talão, recibo

vow *n* voto; promessa; juramento; **to break a vow** quebrar um juramento ▪ *v* **1** jurar; prometer **2** fazer voto de

vowel *n* vogal

voyage *n* (marítima, espacial) viagem; travessia; **to go on a voyage to** fazer uma viagem de barco a ▪ *v* viajar por mar

voyeur *n* voyeur; mirone

vulgar *adj* **1** vulgar **2** (atitude, comentário, piada) grosseiro; de mau gosto

vulgarity *n* [*pl* -ies] **1** vulgaridade **2** mau gosto; grosseria

vulgarize *v* vulgarizar; banalizar

vulgarly *adv pej* vulgarmente; grosseiramente

vulnerable *adj* vulnerável

vulture *n* abutre

vulva *n* [*pl* -s, -e] vulva

W

w *n* [*pl* w's] (letra) w
wacky *adj* EUA *col* louco; tolo
wad *n* **1** (notas, papéis) maço **2** chumaço ▪ *v* estofar; forrar, acolchoar
waddle *v* **1** bambolear-se **2** cambalear
wade *v* **1** caminhar por água ou lama **2** (corrente, rio) atravessar
wafer *n* **1** bolacha de baunilha **2** REL hóstia
waffle *n* **1** (bolacha) waffle **2** *col* tagarelice **3** *col* palavreado ▪ *v* **1** *col* falar pelos cotovelos **2** *col* dar palha *fig*
waft *v* **1** pairar; flutuar **2** (som, perfume) transportar ▪ *n* **1** aragem **2** (vento) sopro
wag *v* abanar; sacudir; (cão) **to wag its tail** abanar a cauda
wage *n* [também usado no plural] ordenado semanal; salário ▪ *v* (luta, campanha) fazer, empreender
wager *n* aposta; parada ▪ *v* apostar (on, em)
waggle *v* agitar(-se); sacudir(-se) ▪ *n* sacudidela; abanadela
wagon *n* **1** carroça **2** GB (comboio) vagão de mercadorias
waif *n* criança abandonada
wail *n* lamento; gemido ▪ *v* gemer; lamentar
waist *n* **1** cinta; cintura **2** (roupa) cinta **3** (objetos) parte mais estreita ▪ *v* (tubo) comprimir, estreitar
waistband *n* cinta; **the waistband of a skirt** a cinta de uma saia
waistcoat *n* colete
waistline *n* **1** (corpo) cintura **2** (roupa) cinta
wait *n* espera (for, por) ▪ *v* **1** esperar; **wait for me!** espera por mim! **2** servir; **to wait at table** servir à mesa ◆ **I can't wait to...** estou ansioso por...; **just you wait** vais ver; não perdes pela demora
◇ **wait up** *v* esperar acordado (for, por)
waiter *n* empregado de mesa
waiting *n* espera; **waiting room** sala de espera ◆ **to play the waiting game** estar à espera do momento oportuno
waitress *n* empregada de mesa
waive *v* **1** (privilégio, reivindicação) renunciar a **2** (obrigação, pagamento) não exigir
wake *v* **1** acordar; despertar **2** estimular **3** (morto) velar ▪ *n* **1** (funeral) velório **2** (água) rasto
◇ **wake up** *v* **1** acordar **2** despertar; estimular
◇ **wake up to** *v* tomar consciência de; aperceber-se de
waken *v* **1** despertar, acordar **2** estimular, excitar
wake-up *adj* **wake-up call** serviço de despertar; (advertência) chamada de atenção
Wales *n* País de Gales
walk *v* **1** andar a pé; caminhar **2** percorrer a pé; atravessar **3** passear; **to walk the dog** passear o cão **4** (pessoa) acompanhar (to, a) ▪ *n* **1** andar; passo **2** passeio a pé, caminhada; **let's go for a walk** vamos dar um passeio **3** (atletismo) marcha
◇ **walk away from** *v* **1** virar costas a *fig* **2** sair ileso de
◇ **walk out** *v* **1** sair subitamente **2** sair em protesto
◇ **walk out on** *v* (pessoa) abandonar
walkabout *n* **1** volta, passeio **2** (pessoa famosa) banho de multidão
walker *n* **1** passeante **2** transeunte **3** DESP atleta de marcha **4** (crianças) voador **5** (dificuldades a andar) andador
walkie-talkie *n* walkie-talkie
walking *adj* ambulante ▪ *n* **1** modo de andar **2** marcha **3** caminhada
Walkman *n* (aparelho) walkman®
wall *n* **1** muro **2** muralha **3** (interior) parede ▪ *v* **1** murar; emparedar **2** amuralhar; fortificar ◆ (candeeiro) **wall lamp** aplique
wallet *n* (dinheiro, cartões) carteira
wallop *n* **1** sova **2** murro ▪ *v* dar uma tareia a
wallow *n* **1** charco, lamaçal **2** pocilga ▪ *v* **1** chafurdar **2** espojar-se
wallpaper *n* **1** papel de parede **2** (computador) fundo de monitor, wallpaper

walnut *n* **1** (fruto) noz **2** (árvore) nogueira
walrus *n* [*pl* -es] morsa
waltz *n* (música, dança) valsa ▪ *v* valsar (round, à volta de)
wan *adj* **1** pálido; macilento **2** triste; apagado **3** (intensidade, luz) fraco
wand *n* **1** vara **2** varinha de condão
wander *v* **1** vaguear **2** afastar-se (from/off, de); desviar-se (from/off, de) ▪ *n* volta, passeio
wanderer *n* **1** vagabundo **2** viajante; nómada *fig*
wane *v* **1** (lua) minguar **2** decrescer; diminuir **3** decair, declinar
wannabe *n* **1** *col,pej* aspirante, candidato **2** *col,pej* imitador ▪ *adj* **1** *col,pej* aspirante a **2** *col,pej* de imitação
want *v* **1** querer; desejar **2** precisar de; ter necessidade de ▪ *n* **1** falta (of, de); carência (of, de) **2** necessidade (of, de) **3** pobreza; miséria; privação
wanted *adj* (criminoso) procurado ◆ (funcionário) **help wanted** procura-se funcionário; (crime) **to be wanted for** ser procurado por
wanting *adj* **1** com falta (in, de) **2** deficiente; insuficiente
wanton *adj* gratuito; arbitrário; **wanton cruelty** crueldade gratuita
WAP INFORM [*abrev. de* Wireless Application Protocol] WAP
war *n* **1** guerra; **to be at war with** estar em guerra com **2** conflito; combate; luta ▪ *v* combater ◆ (computador, jogo de tabuleiro) **war game** jogo de estratégia militar
warble *n* trinado; gorjeio ▪ *v* trinar; gorjear
ward *n* **1** guarda; defesa **2** tutela, custódia **3** pupilo **4** (hospital) ala; enfermaria **5** (prisão) cela **6** GB (cidade) divisão administrativa
◇ **ward off** *v* **1** (ataque, perigo) evitar **2** (doença, mal) defender-se de
warden *n* **1** guarda **2** guardião **3** EUA governador **4** EUA (prisão) diretor[AO] **5** porteiro
warder *n* (prisão) guarda
wardrobe *n* (móvel, peças de roupa) guarda-roupa
warehouse *n* **1** armazém **2** entreposto
warfare *n* guerra
warhead *n* MIL ogiva
warm *adj* **1** quente; **to keep oneself warm** manter-se quente **2** morno, tépido **3** (pessoa) afetuoso[AO] **4** caloroso, cordial; **a warm welcome** uma receção[AO] calorosa ▪ *v* **1** aquecer(-se) **2** requentar **3** (estima, amizade) deixar-se conquistar (to, por) **4** animar-se (to, com) ◆ **warm trail** rasto ainda fresco
◇ **warm up** *v* **1** (comida, motor) aquecer **2** entusiasmar(-se), animar(-se) **3** DESP fazer o aquecimento
warmth *n* **1** calor **2** afeto[AO]; cordialidade **3** vivacidade
warm-up *n* DESP aquecimento; **warm-up exercises** exercícios de aquecimento
warn *v* avisar; prevenir
◇ **warn off** *v* ameaçar; meter medo a
warning *n* aviso; advertência ◆ **let this be a warning to you** que isto te sirva de lição
warp *n* **1** (madeira) empenamento **2** deformação **3** perversão ▪ *v* **1** empenar **2** deformar-se **3** perverter(-se)
warplane *n* avião de combate
warrant *n* **1** mandado; **warrant of arrest** mandado de captura **2** certificado; garantia **3** ordem de pagamento ▪ *v* **1** justificar **2** garantir; certificar
warranty *n* [*pl* -ies] **1** (produto, serviço) garantia; **it's still under warranty** ainda está dentro do período de garantia **2** autorização
warren *n* (animais) lura
warrior *n* guerreiro; soldado
warship *n* navio de guerra
wart *n* verruga; cravo
wary *adj* cauto; prudente ◆ **to be wary of somebody** não confiar em alguém; **to be wary of something** estar de sobreaviso em relação a algo
wash *n* [*pl* -es] **1** lavagem; lavadela **2** (pessoa) banho **3** roupa para lavar **4** embate das ondas **5** leve camada de tinta ▪ *v* **1** lavar(-se) **2** (parede) dar uma demão de tinta **3** *col* pegar; **that excuse won't wash** essa desculpa não pega ◆ **to wash ashore** lançar à praia
◇ **wash away** *v* **1** levar; arrastar **2** fazer desaparecer
◇ **wash down** *v* **1** lavar **2** acompanhar com (bebida), regar com *fig*
◇ **wash off** *v* lavar
◇ **wash out** *v* **1** tirar; lavar **2** impossibilitar **3** sair (lavando)
◇ **wash up** *v* **1** (loiça) lavar **2** (mar) arrastar (para a praia) **3** EUA lavar a cara e as mãos
washable *adj* lavável

washbasin *n* lavatório
washed-out *adj* **1** descolorido; deslavado **2** pálido **3** (cansaço) exausto
washer *n* **1** (metal) anilha **2** (borracha) junta **3** *col* máquina de lavar
washing *n* **1** lavagem **2** roupa para lavar ♦ **washing machine** máquina de lavar roupa; (roupas) **washing powder** detergente
washout *n* **1** *col* fiasco, falhanço **2** (pessoa) desgraça *fig*, desastre *fig*
washtub *n* lavadouro
wasp *n* (inseto) vespa
waste *n* **1** desperdício (of, de) **2** lixo; resíduos **3** *pl* (terreno) baldio ▪ *adj* **1** supérfluo; inútil **2** (terreno) por cultivar; baldio ▪ *v* **1** desperdiçar (on, em); gastar (on, em) **2** atrofiar; debilitar **3** consumir; devastar ♦ **waste disposal** triturador de lixo; **to run to waste** desperdiçar-se
◇ **waste away** *v* consumir-se; definhar
wastebasket *n* EUA cesto dos papéis
wasteful *adj* **1** (pessoa) esbanjador **2** (gastos) ruinoso **3** (método) pouco económico
wasteland *n* **1** ermo; baldio **2** *fig* panorama desolador
watch *n* [*pl* -es] **1** relógio de pulso **2** vigilância **3** guarda, sentinela ▪ *v* **1** ver; observar **2** vigiar; ficar de olho em **3** ter cuidado com ♦ **to watch one's step** ter cuidado
◇ **watch out** *v* **1** ter cuidado (for, com); **watch out!** cuidado! **2** prestar atenção (for, a)
◇ **watch over** *v* olhar por
watchdog *n* cão de guarda
watchful *adj* **1** vigilante; atento **2** cauteloso
watchmaker *n* relojoeiro
watchman *n* [*pl* -men] **1** vigia, guarda **2** guarda-noturno[AO]
watchtower *n* torre de vigia; torre de controlo
watchword *n* palavra de ordem, lema
water *n* **1** água **2** maré; **at high water** na maré alta ▪ *v* **1** (plantas) regar **2** (terreno) irrigar **3** (animal) dar de beber a **4** diluir em água **5** (olhos) lacrimejar ♦ **water lily** nenúfar; **in deep water** em dificuldades
◇ **water down** *v* **1** juntar água a **2** suavizar (conteúdo forte ou chocante)
waterbed *n* colchão de água
watercolour *n* aguarela
watercourse *n* curso de água; canal
watercress *n* [*pl* -es] agrião
waterfall *n* queda de água; catarata
watering *n* rega; irrigação ♦ **watering can** regador
watermelon *n* melancia
watermill *n* azenha
waterproof *adj* impermeável; à prova de água ▪ *n* GB (casaco) impermeável ▪ *v* impermeabilizar
water-ski *n* [*pl* -s] (objeto) esqui aquático ▪ *v* fazer esqui aquático
water-skier *n* praticante de esqui aquático
water-skiing *n* (atividade) esqui aquático
waterspout *n* **1** tromba-d'água **2** (canalização) bica
watertight *adj* **1** estanque; hermético **2** (argumento) irrefutável
waterway *n* canal
watery *adj* **1** aquoso; aguado **2** (olhos) lacrimejante **3** pálido
watt *n* watt
wave *n* **1** onda **2** (cabelo) onda **3** vaga (of, de) **4** (mão) aceno ▪ *v* **1** agitar **2** ondular **3** acenar (at, a) ♦ **to wave goodbye to** dizer adeus a
wavelength *n* comprimento de onda ♦ **we're not on the same wavelength** não estamos a conseguir comunicar
waver *v* vacilar; hesitar
wavy *adj* ondulado, ondeado; **wavy hair** cabelo ondulado
wax *n* **1** cera **2** (ouvido) cerume ▪ *v* **1** encerar **2** depilar (com cera) **3** (Lua) crescer
waxwork *n* **1** figura de cera **2** *pl* museu de cera
way *n* **1** caminho; via **2** rumo, direção[AO] **3** meio; processo **4** trajeto[AO]; distância **5** tendência, hábito ▪ *adv* longe, distante ♦ **by the way** já agora; a propósito; **in a way** de certo modo; **no way!** nem pensar!
wayfarer *n* viajante; caminhante
wayward *adj* **1** rebelde; teimoso **2** difícil; caprichoso
WC [*abrev. de* Water Closet] WC
we *pron pess* nós
weak *adj* **1** fraco **2** (desculpa, argumento) pouco convincente **3** (café, bebida) pouco forte ♦ **to be weak at the knees** estar com as pernas a tremer
weaken *v* **1** enfraquecer **2** atenuar

weakness *n* **1** fraqueza **2** (argumentos) pobreza **3** ponto fraco ◆ **to have a weakness for** ter um fraco por
weal *n* equimose; pisadura
wealth *n* **1** riqueza **2** abundância (of, de)
wealthy *adj* rico; abastado
wean *v* (criança) desmamar
◇ **wean off/away** *v* desabituar de, fazer perder um hábito
weapon *n* **1** arma **2** *pl* armamento
wear *n* **1** roupa; **ladies' wear** roupa de senhora **2** uso, desgaste ▪ *v* **1** vestir; trazer vestido **2** (uso) gastar(-se), desgastar(-se) **3** durar; **to wear well** ser resistente
◇ **wear away** *v* desgastar(-se); gastar(-se)
◇ **wear down** *v* **1** gastar(-se), desgastar(-se) **2** fazer ceder; convencer
◇ **wear off** *v* passar; desaparecer gradualmente
◇ **wear on** *v* (tempo) passar lentamente
◇ **wear out** *v* **1** ficar/estar gasto; **the sweater is worn out** a camisola está gasta **2** gastar; esgotar **3** cansar; **she wears me out** ela cansa-me
wearisome *adj* **1** fastidioso; aborrecido **2** trabalhoso
weary *adj* **1** cansado; exausto **2** farto (of, de) **3** (tarefa) cansativo; esgotante ▪ *v* **1** cansar(-se) **2** aborrecer(-se)
weasel *n* doninha
weather *n* tempo; condições meteorológicas; **weather forecast** previsão meteorológica; **weather report** boletim meteorológico ▪ *v* **1** (dificuldades) resistir a; superar **2** (erosão) desgastar(-se) ◆ **to be under the weather** estar adoentado; estar em baixo
weathercock *n* cata-vento
weave *v* **1** tecer **2** entrelaçar; entrançar **3** urdir; tramar
weaver *n* tecelão
web *n* **1** teia **2** (animais) membrana interdigital **3** [com maiúscula] Web, Internet; **Web page** página da Internet
webcam *n* webcam
webcast *n* transmissão pela Internet ▪ *v* transmitir pela Internet
webmaster *n* (Internet) webmaster
website *n* (Internet) site, sítio
wed *v* **1** casar-se com **2** aliar (to, a)
wedding *n* casamento; boda; **wedding dress** vestido de noiva; **wedding ring** aliança
wedge *n* **1** cunha; calço **2** (queijo, bolo) fatia ▪ *v* **1** colocar uma cunha em **2** introduzir à força
Wednesday *n* quarta-feira
wee *n col* chichi ▪ *v col* fazer chichi
weed *n* **1** erva daninha **2** *col* tabaco **3** *col* (droga) erva **4** *col,pej* trinca-espinhas ▪ *v* arrancar as ervas daninhas a
weedkiller *n* herbicida
week *n* semana; **week in, week out** semana após semana; **a week ago today** faz hoje oito dias
weekday *n* dia útil
weekend *n* fim de semana ▪ *v* passar o fim de semana (at, em)
weekly *adj* semanal ▪ *adv* **1** semanalmente; **twice weekly** duas vezes por semana **2** uma vez por semana ▪ *n* [*pl* -ies] (jornal) semanário
weep *v* chorar (for/over, de/por) ▪ *n* choro; lágrimas
weeping *n* choro, pranto ▪ *adj* choroso ◆ (árvore) **weeping willow** chorão
weevil *n* (inseto) gorgulho
weigh *v* **1** pesar; **how much do you weigh?** quanto pesas?; **to weigh the pros and cons** pesar os prós e os contras **2** comparar (against, com); **to weigh one thing against another** comparar uma coisa com outra **3** ter influência
weigh-in *n* [*pl* -s] DESP pesagem
weight *n* **1** peso; **to lose weight** emagrecer; **to put on weight** engordar **2** coisa pesada **3** valor; importância; **to carry weight** ser importante, ter influência **4** fardo, carga ▪ *v* **1** tornar mais pesado; carregar com **2** tomar em consideração; ponderar
weightlifter *n* halterofilista
weightlifting *n* halterofilia
weir *n* barragem, represa
weird *adj* **1** estranho, esquisito **2** sinistro
weirdo *n col,pej* (pessoa) anormal
welcome *adj* **1** bem-vindo **2** agradável ▪ *n* **1** boas-vindas **2** acolhimento ▪ *v* **1** acolher bem **2** dar as boas-vindas a **3** agradecer ▪ *interj* bem-vindo!
weld *v* **1** soldar **2** ligar **3** consolidar, fundir ▪ *n* solda

welfare *n* **1** saúde e bem-estar **2** proteção[AO]; auxílio **3** segurança social ◆ **welfare work** assistência social

well *adj* **1** bem **2** de boa saúde **3** feliz **4** confortável ▪ *adv* **1** bem **2** satisfatoriamente **3** completamente **4** adequadamente **5** perfeitamente ▪ *n* **1** poço **2** nascente **3** (escadaria, elevador) vão; caixa ▪ *v* brotar; irromper ◆ **well, well!** ora bem!; **as well** também; **as well as** assim como

well-balanced *adj* equilibrado

well-being *n* **1** bem-estar; conforto **2** felicidade

well-heeled *adj col* endinheirado

wellingtons *npl* botas de borracha, galochas

well-known *adj* famoso; célebre ◆ **as is well-known, ...** como é sabido, ...

well-off *adj* abastado; com posses

well-timed *adj* oportuno

well-to-do *adj* abastado; com posses

well-wisher *n* amigo; simpatizante

Welsh *adj,n* galês ▪ *npl* **the Welsh** os galeses

Welshman *n* [*pl* -men] galês

Welshwoman *n* [*pl* -women] galesa

werewolf *n* [*pl* -wolves] lobisomem

west *n* oeste, poente, ocidente ▪ *adv* para oeste; em direção[AO] ao oeste ▪ *adj* ocidental; oeste

westerly *adj* **1** ocidental **2** de oeste; oeste; **westerly wind** vento oeste

western *adj* ocidental; do ocidente ▪ *n* CIN western

westerner *n* ocidental

westward *adj,adv* em direção[AO] ao oeste

wet *adj* **1** molhado **2** húmido **3** (tempo) chuvoso **4** (tinta) fresco **5** *fig* fraco ▪ *v* molhar; humedecer ▪ *n* **1** humidade **2** tempo chuvoso ◆ **to wet the bed** fazer chichi na cama

whack *n* **1** pancada; golpe **2** quinhão; parte **3** *col* tentativa ▪ *v* **1** dar uma pancada forte em **2** espancar

whale *n* baleia

whaler *n* **1** pescador de baleias **2** (barco) baleeiro

wharf *n* [*pl* -s, wharves] **1** cais **2** molhe ▪ *v* **1** descarregar no cais **2** (cais) atracar

what *pron interr* **1** que **2** que coisa **3** quê ▪ *pron rel* o que; aquilo que; a coisa que ◆ **well what of it?** e daí?

whatever *adj,pron* **1** tudo aquilo que; qualquer coisa que **2** seja qual for **3** qualquer ◆ **whatever people may say** digam lá o que disserem

whatsoever *adj,pron* tudo quanto; tudo o que; seja o que for

wheat *n* trigo

wheedle *v* **1** lisonjear **2** convencer

wheel *n* **1** roda **2** (carro) volante de direção[AO]; **to take the wheel** sentar-se ao volante ▪ *v* **1** (carrinho, bicicleta) empurrar **2** (pessoa) girar **3** (pássaro) esvoaçar

wheelbarrow *n* carrinho de mão

wheelchair *n* cadeira de rodas

wheeze *v* respirar a custo ▪ *n* respiração asmática

whelk *n* (molusco) búzio

when *adv,conj* **1** quando **2** logo que **3** no tempo em que ◆ **when pigs fly** nunca

whenever *adv,conj* sempre que ◆ **whenever you like** quando quiseres

where *adv* onde ◆ **that's where they are mistaken** é aí que eles se enganam

whereabouts *n* paradeiro ▪ *adv* onde; em que lugar

whereas *conj* **1** ao passo que; enquanto que **2** visto que; considerando que

whereby *adv* **1** por que; pelo que **2** segundo o qual; através do qual

wherever *adv,conj* **1** onde quer que **2** para onde quer que

whet *v* (curiosidade, interesse) aguçar; afiar ◆ **to whet the appetite** abrir o apetite

whether *conj* **1** se; **I don't know whether he comes or not** não sei se ele vem ou não **2** quer; **whether we go or not, the result will be the same** quer vamos quer não, o resultado será o mesmo ◆ **whether you like it or not** quer queiras quer não

whetstone *n* pedra de afiar

whew *interj* **1** (alívio) uf! **2** (surpresa) credo! **3** (consternação) bolas!

which *adj,pron rel,interr* **1** que; **the books which they bought** os livros que eles compraram **2** o qual, a qual, os quais, as quais; **which of the two is the prettier?** qual das duas é a mais bonita? **3** o que ◆ **I can never tell which is which** nunca sou capaz de os distinguir

whichever *adj,pron* **1** qualquer, quaisquer **2** seja qual for
whiff *n* **1** lufada (of, de) **2** (mau cheiro) baforada **3** (escândalo) indícios; suspeita
while *conj* **1** enquanto; **while there is life there is hope** enquanto há vida há esperança **2** ainda que; embora **3** enquanto que; ao passo que ▪ *n* bocado; momento; **a long while ago** há muito tempo ◆ **once in a while** ocasionalmente
whim *n* capricho; extravagância ◆ **as the whim takes him** conforme lhe dá na veneta
whimper *n* **1** lamúria; queixume **2** gemido ▪ *v* **1** choramingar **2** gemer
whimsical *adj* **1** caprichoso **2** (sorriso) enigmático **3** (história, etc.) fantasista; bizarro
whine *n* **1** queixume; lamento **2** gemido **3** (máquina) rangido ▪ *v* **1** lamuriar-se **2** gemer
whip *n* **1** chicote **2** palmada; açoite **3** POL líder do grupo parlamentar **4** CUL natas do céu ▪ *v* **1** dar uma(s) palmada(s) a **2** chicotear **3** (ovos, creme) bater **4** *col* derrotar
whiplash *n* **1** chicotada **2** (num acidente de viação) traumatismo cervical
whippersnapper *n col* borra-botas
whipping *n* **1** castigo com chicote **2** sova **3** *col* derrota
whirl *n* **1** giro; rotação **2** remoinho **3** *fig* turbilhão (of, de) ▪ *v* **1** rodopiar; andar à roda **2** *fig* (confusão) estar num turbilhão
whirlpool *n* redemoinho; turbilhão
whirlwind *n* **1** turbilhão **2** furacão ◆ **a whirlwind visit** uma visita-relâmpago
whirr *n* zumbido ▪ *v* zumbir
whisk *n* **1** sacudidela **2** (ovos) batedeira ▪ *v* **1** sacudir; abanar; **the dog whisked its tail** o cão abanou a cauda **2** CUL bater **3** levar rapidamente
whisker *n* **1** suíça **2** *pl* (gato, rato) bigodes ◆ **she won the race by a whisker** por pouco não ganhava a corrida
whisky *n* [*pl* -ies] uísque
whisper *n* **1** sussurro; murmúrio **2** boato; rumor ▪ *v* **1** murmurar; sussurrar **2** segredar ◆ **it's being whispered that...** corre o boato que...
whistle *n* **1** (objeto) apito **2** (som) assobio ▪ *v* **1** assobiar **2** apitar ◆ **to blow the whistle on** denunciar
white *n* **1** (cor, vinho, pessoa) branco **2** (ovo) clara; **stiff egg whites/stiffly-beaten egg whites** claras batidas em castelo **3** (olho) córnea **4** *pl* roupa branca ▪ *adj* **1** branco **2** pálido ◆ **a white lie** uma mentira piedosa
white-collar *adj* **1** (trabalho, trabalhador) de escritório **2** (crime) de colarinho branco
whiten *v* branquear; embranquecer
whitewash *n* **1** (construção) cal **2** ocultação de factos **3** (desporto) derrota completa ▪ *v* **1** caiar **2** ocultar, encobrir **3** (desporto) derrotar completamente
whizz *n* **1** *col* prodígio, génio; **to be a whizz at** ser barra a **2** *col* (drogas) anfetamina ▪ *v* **1** sibilar, silvar **2** *col* passar a toda a velocidade ◆ **to whizz past** passar a grande velocidade
who *pron interr* quem; **who did you talk to?** com quem é que falaste? ▪ *pron rel* que; o qual, a qual, os quais, as quais
whodunit *n col* (filme, peça, história) policial
whoever *pron rel* **1** quem quer que; **come out, whoever you are!** saia, quem quer que seja! **2** quem; **whoever told you that?** quem te disse isso?
whole *adj* **1** todo, total, completo **2** (número) inteiro **3** (leite) gordo **4** (alimento) integral **5** são e salvo; ileso ▪ *n* totalidade (of, de) ◆ **as a whole** globalmente; **on the whole** em geral
wholegrain *adj* (pão, farinha, cereais, etc.) integral
wholehearted *adj* **1** sincero; empenhado **2** total; incondicional
wholemeal *adj* GB integral; **wholemeal bread** pão integral
wholesale *n* venda por grosso ou por atacado ▪ *adj* **1** por atacado; grossista **2** indiscriminado; generalizado ▪ *adv* **1** por atacado, por grosso **2** em massa
wholesaler *n* comerciante por atacado; grossista
wholesome *adj* saudável
wholly *adv* completamente; totalmente
whom *pron interr* quem; **for whom are you keeping those things?** para quem estás a guardar essas coisas? ▪ *pron rel* que; o qual, a qual, os quais, as quais
whooping cough *n* tosse convulsa
whopping *adj col* enorme; descomunal
whose *pron interr* de quem ▪ *pron rel* cujo, cuja, cujos, cujas; **the boy whose book I**

found is English o rapaz, cujo livro eu encontrei, é inglês

why *adv* **1** porquê **2** por que razão; **I wonder why he didn't write to them** pergunto a mim mesmo por que motivo ele não lhes escreveu ▪ *n* [*pl* -s] causa, razão ♦ **why not?** por que não?; **why ... I really don't know** bem ... na realidade não sei; **why it's Richard** olha, é o Richard; **that's why** foi por isso

wick *n* torcida, pavio; mecha

wicked *adj* **1** maldoso; perverso **2** horrível; terrível

wicker *n* vime, verga; **wicker chair** cadeira de vime

wicket *n* postigo; portinhola

wide *adj* **1** largo **2** de largura; **to be 20 feet wide** ter 20 pés de largura **3** amplo; vasto; extenso **4** (sorriso, olhos) aberto ▪ *adv* **1** longe; **to shoot wide of the mark** errar o alvo por muito **2** completamente; **wide awake** completamente desperto

wide-awake *adj* **1** desperto, acordado **2** *col* alerta; atento

widely *adv* **1** largamente; extensamente **2** muito; **to be widely known** ser muito conhecido

widen *v* **1** alargar **2** estender **3** ampliar

widespread *adj* generalizado ♦ **to become widespread** generalizar-se; difundir-se

widow *n* viúva

widower *n* viúvo

width *n* **1** largura; **in width** de largura **2** extensão **3** vastidão

wield *v* **1** empunhar; manejar **2** (poder, influência) exercer **3** governar

wife *n* [*pl* wives] esposa; mulher

wig *n* peruca, cabeleira postiça

wild *adj* **1** selvagem **2** (planta) silvestre; bravo **3** (região) agreste **4** (pessoa) furioso **5** (pessoa) louco; descontrolado **6** (ato, comentário); precipitado, imprudente ▪ *n* estado selvagem; natureza ♦ **it was just a wild guess** disse à sorte; **to run wild** andar à solta; comportar-se como um selvagem

wilderness *n* **1** deserto; ermo **2** natureza em estado selvagem **3** *fig* selva

wildlife *n* vida selvagem ♦ **wildlife park** reserva natural

wildness *n* **1** (animais, plantas) estado selvagem **2** furor; euforia **3** loucura

wilful *adj* **1** obstinado; teimoso **2** premeditado; voluntário

will *n* **1** vontade; **at one's will and pleasure** à vontade **2** arbítrio; **the freedom of will** o livre-arbítrio **3** desejo; **the will to power** o desejo do poder **4** testamento; **to make one's will** fazer o testamento ▪ *v* **1** [auxiliar do futuro] **I'll meet you there** encontro-me contigo lá **2** (vontade) **do as you will** faça como quiser **3** (oferta, pedido, sugestão) **will you have some tea?** queres/tomas um chá? **4** (suposição) **that will be my mother** deve ser a minha mãe **5** deixar em testamento (to, a)

willing *adj* **1** cheio de boa vontade **2** de livre vontade; voluntário **3** disposto; **I'm willing to** estou disposto a

willingly *adv* de bom grado; com prazer

willow *n* salgueiro

willpower *n* força de vontade

wily *adj* manhoso; astuto

wimp *n col* banana *fig*; lorpa *fig*

win *v* **1** ganhar; vencer **2** conseguir; conquistar ▪ *n* ganho, vitória ♦ **you can't win** não tens hipótese; **you can't win them all** não se pode ganhar sempre

◇ **win back** *v* recuperar; reconquistar

wince *n* **1** (dor, vergonha) careta **2** estremecimento ▪ *v* **1** (dor, vergonha) fazer uma careta **2** estremecer

wind *n* **1** vento **2** fôlego; respiração **3** GB gases; **to have wind** ter gases **4** *pej* palavras ocas **5** MÚS instrumentos de sopro ▪ *v* **1** deixar sem fôlego **2** arejar **3** dar voltas a; (manivela) desandar **4** (relógio) dar corda a **5** torcer; enrolar **6** serpentear; ziguezaguear ♦ **wind power** energia eólica

◇ **wind up** *v* **1** (negócio) liquidar **2** (janela do carro) fechar **3** *col* acabar; **we wound up in Spain** acabámos em Espanha

windcheater *n* (casaco) corta-vento

winding *adj* **1** tortuoso; sinuoso **2** (escada) em caracol

windmill *n* moinho de vento

window *n* **1** janela **2** montra **3** (banco, escritório) guiché ♦ (pessoa) **window cleaner** limpa-vidros

windowsill *n* (janela) peitoril

windpipe *n* traqueia

windscreen *n* GB para-brisas[AO]; **windscreen wiper** limpa-para-brisas[AO]

windshield *n* EUA para-brisas[AO]; **windshield wiper** limpa-para-brisas[AO]
windsurf *v* fazer windsurf
windsurfer *n* praticante de windsurf, windsurfista
windsurfing *n* DESP windsurf
windward *n* barlavento ▪ *adv* a barlavento
windy *adj* **1** ventoso **2** (local) exposto ao vento **3** (discurso) oco **4** GB *col* com gases
wine *n* vinho; **red/white wine** vinho maduro/verde
winemaking *n* vinicultura ▪ *adj* vinícola
wineskin *n* odre
wing *n* **1** asa **2** (edifício) ala; **the west wing of a building** a ala ocidental de um edifício **3** (jogador) ponta, extremo **4** *pl* (teatro) bastidores ♦ **wing mirror** espelho retrovisor exterior; **to take someone under one's wing** tomar alguém sob a sua proteção[AO]
wingspan *n* (asas) envergadura
wink *n* **1** piscar de olhos; piscadela; **to give somebody a wink** piscar o olho a alguém **2** momento, instante ▪ *v* **1** piscar o olho (at, a) **2** (estrela, luz) cintilar
winner *n* **1** vencedor **2** *col* êxito
winning *adj* **1** vencedor; vitorioso **2** premiado **3** atraente, sedutor ▪ *n* ganho; lucro
winnow *v* **1** joeirar **2** separar, selecionar[AO] ▪ *n* crivo
wino *n col* bêbedo
winter *n* inverno[AO]; **in (the) winter** no inverno[AO] ▪ *v* passar o inverno[AO]
wintry *adj* **1** invernoso **2** frio; antipático
wipe *n* **1** limpeza; esfregadela **2** pano de limpeza ▪ *v* **1** limpar; **to wipe one's nose** assoar-se **2** enxugar ♦ **to wipe the slate clean** começar de novo
◇ **wipe out** *v* **1** (objeto) limpar **2** aniquilar; exterminar **3** (dívida) liquidar **4** (marca, memória) apagar
wiper *n* limpa-para-brisas[AO]
wire *n* **1** arame **2** fio elétrico[AO] **3** EUA telegrama ▪ *v* **1** prender com arame **2** pôr instalação elétrica[AO] em **3** EUA telegrafar (to, a) ♦ **to pull the wires** puxar os cordelinhos
wireless *adj* sem fios ▪ *n* rádio
wiretap *n* EUA escuta telefónica ▪ *v* EUA (telefone) colocar sob escuta
wisdom *n* **1** sabedoria **2** sensatez ♦ **wisdom tooth** dente do siso
wise *adj* **1** sábio **2** sensato; prudente **3** (decisão) acertado ♦ **to be wise after the event** trancar as portas depois da casa roubada; *pej* **wise guy** espertinho
◇ **wise up** *v* abrir os olhos *fig*
wish *n* [*pl* -es] **1** desejo **2** vontade **3** pedido **4** *pl* votos; (carta) **best wishes** com os melhores cumprimentos ▪ *v* **1** desejar (for, -) **2** querer; **as you wish** como queira
wishful *adj* desejoso; ansioso ♦ **wishful thinking** esperanças vãs
wishy-washy *adj* **1** *col* (pessoa) fraco; mole **2** *col* (cor) deslavado **3** *col* (bebida) aguado
wisp *n* **1** punhado; feixe; tufo **2** (cabelo) madeixa **3** (fumo) espiral
wistful *adj* nostálgico
wit *n* **1** perspicácia **2** engenho; talento **3** pessoa espirituosa ♦ **out of one's wits** desorientado
witch *n* [*pl* -es] bruxa; feiticeira ♦ **witch doctor** feiticeiro
witchcraft *n* bruxaria; feitiçaria
with *prep* **1** com; **to work with care** trabalhar com cuidado; **take it with you** leva-o contigo **2** (causa) de; **to tremble with fear** tremer de medo **3** (apoio) por; **I am with you there** concordo contigo nesse ponto **4** apesar de; **with all her faults I like her** apesar de todos os seus defeitos, gosto dela
withdraw *v* **1** retirar(-se) (from, de) **2** retratar-se[AO] de **3** renunciar a **4** (dinheiro) levantar (from, de)
withdrawal *n* **1** afastamento **2** retirada **3** (dinheiro) levantamento (from, de) **4** (ordem) revogação **5** (droga) abstinência
wither *v* **1** murchar; secar **2** definhar **3** *fig* fulminar
withhold *v* **1** reter; deter **2** ocultar; **to withhold the truth** ocultar a verdade **3** recusar, negar **4** impedir
within *prep* **1** no interior; **the noise came from within the house** o barulho veio de dentro da casa **2** dentro de; **within the city walls** dentro dos muros da cidade **3** no prazo de; **within 90 days** no prazo de 90 dias **4** ao alcance de; **within hearing distance** ao alcance do ouvido ▪ *adv* dentro; no interior
without *prep* sem; **without doubt** sem dúvida

withstand *v* **1** resistir a **2** aguentar; suportar
witness *n* [*pl* -es] **1** testemunha **2** (depoimento, prova) testemunho ▪ *v* **1** presenciar; testemunhar **2** ser testemunha de **3** atestar
witticism *n* dito espirituoso
witty *adj* **1** engenhoso; arguto **2** espirituoso
wizard *n* **1** feiticeiro; bruxo **2** prodígio; perito
wobble *v* **1** (mesa, cadeira) abanar **2** (gelatina) tremer **3** (pessoa) cambalear **4** (pessoa) hesitar
wobbly *adj* **1** desequilibrado; pouco firme **2** (cadeira, mesa) que abana **3** (pernas) bambo **4** (voz) trémulo **5** hesitante
woe *n* **1** mágoa; dor **2** *pl* atribulações
woeful *adj* **1** desgraçado; aflito **2** lamentável, triste
wolf *n* [*pl* wolves] lobo; **wolf's cub** cria de lobo ♦ **hungry as a wolf** faminto; **to cry wolf** dar falso alarme
woman *n* [*pl* -men] mulher; senhora
womanhood *n* condição feminina ♦ (mulher) **to reach womanhood** chegar à idade adulta
womanizer *n* mulherengo
womanly *adj* feminino
womb *n* útero; ventre
wonder *n* **1** maravilha; prodígio **2** admiração; espanto ▪ *adj* milagroso; **wonder drug** remédio milagroso ▪ *v* **1** admirar-se com **2** interrogar-se ♦ **that is no wonder** isso não admira
wonderful *adj* admirável; maravilhoso; espantoso
wonderland *n* país das maravilhas
wondrous *adj* extraordinário; maravilhoso
wont *adj* acostumado; habituado; **to be wont to** ter o hábito de ▪ *n* hábito; costume
woo *v* **1** namorar; cortejar **2** (apoios, etc.) tentar conquistar
wood *n* **1** madeira **2** (fogueira) lenha **3** bosque, floresta **4** pipa, barril ♦ **out of the woods** livre de perigo
woodcutter *n* lenhador
wooden *adj* **1** de madeira; de pau **2** *col* rígido
woodland *n* bosque; mata
woodlouse *n* bicho-de-conta
woodpecker *n* pica-pau
woodwork *n* (atividade, obra) carpintaria
woodworm *n* caruncho, carcoma
woof *n* au-au; latido ▪ *v* ladrar
wool *n* lã; **all/pure wool** pura lã ▪ *adj* de lã
woollen *adj* de lã; feito de lã
woolly *adj* **1** de lã **2** vago; impreciso
word *n* **1** palavra **2** promessa, garantia **3** informação; **we have word that he will arrive tomorrow** fomos informados que ele chega amanhã **4** *pl* (canção) letra ▪ *v* **1** exprimir **2** escrever ♦ **in a word** em suma; **in other words** ou seja; por outras palavras
work *n* **1** trabalho **2** emprego **3** atividade[AO] **4** (mecanismo) funcionamento **5** (arte, construção) obra; **work of art** obra de arte; (responsabilidade) **this is the work of** isto é obra de **6** *pl* fábrica, oficina **7** *pl* maquinaria, mecanismo ▪ *v* **1** trabalhar **2** surtir efeito **3** funcionar **4** atuar[AO] sobre **5** explorar **6** produzir, fabricar ♦ **it works both ways** é um pau de dois bicos; **that won't work** isso não dá resultado
◇ **work off** *v* **1** livrar-se de **2** (dívida) trabalhar para pagar **3** fazer exercício (para perder peso)
◇ **work out** *v* **1** calcular **2** arranjar uma solução para **3** planear **4** perceber **5** fazer exercício
◇ **work up** *v* **1** enervar; exaltar **2** excitar **3** aumentar; **to work up an appetite** ficar cheio de fome
workaholic *n* trabalhador compulsivo
workbook *n* livro de exercícios
worker *n* trabalhador; operário
workforce *n* **1** (empresa) pessoal; mão de obra[AO] **2** (país) população ativa[AO]
working *adj* **1** de trabalho **2** (população) ativo[AO]; que trabalha **3** que funciona ♦ **working knowledge** conhecimentos na ótica[AO] do utilizador
workman *n* [*pl* -men] trabalhador; operário
workshop *n* oficina; workshop
workstation *n* **1** posto de trabalho **2** INFORM terminal de computador
world *n* **1** mundo; **world champion** campeão do mundo; **world music** música étnica **2** gente; **all the world knows** toda a gente sabe ♦ **out of this world** extraordinário; invulgar
world-class *adj* de nível internacional
worldly *adj* **1** mundano **2** secular ♦ **worldly goods** bens materiais
worldwide *adj* mundial, universal ▪ *adv* mundialmente; em todo o mundo

worm *n* **1** verme **2** lombriga; bicha *pop* **3** caruncho **4** *pej* (pessoa) canalha ▪ *v* **1** rastejar; deslizar **2** desparasitar **3** insinuar-se ♦ **a can of worms** um problema bicudo
worn *adj* **1** usado; gasto **2** fatigado; exausto
worn-out *adj* **1** (roupa, calçado) gasto **2** (pessoa) exausto **3** (ideia) batido
worried *adj* inquieto (about, com); preocupado (about, com)
worry *n* [*pl* -ies] **1** preocupação; inquietação **2** incómodo ▪ *v* preocupar(-se); afligir(-se) ♦ **I should worry!** quero lá saber!; **not to worry!** deixa lá!
worrying *adj* preocupante; inquietante
worse *adj* **1** pior **2** em pior estado ▪ *adv* pior; **to get worse** piorar; **worse and worse** cada vez pior; **worse off** em piores condições
worsen *v* piorar; agravar(-se)
worship *n* **1** veneração; adoração **2** culto **3** admiração, respeito **4** (formas de tratamento) senhoria, excelência ▪ *v* **1** venerar; prestar culto a **2** admirar; ser fã de
worshipper *n* **1** devoto **2** fã; admirador
worst *adj* pior ▪ *adv* da pior maneira ▪ *n* o pior ♦ **the worst case scenario** a pior das hipóteses
worth *adj* digno; merecedor ▪ *n* **1** valor; mérito **2** importância **3** custo, preço ♦ **for what it's worth** se servir de alguma coisa; **to be worth it** valer a pena
worthless *adj* **1** (objeto) sem valor **2** (pessoa) desprezível **3** (pessoa) inútil
worthwhile *adj* **1** que vale a pena; **is it worthwhile going there?** valerá a pena ir lá? **2** proveitoso; compensador
worthy *adj* **1** digno; merecedor; **to be worthy of** merecer **2** louvável
would-be *adj* **1** aspirante; **would-be actor** aspirante a ator[AO] **2** *pej* pretenso; **a would-be poet** um pretenso poeta
wound *n* **1** ferida, ferimento **2** chaga; **the five wounds of Christ** as cinco chagas de Cristo **3** *fig* ofensa ▪ *v* ferir
wow *interj* uau!, ena! ▪ *n col* grande êxito ▪ *v col* arrebatar
wrangle *n* discussão; disputa ▪ *v* discutir
wrap *v* **1** embrulhar **2** envolver (in, em) ▪ *n* agasalho; xaile
◊ **wrap up** *v* **1** agasalhar-se **2** embrulhar **3** concluir; terminar
wrapper *n* **1** invólucro **2** (livro) sobrecapa **3** (jornal) cinta
wrapping *n* [*pl* -s] **1** invólucro **2** embrulho; **wrapping paper** papel de embrulho
wrath *n* ira; raiva
wreak *v* causar; provocar ♦ **to wreak revenge on** vingar-se de
wreath *n* (forma, flores) coroa
wreathe *v* rodear; envolver
wreck *n* **1** naufrágio **2** (barco, carro, avião) destroços **3** EUA (carros) acidente **4** *col* (carro) sucata ▪ *v* **1** arruinar; deitar a perder **2** estragar; destruir **3** fazer naufragar ♦ **to be a wreck** estar feito num oito
wreckage *n* destroços; ruínas; escombros
wrecker *n* **1** EUA reboque; pronto-socorro **2** (pessoa) destruidor
wrench *v* **1** arrancar; puxar com força **2** (articulações) torcer **3** falsear; deturpar **4** (coração) destroçar ▪ *n* [*pl* -es] **1** puxão **2** (articulações) entorse **3** (músculos) distensão **4** separação dolorosa **5** EUA chave inglesa, chave de porcas
wrestle *v* **1** lutar; andar à luta **2** debater-se ▪ *n* luta
wrestler *n* DESP lutador
wrestling *n* DESP luta
wretch *n* [*pl* -es] **1** infeliz; desgraçado; **poor wretch!** pobre diabo! **2** canalha, patife
wretched *adj* **1** infeliz; miserável **2** péssimo **3** *col* maldito; **the wretched door won't open!** esta maldita porta não quer abrir!
wriggle *v* contorcer-se; retorcer-se
wring *v* torcer
◊ **wring from** *v* **1** (confissão) arrancar **2** (dinheiro) extorquir
wrinkle *n* **1** ruga **2** vinco ▪ *v* **1** enrugar(-se); amarrotar(-se) **2** (sobrolho) franzir
wrist *n* **1** pulso **2** (roupa) punho
wristband *n* (camisa) punho
wristwatch *n* relógio de pulso
writ *n* mandado judicial
write *v* **1** escrever **2** (música) compor **3** (cheque) passar **4** ser escritor ♦ **it's written all over your face** basta olhar para a tua cara
writer *n* escritor; autor ♦ **writer's block** bloqueio de criatividade
write-up *n* [*pl* -s] *col* crítica; recensão
writhe *v* contorcer-se

writing *n* **1** (ação, profissão) escrita **2** caligrafia; letra ◆ **writing desk** escrivaninha; **in writing** por escrito
wrong *adj* **1** errado; incorreto[AO] **2** enganado **3** injusto **4** moralmente condenável; **lying is wrong** não se deve mentir **5** impróprio; inoportuno ■ *adv* mal; erradamente; **to get it all wrong** perceber tudo mal ■ *n* **1** mal; **to know right from wrong** distinguir o bem e o mal **2** injustiça; **to right a wrong** corrigir uma injustiça ■ *v* **1** ser injusto com **2** lesar; prejudicar ◆ **the wrong side out** do avesso; **to be wrong** não ter razão; **to go wrong** correr mal; **what's wrong?** qual é o problema?
wrongdoer *n* malfeitor
wrongdoing *n* maldade
wrongful *adj* **1** injusto; injustificado; **wrongful dismissal** despedimento sem justa causa **2** ilegal
wrongly *adv* **1** indevidamente; mal **2** injustamente
wrought *adj* **1** forjado **2** lavrado, trabalhado
wry *adj* **1** torto **2** irónico; sarcástico
WWW [*abrev. de* World Wide Web] WWW

x *n* [*pl* x's] (letra) x
xenon *n* xénon
xenophobe *n* xenófobo
xenophobia *n* xenofobia
xenophobic *adj* xenófobo
Xerox *n* fotocópia ■ *v* fotocopiar ◆ **Xerox machine** fotocopiadora
Xmas *n* [*abrev. de* Christmas]
XML INFORM [*abrev. de* Extensible Markup Language] XML
X-ray *n* **1** raio X **2** radiografia ■ *v* tirar uma radiografia a
xylophone *n* xilofone
xylophonist *n* xilofonista

Y

y *n* [*pl* y's] (letra) y
yacht *n* iate; **yacht race** regata
yachtsman *n* [*pl* -men] **1** aficionado da vela **2** (desporto) regatista
yak *n* (mamífero) iaque ▪ *v col* palrar; tagarelar
yank *n* puxão ▪ *v* puxar; dar um puxão a ♦ **to yank on the brake** travar bruscamente
yap *v* **1** ladrar; latir **2** (pessoa) tagarelar; palrar ▪ *n* latido
yard *n* **1** (unidade de medida) jarda **2** pátio **3** EUA jardim; quintal **4** terreno ▪ *v* encurralar
yarn *n* **1** (têxtil) fio **2** *col* patranha, grande peta; **to spin a yarn** contar uma patranha
yawn *v* bocejar ▪ *n* **1** bocejo **2** *col* chatice; seca
yeah *adv col* sim
year *n* **1** ano **2** *pl* anos de idade; **he's five years old** ele tem cinco anos ♦ **all year round** durante todo o ano; **for years** há muito tempo
yearbook *n* **1** anuário **2** EUA livro de curso
yearly *adj* anual ▪ *adv* anualmente
yearn *v* ansiar (for, por); estar desejoso (for, de)
yearning *n* desejo ardente (for, por/de); ânsia (for, por/de)
yeast *n* levedura; fermento
yell *v* gritar (at, com); berrar (at, com) ▪ *n* grito; berro
yellow *adj* **1** (cor) amarelo **2** *col,pej* cobarde **3** (jornais) sensacionalista ▪ *n* (cor) amarelo ▪ *v* amarelecer ♦ DESP **yellow card** cartão amarelo; **Yellow Pages** Páginas Amarelas
yellow-bellied *adj col* covarde; medroso
yellow-belly *n col* covarde; medricas
yellowish *adj* amarelado
yelp *v* **1** latir; ganir **2** gritar; berrar ▪ *n* **1** latido; ganido **2** grito; berro
Yemen *n* Iémen
Yemeni *adj,n* iemenita
yen *n* **1** (moeda japonesa) iene **2** *col* desejo (for, de)
yes *adv* sim; **to say yes to (something)** aceitar/autorizar (algo)
yes-man *n* (indivíduo servil) capacho *fig*
yesterday *adv* ontem; **I wasn't born yesterday!** eu não nasci ontem!; **the day before yesterday** anteontem
yet *adv* **1** ainda; **they haven't arrived yet** eles ainda não chegaram **2** já; **has he eaten yet?** ele já comeu? **3** até; **as yet** até agora **4** mais; **yet again** mais uma vez ▪ *conj* mas; no entanto; **a simple yet effective system** um sistema simples mas eficaz
yew *n* (planta) teixo
yield *n* **1** produção **2** rendimento ▪ *v* **1** dar de lucro, render **2** produzir **3** render-se; entregar-se **4** ceder (to, a) **5** EUA (trânsito) dar prioridade (to, a)
◇ **yield up** *v* **1** revelar (segredo) **2** ceder; entregar
yoga *n* ioga
yoghurt *n* iogurte
yoghurt-maker *n* iogurteira
yogi *n* [*pl* -s] praticante de ioga
yoke *n* **1** (bois) junta **2** jugo ▪ *v* **1** (bois) emparelhar **2** unir; ligar
yokel *n pej* campónio; labrego
yolk *n* (ovo) gema
yonks *n* GB *col* séculos; **I haven't seen him for yonks** já não o vejo há séculos
you *pron pess* **1** tu **2** você; o senhor, a senhora **3** vós; vocês **4** nós; se; **you can never tell!** nunca se sabe!
young *adj* **1** jovem; novo **2** recente **3** com ar jovem ▪ *npl* **the young** os jovens; (animais) filhotes, crias ♦ **to be young at heart** ser jovem de espírito
youngster *n* jovem
your *adj poss* **1** teu, tua, teus, tuas **2** seu, sua, seus, suas **3** vosso, vossa, vossos, vossas
yours *pron poss* **1** (o) teu, (a) tua, (os) teus, (as) tuas; **my eyes are blue and yours are brown** os meus olhos são azuis e os teus são castanhos **2** (o) seu, (a) sua, (os) seus, (as) suas **3** (o) vosso, (a) vossa, (os) vossos, (as) vossas

yourself *pron pess refl* [*pl* -ves] **1** tu mesmo, ti mesmo **2** você mesmo, você mesma **3** si mesmo, si mesma; o senhor mesmo, a senhora mesma ♦ **by yourself** sozinho
youth *n* **1** juventude **2** jovem ♦ **youth hostel** pousada da juventude
youthful *adj* jovem; juvenil
yowl *v* uivar ▪ *n* uivo
yo-yo *n* ioió
ytterbium *n* itérbio
yttrium *n* ítrio
yucky *adj col* nojento
yummy *adj col* delicioso; saboroso ▪ *interj* que delícia!; que bom!
yuppie *n* yuppie

Z

z *n* [*pl* z's] (letra) z
Zambia *n* Zâmbia
Zambian *adj,n* zambiano
zany *adj* **1** *col* cómico; engraçado **2** *col* excêntrico
zap *v* **1** *col* eliminar **2** *col* (televisão) fazer zapping **3** *col* cozinhar no micro-ondas[AO] **4** *col* passar com velocidade **5** *col* (computadores) enviar com rapidez
zeal *n* **1** zelo **2** fervor; entusiasmo
zealot *adj,n* fanático
zealous *adj* **1** zeloso **2** fervoroso
zebra *n* zebra ♦ GB **zebra crossing** passadeira para peões
zenith *n* **1** zénite **2** apogeu
zero *n* [*pl* -s, -es] **1** zero; **ten degrees below zero** dez graus abaixo de zero **2** nada ♦ **zero hour** hora H
◇ **zero in on** *v* **1** concentrar-se em **2** (arma) apontar para
zest *n* **1** entusiasmo **2** satisfação **3** estímulo **4** (limão, laranja) raspa
zigzag *n* ziguezague ▪ *v* ziguezaguear
zilch *n col* nada; peva *col*
zillion *n col* um monte de; imensos
Zimbabwe *n* Zimbábue
Zimbabwean *adj,n* zimbabuano
zinc *n* zinco
zip *n* **1** GB fecho-éclair **2** *col* energia; vigor **3** EUA *col* nada ▪ *v* **1** fechar com fecho-éclair **2** INFORM zipar **3** passar como um raio ♦ EUA **zip code** código postal
◇ **zip up** *v* fechar(-se) com fecho éclair
zipper *n* EUA fecho-éclair
zit *n col* espinha, borbulha
zither *n* cítara
zodiac *n* Zodíaco; **signs of the zodiac** signos do Zodíaco
zombie *n* zombie, morto-vivo
zone *n* zona; área ▪ *v* dividir em zonas
zonked *adj* **1** *cal* exausto **2** *cal* (droga) pedrado **3** *cal* podre de bêbedo
zoo *n* [*pl* -s] **1** jardim zoológico **2** *col* (confusão) circo *fig*
zoological *adj* zoológico
zoologist *n* zoólogo
zoology *n* zoologia
zoom *n* zoom ▪ *v* **1** passar como um raio; **the car zoomed past us** o carro passou por nós a grande velocidade **2** subir em flecha
◇ **zoom in** *v* fazer um zoom (on, sobre)
◇ **zoom out** *v* tirar o zoom
zucchini *n* EUA curgete

GUIA DO

ACORDO ORTOGRÁFICO

Alfabeto

As letras **k**, **w** e **y** passam oficialmente a fazer parte do alfabeto português, que é, deste modo, constituído por vinte e seis letras.

a A (á)

b B (bê)

c C (cê)

d D (dê)

e E (é)

f F (efe)

g G (gê ou guê)

h H (agá)

i I (i)

j J (jota)

k K (capa)

l L (ele)

m M (eme)

n N (ene)

o O (ó)

p P (pê)

q Q (quê)

r R (erre)

s S (esse)

t T (tê)

u U (u)

v V (vê)

w W (dâblio ou **duplo vê)**

x X (xis)

y Y (ípsilon ou **i grego)**

z Z (zê)

Os nomes das letras acima apresentados não excluem outras formas de as designar.

Usos de k, w, e y

- nomes de pessoas (antropónimos) e seus derivados originários de línguas estrangeiras

Darwin – darwinismo
Kant – kantiano
Yang – yanguiano

- nomes de localidades (topónimos) e seus derivados originários de línguas estrangeiras

Kuwait – kuwaitiano
Washington – washingtoniano
Yorkshire – yorkshiriano

- siglas, símbolos e unidades de medida internacionais

WC
km
watt

- Palavras de origem estrangeira de uso corrente

kart
windsurf
yoga

As palavras derivadas de nomes próprios estrangeiros mantêm as mesmas combinações de letras e o trema próprios das línguas de origem: *garrettiano* (de Garrett), *mülleriano* (de Müller) e *Shakespeariano* (de Shakespeare).

Sequências consonânticas

O Acordo Ortográfico elimina as consoantes ***c*** e ***p*** nas palavras em que essas letras não são pronunciadas. Nos casos em que há oscilação de pronúncia, aceitam-se duas grafias.

Supressão gráfica de consoantes não pronunciadas

cc > c	*a**cc**ionar* > *a**c**ionar*	
	*le**cc**ionar* > *le**c**ionar*	
	*rea**cc**ionário* > *rea**c**ionário*	
cç > ç	*a**cç**ão* > *a**ç**ão*	
	*cole**cç**ão* > *cole**ç**ão*	
	*dire**cç**ão* > *dire**ç**ão*	
ct > t	*cole**ct**ivo* > *cole**t**ivo*	
	*diale**ct**o* > *diale**t**o*	
	*ele**ct**ricidade* > *ele**t**ricidade*	
pc > c	*dece**pc**ionar* > *dece**c**ionar*	
	*exce**pc**ional* > *exce**c**ional*	
	*rece**pc**ionista* > *rece**c**ionista*	

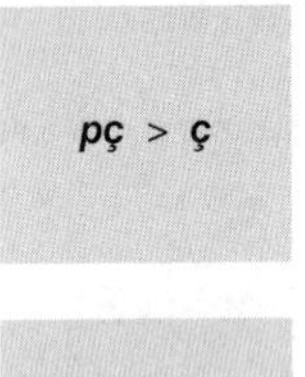

*ado**pç**ão* > *ado**ç**ão*
*exce**pç**ão* > *exce**ç**ão*
*perce**pç**ão* > *perce**ç**ão*

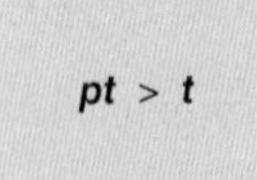

*ó**pt**imo* > *ó**t**imo*
*perem**pt**ório* > *peren**t**ório*
(*N.B.*: ***mpt*** > ***nt***)

Nota: Sempre que as consoantes **c** e ***p*** são pronunciadas, mantêm-se:

*fa**c**to*
*ca**p**tura*

Grafia dupla: oscilação da pronúncia

Nos casos em que as consoantes **c** e ***p*** podem ser ou não pronunciadas, é possível escrever de duas formas:

*cará**ct**er* / *cará**t**er*

*cara**ct**erística* / *cara**t**erística*

*expe**ct**ativa* / *expe**t**ativa*

*infe**cc**ionar* / *infe**c**ionar*

*interru**pt**or* / *interru**t**or*

*se**ct**or* / *se**t**or*

Acentuação gráfica

Supressão do acento

Palavras graves com ditongos tónicos *ói*

bóia > *b**o**ia*
heróico > *her**o**ico*
jibóia > *jib**o**ia*
jóia > *j**o**ia*

Formas verbais graves terminadas em *-êem*

dêem > *d**e**em*
crêem > *cr**e**em*
lêem > *l**e**em*
vêem > *v**e**em*

Palavras graves, homógrafas de palavras sem acento tónico, perdem o acento; a distinção entre elas passa a estabelecer-se pelo contexto.

- *pára* (forma verbal) e *para* (preposição) > ***para***
- *péla* (nome), *péla* (forma verbal) e *pela* (contração) > ***pela***
- *pêlo* (nome), *pélo* (forma verbal) e *pelo* (contração) > ***pelo***
- *pêra* (nome) e *pera* (antiga preposição) > ***pera***
- *pêro* (nome) e *pero* (antiga conjunção) > ***pero***
- *pólo* (nome), *pôlo* (nome) e *polo* (antiga contração) > ***polo***

Formas verbais de *arguir* e de *redarguir* no presente do indicativo

*arg**ú**is, arg**ú**i, arg**ú**em* > *arg**u**is, arg**u**i, arg**u**em*
*redarg**ú**is, redarg**ú**i, redarg**ú**em* > *redarg**u**is, redarg**u**i, redarg**u**em*

Formas de verbos em *-guar*, *-quar* e *-quir*

*apazig**ú**es* > *apazig**u**es*
*averig**ú**e* > *averig**u**e*
*adeq**ú**em* > *adeq**u**em*
*obliq**ú**es* > *obliq**u**es*
*delinq**ú**i* > *delinq**u**i*

Hifenização

Uso do hífen

Formas compostas que designam espécies zoológicas ou botânicas

estrela-do-mar
couve-flor

Palavras em que o 1.° elemento é um prefixo e o 2.° elemento começa por *h*

*anti-**h**erói*
*pré-**h**istória*
*super-**h**omem*

Palavras em que o prefixo termina na mesma vogal com que começa o 2.° elemento

*ant**i-i**nfecioso*
*contr**a-a**tacar*
*micr**o-o**ndas*

Palavras em que o prefixo termina na mesma consoante com que começa o 2.° elemento

*hipe**r-r**ealista*
*inte**r-r**elação*
*supe**r-r**esistente*

Palavras com os prefixos acentuados graficamente, como *pós-*, *pré-* e *pró-*

pós-*graduação*

pré-*fabricado*

pró-*ativo*

Palavras com os prefixos *ex-* (com o sentido de "estado anterior" ou "cessamento") e *vice-*

ex*-combatente*

vice*-presidente*

Palavras com os prefixos *circum-* e *pan-*, quando o 2.° elemento começa por vogal, *h*, *m* ou *n*

*circu***m-m**urado

*circu***m-n***avegação*

*pa***n-a***fricano*

*pa***n-h***elenista*

Supressão do hífen

Compostos em que se perdeu a noção de composição

manda-chuva > *mandachuva*

pára-quedas > *paraquedas*

Palavras em que o prefixo termina em vogal e o 2.° elemento começa por *r* ou *s*, duplicando-se a consoante

*ant**i-r**eflexo* > *ant**irr**eflexo*

*aut**o-r**ádio* > *aut**orr**ádio*

*contr**a-s**enso* > *contr**ass**enso*

*ultr**a-s**om* > *ultr**ass**om*

Palavras em que o prefixo termina em vogal e o 2.° elemento começa por vogal diferente

*aut**o**-**e**strada* > *aut**oe**strada*
*infr**a**-**e**strutura* > *infr**ae**strutura*
*intr**a**-**ó**sseo* > *intr**aó**sseo*

Palavras com o prefixo *co-*, mesmo quando o 2.° elemento começa por *o*

*c**o**-**a**utor* > *c**oa**utor*
*c**o**-**o**corrência* > *c**oo**corrência*

Na maior parte das locuções

caminho-de-ferro > *caminho de ferro*
fim-de-semana > *fim de semana*

Verbo *haver* acompanhado da preposição *de*

hei-de > *hei de*
hás-de > *hás de*
há-de > *há de*
hão-de > *hão de*

Minúsculas e maiúsculas

Uso de minúscula

Meses e estações do ano

Janeiro > ***j**aneiro*
Outubro > ***o**utubro*
Inverno > ***i**nverno*
Verão > ***v**erão*

Pontos cardeais e colaterais, exceto quando designam regiões ou quando se usam os símbolos respetivos

*Viajei de **n**orte a **s**ul do país.*
*A minha família é do **N**orte.*

Formas de tratamento (a maiúscula pode ser usada para efeito de destaque, reverência ou outros)

***s**enhor **d**outor Luís Rocha*
***s**enhor **p**rofessor*

Todos os usos de ***f**ulano*, ***s**icrano* e ***b**eltrano*

Uso facultativo: minúscula ou maiúscula

Disciplinas escolares, cursos e domínios de saber

***m**atemática* / ***M**atemática*
***m**edicina* / ***M**edicina*

Lugares públicos, templos e edifícios

__i__greja do Carmo / __I__greja do Carmo

__p__alácio da Bolsa / __P__alácio da Bolsa

__r__ua da Restauração / __R__ua da Restauração

Palavras usadas reverencialmente ou hierarquicamente

__v__ossa __e__xcelência / __V__ossa __E__xcelência

Nomes sagrados

__s__anta Filomena / __S__anta Filomena

__s__ão Gonçalo / __S__ão Gonçalo

Nomes de livros ou obras, exceto o primeiro elemento e os nomes próprios, que têm necessariamente de aparecer em maiúscula

O __C__rime do __P__adre Amaro / O __c__rime do __p__adre Amaro

Memorial do __C__onvento / Memorial do __c__onvento

Translineação

A translineação segue, de um modo geral, a divisão silábica das palavras, isto é, a sua soletração.

Quando se parte uma palavra com hífenes e a partição coincide com o fim da linha, é obrigatório repetir o hífen na linha seguinte.

Fui com a minha irmã ao
mercado e comprámos couve-
-flor, cenoura, tomate e grão-
-de-bico.

Nota: A repetição do hífen na linha seguinte era já prática corrente, mas não era obrigatória.

Informações e ferramentas de conversão para a nova ortografia em:
www.portoeditora.pt/acordo-ortografico

A

a[1] /á/ *nm* (letra) a

a[2] /â/ *art def* the; **a carteira** the wallet; **as garrafas** the bottles ▪ *pron pess* **1** *(a ela)* her; **eu vi-as** I saw them; (objeto, animal) it; **comprei-a ontem** I bought it yesterday **2** *(a si)* you; **não a via há muito** I haven't seen you for a long time ▪ *pron dem* that; the one; **a que está ali** the one over there ▪ *prep* **1** (direção) to; **ir à escola** to go to school **2** (lugar, posição) on; at; to; **à esquerda/direita** on the left/right; **a sul** to the south; **estar à porta** to be at the door **3** (tempo) at; on; **a 8 de maio** on the eighth of May; **à meia-noite** at midnight **4** (distância) away; **a cinco metros** five metres away **5** (modo) on; in; **a pé** on foot; **às escuras** in the dark **6** (preço) at; **a €10 o quilo** at €10 a kilo **7** (sucessão) by; **pouco a pouco** bit by bit **8** (finalidade) to; **ensinar a ler** to teach to read **9** [complemento indireto] to; **dar algo a alguém** give somebody something, to give something to somebody

aba *nf* **1** (chapéu) brim **2** (casaco) tail

abacate *nm* avocado (pear)

abacaxi *nm* pineapple

abade *nm* abbot

abadia *nf* abbey

abafado *adj* **1** (lugar) stifling **2** (tempo); sultry **3** (som) muffled **4** (informação, facto) hidden

abafador *nm* **1** MÚS damper **2** MEC silencer

abafamento *nm* **1** suffocation **2** (revolta) suppression **3** *(encobrimento)* cover-up

abafar *v* **1** *(sufocar)* to stifle; to suffocate **2** (fogo) to smother **3** (som) to muffle **4** (revolta) to stifle **5** (informação, facto) to hush up

abaixamento *nm* **1** (nível, som) lowering **2** (preço, valor) reduction **3** *(descida)* fall

abaixar *v* **1** to lower **2** (som, rádio) to turn down ▪ **abaixar-se** to stoop

abaixo *adv* below; down; **um andar abaixo** one floor below; **pelas escadas abaixo** down the stairs ◆ **abaixo assinado** the undersigned; **abaixo de** below; under

abaixo-assinado *nm* (documento) petition

abajur *nm* lampshade

abalado *adj* **1** *(instável)* shaken **2** *(perturbado)* upset

abalar *v* **1** to shake **2** *(perturbar)* to shake up

abalizado *adj* (pessoa) competent; (opinião) reliable

abalo *nm* **1** shake; **abalo sísmico** earth tremor **2** (emocional) shock

abalroamento *nm* collision; crash

abalroar *v* **1** (veículos) to crash into **2** (pessoas) to bump against

abananar *v* to daze; to stun

abanão *nm* **1** shake **2** (emocional) shock

abanar *v* **1** to shake **2** *(balançar)* to swing **3** (com leque) to fan **4** (cauda) to wag **5** (dente) to be loose

abandalhar *v* to muddle up; to mess up

abandonado *adj* **1** abandoned **2** (lugar) deserted

abandonar *v* **1** (pessoa, animal) to abandon **2** (lugar) to leave **3** (competição) to withdraw from **4** (atividade) to drop out of

abandono *nm* **1** abandonment; abandon **2** (lugar, posto) desertion **3** (competição) withdrawal (de, from) **4** (ideia, plano) giving up; shelving **5** *(descuido)* neglect

abano *nm* fan

abarcar *v* **1** *(abranger)* to comprise; (período, área) to span **2** (com a vista) to take in

abarrotar *v* to stuff (de, with); to cram (de, with)

abastado *adj* wealthy; well-off

abastecer *v* **1** to supply (de, with) **2** (combustível) to fuel ▪ **abastecer-se 1** to stock up (de/com, on/with) **2** (combustível) to take on fuel

abastecimento *nm* **1** supply; **abastecimento de água** water supply **2** (combustível) refuelling

abatatado *adj* (nariz) bulbous

abate *nm* **1** (animal) slaughter **2** (árvores) felling

abater *v* **1** (animal) to slaughter; (animal doente) to put down **2** (árvore) to fell **3** (avião) to shoot down **4** (preço) to knock off (em, -) **5** *(desanimar)* to pull down

abatido *adj* **1** (pessoa) shot (down) **2** *(desanimado)* depressed
abatimento *nm* **1** (preço) reduction, discount **2** *(desânimo)* dejection
abaular *v* to arch
abcesso *nm* abscess
abcissa *nf* abscissa
abdicação *nf* abdication
abdicar *v* **1** to abdicate **2** (ideia, crença) to renounce (de, -)
abdómen *nm* abdomen
abdominal *adj2g* abdominal ▪ *nm* (exercício) sit-up; **fazer abdominais** to do sit-ups
abecedário *nm* alphabet
abécula *nf* **1** *col,pej (idiota)* idiot **2** *col,pej (aselha)* oaf
abeirar-se *v* to come/go near (a/de, -)
abelha *nf* bee
abelha-mestra *nf* queen bee
abelhão *nm* drone
abelhudo *adj col (bisbilhoteiro)* nosy; *(metediço)* interfering
abençoado *adj* blessed
abençoar *v* to bless
aberração *nf* aberration
aberta *nf* **1** (tempo) opening, sunny spell **2** *col* opportunity; break
abertamente *adv* openly
aberto *adj* **1** open; **aberto ao público** open to the public **2** *(tolerante)* open-minded **3** (torneira) running; **deixar uma torneira aberta** to leave a tap running ◆ **em aberto** unfinished
abertura *nf* **1** opening **2** *(buraco)* gap **3** (espírito, mentalidade) open-mindedness **4** MÚS overture
abeto *nm* fir
abismado *adj* astonished, amazed
abismal *adj2g* **1** abysmal **2** *(enorme)* huge
abismo *nm* **1** abyss **2** (diferença) gulf (entre, between)
abissal *adj2g* **1** abyssal **2** *(enorme)* huge
abjurar *v* to renounce
ablativo *adj,nm* ablative
abnegação *nf* self-denial; abnegation
abnegado *adj* self-sacrificing; selfless
abnegar *v* to renounce ▪ **abnegar-se** to sacrifice oneself
abóbada *nf* vault
abóbora *nf* pumpkin; squash EUA
abóbora-menina *nf* winter squash
abocanhar *v* to bite at
abolição *nf* abolition
abolir *v* to abolish
abominar *v* to abominate
abominável *adj2g* abominable
abonação *nf* **1** *(garantia)* warranty, guarantee **2** *(fiança)* bail
abonado *adj* **1** *(confiável)* creditable **2** *(rico)* wealthy
abonar *v* **1** *(garantir)* to guarantee **2** *(adiantar dinheiro)* to pay in advance
abonatório *adj* favourable
abono *nm* **abono de família** child benefit
abordagem *nf* (assunto, problema) approach
abordar *v* **1** (assunto, problema); to broach **2** (pessoa) to approach
aborígene *adj2g* aboriginal ▪ *n2g* aborigine
aborrecer *v* **1** to bore **2** *(cansar)* to weary **3** *(irritar)* to annoy ▪ **aborrecer-se 1** to be/get bored (com, with) **2** to get angry (com, with) **3** *(cansar-se)* to grow weary (de, of)
aborrecido *adj* **1** bored **2** *(zangado)* angry **3** *(maçador)* boring; dull
aborrecimento *nm* **1** *(tédio)* boredom **2** *(irritação)* anger
abortar *v* **1** (espontaneamente) to have a miscarriage **2** (interrupção voluntária) to have an abortion **3** (projeto) to abort
abortivo *adj* abortive ▪ *nm* abortifacient
aborto *nm* **1** (involuntário) miscarriage; (voluntário) abortion **2** *pej* freak
abotoar *v* to button (up)
abraçar *v* **1** to hug **2** (ideia, causa) to adopt ▪ **abraçar-se** to hug each other
abraço *nm* hug ◆ (cartas, mensagens) **um abraço** best wishes
abrandamento *nm* slowdown
abrandar *v* **1** to slow down; (passo) to slacken **2** (dor, tempestade) to ease (off); (vento) to drop
abranger *v* **1** *(incluir)* to comprise **2** (assunto) to cover; (período, área) to span
abrasador *adj* scorching; blazing
abrasivo *adj* abrasive
abre-cartas *nm2n* paper knife
abre-garrafas *nm2n* bottle opener
abre-latas *nm* tin opener GB; can opener EUA
abreviação *nf* shortening
abreviar *v* **1** to shorten **2** (palavra) to abbreviate
abreviatura *nf* abbreviation

abrigado *adj* sheltered
abrigar *v* to give shelter to ▪ **abrigar-se** to shelter; to take shelter
abrigo *nm* shelter; **procurar abrigo** to look for shelter
abrilAO *nm* April ♦ **Primeiro de abril** All Fools' day; April Fool's Day
abrir *v* **1** to open **2** *(iniciar)* to start **3** (com chave) to unlock **4** (luz, torneira, gás) to turn on **5** (vidro de automóvel) to wind down **6** (embrulho) to unwrap **7** (cortinas) to draw back **8** *(desapertar)* to undo, to unfasten; *(desabotoar)* to unbutton **9** (planta) to blossom ▪ **abrir-se** *(desabafar)* to open up ♦ **num abrir e fechar de olhos** in the twinkling of an eye
abrunheiro *nm* plum tree
abrunho *nm* plum
abrupto *adj* abrupt
ABS *nm* [*abrev. de* anti-lock braking system]
absentismo *nm* absenteeism
absinto *nm* (bebida, planta) absinthe
absolutamente *adv* absolutely ♦ **absolutamente nada** not at all
absolutismo *nm* absolutism
absolutista *adj,n2g* absolutist
absoluto *adj* **1** absolute **2** unconditional; **dar apoio absoluto** to give unconditional support **3** *(total)* perfect; **silêncio absoluto** perfect silence
absolver *v* **1** to absolve (de, from/of) **2** DIR to acquit
absolvição *nf* **1** REL absolution **2** DIR acquittal
absolvido *adj* **1** REL absolved **2** DIR acquitted; **ele foi absolvido** he was pronounced not guilty
absorção *nf* absorption
absorto *adj* absorbed
absorvente *adj2g* **1** absorbent **2** (livro, filme) absorbing **3** (trabalho) time-consuming; (pessoa) demanding
absorver *v* **1** to absorb **2** (interesse, atenção) to engross
abstémio *adj* teetotal, abstemious ▪ *nm* teetotaller
abstenção *nf* abstention
abstencionismo *nm* abstentionism
abstencionista *n2g* abstentionist
abster-se *v* to abstain
abstinência *nf* abstinence
abstraçãoAO *nf* abstraction
abstracção *a nova grafia é* **abstração**AO
abstracto *a nova grafia é* **abstrato**AO
abstrair *v* **1** to abstract **2** *(pôr de parte)* to leave out ▪ **abstrair-se** to detach oneself (de, from)
abstratoAO *adj,nm* abstract
absurdo *adj* absurd ▪ *nm* absurdity; nonsense
abundância *nf* abundance; plenty
abundante *adj2g* **1** abundant **2** abounding (em, in) **3** (recursos) plentiful **4** (chuva) heavy
abundar *v* to abound
abusar *v* **1** to use too much; to overdo; **abusar do sal** to overdo the salt **2** *(aproveitar-se de)* to take advantage of **3** *(usar mal)* to abuse **4** (sexualmente) to sexually abuse
abusivo *adj* (linguagem, comportamento) abusive; (preço) outrageous
abuso *nm* **1** abuse; **abuso de álcool** alcohol abuse; **abuso de confiança** breach of trust **2** *(atrevimento)* cheekiness GB
abutre *nm* vulture
a/c [*abrev. de* ao cuidado de] c/o [*abrev. de* care of]
acabado *adj* **1** (trabalho, projeto) finished; complete **2** (relação) over **3** *(envelhecido)* worn out; aged
acabamento *nm* finish; finishing
acabar *v* **1** to finish (off); to end; **as aulas acabam às 4** school finishes at 4 **2** (competição) to finish **3** *(esgotar-se)* to run out **4** *(resultar em)* to end up (em, in); **ainda vai acabar na prisão** he'll end up in jail **5** (palavra) to end (em, in) **6** (relação amorosa) to break up (com, with) ▪ **acabar-se 1** to end; to be over **2** *(esgotar-se)* to run out ♦ **acabar com 1** *(pôr fim a)* to put an end to **2** *(fazer desaparecer)* to do away with **3** *(prejudicar)* to ruin; **acabar de 1** *(terminar)* to finish **2** (ação recente) to have just; **acabar por 1** (resultado) to end up **2** *(revelar-se)* to turn out
acácia *nf* acacia
academia *nf* **1** academy **2** *(faculdade)* college
académico *adj* academic; **habilitações académicas** academic qualifications ▪ *nm* academician
açafrão *nm* saffron
açaimar *v* to muzzle
açaime *nm* muzzle

acalmar *v* **1** (pessoa) to calm (down) **2** (dor, emoção) to relieve **3** (conflito, protesto) to appease **4** (vento, tempestade) to abate
acalmia *nf* **1** *(pausa)* lull; let-up **2** (negócios) slack period
acalorado *adj* **1** hot **2** (discussão) heated; angry **3** (pessoa) worked up **4** passionate
acamado *adj* bedridden
acamar *v* **1** *(dispor em camadas)* to arrange in layers **2** *(adoecer)* to take to one's bed
açambarcamento *nm* monopolizing
açambarcar *v* to monopolize; (mercado, vendas) to corner, to capture
acampamento *nm* **1** (ação) camping **2** (lugar) camp
acampar *v* to camp; **ir acampar** to go camping
acanhado *adj* **1** *(inibido)* shy **2** *(estreito)* cramped, narrow
acanhamento *nm* **1** *(inibição)* shyness **2** (espaço) narrowness
acanhar *v* *(embaraçar)* to embarrass ▪ **acanhar-se** to be shy
ação[AO] *nf* **1** action; **entrar em ação** to go into action **2** *(ato)* deed; **uma boa ação** a good deed **3** DIR lawsuit **4** ECON share ◆ **ação de graças** thanksgiving
acareação *nf* DIR (testemunhas) confrontation
acarear *v* DIR (testemunhas) to confront
acariciar *v* to caress; (cabelo, barba) to fondle; (gato, cão) to stroke
acarinhar *v* **1** *(mimar)* to pamper **2** (ideia, projeto) to nurture
ácaro *nm* mite
acarretar *v* **1** *(transportar)* to carry **2** *(causar)* to lead to
acasalar *v* (animais) to mate
acaso *nm* chance, accident; **ao acaso** at random; **por acaso** by chance, actually
acastanhado *adj* brownish
acatamento *nm* (lei, norma) compliance (de, with)
acatar *v* (lei, norma) to obey; to comply with; (conselho) to heed
acautelar *v* **1** *(avisar)* to warn **2** *(defender)* to safeguard ▪ **acautelar-se** to take precautions
acção *a nova grafia é* **ação**[AO]
accionar *a nova grafia é* **acionar**[AO]
accionista *a nova grafia é* **acionista**[AO]
aceção[AO] *nf* meaning, sense
aceder *v* **1** *(concordar)* to agree (a, to) **2** *(entrar)* to gain access (a, to) **3** (cargo, função) to accede (a, to) **4** INFORM to access
aceitação *nf* **1** acceptance **2** *(acolhimento)* reception; **ter boa aceitação** to be well received
aceitar *v* **1** to accept; **aceitar uma oferta** to accept an offer **2** *(concordar)* to agree to
aceitável *adj2g* acceptable
aceite *adj2g* **1** accepted **2** (instituição) admitted
acelera *n2g col* speeder; speedster EUA
aceleração *nf* acceleration
acelerado *adj* **1** *(rápido)* accelerated **2** *(apressado)* hasty
acelerador *nm* accelerator; **carregar no acelerador** to step on the accelerator
acelerar *v* **1** to speed up **2** (veículo) to accelerate **3** *(apressar)* to hasten
acenar *v* **1** (com a mão) to wave **2** (com a cabeça) to nod
acendalha *nf* tinderbox
acender *v* **1** (cigarro) to light; (fósforo) to strike **2** (aparelho, luz) to turn on; to switch on **3** (sentimento, paixão) to arouse ▪ **acender-se** (aparelho, luz) to come on; **acendeu-se uma luz vermelha** a red light came on
aceno *nm* **1** (com a mão) wave **2** (com a cabeça) nod **3** sign, gesture
acento *nm* **1** (gráfico) accent; **acento agudo/circunflexo/grave** acute/circumflex/grave accent **2** (tónico) stress **3** *(sotaque)* accent **4** emphasis
acentuação *nf* **1** (gráfica) accentuation **2** (tónica) stress **3** emphasis
acentuado *adj* **1** (acento gráfico) accented **2** (acento tónico) stressed **3** strong; marked
acentuar *v* **1** (ao escrever) to accent; (ao falar) to stress **2** *(salientar)* to emphasize ▪ **acentuar-se** **1** *(aumentar)* to become more accentuated **2** *(piorar)* to get worse
acepção *a nova grafia é* **aceção**[AO]
acepipe *nm* **1** titbit GB, tidbit EUA **2** *pl* hors d'oeuvres
ácer *nm* maple
acerca de *loc prep* about, concerning, regarding
acercar-se *v* to come near (de, to)
acérrimo *adj* **1** *(muito acre)* very bitter **2** (defensor) staunch

acertado *adj* **1** *(correto)* right, correct **2** *(sensato)* sensible, wise
acertar *v* **1** (relógio) to set **2** *(ajustar)* to adjust **3** *(adivinhar)* to guess right **4** (no alvo) to hit the target **5** (resposta, resultado) to get it right **6** *(ter razão)* to be right **7** *(ganhar)* to win ♦ **acertar em cheio** to hit bull's eye
acerto *nm* **1** *(ajuste)* adjustment, settlement **2** *(sensatez)* wisdom
acervo *nm* **1** heap, pile **2** DIR estate **3** (museu) collection
aceso *adj* **1** (com chama) lit, lighted **2** (luz, aparelho, gás) on, switched on **3** (discussão) heated
acessibilidade *nf* **1** accessibility **2** *pl* approaches
acessível *adj2g* **1** accessible **2** *(fácil)* simple; easy **3** (pessoa) approachable **4** (preço) affordable
acesso *nm* **1** access (a, to); **de fácil acesso** easy of access **2** (via de entrada) approach road **3** entry; **acesso reservado** no entry **4** (fúria, tosse) fit **5** (Internet) access (a, to)
acessório *nm* **1** accessory **2** (cinema, teatro) prop ▪ *adj* accessory
acetato *nm* **1** QUÍM acetate **2** (retroprojetor) transparency
acetona *nf* **1** acetone **2** (unhas) varnish remover
acha *nf* log ♦ **deitar achas na fogueira** to stir things up
achacado *adj* sickly
achado *nm* **1** find, discovery **2** *(pechincha)* bargain
achaque *nm* ailment
achar *v* **1** to find; (por acaso) to come across **2** *(descobrir)* to come up with **3** *(supor)* to think, to suppose **4** *(considerar)* to find ▪ **achar-se** to consider oneself
achatar *v* to flatten
achega *nf* **1** addition **2** help, aid
achincalhar *v* **1** *(ridicularizar)* to ridicule **2** *(humilhar)* to humiliate
acicatar *v* **1** (cavalo) to spur **2** *fig* to spur (on); to stimulate
acicate *nm* **1** spur **2** *fig* stimulus
acidentado *adj* **1** (terreno) rough **2** (experiência, viagem) chequered GB, checkered EUA ▪ *nm* injured person
acidental *adj2g* accidental
acidentalmente *adv* **1** *(por acaso)* by accident **2** *(sem querer)* accidentally
acidente *nm* **1** accident; **acidente de viação** road accident **2** *(acaso)* chance; accident ♦ **acidente de percurso** setback
acidez *nf* **1** acidity **2** (sabor) sourness **3** *fig* bitterness
ácido *adj* **1** acid; **chuva ácida** acid rain **2** (sabor) sour; (vinho) sharp ▪ *nm* **1** QUÍM acid **2** *col* (droga) acid; LSD
acima *adv* **1** *(em cima)* above; **acima mencionado** above mentioned **2** (para cima) up; **mais acima** higher up ♦ **acima de 1** above **2** (idade, quantidade) over; more than; **acima de tudo** above all
acinzentado *adj* greyish GB, grayish EUA
acionar[AO] *v* **1** (alarme, mecanismo) to operate **2** (processo) to set in motion **3** (gatilho, alavanca) to pull; (botão) to push
acionista[AO] *n2g* shareholder GB, stockholder EUA
aclamação *nf* **1** acclamation **2** applause
aclamar *v* to acclaim
aclarar *v* **1** to brighten; to lighten **2** *(esclarecer)* to clear up
aclimatar *v* to acclimatize ▪ **aclimatar-se** to get used (a, to)
acne *nf* acne
aço *nm* steel; **aço inoxidável** stainless steel ♦ **nervos de aço** nerves of steel
acobardar-se *v* to lose courage; to chicken out *col*
acocorar-se *v* to squat down
açoitar *v* to whip; to flog
açoite *nm* **1** *(chicotada)* whipping **2** *(chicote)* whip **3** *col (palmada)* spanking
acolá *adv* there, over there; **acolá em cima** up there; **acolá em baixo** down there
acolchoado *adj* (casaco, almofada) quilted, padded
acolchoar *v* to quilt; to pad
acolhedor *adj* **1** cosy; comfortable **2** welcoming; hospitable
acolher *v* **1** (pessoa, ideia, sugestão) to welcome **2** *(alojar)* to accommodate **3** *(abrigar)* to shelter
acolhimento *nm* (receção) reception, welcome
acólito *nm* (clérigo) acolyte; (sacristão) altar server
acomodação *nf* **1** *(alojamento)* lodging **2** *(adaptação)* adaptation

acomodar *v* **1** *(alojar)* to accommodate **2** *(adaptar)* to adapt ▪ **acomodar-se 1** *(conformar-se)* to conform **2** *(adaptar-se)* to adapt (a, to)
acompanhamento *nm* **1** *(comitiva)* escort **2** supervision; **acompanhamento médico** medical supervision **3** MÚS accompaniment **4** CUL garnish; side dish
acompanhante *n2g* **1** companion **2** (ato social) escort **3** MÚS accompanist
acompanhar *v* **1** to go with, to walk **2** *(fazer companhia)* to keep (somebody) company **3** (ritmo) to keep up with **4** (comida) to garnish (com, with) **5** *(manter-se a par de)* to keep up with **6** MÚS to accompany
aconchegado *adj* cosy; snug
aconchegar *v* **1** to tuck; to wrap (up) **2** (na cama) to tuck in ▪ **aconchegar-se** to snuggle
aconchego *nm* **1** *(conforto)* comfort; cosiness **2** *(amparo)* shelter
acondicionamento *nm* **1** (arrumação) accommodation, arrangement **2** (objetos, mercadorias) packaging
acondicionar *v* **1** *(embalar)* to pack **2** *(arrumar)* to arrange
aconselhar *v* **1** to advise **2** *(recomendar)* to recommend **3** *(avisar)* to warn ▪ **aconselhar-se** to seek advice (com, with)
aconselhável *adj2g* advisable
acontecer *v* to happen; to take place; **aconteça o que acontecer** no matter what; **acontece que** it so happens that
acontecimento *nm* event
açorda *nf* bread panada
acordado *adj* **1** (desperto) awake **2** (acordo, contrato) agreed
acórdão *nm* DIR judgement, ruling
acordar *v* **1** (pessoa) to wake (somebody) up, to awake **2** *(concordar)* to agree (em, on)
acorde *nm* chord
acordeão *nm* accordion
acordeonista *n2g* accordionist
acordo *nm* agreement; **chegar a acordo** to reach an agreement; **de acordo!** all right!, agreed! ♦ **de acordo com** in accordance with
Açores *nmpl* Azores
açoriano *adj,nm* Azorean
acorrentar *v* **1** to chain **2** *(prender)* to tie down
acorrer *v* to rush (a, to); to hurry (a, to)
acossar *v* **1** *(perseguir)* to chase **2** *(atormentar)* to harass, to torment
acostar *v* **1** *(atracar)* to moor **2** *(aproximar da costa)* to come alongside ▪ **acostar-se** to lie down
acostumar *v* to accustom (a, to); to get (someone) used (a, to) ▪ **acostumar-se** to get used to
acotovelar *v* to nudge; to jostle ▪ **acotovelar-se 1** to nudge **2** *(dar encontrões)* to jostle; to shove
acovardar *v* ⇒ **acobardar**
acre *adj2g* **1** (cheiro) acrid; (sabor) bitter **2** severe; harsh ▪ *nm* (medida) acre
acreditado *adj* **1** *(conceituado)* reputable **2** (diplomata) accredited
acreditar *v* **1** to believe; **não acredito em ti** I don't believe you; **acreditar em Deus** to believe in God **2** (diplomata) to accredit
acrescentar *v* to add (a, to); **acrescentar água a** to add water to
acrescento *nm* **1** addition **2** (aumento) increase
acréscimo *nm* (aumento) increase; (subida) rise; *(crescimento)* growth
acriançado *adj* childish
acrílico *adj,nm* acrylic
acrobacia *nf* acrobatics; **fazer acrobacias** to perform acrobatics
acrobata *n2g* acrobat
acrobático *adj* acrobatic
acrónimo *nm* acronym
acrópole *nf* acropolis
acta *a nova grafia é* **ata**[AO]
actínio *nm* actinium
activação *a nova grafia é* **ativação**[AO]
activar *a nova grafia é* **ativar**[AO]
actividade *a nova grafia é* **atividade**[AO]
activismo *a nova grafia é* **ativismo**[AO]
activista *a nova grafia é* **ativista**[AO]
activo *a nova grafia é* **ativo**[AO]
acto *a nova grafia é* **ato**[AO]
actor *a nova grafia é* **ator**[AO]
actriz *a nova grafia é* **atriz**[AO]
actuação *a nova grafia é* **atuação**[AO]
actual *a nova grafia é* **atual**[AO]
actualidade *a nova grafia é* **atualidade**[AO]
actualização *a nova grafia é* **atualização**[AO]
actualizar *a nova grafia é* **atualizar**[AO]
actualmente *a nova grafia é* **atualmente**[AO]

actuar *a nova grafia é* **atuar**[AO]
açúcar *nm* sugar; **açúcar em pó** icing sugarGB, powdered sugarEUA; **sem açúcar** sugar-free, no sugar added
açucarado *adj* (sabor, fruto, vinho) sugary; (sumo) sweetened
açucarar *v* to sweeten, to sugar
açucareiro *nm* sugar bowl
açucena *nf* white lily
açude *nm* dam
acudir *v* **1** to come to the rescue (a, of); **acudam!** help! **2** to answer (a, -); **acudir ao chamamento** to answer a call
acuidade *nf* **1** *(perspicácia)* sharpness **2** (sentidos) acuity
acumulação *nf* **1** accumulation **2** (erros, problemas) series (de, of) **3** (trabalho) backlog
acumulador *nm* accumulator, storage battery
acumular *v* **1** *(reunir)* to accumulate; (experiência) to gain **2** *(amontoar)* to pile (up) **3** (mercadorias) to store (up) **4** (cargos, funções) to combine
acumulativo *adj* cumulative
acupunctor[AO] ou **acupuntor**[AO] *n* acupuncturist
acupunctura[AO] ou **acupuntura**[AO] *nf* acupuncture
acusação *nf* **1** accusation **2** DIR charge; **retirar a acusação** to drop the charges **3** (ministério público) prosecution; **advogado de acusação** prosecutor **4** (correspondência) acknowledgement of receipt
acusado *adj,nm* accused; **ser acusado de** to be charged with
acusador *nm* accuser
acusar *v* **1** to accuse (de, of); **acusou-o de mentir** she accused him of lying **2** DIR to charge (de, with) **3** *(culpar)* to blame (de/por, for) **4** *(dar sinais de)* to reveal **5** (substância) to show; to detect **6** (correspondência) to acknowledge
acusativo *adj,nm* accusative
acústica *nf* acoustics
acústico *adj* acoustic
adaga *nf* dagger
adágio *nm* **1** *(provérbio)* adage **2** MÚS adagio
adaptação *nf* **1** adaptation; adjustment **2** CIN,TEAT adaptation **3** MÚS arrangement
adaptador *nm* adapter, adaptor
adaptar *v* **1** to adapt (a, to), to adjust (a, to) **2** CIN to adapt (para, for) ▪ **adaptar-se 1** to adapt oneself (a, to) **2** *(ser conveniente)* to fit (a, -)
adaptável *adj2g* adaptable
adega *nf* wine cellar
adelgaçante *adj2g* slimmingGB, (weight-)reducingEUA
adelgaçar *v* **1** to slim down **2** *(emagrecer)* to lose weight
adenda *nf (apêndice)* addendum
adensar *v* to thicken
adentro *adv* in, inside, indoors; **noite adentro** through the night
adepto *nm* **1** (doutrina, religião) follower; (partido, teoria) supporter; (atividade) enthusiast **2** DESP supporter; fan
adequado *adj* adequate (a, to); suitable (para/a, for)
adequar *v* to adjust (a, to), to suit (a, to)
aderecista *n2g* TEAT (homem) propman; (mulher) propwoman
adereço *nm* **1** ornament **2** (moda) accessory **3** *pl* TEAT props
aderência *nf* **1** (material) adherence **2** (automóvel) road-holding
aderente *adj2g* adhesive ▪ *n2g* **1** supporter **2** (serviço) subscriber
aderir *v* **1** to adhere (a, to) **2** (pneu) to grip (a, -); (viatura) to hold (a, -) **3** (partido, organização, evento) to join (a, -) **4** *(apoiar)* to support (a, -); *(adotar)* to adopt (a, -)
adesão *nf* **1** (organização) joining (a, -) **2** *(apoio)* support **3** *(inscrição)* joining **4** *(aderência)* adhesion **5** (evento) attendance; (produto) reception
adesivo *adj* adhesive; **fita adesiva** adhesive tape ▪ *nm* (sticking) plasterGB; adhesive tape
adeus *interj* goodbye!, bye-bye! ▪ *nm* goodbye; **dizer adeus** to say goodbye ◆ *col* **dizer adeus a alguma coisa** to kiss something goodbye
adiamento *nm* postponement; (prazo) extension; (reunião já iniciada) adjournment; (decisão, pagamento) deferment
adiantado *adj* **1** advanced **2** *(precoce)* precocious **3** (relógio) fast ▪ *adv* **1** (pagar) in advance **2** *(antes da hora)* ahead of time
adiantamento *nm* advance
adiantar *v* **1** *(fazer avançar)* to move forward **2** (relógio) to put forward **3** (dinheiro) to advance **4** *(emprestar)* to lend **5** *(dizer)* to say

6 *(valer a pena)* to make a difference; **que é que adianta?** what's the use? ▪ **adiantar-se** 1 *(avançar)* to advance 2 *(antecipar-se)* to go ahead (a, of) 3 *(chegar cedo)* to arrive early 4 (relógio) to gain; to be fast

adiante *adv* 1 ahead 2 (lugar) forward; further; **mais adiante** further on 3 (tempo) later; **mais adiante** later on ▪ *interj* onward!

adiar *v* 1 to postpone; (decisão, pagamento) to defer 2 (julgamento, reunião) to adjourn 3 (prazo) to extend 4 (sem data) to shelve

adição *nf* addition

adicional *adj2g* additional

adicionar *v* to add (a, to)

adido *nm* attaché; **adido cultural** cultural attaché

adiposo *adj* adipose

aditamento *nm* 1 addition 2 DIR amendment

aditivo *nm* additive; **sem aditivos** additive-free

adivinha *nf* riddle

adivinhação *nf (suposição)* guessing; *(previsão)* prediction

adivinhar *v* 1 to guess 2 *(prever)* to foresee, to predict ◆ **deitar-se a adivinhar** to speak at random

adivinho *nm* fortune-teller

adjacente *adj2g* adjacent

adjectival *a nova grafia é* **adjetival**[AO]

adjectivo *a nova grafia é* **adjetivo**[AO]

adjetival[AO] *adj2g* adjectival

adjetivo[AO] *adj,nm* adjectival

adjudicação *nf* 1 (contrato) award 2 (em leilão) sale

adjudicar *v* 1 (contrato) to award (a, to) 2 (em leilão) to sale

adjunção *nf (acrescento)* addition

adjunto *adj,nm* assistant; **treinador adjunto** assistant coach ▪ *nm* LING adjunct

administração *nf* 1 (empresa) management; (país) government 2 (pessoas) board 3 (bens, medicamento) administration

administrador *nm* 1 administrator 2 *(gerente)* director 3 (fundação) trustee

administrar *v* 1 to manage, to run 2 (medicamento) to administer

administrativo *adj* administrative

admiração *nf* 1 (respeito) admiration (por, for) 2 *(espanto)* surprise, astonishment

admirado *adj* 1 *(respeitado)* admired (por, by) 2 *(surpreendido)* surprised (com, at), astonished (com, at/by)

admirador *nm* admirer

admirar *v* 1 *(respeitar, contemplar)* to admire 2 *(surpreender)* to surprise; to astonish ▪ **admirar-se** to be surprised (com, at/by)

admirável *adj2g* admirable

admissão *nf* 1 admission 2 *téc* inlet; **admissão de água** water inlet

admissível *adj2g* admissible

admitir *v* 1 *(aceitar)* to admit 2 *(confessar)* to admit (to) 3 *(consentir)* to tolerate 4 (entrada) to admit (em, to/into) 5 *(contratar)* to take on ◆ **admitamos que...** let's suppose that...

admoestação *nf* 1 *(advertência)* warning 2 *(repreensão)* reprimand

admoestar *v* 1 *(advertir)* to warn 2 *(repreender)* to reprimand

ADN *nm* [*abrev. de* ácido desoxirribonucleico] DNA [*abrev. de* deoxyrribonucleic acid]

adoçante *nm* sweetener ▪ *adj2g* sweetening

adoção[AO] *nf* adoption

adoçar *v* 1 to sweeten 2 *(atenuar)* to smooth

adocicado *adj* sweetish

adocicar *v* to slightly sweeten

adoecer *v* to fall ill (com, with); to get sick EUA (com, with)

adoentado *adj* sickly; unwell

adolescência *nf* adolescence

adolescente *n2g* adolescent, teenager ▪ *adj2g* adolescent, teenage

adopção *a nova grafia é* **adoção**[AO]

adoptado *a nova grafia é* **adotado**[AO]

adoptar *a nova grafia é* **adotar**[AO]

adoptivo *a nova grafia é* **adotivo**[AO]

adoração *nf* (pessoa) adoration; (divindade) worship

adorar *v* 1 *(gostar muito de)* to love 2 REL to worship

adorável *adj2g* adorable

adormecer *v* 1 to fall asleep 2 to send (someone) to sleep; (embalando) to lull to sleep 3 *(conseguir dormir)* to get to sleep 4 *(acordar tarde)* to oversleep 5 (braço, mão, pé) to go numb

adormecido *adj* 1 asleep, sleeping 2 *(dormente)* numb

adormecimento *nm* 1 (sono) sleepiness; drowsiness 2 *(entorpecimento)* numbness

adornar *v* to adorn, to decorate

adorno *nm* ornament
adotado[AO] *adj* adopted
adotar[AO] *v* to adopt
adotivo[AO] *adj* **1** *(perfilhado)* adopted; **filho adotivo** adopted son **2** *(que perfilha)* adoptive; **pais adotivos** adoptive parents
adquirir *v* **1** *(comprar)* to acquire, to buy **2** *(obter)* to get **3** *(alcançar)* to achieve
adrenalina *nf* adrenalin
adro *nm* churchyard
ADSL [*abrev. de* Asymmetrical Digital Subscriber Line]
aduaneiro *adj* customs; **direitos aduaneiros** customs duty
adubar *v* to fertilize
adubo *nm* fertilizer; **adubo animal** manure; **adubo vegetal** compost
aduela *nf* (pipa) stave
adufe *nm* (square) tambourine
adulação *nf* flattery
adular *v* to flatter
adulteração *nf* **1** (alimentos, bebidas) adulteration **2** *(falsificação)* falsification
adulterar *v* **1** (alimentos, bebidas) to adulterate **2** *(falsificar)* to falsify ▪ **adulterar-se** *(deteriorar-se)* to go bad
adultério *nm* adultery
adúltero *nm* adulterer ▪ *adj* adulterous
adulto *adj,nm* adult, grown-up
advento *nm* **1** advent, arrival **2** REL [com maiúscula] Advent
adverbial *adj2g* adverbial
advérbio *nm* adverb
adversário *nm* opponent ▪ *adj* opposing
adversativo *adj* adversative
adversidade *nf* adversity
adverso *adj* **1** *(desfavorável)* adverse **2** *(contrário)* opposed (a, to)
advertência *nf* **1** *(aviso)* warning **2** *(admoestação)* reprimand
advertir *v* **1** *(avisar)* to warn (acerca de, of) **2** *(repreender)* to reprimand
advocacia *nf* law; **exercer a advocacia** to practise law
advogado *nm* lawyer; (Inglaterra) solicitor, barrister; (Estados Unidos da América) counsellor, attorney; **advogado de defesa** counsel for the defence; **advogado de acusação** counsel for the prosecution
advogar *v* **1** *(defender)* to advocate **2** DIR to plead for
aéreo *adj* **1** air, aerial **2** *(distraído)* absent-minded
aeróbica *nf* aerobics
aeróbio *adj* aerobic
aerodinâmica *nf* aerodynamics
aerodinâmico *adj* aerodynamic
aeródromo *nm* airfield
aeroespacial *adj2g* aerospace
aerofotografia *nf* aerial photograph
aerogare *nf* air terminal
aeromodelismo *nm* model airplane making
aeronauta *n2g* aeronaut
aeronáutica *nf* **1** (ciência) aeronautics **2** (Forças Armadas) air force
aeronáutico *adj* aeronautical
aeronave *nf* airship; **aeronave espacial** spaceship
aeroplano *nm* aeroplane GB; airplane EUA
aeroporto *nm* airport
aerossol *nm* aerosol
aeróstato *nm* hot-air balloon
aerotransportado *adj* airborne
afã *nm* eagerness; **com afã** eagerly
afabilidade *nf* affability
afagar *v* (pessoa) to caress; (animal) to stroke
afago *nm* caress; (a animal) stroke
afamado *adj* famous
afasia *nf* aphasia
afásico *adj* aphasic
afastado *adj* **1** distant (de, from), far away (de, from) **2** (de cargo, profissão) retired **3** (parentesco) distant
afastamento *nm* **1** *(distância)* distance **2** *(separação)* parting **3** *(retirada)* withdrawal
afastar *v* **1** *(mover)* to move away/over/along **2** *(manter afastado)* to keep away/back (de, from) **3** (cortinas) to pull aside/back **4** (pernas) to spread **5** *(desviar)* to divert **6** *(afugentar)* to drive away **7** (algo indesejável) to ward off **8** *(separar)* to move apart; to separate ▪ **afastar-se 1** to move away **2** *(recuar)* to stand back; (para deixar passar) to stand aside **3** *(desviar-se)* to swerve **4** *(manter-se afastado)* to stay away (de, from) **5** (assunto, questão) to wander (de, from) **6** (de cargo, função) to step down
afável *adj2g* affable
afazeres *nmpl* work; tasks; **ter muitos afazeres** to have a lot to do
afeção[AO] *nf* ailment, disease

afecção *a nova grafia é* **afeção**[AO]
afectação *a nova grafia é* **afetação**[AO]
afectado *a nova grafia é* **afetado**[AO]
afectar *a nova grafia é* **afetar**[AO]
afectividade *a nova grafia é* **afetividade**[AO]
afectivo *a nova grafia é* **afetivo**[AO]
afecto *a nova grafia é* **afeto**[AO]
afectuoso *a nova grafia é* **afetuoso**[AO]
afegâni *nm* (moeda) afghani
Afeganistão *nm* Afghanistan
afegão *nm* Afghan
afeição *nf* affection
afeiçoado *adj* attached (a, to)
afeiçoar-se *v* to become attached (a, to)
aferição *nf* **1** *(avaliação)* evaluation **2** (medição) gauging **3** (na escola) assessment; (exame) test
aferidor *nm* (instrumento) gauge
aferir *v* **1** *(avaliar)* to assess **2** *(medir)* to gauge
aferroar *v* **1** *(picar)* to sting **2** *(espicaçar)* to goad on **3** *(irritar)* to tease
afetação[AO] *nf* **1** *(presunção)* affectation **2** ECON *(distribuição)* allocation
afetado[AO] *adj* affected
afetar[AO] *v* **1** to affect **2** *(dizer respeito a)* to concern **3** *(destinar)* to allocate (a, to)
afetividade[AO] *nf* affectivity
afetivo[AO] *adj* **1** (problema, relação) emotional **2** (pessoa, gesto) affectionate
afeto[AO] *nm* affection ▪ *adj* attached (a, to)
afetuoso[AO] *adj* affectionate
afiado *adj* (faca, lápis) sharp
afia-lápis *nm* pencil sharpener
afiançar *v* **1** *(garantir)* to guarantee **2** *(pagar fiança)* to bail (somebody) out
afiar *v* to sharpen
aficionado *nm* enthusiast, fan
afilhada *nf* **1** goddaughter **2** *fig* protégée
afilhado *nm* **1** godson **2** *fig* protégé
afiliar *v* to affiliate
afim *adj* similar, related
afinação *nf* **1** (instrumento musical) tuning **2** (máquina) adjustment
afinado *adj* **1** well-tuned; in tune; **cantar afinado** to sing in tune **2** (máquina) adjusted **3** *col* (pessoa) angry
afinador *nm* (instrumento musical) tuner
afinal *adv* **1** after all; **afinal de contas** after all **2** (ênfase) then; **que queres tu afinal?** what do you want then?
afinar *v* **1** (instrumento musical) to tune **2** (máquina) to adjust **3** (cantor) to sing in tune; (músico) to play in tune **4** *col (zangar-se)* to get angry (com, with/at)
afinco *nm* diligence
afinidade *nf* affinity
afirmação *nf* **1** statement **2** affirmation
afirmar *v* **1** to state; to say **2** to assert ▪ **afirmar-se** to assert oneself
afirmativa *nf* affirmative answer
afirmativo *adj* affirmative
afixação *nf* **1** (informação, resultado) posting; (com pionés) sticking up; **afixação proibida** stick no bills **2** LING affixation
afixar *v* to stick, to post
afixo *nm* affix
aflição *nf* distress; anguish
afligir *v* **1** *(angustiar)* to distress **2** *(preocupar)* to worry ▪ **afligir-se** to worry (com, about)
aflitivo *adj* distressing
aflito *adj* distressed (com, at/by); upset (com, about/by)
aflorar *v* **1** (assunto) to touch (lightly) on **2** *(aparecer)* to emerge
afluência *nf* **1** (pessoas, dinheiro) influx **2** (líquido) flow
afluente *nm* (rio) tributary
afluir *v* **1** (rio) to flow (a, to/into) **2** (pessoas) to flock (a, to/into)
afluxo *nm* **1** (líquido) flow; (sangue) afflux **2** (pessoas) influx; flood
afogado *adj* **1** drowned; **morrer afogado** to drown **2** *(sobrecarregado)* overwhelmed ▪ *nm* drowned person
afogamento *nm* drowning
afogar *v* **1** to drown **2** (motor) to flood **3** *(reprimir)* to stifle ▪ **afogar-se** to drown; (deliberadamente) to drown oneself
afogueado *adj* **1** (depois de correr) breathless **2** *(corado)* blushing
afoguear *v* to make (somebody) blush ▪ **afoguear-se** to blush
afónico *adj* voiceless
aforismo *nm* aphorism
aforro *nm (poupança)* saving; **certificado de aforro** savings bond
afortunado *adj* fortunate, lucky
África *nf* Africa
África do Sul *nf* South Africa
africanismo *nm* Africanism

africano *adj,nm* African
afro-americano *adj,nm* Afro-American
afrodisíaco *adj,nm* aphrodisiac
afronta *nf* affront, insult
afrontado *adj (indisposto)* unwell; sick
afrontamento *nm* (indigestão) nausea, sickness
afrontar *v* **1** to insult, to outrage **2** (perigo) to face up to **3** (indisposição) to cause (somebody) nausea
afrouxar *v* **1** (cinto, laço, nó) to loosen; (corda) to slacken off **2** (marcha, passo) to slow down; (força) to weaken **3** *(diminuir)* to wane
afta *nf* aphtha, mouth ulcer
aftershave *nm* aftershave
afugentar *v* to frighten away
afundamento *nm* **1** (barco) sinking **2** (negócio) collapse
afundanço *nm* (basquetebol) slam dunk
afundar *v* **1** (barco) to sink **2** *fig* to plunge (em, into) ▪ **afundar-se 1** (barco) to sink **2** (projeto) to fall through
afunilar *v* to narrow
agá *nm* (letra) aitch
agachar-se *v* to crouch, to squat
agarrado *adj* **1** *(preso)* stuck (a, to); (a alguém) attached (a, to) **2** *(avarento)* stingy **3** *cal* (drogas, etc.) addicted (a, to)
agarrar *v* **1** *(segurar)* to hold; (com força) to grab **2** *(apanhar)* to catch **3** *(aproveitar)* to grab ▪ **agarrar-se 1** to hold on (a, to) **2** (ideia, esperança) to cling (a, to)
agasalhado *adj* wrapped up
agasalhar(-se) *v* (com roupa) to wrap up; (com cobertor, cachecol) to muffle up
agasalho *nm* (peça de roupa) coat
ágata *nf* agate
agência *nf* **1** agency; **agência de viagens** travel agency **2** *(filial)* branch
agenda *nf* **1** (livro) diary **2** (plano de trabalho) schedule; **agenda eletrónica** electronic calendar
agente *nm* **1** agent; **agente de seguros** insurance agent **2** *(polícia)* (homem) policeman; (mulher) policewoman
ágil *adj* agile
agilidade *nf* agility
agiota *n2g* (Bolsa) speculator
agiotagem *nf* speculation
agir *v* to act; *(comportar-se)* to behave; *(intervir)* to take action
agitação *nf* **1** agitation **2** (líquidos) shaking **3** (mar) roughness
agitado *adj* **1** *(inquieto)* restless **2** (dia) hectic; busy **3** shaken **4** (mar) rough
agitador *nm* agitator
agitar *v* **1** to shake **2** (braços) to wave; (asas) to flap; (cauda) to wag **3** *(desassossegar)* to agitate ▪ **agitar-se** (mar) to get rough
aglomeração *nf* **1** agglomeration **2** (multidão) gathering
aglomerar *v* **1** *(reunir)* to gather **2** *(amontoar)* to pile up ▪ **aglomerar-se 1** *(amontoar-se)* to pile up **2** (pessoas) to crowd round
aglutinação *nf* agglutination
aglutinar *v* to agglutinate
agnóstico *adj,nm* agnostic
agonia *nf* agony; (antes da morte) death pangs
agoniado *adj* **1** anguished **2** *(enjoado)* sick
agoniar *v* **1** *(enjoar)* to make sick **2** *(afligir)* to distress
agonizante *adj2g* **1** *(moribundo)* dying **2** (sofrimento) agonizing
agonizar *v* **1** to be dying **2** *(afligir-se)* to agonize
agora *adv* **1** now, at present; **é agora ou nunca** it's now or never **2** *(atualmente)* today; nowadays ▪ *conj* but
agosto[AO] *nm* August
agourar *v* **1** to predict **2** (mau agouro) to bode ill for
agouro *nm* omen
agradar *v* to please
agradável *adj2g* **1** pleasant **2** *(simpático)* nice
agradecer *v* **1** to thank; **não tem que agradecer** don't mention it **2** (pedido, atenção) to appreciate; **agradeço a preocupação** I appreciate your concern
agradecido *adj* grateful, thankful
agradecimento *nm* **1** gratitude **2** thanks; **apresentar agradecimentos** to express one's thanks
agrado *nm* pleasure, liking; **não é do meu agrado** it's not to my liking
agrafador *nm* stapler
agrafar *v* to staple
agrafo *nm* **1** (agrafador) staple **2** MED clip
agrário *adj* agrarian

agravamento *nm* **1** (conflito, situação) worsening **2** (doença, pena) aggravation **3** (imposto, dívida) increase
agravante *adj2g* aggravating ▪ *nf* DIR aggravating circumstance
agravar *v* to worsen; to aggravate ▪ **agravar-se** to get worse
agredir *v* to attack, to assault
agregação *nf* aggregation
agregado *nm* aggregate ▪ *adj* **1** aggregate **2** *(associado)* associated ♦ **agregado familiar** family
agregar *v* to aggregate
agressão *nf* aggression
agressividade *nf* aggressiveness
agressivo *adj* aggressive
agressor *nm* aggressor; attacker
agreste *adj2g* (vegetação) wild; (caminho, terreno) rough; (clima) harsh
agrião *nm* watercress
agrícola *adj2g* agricultural
agricultor *nm* farmer
agricultura *nf* agriculture, farming; **agricultura biológica** organic farming
agridoce *adj2g* **1** bittersweet **2** CUL sweet-and-sour
agronomia *nf* agronomy
agrónomo *nm* agronomist
agropecuária[AO] *nf* mixed farming
agro-pecuária *a nova grafia é* **agropecuária**[AO]
agrupamento *nm* **1** grouping **2** *(conjunto)* group
agrupar *v* to group
água *nf* water; **água com gás** sparkling water; **água doce** fresh water; **água sem gás** still water ♦ **deitar água na fervura** to pour oil on troubled waters; **fazer água na boca** to make the mouth water; **ir por água abaixo** to go down the drain
aguaceiro *nm* downpour
água-de-colónia *nf* eau de cologne
água-marinha *nf* aquamarine
água-oxigenada *nf* hydrogen peroxide
aguar *v* to water; (bebida) to water down; (cores) to tone down
aguardar *v* to wait for
aguardente *nf* brandy
aguarela *nf* watercolour GB, watercolor EUA
aguarrás *nf* turpentine
águas-furtadas *nfpl* (piso) attic; (apartamento) attic flat
aguça *nf* pencil sharpener
aguçado *adj* **1** *(afiado)* sharp **2** *(apurado)* quick
aguçar *v* **1** *(afiar)* to sharpen; *(amolar)* to grind **2** *(estimular)* to arouse
agudeza *nf* **1** sharpness **2** *(perspicácia)* acuteness
agudizar *v* **1** to sharpen; to intensify **2** *(piorar)* to aggravate
agudo *adj* **1** *(afiado)* sharp **2** *(intenso)* acute **3** (som) shrill; (voz) high-pitched **4** LING acute ▪ *nm* MÚS treble
aguentar *v* **1** (peso, carga) to support; to hold **2** *(tolerar)* to bear; to stand **3** *(resistir a)* to withstand **4** *(aceitar)* to take ▪ **aguentar-se** **1** *(manter-se firme)* to hold out **2** *(agarrar-se)* to hold **3** (numa dificuldade) to stick it out
águia *nf* eagle
aguilhão *nm* **1** goad **2** (insetos) sting
agulha *nf* needle; (croché) crochet hook; **enfiar a agulha** to thread the needle ♦ **procurar uma agulha no palheiro** to look for a needle in a haystack
ah *interj* (espanto, lamento) ah, oh; (alegria) ah; **ah, sim?** oh, really?
ai *interj* **1** (dor) ouch! **2** (aflição) oh!; (espanto, lamento) ah!, oh!; (alegria) ah! ▪ *nm* **1** (suspiro) sigh **2** (grito) cry
aí *adv* **1** there; **ora aí está!** there it is! **2** (então) then; **foi aí que percebi** then I realized ♦ **espera aí!** wait a moment!; **por aí fora** and so on
aia *nf* (de rainha, princesa) lady-in-waiting
ainda *adv* **1** still; **ele ainda está na cama** he's still in bed **2** (negação) yet; **ainda não** not yet **3** (comparação) even; **ainda maior** even larger, larger still ♦ **ainda agora** just now; **ainda assim** all the same, even so; **ainda bem!** good!; **ainda que** even though
aipo *nm* celery
airbag *nm* (automóvel) airbag
airoso *adj* graceful; elegant
ajantarado *adj* **lanche ajantarado** high tea
ajeitar *v* **1** *(endireitar)* to straighten; to adjust **2** *(adequar)* to adjust **3** *col (consertar)* to mend; to fix ▪ **ajeitar-se** **1** to manage **2** *(adaptar-se)* to get the hang (a, of) **3** *(acomodar-se)* to make oneself comfortable
ajoelhar-se *v* to kneel (down)

ajuda *nf* help; assistance; aid; **dar uma ajuda** to lend a hand
ajudante *n2g* **1** helper **2** (profissão) assistant
ajudar *v* to help; **posso ajudar?** can I help you?
ajuizado *adj* sensible
ajuizar *v* **1** *(julgar)* to judge **2** *(avaliar)* to assess **3** *(refletir)* to ponder
ajuntamento *nm* gathering; crowd
ajustamento *nm* **1** (aparelho, peça) adjustment **2** (de contas) settling
ajustar *v* **1** to adjust **2** *(apertar)* to tighten **3** *(encaixar)* to fit ▪ **ajustar-se** *(adaptar-se)* to adapt (a, to)
ajustável *adj2g* adjustable
ajuste *nm* **1** adjustment **2** *(acordo)* agreement ♦ **ajuste de contas** settling of scores
ala *nf* wing
alabastro *nm* alabaster
alado *adj* winged
alagado *adj (inundado)* flooded; *(ensopado)* drenched
alagar *v* **1** *(inundar)* to flood; *(ensopar)* to drench **2** (suor) to pour down
alambazar-se *v col* to stuff oneself
alameda *nf* (tree-lined) avenue
alaranjado *adj* orangey, orangish
alarde *nm* boasting
alargamento *nm* **1** (organização) enlargement **2** (rua, estrada) widening **3** extension; **alargamento do prazo limite** extension of the deadline
alargar *v* **1** (prazo) to extend **2** (estrada, conhecimentos) to widen **3** (sapatos, roupa) to stretch ▪ **alargar-se 1** (estrada, conhecimentos) to widen **2** *(aumentar)* to expand **3** *(falar muito)* to speak much
alarido *nm* uproar; racket
alarmante *adj2g* alarming
alarmar *v* to alarm ▪ **alarmar-se** to be alarmed
alarme *nm* alarm; **ligar o alarme** to set the alarm
alarmismo *nm* alarmism
alarmista *adj,n2g* alarmist
alarve *n2g* **1** *(grosseiro)* boor **2** *(glutão)* glutton
alastrar(-se) *v* to spread
alaúde *nm* lute
alavanca *nf* lever
albanês *adj,n* Albanian
Albânia *nf* Albania
albatroz *nm* albatross
albergar *v* **1** to accommodate; (amigo, visita) to put up **2** *(dar abrigo a)* to shelter
albergaria *nf* guest house
albergue *nm* hostel; **albergue da juventude** youth hostel
albufeira *nf* **1** lagoon **2** *(represa)* reservoir
álbum *nm* album
alça *nf* **1** (vestuário) strap **2** *(presilha)* loop
alcachofra *nf* artichoke
alçada *nf* **1** *(competência)* sphere of competence **2** *(jurisdição)* jurisdiction
alcalino *adj* alkaline
alcançar *v* **1** to reach **2** *(conseguir com êxito)* to achieve **3** (pessoa) to catch up
alcance *nm* **1** reach; **ao alcance de alguém** within somebody's reach **2** (arma, visão) range **3** (possibilidade) power **4** *(âmbito)* scope
alçapão *nm* trapdoor
alçar *v* **1** *(levantar)* to lift; to raise; **alçar a pata** to cock its leg **2** *(edificar)* to erect
alcateia *nf* (lobos) (wolf) pack
alcatifa *nf* fitted carpet
alcatifar *v* to carpet
alcatra *nf* rump; **bife de alcatra** rump steak
alcatrão *nm* **1** tar **2** *(asfalto)* asphalt
alcatroar *v* to tar
alce *nm* moose
alcofa *nf* **1** (bebé) carrycot **2** (animal) bed
álcool *nm* **1** alcohol; **sem álcool** alcohol-free, nonalcoholic **2** (para desinfetar) surgical spirit GB; rubbing alcohol EUA
alcoólatra *n2g* alcoholic
alcoolemia *nf* presence of alcohol in the blood; **teste de alcoolemia** (alcohol) breath test
alcoólico *adj,nm* alcoholic
alcoolismo *nm* alcoholism
alcoolizado *adj* drunk, drunken
Alcorão *nm* REL Koran
alcova *nf* bedroom
alcoviteiro *nm* gossip
alcunha *nf* nickname
aldeão *nm* villager
aldeia *nf* village; **aldeia global** global village
aldrabão *nm* **1** *(mentiroso)* liar; fibber **2** *(vigarista)* con artist

aldrabar *v* **1** *(enganar)* to cheat **2** *(mentir)* to lie **3** *(alterar)* to doctor; (contas) to fiddle **4** (trabalho) to botch up
aldrabice *nf* **1** *(mentira)* lie; *(história falsa)* cock and bull story **2** *(trapaça)* con
aleatório *adj* random
alecrim *nm* rosemary
alegação *nf* **1** *(afirmação)* claim; *(acusação)* allegation **2** DIR statement
alegar *v* **1** (afirmação não comprovada) to claim; (acusação) to allege **2** (motivos, razões) to put forward
alegoria *nf* allegory
alegórico *adj* allegorical
alegrar *v* **1** *(causar alegria)* to make happy; to please **2** *(animar)* to cheer up; to liven up ▪ **alegrar-se** to be glad; to be pleased
alegre *adj2g* **1** *(contente)* happy **2** *(animado)* lively, cheerful **3** (cor) bright **4** *(divertido)* funny, amusing **5** *(embriagado)* tipsy
alegria *nf* happiness, joy
alegro *nm* MÚS allegro
aleijado *adj* **1** (deficiência) crippled **2** *(magoado)* injured ▪ *nm pej* cripple
aleijar *v* **1** *(magoar)* to hurt; to injure **2** (deficiência) to cripple ▪ **aleijar-se** to hurt oneself; to get hurt
aleitamento *nm* feeding
aleluia *interj* **1** (louvor, júbilo) hallelujah! **2** *(finalmente)* at last! ▪ *nf* hallelujah
além *adv (ali)* over there; *(mais adiante)* further on ▪ *nm* **o além** the hereafter ♦ **além de** besides, as well as; **além disso** moreover, besides
Alemanha *nf* Germany
alemão *adj,nm* German
além-fronteiras *adv* abroad
além-mar *adv* overseas ▪ *nm* overseas territories
alento *nm (ânimo)* courage; *(entusiasmo)* enthusiasm
alergénico *adj* allergenic
alergia *nf* allergy (a, to)
alérgico *adj* allergic (a, to)
alerta *adv* alert (para, for); on the alert (para, for) ▪ *adj2g* watchful ▪ *nm* alert; **dar o alerta** to raise the alert
alertar *v* **1** *(avisar)* to alert (para, to) **2** *(chamar a atenção)* to draw (someone's) attention (para, to)
aletria *nf* CUL vermicelli
alfa *nm* (letra) alpha
alfabético *adj* alphabetical; **por ordem alfabética** in alphabetical order
alfabetização *nf* literacy; **campanha de alfabetização** literacy campaign
alfabetizar *v* to teach to read and write
alfabeto *nm* alphabet
alface *nf* lettuce
alfaia *nf* implement; **alfaias agrícolas** farm implements
alfaiate *nm* tailor
alfândega *nf* **1** (serviço) customs **2** (edifício) customs house
alfandegário *adj* customs; **direitos alfandegários** customs rights
alfanumérico *adj* alphanumeric
alfarrabista *n2g* second-hand bookseller
alfarroba *nf* carob
alfazema *nf* lavender
alferes *n2g2n* MIL second lieutenant
alfinetada *nf* **1** *(picada)* prick **2** (crítica) dig
alfinete *nm* **1** pin **2** (de peito) brooch GB, pin EUA **3** (gravata) tiepin GB, tie tack EUA
alfinete-de-ama *a nova grafia é* **alfinete de ama**AO
alfinete de amaAO *nm* safety pin
alforreca *nf* jellyfish
alga *nf* alga, seaweed
algália *nf* catheter
algaliar *v* to catheterize
algarismo *nm* figure, numeral
algazarra *nf* uproar, hubbub
álgebra *nf* algebra
algemar *v* to handcuff
algemas *nfpl* handcuffs
algibeira *nf* pocket
algo *pron indef* something; anything ▪ *adv (um tanto)* rather; **acho-o algo estranho** I find him rather strange
algodão *nm* **1** cotton **2** (para limpar, desinfetar) cotton wool GB, cotton EUA
algodão-doce *nm* candyfloss GB, cotton candy EUA
algoritmo *nm* algorithm
alguém *pron indef* **1** somebody; someone **2** (interrogação) anybody; anyone; **está aqui alguém?** is anyone here?
algum *det indef > quant exist*DT*,pron indef* **1** some; **algum lugar** somewhere; **alguma coisa** something **2** (interrogação) any; **mais alguma**

coisa? anything else? **3** (valor negativo) no; **de modo algum** (not) at all, in no way

algures *adv* somewhere

alhada *nf col* mess, jam

alheado *adj* **1** *(distraído)* lost in thought **2** *(desconhecedor)* unaware

alheamento *nm* **1** *(desconhecimento)* ignorance; *(falta de consciência)* unawareness **2** *(afastamento)* detachment **3** *(distração)* absent-mindedness

alhear-se *v* **1** *(ficar absorto)* to become lost in thought **2** *(afastar-se)* to distance oneself

alheio *adj* **1** other people's; **falar da vida alheia** to talk about other people's lives **2** *(sem consciência)* unaware (a, of) **3** *(afastado)* detached; removed

alheta *nf col* **pôr-se na alheta** to clear out

alho *nm* garlic; **dente de alho** clove of garlic ♦ **misturar alhos com bugalhos** to mix things up

alho-francês *nm* leek

alho-porro *nm* leek

ali *adv* **1** (lugar) there, over there; **ali dentro** in there; **ali em cima** up there **2** (tempo) then; **até ali** until then

aliado *adj* **1** allied; **forças aliadas** allied forces **2** *(associado)* associated (a, with); combined (a, with) ▪ *nm* ally

aliança *nf* **1** *(acordo)* alliance **2** (de casamento) wedding ring

aliar *v* **1** (características) to combine (a, with) **2** *(ligar)* to link; to connect **3** to unite ▪ **aliar-se** to ally oneself (a, with)

aliás *adv* **1** *(além disso)* besides **2** *(ou antes)* or rather **3** *(diga-se de passagem)* incidentally

álibi *nm* alibi

alicate *nm* pliers

alicerce *nm* foundation

aliciamento *nm* **1** *(suborno)* bribery **2** *(sedução)* enticement

aliciante *adj2g* **1** tempting; enticing **2** *(agradável)* delightful

aliciar *v* **1** *(seduzir)* to entice, to lure; *(tentar)* to tempt **2** (suborno) to bribe

alienação *nf* alienation

alienado *adj* **1** *(alheado)* alienated (de, from) **2** *(louco)* insane, mentally ill **3** DIR alienated ▪ *nm* mentally-deranged person

alienar *v* to alienate ▪ **alienar-se** *(distanciar-se)* to move away (de, from)

aligeirar *v* **1** to lighten **2** to ease off **3** *(apressar)* to quicken, to speed up

alimentação *nf* **1** *(comida)* food **2** *(regime alimentar)* diet **3** *(ato de alimentar)* eating **4** (máquina, sistema) input; (impressora) feed

alimentar *v* **1** to feed (com, on) **2** (ideia, sentimento) to nurture; (polémica) to fuel; *(fomentar)* to foster **3** (máquina, circuito) to feed ▪ **alimentar-se** *(comer)* to eat; to feed (de, on) ▪ *adj2g* food, eating

alimentício *adj* **1** food; **géneros alimentícios** foodstuffs **2** *(nutritivo)* nutritious

alimento *nm* **1** *(comida)* food; *(sustento)* nourishment **2** (espiritual) nourishment

alínea *nf* **1** (contrato, lei) paragraph **2** (lista) item

alinhado *adj* aligned, lined up

alinhamento *nm* **1** alignment **2** (programa, concerto) line-up; (álbum) track listing

alinhar *v* **1** to line up; to align (em relação a, with) **2** (rodas, direção, texto) to align **3** *(concordar)* to go along (em, with) **4** *(participar)* to take part (em, in)

alinhavar *v* **1** (costura) to tack **2** *(delinear)* to outline

alinhavo *nm* (costura) tack

alisar *v* to smooth

alistar *v* MIL to enlist ▪ **alistar-se** to join; **alistar-se no exército** to join the army

aliteração *nf* alliteration

aliviar *v* **1** *(atenuar)* to relieve; (dor, sofrimento) to ease **2** (carga, trabalho) to lighten **3** (tempo) to clear up

alívio *nm* relief; **que alívio!** what a relief!

alma *nf* soul; **alma gémea** soulmate

almanaque *nm* almanac

almejar *v* to long for; to yearn for

almirante *n2g* admiral

almoçar *v* to have lunch, to have for lunch; **o que é que vais almoçar?** what are you having for lunch?; **vou almoçar** I am going to have lunch

almoço *nm* lunch; **ao almoço** at lunch

almofada *nf* **1** (cama) pillow **2** (sofá, cadeira) cushion, pillow EUA **3** (para alfinetes) pincushion **4** (pata de animal) pad

almofadado *adj* padded

almofariz *nm* mortar

almôndega *nf* meatball

alocação *nf* allocation

alocar *v* to allocate

aloés *nm2n* aloe
aloirar *v* ⇒ **alourar**
alojamento *nm* accommodation
alojar *v* **1** to accommodate; (amigo, visita) to put up **2** (objeto, coleção) to house ▪ **alojar-se 1** *(hospedar-se)* to stay (em, at) **2** *(ficar preso)* to be lodged
alongamento *nm* **1** (mais comprido) lengthening; (maior) enlargement **2** (de prazo) extension **3** (exercício físico) stretch
alongar *v* **1** *(tornar mais longo)* to lengthen; *(tornar maior)* to enlarge **2** *(esticar)* to stretch **3** (prazo) to extend ▪ **alongar-se 1** *(prolongar-se)* to go on **2** *(estender-se)* to stretch out **3** *(falar)* to speak
aloquete *nm* padlock
alourar *v* **1** CUL to brown **2** (cabelo) to lighten
alpendre *nm* porch
alperce *nm* apricot
alpinismo *nm* mountaineering, mountain climbing
alpinista *n2g* mountaineer, mountain climber
alpino *adj* alpine
alquimia *nf* alchemy
alquimista *n2g* alchemist
alta *nf* **1** rise; increase; **em alta** on the up **2** (do hospital) discharge; **ter alta** to be discharged
alta-costura *nf* haute couture
alta-fidelidade *nf* (aparelhagem) hi-fi
altamente *adv* highly ▪ *adj2g col* wicked; awesome EUA
altar *nm* altar
altar-mor *nm* high altar
alta-roda *nf* high society
alta-voz *nm* (telefone) speakerphone; **em alta-voz** on loudspeaker, on speakerphone
alteração *nf* **1** *(modificação)* change **2** *(adulteração)* adulteration; *(falsificação)* falsification **3** *(deterioração)* deterioration
alterar *v* **1** *(modificar)* to change **2** *(falsificar)* to adulterate **3** (sentido, factos) to distort ▪ **alterar-se 1** *(modificar-se)* to change **2** *(zangar-se)* to get upset
altercação *nf* quarrel, argument
alternadamente *adv* in turns
alternado *adj* alternate
alternância *nf* **1** alternation **2** AGR crop rotation
alternar(-se) *v* **1** to alternate (com, with) **2** *(revezar-se)* to take turns
alternativa *nf* alternative (a, to)
alternativo *adj* alternative
Alteza *nf* (título) Highness; **Sua Alteza Real** His/Her Royal Highness
altifalante *nm* loudspeaker
altitude *nf* altitude
altivez *nf* arrogance, haughtiness
altivo *adj* arrogant, haughty
alto *adj* **1** tall; high; **ele é mais alto do que o pai** he's taller than his father; **preços altos** high prices **2** (classe social, região) upper **3** (som) loud; *(agudo)* high; **em voz alta** aloud, out loud **4** (tempo) late; **a altas horas da noite** late in the night ▪ *adv* (som) aloud, loudly; **lê alto, por favor** read it aloud, please ▪ *nm* **1** *(topo)* top; **de alto a baixo** from top to bottom **2** *(saliência)* bump ▪ *interj* **1** stop! **2** (desacordo) hold on!
alto-relevo *nm* high relief
altruísmo *nm* altruism
altruísta *adj2g* altruistic ▪ *n2g* altruist
altura *nf* **1** height; **ele mede 1,70m de altura** he's 1.70m tall **2** *(momento)* time; **por esta altura** at this time; **em que altura?** when? **3** (buraco, poço, mar) depth
aluado *adj (distraído)* absent-minded
alucinação *nf* hallucination
alucinante *adj2g* **1** amazing, incredible **2** hallucinatory
alucinar *v* to hallucinate
alucinogénio *nm* hallucinogen ▪ *adj* hallucinogenic
aludir *v (mencionar)* to mention (a, -); (indiretamente) to allude (a, to)
alugar *v* **1** *(tomar de aluguer)* to rent (a, from) **2** *(dar de aluguer)* to rent (out) (a, to) ◆ **aluga-se 1** (casa, quarto) to let GB; for rent EUA **2** (carro, bicicleta, etc.) for hire GB; for rent EUA
aluguer *nm* **1** *(ato)* (casa, quarto) renting; (veículo, objeto) hire, rental **2** *(preço)* (casa, quarto) rent; (veículo, objeto) hire charge, rental
aluimento *nm* **1** (terras) landslide, landslip **2** (estrutura) collapse, cave-in
aluir *v (desmoronar-se)* to collapse
alumínio *nm* aluminium GB, aluminum EUA
alunagem *nf* moon landing
alunar *v* to land on the moon

aluno *nm* **1** (escola) pupil GB; student **2** (universidade) student
alusão *nf (referência)* reference (a, to); (indireta) allusion (a, to); **fazer alusão a algo** to mention something
alusivo *adj (relativo)* relating (a, to)
aluvião *nf* **1** (solo) alluvium **2** *(inundação)* flood
alvará *nm* permit; **alvará de construção** building permit
alvejar *v* (arma) to shoot
alvenaria *nf* **1** (arte) masonry **2** (obra) stonework
alveolar *adj2g* alveolar
alvéolo *nm* **1** (pulmão) alveolus; (dentes) socket **2** (favo de mel) cell
alvíssaras *nfpl* reward
alvo *nm* **1** target; **acertar no alvo** to hit the target **2** (dardos) dartboard ▪ *adj (branco)* white
alvorada *nf* **1** *(madrugada)* dawn **2** MIL reveille
alvoroçar *v* **1** to stir up, to agitate **2** *(inquietar)* to alarm **3** *(entusiasmar)* to excite
alvoroço *nm* **1** agitation, commotion **2** *(tumulto, motim)* riot, uproar **3** *(entusiasmo)* excitement **4** *(pressa)* hurry
ama *nf* nanny; (na própria casa) childminder
amabilidade *nf* kindness; **que amabilidade a sua!** how kind of you!
amachucar *v* **1** (papel, tecido) to crumple **2** (caixa, embrulho) to squash
amaciador *nm* **1** (cabelo) hair conditioner **2** (roupa) softener
amaciar *v* **1** to soften **2** (cabelo) to condition
amado *adj* loved, beloved ▪ *nm* beloved
amador *adj,nm* amateur
amadorismo *nm* amateurism
amadurecer *v* **1** (fruto) to ripen **2** (pessoa) to mature
amadurecido *adj* **1** (fruto) ripe **2** *(refletido)* mature
amadurecimento *nm* **1** (fruto) ripening **2** (pessoa) maturing process; *(maturidade)* maturity **3** (ideia) maturing
âmago *nm* core, heart
amainar *v* **1** (tempestade) to abate; (vento) to die down; (chuva, tempo) to relent **2** (velas) to furl **3** *(acalmar)* to calm down
amaldiçoar *v* to curse
amálgama *nm* amalgam
amalgamar *v* to amalgamate
amamentação *nf* (bebé) breastfeeding; (animal) suckling
amamentar *v* (bebé) to breastfeed; (animal) to suckle
amanhã *adv* tomorrow; **amanhã de manhã** tomorrow morning; **depois de amanhã** the day after tomorrow ▪ *nm (futuro)* tomorrow
amanhar-se *v (governar-se)* to manage, to cope
amanhecer *v* to dawn ▪ *nm* dawn, daybreak; **ao amanhecer** at dawn
amansar *v* **1** *(tornar manso)* to tame; (cavalo) to break in **2** *(ficar manso)* to become tame **3** *(acalmar)* to calm down
amante *n2g* lover ▪ *adj2g* loving
amanteigado *adj* buttery
amar *v* to love
amarelado *adj* yellowish
amarelar *v* to yellow
amarelo *adj* **1** yellow **2** (pele, cara) sallow ▪ *nm* (cor) yellow
amarelo-claro *adj,nm* light yellow
amarelo-escuro *adj,nm* dark yellow
amarelo-torrado *adj* golden yellow ▪ *nm* amber
amarfanhar *v* to scrunch up
amargamente *adv* bitterly
amargar *v* **1** to make bitter **2** *(sofrer)* to suffer
amargo *adj* bitter
amargor *nm* bitterness
amargura *nf* **1** bitterness **2** *(sofrimento)* grief; *(tristeza)* sadness
amargurado *adj* **1** embittered **2** *(angustiado)* distressed; *(triste)* sad
amargurar *v* **1** *(tornar azedo)* to embitter **2** *(angustiar)* to distress **3** *(entristecer)* to sadden
amarra *nf* NÁUT mooring rope; **soltar as amarras** to cast off; *fig* to fly the nest
amarrar *v* to tie (up) (a, to)
amarrotar *v* to crease, to rumple
amassadela *nf (amolgadela)* dent
amassar *v* **1** (massa, pão, barro) to knead; (cimento) to mix **2** *(amolgar)* to dent **3** (papel, tecido) to crumple **4** (caixa, embrulho) to squash
amável *adj2g* kind, polite; **é muito amável da sua parte** it's very kind of you
âmbar *nm* amber
ambição *nf* ambition
ambicionar *v* to aspire to, to want
ambicioso *adj* ambitious
ambidestro *adj* ambidextrous
ambientador *nm* air freshener

ambiental *adj2g* environmental
ambientalista *n2g* environmentalist
ambientar *v* (a situação nova) to help (somebody) settle in ▪ **ambientar-se** to adjust; to settle in
ambiente *nm* **1** environment; **amigo do ambiente** environment friendly **2** (relações pessoais) atmosphere; **um ambiente familiar** a family atmosphere **3** mood; **ambiente de festa** party mood ▪ *adj inv (de fundo)* background; **música ambiente** background music ♦ INFORM **ambiente de trabalho** desktop
ambiguidade *nf* ambiguity
ambíguo *adj* ambiguous
âmbito *nm* **1** *(alcance)* scope; sphere of action **2** *(contexto)* context; **neste âmbito** in this context
ambivalência *nf* ambivalence
ambivalente *adj2g* ambivalent
ambos *det indef > quant univ*[DT] both; **ambos aceitaram** they both said yes; **em ambos os lados** on both sides
ambulância *nf* ambulance
ambulante *adj2g* (espetáculo) travelling; (biblioteca, museu) mobile; (músico, artista) strolling; **vendedor ambulante** pedlarGB, peddlerEUA
ambulatório *adj* ambulatory ▪ *n* (hospital) outpatient department
ameaça *nf* threat, menace
ameaçador *adj* threatening
ameaçar *v* **1** to threaten **2** to endanger; to put in danger
amealhar *v (poupar)* to save
amedrontado *adj* scared
amedrontar *v* **1** *(assustar)* to scare **2** *(intimidar)* to intimidate
ameia *nf* merlon; **as ameias** the battlements
amêijoa *nf* clam
ameixa *nf* plum; **ameixa seca** prune
ameixeira *nf* plum tree
amém *interj* amen! ♦ **dizer amém a tudo** to agree to everything
amêndoa *nf* almond
amendoado *adj* **1** (bolo, licor) almond **2** (olhos) almond-shaped
amendoeira *nf* almond tree
amendoim *nm* peanut
ameninado *adj* childish
amenizar *v* **1** (efeitos, impacto) to mitigate **2** to ease **3** (clima) to make milder **4** (ânimos) to calm
ameno *adj* **1** mild; **tempo ameno** mild weather **2** pleasant
América *nf* America
americano *adj,nm* American
amerício *nm* americium
amestrar *v* (animais) to train
ametista *nf* amethyst
amianto *nf* asbestos
amido *nm* (substância) starch
amigalhaço *nm col* mateGB, buddyEUA
amigável *adj2g* friendly
amígdala *nm* tonsil
amigdalite *nf* tonsillitis
amigo *nm* friend; *col* **amigo da onça** false friend ▪ *adj* friendly; **é muito minha amiga** she's a good friend to me ♦ **amigos amigos, negócios à parte** business is business, friendship is friendship; **os amigos são para as ocasiões** a friend in need is a friend indeed
amistoso *adj* friendly
amiúde *adv* often; frequently
amizade *nf* **1** friendship (com, with); **travar amizade com** to make friends with **2** *pl* friends; **fazer amizades** to make friends
amnésia *nf* amnesia
amnésico *adj,nm* amnesiac
amnistia *nf* amnesty
amnistiar *v* to grant an amnesty to
amolecer *v* (substância, pessoa) to soften
amolecimento *nm* (substância, pessoa) softening
amolgadela *nf* dent
amolgar *v* to dent
amoníaco *nm* ammonia
amontoado *nm* heap, pile ▪ *adj* piled up
amontoamento *nm* heap; pile
amontoar *v* to pile up; to heap up
amor *nm* **1** love; **amor à primeira vista** love at first sight **2** *(querido)* love; darling ♦ **amor com amor se paga** one good turn deserves another
amora *nf* (de silvas) blackberry; (de amoreira) mulberry
amoral *adj2g* amoral
amordaçar *v* to gag
amoreira *nf* mulberry tree

amorfo *adj* **1** amorphous **2** (personalidade) apathetic
amornar *v* to warm (up)
amoroso *adj* **1** love; **vida amorosa** love life **2** *(encantador)* sweet; lovely
amor-perfeito *nm* pansy
amor-próprio *nm* self-esteem; self-respect
amortalhar *v* (cadáver) to lay out
amortecedor *nm* shock absorber
amortecer *v* **1** (impacto) to absorb; (queda, golpe) to cushion **2** (som) to muffle
amortecimento *nm* **1** (impacto) absorption **2** (som) muffling
amortização *nf* (pagamento) repayment
amortizar *v* (dívida) to repay
amostra *nf* **1** sample **2** (tecido) swatch **3** *(indício)* sign **4** *(exemplo)* example
amostragem *nf* **1** *(recolha de amostras)* sampling **2** *(amostra)* sample
amotinar *v* to incite to rebellion; (soldados, marinheiros) to incite to mutiny ▪ **amotinar-se** to rebel; (soldados, marinheiros) to mutiny
amovível *adj2g* removable
amparar *v* **1** *(ajudar)* to help; *(apoiar)* to support; *(proteger)* to protect **2** *(sustentar)* to prop **3** (queda); to break ▪ **amparar-se** to lean (em, on)
amparo *nm* **1** *(apoio)* support; prop **2** *(proteção)* protection; support
ampere *nm* ampere
ampliação *nf* **1** enlargement; extension **2** (negócio, rede) expansion
ampliador *nm* **1** FOT enlarger **2** (lente) magnifier
ampliar *v* **1** to enlarge; to extend **2** (negócio, rede) to expand
amplificação *nf* amplification
amplificador *nm* (aparelho de som) amplifier ▪ *adj* (som) amplifying
amplificar *v* **1** *(ampliar)* to enlarge **2** (som) to amplify
amplitude *nf* **1** magnitude; extent **2** FÍS amplitude
amplo *adj* **1** *(espaçoso)* spacious; *(largo)* wide **2** (debate, conceito) broad
ampola *nf* (injeção) ampoule; (recipiente) phial, vial EUA
ampulheta *nf* hourglass
amputação *nf* amputation
amputar *v* to amputate
amuado *adj* sulky
amuar *v* to sulk
amuleto *nm* charm
amuo *nm* sulkiness
anacrónico *adj* anachronistic
anáfora *nf* anaphora
anagrama *nm* anagram
anais *nmpl* annals
anal *adj2g* anal
analepse *nf* flashback
analfabetismo *nm* illiteracy
analfabeto *adj,nm* illiterate
analgésico *nm* painkiller ▪ *adj* painkilling
analisar *v* to analyse GB, to analyze EUA
análise *nf* **1** analysis **2** test; **análise ao sangue** blood test ♦ **em última análise** ultimately
analista *n2g* analyst
analítico *adj* analytical
analogia *nf* analogy
analógico *adj* **1** analogical **2** analogue GB, analog EUA; **relógio analógico** analogue clock/watch
análogo *adj* analogous (a, to)
ananás *nm* pineapple
anão *adj,nm* dwarf
anarquia *nf* anarchy
anárquico *adj* anarchic; lawless
anarquista *n2g* anarchist
anástrofe *nf* anastrophe
anátema *nm* anathema
anatomia *nf* anatomy
anatómico *adj* anatomical
anca *nf* (pessoa) hip; (animal) haunch
ancestral *adj2g* **1** ancestral **2** ancient; former
anchova *nf* anchovy
anciã *nf* elderly woman
ancião *nm* elderly man
ancinho *nm* rake
âncora *nf* anchor
ancoradouro *nm* anchorage
ancorar *v* to anchor
andaime *nm* scaffold
andamento *nm* **1** *(progresso)* progress; course; **em andamento** under way, in progress **2** *(movimento)* motion **3** MÚS *(ritmo)* tempo **4** MÚS (parte) movement
andanças *nfpl (viagens)* wanderings; journeys
andante *adj2g* errant, wandering; **cavaleiro andante** knight-errant ▪ *nm* MÚS andante

andar *v* **1** to walk **2** (meio de transporte) to travel **3** *(movimentar-se)* to move **4** *(vir)* to come; **anda cá** come here **5** *(estar)* to be; **tenho andado doente** I've been ill **6** (namorados) to go out **7** (companhia) to hang around ▪ *nm* **1** *(forma de andar)* walk **2** (casa) flatGB; apartmentEUA **3** *(piso)* floor; **no primeiro andar** on the first floorGB, on the second floorEUA **4** (número de pisos) storeyGB; storyEUA
andarilho *nm* walker; (para bebé) baby walker
andar-modelo *nm* show flatGB; model apartmentEUA
andas *nfpl* stilts
andebol *nm* handball
andebolista *n2g* handball player
andor *nm* (procissões) platform ▪ *interj pop* out!; scram!
andorinha *nf* swallow
andrajoso *adj* ragged
anedota *nf* joke; crack
anedótico *adj* **1** *(engraçado)* amusing **2** *(ridículo)* ridiculous
anel *nm* **1** ring; **anel de casamento** wedding ring **2** (elo de corrente) link **3** (cabelo) curl
anelar *adj2g* ring-shaped; **dedo anelar** ring finger
anemia *nf* anaemiaGB, anemiaEUA
anémico *adj* anaemicGB; anemicEUA
anémona *nf* anemone
anestesia *nf* **1** (processo) anaesthesiaGB, anesthesiaEUA **2** (substância) anaesthaeticGB; anestheticEUA
anestesiar *v* **1** to anaesthetizeGB, to anesthetizeEUA **2** *(entorpecer)* to numb
anestésico *adj,nm* anaestheticGB, anestheticEUA
anestesista *n2g* anaesthetistGB, anesthetistEUA
aneurisma *nm* aneurysm
anexação *nf* **1** (documento) attachment **2** (território) annexation
anexar *v* **1** (documento) to attach (a, to); (a uma carta) to enclose (a, with) **2** (território) to annex
anexo *adj* **1** *(junto)* annexed **2** (documento) attached; (numa carta) enclosed ▪ *nm* **1** (edifício) annexe **2** (documento) attached document; (numa carta) enclosure; (correio eletrónico) attachment; **envio em anexo** please find enclosed
anfetamina *nf* amphetamine
anfíbio *adj* amphibious ▪ *nm* amphibian
anfiteatro *nm* **1** (Antiguidade) amphitheatreGB, amphitheaterEUA **2** (sala) lecture theatreGB, lecture theaterEUA
anfitriã *nf* hostess
anfitrião *nm* host
ânfora *nf* amphora
angariação *nf* **1** (dinheiro) raising **2** *(recrutamento)* recruitment
angariador *nm* **1** (dinheiro) fund-raiser **2** (recrutamento) recruiter
angariar *v* **1** (dinheiro) to raise **2** *(aliciar)* to attract; to recruit
angelical *adj2g* angelic
angina *nf* (garganta) inflammation of the throat; (amígdalas) tonsillitis
anglicanismo *nm* Anglicanism
anglicano *adj,nm* Anglican
anglicismo *nm* anglicism
anglo-americano *adj,nm* Anglo-American
anglo-saxão *adj,nm* Anglo-Saxon
Angola *n* Angola
angolano *adj,nm* Angolan
angorá *adj2g,nm* angora
angra *nf* cove
angular *adj2g* angular
ângulo *nm* **1** angle; **ângulo agudo/reto/obtuso** acute/right/obtuse angle; (perspetiva) **visto por esse ângulo** from that angle **2** *(esquina, canto)* corner
angústia *nf* anguish
angustiado *adj* in anguish; distressed
angustiante *adj2g* distressing; anguishing
angustiar *v* **1** (sofrimento) to distress **2** (preocupação) to worry ▪ **angustiar-se 1** (sofrimento) to get distressed **2** (preocupação) to get worried
anho *nm* lamb
anil *adj,nm* (cor) indigo
anilha *nf* **1** ring **2** (de parafuso) washer
animação *nf* **1** *(agitação)* hustle and bustle **2** (diversão) fun, entertainment **3** *(vivacidade)* liveliness **4** (imagens) animation; cartoons
animado *adj* **1** lively **2** *(alegre)* cheerful **3** *(entusiasmado)* excited **4** (imagens) animated
animador *nm* **1** CIN animator **2** (atividades) organizer; activity leader ▪ *adj* encouraging
animal *adj2g,nm* animal; **animal de estimação** pet; **animal selvagem** wild animal
animalesco *adj* bestial

animar *v* **1** (pessoa triste) to cheer up **2** (casa, conversa, festa) to liven up **3** *(incentivar)* to encourage (a, to) ▪ **animar-se** (pessoa) to cheer up
anímico *adj* mental
ânimo *nm* **1** (estado de espírito) spirits; **ânimo!** cheer up! **2** *(coragem)* courage ♦ **de ânimo leve** lightly
animosidade *nf* animosity
aninhar *v* to nestle ▪ **aninhar-se 1** (de cócoras) to crouch down **2** *(aconchegar-se)* to snuggle
aniquilação *nf* annihilation; destruction
aniquilamento *nm* annihilation; destruction
aniquilar *v* to annihilate; to destroy
anis *nm* **1** (planta) anise **2** (licor) anisette
aniversariante *n2g* (homem) birthday boy; (mulher) birthday girl
aniversário *nm* **1** (de nascimento) birthday; **feliz aniversário!** happy birthday! **2** (ocasião festiva) anniversary; **aniversário de casamento** wedding anniversary
anjo *nm* angel; **anjo da guarda** guardian angel
ano *nm* **1** year; **de dois em dois anos** every other year; **no ano passado** last year; **quantos anos tens?** how old are you?; **tenho 16 anos** I am sixteen years old **2** *pl (aniversário)* birthday; **festa de anos** birthday party
anoitecer *v* to get dark ▪ *nm* dusk; nightfall
ano-luz *nm* light-year
anomalia *nf* anomaly
anómalo *adj* anomalous
anona *nf* custard apple
anonimato *nm* anonymity
anónimo *adj* anonymous
anoraque *nm* anorakGB; parkaEUA
anoréctico *a nova grafia é* **anorético**AO
anoréticoAO *adj,nm* anorexic
anorexia *nf* anorexia
anormal *adj2g* **1** abnormal **2** odd; unusual ▪ *n2g pej (imbecil)* moron; *(pessoa estranha)* freak
anormalidade *nf* abnormality
anotação *nf* note; *(nota explicativa)* annotation; *(comentário)* comment
anotar *v* **1** *(apontar)* to make a note of; to write down **2** *(acrescentar notas)* to annotate
anseio *nm (desejo)* longing (por, for); craving (for, por)
ânsia *nf* **1** *(desejo)* eagerness **2** *(preocupação)* anxiety
ansiar *v* to long (for)
ansiedade *nf* anxiety
ansiolítico *nm* anxiolytic
ansioso *adj* **1** *(nervoso)* anxious **2** *(desejoso)* eager (por, to)
anta *nf* HIST dolmen
antagónico *adj* opposing
antagonismo *nm* opposition
antagonista *n2g* antagonist
antárctico *a nova grafia é* **antártico**AO
Antárctida *a nova grafia é* **Antártida**AO
antárticoAO *adj* Antarctic ▪ *nm* [com maiúscula] Antarctic
AntártidaAO *nf* Antarctica
ante *prep* before
antebraço *nm* forearm
antecâmara *nf* anteroom
antecedência *nf* advance; **com antecedência** in advance, in good time
antecedente *adj2g* preceding ▪ *nm* **1** antecedent **2** *pl* record; history
anteceder *v* to precede
antecessor *nm* predecessor
antecipação *nf* **1** (data) bringing forward **2** *(antecedência, adiantamento)* advance **3** *(previsão)* prediction
antecipadamente *adv* in advance
antecipar *v* **1** (data) to bring forward **2** *(prever)* anticipate **3** (dinheiro) to pay in advance **4** *(dizer)* to say; to tell ▪ **antecipar-se** to get ahead (a, of)
antemão *adv* **de antemão** beforehand; in advance
antena *nf* **1** (rádio, televisão) aerialGB, antennaEUA; **antena parabólica** satellite dish **2** *(emissão)* air; **entrar em antena** to go on (the) air **3** (animal) antenna
anteontem *adv* the day before yesterday
antepassado *nm* ancestor
antepenúltimo *adj* third from last
antepor *v* to put before
anteprojecto *a nova grafia é* **anteprojeto**AO
anteprojetoAO *nm* draft
anterior *adj* **1** *(prévio)* previous **2** *(precedente)* preceding; former **3** *(dianteiro)* front
anteriormente *adv (antes)* before; previously
antes *adv* **1** *(tempo)* before; **antes de** before **2** *(opção)* rather; **antes queria ficar** I'd rather stay **3** *(antigamente)* in former times; formerly ♦ **antes pelo contrário** quite the opposite

antestreia *nf* preview
antever *v* to foresee; to predict
antevéspera *nf* the day before the eve
antevisão *nf (previsão)* forecast
antiaborto *adj inv* pro-life
antiácido *nm* antacid
antiaéreo *adj* anti-aircraft
antibiótico *nm* antibiotic
anticalcário *adj inv* anti-limescale; anti-scale
anticaspa *adj inv* anti-dandruff
anticiclone *nm* anticyclone
anticlímax *nm* anticlimax
anticoncecional[AO] *adj2g,nm* contraceptive
anticoncepcional *a nova grafia é* **anticoncecional**[AO]
anticongelante *nm* (automóvel) antifreeze
anticonstitucional *adj2g* unconstitutional
anticorpo *nm* antibody
antidemocrático *adj* anti-democratic
antidepressivo *adj,nm* antidepressant
antiderrapante *adj2g* (pneu) nonskid; (piso, sola, tapete) nonslip
anti-doping *adj inv* anti-doping; **controlo anti-doping** dope test
antídoto *nm* antidote
antidroga *adj2g* anti-drug
antiferrugem *adj inv* anti-rust
antifogo *adj inv* fireproof
antigamente *adv* in the past
antigo *adj* **1** old **2** (cultura, civilização) ancient **3** (antiguidades) antique **4** *(anterior)* former
antigovernamental *adj2g* anti-government
antigripal *adj2g* anti-flu ▪ *nm* flu drug
Antígua e Barbuda *nf* Antigua and Barbuda
antiguidade *nf* **1** *(idade)* age; antiquity **2** (emprego) seniority **3** *pl* (objeto) antiques; **loja de antiguidades** antique shop
anti-herói *nm* antihero
anti-histamínico *adj,nm* antihistamine
antílope *nm* antelope
antimónio *nm* antimony
antinuclear *adj2g* antinuclear
antioxidante *adj2g,nm* antioxidant
antipatia *nf* dislike (por, for/of)
antipático *adj* unpleasant; disagreeable
antipatizar *v* to take a dislike (com, to)
antipatriótico *adj* POL unpatriotic
antipedagógico *adj* pedagogically unsound
antipessoal *adj* antipersonnel; **minas antipessoais** antipersonnel mines
antipirético *nm* antipyretic
antípodas *nmpl* antipodes
antiquado *adj* old-fashioned
antiquário *nm* **1** (pessoa) antique dealer **2** (loja) antique shop
antiqueda *adj inv* hair restoring; **loção antiqueda** hair restorer
antiquíssimo *adj* extremely old
anti-racismo *a nova grafia é* **antirracismo**[AO]
anti-racista *a nova grafia é* **antirracista**[AO]
anti-reflexo *a nova grafia é* **antirreflexo**[AO]
anti-roubo *a nova grafia é* **antirroubo**[AO]
antirracismo[AO] *adj inv,nm* antiracism
antirracista[AO] *adj,n2g* antiracist
antirreflexo[AO] *adj inv* anti-reflection
antirroubo[AO] *adj inv* anti-theft; **alarme antirroubo** burglar alarm
antirrugas[AO] *adj inv* (produto de beleza) anti-wrinkle
anti-rugas *a nova grafia é* **antirrugas**[AO]
anti-semita *a nova grafia é* **antissemita**[AO]
anti-semitismo *a nova grafia é* **antissemitismo**[AO]
anti-séptico *a nova grafia é* **antisséptico**[AO]
anti-sísmico *a nova grafia é* **antissísmico**[AO]
anti-social *a nova grafia é* **antissocial**[AO]
antissemita[AO] *n2g* anti-Semite ▪ *adj2g* anti-Semitic
antissemitismo[AO] *nm* anti-Semitism
antisséptico[AO] ou **antissético**[AO] *adj,nm* antiseptic
antissísmico[AO] *adj* earthquake-resistant
antissocial[AO] *adj2g* antisocial
antitabaco *adj inv,nm* anti-smoking
antitanque *adj2g* anti-tank
antiterrorismo *nm* counterterrorism
antiterrorista *adj2g* anti-terrorist
antítese *nf* antithesis
antitetânico *adj* anti-tetanus
antitoxina *nf* antitoxin
antivírus *nm* anti-virus
antologia *nf* anthology
antonímia *nf* antonymy
antónimo *adj* antonymous ▪ *nm* antonym
antracite *nf* anthracite
antraz *nm* anthrax
antro *nm* **1** *(local secreto)* den **2** *(gruta)* cave
antropófago *adj* cannibalistic ▪ *nm* cannibal
antropologia *nf* anthropology
antropológico *adj* anthropological

antropólogo *nm* anthropologist
antropónimo *nm* anthroponym
anual *adj2g* annual; yearly
anualmente *adv* annually
anuário *nm* **1** yearbook **2** *(catálogo oficial)* directory
anuência *nf* consent
anuidade *nf* annuity
anuir *v* to agree (a, to); to consent (a, to)
anulação *nf* **1** invalidation; (decisão, sentença) overturning; (casamento) annulment **2** *(cancelamento)* cancellation **3** (golo, lance) disallowing
anular *v* **1** to invalidate; (decisão, sentença) to overturn; (casamento) to annul **2** *(cancelar)* to cancel **3** (golo, lance) to disallow
anunciante *n2g* (publicidade) advertiser
anunciar *v* **1** to announce **2** (publicidade) to advertise
anúncio *nm* **1** (publicidade) advertisement, ad *col*; **anúncios nos jornais** newspaper ads **2** (cartaz) poster **3** *(aviso)* notice
ânus *nm2n* anus
anzol *nm* fish hook
aonde *adv* where
aorta *nf* (artéria) aorta
apadrinhamento *nm* **1** (patrocínio) sponsoring **2** (apoio) support
apadrinhar *v* **1** *(patrocinar)* to sponsor **2** *(apoiar)* to support **3** *(proteger)* to protect
apagado *adj* **1** *(sem vida)* dull **2** (cor) dull; faded; (som) muffled, faint ♦ **estar apagado 1** (luz, aparelho) to be off **2** (fogo, cigarro) to be out
apagador *nm* (quadro) rubber GB; eraser
apagão *nm* power cut
apagar *v* **1** (com borracha) to rub out GB, to erase EUA; (com esponja) to rub off **2** *(desligar)* to switch off **3** *(eliminar)* to erase; to delete **4** (fogo, cigarro) to put out; (velas) to blow out ▪ **apagar-se 1** (vela, cigarro) to go out **2** *(desvanecer-se)* to fade away
apaixonado *adj* **1** in love (por, with) **2** *(intenso)* passionate ▪ *nm* lover (de/por, of)
apaixonar *v* to fascinate; to absorb ▪ **apaixonar-se** to fall in love (por, with)
apalavrar *v (combinar)* to settle
apalpação *nf* palpation
apalpadela *nf* **1** touch **2** *(apalpão)* grope ♦ **andar às apalpadelas** to grope one's way
apalpão *nm* grope
apalpar *v* **1** *(tatear)* to touch **2** MED to palpate **3** *(assediar)* (pessoa) to grope
apanha *nf* harvest; (fruta) picking
apanha-bolas *n2g2n* (homem) ball boy; (mulher) ball girl
apanhado *adj* **1** *col (doido)* nuts; wacko **2** *col (apaixonado)* besotted **3** (cabelo) tied up ▪ *nm* **1** *(resumo)* summary **2** *pl* TV candid camera
apanhador *nm* dustpan
apanhar *v* **1** to catch; **apanhar uma bola** to catch a ball **2** to pick up **3** to get; **apanhar uma multa** to get fined; **apanhar um susto** to get a scare **4** (cabelo) to tie back ♦ **apanhar sol** to sunbathe
apaparicar *v* to pamper
aparador *nm* (mobília) sideboard
aparafusar *v* to screw (on)
apara-lápis *nm2n* pencil sharpener
aparar *v* **1** (cabelo) to trim **2** (lápis) to sharpen **3** (árvores) to prune
aparas *nfpl* **1** (de madeira) shavings **2** (de metal) filings
aparato *nm* pomp (and ceremony)
aparatoso *adj* **1** showy **2** (queda, acidente) spectacular
aparcamento *nm* parking
aparcar *v* to park
aparecer *v* **1** to appear **2** *(vir)* to show up **3** (algo/alguém perdido) to turn up **4** (oportunidade) to come along **5** *(visitar)* to drop by
aparecimento *nm* appearance
aparelhagem *nf* **1** (som) stereo; hi-fi **2** equipment
aparelhar *v* **1** *(equipar)* to equip **2** *(preparar)* to prepare **3** (embarcação) to rig
aparelho *nm* **1** device; *(máquina)* machine; *(eletrodoméstico)* appliance; (rádio, televisão) set **2** (auditivo) hearing aid **3** (dentes) brace(s) **4** ANAT system
aparência *nf* appearance; **as aparências iludem** appearances can be deceptive ♦ **sob a aparência de** under the guise of
aparentado *adj* **1** (família) related (com, to) **2** *(parecido)* similar (com, to)
aparentar *v* to look; to appear (to be)
aparente *adj2g* apparent; seeming
aparentemente *adv* seemingly; apparently
aparição *nm* **1** appearance **2** *(fantasma)* apparition
aparo *nm* (de caneta) nib

apartado *nm* PO Box
apartamento *nm* flatGB, apartmentEUA
apartar *v* **1** *(separar)* to separate **2** *(pôr de lado)* to set aside ▪ **apartar-se** *(separar-se)* to separate
aparte *nm* (frase, comentário) aside
apartheid *nm* apartheid
aparthotel *nm* apart hotel
aparvalhar *v* **1** (espantar) to astonish **2** *(confundir)* to bewilder
apatetado *adj* goofy
apatia *nf* apathy
apático *adj* apathetic
apátrida *adj2g* stateless ▪ *n2g* stateless person
apavorado *adj (assustado)* terrified
apavorar *v* to terrify ▪ **apavorar-se** to be terrified
apaziguador *adj* pacifying; appeasing
apaziguamento *nm* appeasement
apaziguar *v* **1** (irritação) to pacify; to appease **2** (dor) to calm; to soothe
apeadeiro *nm* halt
apear-se *v* **1** (bicicleta, comboio, autocarro) to get off **2** (cavalo) to dismount
apedrejamento *nm* stoning
apedrejar *v* to stone
apegado *adj* attached (a, to)
apegar-se *v (afeiçoar-se)* to become attached (a, to)
apego *nm* attachment
apelação *nf* DIR appeal
apelante *n2g* DIR appellant
apelar *v* to appeal
apelativo *adj (atrativo)* appealing
apelidar *v* **1** *(chamar)* to call **2** (alcunha) to nickname
apelido *nm* **1** (nome de família) surname, family name; **apelido de solteira** maiden name **2** *(alcunha)* nickname
apelo *nm* appeal; **fazer um apelo a alguém** to appeal to somebody
apenas *adv* only
apêndice *nm* **1** (intestino grosso) appendix; (outro órgão) appendage; **foi operado ao apêndice** he had his appendix out **2** (texto, livro) appendix
apendicite *nf* appendicitis
aperaltado *adj* dressed up
aperaltar-se *v* to dress up
aperceber-se *v* to realize (de, -); to notice (de, -)
aperfeiçoamento *nm* **1** (ato) improving **2** *(melhoramento)* improvement
aperfeiçoar *v* **1** to improve **2** to perfect ▪ **aperfeiçoar-se** to improve
aperitivo *nm* **1** (bebida) aperitif **2** (comida) appetizer
aperrear *v col* to annoy
apertado *adj* **1** *(justo)* tight **2** *(estreito)* narrow **3** (falta de dinheiro) hard-up **4** (curva) sharp
apertão *nm* **1** squeeze, crush **2** (multidão) crowd
apertar *v* **1** (camisa, botão, etc.) to do up; to fasten; (cordões) to tie; (cinto) to buckle **2** (cinto de segurança) to fasten **3** (nó, parafuso) to tighten **4** *(comprimir)* to press; to squeeze **5** (segurança) to tighten; to step up **6** *(ficar apertado)* (roupa, calçado) to be tight **7** *(agravar-se)* to get worse ♦ (poupança) **apertar o cinto** to tighten one's belt
aperto *nm* **1** *(multidão)* crush **2** *(sarilhos)* fix **3** *(crise)* crisis **4** *(pressão)* pressure ♦ **aperto de mão** handshake
apesar de *loc prep* in spite of, despite; **apesar de que** although; **apesar disso** nevertheless
apetecer *v* to feel like; **não me apetece** I don't feel like it; **quando te apetecer** when you feel like it
apetecível *adj2g* **1** *(interessante)* appealing; *(tentador)* tempting **2** (comida) appetizing
apetência *nf (gosto)* taste (por, for); *(inclinação)* inclination (por, for)
apetite *nm* appetite ♦ **bom apetite!** enjoy your meal!
apetitoso *adj* delectable
apetrechar *v* to equip
apetrecho *nm* **1** implement **2** *pl* gear; (pesca) tackle
ápice *nm* **1** *(ponta)* apex **2** *(cume)* summit ♦ **num ápice** in no time
apicultor *nm* beekeeper
apicultura *nf* beekeeping
apimentado *adj* **1** (sabor) peppery **2** *fig* spicy
apimentar *v* **1** to pepper **2** *fig* to spice up
apinhado *adj (cheio)* packed (de, with); **apinhado de gente** crowded
apinhar *v (encher)* to fill (de, with) ▪ **apinhar-se** to crowd together

apitar *v* **1** (com apito) to blow the whistle **2** *(buzinar)* to hoot **3** (aparelho) to beep **4** (comboio, chaleira) to whistle **5** *(arbitrar)* to referee
apito *nm* whistle
aplacar *v* to appease
aplainar *v* **1** (madeira) to plane **2** *(nivelar)* to level out
aplanar *v* **1** *(alisar)* to smooth **2** *(nivelar)* to level
aplaudir *v* to applaud
aplauso *nm* **1** applause **2** *(aprovação)* approval **3** *(elogio)* praise
aplicação *nf* **1** application **2** (lei) enforcement **3** (dinheiro) investment **4** (computador) application
aplicado *adj* **1** (ciência) applied **2** *(trabalhador)* hard-working
aplicar *v* **1** to apply **2** (lei) to enforce **3** (multa, castigo) to impose (a, on) **4** (conhecimentos) to put to use **5** (dinheiro) to invest ▪ **aplicar-se** **1** (estudo, trabalho) to work hard **2** *(dizer respeito)* to apply (a, to)
aplicável *adj2g* applicable (a, to)
aplique *nm* **1** (em tecido) appliqué **2** (candeeiro) wall light
apneia *nf* apnoea GB, apnea EUA
apocalipse *nm* apocalypse
apoderar-se *v* to take hold (de, of)
apodrecer *v* to rot
apodrecido *adj* rotten
apodrecimento *nm* rottenness; decay
apogeu *nm (auge)* height, peak
apoiado *adj* **1** supported (por, by) **2** *(encostado)* leaning; resting ▪ *interj* hear, hear!; bravo!
apoiante *n2g* supporter
apoiar *v* **1** to support **2** *(encostar)* to rest; to lean ▪ **apoiar-se** **1** to lean (em, on) **2** *(basear-se)* to be based (em, on)
apoio *nm* **1** support; **apoio moral** moral support **2** (estudo) extra teaching; **aulas de apoio** remedial lessons
apólice *nf* policy; **apólice de seguro** insurance policy
apologia *nf (elogio)* praise
apologista *n2g* advocate (de, of)
apontador *nm* **1** (objeto que aponta) (laser) pointer **2** INFORM pointer; *(hiperligação)* hyperlink
apontamento *nm* note; **caderno de apontamentos** notebook; **tirar apontamentos** to take notes
apontar *v* **1** to point **2** *(registar)* to note down **3** *(assinalar)* to point out **4** *(levar a concluir)* to suggest; to indicate **5** *(propor, apresentar)* to put forward **6** (objetivo) to aim (para, at)
apoplexia *nf* apoplexy
apoquentado *adj* **1** worried **2** *(aborrecido)* annoyed
apoquentar *v* **1** *(preocupar)* to worry **2** *(importunar)* to annoy; to bother ▪ **apoquentar-se** to worry
após *prep* **1** (depois) after; **um após o outro** one after the other **2** (atrás de) behind
aposentação *nf* **1** *(reforma)* retirement **2** *(pensão)* pension
aposentado *nm* pensioner ▪ *adj* retired
aposentar-se *v* to retire
aposento *nm* (quarto) room
aposição *nf* **1** *(acrescento)* addition **2** *(colocação)* placement; (selo) affixation
apossar-se *v* to seize (de, -)
aposta *nf* bet; wager; **fazer uma aposta** to make a bet
apostador *nm* better
apostar *v* to bet (em, on)
aposto *adj* added ▪ *nm* LING appositive
apostólico *adj* apostolic
apóstolo *nm* apostle
apóstrofe *nf* (retórica) apostrophe
apóstrofo *nm* apostrophe
apoteose *nf* apotheosis
apoteótico *adj* majestic; triumphal
aprazível *adj2g (agradável)* pleasant
apreçar *v (avaliar)* to value
apreciação *nf* **1** *(avaliação)* assessment; appraisal **2** *(opinião)* view; opinion
apreciador *nm* lover, fan
apreciar *v* **1** *(gostar de)* to enjoy; to like **2** *(valorizar)* to prize **3** *(admirar)* to admire
apreciável *adj2g* appreciable; considerable
apreço *nm* (estima) regard; **ter um grande apreço por alguém** to hold somebody in high regard ◆ **em apreço** in question
apreender *v* **1** *(confiscar)* to seize **2** (carta de condução) to take away **3** (sentido) to grasp; to comprehend
apreensão *nf* **1** (mercadoria ilegal) seizure **2** (punição) confiscation **3** *(entendimento)* grasp; comprehension **4** *(ansiedade)* apprehension ◆ **apreensão de carta** disqualification from driving

apreensivo *adj* apprehensive
apregoar *v* **1** *(anunciar)* to proclaim **2** *(louvar)* to extol **3** (vendedor de rua) to cry
aprender *v* to learn; **aprender de cor** to learn by heart ♦ **aprender a lição** to learn one's lesson
aprendiz *nm* apprentice
aprendizagem *nf* **1** learning **2** *(formação)* training
apresentação *nf* **1** presentation **2** (pessoas) introduction **3** (proposta) submission **4** *(aspeto)* appearance **5** (livro, produto) launch
apresentador *nm* (programa) presenterGB; host; (noticiário) newscaster
apresentar *v* **1** *(mostrar)* to present **2** (pessoas) to introduce (a, to) **3** (proposta, candidatura) to submit **4** *(expor)* to set out **5** (programa) to presentGB; to host ▪ **apresentar-se 1** to introduce oneself (a, to) **2** (ocasião, oportunidade) to present itself **3** (a um exame) to take ♦ **apresentar queixa** (reclamação) to make a complaint; (crime) to press charges
apresentável *adj2g* presentable
apressado *adj* **1** in a hurry **2** *(rápido)* speedy; fast **3** *(precipitado)* hasty
apressar *v* **1** to rush **2** (ritmo) to quicken ▪ **apressar-se** to hurry up
aprimorar *v* to improve
aprisionamento *nm* **1** *(captura)* capture **2** *(detenção)* arrest **3** *(prisão)* imprisonment
aprisionar *v* **1** to imprison; to lock up **2** *(capturar)* to capture, to take prisoner
aprofundamento *nm* deepening; (assunto, questão) closer look
aprofundar *v* **1** to deepen **2** (assunto, questão) to study carefully
aprontar *v* **1** to get ready **2** to finish **3** *col (tramar)* to be up to; *(fazer asneiras)* to play up
apropriação *nf* **1** appropriation (de, of) **2** (confiscar) seizure (de, of)
apropriado *adj* appropriate, suitable
apropriar-se *v* **1** to be appropriate (a, for) **2** to take possession (de, of) **3** (ideias) to steal (de, -)
aprovação *nf* **1** approval **2** (escola) pass
aprovado *adj* approved; (exame) **ficar aprovado** to pass
aprovar *v* **1** *(dar permissão a)* to approve **2** *(achar correto)* to approve of **3** (lei, moção) to pass **4** (teste, exame) to pass
aproveitamento *nm* **1** use; exploitation **2** (escolar) performance; marks
aproveitar *v* **1** *(utilizar)* to make use of; to use **2** (oportunidade) to take **3** *(desfrutar de)* to make the most of **4** *(poupar)* to save ▪ **aproveitar-se** to take advantage (de, of) ♦ **aproveite!** have a good time!
aprovisionamento *nm* supply, provision
aprovisionar *v* to provision, to supply
aproximação *nf* **1** approach **2** *(proximidade)* nearness **3** (relações) coming together
aproximado *adj* (valor) approximate
aproximar *v* **1** to bring nearer, to bring close **2** *(reconciliar)* to bring together ▪ **aproximar-se 1** to come near; **aproxima-te!** come nearer!, come closer! **2** (intimidade, amizade) to grow closer (de, to)
aprumado *adj* **1** (posição vertical) plumb **2** (aparência) neat; smartGB
aprumar *v* **1** to plumb **2** *(endireitar)* to straighten ▪ **aprumar-se 1** *(endireitar-se)* to straighten oneself **2** (aparência); to spruce up
aprumo *nm* **1** *(verticalidade)* vertical position **2** (aparência) neatness **3** *(correção)* correctness
aptidão *nf* **1** *(capacidade)* aptitude; ability **2** *(disposição inata)* flair **3** (para situação, função) fitness
apto *adj* **1** (situação, função) fit; suitable **2** *(capaz)* able
apunhalar *v* to stab
apupar *v* to boo
apupo *nm* boo
apurado *adj* **1** *(averiguado)* ascertained **2** (sentidos, humor) sharp **3** *(escolhido)* selected **4** (competição) qualified **5** *(aperfeiçoado)* refined
apuramento *nm* **1** *(averiguação)* establishment **2** *(seleção)* selection **3** (competição) qualification (para, for) **4** *(aperfeiçoamento)* refinement
apurar *v* **1** *(esclarecer)* to ascertain **2** *(investigar)* to investigate **3** *(aperfeiçoar)* to perfect **4** *(selecionar)* to select **5** (sentidos) to sharpen
apuro *nm (sarilho)* fix; **estar em apuros** to be in trouble
aquando *conj* when; **aquando de** at the time of
aquaparque *nm* waterpark
aquaplanagem *nf* aquaplaningGB; hydroplaningEUA
aquaplanar *v* to aquaplaneGB; to hydroplaneEUA
aquaplano *nm* aquaplane
aquariano *adj,nm* Aquarian

aquário *nm* **1** (pequeno) fishbowl; (grande) aquarium **2** (constelação, signo) [com maiúscula] Aquarius
aquático *adj* aquatic; water
aquecedor *nm* heater
aquecer *v* **1** to heat (up); to warm (up) **2** (temperatura) to get warm **3** (discussão, debate) to get heated ▪ **aquecer-se** (pessoa) to warm up
aquecimento *nm* **1** (edifício, sala) heating; **aquecimento central** central heating **2** (ambiente) warming **3** DESP warm-up
aqueduto *nm* aqueduct
aquele *adj* that; *pl* those; **aquele carro** that car; **aquelas casas** those houses ▪ *pron dem* that one; *pl* those; **prefiro aquele** I prefer that one
aquém *adv* on this side ◆ **ficar aquém de** to fall short of
aqui *adv* **1** (lugar) here; **aqui mesmo** right here **2** (tempo) now; **até aqui** until now **3** *(aproximadamente)* about; **aqui há três meses** about three months ago ◆ **por aqui** this way; **por aqui e por ali** here and there
aquietar *v* to calm
aquilino *adj* (nariz) aquiline
aquilo *pron dem* that, it; **aquilo que** what
aquisição *nf* **1** acquisition **2** *(compra)* purchase
aquoso *adj* aqueous, watery
ar *nm* **1** air; **ar puro** fresh air; (rádio, televisão) **entrar no ar** to go on (the) air **2** *(aspeto)* look; **estás com bom ar** you look good ◆ **ar condicionado** (sistema) air conditioning; (aparelho) air conditioner
árabe *n2g* **1** (pessoa) Arab **2** (língua) Arabic ▪ *adj2g* Arab
arabesco *nm* arabesque
Arábia *nf* Arabia
Arábia Saudita *nf* Saudi Arabia
aracnídeo *nm* arachnid
arado *nm* plough
aragem *nf* breeze
arame *nm* wire; **arame farpado** barbed wire ◆ *col* **ir aos arames** to go berserk
aranha *nf* spider ◆ **andar às aranhas** to be at a loss
arar *v* to plough
arara *nf* macaw
arável *adj2g* arable
arbitragem *nf* **1** (futebol, andebol, basquetebol) refereeing; (ténis, basebol, hóquei) umpiring **2** (disputa) arbitration
arbitrar *v* **1** (disputa) to arbitrate **2** (futebol, andebol, basquetebol) to referee **3** (ténis, basebol, hóquei) to umpire
arbitrariedade *nf* **1** (ação) arbitrary act **2** arbitrariness
arbitrário *adj* arbitrary
arbítrio *nm* **1** will; **livre arbítrio** free will **2** judgement; decision
árbitro *nm* **1** (futebol, andebol, basquetebol) referee; (ténis, basebol, hóquei) umpire; **árbitro auxiliar** assistant referee **2** (disputa) arbitrator
arborização *nf* tree planting
arborizar *v* to plant trees in
arbusto *nm* shrub, bush
arca *nf* chest; (para viagem) trunk; (objetos de valor) coffer ◆ **arca congeladora** (vertical) freezer; (horizontal) chest freezer
arcaboiço *nm* **1** *(ossatura)* skeleton **2** *(capacidade)* strength
arcada *nf (série de arcos)* arcade; (abóbada) arched vault
arcaico *adj* archaic
arcaísmo *nm* archaism
arcanjo *nm* archangel
arcar *v* to face (com, -), to take (com, -); **arcar com as consequências** to face the consequences
arcebispo *nm* archbishop
archote *nm* torch
arco *nm* **1** arch; **arco do triunfo** triumphal arch **2** (para flecha) bow **3** (brinquedo, barril) hoop **4** (violino) bow **5** GEOM,ELET arc
arco-da-velha *nm col* **do arco-da-velha** amazing, unbelievable
arco-íris *nm* rainbow
árctico *a nova grafia é* **ártico**[AO]
Árctico *a nova grafia é* **Ártico**[AO]
ardência *nf* **1** burning **2** (olhos, ferida) sting
ardente *adj2g* burning
arder *v* **1** to burn; **arder em febre** to be burning up **2** (olhos, ferida) to sting
ardil *nm* scheme, trick
ardiloso *adj* **1** *(manhoso)* cunning **2** *(perspicaz)* astute
ardina *nm* newspaper vendor
ardor *nm* **1** *(sensação)* burning **2** (sentimentos) ardour GB, ardor EUA

ardósia *nf* slate
árduo *adj* arduous, hard
are *nm* (medida) are
área *nf* area; (autoestrada) **área de serviço** service areaGB, gas stationEUA; DESP **grande área** penalty area
areal *nm* **1** sand **2** *(praia)* beach
areia *nf* sand; **areia movediça** quicksand; **castelo de areia** sandcastle
arejado *adj* **1** airy, well-ventilated **2** (ideias) open-minded
arejamento *nm* airing, ventilation
arejar *v* **1** (quarto, roupa) to air **2** *(tomar ar)* to get some fresh air **3** *(espairecer)* to have a break
arejo *nm* airing, ventilation
arena *nf* **1** arena **2** (circo, touradas) ring
arenito *nm* sandstone
arenoso *adj* sandy
arenque *nm* herring
aresta *nf* **1** GEOM edge **2** *(esquina)* corner
arfar *v* to pant
argamassa *nf* mortar
Argélia *nf* Algeria
argelino *adj,nm* Algerian
Argentina *nf* Argentina
argentino *adj,nm* Argentinian
argila *nf* clay
argiloso *adj* clayey, argillaceous
argola *nf* **1** ring **2** *(brinco)* hoop **3** *pl* (ginástica) rings ♦ *col* **meter o pé na argola** to put your foot in it
argolada *nf col (calinada)* clangerGB; blooperEUA
árgon *nm* argon
argúcia *nf* astuteness
arguido *nm* DIR formal suspect ▪ *adj* accused
argumentação *nf* line of argument; argumentation
argumentar *v* **1** to argue **2** *(alegar)* to claim
argumentativo *adj* argumentative
argumentista *n2g* scriptwriter
argumento *nm* **1** argument **2** *(guião)* script; *(enredo)* story line
arguto *adj* astute
ária *nf* MÚS aria
aridez *nf* **1** (solo, clima) aridity; dryness **2** *(esterilidade)* barrenness **3** (assunto) dryness
árido *adj* **1** (solo, clima) arid **2** *(estéril)* barren **3** *(desinteressante)* dry; dull
arisco *adj* unfriendly
aristocracia *nf* aristocracy
aristocrata *n2g* aristocrat
aristocrático *adj* aristocratic
aritmética *nf* arithmetic
aritmético *adj* arithmetic, arithmetical
arlequim *nm* harlequin
arma *nf* **1** weapon; (de fogo) gun **2** *pl* arms; **tráfico de armas** arms trade
armação *nf* **1** framework; structure **2** (óculos) frames
armada *nf* navy; fleet
armadilha *nf* trap; **armar uma armadilha** to set a trap
armadilhado *adj* booby-trapped
armado *adj* **1** (armas) armed **2** (betão) reinforced
armador *nm* **1** (embarcação) shipowner **2** (funeral) funeral director
armadura *nf* (guerreiro) armourGB, armorEUA
armamento *nm* armaments; arms; **corrida ao armamento** arms race
armanço *nm col* boasting; showing-off
armar *v* **1** to arm **2** *(montar)* to assemble; (estrutura, tenda) to put up; (armadilha) to set **3** *(provocar)* to cause; **armar sarilhos** to cause trouble ▪ **armar-se** *(exibir-se)* to show off
armário *nm* **1** cupboard; cabinet **2** (roupa) wardrobeGB, closetEUA
armazém *nm* **1** (edifício) warehouse; (parte de edifício) stockroom; **em armazém** in stock **2** (loja) general store
armazenamento *nm* storage; (em armazém) warehousing
armazenar *v* to store
armazenista *n2g* (dono, trabalhador) warehouseperson
Arménia *nf* Armenia
arménio *adj,nm* Armenian
armilar *adj* (esfera) armillary
arminho *nm* (animal, pele) ermine
armistício *nm* armistice
ARN [*abrev. de* ácido ribonucleico] RNA [*abrev. de* ribonucleic acid]
aro *nm* **1** *(arco)* hoop; *(argola, anel)* ring **2** (óculos) rim
aroma *nm* **1** aroma; *(perfume)* scent; (vinho) bouquet **2** *(sabor)* flavourGB, flavorEUA
aromaterapeuta *nf* aromatherapist
aromaterapia *nf* aromatherapy
aromático *adj* aromatic; fragrant

aromatizar *v* **1** *(perfumar)* to scent **2** *(dar sabor a)* to flavourGB, to flavorEUA; *(temperar)* to season
arpão *nm* harpoon
arqueado *adj* **1** arched; vaulted **2** bent
arquear *v* **1** to arch **2** to curve **3** *(dobrar)* to bend
arqueiro *nm* archer
arquejar *v* to pant; to gasp
arqueologia *nf* archaeologyGB, archeologyEUA
arqueológico *adj* archaeologicalGB, archeologicalEUA
arqueólogo *nm* archaeologistGB, archeologistEUA
arquétipo *nm* archetype
arquibancada *nf* (anfiteatro, estádio) grandstand
arquiduque *nm* archduke
arquipélago *nm* archipelago
arquitectar *a nova grafia é* **arquitetar**AO
arquitecto *a nova grafia é* **arquiteto**AO
arquitectónico *a nova grafia é* **arquitetónico**AO
arquitectura *a nova grafia é* **arquitetura**AO
arquitetarAO *v* **1** to come up with; to think up **2** to plan
arquitetoAO *nm* architect
arquitetónicoAO *adj* architectonic
arquiteturaAO *nf* architecture
arquivar *v* **1** to archive; (em pastas) to file **2** (caso) to dismiss **3** (plano, ideia) to shelve
arquivista *n2g* archivist
arquivo *nm* **1** archive **2** (documentos) file; record **3** (móvel) filing cabinet
arrabaldes *nmpl* (cidade) outskirts, suburbs
arraial *nm* **1** (festividade) festival **2** MIL camp
arraia-miúda *nf pej* rabble
arrancar *v* **1** (puxando) to pull (out); (rasgando) to tear out **2** *(tirar)* to take off **3** (árvore, planta) to uproot **4** *(tirar com violência)* to snatch **5** (verdade, confissão) to extract (a, from) **6** (veículo); *(pegar)* to start up; *(começar a andar)* to move off **7** *(iniciar-se)* to start (off) **8** (computador) to boot
arranha-céus *nm* skyscraper
arranhadela *nf* scratch
arranhão *nm* scratch
arranhar *v* **1** to scratch **2** (língua) to have a smattering of; **ele arranha o inglês** he has a smattering of English
arranjar *v* **1** *(obter)* to get **2** *(encontrar)* to find **3** *(consertar)* to fix; to repair **4** *(pensar em)* to come up with; *(inventar)* to make up ▪ **arranjar-se** **1** to get dressed, to get ready **2** *col* to manage; *col* **cá me arranjarei!** I'll manage! ♦ **arranjar o cabelo** to have your hair styled; **arranjar as unhas** to have your hands manicured
arranjo *nm* **1** *(conserto)* repair **2** arrangement **3** *(acordo)* agreement; *(negociata)* scam
arranque *nm* **1** *(início)* start **2** (veículo) starting mechanism **3** (plantas, árvores) pulling up
arrapazado *adj* boyish
arrasado *adj* **1** (sentimentos) devastated **2** *(exausto)* exhausted
arrasar *v* **1** to destroy; to devastate **2** (emocionalmente) to shatter **3** (crítica) to slam (com, -) **4** *(arruinar)* to ruin (com, -) **5** (cansaço) to finish off (com, -) **6** *col* (sucesso) to make a huge success
arrastadeira *nf* bedpan
arrastado *adj* **1** *(vagaroso)* sluggish; (passos) shuffling **2** (modo de falar) slurred
arrastamento *nm* **1** (pelo chão) dragging **2** *(demora)* dragging on ♦ **por arrastamento** as a consequence
arrastão *nm* **1** dragging; jerk; **levar de arrastão** to drag **2** (barco) trawler **3** *(rede)* trawl
arrastar *v* **1** to drag **2** *(levar com violência)* to carry away **3** *(fazer demorar)* to drag out **4** (as palavras) to slur ▪ **arrastar-se** **1** to drag yourself; to crawl **2** (tempo) to drag on
arrasto *nm* **1** dragging **2** (pesca) trawling
arre *interj col* (irritação) damn!
arrear *v* (cavalo) to harness
arrebatado *adj* **1** (em êxtase) enraptured **2** (discurso) impassioned
arrebatador *adj* **1** *(deslumbrante)* breathtaking **2** *(entusiasmante)* rousing; impassioned
arrebatamento *nm* fascination; rapture
arrebatar *v* **1** *(extasiar)* to enrapture; to enthral **2** (prémio) to carry off
arrebitado *adj* **1** turned up **2** (nariz) snub **3** (pessoa) cheeky
arrebitar *v* **1** to turn up **2** (orelhas) to prick up **3** *(animar)* to perk up
arrecadação *nf* storeroom
arrecadar *v* **1** (cobrança, prémio) to collect **2** (dinheiro) to pocket **3** *(guardar)* to store (away)
arredondado *adj* **1** (forma) rounded **2** (número) round
arredondamento *nm* rounding-off

arredondar *v* **1** to round (off) **2** (número) to round off (para, to); (por defeito) to round down; (por excesso) to round up
arredores *nmpl* (cidade) outskirts; (local) surrounding area
arrefecer *v* **1** to cool (down) **2** (comida) to get cold **3** (tempo) to get colder **4** (sentimentos, relacionamento) to cool (off)
arrefecimento *nm* cooling
arregaçar *v* (mangas, calças) to roll up
arregalar *v* (olhos) to open wide; **de olhos arregalados** goggle-eyed
arreganhar *v* to open (wide); **arreganhar a tacha** to grin
arreios *nmpl* gear
arrelia *nf* **1** *(aborrecimento)* bother **2** *(irritação)* irritation
arreliar *v* **1** *(provocar)* to tease **2** *(irritar)* to annoy **3** *(afligir)* to upset
arrematar *v* **1** *(comprar em leilão)* to buy at auction; *(vender em leilão)* to sell at auction **2** *(leiloar)* to auction
arremessar *v* to hurl; to throw
arremesso *nm* throwing
arrendamento *nm* **1** *(ato de arrendar)* renting; letting GB **2** (dinheiro) rent
arrendar *v* **1** *(tomar de arrendamento)* to rent (a, from) **2** *(dar de arrendamento)* to rent (out) (a, to)
arrendatário *nm* tenant
arrepender-se *v* **1** to regret; to be sorry (de, about/for) **2** *(mudar de ideias)* to change one's mind **3** (pecado) to repent (de, of)
arrependido *adj* **1** sorry **2** (pecado) repentant
arrependimento *nm* **1** regret **2** (pecado) repentance
arrepiado *adj* **1** (frio, medo) shivering **2** (pele) covered in goose pimples **3** (cabelo, pelos) standing on end **4** *(apavorado)* horrified
arrepiante *adj2g* **1** *(assustador)* horrifying **2** (história) creepy; (silêncio) eerie; (grito) blood-curdling
arrepiar *v* **1** (frio) to make (somebody) shiver; (medo, nervosismo) to make (somebody) shudder **2** (cabelo, penas) to ruffle
arrepio *nm* shiver; **isso causa-me arrepios** it gives me the creeps
arrestar *v* DIR to distrain
arresto *nm* DIR distraint
arrevesar *v* **1** *(pôr do avesso)* to turn inside out **2** *(tornar confuso)* to obscure
arriar *v* to lower, to haul down
arriba *nf* cliff
arriscado *adj* risky
arriscar *v* to risk ▪ **arriscar-se** to take risks ♦ **quem não arrisca não petisca** nothing ventured, nothing gained
arritmia *nf* arrhythmia
arroba *nf* **1** (unidade de medida) 32 lb or 15 kg **2** INFORM at
arrogância *nf* arrogance
arrogante *adj2g* arrogant
arrojado *adj (ousado)* bold
arrojo *nm* boldness
arromba *nf* **de arromba** amazing, great
arrombamento *nm* break-in
arrombar *v* **1** (porta) to force; *(deitar abaixo)* to break down; (janela, fechadura) to force **2** (edifício, carro) to break into **3** (cofre) to crack
arrotar *v* to belch, to burp
arroto *nm* belch, burp
arroxeado *adj* purplish
arroz *nm* rice; **arroz integral** brown rice
arrozal *nm* rice field
arroz-doce *nm* rice pudding
arruaça *nf* disturbance
arruaceiro *nm* troublemaker ▪ *adj* rowdy
arruamento *nm (rua)* street
arrufo *nm* (namorados) tiff
arruinado *adj* ruined
arruinar *v* to ruin ▪ **arruinar-se** to be ruined
arruivado *adj* reddish
arrulhar *v* (pombos, namorados) to coo
arrulho *nm* (pombos) cooing
arrumação *nf* **1** *(ato de arrumar)* tidying (up) **2** (espaço) storage space
arrumado *adj* **1** tidy **2** organized **3** *(resolvido)* taken care of; settled
arrumador *nm* **1** (cinema, teatro) usher **2** (carros) parking attendant
arrumar *v* **1** (casa, quarto, papéis) to tidy (up) **2** *(guardar)* to put away; *(colocar no lugar)* to put back **3** *(resolver)* to settle ♦ **arrumar com 1** (cansaço) to finish off **2** *(resolver)* to settle **3** *(pôr fim a)* to put paid to
arrumo *nm* **1** tidiness **2** *pl* (quarto) junk room; (edifício) shed
arsenal *nm* arsenal
arsénico *nm* arsenic
arsénio *nm* arsenic
arte *nf* **1** art; **obra de arte** work of art **2** *(habilidade)* skill; talent

artefacto *nm* artefactGB, artifactEUA
artéria *nf* artery
arterial *adj2g* arterial; **tensão arterial** blood pressure
arteriosclerose *nf* arteriosclerosis
artesanal *adj2g* **1** handcrafted; handmade **2** *(pouco elaborado)* crude
artesanato *nm* (objetos, arte) handicrafts; **feira de artesanato** craft fair
artesão *nm* artisan
ártico[AO] *adj* Arctic
Ártico[AO] *nm* Arctic
articulação *nf* **1** ANAT joint **2** (fala) articulation
articulado *adj* (objeto) jointed; (veículo) articulated; *(desdobrável)* folding
articular *v* **1** to join; to link **2** *(pronunciar)* to articulate
artífice *nm* artisan
artificial *adj2g* artificial
artificialidade *nf* artificiality
artifício *nm* **1** *(artimanha)* trick **2** *(afetação)* affectation
artigo *nm* **1** article; (jornalismo) **artigo de fundo** feature article; LING **artigo definido/indefinido** definite/indefinite article **2** piece; **artigo de vestuário** piece of clothing
artilharia *nf* artillery
artimanha *nf* trick
artista *n2g* artist
artístico *adj* artistic
artrite *nf* arthritis
artrose *nf* arthrosis
árvore *nf* tree; **árvore de Natal** Christmas tree
arvoredo *nm* trees; woodland
ás *nm* ace
asa *nf* **1** (avião, ave) wing **2** (panela, cesto) handle
asa-delta *nf* (atividade) hang-gliding; (aparelho) hang-glider
ascendência *nf* **1** *(antepassados)* ancestry **2** *(influência)* ascendancy (sobre, over)
ascendente *adj2g* upward ▪ *n2g (antepassado)* ancestor ▪ *nm* **1** influence; power **2** ASTROL ascendant
ascender *v* **1** (importância, nível) to climb; to rise **2** (quantia, número) to amount (a, to)
ascensão *nf* **1** *(subida)* ascent **2** (êxito, poder) rise; ascension **3** (cargo, carreira) promotion
ascensor *nm* liftGB; elevatorEUA
asceta *n2g* ascetic
asco *nm (nojo)* disgust; repulsion
aselha *n2g* **1** *col (desastrado)* clumsy person **2** *col* (condutor) bad driver
asfaltar *v* to asphalt
asfalto *nm* asphalt
asfixia *nf* asphyxia
asfixiante *adj2g* **1** asphyxiating; suffocating **2** *fig* stifling; oppressive
asfixiar *v* **1** to asphyxiate; to suffocate **2** *fig* to stifle
Ásia *nf* Asia
asiático *adj,nm* Asian
asilo *nm* **1** *(lar)* home; (idosos) old people's home **2** POL asylum
asma *nf* asthma
asmático *adj,nm* asthmatic
asneira *nf* **1** *(disparate)* stupid thing **2** *(erro)* mistake **3** *(palavrão)* swear word
asno *nm* **1** donkey **2** *(idiota)* idiot, ass
aspas *nfpl* quotation marks, inverted commasGB; **entre aspas** in inverted commas
aspecto *a nova grafia é* **aspeto**[AO]
aspereza *nf* **1** (superfície) roughness **2** *(rispidez)* harshness
aspergir *v* to sprinkle
áspero *adj* **1** rough **2** *(ríspido)* harsh
aspeto[AO] *nm* **1** appearance; look; **ter bom aspeto** to look well **2** (questão) aspect; side; angle
aspiração *nf* **1** *(ambição)* aspiration **2** *(inspiração)* inhalation **3** *(sucção)* suction **4** (limpeza) vacuuming
aspirador *nm* **1** vacuum-cleaner **2** (fluidos) aspirator
aspirante *n2g* **1** aspirant (a, to); (competição) contender (a, for) **2** MIL officer cadet
aspirar *v* **1** (com eletrodoméstico) to vacuum **2** *(inspirar)* to breathe in
aspirina *nf* aspirin
asqueroso *adj* repulsive; *(sujo, sórdido)* squalid
assadeira *nf* roasting tin
assado *adj* **1** (no forno) roast; (vegetais, fruta) baked; (na grelha) grilled **2** *col* (pele) rashed ▪ *nm* CUL roast
assador *nm* **1** (utensílio) roasting tin **2** (pessoa) roaster
assadura *nf* **1** CUL roasting **2** (bebé) nappy rashGB, diaper rashEUA
assalariado *nm* wage earner ▪ *adj* wage-earning

assalariar *v* **1** *(contratar)* to hire, to employ **2** *(pagar)* to pay a wage
assaltante *n2g* **1** (rua) mugger **2** (banco, loja) robber **3** (casa) burglar
assaltar *v* **1** (casa) to break into, to burgle **2** (pessoa) to mug **3** (banco) to rob **4** *(atacar)* to attack
assalto *nm* **1** (banco, loja, pessoa) robbery **2** (casa) burglary, break-in **3** (pessoa em local público) mugging **4** (boxe) round
assanhado *adj* **1** *(zangado)* angry **2** *(atiradiço)* flirtatious
assanhar *v* **1** *(enfurecer)* to infuriate; to enrage **2** (animal) to tease
assar *v* **1** (no forno) to roast; (vegetais, fruta) to bake; **assar na grelha** to grill GB, to broil EUA **2** *(ter muito calor)* to roast
assassinar *v* **1** to murder; (político) to assassinate **2** *(executar mal)* to butcher
assassinato *nm* murder; (político) assassination
assassínio *nm* murder; (político) assassination
assassino *nm* murderer; (de político) assassin
asseado *adj* clean; neat
assear *v* to clean
assediar *v* to harass
assédio *nm* harassment
assegurar *v* **1** *(garantir)* to ensure **2** *(prometer)* to assure **3** (posto, cargo) to secure ▪ **assegurar-se** to make sure
asseio *nm* cleanliness
assembleia *nf* **1** *(reunião)* meeting **2** (órgão político) assembly
assemelhar-se *v (ser parecido)* to be alike; **assemelhar-se a** to resemble
assenhorear-se *v* to seize (de, -)
assentada *nf* **de uma assentada** at one sitting
assentar *v* **1** *(basear)* to base (em, on) **2** *(basear-se)* to be based (em, on) **3** *(colocar)* to place **4** *(ganhar maturidade)* to settle down **5** (roupa) to fit (a/em, -)
assente *adj2g* **1** *(baseado)* based (em, on) **2** *(combinado)* agreed
assentimento *nm* agreement; consent
assentir *v* to agree
assento *nm* seat
assepsia *nf* asepsis
asséptico[AO] ou **assético**[AO] *adj* aseptic
asserção *nf* assertion
assertivo *adj* assertive
assessor *nm* **1** adviser; consultant **2** officer; **assessor de imprensa** press officer
assessorar *v* to act as consultant to
assessoria *nf* **1** consultancy **2** (órgão) advisory body
assexuado *adj* asexual
assiduamente *adv* assiduously
assiduidade *nf* assiduity
assíduo *adj* **1** *(frequente)* regular; frequent **2** *(constante)* constant
assim *adv* **1** *(deste modo)* like this; *(desse modo)* like that **2** *(em tal grau)* that; **estava assim tão bom?** was it that good? ▪ *conj (portanto)* so; therefore ♦ **assim como** as well as; **assim que** as soon as
assim-assim *adv* so-so
assimetria *nf* asymmetry
assimétrico *adj* asymmetrical
assimilação *nf* assimilation
assimilar *v* to assimilate
assinalar *v* **1** *(marcar, celebrar)* to mark **2** *(salientar)* to point out **3** (penálti) to award; (falta) to give
assinalável *adj2g* **1** *(significativo)* significant **2** *(extraordinário)* remarkable
assinante *n2g* **1** (jornais, revistas, telefone) subscriber (de, to) **2** (documento, petição) signer
assinar *v* **1** to sign **2** (revista, jornal) to subscribe (-, to)
assinatura *nf* **1** *(nome)* signature **2** (revista, jornal) subscription **3** (ato) signing
assistência *nf* **1** *(auxílio)* assistance; support; (seguro automóvel) **assistência em viagem** breakdown assistance **2** *(cuidados)* care **3** *(público)* audience; (num estádio) crowd
assistente *adj2g* **1** (apoio) assistant **2** *(presente)* attending ▪ *n2g* **1** (apoio) assistant **2** (público) member of the audience ♦ (avião) **assistente de bordo** flight attendant; **assistente social** social worker
assistir *v* **1** *(estar presente)* to be present (a, at); to attend (a, at) **2** *(ver)* to see/watch (a, at); (acidente, crime) to witness (a, at); (sem intervir) to look on (a, at) **3** *(auxiliar)* to help **4** (cuidados médicos) to examine

Não confundir a palavra portuguesa **assistir** com a palavra inglesa **(to) assist,** que significa ajudar, prestar assistência a.

assoalhada *nf* room
assoar *v* (nariz) to blow ▪ **assoar-se** to blow one's nose
assobiar *v* **1** to whistle **2** *(apupar)* to boo **3** (cobra) to hiss
assobio *nm* **1** whistle **2** (vaias) boo **3** (vento) whistling **4** (cobra, vapor) hiss
associação *nf* association
associado *nm* (sociedade) associate; (grupo, organização) member ▪ *adj* **1** associated (a, to/with) **2** (grupo, organização) associate
associar *v* **1** *(relacionar)* to associate (a, with) **2** *(ligar)* to link (a, to/with) **3** *(aliar)* to combine (a, with) ▪ **associar-se 1** *(juntar-se)* to join **2** *(trabalhar em conjunto)* to join forces **3** (sócios) to go into partnership (a, with)
associativo *adj* associative ♦ DESP **massa associativa** *(sócios)* members; *(adeptos)* supporters
assolar *v* to devastate, to ravage
assomar *v* **1** *(aparecer)* to appear; to come out **2** *(tornar-se visível)* to show
assombração *nf* apparition
assombrado *adj* haunted
assombrar *v* **1** to haunt **2** *(pasmar)* to astonish
assombro *nm* **1** *(pasmo)* amazement **2** (maravilha) wonder
assombroso *adj* amazing; astonishing
assumir *v* **1** to take on, to assume **2** *(aceitar)* to take; to accept **3** *(reconhecer)* to admit **4** *(partir do princípio)* to assume ▪ **assumir-se** *(definir-se)* to describe oneself (como, as)
assunto *nm* **1** *(tema)* subject; **mudar de assunto** to change the subject **2** *(questão)* matter; **assuntos pessoais** personal matters ♦ *col* **ir direito ao assunto** to cut to the chase
assustadiço *adj* easily frightened; jumpy *col*
assustado *adj* frightened; scared
assustador *adj* frightening
assustar *v* **1** to frighten, to terrify **2** (sobressaltar) to startle ▪ **assustar-se** to be frightened
ástato *nm* astatine
asterisco *nm* asterisk
asteroide[AO] *nm* asteroid
asteróide *a nova grafia é* **asteroide**[AO]
astigmático *adj* astigmatic
astigmatismo *nm* astigmatism
astral *adj2g* astral, sidereal ▪ *nm* BRAS *col (disposição)* mood
astro *nm* **1** heavenly body **2** *(vedeta)* star
astrofísica *nf* astrophysics
astrofísico *adj* astrophysical ▪ *nm* astrophysicist
astrolábio *nm* astrolabe
astrologia *nf* astrology
astrológico *adj* astrological
astrólogo *nm* astrologer
astronauta *n2g* astronaut
astronáutica *nf* astronautics
astronomia *nf* astronomy
astronómico *adj* astronomical
astrónomo *nm* astronomer
astúcia *nf* astuteness, cunning
astuto *adj* astute; cunning
ata[AO] *nf* minutes
atabalhoado *adj* **1** *(feito à pressa)* slapdash **2** *(descuidado)* sloppy **3** *(desastrado)* clumsy
atacador *nm* (sapato) shoelace
atacante *n2g* attacker ▪ *adj2g* attacking
atacar *v* **1** to attack **2** (problema, dificuldade) to tackle **3** (indisposição) to upset **4** (doença) to afflict
atafulhar *v* **1** *(encher)* to fill (com/de, with) **2** *(meter à força)* to cram ▪ **atafulhar-se** *(empanturrar-se)* to stuff oneself (de, with)
atalaia *n2g (sentinela)* sentinel
atalhar *v* **1** *(dizer)* to cut in; to say **2** *(interromper)* to cut short
atalho *nm* short cut
atapetar *v* to carpet
ataque *nm* **1** attack **2** seizure, fit, stroke ♦ **ao ataque!** charge!
atar *v* **1** to tie (up) (a, to) **2** *(ligar)* to link (a, to/with) ♦ **não atar nem desatar 1** (pessoa) not to make up one's minds **2** (situação) to be at a standstill
atarantado *adj* in a spin; dazed
atarantar *v* to send into a spin
atarefado *adj* busy, occupied
atarefar-se *v* (trabalho) to work hard
atarracado *adj* dumpy
atarraxar *v* **1** *(enroscar)* to screw on/in **2** *(aparafusar)* to screw (a, to)
atchim *interj* atishoo! GB, achoo!
até *prep* **1** (tempo) until, till **2** (valor superior) up to; (valor inferior) down to **3** (lugar) as far as; **até ao portão** as far as the gate **4** (despedida) see you; **até amanhã!** see you tomorrow! ▪ *adv* *(mesmo)* even ♦ **até aqui tudo bem** so far so good; **até que enfim!** at last!

atear *v* (fogo) to fan; (incêndio) to start; **atear fogo a** to set fire to
ateísmo *nm* atheism
atelier *nm* **1** (arte) studio **2** (empresa) firm **3** (formação) workshop **4** (costura) workroom; (alta-costura) atelier
atemorizar *v* **1** *(assustar)* to frighten **2** *(intimidar)* to intimidate
atempadamente *adv* in advance
atenção *nf* **1** attention **2** *(cuidado)* care **3** *(simpatia)* kindness **4** *col (oferta)* gift; *(desconto)* reduction ◆ (correspondência) **à atenção de** for the attention of; **digno de atenção** noteworthy
atenciosamente *adv* kindly; thoughtfully
atencioso *adj* kind
atendedor *nm* **atendedor de chamadas** answering machine; answerphone GB
atender *v* **1** (cliente) to serve **2** (telefone) to answer; to pick up **3** *(receber)* to see; to be with
atendimento *nm* service
atentado *nm* **1** attack; **atentado terrorista** terrorist attack **2** (contra a vida) attempt
atentamente *adv (com atenção)* carefully; **leia atentamente as instruções** read the instructions carefully ◆ (correspondência) **Atentamente** Yours sincerely GB; Sincerely yours EUA
atentar *v* **1** *(prestar atenção)* to pay attention **2** (assassinato) to make an attempt (contra, on) **3** *(atacar)* to attack (contra, -)
atento *adj* **1** attentive **2** *(cuidadoso)* careful
atenuação *nf* reduction
atenuante *adj2g* extenuating ▪ *nf* extenuating circumstance
atenuar *v* **1** *(diminuir)* to attenuate, to lessen **2** *(suavizar)* to soften
aterrador *adj* terrifying
aterragem *nf* landing; **aterragem de emergência** crash landing
aterrar *v* **1** (avião) to land **2** *col (adormecer)* to crash (out) **3** *(amedrontar)* to terrify
aterro *nm* landfill; **aterro sanitário** sanitary landfill
aterrorizador *adj* frightful, terrifying
aterrorizar *v* to terrify, to horrify
ater-se *v* to stick (a, to), to keep (a, to)
atestado *nm* certificate; **atestado médico** medical certificate ▪ *adj* **1** (depósito) full **2** *col (bêbedo)* loaded
atestar *v* **1** (documento) to certify **2** (interesse, importância) to attest to **3** *(afirmar)* to state **4** *(encher)* to fill up (de/com, with)
ateu *adj* atheistic ▪ *nm* atheist
atiçador *nm* poker
atiçar *v* **1** (fogo) to poke **2** *(provocar)* to stir up, to instigate
atilho *nm* tie
atinado *adj* sensible
atinar *v col (ganhar juízo)* to see sense ◆ *col* **atinar com 1** *(encontrar)* to find **2** *(dar-se bem com)* to hit it off with
atingir *v* **1** *(alcançar)* to attain, to reach **2** (objetivo) to achieve **3** *(acertar)* to hit **4** *(compreender)* to understand **5** *(dizer respeito)* to affect ◆ **atingir a maioridade** to come of age
atípico *adj* atypical
atiradiço *adj* cheeky; saucy
atirador *nm* shooter
atirar *v* **1** to throw **2** *(derrubar)* to knock **3** *(disparar)* to shoot; **não atire!** don't shoot! **4** DESP to shoot ▪ **atirar-se 1** *(lançar-se)* to throw oneself **2** *(tentar seduzir)* to make a pass (a, at) **3** *(atacar)* to turn (a, on)
atitude *nf* attitude ◆ **tomar uma atitude** to do something
ativação[AO] *nf* activation
ativar[AO] *v* **1** *(pôr em funcionamento)* to activate, to set in motion **2** *(estimular)* to stimulate
atividade[AO] *nf* **1** activity **2** (emprego) job **3** (empresa) line of business **4** *(agitação)* bustle
ativismo[AO] *nm* activism
ativista[AO] *adj,n2g* activist
ativo[AO] *adj* active ▪ *nm* ECON assets; **ativo e passivo** assets and liabilities
atlântico *adj* Atlantic ▪ *nm* [com maiúscula] the Atlantic (Ocean)
atlas *nm* (livro) atlas
atleta *n2g* athlete
atlético *adj* athletic
atletismo *nm* athletics GB; track and field EUA
atmosfera *nf* atmosphere
atmosférico *adj* atmospheric
ato[AO] *nm* **1** act, deed; **um ato de violência** an act of violence **2** ceremony; **ato público** public ceremony **3** TEAT,DIR act; **uma peça com quatro atos** a four-act play ◆ **no ato** on the spot, straight away
atol *nm* atoll
atómico *adj* atomic

atomização *nf* atomization
atomizar *v* to atomize
átomo *nm* atom
atónito *adj* astonished
átono *adj* unstressed
ator[AO] *nm* actor
atordoado *adj* **1** (com pancada) dazed **2** *(tonto)* dizzy **3** (surpresa, choque) staggered
atordoar *v* **1** (com pancada) to stun **2** (tonturas) to make dizzy **3** (surpresa, choque) to stagger
atormentado *adj* tormented (com, by); in torment
atormentar *v* to torment
atração[AO] *nf* attraction
atracar *v* to berth
atracção *a nova grafia é* **atração**[AO]
atractivo *a nova grafia é* **atrativo**[AO]
atraente *adj2g* attractive
atraiçoar *v* **1** to betray **2** (infidelidade) to be unfaithful to
atrair *v* **1** to attract **2** to appeal to; to interest
atrapalhação *nf* **1** *(confusão)* confusion **2** *(barafunda)* mess **3** *(embaraço)* embarrassment **4** (ao mexer-se) clumsiness
atrapalhado *adj* **1** *(embaraçado)* embarrassed **2** *(confundido)* confused **3** (com excesso de trabalho) busy **4** (falta de dinheiro) short of money
atrapalhar *v* **1** *(baralhar)* to confuse **2** *(causar inconveniente a)* to inconvenience **3** *(prejudicar)* to get in the way of **4** *(envergonhar)* to embarrass ▪ **atrapalhar-se 1** *(perturbar-se)* to be upset **2** *(confundir-se)* to get muddled up
atrás *adv* **1** *(para trás)* back **2** *(ao fundo)* at the back; (veículo) in the back **3** *(anteriormente)* before **4** (tempo) ago
atrasado *adj* **1** late; **estou atrasado** I'm late **2** (relógio) slow **3** (projeto, obras) behind schedule **4** *(pouco desenvolvido)* backward **5** (pagamento) overdue ▪ *nm* (a chegar) latecomer; (a terminar) late finisher
atrasar *v* **1** to delay **2** (relógio) to put back GB, to set back EUA; *(sofrer atraso)* to be slow **3** *(demorar demasiado)* to take longer than expected ▪ **atrasar-se 1** (pessoa, transporte) to be late **2** (pagamento) to get into arrears **3** (trabalho) to fall behind **4** (relógio) to be slow
atraso *nm* **1** delay; **desculpem o atraso** I'm sorry I'm late **2** (no desenvolvimento) backwardness **3** (mental) retardation **4** (pagamento) overdue
atrativo[AO] *adj* attractive ▪ *nm* attraction; charm
atravancar *v* **1** *(obstruir)* to obstruct **2** *(atulhar)* to clutter
através de *loc prep* **1** *(por meio de)* through; **através dos campos** through the fields **2** across; **através dos mares** across the seas
atravessado *adj* **1** (posição) laid across **2** (na garganta) stuck (in one's throat)
atravessar *v* **1** to cross **2** *(perfurar)* to go through **3** (dificuldades, problemas) to go through **4** *(passar por)* to run through ▪ **atravessar-se** (veículo) to cut in; *fig* **atravessar-se no caminho de alguém** to stand in somebody's way
atrelado *nm* trailer
atrelar *v* **1** (viaturas) to couple (a, to) **2** (animal) to hitch (up) (a, onto/to) ▪ **atrelar-se** *pej* to latch on (a, to)
atrever-se *v* to dare (a, to); **como te atreves?** how dare you?
atrevido *adj* **1** (corajoso) bold; audacious **2** *(descarado)* cheeky
atrevimento *nm* **1** *(ousadia)* boldness; audacity **2** cheek; nerve *col*
atribuição *nf* **1** (origem, autoria) attribution **2** (tarefa, função) assigning **3** (prémio, recompensa) awarding **4** *pl (competências)* powers
atribuir *v* **1** (responsabilidade, tarefa) to assign **2** (origem, autoria) to attribute (a, to) **3** (importância, valor) to attach (a, to) **4** (prémio, recompensa) to award (a, to) **5** *(destinar)* to allocate **6** (culpa) to lay
atribulação *nf* **1** *(aflição)* distress **2** *(contratempo)* setback
atribulado *adj* **1** *(agitado)* (dia) eventful **2** (vida) troubled; difficult
atribular *v* to distress
atributo *nm* **1** *(característica)* attribute; feature **2** LING attributive adjective
átrio *nm* **1** (à entrada) lobby **2** *(pátio)* courtyard
atrito *nm* **1** *(fricção)* friction **2** *(desentendimento)* disagreement
atriz[AO] *nf* actress
atrocidade *nf* atrocity
atrofia *nf* atrophy
atrofiado *adj* **1** (parte do corpo) atrophied **2** *(reprimido)* repressed
atrofiar *v* **1** (parte do corpo) to atrophy **2** (desenvolvimento) to stifle
atropelamento *nm* (veículo) running over

atropelar *v* **1** (veículo) to run over/down, to run down **2** *(derrubar)* to knock down **3** *(passar por cima de)* to trample over
atropelo *nm* **1** (lei, direitos) violation (a/de, of) **2** *(encontrão)* push
atroz *adj2g* **1** atrocious **2** (dor) excruciating
atuação[AO] *nf* **1** (cinema, teatro) performance **2** *(conduta)* action
atual[AO] *adj2g* present, current

> Não confundir a palavra portuguesa **atual** com a palavra inglesa **actual**, que significa verdadeiro, real.

atualidade[AO] *nf* present (time); **na atualidade** nowadays
atualização[AO] *nf* **1** updating **2** (formação) refresher course **3** INFORM upgrade
atualizar[AO] *v* **1** to update **2** INFORM to upgrade; (informação no ecrã) to refresh
atualmente[AO] *adv* currently, at the moment
atuar[AO] *v* **1** *(agir)* to act; *(comportar-se)* to behave **2** *(intervir)* to intervene **3** *(produzir efeito)* to have an effect (sobre, on) **4** (artista, músico) to perform
atulhar *v (encher)* to fill; (de forma desarrumada) to clutter (up)
atum *nm* tuna (fish)
aturar *v* to put up with; to endure
aturdido *adj* stunned
aturdir *v* to stun
au-au *nm infant* bow-wow; doggie
audácia *nf* **1** boldness **2** *(insolência)* impudence; cheek
audacioso *adj* ⇒ **audaz**
audaz *adj2g* **1** bold **2** *(insolente)* insolent
audição *nf* **1** (sentido) hearing **2** (para televisão, cinema) audition **3** DIR hearing **4** MÚS recital
audiência *nf* **1** audience **2** DIR session, hearing **3** *pl* TV ratings
áudio *adj inv,nm* audio
audiocassete *nf* audiotape
audiolivro *nm* audiobook
audiovisual *adj2g* audiovisual ▪ *nm* **1** (materiais) audiovisual materials **2** (meios) audiovisual media
auditivo *adj* **1** hearing; **dificuldades auditivas** hearing difficulties **2** auditory; **nervo auditivo** auditory nerve
auditor *nm* auditor
auditoria *nf* audit
auditório *nm* **1** *(recinto)* hall, auditorium EUA **2** *(ouvintes, espectadores)* audience
audível *adj2g* audible
auferir *v* (dinheiro) to make; to earn
auge *nm* top; peak; height
augurar *v* **1** *(ser sinal de)* to bode **2** *(vaticinar)* to foretell
augúrio *nm* omen
aula *nf* **1** lesson, class; **dar aulas** to teach **2** *pl (tempo na escola)* school; **depois das aulas** after school
aumentar *v* **1** to increase **2** (tamanho) to enlarge; to extend; (com lente) to magnify **3** (trabalhador) to give (somebody) a rise
aumentativo *adj,nm* LING augmentative
aumento *nm* **1** increase; rise **2** (salário) (pay) rise GB, (pay) raise EUA **3** *(ampliação)* enlargement
aura *nf* aura
áureo *adj* golden; **tempos áureos** golden days
auréola *nf* halo
aurícula *nf* **1** (coração) atrium **2** (ouvido) auricle
auricular *nm* earpiece; (com microfone) headset ▪ *adj2g* **1** (ouvido) auricular **2** (coração) atrial
aurora *nf* dawn; **ao romper da aurora** at daybreak
auscultação *nf* **1** MED auscultation **2** (sondagem) sounding
auscultador *nm* **1** (telefone) receiver **2** *pl* headphones
auscultar *v* **1** MED to listen to (somebody's) chest **2** (opinião, parecer) to sound out
ausência *nf* absence (de, of)
ausentar-se *v (partir)* to leave
ausente *adj2g* absent; away ▪ *n2g* absentee
auspício *nm (presságio)* omen; augury
austeridade *nf* austerity
austero *adj* austere
austral *adj2g* southern
Austrália *nf* Australia
australiano *adj,nm* Australian
Áustria *nf* Austria
austríaco *adj,nm* Austrian
autarca *n2g (presidente da câmara)* mayor
autarquia *nf* (poder local) council; **o presidente da autarquia** the mayor
autárquico *adj* local; municipal
autenticação *nf* authentication
autenticar *v* to authenticate; to certify

autenticidade *nf* authenticity
autêntico *adj* **1** authentic; genuine **2** *(verdadeiro)* real
autismo *nm* autism
autista *adj2g* autistic ▪ *n2g* autistic person
auto *nm* **1** DIR (processo) proceedings **2** DIR *(registo)* report **3** TEAT play
autoajuda[AO] *nf* self-help
auto-ajuda *a nova grafia é* **autoajuda**[AO]
autoavaliação[AO] *nf* self-assessment
auto-avaliação *a nova grafia é* **autoavaliação**[AO]
autobiografia *nf* autobiography
autobiográfico *adj* autobiographical
autobronzeador *nm* self-tanning lotion
autocarro *nm* bus
autoclismo *nm* toilet flush; **puxar o autoclismo** to flush the toilet
autocolante *nm* sticker ▪ *adj2g* self-adhesive
autoconfiança *nf* self-confidence
autoconfiante *adj2g* self-confident
autocontrolo *nm* self-control
autocrítica *nf* self-criticism
autocrítico *adj* self-critical
autóctone *adj2g* indigenous ▪ *n2g* native
auto-de-fé *a nova grafia é* **auto de fé**[AO]
auto de fé[AO] *nm* auto-da-fé
autodefesa *nf* self-defence
autodestruição *nf* self-destruction
autodestrutivo *adj* self-destructive
autodeterminação *nf* self-determination
autodidacta *a nova grafia é* **autodidata**[AO]
autodidata[AO] *adj2g* self-taught
autodisciplina *nf* self-discipline
autodomínio *nm* self-control
autódromo *nm* racecourse GB; racetrack EUA
autoestima[AO] *nf* self-esteem
auto-estima *a nova grafia é* **autoestima**[AO]
autoestrada[AO] *nf* motorway GB, freeway EUA
auto-estrada *a nova grafia é* **autoestrada**[AO]
autogolo *nm* own goal
autografar *v* to autograph
autógrafo *nm* autograph
automação *nf* automation
automaticamente *adv* automatically
automático *adj* automatic
automatismo *nm* automatism
automatização *nf* automation
automatizar *v* to automatize
autómato *nm* automaton
automedicar-se *v* to self-medicate
automobilismo *nm* DESP motor racing GB; auto racing EUA
automobilista *n2g* **1** motorist **2** DESP motor racer GB; auto racer EUA
automobilístico *adj* motor; car
automotora *nf* railcar
automóvel *nm* car, motor car; automobile EUA ▪ *adj2g* car; automobile EUA
autonomia *nf* **1** autonomy **2** (país, região) self-government **3** (bateria) life
autónomo *adj* autonomous
autópsia *nf* autopsy, post-mortem
autopsiar *v* to perform an autopsy on
autopullman *nm* coach
autor *nm* **1** (livro, texto, ideia) author; (canção) writer; (filme) maker **2** *(criador)* creator **3** (em tribunal) the plaintiff **4** (crime) perpetrator
auto-rádio *a nova grafia é* **autorrádio**[AO]
auto-retrato *a nova grafia é* **autorretrato**[AO]
autoria *nf* **1** (obra) authorship **2** (crime) responsibility
autoridade *nf* authority
autoritário *adj* authoritarian
autoritarismo *nm* authoritarianism
autorização *nf* permission (para, to); authorization (para, to)
autorizado *adj* **1** authorized **2** *(digno de crédito)* authoritative
autorizar *v* to authorize
autorrádio[AO] *nm* car radio
autorretrato[AO] *nm* self-portrait
auto-satisfação *a nova grafia é* **autossatisfação**[AO]
autossatisfação[AO] *nf* self-satisfaction
autossuficiente[AO] *adj2g* self-sufficient
autossugestão[AO] *nf* auto-suggestion
auto-suficiente *a nova grafia é* **autossuficiente**[AO]
auto-sugestão *a nova grafia é* **autossugestão**[AO]
autuar *v* to fine; to charge
auxiliar *v* to help, to assist ▪ *n2g* assistant ▪ *adj2g* auxiliary; assistant; **verbo auxiliar** auxiliary verb
auxílio *nm* help, assistance
aval *nm* **1** *(apoio)* backing **2** *(autorização)* permission **3** *(garantia)* guarantee
avalanche ou **avalancha** *nf* avalanche
avaliação *nf* **1** assessment; evaluation; **teste de avaliação** test **2** (emprego) appraisal **3** (propriedade, quadro, joia) valuation

avaliador *nm* **1** assessor **2** (propriedades, objetos) valuer
avaliar *v* **1** to assess **2** (empregado) to appraise **3** (propriedade, quadro, joia) to value (em, at)
avalista *n2g* guarantor
avalizar *v (garantir)* to guarantee
avançado *adj* **1** advanced **2** (ideias) progressive ▪ *nm* **1** DESP forward **2** *(toldo)* awning ♦ **hora avançada** late hour
avançar *v* **1** *(deslocar-se para a frente)* to move forward **2** *(evoluir)* to advance **3** *(continuar)* to carry on **4** (tempo) to go by/on **5** *(mudar de assunto)* to move on
avanço *nm* **1** (movimento) forward movement **2** *(progresso)* advance **3** *(vantagem)* lead ♦ **de avanço** beforehand
avantajado *adj (corpulento)* large
avante *adv* ahead ♦ **levar a sua avante** to get one's way
avarento *adj* miserly ▪ *nm* miser
avareza *nf* meanness
avaria *nf* **1** failure **2** (veículo, mecanismo) breakdown ♦ **serviço de avarias** repair service
avariado *adj* broken; not working; (elevador, telefone) out of order; (veículo) broken down
avariar *v* **1** *(estragar)* to break **2** *(deixar de funcionar)* to stop working; (veículo, máquina) to break down
avassalador *adj* overwhelming
ave *nf* bird
aveia *nf* oats
avelã *nf* hazelnut ♦ **cor de avelã** hazel
aveludado *adj* velvety
aveludar *v* **1** to make soft like velvet **2** *fig* to soften
ave-maria *nf* Hail Mary; (música) Ave Maria
avença *nf* **1** (quantia) subscription; *(preço fixo)* flat rate **2** *(acordo)* agreement
avenida *nf* avenue
avental *nm* apron
aventura *nf* **1** adventure **2** *(ligação amorosa)* fling; (adultério) affair
aventurar *v* to risk ▪ **aventurar-se 1** to venture (em, into) **2** to take the chance
aventureiro *nm* adventurer ▪ *adj* adventurous
averbamento *nm* **1** *(registo)* record **2** *(autorização)* clearance
averbar *v (tomar nota de)* to take down; to record
averiguação *nf* investigation; inquiry; enquiry GB
averiguar *v* to investigate; to inquire into
avermelhado *adj* reddish
avermelhar(-se) *v* to redden
aversão *nf* aversion (a, to)
avessas *nfpl* **às avessas** inside out, back to front
avesso *nm* **1** (roupa) inside; **do avesso** inside out **2** *(parte de trás)* reverse; back ▪ *adj* adverse (a, to)
avestruz *nm* ostrich
aviação *nf* **1** aviation **2** MIL air force
aviado *adj* **1** *(atendido)* served **2** *(expedido)* dispatched **3** *(pronto)* ready
aviador *nm* pilot
avião *nm* plane, aeroplane GB, airplane EUA
aviar *v* **1** *(atender)* to serve **2** *(tratar de)* to deal with **3** *(expedir)* to dispatch
aviário *nm* poultry farm
avicultor *nm* **1** (aves de capoeira) poultry farmer **2** (passatempo) aviculturist
avicultura *nf* **1** (aves de capoeira) poultry farming **2** (passatempo) aviculture
avidez *nf* eagerness
ávido *adj* eager (de, for)
aviltar *v* to debase
avinagrado *adj* vinegary
avioneta *nf* light aircraft
avisado *adj* **1** *(advertido)* warned **2** *(sensato)* sensible **3** *(informado)* well-informed
avisar *v* **1** *(advertir)* to warn **2** *(comunicar)* to notify **3** *(informar)* to let know
aviso *nm* **1** *(advertência)* warning **2** *(comunicação)* notice; **aviso prévio** advance notice ♦ **aviso de receção** acknowledgement (of receipt)
avistar *v* **1** to sight **2** *(entrever)* to get a glimpse of
avivar *v* **1** *(intensificar)* to heighten **2** *(sentimento)* to arouse **3** (luz, cor) to brighten **4** (fogo, lume) to get going
avizinhar-se *v* to lie ahead
avo *nm* fraction; **três doze avos** three twelfths
avó *nf* grandmother; grandma *col*
avô *nm* grandfather; grandpa *col*
avolumar(-se) *v* to increase
à-vontade *nm* **1** *(descontração)* ease **2** *(confiança)* confidence
avós *nmpl* **1** grandparents **2** *(antepassados)* ancestors

avozinha *nf col* granny
avozinho *nm col* grandpa, grandad
avulso *adj* individual; separate; (alimento) loose; (ideia) loose
avultado *adj (grande)* large; (prejuízos) extensive
avultar *v* **1** to increase **2** *(sobressair)* to stand out
axadrezado *adj* checkered, chequered GB
axial *adj2g* axial
axila *nf* armpit
axioma *nm* axiom
axiomático *adj* axiomatic
azáfama *nf* **1** *(bulício)* bustle **2** *(pressa)* hurry
azálea *nf* azalea
azar *nm* **1** bad luck; **estar com azar** to be down on one's luck **2** *(infelicidade)* mishap ♦ *irón* **azar!** too bad!; tough luck!
azarento *adj* unlucky ▪ *nm* unlucky person
azedar *v* **1** to sour **2** *(irritar)* to make (somebody) bitter; *(irritar-se)* to become bitter
azedo *adj* **1** sour **2** (pessoa) bitter **3** (atitude) harsh, rough
azedume *nm* **1** (sabor) sourness **2** (atitude) bitterness
azeite *nm* olive oil ♦ *col* **estar com os azeites** to be in a mood
azeitona *nf* olive
azenha *nf* watermill
azerbaijano *adj,nm* Azerbaijani
Azerbaijão *nm* Azerbaijan
azevinho *nm* holly
azia *nf* heartburn
azinheira *nf* holm oak
azo *nm* occasion; **dar azo a** to give rise to
azoto *nm* nitrogen
azucrinar *v col* to pester
azul *adj2g,nm* blue
azulado *adj* bluish
azulão *adj,nm* bright blue
azul-bebé *adj inv,nm* baby blue
azul-celeste *adj inv,nm* sky blue
azul-claro *adj,nm* light blue
azul-cobalto *adj inv,nm* cobalt blue
azulejo *nm* glazed tile
azul-escuro *adj,nm* dark blue
azul-marinho *adj inv,nm* navy blue
azul-turquesa *adj inv,nm* turquoise

B

b *nm* (letra) b
B2B *nm* [*abrev. de* business-to-business]
B2C *nm* [*abrev. de* business-to-consumer]
Baamas *nfpl* Bahamas
baamiano *adj,nm* Bahamian
baba *nf* dribble ♦ **chorar baba e ranho** to cry one's eyes out
babado *adj* **1** wet with dribble **2** *(orgulhoso)* proud
babar *v* to drool on ■ **babar-se** to drool; **babar-se por** to drool over; **babar-se por alguém** to dote on someone
babete *nm/f* bib
baboseira *nf col* nonsense
babuíno *nm* baboon
babygro *nm* Babygro
bacalhau *nm* **1** (fresco) cod; (seco) dried cod, stockfish **2** *col* shake; handshake
bacanal *nf* orgy
bacharel *nm* (universidade) bachelor
bacharelato *nm* (universidade) bachelor's degree
bacia *nf* **1** (objeto) bowl; (para lavar roupa) tub **2** ANAT pelvis **3** GEOG,GEOL basin
bacilo *nm* bacillus
bacio *nm* **1** chamber pot **2** (para crianças) potty
baço *adj* **1** (luz, cor) dim; dull **2** (metal) tarnished ■ *nm* ANAT spleen
bacoco *adj col* silly
bacon *nm* bacon
bacorada *nf col (disparate)* stupid thing; **dizer bacoradas** to talk nonsense
bácoro *nm* piglet; piggy
bactéria *nf* bacterium
bacteriano *adj* bacterial; **placa bacteriana** dental plaque
badagaio *nm* **1** *col* (pessoa) fainting fit; **deu-lhe o badagaio** he fainted **2** *col* (coisa) breakdown
badalada *nf* stroke
badalado *adj* talked about
badalhoco *adj* dirty; filthy ■ *nm (pessoa suja)* slob
badalo *nm* clapper
badameco *nm* **1** *col (idiota)* jerk **2** *col (inútil)* good-for-nothing
badejo *nm* whiting
badminton *nm* badminton
bafejar *v* **1** *(expirar)* to breathe out **2** (sorte, destino) to smile on
bafio *nm* musty smell; **cheirar a bafio** to smell musty
bafo *nm* (respiração) breath
baforada *nf* **1** (fumo) puff **2** (vento, ar) blast
baga *nf* berry
bagaço *nm* (bebida) brandy
bagageira *nf (mala)* boot GB; trunk EUA
bagageiro *nm* (profissão) porter
bagagem *nf* **1** luggage GB; baggage EUA **2** *(conhecimentos)* knowledge; *(experiência)* experience
bagatela *nf* **1** *(ninharia)* trifle **2** *(pechincha)* bargain
bago *nm* **1** (uva) grape **2** (cereal) grain
baguete *nf* baguette
bagunça *nf* BRAS *col* mess
baía *nf* bay
bailado *nm* **1** (espetáculo) ballet **2** dance
bailar *v* to dance
bailarino *nm* **1** dancer **2** (ballet) ballet dancer; (mulher) ballerina
baile *nm* ball, dance; **baile de máscaras** masked ball ♦ **dar um baile a alguém** to make a fool of somebody; **levar um baile de alguém** to be mocked by someone
bainha *nf* **1** (roupa) hem **2** (faca, espada) sheath
baioneta *nf* bayonet
bairrismo *nm* parochialism *pej*
bairrista *adj2g* parochial *pej*
bairro *nm* **1** (zona) neighbourhood GB, neighborhood EUA; (parte característica) quarter **2** (divisão administrativa) district
bairro-de-lata *a nova grafia é* **bairro de lata**[AO]
bairro de lata[AO] *nm* shanty town
baixa *nf* **1** *(queda)* fall; drop **2** *(diminuição)* decrease **3** (doença) sick leave; **estar de baixa**

to be on sick leave **4** (cidade) downtown **5** *(vítima)* casualty
baixa-mar *nf* low tide
baixar *v* **1** *(fazer descer)* to lower; to bring down **2** *(descer)* to drop; to go down **3** (volume, som) to turn down **4** (persiana) to pull down **5** (avião) to come down **6** (maré) to ebb ▪ **baixar-se 1** (curvar-se) to bend down **2** *(desviar-se)* to duck
baixeza *nf* baseness
baixinho *adv* **1** (falar, dizer) softly **2** *(em segredo)* secretly
baixio *nm* sandbank
baixista *n2g* bass player
baixo *adj* **1** (pessoa) short **2** (edifício, preço, som) low **3** (qualidade) poor **4** *(pouco profundo)* shallow **5** *(desprezível)* mean **6** (classe social, região) lower ▪ *adv* softly; in a low voice; **falar baixo** to speak softly ▪ *nm* (instrumento) bass
baixo-relevo *nm* (escultura) bas-relief
bajulação *nf* sycophancy
bajulador *adj* flattering ▪ *nm* flatterer
bajular *v* **1** to cajole **2** *(lisonjear)* to flatter
bala *nf* bullet; **à prova de bala** bulletproof
balada *nf* ballad
balança *nf* **1** scales **2** ECON balance; **balança comercial** balance of trade **3** (constelação, signo) Libra
balançar *v* **1** (barco, pessoa sentada) to rock; (braços, pernas) to swing; (árvore) to sway **2** *(hesitar)* to hesitate
balancé *nm* seesaw
balancete *nm* trial balance
balanço *nm* **1** *(avaliação)* assessment **2** ECON (documento) balance sheet **3** *(oscilação)* swing
balão *nm* **1** balloon; **balão de ar quente** hot-air balloon **2** (banda desenhada) bubble **3** (teste de alcoolemia) breathalyzer **4** (laboratório) flask
balaustrada *nf* balustrade
balaústre *nm* baluster
balbuciar *v* **1** *(gaguejar)* to stutter **2** *(falar entre dentes)* to mumble **3** (bebé) to babble
balbúrdia *nf* **1** *(confusão)* mess **2** (barulho) hubbub
balcão *nm* **1** counter; (bar) bar; (informações) desk **2** (cozinha) worktop GB; counter EUA **3** TEAT circle **4** *(varanda)* balcony
balda *nf col* chaos; mess
baldar *v* (projeto) to thwart ▪ **baldar-se 1** to skive off **2** *col* (encontro) not to show up
baldas *adj,n2g2n col* slacker
balde *nm* **1** bucket **2** (lixo) (rubbish) bin GB, garbage can EUA ◆ **um balde de água fria** a slap in the face
baldio *nm* uncultivated land ▪ *adj* uncultivated
baleia *nf* whale
balela *nf* **1** *col (mentira)* lie; fib **2** *col (disparate)* rubbish
balido *nm* baa
balir *v* to baa
balística *nf* ballistics
baliza *nf* **1** DESP goal **2** *(limite)* boundary **3** *(boia)* buoy
ballet *nm* ballet
balnear *adj2g* bathing; **época balnear** bathing season
balneário *nm* changing room; locker room EUA
balofo *adj* **1** *(gordo)* plump; tubby **2** *(superficial)* shallow
baloiçar(-se) ou **balouçar(-se)** *v* to swing; (barco, bebé) to rock; (ramos) to sway; (em suspensão) to dangle
baloiço ou **balouço** *nm* swing; **andar de baloiço** to go on the swings
balonismo *nm* ballooning
bálsamo *nm* balm
baluarte *nm* (fortificação) bastion; *(local seguro)* stronghold
balúrdio *nm col (dinheirão)* packet *col*
bambo *adj* **1** (elástico, corda) slack; loose **2** *(instável)* wobbly
bambolear-se *v* to swing one's hips
bambu *nm* bamboo
banal *adj2g* trivial; banal
banalidade *nf* banality; triviality
banalizar *v* to trivialize
banana *nf* banana ▪ *nm col (lorpa)* wimp
bananeira *nf* banana tree
banca *nf* **1** (cozinha) sink **2** (mercado) stall **3** (jornais, revistas) newsstand **4** (finanças) banking system
bancada *nf* **1** (estádio) stand **2** (cozinha) worktop
bancário *nm* bank employee ▪ *adj* banking; bank; **conta bancária** bank account
bancarrota *nf* bankruptcy
banco *nm* **1** (estabelecimento) bank; **Banco Mundial** World Bank **2** (assento) bench; (individual) stool; **banco de jardim** park bench; **banco de piano** piano stool **3** (igreja) pew **4** (automóvel) seat **5** (suplentes) bench

banda *nf* **1** (música) band **2** *(lado)* side **3** (faixa) strip ◆ **banda desenhada** comic books; CIN **banda sonora** soundtrack; INFORM **banda larga** broadband
bandalheira *nf (confusão)* mess; muddle
bandeira *nf* flag ◆ **rir a bandeiras despregadas** to laugh one's head off
bandeirada *nf* (táxi) minimum fare
bandeja *nf* **1** *(tabuleiro)* tray **2** (em prata) salver ◆ **dar (algo) de bandeja** to hand (something) on a plate
bandido *nm* **1** bandit **2** *(pessoa desprezível)* scumbag *cal*
bando *nm* **1** (aves) flock **2** (crime) gang **3** (pessoas) swarm
bandolete *nf* hairband
bandolim *nm* mandolin
bandulho *nm col* belly; **encher o bandulho** to stuff one's belly
bangaló ou **bangalô** *nm* bungalow
Bangladeche *nm* Bangladesh
bangladechiano *adj,nm* Bangladeshi
banha *nf* **1** fat; **banha de porco** lard **2** *col* (no corpo) roll of fat
banhar *v* **1** *(dar banho a)* to bathGB, to bathe EUA **2** (em prata, ouro) to plate **3** (rio) to run through; (mar) to wash ▪ **banhar-se** to bathe
banheira *nf* bath GB, bathtub EUA; **tapete de banheira** bathmat
banheiro *nm* (vigilância de praia) lifeguard
banhista *n2g* bather
banho *nm* **1** (banheira) bath **2** *(chuveiro)* shower **3** (mar, piscina) swim; dip
banho-maria *nm* **em banho-maria** in a bain-marie
banir *v* **1** *(proibir)* to ban **2** *(expulsar)* to banish (de, from)
banjo *nm* banjo
banqueiro *nm* banker
banquete *nm* banquet
banzé *nm col* fuss; **armar um banzé** to make a fuss
baptismal *a nova grafia é* **batismal**[AO]
baptismo *a nova grafia é* **batismo**[AO]
baptista *a nova grafia é* **batista**[AO]
baptizado *a nova grafia é* **batizado**[AO]
baptizar *a nova grafia é* **batizar**[AO]
baque *nm* **1** *(ruído)* thud **2** *(revés)* setback
baqueta *nf* drumstick
bar *nm* **1** bar; **empregado de bar** barman, bartender **2** (móvel) drinks cabinet
barafunda *nf* **1** *(desarrumação)* mess **2** *(bulício)* bedlam
barafustar *v* **1** *col (armar confusão)* to make a fuss **2** *col (discutir)* to argue (com, with)
baralhada *nf* muddle; mess
baralhar *v* **1** *(confundir)* to mix up **2** (ideias) to confuse **3** (cartas de jogar) to shuffle
baralho *nm* (cartas) pack GB, deck
barão *nm* baron
barata *nf* cockroach
barato *adj* cheap; inexpensive ▪ *adv* cheaply
barba *nf* beard; (de alguns dias) stubble; **fazer a barba** to shave ◆ **nas barbas de alguém** under somebody's nose
barbadense *adj,n2g* Barbadian
Barbados *nmpl* Barbados
barbaridade *nf* **1** *(crueldade)* barbarity **2** *(disparate)* nonsense
barbárie *nf* barbarism
bárbaro *nm* barbarian ▪ *adj* barbaric
barbatana *nf* **1** (peixe) fin **2** (natação) flipper
barbearia *nf* barber's GB; barbershop EUA
barbear(-se) *v* to shave; **máquina de barbear** shaver
barbeiro *nm* (profissão) barber
barbicha *nf* goatee
barbitúrico *nm* barbiturate
barbudo *adj* bearded
barca *nf* boat; (rio, canal) barge
barcaça *nf (barca grande)* barge
barco *nm* boat; *(navio)* ship; **barco a vapor** steamer ◆ **estar no mesmo barco** to be in the same boat
Barém *nm* Bahrain
baremita *adj,n2g* Bahraini
baril *adj2g col* cool; great
bário *nm* barium
barítono *nm* baritone
barlavento *nm* windward
barman *nm* barman; bartender EUA
barómetro *nm* barometer
barra *nf* **1** bar; INFORM **barra de deslocamento** scrollbar **2** (risca) stripe **3** (ouro, prata) ingot **4** (sinal) slash (/) **5** *col (especialista)* whizz
barraca *nf* **1** *(cabana)* hut **2** (feira) stall **3** (habitação) shanty ◆ **armar barraca** to make a scene
barracão *nm* shed
barragem *nf* dam

barranco *nm* ravine; gorge
barrar *v* **1** (pão, torrada) to spread **2** (bolo) to coat **3** (passagem, saída) to bar
barreira *nf* **1** barrier **2** (valor) mark **3** *(limite)* limit **4** (atletismo) hurdle
barrete *nm* beret ◆ **enfiar o/um barrete** *(ser enganado)* to be fooled
barrica *nf* cask
barricada *nf* barricade
barricar *v* to barricade
barriga *nf* **1** belly; stomach; **encher a barriga** to stuff one's belly **2** (gravidez) bump ◆ **barriga da perna** calf
barrigudo *adj* big-bellied; pot-bellied
barril *nm* barrel
barro *nm* clay
barroco *adj,nm* baroque
barrote *nm* beam
barulheira *nf (ruído)* racket; din
barulhento *adj* noisy
barulho *nm* **1** noise **2** *(alvoroço)* fuss **3** *(discussão)* row
basalto *nm* basalt
base *nf* **1** base; INFORM **base de dados** database **2** *(essência)* basis **3** (cosmética) foundation **4** (tacho, travessa) tablemat; (copo) coaster
basear *v* to base (em, on) ▪ **basear-se** to be based (em, on)
basebol *nm* baseball; **jogador de basebol** baseball player
básico *adj* **1** basic **2** *pej* (pessoa) simple-minded **3** (escolaridade, ensino) compulsory ▪ *nm* basics
basilar *adj2g* basic, fundamental
basílica *nf* basilica
basquetebol *nm* basketball
basquetebolista *n2g* basketball player
bastante *adv* **1** [com adjetivo] quite; **bastante útil** quite useful **2** [com verbo] a lot; a great deal ▪ *det indef > quant exist*[DT] a lot of; plenty of; **bastante espaço** plenty of room ▪ *adj2g (suficiente)* enough
bastão *nm* **1** (polícia) baton **2** (basebol) bat **3** (esqui) ski pole
bastar *v* to be enough ◆ **basta!** that's enough!; **por hoje basta!** let's call it a day!
bastardo *nm* illegitimate child
bastião *nm* bastion
bastidores *nmpl* (palco) wings; **nos/aos bastidores** backstage
bastonário *nm* chairman, chairwoman
bata *nf* **1** overall **2** (médico) white coat; (cirurgião, doente) gown **3** (limpeza) uniform
batalha *nf* battle ◆ (jogo) **batalha naval** battleships
batalhão *nm* **1** MIL battalion **2** *(multidão)* army *fig*; swarm *fig*
batalhar *v* to strive (por, for; contra, against)
batata *nf* potato; (aos palitos) **batatas fritas** chips GB, French fries EUA; (de pacote) (potato) crisps GB, (potato) chips EUA ◆ **ficar com a batata quente** to be left holding the baby
batata-doce *nf* sweet potato
batateira *nf* potato plant
batedeira *nf* (elétrica) mixer; electric whisk
batel *nm* small boat
batelada *nf col* loads (de, of); a bunch (de, of)
batente *nm* knocker
bater *v* **1** *(agredir)* to hit, to beat **2** *(fechar com força)* to slam (shut) **3** to knock **4** (coração, ovos) to beat **5** *(esbarrar)* to crash (contra, into) **6** (toque ligeiro) to tap **7** *(vencer)* to beat **8** (recorde) to break **9** (asas) to flap ▪ **bater-se** to fight ◆ **bater palmas** to clap
bateria *nf* **1** MÚS drums **2** (telemóvel, testes) battery
baterista *n2g* drummer
batida *nf* (coração, música) beat
batido *nm* milk shake ▪ *adj* (assunto) hackneyed
batimento *nm* beating; **batimento cardíaco** heartbeat
batina *nf* cassock
batismal[AO] *adj2g* baptismal
batismo[AO] *nm* baptism; christening
batista[AO] *adj,n2g* Baptist
batizado[AO] *nm* christening
batizar[AO] *v* **1** (cerimónia) to baptize **2** (dar nome) to christen
bâton ou **batom** *nm* lipstick; **bâton de cieiro** lip salve GB, lip balm EUA
batota *nf* cheating; **fazer batota** to cheat
batoteiro *nm* cheat ▪ *adj* cheating
batotice *nf* cheat
batráquio *adj,n* batrachian
batuque *nm* (instrumento) African drum
batuta *nf* MÚS baton
baú *nm* trunk
baunilha *nf* vanilla
bazar *nf* market; bazaar

bazófia *nf* boasting
bazuca *nf* bazooka
bê-á-bá *nm* ABC GB, ABCs EUA
beata *nf* (cigarro) cigarette end; stub
beatificação *nf* beatification
beatificar *v* to beatify
beato *nm (devoto)* pious person ▪ *adj* **1** blessed **2** *pej* excessively pious
bebé *nm* baby
bebedeira *nf* drunken state; **apanhar uma bebedeira** to get drunk
bêbedo ou **bêbado** *adj,nm* drunk
bebedouro *nm* **1** (gado) trough; (pássaro) drinker **2** (parque, jardim) drinking fountain
bebé-proveta *nm* test-tube baby
beber *v* **1** to drink **2** *(tomar)* to have; **beber um café** to have a coffee
bebericar *v* to sip
bebida *nf* **1** drink **2** (vício) drinking; **deixar a bebida** to stop drinking
bechamel *nm* béchamel sauce
beco *nm* alley; **beco sem saída** blind alley, dead end
bedelho *nm col* **meter o bedelho em alguma coisa** to poke one's nose into something
bedeteca *nf* cartoon library; comic book library
bege *adj2g,nm* beige
begónia *nf* begonia
beicinho *nm* pout; **fazer beicinho** to pout
beiço *nm pop* lip; **lamber os beiços** to lick one's lips
beija-flor *nm* hummingbird
beijar(-se) *v* to kiss
beijo *nm* kiss
beijoca *nf col* smack; peck
beijocar *v col* to smack
beijoqueiro *adj col* fond of kissing
beira *nf* edge; side; **na beira do prato** on the side of the plate ♦ **à beira de 1** *(ao lado de)* next to **2** *(na iminência de)* on the verge of
beiral *nm* (telhado) eaves
beira-mar *nf* seashore, seaside
belas-artes *nfpl* fine arts
beldade *nf* beauty
beleza *nf* beauty ♦ **acabar em beleza** to finish in style
belga *adj,n2g* Belgian
Bélgica *nf* Belgium
beliche *nm* bunk
bélico *adj* military
beligerância *nf* belligerence
beligerante *adj,n2g* belligerent
beliscão *nm* pinch
beliscar *v* to pinch
Belize *nm* Belize
belizense *adj,n2g* Belizean
belo *adj* **1** *(bonito)* beautiful **2** *(ótimo)* fine; great
bem *adv* **1** well, right; **não me sinto bem hoje** I don't feel well today **2** *(muito)* very, much; **está bem sujo** it's very dirty **3** *(exatamente)* quite **4** *(corretamente)* right **5** *(adequado)* OK, all right; **pareceu-lhes bem** they thought it was OK ▪ *nm* **1** good; **o bem e o mal** good and evil, right and wrong **2** *(dádiva)* gift **3** *(produto)* item; **bens e serviços** goods and services **4** *pl (posses)* belongings; possessions ♦ **a bem ou a mal** whether you like it or not; **ora bem!** well now!
bem-aventurado *adj* blessed; fortunate
bem-comportado *adj* well-behaved
bem-disposto *adj* in a good mood
bem-educado *adj* polite
bem-estar *nm* well-being
bem-humorado *adj* in a good mood
bem-intencionado *adj* (pessoa) well-intentioned; (ato) well-meant
bem-me-quer *nm* daisy
bemol *nm* MÚS flat
bem-parecido *adj* good-looking; (homem) handsome
bem-vindo *adj* welcome; **bem-vindo a Portugal!** welcome to Portugal!
bem-visto *adj* **1** *(conceituado)* esteemed **2** *(popular)* well thought of **3** *(aceite)* accepted
bênção *nf* blessing
bendito *adj* blessed
bendizer *v* **1** *(abençoar)* to bless **2** *(louvar)* to praise
beneficência *nf* charity
beneficiação *nf* improvement
beneficiar *v* **1** to benefit **2** *(favorecer)* to favour
beneficiário *nm* beneficiary
benefício *nm* benefit, advantage ♦ **dar o benefício da dúvida** to give the benefit of the doubt
benéfico *adj* beneficial
benemérito *adj* praiseworthy ▪ *nm* benefactor
benesse *nf* benefit

benevolência *nf* benevolence
benevolente *adj2g* benevolent
benévolo *adj* benevolent
benfeitor *nm* benefactor
bengala *nf* walking stick; cane
bengaleiro *nm* **1** (guarda-chuvas) umbrella stand; (casacos) coat stand **2** (teatro, discoteca) cloakroom
benigno *adj* benign
Benim *nm* Benin
beninense *adj,n2g* Beninese
benjamim *nm* youngest child
bento *adj* (água) holy
benzer *v* to bless ▪ **benzer-se** to make the sign of the cross
benzina *nf* benzine
berbequim *nm* drill
berbicacho *nm col* fix; difficulty
berbigão *nm* cockle
berçário *nm* **1** (hospital, maternidade) nursery **2** *(creche)* creche GB, day-care center EUA
berço *nm* (bebé) cot GB, crib EUA; (de baloiço) cradle
berílio *nm* beryllium
beringela *nf* aubergine GB; eggplant EUA
berlinda *nf* **estar na berlinda** to be in the spotlight
berlinde *nm* marble; **jogar ao berlinde** to play marbles
berma *nf* **1** (estrada) side; kerbside **2** (autoestrada) hard shoulder GB
bermudas *nfpl* Bermuda shorts
berquélio *nm* berkelium
berra *nf* **estar na berra** to be in vogue
berrante *adj2g* (cor) gaudy
berrar *v (gritar)* to yell; (bebé, criança) to bawl
berreiro *nm (gritaria)* shouting; (bebé, criança) bawling
berro *nm* scream; shout; yell
besouro *nm* beetle
besta[1] /é/ *nf* (arma) crossbow
besta[2] /ê/ *nf* **1** (animal) beast **2** *pej (pessoa desprezível)* swine **3** *pej (estúpido)* idiot; **aquela besta quadrada** that moron
bestial *adj2g col (excelente)* great, brilliant
best-seller *nm* bestseller
besugo *nm* sea bream
besuntar *v* to grease; to oil
beta *nf* (letra) beta
betão *nm* concrete
beta tester *n2g* beta tester
beterraba *nf* beetroot GB, beet EUA
betinho *nm* posh GB; preppy EUA
beto *nm* posh GB; preppy EUA
betoneira *nf* concrete mixer
betumar *v* **1** (juntas) to fill **2** (vidro) to putty
betume *nm* bitumen
bexiga *nf* **1** bladder **2** *pl pop (varíola)* smallpox
bezerro *nm* calf
bianual *adj2g* **1** *(de dois em dois anos)* biennial; two-yearly **2** *(duas vezes por ano)* biannual; twice-yearly
bibe *nm* (child's) overall, smock
bibelô ou **bibelot** *nm* knick-knack
biberão *nm* feeding bottle
Bíblia *nf* Bible
bíblico *adj* biblical
bibliografia *nf* bibliography
bibliográfico *adj* bibliographical
bibliógrafo *nm* bibliographer
biblioteca *nf* library
bibliotecário *nm* librarian
bica *nf* **1** (cano) drainpipe **2** *(chafariz)* fountain **3** *(café)* espresso ♦ **suar em bica** to drip with sweat
bicada *nf* peck
bicarbonato *nm* bicarbonate
bicéfalo *adj* two-headed
bicentenário *nm* bicentenary GB, bicentennial EUA
bíceps *nm2n* biceps
bicha *nf* **1** *(lombriga, verme)* worm **2** *(fila)* queue GB, line EUA **3** *cal,ofens (homossexual)* queer *ofens*
bichanar *v* to whisper
bichano *nm col* puss, pussy cat
bicharada *nf* animals
bicharoco *nm* bug; worm
bicho *nm* **1** *(animal)* animal **2** *(inseto)* bug **3** (verme) worm ♦ **que bicho lhe mordeu?** what's bugging him?
bicho-carpinteiro *nm* woodworm ♦ **ter bichos-carpinteiros** to have ants in one's pants
bicho-da-seda *nm* silkworm
bicho-de-conta *nm* woodlouse
bicho-de-sete-cabeças *a nova grafia é* **bicho de sete cabeças**[AO]
bicho de sete cabeças[AO] *nm2n col* big deal
bicho-do-mato *a nova grafia é* **bicho do mato**[AO]
bicho do mato[AO] *nm* (pessoa) loner
bicicleta *nf* bicycle; bike
bico *nm* **1** (pássaro) beak **2** (caneta) nib **3** (lápis) point **4** (bule, chaleira) spout **5** (fogão) burner;

bico de gás gas burner ◆ **em bicos de pés** on tiptoe
bico-de-obra *a nova grafia é* **bico de obra**[AO]
bico de obra[AO] *nm* hard nut to crack
bicolor *adj2g* two-colouredGB, two-coloredEUA
bicudo *adj* **1** *(pontiagudo)* pointed; sharp **2** *(difícil)* difficult; tricky
bidão *nm* drum
bidé *nm* bidet
Bielorrússia *nf* Belarus
bielorrusso *adj,nm* Belarusian
bienal *adj2g,nf* biennial
biénio *nm* biennium
bife *nm* steak ◆ *col* **estar feito ao bife** to be dead meat
bifurcação *nf* fork, bifurcation
bifurcar *v* to divide in two ▪ **bifurcar-se** to fork
bigamia *nf* bigamy
bígamo *adj* bigamous ▪ *nm* bigamist
bigode *nm* **1** moustacheGB, mustacheEUA **2** (gato, rato, foca, etc.) whisker **3** (camarão) antenna
bi-horário *adj* **tarifa bi-horária** two-rate tariff; **contador bi-horário** Economy 7 electricity meter
bijutaria *nf* costume jewelleryGB, costume jewelryEUA
bilateral *adj2g* bilateral
bilha *nf* (vaso) clay jugGB; clay pitcherEUA
bilhar *nm* (com três bolas) billiards; (com 16 bolas) pool
bilhete *nm* **1** (espetáculos, cinema, etc.) ticket **2** *(recado)* note ◆ **bilhete de identidade** identity card
bilheteira *nf* **1** ticket office **2** (cinema, teatro) box office
bilião *num card > quant num*[DT] **1** trillion; **2.4 biliões de euros** 2.4 trillion euros **2** *(grande número)* billion
biliar *adj2g* biliary
bilingue *adj2g* bilingual
bílis *nf* bile
bimensal *adj2g* bimonthly
bimestral *adj2g* bimonthly
bimotor *nm* twin-engined plane
binário *adj* **1** binary **2** MÚS duple
bingo *nm* bingo
binóculo *nm* binoculars
binómio *nm* binomial
biocombustível *nm* biofuel
biodegradável *adj2g* biodegradable
biografia *nf* biography
biográfico *adj* biographical
biógrafo *nm* biographer
biologia *nf* biology
biológico *adj* biological
biólogo *nm* biologist
biomassa *nf* biomass
biombo *nm* screen
biomédico *adj* biomedical
biópsia *nf* biopsy
bioquímica *nf* biochemistry
biossegurança *nf* biosecurity
biossíntese *nf* biosynthesis
biotecnologia *nf* biotechnology
bioterrorismo *nm* bioterrorism
bióxido *nm* dioxide
bip *nm* **1** (som) beep **2** (aparelho) bleeperGB, beeperEUA
bipartidário *adj* two-party
bipartidarismo *nm* two-party system
bípede *adj2g* bipedal ▪ *n2g* biped
biplano *nm* biplane
biqueira *nf* (ponta de calçado) toe; (reforço de calçado) toecap
biqueiro *nm pop* kick
biquíni *nm* bikini
birmanês *adj,nm* Burmese
Birmânia *nf* (atual Myanmar) Burma
birra *nf* **1** (choro, irritação) tantrum; **fazer (uma) birra** to throw a tantrum **2** *(amuo)* sulk
birrento *adj* **1** *(rabugento)* grumpy **2** *(amuado)* sulky
bis *nm2n* encore ▪ *interj* encore!
bisar *v* **1** *(repetir)* to repeat **2** (artista) to encore
bisavó *nf* great-grandmother
bisavô *nm* great-grandfather
bisavós *nmpl* great-grandparents
bisbilhotar *v* **1** *(falar)* to gossip **2** *(espiar)* to snoop; to nose around
bisbilhoteiro *nm* **1** *(coscuvilheiro)* gossip **2** *(intrometido)* snoop ▪ *adj* nosy; snooping
bisbilhotice *nf (falatório)* gossip, chitchat
bisca *nf* **1** (jogo de cartas) whist **2** *(manilha)* manille; seven
biscate *nm* odd job
biscoito *nm* biscuit
bismuto *nm* bismuth

bisnaga *nf* **1** (brinquedo) water pistol **2** (creme, gel, tinta) tube
bisneta *nf* great-granddaughter
bisneto *nm* great-grandson
bisonte *nm* bison
bispo *nm* bishop
bissectriz *a nova grafia é* **bissetriz**[AO]
bissemanal *adj2g* twice-weekly
bissetriz[AO] *nf* bisector
bissexto *adj,nm* (ano) leap
bissexual *adj,n2g* bisexual
bisturi *nm* scalpel
bit *nm* INFORM bit
bitmap *nm* INFORM bitmap
bitola *nf* **1** *(norma)* standard measure **2** *(padrão)* pattern
bivalve *adj2g,nm* bivalve
bizarria *nf* eccentricity
bizarro *adj* bizarre
blackout *nm* blackout
blasfemar *v* to blaspheme
blasfémia *nf* blasphemy
blasfemo *adj* blasphemous ▪ *nm* blasphemer
blazer *nm (casaco desportivo)* blazer
blindado *adj* (veículo) armoured ▪ *nm* armoured car ♦ **porta blindada** steel security door
blindar *v* **1** to armour **2** (porta) to reinforce
bloco *nm* **1** *(conjunto)* unit **2** block **3** (notas, apontamentos) writing pad, notepad
blogosfera *nf* blogosphere
blogue ou **blog** *nm* blog; weblog
bloguista *n2g* blogger
bloquear *v* **1** to block **2** (travão, roda) to jam **3** (computador, programa) to crash **4** MIL to blockade
bloqueio *nm* **1** blocking **2** (estrada) roadblock **3** PSIC mental block **4** (mecanismo) jamming **5** INFORM crash **6** MIL blockade
bluff *nm* bluff; **fazer bluff** to bluff
blusa *nf* blouse
blusão *nm* jacket
blush *nm* (cosmética) blusher
boa-fé *nf* (intenção) good faith
boas-festas *nfpl* (Natal) Christmas greetings
boas-vindas *nfpl* welcome; **dar as boas-vindas a alguém** to welcome somebody
boato *nm* rumourGB, rumorEUA; **corre o boato de que...** rumour has it that...
bobina *nf* **1** (filme, fios) reel **2** ELET coil
bobo *nm* (Idade Média) jester
boca *nf* **1** mouth **2** *(abertura)* opening; *(entrada)* entrance **3** *(fogão)* ring **4** *col (comentário)* dig; gibe ♦ **dizer alguma coisa da boca para fora** to say something without meaning it
boca-de-incêndio *a nova grafia é* **boca de incêndio**[AO]
boca de incêndio[AO] *nf* fire hydrant
boca-de-sino *a nova grafia é* **boca de sino**[AO]
boca de sino[AO] *adj inv* bell-bottomed; **calças à boca de sino** bell-bottoms
bocado *nm* **1** (pedaço) bit, piece **2** (comida) morsel, scrap **3** (tempo) while ♦ **passar um mau bocado** to go through a hard time
bocal *nm* **1** (telefone, aparelho) mouthpiece **2** (vaso, frasco) mouth **3** (cano) nozzle
boçal *adj2g* coarse; uncouth
bocejar *v* to yawn
bocejo *nm* yawn
bochecha *nf* cheek
bochechar *v* to rinse one's mouth
bochecho *nm* rinsing of the mouth
bochechudo *adj* chubby-cheeked
bócio *nm* goitreGB, goiterEUA
boda *nf* wedding
bode *nm* billy goat ♦ **bode expiatório** scapegoat
bodega *nf (porcaria)*; mess
body *nm* bodyGB; bodysuitEUA
bodyboard *nm* bodyboarding; **fazer bodyboard** to go bodyboarding
boémia *nf (ociosidade)* idleness
boémio *adj,nm* (estilo de vida) bohemian
bofes *nmpl (pulmões)* lungs ♦ **deitar os bofes pela boca** to be out of breath
bofetada *nf* slap
bófia *nf cal* cops ▪ *n2g cal* (agente) cop
bóhrio *nm* bohrium
boi *nm* ox
boia[AO] *nf* **1** life buoy; (insuflável) swim ring/tube **2** (marca flutuante) buoy
bóia *a nova grafia é* **boia**[AO]
boião *nm* jar
boiar *v* to float
boicotar *v* to boycott
boicote *nf* boycott
boina *nf* beret
bojo *nm* **1** (garrafa) belly **2** *(saliência)* bulge
bojudo *adj* **1** bulgy **2** big-bellied, pot-bellied

bola[1] /ó/ *nf* **1** ball **2** *col (futebol)* football **3** (gelado) scoop **4** (sabão) bubble **5** (padrão) spot; polka dot ♦ *col* **não bater bem da bola** to have a screw loose; **(ora) bolas!** (irritação) damn!

bola[2] /ô/ *nf* CUL meat pie

bolacha *nf* **1** (doce) biscuitGB; cookieEUA **2** (salgada) cracker

bolachudo *adj* chubby-cheeked

bolar *v* to serve; **quem é a bolar?** who's serving?

bolbo *nm* bulb

bolçar *v* **1** (bebé) to bring up **2** *(vomitar)* to vomit

boleia *nf* lift, ride

bolero *nm* bolero

boletim *nm* **1** (informação) report; bulletin **2** *(impresso)* form **3** *(publicação)* newsletter **4** (totoloto, totobola) coupon

bolha *nf* **1** (ar, sabão) bubble **2** (pele) blister

bólide *n2g* **1** meteor **2** *col* fast car

Bolívia *nf* Bolivia

boliviano *adj,nm* Bolivian

bolo *nm* **1** cake; **bolo de anos** birthday cake **2** (saque, herança) loot ♦ **bolo alimentar** bolus; **feito num bolo** in a mess

bolor *nm* mouldGB, moldEUA

bolorento *adj* mouldyGB, moldyEUA

bolota *nf* acorn

bolsa *nf* **1** *(saca)* bag **2** (dinheiro) purse **3** (óculos) case **4** ECON stock exchange **5** ANAT bursa; sac ♦ **bolsa de estudo** grant; scholarship

bolseiro *nm* **1** (bolsa de estudos) grant holder **2** *(tesoureiro)* treasurer

bolsista *n2g* ECON stockbroker

bolso *nm* pocket; **edição de bolso** pocket edition

bom *adj* **1** good; **essa é boa!** that's a good one! **2** *(bondoso)* kind **3** (saúde) well, fine **4** (tempo) nice ▪ *nm* **1** good **2** (classificação escolar) B ▪ *interj* well!

bomba *nf* **1** (explosivo) bomb; **ameaça de bomba** bomb threat **2** (ar, água, gasolina) pump **3** (incêndio) fire engine/hose **4** (notícia) bombshell ♦ **bomba de gasolina** petrol stationGB, gas stationEUA

bombardeamento *nm* (aéreo) bombing; (com artilharia) bombardment

bombardear *v* **1** (bombas) to bomb **2** (mísseis, perguntas) to bombard

bombardeiro *nm* (avião) bomber

bomba-relógio *nm* time bomb

bombástico *adj* **1** bombastic **2** (revelação) sensational; (notícia) bombshell

bombazina ou **bombazine** *nf* corduroy

bombear *v* to bomb

bombeiro *nm* firefighter, fireman

bombista *n2g* bomber

bombo *nm* (instrumento) bass drum ♦ **ser o bombo da festa** to be the laughing stock

bombom *nm* chocolate

bombordo *nm* port

bom-tom *nm* politeness, good manners

bonacheirão *adj* good-natured

bonança *nf* **1** (mar) fair weather **2** calm

bondade *nf* goodness, kindness

bondoso *adj* kind, good

boné *nm* cap

boneca *nf* doll

boneco *nm* **1** doll **2** (ventríloquo, manequim) dummy **3** *(fantoche)* puppet ♦ **falar para o boneco** to talk to the wall

bonificação *nf* **1** bonus **2** discount

bonificar *v* to give a bonus to

bonito *adj* **1** pretty, beautiful **2** (homem) handsome, good-looking **3** (casa, tempo, gesto) nice, lovely ♦ **fizeste-a bonita!** a pretty mess you've made of it!

bonsai *nm* bonsai

bónus *nm2n* **1** bonus **2** discount

boom *nm (crescimento repentino)* boom

boquiaberto *adj* gaping

boquilha *nf* (cigarro) cigarette holder

borboleta *nf* butterfly

borbotar *v* to gush out

borboto *nm* (em tecido) lint; fluffGB

borbulha *nf* **1** (pele) spot, pimple **2** (líquido) bubble; **sem borbulhas** still; **com borbulhas** fizzy

borbulhar *v* **1** to bubble **2** *(jorrar)* to gush out

borda *nf* **1** *(beira)* edge; brink **2** *(margem)* bank **3** (passeio) curbGB; kerbEUA

bordado *adj* embroidered ▪ *nm* embroidery

bordão *nm* **1** staff, stick **2** (frase) catchphrase

bordar *v* to embroider

bordeaux ou **bordô** *adj inv,nm2n* burgundy

bordel *nm* brothel

bordo *nm* **1** board; **a bordo** aboard, on board **2** (prato, banheira, piscina) edge

bordoada *nf* blow

boreal *adj2g* boreal, northern
borga *nf* partying; **andar na borga** to be out partying
borla *nf (oferta)* freebie; *(bilhete grátis)* free ticket; *(volta grátis)* free ride ♦ *col* **à/de borla** for free
boro *nm* boron
boroa *nf* ⇒ **broa**
borra *nf* (café, vinho) dregs
borra-botas *n2g2n col* good-for-nothing
borracha *nf* **1** rubber **2** (para apagar) eraser, rubber GB
borrachão *nm pop* boozer
borracheira *nf pop (bebedeira)* drunkenness
borracho *nm* **1** *(bêbedo)* drunkard **2** *col* (pessoa) bombshell **3** ZOOL young pigeon
borrada *nf* **1** *(coisa mal feita)* botch **2** *(sujeira)* mess
borrão *nm* **1** (tinta) blot **2** *(rascunho)* rough draft **3** *(mancha)* stain
borrar *v* **1** to smudge **2** to dirty
borratar *v* to stain; to smudge
borrego *nm* lamb
borrifar *v* **1** to spray **2** (água suja, lama) to splash ■ **borrifar-se** *col* not to care; **estou-me a borrifar** I don't give a damn
borrifo *nm* spray, sprinkling
Bósnia e Herzegovina *nf* Bosnia and Herzegovina
bósnio *adj,nm* Bosnian
bosque *nm* wood(s)
bossa *nf* hump
bosta *nf* **1** dung **2** *cal* crap
bota *nf* boot ♦ *col* **bater a bota** to kick the bucket
bota-de-elástico *a nova grafia é* **bota de elástico**[AO]
bota de elástico[AO] *n2g* old fogey *col*
botânica *nf* botany
botânico *adj* botanical ■ *nm* botanist
botão *nm* **1** (roupa) button; **botões de punho** cufflinks **2** (planta) bud
bote *nm* boat; **bote salva-vidas** lifeboat
botija *nf* **1** (gás, oxigénio) cylinder; bottle **2** (água quente) hot-water bottle
botim *nm* ankle boot
Botsuana *nm* Botswana
botsuano *adj,nm* Botswanan
bouça *nf* thicket
bourbon *nm* (bebida) bourbon
boutique *nf* (loja) boutique
bovino *adj,nm* bovine; **gado bovino** cattle
bowling *nm* bowling
boxe *nm* boxing
boxer *nm* (cão) boxer
boxers *nmpl* boxer shorts
boxeur *nm* boxer
braçada *nf* (natação) stroke
braçadeira *nf* **1** *(faixa)* armband **2** (suporte) clamp
bracelete *nm* **1** bracelet, bangle **2** (relógio) strap
braço *nm* **1** arm; **de braço dado** arm in arm **2** (rio) branch ♦ **braço direito** right-hand man/woman; **dar o braço a torcer** to give in
braço-de-ferro *a nova grafia é* **braço de ferro**[AO]
braço de ferro[AO] *nm* **1** arm-wrestling **2** *(conflito)* clash; face-off
bradar *v* to cry out ♦ **isto é de bradar aos céus!** for crying out loud!
braguilha *nf* (calças) fly
braille *nm* Braille
brainstorming *nm* brainstorming
bramido *nm* roar
bramir *v* to roar
branca *nf* **1** white hair **2** *(esquecimento)* blank
Branca de Neve *nf* Snow White
branco *adj* **1** (cor, raça) white **2** (pele) light-skinned **3** (medo, susto) livid ■ *nm* (cor, pessoa) white ♦ **passar a noite em branco** to have a sleepless night
brancura *nf* whiteness
brando *adj* **1** gentle **2** *(mole)* soft **3** (tempo, carácter) mild **4** (lume) low
brandura *nf* **1** *(suavidade)* gentleness **2** (tempo, carácter) mildness
brandy *nm (aguardente)* brandy
branqueamento *nm* **1** *(branquear)* bleaching, whitening **2** (dinheiro) laundering
branquear *v* **1** to whiten, to bleach **2** (dinheiro) to launder
brânquia *nf* gill
brasa *nf* **1** ember **2** *(pessoa atraente)* bombshell; stunner ♦ **passar pelas brasas** to doze off; **puxar a brasa à sua sardinha** to bring grist to one's mill
brasão *nm* coat of arms
braseiro *nm* brazier; firepan
Brasil *nm* Brazil
brasileirismo *nm* Brazilianism
brasileiro *adj,nm* Brazilian

bravio *adj* (terreno, plantas, animais) wild
bravo *adj* **1** *(corajoso)* brave **2** (animal, planta) wild **3** (mar) rough ▪ *interj* bravo!, well done!
bravura *nf* **1** *(valentia)* bravery **2** *(ferocidade)* fierceness
breca *nf pop* cramp ♦ **com a breca!** I'll be damned!
brecha *nf* breach, gap, opening
brejeiro *adj* **1** *(malicioso)* saucy **2** *(ordinário)* vulgar
breu *nm* pitch ♦ **escuro como breu** pitch-black
breve *adj2g* short, brief ▪ *adv* soon; **até breve!** see you soon!
brevemente *adv* **1** *(sucintamente)* briefly; shortly **2** *(dentro de pouco tempo)* soon
brevete *nm* pilot's licence
brevidade *nf* brevity; **com a maior brevidade** as soon as possible
bricolage *nm* do-it-yourself
brida *nf* rein, bridle ♦ **a toda a brida** at full speed
briga *nf* **1** *(luta)* fight **2** *(discussão)* quarrel, argument
brigada *nf* **1** MIL brigade **2** (polícia) squad; **brigada antiterrorismo** anti-terrorist squad
brigadeiro *nm* **1** MIL brigadier **2** (doce) chocolate truffle
brigão *nm* troublemaker ▪ *adj* quarrelsome
brigar *v* **1** *(lutar)* to fight **2** *(discutir)* to argue, to quarrel
brilhante *adj2g* **1** (luz, cor) bright **2** (superfície) shiny **3** *(notável)* brilliant **4** *(prometedor)* promising ▪ *nm* diamond
brilhantina *nf* brilliantine
brilhantismo *nm* brilliance
brilhar *v* **1** to shine **2** to do brilliantly
brilho *nm* **1** *(luminosidade)* brightness **2** (superfície) shine; (pele) glow **3** (olhos, joia) sparkle
brincadeira *nf* **1** *(gracejo)* joke **2** *(jogo)* game **3** *(partida)* prank; trick ♦ **deixa-te de brincadeiras!** be serious
brincalhão *nm* joker, teaser ▪ *adj* playful
brincar *v* **1** to play **2** *(gracejar)* to joke, to kid
brinco *nm* earring ♦ **num brinco** spotless
brindar *v* **1** to toast (a, -), to drink a toast (a, to) **2** *(presentear)* to offer (com, -)
brinde *nm* **1** toast **2** *(presente)* gift
brinquedo *nm* toy
brio *nm* **1** self-respect; dignity **2** *(empenho)* effort
brioche *nm* brioche
briol *nm col (muito frio)* brass monkeys GB *cal*; **está um briol!** it's brass monkeys!, it's freezing!
brisa *nf* breeze
britânico *adj* British ▪ *nm* British person; **os Britânicos** the British
broa *nf* maize bread
broca *nf* drill
brocado *nm* (tecido) brocade
brocar *v* to drill
broche *nm* (joia) brooch
brochura *nf* brochure
brócolos *nmpl* broccoli
bromo *nm* bromine
bronca *nf (sarilho)* mess; botch-up
bronco *adj* **1** *(estúpido)* stupid **2** *(grosseiro)* rough
brônquio *nm* bronchus
bronquíolo *nm* bronchiole
bronquite *nf* bronchitis
bronze *nm* **1** bronze **2** *(tom moreno)* suntan
bronzeado *nm* tan; suntan ▪ *adj* tanned; suntanned
bronzeador *nm* suntan lotion
bronzear *v* to tan ▪ **bronzear-se** to get a suntan
brotar *v* **1** (planta) to sprout **2** (líquido) to spout out, to gush out
brownie *nm* brownie
broxa *nf* paintbrush
brucelose *nf* brucellosis
bruços *nmpl* (natação) breaststroke ♦ **de bruços** face down
bruma *nf* mist, haze
Brunei *nm* Brunei
brusco *adj* **1** (atitude) abrupt, brusque **2** (palavras) curt; **resposta brusca** curt reply **3** *(repentino)* sudden
brusquidão *nf* abruptness, brusqueness
brutal *adj2g* **1** *(violento)* brutal, savage **2** *(enorme)* huge **3** *col (espetacular)* amazing
brutalidade *nf* brutality
brutalizar *v* to brutalize
brutalmente *adv* brutally
brutamontes *nm2n* (agressividade) brute
bruto *adj* **1** *(agressivo)* aggressive **2** *(grosseiro)* rude **3** (material) raw **4** (peso, rendimento, lucro) gross ▪ *nm* brute

bruxa *nf* **1** witch **2** (mulher má ou velha) hag, witch
bruxaria *nf* witchcraft
bruxedo *nm* witchcraft
bruxo *nm* wizard, sorcerer
BTT [*abrev. de* bicicleta todo-o-terreno] ATB [*abrev. de* all-terrain bicycle]
bucal *adj2g* oral
bucha *nf* **1** (rolha) plug **2** *col* (comida) hunk ▪ *n2g pej* fatso *col*
bucho *nm* stomach; (aves) crop
buço *nm* down
bucólico *adj* bucolic
Buda *nm* Buddha
budismo *nm* Buddhism
budista *adj,n2g* Buddhist
bueiro *nm* storm drain
búfalo *nm* buffalo
bufão *nm* **1** *(bobo)* buffoon **2** *(fanfarrão)* boaster
bufar *v* **1** *(soprar)* to blow **2** (cansaço) to puff **3** (irritação) to huff
bufete *nm* **1** (refeição) buffet **2** (numa escola) tuck shop GB
bufo *nm col (delator)* snitch
bug *nm* bug
bugiar *v (mandriar)* to loaf around; *col* **mandar alguém bugiar** to send somebody packing
bugiganga *nf* trinket
bula *nf* **1** bull; **Bula Papal** Papal bull **2** (em medicamento) directions for use
buldogue *nm* (cão) bulldog
bule *nm* teapot
bulevar *nm* boulevard
Bulgária *nf* Bulgaria
búlgaro *adj,nm* Bulgarian
bulha *nf* fight; **andar à bulha** to fight
bulício *nm* hustle and bustle
buliçoso *adj* **1** *(agitado)* restless **2** *(ruidoso)* noisy
bulimia *nf* bulimia
bulímico *adj,nm* bulimic
bulir *v* to move; to stir
bullying *nm* bullying
bumerangue *nm* boomerang
bungee-jumping *nm* bungee jumping
buraco *nm* **1** hole; **buraco da fechadura** keyhole; **buracos nas estradas** potholes **2** (agulha) eye
burburinho *nm* **1** (vozes) hubbub **2** rumour **3** *(tumulto)* uproar
burca ou **burka** *nf* burka, burqa
burguês *adj,nm* bourgeois
burguesia *nf* **1** bourgeoisie **2** middle classes
buril *nm* chisel, burin
burla *nf* fraud; swindle
burlão *nm* swindler
burlar *v* to swindle; to dupe
burlesco *adj* **1** comic **2** burlesque
burocracia *nf* bureaucracy
burocrata *n2g* bureaucrat
burocrático *adj* bureaucratic
Burquina Faso *nm* Burkina Faso
burrice *nf* **1** *(asneira)* stupid thing **2** *(estupidez)* stupidity
burro *nm* **1** (animal) donkey **2** *(imbecil)* idiot; moron **3** (pessoa) half-wit ▪ *adj* dumb; thick
Burundi *nm* Burundi
burundiano *adj,nm* Burundian
bus *nm* **1** (faixa na estrada) bus lane **2** ELET,INFORM bus
busca *nf* search
buscar *v* **1** to fetch; to get; to pick up; **ir buscar** to go and get; **vir buscar** to come and get **2** *(procurar)* to look for; to search for
busílis *nm (ponto fundamental)* nub; **aí é que está o busílis** there's the nub
bússola *nf* compass
busto *nm* bust
butano *adj,nm* butane
Butão *nm* Bhutan
buzina *nf* horn; **tocar a buzina** to sound one's horn
buzinada *nf* toot, honk
buzinão *nm* horn-honking protest
buzinar *v* to sound one's horn; to hoot
búzio *nm* **1** *(concha)* shell **2** (molusco) murex
byte *nm* byte

C

c *nm* (letra) c

cá *adv* **1** (lugar) here, over here **2** (tempo) now; at this time; **há uns tempos para cá** lately

cã *nf* white hair

cabaça *nf* (fruto) calabash

cabal *adj2g* **1** *(completo)* full **2** *(rigoroso)* accurate; precise

cabala *nf* **1** cabbala **2** plot

cabana *nf* hut; shack

cabaré *nm* cabaret

cabaz *nm* hamper, basket

cabeça *nf* **1** head; **dos pés à cabeça** from head to toe **2** *(frente)* head; (lista) top **3** *(inteligência)* intelligence; brains **4** (pessoa) bright person ▪ *n2g (chefe)* head; leader ◆ (espetáculos) **cabeça de cartaz** top of the bill; leading attraction; **cabeça de casal** head of the family; **cabeça de lista** chief candidate; *col* **cabeça de vento** featherbrain; **cabeça dura** stubborn person; **cabeça rapada** skinhead; (bebida, sucesso) **subir à cabeça** to go to one's head

cabeçada *nf* **1** (acidental) bang; (deliberada) head butt; (recebida) blow on the head **2** DESP header

cabeçalho *nm* **1** (jornal) masthead; (carta) letterhead **2** (texto de computador) header

cabecear *v* **1** (sono) to nod **2** DESP to head

cabeceira *nf* **1** (cama) headboard **2** (mesa) head

cabecilha *n2g* (bando) ringleader

cabeçudo *adj* **1** big-headed **2** *(teimoso)* pigheaded; obstinate

cabedal *nm* **1** leather **2** *col* (aspeto físico) brawn; sturdiness **3** *(riqueza)* money

cabeleira *nf* **1** *(peruca)* wig **2** *(cabelo)* hair

cabeleireiro *nm* **1** (pessoa) hairdresser **2** (local) hairdresser's

cabelo *nm* hair ◆ **estar pelos cabelos com** to be fed up with

cabeludo *adj* **1** (pessoa) long-haired; (parte do corpo) hairy **2** (problema) complicated

caber *v* **1** to fit; to have room enough **2** *(passar)* to go (em, through) **3** (tarefa) to be up (a, to)

cabide *nm* **1** *(cruzeta)* hanger **2** *(gancho para pendurar)* coat hook **3** (móvel) coat stand

cabidela *nf* fowl giblets and blood stew; **arroz de cabidela** chicken blood rice

cabimento *nm* adequacy; appropriateness; **ter cabimento** to be appropriate

cabina ou **cabine** *nf* **1** booth; **cabina telefónica** telephone box GB, telephone booth EUA **2** (piloto) cockpit; (passageiros) cabin; (comboio) compartment

cabisbaixo *adj (desanimado)* crestfallen

cabo *nm* **1** end **2** GEOG cape **3** rope **4** ELET cable **5** MIL corporal **6** (faca, utensílios) handle ◆ **dar cabo de** to mess up

Cabo Verde *n* Cape Verde

cabo-verdiano *adj,nm* Cape Verdean

cabra *nf* goat

cabra-cega *nf* (jogo) blind man's buff

cabrão *nm (bode)* billy goat

cabriola *nf* caper; gambol

cabrito *nm* **1** ZOOL kid **2** CUL lamb

cabrito-montês *nm* mountain goat

cábula *nf* (escola) crib ▪ *n2g* (estudante) truant; skiver ▪ *adj2g* (estudante) lazy; slack

caca *nf* **1** *col,infant* pooh **2** *col* shit; rubbish

caça *nf* **1** (atividade) hunting; **caça ilegal** poaching **2** (animais) game **3** *(perseguição)* chase, pursuit ▪ *nm* (avião) fighter

caçada *nf* **1** (atividade) hunt **2** *(perseguição)* chase; pursuit

caçadeira *nf* (arma) shotgun

caçadinhas *nfpl* (jogo) tag; **brincar às caçadinhas** to play tag

caçador *nm* hunter; **caçador furtivo** poacher

caçar *v* **1** to hunt **2** *(perseguir)* to hunt down; to chase

cacarejar *v* (galinha) to cluck; (galo) to crow

cacarejo *nm* (galinha) cluck; (galo) crowing

caçarola *nf* casserole

cacatua *nf* cockatoo

cacau *nm* (planta, bebida) cocoa

cacaueiro *nm* (árvore) cacao
cacetada *nf* whack; blow
cacete *nm* **1** club; cudgel; stick **2** (pão) baguette
cachaça *nf* sugar cane brandy
cachaço *nm* **1** nape **2** (animal) clod; neck
cachalote *nm* cachalot, sperm whale
cachecol *nm* scarf
cachet *nm* (pagamento) fee
cachimbo *nm* pipe
cacho *nm* **1** bunch **2** (de cabelo) curl
cachoeira *nf* waterfall
cachola *nf col* nut; noddle ♦ **ficar com uma grande cachola** to suffer a big disappointment
cachopo *nm col* kid, boy
cachorro *nm* **1** pup, puppy **2** (sanduíche) hot dog
cachorro-quente *nm* hot dog
cacifo *nm* locker
cacique *nm* cacique
caco *nm* **1** piece; **feito em cacos** smashed to pieces **2** *col* (pessoa) wreck
cacofonia *nf* cacophony
cacto *a nova grafia é* **cato**[AO]
cada *det indef > quant univ*[DT] **1** each; **cada um** each one **2** (tempo) every; **cada dois dias** every other day ♦ **cada coisa a seu tempo** all in good time; **tens cada uma!** what a nonsense!; **um de cada vez** one at a time
cadafalso *nm (forca)* scaffold; gallows
cadastrado *nm* (pessoa) previously convicted
cadastrar *v* to register
cadastro *nm* criminal record
cadáver *nm* (pessoa) corpse, body; (animal) carcass
cadavérico *adj* cadaverous
cadeado *nm* padlock; **fechado a cadeado** padlocked
cadeia *nf* **1** chain **2** *(sucessão)* series **3** *(prisão)* jail
cadeira *nf* **1** chair **2** *(disciplina)* subject
cadeirão *nm* **1** armchair **2** (universidade) difficult subject
cadela *nf* bitch
cadência *nf* cadence, rhythm
cadenciado *adj* cadenced; rhythmic
cadente *adj2g* falling; **estrela cadente** shooting star
caderneta *nf* **1** *(caderno pequeno)* notebook **2** (banco) bankbook **3** (escola) school report book **4** (cromos) sticker album
caderno *nm* **1** notebook; **caderno de exercícios** exercise book **2** (jornal) section
cadete *n2g* cadet
cádmio *nm* cadmium
caducar *v* (documento, prazo) to expire
caduco *adj* **1** BOT deciduous **2** (documento) expired **3** (pessoa) senile
café *nm* **1** coffee; **tomar um café** to have a coffee **2** (estabelecimento) coffee bar/shop; café ♦ BRAS **café da manhã** breakfast
café-concerto *nm* café with live music
cafeína *nf* caffeine; **sem cafeína** caffeine-free
cafetaria *nf* coffee shop/bar
cafeteira *nf* coffeepot; coffee-maker
cagaço *nm pop* fright; panic; **apanhar um cagaço** to get a fright
cágado *nm* freshwater turtle
caganeira *nf cal* the runs, the trots
cagar *v* **1** *cal* to have a shit/a crap *cal* **2** *cal (sujar)* to dirty
cagufa *nf col* fear; panic; **estar cheio de cagufa** to be scared stiff
caiaque *nm* kayak
caiar *v* to whitewash
cãibra *nf* cramp
caicai *nm* (top) boob tube GB, tube top EUA; (soutien) strapless bra
caído *adj* **1** fallen **2** *(desanimado)* downhearted; low-spirited **3** *col (apaixonado)* head over heels in love (por, with) ♦ **caído do céu** out of the blue
caipirinha *nf* caipirinha
cair *v* **1** to fall (down) **2** (cabelo, dente) to fall out **3** (construção) to collapse **4** (chamada telefónica) to get cut off **5** (engano) to be taken in ♦ **cair bem 1** (ato, comentário) to please **2** (roupa) to fit **3** (comida, bebida) to agree with; **cair em si** to come to one's senses
cais *nm* **1** (porto) quay **2** (comboio, metro) platform
caixa *nf* **1** box **2** *(estojo)* case **3** (loja) checkout; till; **caixa registadora** cash register ▪ *n2g* **1** (loja) cashier **2** (banco) teller ♦ **caixa de correio 1** letterbox GB, mailbox EUA **2** (eletrónica) electronic mailbox; (automóvel) **caixa de velocidades** gearbox; **não dar uma para a caixa** to do nothing well

caixa-de-óculos *a nova grafia é* **caixa de óculos**AO
caixa de óculosAO *n2g col* four-eyes
caixa-forte *nf* safe, strongbox
caixão *nm* coffin; casketEUA
caixeiro-viajante *nm* commercial traveller; traveling salesmanEUA
caixilharia *nf* (janelas, portas) framework
caixilho *nm* (janela, porta, quadro) frame
caixote *nm* **1** (cartão) cardboard box **2** (madeira, plástico) crate **3** (lixo) dustbinGB; garbage canEUA
cajado *nf* (de pastor) shepherd's crook
caju *nm* **1** (árvore) cashew tree **2** (fruto) cashew nut
cal *nf* lime; **cal viva** quicklime
calabouço ou **calaboiço** *nm* dungeon
calada *nf* **pela calada** on the sly; on the quiet
calado *adj* silent; quiet
calafetar *v* (fenda, fresta) to fill; (porta, janela) to draughtproofGB, to draftproofEUA
calafrio *nm* shiver
calamidade *nf* calamity
calão *nm* slang; (linguagem técnica) jargon
calar *v* to silence; to keep quiet ▪ **calar-se** to stop talking; to shut up ◆ **quem cala consente** silence gives consent
calçada *nf* cobbled street
calçadeira *nf* shoehorn
calcadela *nf* tread; **deram-me uma calcadela** somebody stepped on my foot
calçado *nm* footwear
calcanhar *nm* heel ◆ **calcanhar de Aquiles** Achilles heel; **não chegar aos calcanhares de alguém** not to be fit to tie somebody's shoelaces
calcar *v* **1** to step on; to tread **2** *(humilhar)* to walk all over
calçar *v* **1** (luvas, meias, sapatos) to put on **2** (número) to take; **que número calças?** what size do you take? **3** *(trazer calçado)* to wear ▪ **calçar-se** to put one's shoes on
calcário *nm* GEOL limestone
calças *nfpl* trousersGB; pantsEUA; **calças de ganga** jeans
calcetar *v* to pave
calceteiro *nm* paver
calcificação *nf* calcification
calcificar *v* to calcify
calcinação *nf* calcination
calcinar *v* **1** to calcine **2** to burn to ashes
calcinhas *nfpl* knickersGB; pantiesEUA
cálcio *nm* calcium
calço *nm* **1** wedge **2** (de travões) brake shoe
calções *nmpl* shorts
calcorrear *v* to tramp
calculadora *nf* (máquina) calculator
calcular *v* **1** (valor, preço, distância) to calculate **2** *(estimar)* to estimate **3** *(supor)* to think; to suppose ◆ *col* **calculo!** I bet!
calculista *adj2g* calculating; scheming ▪ *n2g* calculating person
cálculo *nm* **1** MAT calculation **2** *(estimativa)* estimate **3** MED stone
calda *nf* **1** (com açúcar) syrup **2** (para arroz) stock; broth **3** *pl* thermal springs; spa
caldeira *nf* (aquecimento) boiler
caldeirada *nf* CUL fish stew
caldeirão *nm* cauldron
caldo *nm* **1** soup; **caldo verde** kale and potato broth **2** (para cozinhar) stock; **caldo de galinha** chicken stock
caleira *nf* (telhado) gutter
calejado *adj* **1** (mão) calloused **2** *(endurecido)* hardened **3** *(experiente)* experienced
calendário *nm* calendar
calha *nf* **1** (para líquidos) irrigation channel; *(caleira)* gutter **2** (caminhos de ferro) rail ◆ **ao calha** at random
calhamaço *nm col* weighty tome
calhambeque *nm col* (carro) heap; bangerGB; clunkerEUA
calhar *v* **1** to fall (a, on); to happen to be; **o meu aniversário calha a um sábado** my birthday falls on a Saturday **2** (prémio) to go (a, to) ◆ **calhar bem/mal** to come at the right/wrong time; **se calhar** maybe; **vir mesmo a calhar** to come in handy
calhau *nm* stone; (grande) boulder
calibragem *nf* calibration
calibrar *v* to calibrate
calibre *nm* calibreGB, caliberEUA
cálice *nm* **1** stemmed glass; **cálice de vinho do Porto** Port glass **2** REL chalice **3** BOT calyx
calicida *nm* corn remover
cálido *adj* warm
califórnio *nm* californium
caligrafia *nf* **1** (arte) calligraphy **2** (letra) handwriting
calinada *nf* blunder; blooper

calista *n2g* chiropodist
calma *nf* calm; **manter a calma** to keep calm; **(tem) calma!** take it easy!, calm down!
calmante *nm* **1** (dores) painkiller **2** (nervos) tranquillizer ▪ *adj2g* calming, soothing
calmaria *nf* calm
calmo *adj* calm; quiet
calo *nm* (mão, planta do pé) callus; (dedo do pé) corn ♦ **pisar os calos a alguém** to step on someone's toes
caloiro *nm* **1** (universidade) fresherGB, freshmanEUA **2** (principiante) beginner; rookieEUA
calor *nm* **1** heat; **estou a morrer de calor** I'm roasting **2** *(entusiasmo)* eagerness; ardour **3** *pl* hot flushesGB; hot flashesEUA
caloria *nf* calorie
calórico *adj* caloric
caloroso *adj* warm; friendly
calosidade *nf* callosity
caloso *adj* calloused
calota *nf* GEOM calotte ♦ **calota glacial** icecap
calote *nm col* bad debt; **pregar o calote** not to pay a debt
caloteiro *nm col* bad payer
caluda *interj* hush!
calúnia *nf* slander; (por escrito) libel
caluniador *nm* slanderer; (por escrito) libeller
caluniar *v* to slander; (por escrito) to libel
calunioso *adj* slanderous; (por escrito) libellous
calvário *nm* torment
calvície *nf* baldness
calvinista *n2g* Calvinist ▪ *adj2g* Calvinistic
calvo *adj* bald; **ficar calvo** to go bald
cama *nf* bed; **ir para a cama** to go to bed
camada *nf* **1** layer; **camada de ozono** ozone layer **2** (gelo) sheet **3** (tinta, verniz) coat
camaleão *nm* chameleon
câmara *nf* **1** (instituição) house; council; **câmara municipal**; (organismo) town council; (edifício) town hall **2** (aparelho) camera; **câmara fotográfica** camera **3** (compartimento) chamber ♦ (cinema, televisão) **em câmara lenta** in slow motion
câmara-ardente *nf* chapel of rest
camarada *n2g* **1** (de partido) comrade **2** *(amigo)* mate; pal
camaradagem *nf* friendship; camaraderie
câmara-de-ar *a nova grafia é* **câmara de ar**AO
câmara de arAO *nf* (roda de bicicleta) inner tube
camarão *nm* shrimp
camarário *adj* municipal
camarata *nf* dormitory
camarim *nm* dressing room
Camarões *nmpl* Cameroon
camaronês *adj,nm* Cameroonian
camarote *nm* **1** (navio) cabin **2** (teatro) box
cambada *nf pej* (pessoas) bunch; gang
cambalacho *nm* swindle; fraud
cambalear *v* to totter; to stagger
cambalhota *nf* **1** somersault; roll; **dar uma cambalhota** to do a somersault **2** (queda) tumble
cambial *adj2g* exchange; **cotação cambial** exchange rate
cambiar *v* to exchange, to change
câmbio *nm* exchange; **taxa do câmbio** exchange rate
cambista *n2g* money changer
Camboja *nm* Cambodia
cambojano *adj,nm* Cambodian
cambraia *nf* (tecido) cambric
cameleira *nf* (árvore) camellia
camélia *nf* (flor) camellia
camelo *nm* **1** camel **2** *col,pej* (pessoa) dunce; dolt
camião *nm* lorryGB; truckEUA
camião-cisterna *nm* tanker
caminhada *nf* long walk; (curta) stroll
caminhante *n2g* walker; stroller
caminhar *v* to walk; to stroll
caminho *nm* **1** *(via)* path; track **2** *(direção)* way; route; **indicar o caminho a alguém** to show someone the way **3** *(viagem)* journey ♦ *col* **já é meio caminho andado** it's half the battle; **estar no bom caminho** to be on the right track
caminho-de-ferro *a nova grafia é* **caminho de ferro**AO
caminho de ferroAO *nm* railwayGB; railroadEUA
camionagem *nf* haulageGB; truckingEUA
camioneta *nf* (carga) van; (caixa aberta) pick-up; (passageiros) coach
camionista *n2g* truck driver
camisa *nf* **1** (de homem) shirt **2** (de senhora) blouse **3** (de noite) nightdress, nightgown
camisa-de-forças *a nova grafia é* **camisa de forças**AO
camisa de forçasAO *nf* straitjacket
camisa-de-vénus *a nova grafia é* **camisa de Vénus**AO

camisa de Vénus[AO] *nf* condom
camisaria *nf* shirt shop
camiseiro *nm* **1** (móvel) chest of drawers **2** (pessoa) shirtmaker
camisinha *nf col* condom
camisola *nf* sweater; jersey GB; jumper GB; **camisola interior** vest GB, undershirt EUA
camisola-amarela *n2g* (ciclismo) yellow jersey
camomila *nf* camomile
campa *nf* **1** *(sepultura)* grave **2** *(lápide)* gravestone
campainha *nf* **1** bell; **tocar à campainha** to ring the bell **2** *(sininho)* handbell
campanário *nm* (igreja) belfry, bell tower
campanha *nf* campaign; **campanha eleitoral** election campaign
campeão *nm* champion; **campeão do mundo** world champion
campeonato *nm* championship
campestre *adj* rural, country
campino *nm (camponês)* peasant
campismo *nm* camping; **fazer campismo** to go camping
campista *n2g* camper
campo *nm* **1** *(terreno)* field **2** *(zona rural)* countryside, country **3** (futebol, râguebi) field; (ténis, basquete, vólei) court; (golfe) course **4** *(estádio)* ground **5** *(área de atividade)* field; area **6** *(acampamento)* camp
camponês *nm* peasant
campónio *nm pej* yokel; hick EUA
campus *nm* (terrenos universitários) campus
camuflagem *nf* camouflage
camuflar *v* to camouflage
camurça *nf* **1** (animal) chamois **2** (pele, tecido) suede
cana *nf* **1** BOT cane **2** (pesca) rod **3** *(bengala)* walking stick; cane **4** (nariz) bridge of the nose
canábis *nf* cannabis
Canadá *nm* Canada
cana-de-açúcar *nf* sugar cane
canadiana *nf* **1** (muleta) crutch **2** (tenda) ridgetent
canadiano *adj,nm* Canadian
canal *nm* **1** channel; **canal de televisão** TV channel **2** (artificial) canal **3** ANAT duct; **canal lacrimal** tear duct ◆ **Canal da Mancha** English Channel
canalha *nf* (crianças) kids ▪ *n2g* rascal; scoundrel
canalhada *nf* **1** (crianças) kids **2** dirty trick
canalhice *nf* dirty trick
canalização *nf* **1** (instalação) plumbing **2** *(canos)* piping; pipes
canalizador *nm* plumber
canalizar *v* **1** (rio, água) to canalize **2** *(direcionar)* to channel
canapé *nm* **1** (sofá) settee **2** CUL canapé
canário *nm* canary
canavial *nm* cane plantation
cancã *nf* (dança) cancan
canção *nf* song
cancela *nf* **1** wrought-iron gate **2** (passagem de nível) barrier
cancelamento *nm* cancellation
cancelar *v* (evento, atividade) to cancel
câncer *nm* **1** BRAS ⇒ **cancro** **2** ASTRON [com maiúscula] Cancer; **trópico de Câncer** the Tropic of Cancer
cancerígeno *adj* carcinogenic
canceroso *adj* cancerous
cancioneiro *nm* **1** MÚS songbook **2** LIT anthology
cancro *nm* cancer; **cancro do pulmão** lung cancer
candeeiro *nm* lamp; (iluminação pública) streetlight, streetlamp
candeia *nf* oil lamp
candelabro *nm* **1** (de teto) chandelier **2** *(castiçal)* candelabra
candente *adj2g* **1** incandescent **2** burning; (assunto) controversial
candidatar-se *v* **1** (eleições) to run (a, for) **2** (emprego, bolsa de estudos) to apply (a, for)
candidato *nm* **1** (cargo político) candidate **2** (emprego, bolsa de estudos) applicant
candidatura *nf* **1** (cargo político) candidature **2** (emprego, bolsa de estudos) application
cândido *adj* **1** innocent **2** *(ingénuo)* naïve
candonga *nf* **1** *(contrabando)* smuggling **2** *(mercado negro)* black market
candongueiro *nm (contrabandista)* smuggler
candura *nf* **1** innocence **2** *(ingenuidade)* naïveté
caneca *nf* **1** (para beber) mug **2** (para servir) jug GB, pitcher EUA
caneco *nm* large mug
canela *nf* **1** cinnamon **2** (perna) shin
canelada *nf* kick on the shin

caneleira *nf* **1** (árvore) cinnamon tree **2** (proteção) shin pad/guard
canelones *nmpl* cannelloni
caneta *nf* **1** pen; **caneta de tinta permanente** fountain-pen **2** *pl col* leg; **força nas canetas!** stand on your heels!
cânfora *nf* camphor
cangalheiro *nm (agente funerário)* undertaker
canguru *nm* kangaroo
cânhamo *nm* (planta) hemp
canhão *nm* **1** MIL cannon **2** (espingarda, pistola) barrel **3** (fechadura) cylinder lock
canhoto *adj* left-handed ▪ *nm* left-handed person
canibal *adj,n2g* cannibal
canibalismo *nm* cannibalism
caniche *nm* poodle
canil *nm* dog pound
canino *adj* canine ▪ *nm* (dente) canine (tooth)
canivete *nm* penknife
canja *nf* chicken soup ♦ (facilidade) **é canja!** it's a piece of cake!
cano *nm* **1** pipe; tube **2** *(esgoto)* sewer **3** (bota) bootleg **4** (espingarda) barrel
canoa *nf* canoe
canoagem *nf* canoeing
canoísta *n2g* canoeist
cânone ou **cânon** *nm* canon
canónico *adj* canonical
canonização *nf* canonization
canonizar *v* to canonize
canoro *adj* melodious; **ave canora** songbird
cansaço *nm* tiredness; **estar morto de cansaço** to be dead tired
cansado *adj* **1** tired; weary **2** *(farto)* fed up (de, with)
cansar *v* **1** to tire out; to exhaust **2** (aborrecimento) to be boring **3** *(saturar)* to annoy ▪ **cansar-se** to get tired
cansativo *adj* **1** *(fatigante)* tiring **2** *(aborrecido)* tedious; boring
canseira *nf* **1** *(cansaço)* fatigue **2** *(trabalho)* toil
cantar *v* (pessoa, pássaro) to sing; (galo) to crow ▪ *nm* singing; song ♦ **cantar de galo** to blow one's trumpet
cantaria *nf* stonework; masonry
cântaro *nm* pitcher, jug ♦ **chove a cântaros** it is raining cats and dogs
cantarolar *v* to hum; to croon
cantata *nf* cantata
canteiro *nm* (flores) flowerbed
cântico *nm* canticle; **cântico de Natal** Christmas carol
cantiga *nf* **1** song; **cantiga de embalar** lullaby **2** *(mentira)* story; fib
cantil *nm* **1** (água) canteen **2** (bebidas alcoólicas) flask
cantina *nf* (escola, empresa) canteen GB, cafeteria EUA; (universidade) refectory; (quartel) mess
canto *nm* **1** corner; **canto da boca** corner of the mouth; DESP **pontapé de canto** corner kick **2** (folha, livro) edge **3** (arte) singing; *(cântico)* chant **4** (pássaro) song; (galo) crow ♦ **ser posto a um canto** to be put on the shelf
cantor *nm* singer
cantoria *nf* singing
canudo *nm* **1** *(tubo)* tube; pipe **2** *col (diploma)* university degree
canyoning *nm* canyoning
cão *nm* **1** dog; **cão de caça** hound; **cão de guarda** watchdog **2** (arma de fogo) cock ♦ **cão que ladra não morde** barking dogs don't bite; **ser como cão e gato** to fight like cat and dog
cão-guia *nm* guide dog
cão-pastor *nm* sheepdog
cão-polícia *nm* police dog
caos *nm* chaos
caótico *adj* chaotic
cap. [*abrev. de* capítulo] chap. [*abrev. de* chapter]
capa *nf* **1** (livro, revista) cover; (disco, CD) sleeve GB; jacket EUA **2** (vestuário) cape **3** *(pasta)* folder **4** *(revestimento)* layer
capacete *nm* helmet
capachinho *nm* toupee; hairpiece
capacho *nm* doormat
capacidade *nf* **1** *(potencialidade)* capability; ability **2** (recipiente, máquina, sala) capacity
capacitar *v* to enable (para, to) ▪ **capacitar-se** to convince oneself (de, of)
capar *v* (animal) to castrate; (cavalo) to geld
capataz *nm* foreman; overseer
capaz *adj2g* capable (de, of); able (de, to); **ser muito capaz** to be very capable ♦ (possibilidade) **é capaz** it might
capela *nf* (igreja) chapel
capela-mor *nf* sanctuary
capelão *nm* chaplain
capicua *nf* palindrome
capilar *adj2g* hair ▪ *nm* capillary

capim *nm* BRAS grass
capital *nf* (cidade) capital ▪ *nm* ECON capital ▪ *adj2g* **1** crucial; vital **2** DIR *(máximo)* capital
capitalismo *nm* capitalism
capitalista *adj,n2g* capitalist
capitalização *nf* capitalization
capitalizar *v* **1** ECON to capitalize **2** *(tirar proveito de)* to capitalize on
capitania *nf* captaincy
capitão *nm* captain
capitel *nm* (coluna) capital; (pilastra) chapiter
capitulação *nf* capitulation
capitular *v* to capitulate
capítulo *nm* (de livro) chapter; (de série) episode
capô *n* (automóvel) bonnet GB; hood EUA
capoeira *nf* **1** coop; henhouse **2** (luta, desporto) capoeira
capota *nf* convertible top; hood GB
capotar *v* (carro) to overturn; (avião) to flip over; (barco) to capsize
capote *nm* cloak
caprichar *v* to do one's best
capricho *nm* whim; **por capricho** on a whim
caprichoso *adj* whimsical
Capricórnio *nm* (constelação, signo) Capricorn
caprino *adj* caprine
cápsula *nf* **1** (garrafas) cap; top **2** (medicamento) capsule **3** (espacial) space capsule
captar *v* **1** *(atrair)* to capture **2** (água) to collect **3** (televisão, rádio) to pick up; to receive **4** *(entender)* to grasp
captura *nf* **1** (pessoa, animal) capture **2** (bens) apprehension
capturar *v* **1** (pessoa, animal) to capture **2** *(apreender)* to apprehend; to seize
Capuchinho Vermelho *nm* Little Red Riding Hood
capuchino *nm* cappuccino
capucho *nm* **1** (vestuário) hood **2** (frade) capuchin
capuz *nm* hood
caquéctico *a nova grafia é* **caquético**[AO]
caquético[AO] *adj pej* gaga; senile
caqui *nm* (tecido, cor) khaki
cara *nf* **1** *(rosto)* face **2** *(aspeto)* look **3** (moeda) head; **cara ou coroa** heads or tails ♦ **dar de caras com** to bump into; **ser a cara chapada de alguém** to be someone's spitting image
carabina *nf* carbine
caraças *interj* **1** *col* (surpresa) gosh!; jeez **2** *col* (contrariedade) damn!
caracol *nm* **1** snail **2** (cabelo) curl ♦ **andar a passo de caracol** to move at a snail's pace
carácter[AO] ou **caráter**[AO] *nm* **1** (personalidade) character **2** *(índole)* nature; **de carácter oficial** of an official nature **3** INFORM character
característica[AO] ou **caraterística**[AO] *nf* characteristic
característico[AO] ou **caraterístico**[AO] *adj* characteristic
caracterização[AO] ou **caraterização**[AO] *nf* **1** *(descrição)* characterization **2** *(maquilhagem)* make-up
caracterizar[AO] ou **caraterizar**[AO] *v* **1** *(descrever)* to characterize **2** (maquilhagem) to make up
carago *interj col* damn!
Caraíbas *nfpl* Caribbean
caramanchão *nm* arbour; bower
caramba *interj* **1** *col* (surpresa) gosh!; jeez **2** *col* (contrariedade) damn!
caramelizar *v* to caramelize
caramelo *nm* **1** (açúcar) caramel **2** (guloseima) toffee **3** *col (sujeito)* guy
cara-metade *nf col* better half
caramujo *nm* periwinkle
caranguejo *nm* **1** crab **2** (constelação, signo) [com maiúscula] Cancer
carantonha *nf* grimace
carapaça *nf* **1** (animal) shell; carapace **2** *fig* armour
carapau *nm* sprat
carapim *nm* (bebé) bootee
carapinha *nf* frizzy hair
carapuça *nf* cap; hood ♦ **enfiar a carapuça** to take it personally; **qual carapuça!** nonsense!
carapuço *nm* cap
caravana *nf* (veículo, viajantes) caravan
caravela *nf* caravel
carbonizar(-se) *v* **1** to carbonize **2** *(queimar)* to burn
carbono *nm* carbon
carbúnculo *nm* carbuncle
carburador *nm* carburettor GB, carburetor EUA
carburante *nm* (motores) fuel
carcaça *nf* **1** (animal) carcass **2** (pão) bread roll
carcela *nf* (calças) fly
cárcere *nm* prison, jail
carcereiro *nm* jailer, gaoler GB

carcinoma *nm* carcinoma
carcoma *nm* (inseto) woodworm
carcomido *adj* worm-eaten
cardápio *nm* menu
cardar *v* to card
cardeal *adj2g,nm* cardinal
cardíaco *adj* cardiac; **ataque cardíaco** heart attack ▪ *nm* heart patient
cardinal *adj2g* **1** (numeral) cardinal **2** *(principal)* main; fundamental
cardiologia *nf* cardiology
cardiologista *n2g* cardiologist
cardiopulmonar *adj2g* cardiopulmonary
cardiorrespiratório *adj* cardiorespiratory
cardiovascular *adj2g* cardiovascular
cardo *nm* thistle
cardume *nm* (peixe) shoal
careca *n2g* (pessoa) bald person ▪ *nf (calvície)* baldness ▪ *adj2g* **1** bald; **ficar careca** to grow bald **2** (cheque) dud
carecer *v* **1** *(ter falta)* to lack (de, -) **2** *(precisar)* to need (de, -)
careiro *adj* **1** expensive **2** *col* (vendedor, loja) that sells dear
carência *nf* **1** *(falta)* lack (de, of) **2** *(necessidade)* need (de, of) **3** MED deficiency
carente *adj2g* **1** lacking (de, in); in need **2** (afetivamente) needy
careta *nf* face, grimace; **fazer caretas** to make faces
carga *nf* **1** (camião) load; (navio, avião) cargo **2** (bateria, arma) charge **3** (caneta) refill ◆ MIL **à carga!** charge!; *col* **por que carga de água?** why on earth?
cargo *nm* **1** *(função)* post, position **2** *(responsabilidade)* charge; **ter a seu cargo** to be in charge of
cargueiro *nm* cargo ship
cariado *adj* (dente) decayed
cariar *v* (dente) to decay
caribenho *adj,nm* Caribbean
caricato *adj* **1** droll; amusing **2** *pej* ludicrous; ridicule
caricatura *nf* caricature
caricaturar *v* to caricature
caricaturista *n2g* caricaturist
carícia *nf* caress; stroke; **fazer carícias a** to fondle
caridade *nf* **1** *(bondade)* kindness; *(piedade)* mercy **2** (dinheiro) charity
caridoso *adj (bondoso)* kind, charitable; *(compassivo)* merciful
cárie *nf* **1** caries; tooth decay **2** *(dente furado)* cavity
caril *nm* curry
carimbar *v* to stamp
carimbo *nm* **1** stamp **2** (correio) postmark
carinho *nm* **1** affection; tenderness **2** *(dedicação)* loving care **3** *(carícia)* caress
carinhoso *adj (afetuoso)* loving; affectionate
carioca *nm* weak coffee ▪ *adj2g* of Rio de Janeiro ▪ *n2g* native or inhabitant of Rio de Janeiro ◆ **carioca de limão** small cup of lemon tea
carisma *nm* charisma
carismático *adj* charismatic
cariz *nm* nature; **de cariz científico** of a scientific nature
carjacking *nm* carjacking
carlinga *nf* **1** (avião) cockpit **2** (barco) keelson
carmesim *adj2g,nm* crimson
carmim *adj,nm* carmine
carnal *adj2g* carnal
Carnaval *nm* **1** (festa) carnival **2** REL Shrovetide
carnavalesco *adj* carnival
carne *nf* **1** (pessoa, fruto) flesh **2** (alimento) meat; **carne de porco** pork; **carne de vaca** beef ◆ **em carne e osso** in person; **nem carne nem peixe** neither fish nor fowl
carneiro *nm* **1** ZOOL ram **2** CUL mutton **3** (constelação, signo) [com maiúscula] Aries
carniceiro *nm* butcher
carnificina *nf* carnage, slaughter
carnívoro *adj* carnivorous ▪ *nm* carnivore
carnudo *adj* fleshy
caro *adj* **1** (preço) expensive **2** dear; **meu caro** my dear ▪ *adv* **1** at a high price **2** (atitude) dearly
carocha *nf* (inseto) beetle ▪ *nm* (carro) beetle GB; bug EUA
caroço *nm* **1** (frutos) stone GB, pit EUA **2** MED lump **3** *pop (dinheiro)* cash
carolice *nf* **1** *(gosto)* dedication **2** *pej* pietism
carótida *nf* carotid
carpa *nf* carp
carpete *nf* carpet
carpintaria *nf* **1** (ofício) carpentry **2** (oficina) carpenter's
carpinteiro *nm* carpenter
carpir *v (chorar)* to weep
carraça *nf* tick

carrada *nf* **1** cartload **2** *fig (grande quantidade)* loads (de, of) ♦ **às carradas** abundantly; by the cartload
carrancudo *adj* **1** (pessoa) frowning; surly **2** (tempo) dark; gloomy
carrapato *nm* **1** tick, bedbug **2** *fig,pej* nagger
carrapito *nm* (cabelo) bun
carrascão *adj* (vinho) rough
carrasco *nm* **1** executioner; (forca) hangman **2** *fig* tyrant
carraspana *nf col* drunkenness; **apanhar uma carraspana** to get plastered
carregado *adj* **1** (carga) charged; loaded **2** (atmosfera) heavy **3** *(cheio)* full **4** (céu) overcast; cloudy **5** (semblante) sullen **6** (cor) deep **7** (pronúncia) heavy
carregador *nm* **1** (dispositivo, trabalhador) loader **2** (estação) porter **3** (bateria) charger
carregamento *nm* **1** *(ato de carregar)* loading **2** *(carga)* load; cargo **3** INFORM upload
carregar *v* **1** (mercadoria, arma) to load **2** (bateria, pilha) to charge **3** *(premir)* to press (em, -) **4** INFORM to upload **5** MIL to charge (sobre, over)
carreira *nf* **1** *(vida profissional)* career **2** *(fila)* row **3** (avião, barco) route
carreiro *nm (caminho)* footpath; track
carril *nm* **1** (comboio, elétrico) rail **2** *(sulco)* rut
carrilhão *nm* carillon
carrinha *nf* **1** estate car GB; station wagon EUA **2** (transporte de mercadorias) van **3** (de caixa aberta) pick-up (truck)
carrinho *nm* **1** (de bebé) pram GB, buggy EUA **2** (supermercado) trolley; **carrinho de compras** shopping trolley, shopping cart EUA **3** (costura) reel; **carrinho de linhas** cotton reel **4** (brinquedo) toy car ♦ **carrinho de mão** wheelbarrow; **carrinhos de choque** dodgem cars GB; bumper cars EUA
carripana *nf col* banger GB; clunker EUA
carro *nm* car; **andar de carro** to drive
carroça *nf* cart; wagon
carroçaria *nf* (automóvel) bodywork
carro-patrulha *nm* squad car; patrol car
carrossel *nm* merry-go-round; roundabout GB; carousel EUA
carruagem *nf* (comboio) carriage GB; car EUA
carruagem-cama *nf* sleeping-car
carruagem-restaurante *nf* dining-car
carta *nf* **1** letter; **pôr uma carta no correio** to post a letter **2** (jogo) card **3** *(mapa)* map **4** (restaurante) menu **5** *col* (de condução) driving licence GB, driver's license EUA
carta-branca *nf* carte blanche; free hand
cartada *nf* trick ♦ **jogar a última cartada** to play one's last card
cartão *nm* **1** card; **cartão de crédito** credit card **2** *(papelão)* cardboard
cartaz *nm* poster, bill; **é proibido afixar cartazes** stick no bills
carteira *nf* **1** (de bolso) wallet **2** (de mão) handbag GB; purse EUA **3** *(secretária)* desk
carteirista *n2g* pickpocket
carteiro *nm* postman
cartel *nm (associação)* cartel
cartilagem *nf* cartilage
cartilha *nf* **1** (aprendizagem da leitura); primer **2** REL catechism
cartografia *nf* cartography
cartógrafo *nm* cartographer
cartola *nf* top hat
cartolina *nf* thin cardboard
cartomante *n2g* fortune-teller
cartonar *v* to bind in board
cartoon *nm* (desenho) cartoon
cartoonista *n2g* cartoonist
cartório *nm* register office; (notário) notary's office
cartucho *nm* **1** (arma, impressora) cartridge **2** *(saco de papel)* paper cone
caruma *nf* dry pine needles
caruncho *nm* woodworm
carvalho *nm* oak
carvão *nm* **1** coal **2** (para desenho) charcoal **3** *fig* charred stick
casa *nf* **1** *(residência)* house **2** *(lar)* home **3** (estabelecimento) company, firm; **casa comercial** commercial firm **4** (botão) buttonhole **5** (xadrez, damas) square ♦ **casa cheia** full house; **casa de banho** (em casa) bathroom; (em local público) toilet GB, restroom EUA
casaca *nf* tailcoat ♦ **cortar na casaca de** to backbite
casacão *nm* overcoat
casaco *nm* (curto) jacket; (comprido) coat; **casaco de malha** cardigan
casado *adj* married (com, to)
casadoiro *adj* marriageable
casal *nm* **1** (pessoas) couple **2** (animais) pair
casamenteiro *nm* matchmaker

casamento *nm* **1** marriage; **pedir (alguém) em casamento** to propose to (somebody) **2** (cerimónia) wedding
casar *v* to marry (com, -); to get married (com, to)
casarão *nm* mansion
casario *nm* row of houses
casca *nf* **1** (noz, ovo) shell **2** (fruta) peel **3** (banana, cebola) skin **4** (queijo, limão) rind **5** (cereais) husk **6** (leguminosas) pod **7** (árvore) bark ♦ **sair da casca** to come out of one's shell
cascalho *nm* **1** gravel **2** (praia) shingle **3** *col (trocos)* loose change
cascar *v* **1** *col (bater)* to hit (em, -) **2** *col (censurar)* to reproach (em, -)
cascata *nf* cascade, waterfall
cascavel *nf* rattlesnake
casco *nm* **1** (animal) hoof **2** (navio) hull ♦ **em cascos de rolha** in the middle of nowhere
casebre *nm* shack; hovel
caseiro *adj* **1** (pessoa) home-loving **2** homemade; **pão caseiro** homemade bread ▪ *nm (inquilino)* tenant
caserna *nf* MIL barracks
casinha *nf* **1** small house **2** *col* loo GB; john EUA
casino *nm* casino
casmurro *adj (teimoso)* stubborn, headstrong
caso *nm* **1** case **2** *(aventura amorosa)* affair ▪ *conj* in case, if; **caso ele te pergunte** if he asks you ♦ **caso contrário** otherwise; **não vir ao caso** to be irrelevant
casota *nf* (cão) kennel; doghouse EUA
caspa *nf* dandruff
casquilho *nm* (lâmpada) thread
cassete *nf* (vídeo, áudio) tape, cassette; **cassete virgem** blank tape
cassetete *nm* truncheon GB, nightstick EUA
casta *nf* **1** *(grupo social)* caste **2** *(estirpe)* lineage **3** *(variedade)* species; **uma casta de uvas** a species of grapes
castanha *nf* chestnut
castanheiro *nm* chestnut tree
castanho *adj* (cor) brown ▪ *nm* **1** (cor) brown **2** (madeira) chestnut
castanholas *nfpl* castanets
castelhano *adj,nm* Castilian
castelo *nm* castle
castiçal *nm* candlestick
castiço *adj* **1** pure, genuine **2** *col (engraçado)* funny
castidade *nf* chastity
castigar *v* **1** to punish (por, for) **2** DESP to penalize
castigo *nm* **1** (ato) punishment **2** (pena) penalty
casting *nm* casting
casto *adj* chaste
castor *nm* beaver
castração *nf* castration
castrar *v* **1** to castrate; (cavalo) to geld; (fêmea) to spay **2** *(reprimir)* to repress
casual *adj2g* casual, unexpected
casualidade *nf* chance; accident; **por casualidade** by chance
casulo *nm* **1** (insetos) cocoon **2** BOT seed capsule
cata *nf col* search; **andar à cata de** to be in search of
cataclismo *nm* cataclysm
catacumbas *nfpl* catacombs
catadupa *nf* waterfall ♦ **em catadupa** abundantly
catalisador *nm* **1** QUÍM catalyst **2** (automóvel) catalytic converter
catálise *nf* catalysis
catalogação *nf* cataloguing GB, cataloging EUA
catalogar *v* to catalogue GB; to catalog EUA
catálogo *nm* catalogue GB; catalog EUA
catana *nf* (faca) large knife
cataplasma *nm* poultice
catapulta *nf* catapult
catapultar *v* to catapult (para, to)
catar *v* (piolhos) to delouse
Catar *nm* Qatar
catarata *nf* **1** waterfall **2** MED cataract
catarense *adj,n2g* Qatari
catarro *nm* catarrh
catarse *nf* catharsis
catártico *adj* cathartic
catástrofe *nf* catastrophe; disaster
catastrófico *adj* catastrophic; disastrous
catatua *nf* cockatoo
cata-vento *nm* **1** weather vane, weathercock **2** *fig* fickle person
catecismo *nm* catechism
cátedra *nf* **1** (universidade) chair; professorship **2** REL cathedra
catedral *nf* cathedral
catedrático *nm* professor
categoria *nf* **1** *(grupo)* category **2** (emprego) grade **3** *(qualidade)* quality; class ♦ LING **categoria gramatical** part of speech
categórico *adj* categorical

categorizar *v* to categorize
catequese *nf* catechesis
catequista *n2g* catechist
catering *nm* (serviço) catering (service); (empresa) catering company
cateter *nm* catheter
cateto *nm* cathetus
catita *adj2g* neat and smart
cativante *adj2g* captivating
cativar *v* to captivate
cativeiro *nm* captivity
cativo *adj,nm* captive
cato[AO] *nm* cactus
catolicismo *nm* Catholicism
católico *adj,nm* Catholic
catorze *num card > quant num*[DT] fourteen; **o dia catorze** the fourteenth
catraio *nm col* kid
catrapus *interj* crash!
caturra *adj2g* headstrong; obstinate
caturrice *nf* obstinacy; stubbornness
caução *nf* **1** DIR bail; **liberto sob caução** out on bail **2** *(garantia)* guarantee
cauda *nf* **1** (animal, avião, cometa) tail **2** (vestido) train **3** (fila, corrida) rear
caudal *nm* (rio) flow ▪ *adj2g* caudal
caudaloso *adj* (rio) fast-flowing
caule *nm* stem, stalk
causa *nf* **1** cause **2** DIR (ação judicial) lawsuit, case ♦ **em causa** in question; at stake; **por causa de** on account of
causador *nm* causer; cause
causal *adj2g* causal
causalidade *nf* causality
causar *v* to cause
cáustico *adj* caustic; corrosive
cautela *nf* **1** caution, precaution; **à cautela** as a precaution **2** (lotaria) share **3** (penhores) pawn ticket
cauteleiro *nm* lottery ticket seller
cauteloso *adj* cautious
cauterização *nf* cauterization
cauterizar *v* to cauterize
cavaco *nm* (lenha) chip; splinter ♦ *col* **não dar cavaco 1** (resposta) to say nothing **2** (atenção) to pay no attention
cavado *adj* **1** (cavidade) hollowed **2** (olhos) sunken **3** (roupa) low-cut
cavador *nm* digger
cavala *nf* mackerel
cavalaria *nf* **1** MIL cavalry **2** *(equitação)* riding
cavalariça *nf* stable
cavaleiro *nm* **1** rider, horseman **2** HIST knight
cavalete *nm* **1** (pintura) easel **2** (violino) bridge
cavalgada *nf* ride
cavalgadura *nf* **1** (animal) mount **2** *fig,pej* (pessoa) donkey; idiot
cavalgar *v* to ride
cavalheiresco *adj* gentlemanly; chivalrous
cavalheirismo *nm* chivalry; gallantry
cavalheiro *nm* gentleman
cavalitas *nfpl* **às cavalitas** piggyback
cavalo *nm* **1** (animal) horse **2** (xadrez) knight **3** (ginástica) vaulting horse **4** MEC horsepower
cavalo-de-batalha *a nova grafia é* **cavalo de batalha**[AO]
cavalo de batalha[AO] *nm* hobbyhorse; **fazer cavalo de batalha de** to insist on
cavalo-marinho *nm* sea horse
cavaquear *v col* to chat
cavaqueira *nf col* chat
cavaquinho *nm* small guitar
cavar *v* to dig
cave *nf* **1** (casa) basement, cellar **2** (vinho) wine cellar

> Não confundir a palavra portuguesa **cave** com a palavra inglesa **cave**, que significa caverna.

caveira *nf* skull
caverna *nf* cavern
caviar *nm* caviar
cavidade *nf* **1** cavity **2** hole
cavilha *nf* **1** (madeira) peg **2** (metal) pin
cavo *adj* **1** hollow **2** concave
caxemira *nf* cashmere
cazaquistanês *adj,nm* Kazakh
Cazaquistão *nm* Kazakhstan
CD *nm* [*abrev. de* Compact Disc]
CD-ROM *nm* [*abrev. de* Compact Disc Read-Only Memory]
cear *v* to have supper
cebola *nf* onion
cebolada *nf* CUL fried-onion garnish
cebolinho *nm* chives
cedência *nf* **1** compromise; concession **2** (propriedade) transfer
ceder *v* **1** (lugar) to give up (a, to) **2** (direito, bem) to transfer **3** *(emprestar)* to lend **4** *(aceitar)* to

agree **5** *(não resistir)* to yield (a, to) **6** *(ir abaixo)* to give way
cedilha *nf* cedilla
cedilhar *v* to mark with a cedilla
cedo *adv* **1** early; **levantar-se cedo** to get up early **2** *(em breve)* soon; **mais cedo ou mais tarde** sooner or later
cedro *nm* **1** (árvore) cedar **2** (madeira) cedarwood
cédula *nf* certificate
cefaleia *nf* migraine
cefálico *adj* cephalic
cegar *v* **1** to blind; to go blind **2** *(ofuscar)* to dazzle
cego *adj* blind ▪ *nm* blind person ♦ **às cegas** blindly
cegonha *nf* stork
cegueira *nf* blindness
ceia *nf* supper
ceifa *nf* harvest, reaping
ceifar *v* **1** to reap, to harvest **2** *fig* (vidas) to wipe out
ceifeira *nf* (máquina) harvester
ceifeiro *nm* reaper
Ceilão *nm* (atual Sri Lanka) Ceylon
cela *nf* cell
celebração *nf* celebration
celebrar *v* **1** *(festejar)* to celebrate **2** *(exaltar)* to praise **3** (acordo) to seal **4** (contrato) to sign **5** REL to say mass
célebre *adj2g* famous, celebrated
celebridade *nf* (pessoa, fama) celebrity
celebrizar *v* to make famous ▪ **celebrizar-se** to become famous
celeiro *nm* barn; granary
célere *adj2g* swift; quick
celeste *adj2g* **1** celestial **2** *(divino)* heavenly
celestial *adj2g* **1** celestial **2** *(divino)* heavenly
celeuma *nf* **1** hubbub; uproar **2** controversy
celibatário *adj,nm* celibate
celibato *nm* celibacy
celofane *nm* cellophane
Celsius *adj inv* Celsius; **10 graus Celsius** ten degrees Celsius

Na Grã-Bretanha e no resto da Europa é mais usada a escala Celsius. Nos Estados Unidos, é mais comum usar a escala Fahrenheit.

celta *adj2g* Celtic ▪ *n2g* Celt ▪ *nm* (língua) Celtic
céltico *adj* Celtic
célula *nf* cell
celular *adj2g* cell; cellular ▪ *nm* BRAS mobile phone GB; cellphone EUA
celulite *nf* **1** (acumulação) cellulite **2** (inflamação, infeção) cellulitis
celuloideAO *nm* celluloid
celulóide *a nova grafia é* **celuloide**AO
celulose *nf* cellulose
cem *num card > quant num*DT one/a hundred
cemitério *nm* **1** cemetery **2** (igreja) graveyard
cena *nf* **1** scene **2** (palco) stage; **entrar em cena** to go on stage
cenário *nm* **1** TEAT,CIN scenery, set **2** (de acontecimento) setting, scene; **cenário do crime** scene of the crime **3** *(panorama)* scenario
cénico *adj* scenic
cenografia *nf* **1** TEAT stage design **2** CIN set design
cenoura *nf* carrot
censo *nm* census
censor *nm* censor
censura *nf* **1** (obras, filmes) censorship **2** *(crítica)* criticism
censurar *v* **1** (filme, livro, etc.) to censor **2** *(criticar)* to criticize
censurável *adj* reprehensible
centauro *nm* centaur
centavo *nm* cent ♦ **não vale um centavo** it's not worth a penny
centeio *nm* rye
centelha *nf* spark
centena *nf* hundred; **às centenas** by the hundreds
centenário *adj* centenarian ▪ *nm* (comemoração) centenary GB; centennial EUA
centesimal *adj2g* centesimal
centésimo *num ord > adj num*DT hundredth
centiare *nm* centiare
centígrado *adj* centigrade
centigrama *nm* centigramme GB, centigram EUA
centilitro *nm* centilitre GB, centiliter EUA
centímetro *nm* centimetre GB, centimeter EUA
cêntimo *nm* cent
cento *num card,nm* hundred; **cento e um** a hundred and one ♦ **por cento** per cent GB; percent EUA
centopeia *nf* centipede, millipede
central *adj2g* **1** central **2** (importância) main ▪ *nf* **1** power station; **central nuclear** nuclear

power station **2** *(sede)* head office, headquarters ◆ **central telefónica** telephone exchange
centralização *nf* centralization
centralizar *v* to centralize
centrar *v* **1** to centre GB, to center EUA **2** (atenção, olhar) to focus (em, on)
centrifugação *nf* centrifugation
centrifugadora *nf* centrifuge; (roupa) spin-dryer; (sumos) juice extractor
centrifugar *v* **1** to centrifuge **2** (roupa) to spin-dry
centrífugo *adj* centrifugal
centrípeto *adj* centripetal
centro *nm* centre GB, center EUA ◆ **centro comercial** shopping centre GB, mall EUA; **centro de mesa** centrepiece GB, centerpiece EUA
cêntuplo *num mult > quant num*DT centuple
cepa *nf* (árvore) stump; (videira) stock ◆ **não sair da cepa torta** to make no progress
cepo *nm (toro de árvore)* block, log
cepticismo *a nova grafia é* **ceticismo**AO
céptico *a nova grafia é* **cético**AO
ceptro *a nova grafia é* **cetro**AO
cera *nf* **1** (velas, depilação) wax **2** (ouvidos) earwax
cerâmica *nf* **1** (arte) ceramics; pottery **2** (objeto) piece of pottery
cerâmico *adj* ceramic
cerca *nf* (de arame, madeira) fence; (de plantas) hedge ◆ **cerca de 1** *(aproximadamente)* about; around **2** *(perto de)* near
cercado *adj* **1** surrounded **2** fenced in
cercadura *nf* **1** (barreira) fence **2** (borda) border; edge
cercar *v* **1** (com cerca) to fence in **2** *(rodear)* to surround **3** MIL to besiege
cerco *nm* MIL siege
cerda *nf* bristle
cereal *nm* cereal
cerebelo *nm* cerebellum
cerebral *adj2g* cerebral; brain; **tumor cerebral** brain tumour
cérebro *nm* **1** brain **2** *fig (inteligência)* brain(s), mind **3** *fig (líder)* brains; **ser o cérebro do projeto** to be the brains behind the project
cereja *nf* cherry
cerejeira *nf* cherry tree
cerimónia *nf* ceremony; **cerimónia de abertura** opening ceremony; **fazer cerimónia** to stand on ceremony
cerimonial *adj2g,nm* ceremonial
cerimonioso *adj* ceremonious
cério *nm* cerium
cerne *nm* **1** (árvore) heartwood **2** *(núcleo)* core
ceroulas *nfpl* drawers
cerrado *adj* **1** (nevoeiro, vegetação) thick, dense **2** (punho) clenched **3** (noite) dark **4** (pronúncia) thick
cerrar *v* **1** *(fechar)* to close; to shut **2** (punhos) to clench **3** *(colocar cerca)* to fence in
certame *nm* **1** *(concurso)* contest **2** *(exposição)* exhibition
certamente *adv* certainly
certeiro *adj* **1** (precisão) well-aimed **2** *(acertado)* right **3** *(perspicaz)* shrewd
certeza *nf* certainty; **ter a certeza** to be sure; **ter a certeza absoluta** to be positive
certidão *nf* certificate
certificação *nf* certification
certificado *nm* certificate; **certificado de habilitações** qualification certificate
certificar *v* **1** to certify **2** *(assegurar)* to assure (de, of) ▪ **certificar-se** to make sure (de, of)
certo *adj* **1** *(garantido, convencido)* certain; sure **2** *(correto)* correct **3** *(exato)* right; **o relógio está certo** the watch is right **4** *(combinado)* fixed ▪ *det indef* **1** *(determinado)* certain **2** *(algum)* some ▪ *adv* **1** certainly **2** (responder, agir) correctly ◆ **ao certo** for sure; **até certo ponto** to some extent; **dar certo** to work
cerveja *nf* beer; **cerveja de pressão** draught beer GB, draft beer EUA
cervejaria *nf* **1** (bar) pub **2** (fábrica) brewery
cervical *adj2g* cervical
cerviz *nf (nuca)* cervix
cervo *nm* stag
cerzir *v* to darn
cesariana *nf* Caesarean section; C-section
césio *nm* caesium GB, cesium EUA
cessação *nf* **1** *(termo)* cessation; end **2** *(interrupção)* suspension
cessante *adj2g* **1** *(demissionário)* resigning **2** *(terminado)* ceasing
cessar *v* **1** to cease; **cessar fogo** to cease fire **2** *(acabar)* to come to an end
cessar-fogo *nm* ceasefire
cesta *nf* basket
cesto *nm* basket ◆ (basquete) **cesto!** it's a score!; **cesto de papéis** wastepaper basket
cetáceo *adj,nm* cetacean

ceticismo[AO] *nm* scepticism GB; skepticism EUA
cético[AO] *adj* sceptical GB; skeptical EUA ▪ *nm* sceptic GB; skeptic EUA
cetim *nm* satin
cetro[AO] *nm* sceptre
céu *nm* **1** sky; **céu limpo** blue sky **2** REL [com maiúscula] Heaven ♦ **céus!** good heavens!
céu-da-boca *a nova grafia é* **céu da boca**[AO]
céu da boca[AO] *nm* palate; roof of the mouth
cevada *nf* **1** barley **2** (bebida) barley water
chá *nm* tea; **colher de chá** tea spoon ♦ **que falta de chá!** how rude!
chacal *nm* jackal
chachada *nf col* load of rubbish GB, load of garbage EUA
chacina *nf* slaughter; massacre
chacinar *v* to slaughter; to butcher
chacota *nf* mockery; **fazer chacota de** to make fun of
Chade *nm* Chad
chadiano *adj,nm* Chad
chafariz *nm* (fontanário) fountain
chafurdar *v* to wallow (em, in)
chaga *nf* **1** *(ferida)* sore; wound **2** *(cicatriz)* scar **3** *col,pej* (pessoa) pest
chagar *v* **1** to cause a wound on **2** *fig,col (irritar)* to nag
chalaça *nf* joke
chalado *adj col* nuts; daft
chalé *nm* cottage
chaleira *nf* kettle
chalupa *nf* NÁUT sloop ▪ *adj2g col* nuts; daft
chama *nf* flame; **em chamas** in flames
chamada *nf* **1** (telefone, aeroporto) call; **chamada interurbana** long-distance call **2** (escola) roll call **3** (texto) reference mark ♦ **chamada de atenção 1** *(repreensão)* reprimand **2** *(aviso)* warning
chamamento *nm (apelo)* calling
chamar *v* **1** to call; **chamar a atenção para** to call attention to; **mandar chamar** to send for **2** *(dar nome)* to name **3** (táxi) hail ▪ **chamar-se** to be called; **como te chamas?** what is your name?; **chamo-me Margarida** my name is Margaret
chamariz *nm* decoy; lure
chaminé *nf* (casa) chimney; (fábrica, locomotiva) chimney GB, smokestack EUA; (barco) funnel GB, smokestack EUA
champanhe *nm* champagne
champô *nm* shampoo
chamuscar *v* to scorch
chanca *nf* (de madeira) clog
chance *nf* chance
chancela *nf* **1** *(marca)* seal **2** *(selo)* rubber stamp **3** *(rubrica)* signature
chanceler *n2g* chancellor
chanfrado *adj col* nuts; daft
chantagear *v* to blackmail
chantagem *nf* blackmail; **fazer chantagem com alguém** to blackmail someone
chantagista *n2g* blackmailer
chantilly ou **chantili** *nm* whipped cream
chão *nm* **1** *(solo)* ground; soil; **deitar ao chão** to throw down **2** (casa) floor
chapa *nf* **1** plate; sheet **2** (fotografia, radiografia) plate
chapada *nf (bofetada)* slap; smack; **dar uma chapada a alguém** to slap someone; **só à chapada!** I could beat someone!
chapado *adj* **1** *(perfeito)* stark; absolute; **idiota chapado** stark idiot **2** *(exato)* exact; **ser a cara chapada de alguém** to be the spitting image of someone
chapar *v* **1** *(aplicar)* to hit; **chapou-lhe um murro** he hit him **2** to give away; **chapou o título na primeira página** he gave away the title on the front page
chaparro *nm* holm oak
chapelaria *nf* (loja, de senhor); hatter's; (loja, de senhora) milliner's
chapeleiro *nm* (de senhor) hatter; (de senhora) milliner
chapéu *nm* hat; **pôr o chapéu** to put on one's hat
chapéu-de-chuva *a nova grafia é* **chapéu de chuva**[AO]
chapéu de chuva[AO] *nm* umbrella
chapéu-de-sol *a nova grafia é* **chapéu de sol**[AO]
chapéu de sol[AO] *nm* sunshade
chapinhar *v* to splash about
charada *nf* (verbal) riddle; (com gestos) charade
charanga *nf* brass band
charco *nm* **1** *(poça)* puddle; pool **2** *(área pantanosa)* marsh **3** *(lodaçal)* bog
charcutaria *nf* **1** (loja) pork-butcher's shop **2** (produtos) cold meats GB, cold cuts EUA
charlatão *nm* **1** *(aldrabão)* charlatan **2** *(médico)* quack **3** (vendedor) crook
charme *nm* charm

charmoso *adj* charming
charneca *nf* heath, moor
charro *nm col* (droga) joint*cal*
charrua *nf* ploughGB; plowEUA
charter *nm* charter plane ▪ *adj* charter
charuto *nm* cigar
chassi *nm* (automóvel, avião) chassis
chateado *adj* **1** *(zangado)* angry **2** *(irritado)* upset **3** *(aborrecido)* bored
chatear *v col (aborrecer)* to pester; to nag ▪ **chatear-se 1** *col (zangar-se)* to get angry (com, with) **2** *col* (aborrecimento) to get bored
chatice *nf* **1** *col* (aborrecimento) drag **2** *col (incómodo)* nuisance
chato *adj* **1** *(plano)* flat; level **2** *col* (aborrecimento) boring; dull ▪ *nm col* nagger; bore
chauvinismo *nm* chauvinism
chauvinista *adj,n2g* chauvinist
chavalada *nf col* group of kids
chavalo *nm col* kid
chavão *nm (lugar-comum)* cliché
chave *nf* key; **fechar à chave** to lock up; **molho de chaves** bunch of keys ♦ **chave de parafusos** screwdriver
chave-inglesa *nf* adjustable spannerGB, adjustable wrenchEUA
chaveiro *nm* **1** (armário) key cabinet **2** (argola) key-ring
chave-mestra *nf* master key, passkey
chávena *nf* cup
chaveta *nf* (sinal gráfico) brace
chavo *nm col* **não ter um chavo** to be penniless
check-in *nm* check-in
checkout *nm* checkout
check-up *nm* check-up
checo *adj,nm* (pessoa) Czech
cheeseburger *nm* cheeseburger
chefe *n2g* **1** *(responsável)* chief; boss; **o chefe é que manda** you're the boss **2** *(líder)* head; leader ▪ *nm* (cozinha) chef
chefia *nf* **1** *(liderança)* leadership **2** *(direção)* headship **3** (pessoas) managers
chefiar *v* **1** to be in command of **2** (estar na direção de) to be at the head of **3** *(liderar)* to lead
chegada *nf* **1** arrival (a, at; de, from) **2** *(meta)* finishing line
chegado *adj* **1** *(próximo)* near **2** *(íntimo)* close
chegar *v* **1** to arrive; (a casa) **cheguei!** I'm home! **2** *(aproximar-se)* to approach **3** *(ser suficiente)* to be enough **4** *col (bater)* to hit **5** *col (entender)* to understand **6** *(passar)* to hand; to pass ▪ **chegar-se** *(aproximar-se)* to draw near ♦ **já chega!** that is enough!
cheia *nf* flood
cheio *adj* **1** full (de, of); **estou cheio** I'm full **2** (abundância) abounding (de, in); covered (de, in); **um jardim cheio de flores** a garden abounding in flowers **3** (espaço) packed; crammed **4** *col (farto)* fed up; **estar cheio de tudo** to be fed up with everything ♦ (no alvo) **em cheio** right on the spot
cheirar *v* **1** to smell; (mau cheiro) to stink **2** *(farejar)* to scent **3** *(suspeitar)* to sense **4** *(bisbilhotar)* to pry; to snoop ♦ *col* **cheira-me a esturro** I smell a rat
cheirete *nm* stink; stench; **que cheirete!** it stinks!
cheiro *nm* **1** smell (a, of) **2** *(perfume)* scent **3** (mau cheiro) stench
cheiroso *adj* scented; fragrant
cheque *nm* chequeGB; checkEUA; **cheque ao portador** bearer cheque; **cheque em branco** blank cheque; **pagar em cheque** to pay by cheque
cheque-prenda *nm* gift voucher
cherne *nm* turbot
cheta *nf col* **estar sem cheta** to be penniless
chiadeira *nf* creaking; squeaking
chiar *v* to squeal; to squeak; *(ranger)* to creak; (pneus) to screech
chibar *v col (denunciar)* to squeal
chibata *nf (vergasta)* birch; switch
chibo *nm* **1** ZOOL kid **2** *col (delator)* squealer; snitch
chiça *interj col* (espanto) blimey!; (incredulidade) get out!; (desprezo) rubbish!
chicha *nf* **1** *infant* meat **2** *pop (comida)* chow
chicharro *nm* horse mackerel
chichi *nm col* wee; pee; **fazer chichi** to wee; **fazer chichi na cama** to wet the bed
chiclete *nf col* chewing gum, gum
chi-coração *nm col* cuddle, hug
chicória *nf* chicory
chicotada *nf* lash
chicote *nm* whip
chicotear *v* to whip; to lash
chiffon *nm* (tecido) chiffon
chifre *nm* **1** horn **2** (veado) antler
chila *nf* fig leaf squash; Malabar gourd

Chile *nm* Chile
chileno *adj,nm* Chilean
chili *nm* chilli
chilindró *nm col (prisão)* slammer
chilique *nm* **1** *col (desmaio)* faint **2** *col (ataque)* fit
chilrear *v* to chirp; to twitter
chilreio *nm* chirp; twitter
chimpanzé *nm* chimpanzee; chimp
China *nf* China
chinchila *nf* chinchilla
chinela *nf* **1** (casa) mule **2** (exterior) flip-flop GB; thong EUA
chinelo *nm* **1** (casa) slipper **2** (exterior) flip-flop GB; thong EUA
chinês *adj,nm* Chinese
chinesice *nf* **1** *(bugiganga)* knick-knack **2** *pej (esquisitice)* eccentricity
chinfrim *nm col* racket; uproar
chinó *nm* wig; toupée
chio *nm* **1** (pessoa, animal) shriek; squeak **2** (porta) creak; (travão, pneu) screech
chip *nm* INFORM chip
Chipre *nm* Cyprus
chique *adj2g* stylish; chic
chiqueiro *nm* pigsty
chispa *nf* spark; flash
chispar *v* **1** to sparkle; to spark **2** *fig* (fúria) to blaze
chispe *nm* trotter
chita *nf* **1** (animal) cheetah **2** (tecido) chintz
choça *nf* **1** hut **2** *col (prisão)* slammer
chocalhar *v* **1** (líquido) to shake **2** (som) to jingle
chocalho *nm* **1** (animais) bell; (vaca) cowbell **2** *(guizo)* rattle
chocante *adj2g* shocking; appalling
chocar *v* **1** (emoções) to shock **2** (ovos) to hatch **3** (galinha) to brood **4** *col* (doença) to come down with **5** *(colidir)* to crash (contra, into) **6** (pessoas, ideias, cores) to clash (com, with)
chocho *adj* **1** *(seco)* dried **2** *(oco)* hollow **3** (ovo) addled **4** *col (enfadonho)* dull; boring **5** *col* (pessoa) in low spirits ▪ *nm col (beijo)* peck, smacker
choco *adj* **1** (galinha) broody **2** (ovo) addled **3** (água) stagnant **4** (bebida) flat **5** *col (aborrecido)* dull **6** *col (adoentado)* ill ▪ *nm* cuttlefish
chocolate *nm* chocolate
chofre *nm* **de chofre** all of a sudden
choque *nm* **1** *(colisão)* crash; collision **2** (emocional, elétrico) shock **3** *(conflito)* clash
choradeira *nf* **1** *(choro)* wailing **2** *(lamúria)* whining; **para com a choradeira!** stop whining!
choramingar *v* **1** *(soluçar)* to whimper; to sob **2** *(queixar-se)* to whine
choramingas *n2g2n* crybaby, whiner
chorão *nm* **1** (planta) weeping willow **2** (pessoa) crybaby
chorar *v* **1** to cry; **desatar a chorar** to burst into tears **2** to mourn; **chorar a morte de alguém** to mourn someone's death
choro *nm* crying; weeping
choroso *adj* weepy; tearful
chorrilho *nm* series; **chorrilho de asneiras** a lot of nonsense
chorudo *adj* **1** *col (lucrativo)* profitable **2** *col (considerável)* large
choupana *nf* hut
choupo *nm* poplar
chourição *nm* pepperoni
chouriço *nm* **1** smoked pork sausage **2** (portas, janelas) draught excluder
chover *v* **1** to rain; **chove torrencialmente** it's pouring **2** *fig* to pour in; **choviam convites** invitations poured in ♦ **isso é chover no molhado** that's pointless; **quer chova, quer faça sol** come rain or shine
chucha *nf pop (chupeta)* dummy GB; pacifier EUA
chuchar *v* to suck ♦ **ficar a chuchar no dedo** to get nothing
chuço *nm col (guarda-chuva)* brolly
chui *nm col* cop
chular *v* **1** *col* to exploit **2** *col* to scrounge; **chular alguma coisa a alguém** to scrounge something from somebody
chulé *nm col* smell of cheesy feet
chulice *nf col* exploitation
chulo *nm* **1** *pej* (de prostituta) pimp **2** *col (aproveitador)* exploiter
chumaço *nm (ombreira)* shoulder pad
chumbar *v* **1** *(soldar)* to lead **2** (dente) to fill **3** *col* (escola) to flunk **4** *col (rejeitar)* to reject
chumbo *nm* **1** lead **2** (arma) bullet **3** (dente) filling **4** *col* (escola) failure
chunga *adj2g* **1** *col,pej* (qualidade) naff; tacky **2** *col,pej* (ambiente, aparência) out
chupa-chupa *nm* lollipop
chupão *nm col* (marca) hickey
chupar *v* **1** to suck; **chupar um rebuçado** to suck a candy **2** *(absorver)* to absorb; to soak up

chupeta *nf* dummyGB; pacifierEUA
churrasco *nm* barbecue; **frango no churrasco** grilled chicken
churrasqueira *nf* grill
chutar *v* **1** to kick **2** *(passar)* to pass (para, to) **3** *cal* (drogas) to shoot up
chuteira *nf* football boot
chuto *nm* **1** kick **2** *col* (droga) shot
chuva *nf* **1** rain; **chuva miudinha** drizzle **2** (flores, presentes) shower; (críticas, balas) hail
chuvada *nf* shower; downpour
chuveiro *nm* shower
chuviscar *v* to drizzle
chuvisco *nm* drizzle
chuvoso *adj* rainy
cianeto *nm* cyanide
ciática *nf* sciatica
ciático *adj* sciatic
cibercafé *nm* cybercafé
cibercrime *nm* cybercrime
ciberespaço *nm* cyberspace
cibernauta *n2g* Internaut, cybernaut
cibernética *nf* cybernetics
ciborgue *nm* cyborg
cicatriz *nf* scar
cicatrização *nf* **1** scar formation **2** *(cura)* healing
cicatrizar *v* to scar
cicerone *nm* cicerone
cíclico *adj* cyclical, cyclic
ciclismo *nm* cycling
ciclista *n2g* cyclist
ciclo *nm* **1** cycle **2** (escola) school **3** (conferências) course
ciclomotor *nm* moped
ciclone *nm* cyclone
ciclónico *adj* cyclonic
cicloturismo *nm* bicycle touring
ciclovia *nf* cycle lane
cidadania *nf* citizenship
cidadão *nm* citizen
cidade *nf* town; (grande e importante) city
cidade-dormitório *nf* dormitory townGB; bedroom communityEUA
cidadela *nf* citadel
cidreira *nf* **1** (erva) lemon balm **2** (árvore) citron tree
cieiro *nm* chap; **lábios com cieiro** chapped lips
ciência *nf* **1** science **2** *(conhecimentos)* knowledge **3** *(habilidade)* skill
ciente *adj2g* aware (de, of)
científico *adj* scientific
cientista *n2g* scientist
cifra *nf* **1** *(algarismo)* figure **2** *(número total)* number **3** *(montante)* sum **4** *(código)* cipher, code
cifrão *nm* (dólar) sign $
cifrar *v* to cipher; to encode
cigano *adj,nm* gypsy, gipsy
cigarra *nf* cicada
cigarreira *nf* cigarette case
cigarrilha *nf* cigarillo
cigarro *nm* cigarette; **acender um cigarro** to light up a cigarette
cilada *nf* ambush; trap; **cair numa cilada** to be framed
cilindrada *nf* **1** (capacidade) cylinder capacity **2** (volume) cylinder volume
cilíndrico *adj* cylindrical
cilindro *nm* GEOM,MEC cylinder
cima *nf* top; **de cima a baixo** from top to bottom; **em cima de** on top of; **lá em cima** up there; **para cima** upwards; **por cima** above
cimeira *nf* summit; conference
cimeiro *adj* **1** (o mais alto) highest; uppermost **2** *(muito importante)* capital
cimentar *v* to cement
cimento *nm* cement
cimo *nm* top; summit; **no cimo** at the top
cinco *num card > quant num*[DT] five; **o dia cinco** the fifth
Cinderela *nf* Cinderella
cineasta *n2g* filmmakerGB, moviemakerEUA
cineclube *nm* film club/society
cinéfilo *nm* filmgoerGB; moviegoerEUA
cinema *nm* **1** cinema **2** (local) cinemaGB; movie theatre/houseEUA
cinemateca *nf* **1** (arquivo) film library **2** (local) cinematheque
cinematografia *nf* cinematography
cinematográfico *adj* filmGB; movieEUA
cinética *nf* kinetics
cinético *adj* kinetic
cingir *v* **1** (com cinto) to gird **2** *(cercar)* to surround **3** *(restringir)* to restrict ▪ **cingir-se** *(limitar-se)* to restrict oneself (a, to); to stick (a, to)
cínico *nm* cynic ▪ *adj* cynical
cinismo *nm* cynicism
cinquenta *num card > quant num*[DT] fifty; **os anos cinquenta** the fifties

cinquentenário *nm* fiftieth anniversary
cinta *nf* **1** *(faixa)* band; strip **2** (roupa interior) girdle **3** *(cintura)* waist **4** (livro) band; (jornal, revista) wrapper
cintar *v* **1** (roupa) to tighten **2** *(atar)* to bind up
cintilante *adj2g* sparkling; twinkling
cintilar *v* to sparkle; to twinkle
cinto *nm* belt; **cinto de segurança** seat/safety belt ◆ **apertar o cinto** to tighten one's belt
cintura *nf* **1** waist **2** (roupa) waistline
cinturão *nm* (artes marciais) belt; **cinturão negro** black belt
cinza *nf* ash ▪ *adj inv,nm* (cor) ash-grey GB, ash-gray EUA
cinzeiro *nm* ashtray
cinzel *nm* chisel
cinzento *adj,nm* grey GB; gray EUA
cio *nm* (macho) rut; (fêmea) heat; **época do cio** mating season
cipreste *nm* cypress
cipriota *adj,n2g* Cypriot
cirandar *v* to stroll (por, about)
circo *nm* **1** circus **2** *col,fig (caos)* zoo *fig*
circuito *nm* circuit; **circuito de corrida** racing circuit ◆ **circuito turístico** organized tour
circulação *nf* **1** circulation; **pôr em circulação** to put into circulation **2** *(trânsito)* traffic; **circulação proibida** closed to vehicles
circular *adj2g* circular ▪ *nf* (carta) circular ▪ *v* **1** to circulate **2** (sangue) to flow **3** *(transitar)* to move (por, around) **4** *(passar)* to pass round; **a mensagem circulou** the message passed round
circulatório *adj* circulatory
círculo *nm* circle; **traçar um círculo** to draw a circle
circum-navegação *nf* circumnavigation
circum-navegar *v* to circumnavigate
circuncidar *v* to circumcise
circuncisão *nf* circumcision
circundante *adj2g* surrounding
circundar *v* to surround; to encircle
circunferência *nf* circumference
circunflexo *adj* (acento) circumflex
circunscrever *v* **1** to circumscribe **2** *(restringir)* to restrict **3** *(rodear)* to enclose; to contain ▪ **circunscrever-se** to limit oneself (a, to)
circunscrição *nf* circumscription; boundary
circunspeção[AO] *nf* circumspection
circunspecção *a nova grafia é* **circunspeção**[AO]
circunspecto *adj* circumspect
circunstância *nf* circumstance
circunstancial *adj2g* circumstantial
circunvalação *nf (estrada)* ring road
círio *nm* candle
cirrose *nf* cirrhosis
cirurgia *nf* surgery
cirurgião *nm* surgeon
cirúrgico *adj* surgical
cisão *nf* split, division
cisco *nm* **1** (pó) dust **2** (no olho) speck
cisma *nf* **1** *(obsessão)* obsession, fixation **2** *(preocupação)* worry ▪ *nm (dissidência)* schism
cismar *v* **1** *(pensar)* to mull over (com/em, -) **2** *(convencer-se)* to get into one's head
cisne *nm* swan
cisterna *nf* tank, cistern
citação *nf* **1** quotation **2** DIR *(intimação)* summons, subpoena
citadino *adj* urban ▪ *nm* city dweller
citado *adj* mentioned
citar *v* **1** (texto, autor) to quote; (nomes) to mention **2** DIR *(intimar)* to summon, to subpoena
citologia *nf* cytology
citrino *nm* citrus fruit
ciúme *nm* jealousy
ciumeira *nf col* fit of jealousy
ciumento *adj* jealous ▪ *nm* jealous person
cível *adj2g* DIR civil ▪ *nm* DIR civil court
cívico *adj* civic ◆ **educação cívica** civics
civil *adj2g* civil ▪ *adj,n2g (não militar)* civilian ◆ **estado civil** marital status
civilidade *nf* civility; politeness
civilização *nf* civilization
civilizado *adj* civilized
civilizar *v* to civilize; to educate
civismo *nm* civic-mindedness
clã *nm* clan
clamar *v* to cry out (por, for)
clamor *nm* clamour GB, clamor EUA
clandestinidade *nf* secrecy ◆ **na clandestinidade** underground
clandestino *adj* **1** *(secreto)* clandestine, secret **2** *(ilegal)* underground ▪ *nm* illegal immigrant
claque *nf* supporters; fans
clara *nf* (ovo) white; **claras batidas em castelo** stiff egg whites
claraboia[AO] *nf* skylight
clarabóia *a nova grafia é* **claraboia**[AO]

claramente *adv* clearly, plainly
clarão *nm* **1** *(cintilação)* flash **2** *(claridade)* gleam, glimmer
claras *nfpl* **às claras** openly
clarear *v* **1** *(iluminar)* to brighten **2** (céu, tempo) to clear up **3** (dia) to dawn
clareira *nf* (floresta) clearing; glade
clareza *nf* clarity, clearness ♦ **com clareza** clearly
claridade *nf (luz)* light, brightness
clarificação *nf* clarification; explanation
clarificar *v (esclarecer)* to clarify, to make clear
clarim *nm* bugle
clarinete *nm* clarinet
clarinetista *n2g* clarinettist
clarividência *nf* clear-sightedness
claro *adj* **1** *(evidente)* clear, evident **2** (luz) bright **3** (cor) light, light-coloured ▪ *adv* clearly, plainly ▪ *interj* of course!; **claro que não!** of course not!; **claro que sim!** of course! ♦ **claro como água** crystal-clear; **deixar claro** to make something clear
classe *nf* **1** class; **classe de palavras** word class, part of speech **2** (grupo profissional) profession
classicismo *nm* classicism
clássico *adj* **1** classical; **música clássica** classical music **2** *(típico)* classic, usual; **exemplo clássico** classic example ▪ *nm* classic
classificação *nf* **1** classification **2** *(nota)* mark GB, grade EUA **3** DESP (resultados) placings; **classificação geral** league table
classificado *adj* classified ♦ **o primeiro classificado** the winner; **o segundo classificado** the runner-up
classificados *nmpl* classified ads
classificar *v* **1** (em grupos) to classify **2** *(qualificar)* to describe (de, as) **3** (teste, exame, trabalho) to mark GB; to grade EUA ▪ **classificar-se** to qualify (para, for); **classificar-se para a final** to qualify for the final
claustro *nm* cloister
claustrofobia *nf* claustrophobia
claustrofóbico *adj* claustrophobic
cláusula *nf* clause, condition
clausura *nf* seclusion, confinement
clave *nf* clef; **clave de fá** bass clef; **clave de sol** treble clef
clavícula *nf* collarbone, clavicle
clemência *nf* mercy; clemency
clemente *adj2g* merciful
clementina *nf* clementine
clepsidra *nf* clepsydra
cleptomania *nf* kleptomania
cleptomaníaco *adj,nm* kleptomaniac
clerical *adj2g* clerical
clérigo *nm* clergyman
clero *nm* clergy
clicar *v* to click (em/sobre, on); **clicar com o botão direito** to right-click; **clicar duas vezes** to double-click
clicável *adj2g* clickable
cliché *nm (lugar-comum)* cliché
cliente *n2g* **1** (loja, restaurante) customer; **cliente habitual** regular customer **2** (empresa, advogado) client
clientela *nf* **1** (loja, restaurante) customers **2** (empresa, advogado) clientele
clima *nm* **1** climate **2** *fig* atmosphere; **clima de tensão** tense atmosphere
climatérico *adj* weather
climatizado *adj* air-conditioned
clímax *nm* climax
clínica *nf* **1** clinic **2** MED (atividade) (medical) practice; **clínica geral** general practice
clínico *adj* clinical ▪ *nm* clinician; **clínico geral** general practitioner
clipe *nm* **1** (para papel) paper clip **2** *(videoclipe)* music video
clique *nm* click
clister *nm* enema
clitóris *nf* clitoris
clivagem *nf* **1** *(separação)* split; gap **2** cleavage
clonagem *nf* cloning
clonar *v* to clone
clone *n2g* clone
cloreto *nm* chloride
clorídrico *adj* hydrochloric
cloro *nm* chlorine
clorofila *nf* chlorophyll
clorofórmio *nm* chloroform
clube *nm* club; **clube de futebol** football club
coabitação *nf* cohabitation
coabitar *v* to live together, to cohabit
coação[AO] *nf* coercion; duress; **sob coação** under coercion, under duress
coacção *a nova grafia é* **coação**[AO]
coadjuvar *v* to assist
coador *nm* strainer

coadunar *v* *(conciliar)* to reconcile ▪ **coadunar-se 1** (com norma) to conform (com, to) **2** *(estar de acordo)* to be consistent (com, with)
coagir *v* to coerce (a, into)
coagulação *nf* coagulation, clotting
coagulante *adj2g,nm* coagulant
coagular *v* **1** (sangue) to coagulate, to clot **2** (leite) to curdle
coágulo *nm* clot, coagulum
coala *nm* koala (bear)
coalhar *v* to curdle
coar *v* to strain
coautor[AO] *nm* **1** (texto, obra) co-author **2** (crime) accomplice
co-autor *a nova grafia é* **coautor**[AO]
coaxar *v* to croak
cobaia *nf* guinea pig
cobalto *nm* cobalt
cobarde ou **covarde** *adj2g* cowardly ▪ *n2g* coward
cobardia ou **covardia** *nf* cowardice
coberta *nf* **1** (cama) bedspread, bedcover **2** (navio) deck
coberto[1] /é/ *adj* **1** covered (de/com, in/with) **2** *(cheio)* full (de, of) **3** *(com teto)* covered; *(interior)* indoor
coberto[2] /ê/ *nm* shed
cobertor *nm* blanket
cobertura *nf* **1** covering **2** (comunicação social) coverage **3** (seguros) cover GB; coverage EUA **4** CUL coating **5** *(provisão)* funds
cobiça *nf* **1** *(ganância)* greed **2** *(inveja)* envy **3** (de algo pertencente a outro) covetousness
cobiçar *v* **1** to covet **2** *(invejar)* to envy
cobra *nf* snake ♦ **dizer cobras e lagartos de alguém** to badmouth somebody
cobrador *nm* **1** (dívidas, faturas) collector **2** (autocarro) conductor
cobrança *nf* **1** (tarifas) charging **2** (dívida, impostos) collection ♦ **à cobrança** cash on delivery
cobrar *v* **1** (preço) to charge **2** (imposto, dívida, juros) to collect
cobre *nm* copper
cobrir *v* to cover; **cobrir despesas de viagem** to cover travelling expenses ▪ **cobrir-se 1** *(encher-se)* to be covered **2** to cover oneself up
cobro *nm* **pôr cobro a** to put an end to
coca *nf* **1** (arbusto) coca **2** *col (cocaína)* coke
coça *nf* beating, thrashing
coçado *adj* (roupa) threadbare, worn out
cocaína *nf* cocaine
coçar *v* to scratch
cóccix *nm* coccyx
cócegas *nfpl* tickle; **fazer cócegas** to tickle; **ter cócegas** to be ticklish
coceira *nf* itch, itching
coche *nm* coach
cocheiro *nm* coachman
cochichar *v* to whisper
cochicho *nm* whisper
cocktail *nm* **1** (bebida, salada) cocktail **2** (festa, evento) cocktail party
coco *nm* coconut
cocó *nm infant* poo GB, poop EUA
cócoras *nfpl* **de cócoras** squatting; **pôr-se de cócoras** to squat
côdea *nf* **1** (pão) crust **2** (queijo) rind
códex ou **códice** *nm* codex
codificação *nf* **1** coding **2** (canal de televisão) encryption **3** (leis) codification
codificar *v* **1** to code **2** (canal de televisão) to encrypt **3** (leis) to codify
código *nm* code; **código de barras** bar code; **código postal** postcode GB, zip code EUA; **decifrar um código** to break/crack a code
codorniz *nf* quail
coeficiente *nm* coefficient
coelho *nm* rabbit ♦ **matar dois coelhos de uma cajadada** to kill two birds with one stone
coentro *nm* coriander
coerção *nf* coercion
coercivo *adj* coercive
coerência *nf* **1** (texto) coherence **2** (pessoa) consistency
coerente *adj2g* **1** (texto) coherent **2** (pessoa) consistent
coesão *nf* cohesion
coeso *adj* cohesive
coexistência *nf* coexistence
coexistente *adj2g* coexistent
coexistir *v* to coexist (com, with)
cofre *nm* **1** safe; **cofre com segredo** combination safe **2** (dinheiro disponível) coffer; **os cofres do Estado** the coffers of the state
cofre-forte *nm* strongbox
cogitação *nf* cogitation
cogitar *v* to cogitate (em, about)
cognição *nf* cognition
cognitivo *adj* cognitive

cognome *nm* nickname, cognomen
cogumelo *nm* mushroom; **cogumelo venenoso** toadstool
coibir *v* to inhibit ▪ **coibir-se** to refrain (de, from)
coice *nm* **1** (animal) kick; **dar coices** to kick **2** (arma) recoil
coima *nf* fine
coincidência *nf* coincidence
coincidente *adj2g* coincident (com, with)
coincidir *v* to coincide (com, with)
coincineradora[AO] *nf* incineration plant
co-incineradora *a nova grafia é* **coincineradora**[AO]
coincinerar[AO] *v* to incinerate; (para produzir energia) to co-incinerate
co-incinerar *a nova grafia é* **coincinerar**[AO]
coiote *nm* coyote
coisa *nf* thing; **alguma coisa** something; **outra coisa** something else ♦ **coisa de** about; **cada coisa a seu tempo** all in good time; **dizer coisa com coisa** to make sense
coitado *nm* poor thing, wretch
coito *nm* coitus
cola *nf* **1** glue; **tubo de cola** tube of glue **2** (bebida) cola; Coke
colaboração *nf* collaboration, cooperation ♦ **com a colaboração de** in association with
colaborador *nm* **1** (pesquisa, projeto) collaborator **2** *(trabalhador)* worker **3** (em jornal, revista) contributor
colaborar *v* **1** (esforço conjunto) to cooperate; (obra, pesquisa) to collaborate **2** (publicação) to contribute (em, to)
colagem *nf* **1** glueing **2** (artes) collage; **fazer uma colagem** to make a collage
colapso *nm* collapse; breakdown
colar *v* **1** to glue; to paste **2** INFORM to paste **3** *col* (desculpa, explicação) to wash ▪ **colar-se 1** to stick **2** (companhia indesejável) to latch on ▪ *nm* necklace
colarinho *nm* (camisa) collar
colateral *adj2g* collateral
cola-tudo *nf2n* instant glue; super glue
colcha *nf* bedspread; quilt
colchão *nm* **1** mattress **2** (ginásio) mat **3** (insuflável) airbed
colcheia *nf* MÚS quaver
colchete *nm* **1** (roupa) hook; *pl*; (só ganchos) hooks; (ganchos e argolas) hooks and eyes **2** *(parêntesis reto)* square bracket
coldre *nm* holster
coleção[AO] *nf* collection
colecção *a nova grafia é* **coleção**[AO]
coleccionador *a nova grafia é* **colecionador**[AO]
coleccionar *a nova grafia é* **colecionar**[AO]
coleccionável *a nova grafia é* **colecionável**[AO]
colecionador[AO] *nm* collector
colecionar[AO] *v* to collect
colecionável[AO] *adj2g* collectable ▪ *nm* (revista, jornal) pull-out
colecta *a nova grafia é* **coleta**[AO]
colectânea *a nova grafia é* **coletânea**[AO]
colectar *a nova grafia é* **coletar**[AO]
colectável *a nova grafia é* **coletável**[AO]
colectividade *a nova grafia é* **coletividade**[AO]
colectivismo *a nova grafia é* **coletivismo**[AO]
colectivo *a nova grafia é* **coletivo**[AO]
colector *a nova grafia é* **coletor**[AO]
colega *n2g* **1** (trabalho) colleague; workmate **2** (escola) classmate **3** *(amigo)* mate; pal
colegial *adj2g* **1** (escola) school **2** collegial ▪ *n2g* (rapaz) schoolboy; (rapariga) schoolgirl
colégio *nm* **1** (private) school; **colégio interno** boarding school **2** *(associação)* college
coleira *nf* (animal) collar
cólera *nf* **1** fury, anger, rage **2** (doença) cholera
colérico *adj* furious; in a rage
colesterol *nm* cholesterol
coleta[AO] *nf* collection
coletânea[AO] *nf* collection; **coletânea de discos** record collection
coletar[AO] *v (tributar)* to tax ▪ **coletar-se** to register for taxes
coletável[AO] *adj2g* taxable
colete *nm* **1** (fato) waistcoat[GB]; vest[EUA] **2** *(camisola sem mangas)* sleeveless jacket **3** (proteção) vest; **colete à prova de bala** bulletproof vest
colete-de-forças *a nova grafia é* **colete de forças**[AO]
colete de forças[AO] *nm* straitjacket
coletividade[AO] *nf* **1** association **2** community
coletivismo[AO] *nm* collectivism
coletivo[AO] *adj* **1** collective **2** *(de grupo)* group; **bilhete coletivo** group ticket **3** (transporte) public
coletor[AO] *nm* **1** (esgotos) sewer **2** collector

colheita *nf* **1** (atividade) harvest **2** (produto colhido) crop **3** (vinho) vintage **4** (sangue, urina) collection; (órgãos, tecidos) removal
colher[1] /é/ *nf* **1** (objeto) spoon **2** (conteúdo) spoonful; **uma colher de farinha** a spoonful of flour **3** (construção) trowel
colher[2] /ê/ *v* **1** (frutos, flores, legumes) to pick **2** (cereais) to harvest **3** (imagens, informações) to gather
colherada *nf* spoonful
colibri *nm* hummingbird
cólica *nf* colic
colidir *v* **1** to collide (com, with) **2** (conflito) to clash
coligação *nf* coalition
coligar-se *v* **1** POL to form a coalition **2** *(unir-se)* to join forces
coligir *v* to collect, to gather
colina *nf* hill
colírio *nm* eye drops
colisão *nf* collision; crash
coliseu *nm* coliseum
collants *nmpl* tightsGB; pantihoseEUA
colmatar *v* **1** *(compensar)* to make up for **2** (lacuna, necessidade) to fill
colmeia *nf* beehive
colmo *nm* **1** (caule) stem, stalk **2** (palha) thatch
colo *nm* **1** *(regaço)* lap **2** *(pescoço)* neck **3** (peito) bosom
colocação *nf* **1** placing; positioning **2** *(disposição)* arrangement **3** (pessoas) placement **4** *(cargo)* job, position
colocar *v* **1** to put, to place **2** *(vestir)* to put on **3** *(empregar)* to find a job for **4** (ênfase, tónica) to lay
Colômbia *nf* Colombia
colombiano *adj,nm* Colombian
cólon *nm* colon
colónia *nf* **1** colony **2** (perfume) cologne ♦ **colónia de férias** holiday campGB, summer campEUA
colonial *adj2g* colonial
colonização *nf* colonization
colonizador *nm* colonizer, settler ▪ *adj* colonizing
colonizar *v* to colonize
colono *nm* colonist, settler
coloquial *adj2g* colloquial
colóquio *nm* conference
coloração *nf* **1** *(cor)* colourGB, colorEUA **2** *(ato de colorir)* colouringGB, coloringEUA
colorau *nm* paprika
colorido *adj* colourfulGB, colorfulEUA ▪ *nm (cores)* coloursGB, colorsEUA
colorir *v* to colourGB, to colorEUA
colossal *adj2g* colossal
colosso *nm* colossus
columbofilia *nf* pigeon breeding; pigeon fancying
columbófilo *nm* pigeon breeder; pigeon fancier
coluna *nf* **1** column **2** (hi-fi, rádio) stereo speaker **3** (vertebral) spine; spinal column
colunável *n2g* socialite
colunista *n2g* columnist
com *prep* **1** with; **estás chateado com ela?** are you upset with her? **2** *(em relação a)* to; **fui muito simpática com eles** she was very nice to them **3** (alimento) and; **pão com manteiga** bread and butter ♦ **com que então!** so!
coma *nm* coma
comadre *nf* **1** *(madrinha de filho)* godmother of one's child; *(mãe de afilhado)* mother of one's godchild **2** *pop* (tratamento familiar) dear*col* **3** *col (mexeriqueira)* gossip
comandante *n2g* commander; commanding officer
comandar *v* **1** *(chefiar)* to be in charge of **2** (tropas) to command **3** (mecanismo) to control
comando *nm* **1** *(direção)* control; *(liderança)* leadership **2** (televisão, aparelhagem) remote; (consola) controller **3** MIL *(chefia)* command **4** MIL (soldado) commando
comarca *nf* judicial district
combalido *adj* **1** *(enfraquecido)* debilitated **2** *(abalado)* shaken
combate *nm* **1** combat, fight, battle **2** (boxe) match
combatente *n2g* fighter, combatant
combater *v* to fight, to combat
combativo *adj* combative
combinação *nf* **1** combination **2** *(acordo)* agreement **3** (vestuário) slip
combinado *adj* **1** combined **2** *(acordado)* settled, agreed ▪ *nm* **1** *(acordo)* agreement **2** (prato de restaurante) combo **3** (frigorífico) fridge-freezerGB
combinar *v* **1** to arrange; to agree; **em data a combinar** on a day to be agreed **2** *(juntar)* to combine **3** (roupa, cores) to match
comboio *nm* train; **apanhar o comboio** to catch the train

combustão *nf* combustion
combustível *nm* fuel ▪ *adj2g* combustible
começar *v* to begin, to start, to initiate ♦ **começar do zero** to start from scratch; **para começar** for starters
começo *nm* start, beginning; **no começo** in the beginning; **ter começo** to begin
comédia *nf* comedy
comediante *n2g* comedian
comedido *adj* moderate
comedimento *nm* moderation
comedir-se *v* to control oneself; to restrain oneself
comemoração *nf* **1** *(celebração)* celebration **2** *(recordação)* commemoration
comemorar *v* **1** *(festejar)* to celebrate **2** *(relembrar)* to commemorate
comemorativo *adj* commemorative
comenda *nf* (distinção) knighthood; *(insígnia)* insignia
comendador *nm* knight commander
comensal *n2g* diner
comentador *nm* commentator
comentar *v* to comment on
comentário *nm* **1** comment, remark; **sem comentários!** no comment! **2** (texto, televisão) commentary
comer *v* **1** to eat; **dar de comer a** to feed **2** (xadrez, damas) to take ▪ *nm pop (almoço)* lunch; *(jantar)* dinner
comercial *adj2g* commercial
comercialização *nf* marketing; *(venda)* sale
comercializar *v* to market; *(colocar no mercado)* to put on the market; *(vender)* to sell
comerciante *n2g* **1** trader **2** *(dono de loja)* shopkeeper
comerciar *v* to trade, to deal in
comércio *nm* **1** trade; commerce **2** *(lojas)* shops GB; stores EUA
comestível *adj2g* edible
cometa *nm* comet
cometer *v* **1** (erro) to make **2** (crime, infração, falta) to commit
comichão *nf* itch, itching; **fazer comichão** to itch
comício *nm* rally; **comício público** public rally
cómico *adj* **1** *(engraçado)* funny, amusing **2** (de comédia) comic; **ator cómico** comedy actor ▪ *nm (humorista)* comedian; (ator) comic actor
comida *nf* food
comigo *pron pess* with me, to me; **comigo mesmo/próprio** with myself
comilão *adj* gluttonous ▪ *nm* glutton
cominho *nm* cumin
comiseração *nf* sympathy
comissão *nf* **1** *(comité)* committee **2** *(percentagem)* commission; **uma comissão de 5 por cento** a 5 per cent commission
comissariado *nm* **1** commission **2** (grupo nomeado) committee
comissário *nm* **1** *(representante)* commissioner; **alto comissário** High Commissioner **2** (polícia) police inspector ♦ **comissário de bordo** flight attendant
comissionista *n2g* commission agent
comité *nm* committee; **comité de boas vindas** welcoming committee
comitiva *nf* entourage
como *adv* **1** *(de que modo)* how; **como está?** how are you?; (apresentações) how do you do? **2** what ... like; **como é que ele é?** what's he like? **3** (pedido para repetir) sorry; excuse me; **como? não ouvi** sorry? I didn't quite hear that ▪ *conj* as ♦ **como assim?!** how then?!
comoção *nf* emotion
cómoda *nf* chest of drawers
comodidade *nf* comfort; **viver com comodidade** to live in comfort
comodismo *nm* self-indulgence; slackness
comodista *adj2g* slack; sluggish
cómodo *adj* **1** comfortable; cosy **2** convenient
comorense *adj,n2g* Comoran
Comores *nfpl* Comoros
comovente *adj2g* moving; touching
comover *v* to move; to touch ▪ **comover-se** to be moved
comovido *adj* touched; moved
compacto *adj* compact ▪ *nm* TV omnibus GB
compadecer *v* to move ▪ **compadecer-se** to take pity (de, on); to feel sorry (de, for)
compadre *nm* **1** *(padrinho do filho)* godfather of one's child; *(pai do afilhado)* father of one's godchild **2** *pop* (tratamento familiar) old man
compaixão *nf* pity, compassion
companheirismo *nm* companionship; comradeship
companheiro *nm* **1** (que faz companhia) companion **2** *(colega)* colleague; mate **3** (em relação amorosa) partner **4** *(amigo)* friend; buddy *col*

companhia *nf* **1** company; **fazer companhia a alguém** to keep a person company **2** company, firm; **companhia de seguros** insurance company
comparação *nf* comparison
comparar *v* to compare (a, to; com, with)
comparativo *adj* comparative
comparável *adj* comparable
comparecer *v* **1** *(aparecer)* to show up; to attend **2** (tribunal) to appear
comparência *nf* appearance, attendance
comparsa *n2g* accomplice
comparticipação *nf* **1** (financeira) support **2** (medicamento, cuidados médicos) reimbursement **3** *(participação)* participation
comparticipar *v* (financeiramente) to support; (medicamento) to reimburse
compartilhar *v* to share
compartimento *nm* **1** (edifício) room **2** (móvel) compartment
compassado *adj* measured; slow
compassivo *adj* compassionate
compasso *nm* **1** pair of compasses **2** MÚS time; **fora do compasso** out of time
compatibilidade *nf* compatibility
compatível *adj2g* compatible (com, with)
compatriota *n2g* compatriot
compelir *v* to compel (a, to)
compêndio *nm* **1** textbook **2** compendium
compenetrado *adj* **1** *(concentrado)* focused (em, on) **2** *(convencido)* convinced
compensação *nf* **1** compensation **2** *(recompensa)* reward **3** DESP stoppage time **4** (escola) remedial work; **aulas de compensação** remedial lessons
compensador *adj* compensatory; rewarding
compensar *v* **1** *(contrabalançar)* to compensate for, to make up for **2** *(recompensar)* to repay; **não sei como compensar-te** I don't know how to repay you **3** *(indemnizar)* to compensate **4** *(ser vantajoso)* to pay; **o crime não compensa** crime doesn't pay
competência *nf* **1** *(aptidão)* competence **2** responsibility **3** DIR *(juridisção)* competence
competente *adj2g* competent
competição *nf* competition
competir *v* **1** to compete (com, with; por, for) **2** (função, obrigação) to be (somebody's) job; **não me compete a mim julgar** it's not for me to judge
competitivo *adj* competitive
compilação *nf* compilation
compilar *v* to compile, to collect
complacente *adj2g* indulgent
compleição *nf* **1** (física) constitution, build **2** (psicológica) temperament
complementar *v* to complement ▪ *adj2g* **1** *(que completa)* complementary **2** *(adicional)* additional
complemento *nm* **1** complement; supplement **2** LING object; **complemento direto/indireto** direct/indirect object
completamente *adv* completely; absolutely
completar *v* to complete; to finish
completo *adj* **1** complete **2** (nome) full **3** *(abrangente)* comprehensive; *(exaustivo)* thorough **4** (desportista) all-round
complexidade *nf* complexity
complexo *adj* complex ▪ *nm* complex; **complexo desportivo** sports complex
complicação *nf* **1** *(problema)* problem; *(dificuldade)* difficulty **2** *(confusão)* mess **3** MED complication
complicado *adj* complicated
complicar *v* to complicate; to make more difficult ▪ **complicar-se** to get worse
complô *nm* plot; conspiracy
componente *adj2g,nm/f* component
compor *v* **1** (peça musical) to compose; (canção) to write **2** (situação, problema) to remedy ▪ **compor-se** to consist (de, of); to be composed (de, of)
comporta *nf* floodgate, sluice
comportamento *nm* behaviour; conduct
comportar *v* **1** (lugares, espaço) to hold **2** (riscos) to involve **3** *(suportar)* to bear ▪ **comportar-se** to behave
comportável *adj2g* **1** (custo) affordable **2** bearable; tolerable
composição *nf* **1** (escola) essay **2** *(comboio)* train
compositor *nm* (peça musical) composer; (canção) songwriter
composto *adj* **1** *(constituído)* consisting (por, of) **2** (palavra) compound **3** *(arranjado)* tidy; neat ▪ *nm* compound
compostura *nf* composure
compota *nf* jam
compra *nf* **1** purchase; **compra e venda** purchase and sale **2** buy; **uma boa compra**

a good buy **3** *pl* shopping; **ir às compras** to go shopping
comprador *nm* buyer
comprar *v* to buy
comprazer-se *v* to delight (em, in); to take pleasure (em, in)
compreender *v* **1** to understand **2** *(incluir)* to comprise; to include
compreensão *nf* understanding
compreensível *adj2g* understandable
compreensivo *adj* understanding

Não confundir a palavra portuguesa **compreensivo** com a palavra inglesa **comprehensive,** que significa exaustivo, abrangente.

compressa *nf* compress
compressão *nf* compression
compressor *nm* compressor
comprido *adj* long ♦ **ao comprido** lengthways
comprimento *nm* length; **tem dez metros de comprimento** it is ten metres long
comprimido *nm* pill; tablet_{GB} ▪ *adj* compressed
comprimir *v* to compress
comprometedor *adj* compromising
comprometer *v* to compromise; to jeopardize; to endanger ▪ **comprometer-se 1** *(prometer)* to promise; to pledge **2** (relação) to commit
comprometido *adj* **1** *(noivo)* engaged **2** *(implicado)* implicated **3** *(culpado)* guilty **4** *(em risco)* jeopardized
compromisso *nm* **1** (obrigação) commitment **2** *(encontro)* appointment; engagement **3** (entendimento) compromise
comprovação *nf* **1** confirmation; corroboration **2** evidence; proof
comprovar *v* **1** *(demonstrar)* to prove **2** *(confirmar)* to confirm **3** *(verificar)* to verify
comprovativo *nm* **1** (de compra) receipt **2** proof ▪ *adj* supporting
compulsão *nf* compulsion (de, to)
compulsivo *adj* compulsive
computação *nf* computation
computador *nm* computer; **computador portátil** laptop
comum *adj2g* **1** common **2** (amigo, conhecido) mutual
comummente *adv* **1** *(geralmente)* generally **2** *(habitualmente)* usually
comuna *nf* commune ▪ *adj,n2g col,pej (comunista)* commie
comungar *v* **1** REL to take communion **2** *(partilhar)* to share (de, -)
comunhão *nf* communion
comunicação *nf* **1** communication; **órgãos de comunicação social** mass media **2** (em congresso) paper **3** *(declaração)* statement
comunicado *nm* announcement; (oficial) communiqué ♦ **comunicado à imprensa** press release
comunicador *nm* communicator
comunicar *v* **1** to communicate **2** *(informar)* to inform ▪ **comunicar-se** *(propagar-se)* to spread
comunicativo *adj* communicative
comunidade *nf* community
comunismo *nm* communism
comunista *adj,n2g* communist
comunitário *adj* **1** communal **2** *(da União Europeia)* EU, Community; **as normas comunitárias** EU rules
comutação *nf* **1** *(troca)* exchange; *(substituição)* substitution **2** (pena, castigo) commutation
comutador *nm* ELET commutator
comutar *v* **1** (pena) to commute **2** to exchange; to interchange **3** ELET to switch
concavidade *nf* concavity
côncavo *adj* concave
conceber *v* to conceive
concebível *adj2g* conceivable
conceção[AO] *nf* conception
conceder *v (dar)* to give; to grant
conceito *nm* concept
conceituado *adj* **1** (pessoa) eminent **2** (marca, produto, etc.) prestigious
concelhio *adj* municipal
concelho *nm* municipality

O termo **concelho** tem como equivalentes **district** (na Inglaterra e na Irlanda do Norte), **unitary authority** (no País de Gales), **council area** (na Escócia) e **municipality** (nos Estados Unidos).

concentração *nf* **1** concentration **2** *(encontro)* rally; meeting
concentrado *adj* concentrated ▪ *nm* concentrate
concentrar(-se) *v* to concentrate (em, on)
concêntrico *adj* concentric

concepção *a nova grafia é* **conceção**[AO]
conceptual[AO] ou **concetual**[AO] *adj2g* conceptual
concernente *adj2g* concerning (a, -)
concertar *v* **1** *(combinar)* to agree on **2** *(conciliar)* to reconcile **3** (esforços) to coordinate
concertina *nf* concertina
concertista *n2g* concert performer
concerto *nm* **1** concert; **concerto de *rock*** rock concert **2** (composição) concerto; **concerto para piano** piano concerto
concessão *nf* **1** concession **2** granting, awarding
concessionário *nm* (comerciante autorizado) dealer
concessivo *adj* concessive
concha *nf* **1** shell **2** (colher) ladle
concidadão *nm* fellow citizen
conciliação *nf* conciliation; reconciliation
conciliar *v* to reconcile
conciliável *adj2g* reconcilable
concílio *nm* council
concisão *nf* conciseness
conciso *adj* concise; brief
conclave *nm* conclave
concluir *v (terminar, deduzir)* to conclude
conclusão *nf (fim, dedução)* conclusion; **tirar conclusões precipitadas** to jump to conclusions
conclusivo *adj* conclusive
concomitante *adj2g* concomitant
concordância *nf* **1** *(conformidade)* accordance **2** *(acordo)* agreement **3** LING agreement; concord
concordar *v* to agree (com, with)
concórdia *nf* concord; harmony
concorrência *nf* competition; **concorrência desleal** unfair competition
concorrente *n2g* **1** contestant **2** (empresa) competitor **3** opponent; rival ■ *adj2g* competing
concorrer *v* **1** *(competir)* to compete (com, with) **2** (cargo, emprego) to apply (a, for) **3** *(contribuir)* to contribute (para, to)
concorrido *adj* popular
concretização *nf* fulfilment; realization
concretizar *v* **1** *(realizar)* to carry out; (sonho, ambição) to fulfil **2** *(materializar)* to materialize ■ **concretizar-se 1** *(materializar-se)* to take shape **2** (sonho) to come true
concreto *adj* **1** concrete; real **2** specific ■ *nm* concrete
concubina *nf* concubine
concurso *nm* **1** competition; contest; **concurso de beleza** beauty contest **2** (televisão) quiz show
condado *nm* county
condão *nm* gift ♦ **ter o condão de** to be able to; **varinha de condão** magic wand
conde *nm* count, earl GB
condecoração *nf* decoration
condecorar *v* to decorate
condenação *nf* **1** *(desaprovação)* condemnation **2** DIR conviction; *(pena)* sentence
condenado *nm* convict ■ *adj* **1** condemned **2** DIR convicted **3** *(destinado)* doomed
condenar *v* **1** *(desaprovar)* to condemn; to blame **2** DIR to sentence (a, to); *(declarar culpado)* to convict
condenável *adj2g* reprehensible
condensação *nf* condensation
condensar *v* to condense
condescendência *nf* condescension
condescendente *adj2g* **1** tolerant; indulgent **2** (com superioridade) patronizing
condescender *v* **1** *(aceder)* to consent (em, to) **2** *(tolerar)* to tolerate (em, -)
condessa *nf* countess
condição *nf* **1** condition; **em condição alguma** on no condition **2** (acordo, contrato) condition, term **3** (social) rank; status
condicionado *adj* **1** PSIC conditioned **2** restricted; limited; **trânsito condicionado** restricted traffic
condicional *adj2g,nm* conditional
condicionamento *nm* conditioning
condicionante *nf* **1** *(fator)* factor **2** *(restrição)* constraint
condicionar *v* **1** to condition **2** *(restringir)* to limit
condigno *adj* fitting
condimentar *v* to season
condimento *nm* seasoning
condiscípulo *nm* fellow student
condizente *adj2g* suitable (com, to)
condizer *v* to match (com, -)
condoer *v* to move ■ **condoer-se** to take pity (de, on)
condolências *nfpl* condolences; **apresentar condolências** to offer one's condolences
condomínio *nm* **1** (apartamentos) commonhold development GB; condominium EUA; **condomínio**

fechado private development GB, private condominium EUA **2** (dinheiro) condominium fee EUA
condor *nm* condor
condução *nf* **1** (veículo) driving; **carta de condução** driving licence **2** FÍS conduction
conduta *nf* **1** *(comportamento)* conduct; **código de conduta** code of conduct **2** *(cano, tubo)* pipe; duct
condutividade *nf* conductivity
condutor *nm* **1** (veículo) driver; **condutor de autocarro** bus driver **2** (material) conductor ▪ *adj* conductive
conduzir *v* **1** (veículo) to drive; (mota) to ride; (navio) to steer **2** *(levar)* to lead (a, to) **3** (empresa, equipa) to run **4** (calor, eletricidade) to conduct
cone *nm* cone
cónego *nm* canon
conexão *nf* connection
conexo *adj* coherent
confeçãoAO *nf* **1** *(realização)* making (de, of) **2** (indústria) clothing industry
confecção *a nova grafia é* **confeção**AO
confeccionar *a nova grafia é* **confecionar**AO
confecionarAO *v* **1** to make **2** (refeição) to prepare
confederação *nf* confederation, confederacy
confederar *v* to confederate
confeitaria *nf* **1** (estabelecimento) confectioner's **2** (bolos, etc.) confectionery
conferência *nf* **1** *(palestra)* lecture; talk **2** *(reunião)* conference; **conferência de imprensa** press conference
conferenciar *v* to confer (com, with)
conferencista *n2g* speaker
conferir *v* **1** *(verificar)* to check **2** *(conceder)* to grant **3** (aspeto) to lend **4** *(coincidir)* to tally (com, with)
confessar *v* to confess; **confessar um crime** to confess to a crime ▪ **confessar-se** REL to go to confession
confessional *adj2g* confessional
confessionário *nm* confessional
confesso *adj* self-confessed; declared
confessor *nm* confessor
confetes *nmpl* confetti
confiado *adj* confident
confiança *nf* **1** confidence; trust; **ser de confiança** to be trustworthy; to be reliable **2** (relacionamento) familiarity; **ter confiança com alguém** to be on close terms with someone
confiante *adj2g* confident
confiar *v* **1** to trust (em, (in)); **confio em ti** I trust you **2** *(depositar)* to entrust **3** (segredo, problema) to confide
confidência *nf* confidence
confidencial *adj2g* confidential; **informações confidenciais** classified information
confidenciar *v* to confide (a, to)
confidente *n2g* confidant
configuração *nf* **1** configuration; shape **2** INFORM configuration
configurar *v* **1** to shape **2** INFORM to configure
confinante *adj2g* bordering
confinar *v* **1** *(restringir)* to confine **2** to border (com, -)
confins *nmpl* depths; outer reaches
confirmação *nf* confirmation
confirmar *v* to confirm
confiscação *nf* confiscation
confiscar *v* to confiscate
confissão *nf* confession
conflito *nm* conflict; **entrar em conflito com** to come into conflict with
conflituoso *adj* **1** (pessoa) quarrelsome; aggressive **2** *(atribulado)* troubled
confluência *nf* confluence
confluente *adj,n2g* confluent
confluir *v* to converge
conformado *adj* resigned
conformar *v* **1** to shape **2** to adapt (a, to) ▪ **conformar-se 1** *(resignar-se)* to accept (com, -) **2** *(adaptar-se)* to adapt (a, to)
conforme *adj2g* **1** identical; similar **2** suitable; appropriate ▪ *prep* according to; in accordance with; **conforme as circunstâncias** according to circumstances ▪ *conj* as; **conforme li no jornal** as I read in the newspaper
conformidade *nf* conformity; **em conformidade com** in conformity with
conformismo *nm* conformism
conformista *adj,n2g* conformist
confortar *v* to comfort
confortável *adj2g* comfortable; comfy *col*
conforto *nm* comfort
confraria *nf* brotherhood
confraternização *nf* fraternization
confraternizar *v* *(conviver)* to mix (com, with)

confrontação *nf* **1** confrontation **2** comparison
confrontar *v* **1** to confront (com, with) **2** to compare ■ **confrontar-se** *(enfrentar)* to come face to face (com, with)
confronto *nm* **1** confrontation; conflict **2** comparison
confundido *adj* confused; puzzled
confundir *v* **1** *(misturar)* to mix up **2** *(baralhar)* to confuse; to puzzle **3** *(enganar-se)* to mistake (com, for) ■ **confundir-se 1** to get confused **2** to make a mistake
confusão *nf* **1** *(dúvida)* confusion; **fazer confusão** to get confused **2** *(engano)* mistake; mix-up **3** *(sarilhos)* trouble **4** *(desorganização)* mess; **que confusão!** what a mess!
confuso *adj* **1** (pessoa) confused **2** *(pouco claro)* confusing
congelação *nf* freezing
congelado *adj* frozen ■ *nm pl* (alimentos) frozen food
congelador *nm* (parte do frigorífico) freezer
congelamento *nm* **1** *(congelação)* freezing **2** (dinheiro) freeze
congelar *v* to freeze
congénere *adj2g* of the same kind ■ *nm* fellow being
congénito *adj* congenital
congestão *nf* congestion
congestionado *adj* congested
congestionar *v* **1** (trânsito) to hold up **2** (acesso à Internet, rede) to overload **3** (parte do corpo) to congest ■ **congestionar-se** to become congested
conglomerar *v* to bring together
Congo *nm* Congo
congolês *adj,nm* Congolese
congratulação *nf* congratulation
congratular *v* to congratulate (por, on) ■ **congratular-se** to be pleased (com, with)
congregação *nf* **1** congregation **2** (esforços) coordination; (meios) combination
congregar *v* to bring together
congressista *n2g* **1** (congress) participant **2** POL (homem) congressman; (mulher) congresswoman
congresso *nm* congress
congro *nm* conger
congruência *nf* **1** *(coerência)* coherence **2** *(consistência)* consistency
congruente *adj2g* **1** coherent **2** consistent (com, with)
conhaque *nm* cognac
conhecedor *nm* expert; connoisseur ■ *adj* aware
conhecer *v* **1** to know; **mal o conheço** I barely know him **2** (pela primeira vez) to meet; **prazer em conhecê-lo!** pleased to meet you! **3** *(reconhecer)* to recognize ■ **conhecer-se 1** (a si próprio) to know oneself **2** (um ao outro) to know each other **3** *(travar conhecimento)* to meet
conhecido *nm* acquaintance ■ *adj* **1** *(famoso)* well-known **2** acquainted
conhecimento *nm* **1** knowledge; **tomar conhecimento de** to find out about **2** (influências) connections; **tem muitos conhecimentos** he has friends in high places ♦ **com conhecimento de causa** with due knowledge
cónico *adj* conical; GEOM conic
conivência *nf* connivance (com, in)
conivente *adj2g* conniving
conjectura *a nova grafia é* **conjetura**[AO]
conjecturar *a nova grafia é* **conjeturar**[AO]
conjetura[AO] *nf* conjecture
conjeturar[AO] *v* to conjecture; to speculate
conjugação *nf* **1** *(junção, união)* combination **2** (gramática) conjugation
conjugal *adj2g* marital; **vida conjugal** married life
conjugar *v* **1** *(combinar)* to combine **2** (gramática) to conjugate ■ **conjugar-se** to come together
cônjuge *n2g* spouse
conjunção *nf* conjunction
conjuntamente *adv* jointly
conjuntivite *nf* conjunctivitis
conjuntivo *adj* (tecido) connective ■ *adj,nm* (gramática) subjunctive
conjunto *nm* **1** *(grupo)* set; group; MAT **conjunto vazio** empty set **2** *(totalidade)* whole; **no conjunto** on the whole **3** (musical) group; (música clássica) ensemble ■ *adj* joint ♦ **em conjunto** together
conjuntura *nf* conjuncture, circumstances
conluio *nm* conspiracy; plot
connosco *pron pess* with us; **queres vir connosco?** do you want to come with us?
conotação *nf* connotation

conotar *v* to connote
conotativo *adj* connotative
conquanto *conj* **1** *(ainda que)* although **2** *(desde que)* as long as
conquista *nf* **1** conquest **2** *(vitória)* victory; *(feito)* achievement
conquistador *nm* **1** conqueror **2** *(pessoa de sucesso)* achiever **3** *(sedutor)* ladykiller; *(sedutora)* femme fatale
conquistar *v* **1** to conquer **2** (prémio, vitória) to win; (sucesso) to achieve **3** (direito, lugar) to secure **4** (simpatia, apoio) to win over **5** *(seduzir)* to win (someone's) heart
consagração *nf* **1** REL consecration **2** (de artista) recognition **3** *(entrega)* devotion
consagrado *adj* **1** *(célebre)* renowned; acclaimed **2** *(dedicado)* devoted (a, to); dedicated (a, to) **3** REL consecrated
consagrar *v* **1** *(devotar)* to dedicate (a, to) **2** REL to consecrate **3** (direito, princípio) to enshrine; to lay down **4** *(tornar importante)* to establish ▪ **consagrar-se** *(notabilizar-se)* to distinguish oneself
consanguíneo *adj* consanguineous
consciência *nf* **1** (moral) conscience **2** (conhecimento) awareness; **ter consciência de** to be aware of **3** (sentidos) consciousness
consciencialização *nf* awareness
consciencializar *v* to make (somebody) aware (de, of) ▪ **consciencializar-se** to become aware
conscencioso *adj* conscientious
consciente *adj2g* **1** (sentidos) conscious **2** *(ciente)* aware **3** *(sensato)* sensible
consecutivamente *adv* consecutively
consecutivo *adj* consecutive
conseguinte *adj2g* **por conseguinte** therefore, consequently
conseguir *v* **1** *(obter)* to get **2** *(alcançar)* to achieve **3** *(ter êxito em)* to manage; **consegui!** I did it!
conselheiro *nm* adviser
conselho *nm* **1** *(recomendação)* advice **2** (grupo, assembleia) council; board ◆ (escola) **conselho executivo** school board
consenso *nm* consensus
consensual *adj2g* consensual
consentimento *nm* consent
consentir *v* **1** *(permitir)* to allow **2** *(concordar)* to agree (em, to)
consequência *nf* consequence; result; **em consequência de** in consequence of, due to
consequente *adj2g* **1** *(resultante)* consequent; resultant **2** *(coerente)* consistent
consequentemente *adv* consequently; therefore
consertar *v* **1** *(reparar)* to repair **2** *(remediar)* to correct
conserto *nm* repair
conserva *nf* tinned food; **sardinhas de conserva** tinned sardines
conservação *nf* conservation
conservador *adj,nm* conservative ▪ *nm* (museu) curator
conservadorismo *nm* conservatism
conservante *nm* preservative; **sem corantes nem conservantes** no colourings or preservatives
conservar *v* **1** (alimentos) to preserve **2** *(manter)* to maintain; to keep ▪ **conservar-se** *(manter-se)* to keep
conservatória *nf* registry
conservatório *nm* conservatoire
consideração *nf* **1** *(atenção)* consideration; **em consideração a** considering **2** *(respeito)* esteem; regard **3** *(comentário)* comment
considerado *adj* **1** *(pensado)* considered **2** *(apreciado)* respected
considerar *v* **1** *(tomar em consideração)* to take into account, to take into consideration **2** *(refletir)* to consider; to contemplate **3** *(julgar)* to regard; to consider ▪ **considerar-se** to consider oneself
considerável *adj2g* considerable; substantial
consignação *nf* consignment; **à consignação** on consignment
consigo *pron pess* **1** *(com ele)* with him; *(com ela)* with her **2** *(com eles)* with them **3** *(com você)* with you **4** (coisa, animal) with it; (coisa, animal) with them
consistência *nf* consistency
consistente *adj2g* **1** consistent **2** *(espesso)* thick
consistir *v* to consist (em, of/in)
consoada *nf (ceia)* Christmas supper
consoante *nf* (letra, som) consonant ▪ *prep (segundo)* according to; **consoante o gosto de cada um** according to one's taste

consoar *v* to have one's Christmas supper
consola *nf* console; **consola de jogos** video game console
consolação *nf* consolation; comfort
consolar *v* to comfort ▪ **consolar-se** *(regalar--se)* to take delight
consolidação *nf* **1** *(reforço)* consolidation **2** *(fortalecimento)* strengthening
consolidar *v* **1** *(fortificar)* to consolidate **2** (amizade) to strengthen
consolo *nm* **1** *(conforto)* consolation; comfort **2** *(prazer)* delight
consonância *nf (conformidade)* consonance
consonante *adj2g* consonant
consórcio *nm* consortium
consorte *n2g* consort
conspícuo *adj* conspicuous
conspiração *nf* conspiracy; plot
conspirador *nm* conspirator; plotter
conspirar *v* to conspire; to plot
conspurcação *nf* soiling
conspurcar *v* to soil
constância *nf* constancy
constante *adj2g* **1** constant **2** *(referido)* mentioned (em, in) **3** (pessoa, equipa) consistent ▪ *nf* constant feature
constar *v* **1** *(dizer-se)* to be told; **constou-me que** I heard that **2** *(estar, aparecer)* to be (de/em, in/on) **3** *(estar registado)* to be recorded (em, in) **4** *(consistir)* to consist (de, of)
constatação *nf* **1** *(confirmação)* verification **2** *(consciência)* realization; perception
constatar *v* **1** *(evidência)* to verify **2** *(aperceber--se)* to realize
constelação *nf* constellation
consternação *nf* consternation; dismay
consternado *adj* dismayed (com, at/by)
consternar *v* to fill with dismay
constipação *nf* cold; **apanhar uma constipação** to catch a cold

Não confundir a palavra portuguesa **constipação** com a palavra inglesa **constipation,** que significa prisão de ventre.

constipado *adj* with a cold; **estou muito constipado** I have a terrible cold
constipar-se *v* to catch a cold
constitucional *adj2g* constitutional
constitucionalidade *nf* constitutionality
constituição *nf* **1** constitution **2** *(composição)* composition **3** *(formação)* formation
constituinte *adj,n2g* constituent
constituir *v* **1** *(representar)* to constitute; to represent **2** *(estabelecer)* to set up; to establish **3** *(nomear)* to appoint ♦ **constituir família** to start a family
constrangedor *adj* **1** *(embaraçoso)* embarrassing **2** *(limitador)* restrictive
constranger *v* **1** *(embaraçar)* to embarrass **2** *(limitar)* to restrict
constrangido *adj (embaraçado)* embarrassed; awkward
constrangimento *nm* **1** *(embaraço)* embarrassment; inhibition **2** *(limitação)* constraint
construção *nf* construction
construir *v* **1** to build; to construct **2** (frase, sistema, teoria) to construct
construtivo *adj* constructive; positive
construtor *nm* builder
construtora *nf* (empresa) construction company
cônsul *nm* consul
consulado *nm* **1** (edifício) consulate **2** (cargo) consulship
consulesa *nf* consul
consulta *nf* **1** (médica) appointment **2** *(discussão)* consultation (a, with) **3** *(inquérito)* survey; poll **4** (de obra) reference
consultar *v* **1** *(aconselhar-se)* to consult; to see **2** (livro) to look up
consultivo *adj* consultative; advisory
consultor *nm* consultant; adviser
consultoria *nf* consultancy
consultório *nm* **1** (médico) office; surgery GB **2** (aconselhamento) consultancy
consumação *nf* **1** consummation **2** (crime) perpetration
consumar *v* **1** to consummate **2** (crime) to commit
consumição *nf (preocupação)* distress; anxiety
consumidor *nm* **1** consumer **2** (drogas) user
consumir *v* **1** (bens) to consume **2** *(gastar)* to use up **3** (fogo) to burn down **4** (drogas) to take **5** *(aborrecer)* to annoy
consumismo *nm* consumerism
consumista *adj2g* consumerist
consumo *nm* **1** consumption; **bens de consumo** consumer goods **2** (de drogas) use;

abuse **3** *(bebidas)* drinks; **consumo mínimo** minimum drink price
conta *nf* **1** (bancária, email, contabilidade) account **2** (cálculo) sum **3** (despesas) bill; **a conta do telefone** the phone bill **4** (em restaurante, café) billGB; checkEUA; **pedir a conta** to ask for the bill **5** (dívida) tab; **ponha na conta** put it on my tab **6** (de colar) bead ♦ **afinal de contas** after all; **dar-se conta de** to realize; **fazer de conta** to pretend; **tomar conta de** to take care of
contabilidade *nf* **1** accounting; accountancy **2** (departamento) accounts department
contabilista *n2g* accountant
conta-corrente *nf* current account
contactar *v* to contact; to get in touch with
contacto *nm* contact; **manter-se em contacto** to keep in touch
contador *nm* (aparelho) counter; (água, gás, eletricidade) meter
contagem *nf* counting; **contagem dos votos** vote counting
contagiante *adj2g* contagious
contagiar *v* to infect
contágio *nm* contagion; infection
contagioso *adj* contagious
conta-gotas *nm* dropper
contaminação *nf* contamination
contaminar *v* to contaminate
contanto que *loc conj* provided that
conta-quilómetros *nm2n* odometer; mileometerGB
contar *v* **1** (número) to count **2** *(dizer)* to tell **3** (previsão) to expect; **sem contar** unexpectedly **4** (importância) to matter; **tudo conta** everything matters
conta-rotações *nm* tachometer; rev counter
contemplação *nf* **1** contemplation **2** *(benevolência)* leniency
contemplar *v* **1** *(meditar, observar)* to contemplate **2** (com prémio) to award
contemplativo *adj* contemplative
contemporâneo *adj,nm* contemporary
contenção *nf* restraint
contencioso *adj* **1** contentious **2** DIR litigious ▪ *nm* **1** DIR litigation **2** (departamento) legal department
contenda *nf (discussão)* dispute
contentamento *nm* contentment; joy
contentar *v* to please ▪ **contentar-se** to content oneself (com, with); **contentar-se com pouco** not to ask for much
contente *adj2g (feliz)* happy; *(satisfeito)* pleased
contentor *nm* **1** *(recipiente)* container **2** (lixo) skipGB, dumpsterEUA
conter *v* **1** *(ter)* to contain; to include **2** *(suster)* to refrain, to contain ▪ **conter-se** to restrain oneself; to refrain
conterrâneo *nm* (mesma terra) fellow citizen; (mesmo país) compatriot
contestação *nf* **1** *(protesto)* protest **2** *(objeção)* objection **3** *(polémica)* controversy
contestar *v* **1** *(pôr em dúvida)* to contest **2** *(protestar contra)* to protest against
contestável *adj2g* questionable
conteúdo *nm* **1** (embalagem, recipiente) contents **2** *(assunto, ideia)* content
contexto *nm* context
contextualizar *v* to contextualize
contigo *pron pess* with you; **vou contigo** I'll go with you
contíguo *adj* adjacent
continência *nf* **1** continence **2** MIL salute
continental *adj2g* continental
continente *nm* continent
contingência *nf* contingency
contingente *adj2g,nm* contingent
continuação *nf* **1** *(sequência)* follow-up; **a continuação da série** the follow-up of the series **2** *(retoma)* resumption
continuar *v* to go on; to continue; **continua!** go on!; **continua no próximo episódio** to be continued
continuidade *nf* continuity
contínuo *adj* **1** *(frequente)* continual **2** *(ininterrupto)* continuous ▪ *nm* caretaker
conto *nm* **1** LIT short story **2** *(história)* tale **3** *ant* (dinheiro) thousand escudos ♦ **quem conta um conto acrescenta um ponto** a tale never loses in the telling
contorção *nf* contortion
contorcer *v* to contort; to twist ▪ **contorcer-se** to squirm; **contorcer-se de dores** to convulse with pain
contorcionista *n2g* contortionist
contornar *v* **1** (lei, regras) to circumvent; (problema, dificuldade) to get round **2** (assunto) to skirt **3** (rotunda) to go round
contorno *nm* outline, contour

contra *prep* **1** against **2** (resultado) to; **dez contra um** ten to one ▪ *nm (desvantagem)* drawback; **os prós e os contras** the pros and cons ♦ **ser do contra** to disagree with everything
contra-almirante *n2g* rear admiral
contra-atacar *v* to counterattack
contra-ataque *nm* counterattack
contrabaixista *n2g* double bass player
contrabaixo *nm* (instrumento) double bass
contrabalançar *v* to counterbalance
contrabandear *v* to smuggle; to contraband
contrabandista *n2g* smuggler
contrabando *nm* **1** (atividade) smuggling; **fazer contrabando** to smuggle **2** (bens) contraband
contração[AO] *nf* contraction
contracção *a nova grafia é* **contração**[AO]
contraceção[AO] *nf* contraception
contracenar *v* to star (com, opposite)
contracepção *a nova grafia é* **contraceção**[AO]
contraceptivo *a nova grafia é* **contracetivo**[AO]
contracetivo[AO] *adj,nm* contraceptive
contracorrente *nf* cross-current
contracurva *nf* reverse curve
contradição *nf* contradiction; **cair em contradição** to contradict oneself
contraditório *adj* contradictory
contradizer *v* to contradict ▪ **contradizer-se** to contradict oneself
contraespionagem[AO] *nf* counter-espionage
contra-espionagem *a nova grafia é* **contraespionagem**[AO]
contrafação[AO] *nf* counterfeit
contrafacção *a nova grafia é* **contrafação**[AO]
contrafeito *adj* **1** *(falso)* counterfeited **2** *(contrariado)* unwilling **3** *(forçado)* forced
contraindicação[AO] *nf* contraindication
contra-indicação *a nova grafia é* **contraindicação**[AO]
contraindicado[AO] *adj* contraindicated
contra-indicado *a nova grafia é* **contraindicado**[AO]
contraindicar[AO] *v* to contraindicate
contra-indicar *a nova grafia é* **contraindicar**[AO]
contrair(-se) *v* to contract
contralto *nm,n2g* contralto
contraluz *nf* backlighting
contramão *nf* wrong side; **seguir em contramão** to drive on the wrong side of the road
contramedida *nf* countermeasure
contraofensiva[AO] *nf* counter-offensive
contra-ofensiva *a nova grafia é* **contraofensiva**[AO]
contraordem[AO] *nf* counter order
contra-ordem *a nova grafia é* **contraordem**[AO]
contraordenação[AO] *nf* offence GB, offense EUA
contra-ordenação *a nova grafia é* **contraordenação**[AO]
contrapartida *nf* counterpart; compensation ♦ **em contrapartida** on the other hand
contrapeso *nm* **1** (objeto) counterweight **2** *fig* counterbalance (a, to)
contraplacado *nm* plywood
contraponto *nm* counterpoint
contrapor *v* **1** *(contrastar)* to contrast (a/com, with) **2** *(contrariar)* to oppose **3** *(argumentar)* to argue
contraproducente *adj2g* counterproductive
contraproposta *nf* counter-proposal
contrariamente *adv* contrary (a, to)
contrariar *v* **1** to contradict; to dispute; **contrariar uma ideia** to contradict an idea **2** *(arreliar)* to annoy; to antagonize; **estar contrariado** to be annoyed
contrariedade *nf* **1** *(dificuldade)* difficulty; *(contratempo)* mishap **2** *(incómodo)* annoyance
contrário *adj* **1** opposite; **em sentido contrário** in the opposite direction **2** (equipa, lado, perspetiva) opposing **3** *(contra)* opposed (a, to) ▪ *nm (oposto)* opposite ♦ **caso contrário** otherwise; **muito pelo contrário** quite the opposite; **pelo contrário** on the contrary
contra-senha *a nova grafia é* **contrassenha**[AO]
contra-senso *a nova grafia é* **contrassenso**[AO]
contrassenha[AO] *nf* countersign
contrassenso[AO] *nm* nonsense
contrastante *adj2g* contrasting
contrastar *v* to contrast (com, with)
contraste *nm* **1** contrast **2** (joia) hallmark
contratação *nf* **1** (emprego) hiring **2** (jogador, artista) signing
contratado *adj* **1** (emprego) employed on contract; **professores contratados** teachers on contract **2** (para um serviço) hired; **assassino contratado** hired assassin
contratar *v* **1** (empregado, trabalhador) to hire; (jogador, artista) to sign **2** (empresa, serviço) to contract **3** *(acordar)* to settle
contratempo *nm* setback; mishap
contrato *nm* contract

contratorpedeiro *nm* destroyer
contratual *adj2g* contractual
contravenção *nf* DIR contravention
contraveneno *nm* counterpoison
contribuição *nf* **1** contribution **2** (imposto) tax
contribuinte *n2g* taxpayer; **cartão de contribuinte** taxpayer card
contribuir *v* to contribute (para, to)
contributo *nm* contribution
contrição *nf* contrition
controlador *nm* (profissão) controller; **controlador aéreo** air-traffic controller
controlar *v* **1** to control **2** *(vigiar)* to check ▪ **controlar-se** to control oneself
controlo *nm* control ♦ **controlo à distância** remote control
controvérsia *nf* controversy
controverso *adj* controversial
contudo *conj > adv*[DT] nevertheless; however
contundente *adj2g* **1** (objeto) blunt **2** *(agressivo)* harsh
contundir *v* to contuse; to bruise
conturbado *adj* troubled
conturbar *v* **1** *(agitar)* to trouble; to agitate **2** *(perturbar)* to disturb; to upset
contusão *nf* contusion
convalescença *nf* convalescence
convalescente *adj,n2g* convalescent
convalescer *v* to convalesce
convenção *nf* **1** convention **2** *(acordo)* agreement
convencer *v* to convince, to persuade ▪ **convencer-se** to convince oneself
convencido *adj* **1** *(convicto)* convinced **2** *col (pretensioso)* conceited; big-headed ▪ *nm* bighead; **és um convencido!** you're such a big-head!
convencimento *nm* **1** *(convicção)* conviction **2** *(persuasão)* persuasion
convencional *adj2g* conventional
convencionalismo *nm* conventionalism
convencionar *v (estipular)* to stipulate
conveniência *nf* **1** convenience; **loja de conveniência** convenience store **2** *(vantagem)* advantage
conveniente *adj2g* **1** *(próprio)* fit; suitable **2** *(útil)* handy **3** *(vantajoso)* convenient
convénio *nm* agreement
convento *nm* convent
conventual *adj2g* conventual
convergência *nf* convergence
convergente *adj2g* convergent
convergir *v* to converge
conversa *nf* **1** conversation; talk; **estar na conversa** to be chatting away **2** *(intrujice)* rubbish
conversação *nf* **1** conversation **2** *(negociação)* talk
conversador *nm* communicator ▪ *adj* talkative
conversão *nf* conversion
conversar *v* to talk (com, to/with; sobre, about)
conversor *nm* converter
converter *v* to convert (em, into) ▪ **converter-se** to be converted (a, to)
convés *nm* deck
convexo *adj* convex
convicção *nf* conviction
convicto *adj* **1** convinced **2** *(certo)* sure; certain
convidado *nm* guest ▪ *adj* invited (para, to)
convidar *v* **1** (para evento) to invite (para, to) **2** *(solicitar)* to ask (a, to)
convidativo *adj* inviting
convincente *adj2g* convincing
convir *v* **1** *(ser conveniente)* to suit (a, -) **2** to be worth; **convém referir que...** it's worth mentioning that... **3** *(concordar)* to agree; **convenhamos que** let us agree that
convite *nm* **1** invitation (para, to); **aceitar um convite** to accept an invitation **2** (cartão) invitation card
convivência *nf* **1** *(coexistência)* coexistence **2** *(familiaridade)* familiarity **3** (contacto) regular contact
conviver *v* to socialize; to get together
convívio *nm* **1** *(reunião)* get-together; gathering **2** (contacto) regular contact
convocação *nf* **1** (eleições, greve) call (de, for) **2** (reunião) convening (de, of) **3** (jogador) call-up GB
convocar *v* **1** (eleições, greve) to call **2** (reunião) to convene **3** (em tribunal) to summon **4** (jogador) to call up GB
convocatória *nf* **1** notification **2** *(chamada)* summons **3** (greve) call
convosco *pron pess* with you; **isso é convosco** that's up to you
convulsão *nf* convulsion
convulsivo *adj* convulsive
cooperação *nf* cooperation

cooperante *adj2g* cooperative
cooperar *v* to cooperate (com, with)
cooperativa *nf* cooperative
cooperativo *adj* cooperative
coordenação *nf* **1** coordination **2** *(orientação)* direction; management
coordenada *nf* coordinate
coordenado *adj* **1** coordinated **2** (gramática) coordinate
coordenador *nm (organizador)* coordinator; organizer
coordenar *v* **1** (movimentos, esforços) to coordinate **2** *(orientar)* to manage
copa *nf* **1** (cozinha) pantry **2** (árvore) top **3** (soutien) cup **4** *pl* (jogo de cartas) hearts
coparticipação[AO] *nf* co-participation
co-participação *a nova grafia é* **coparticipação**[AO]
cópia *nf* copy; **cópia de segurança** backup; **fazer uma cópia** to make a copy
copianço *nm* **1** *col* (escola) cheating **2** *col (cábula)* crib
copiar *v* **1** to copy **2** (num teste) to cheat
copiloto[AO] *n2g* **1** (avião) co-pilot **2** (automóvel) co-driver
co-piloto *a nova grafia é* **copiloto**[AO]
copioso *adj* copious; abundant
copista *n2g* copyist
copo *nm* **1** glass **2** *col* (bebida) drink; **vamos beber um copo!** let's have a drink!
copo-d'água *nm* wedding reception
coproprietário[AO] *nm* co-owner; joint owner
co-proprietário *a nova grafia é* **coproprietário**[AO]
cópula *nf* copulation
copular *v* to copulate (com, with)
copulativo *adj* (verbo) linking
coqueiro *nm* coconut palm
coqueluche *nf* **1** *(moda)* fad **2** (pessoa) star
cor[1] /ó/ *nm* **de cor** (off) by heart
cor[2] /ô/ *nf* colourGB, colorEUA; **a cores** in colour
coração *nm* heart ♦ **de partir o coração** heartbreaking; **do fundo do coração** straight from the heart
corado *adj* **1** *(rosado)* rosy **2** (com vergonha) red
coragem *nf* courage; guts *col*
corajoso *adj* courageous; brave
coral *nm* **1** (animal, substância) coral **2** *(grupo de cantores)* choral society ▪ *adj2g* choral
corante *nm* **1** (alimentar) colouringGB, coloringEUA; **sem corantes nem conservantes** no artificial colours or preservatives **2** (para tecido, madeira) stain
corar *v* **1** (face) to blush; to flush **2** (roupa) to bleach
corça *nf* row deer, doe
corço *nm* roebuck; roe deer
corcunda *nf* (curvatura) hump ▪ *n2g* (pessoa) hunchback
corda *nf* **1** rope; **corda para saltar** skipping rope **2** (para roupa) line **3** MÚS string **4** (mecanismo) clockwork, spring ♦ **cordas vocais** vocal cords; **estar com a corda na garganta** to have one's back to the wall
cordão *nm* **1** (calçado) lace, shoelace; **apertar os cordões** to tie one's laces **2** *(fio, corda)* cord **3** (joia) chain ♦ **cordão umbilical** umbilical cord; **abrir os cordões à bolsa** to loosen the purse strings
cordeiro *nm* lamb
cordel *nm* string
cor-de-laranja *a nova grafia é* **cor de laranja**[AO]
cor de laranja[AO] *adj inv,nm* (cor) orange
cordelinhos *nmpl* **mexer os cordelinhos** to pull strings
cor-de-rosa *adj inv,nm* (cor) pink ♦ **sonhos cor-de-rosa!** sweet dreams!
cor de tijolo *adj inv,nm* brick red
cor de vinho *adj inv,nm* wine red; burgundy
cordial *adj2g (amistoso)* cordial; friendly
cordialidade *nf* cordiality
cordilheira *nf* mountain range
coreano *adj,nm* Korean
Coreia *nf* Korea
Coreia do Norte *nf* North Korea
Coreia do Sul *nf* South Korea
coreografar *v* to choreograph
coreografia *nf* choreography
coreográfico *adj* choreographic
coreógrafo *nm* choreographer
coreto *nm* bandstand
corfebol *nm* DESP korfball
corinto *nm* currant
corista *n2g* (coro) chorister ▪ *nf* chorus girl
corja *nf* **1** *(patifes)* bunch of crooks **2** *(bando)* bunch (de, of)
cornada *nf* thrust with the horns
córnea *nf* cornea
corneta *nf* (instrumento) cornet; (no exército) bugle
cornetim *nm* cornet

cornflakes *nmpl* cornflakes
cornija *nf* cornice
corno *nm* **1** horn **2** (caracol) tentacle; antenna
cornucópia *nf* cornucopia
cornudo *adj* (boi, veado) horned
coro *nm* **1** (igreja, escola) choir **2** chorus; **dizer em coro** to say in chorus
coroa *nf* **1** crown **2** (flores) wreath **3** (moeda) tails; **cara ou coroa?** heads or tails? **4** (dente) crown
coroação *nf* coronation
coroar *v* to crown
coronário *adj* coronary
coronel *nm* colonel
coronha *nf* butt
corpete *nm* bodice
corpo *nm* **1** body **2** *(pessoal)* staff **3** *(consistência)* body; consistency **4** *(parte principal)* main body ♦ **corpo diplomático** diplomatic corps; **de corpo e alma** heart and soul
corporação *nf* corporation
corporal *adj2g* body
corporativismo *nm* corporatism
corporativo *adj* corporate
corpóreo *adj2g* corporeal
corpulência *nf* heftiness; (de pessoa) hefty build
corpulento *adj* hefty
corpus *nm* corpus
corpúsculo *nm* corpuscle
correçãoAO *nf* **1** correction **2** *(precisão)* accuracy; precision **3** *(retidão)* correctness **4** (de teste) markingGB; gradingEUA
correcção *a nova grafia é* **correção**AO
correctivo *a nova grafia é* **corretivo**AO
correcto *a nova grafia é* **correto**AO
corrector *a nova grafia é* **corretor**1AO
corredor *nm* **1** corridor; (mais amplo) hallway **2** (comboio) corridor; (avião) aisle **3** (na estrada) lane **4** runner; **corredor da maratona** marathon runner **5** (automóveis) racer
correia *nf* **1** strap **2** (máquina) belt **3** (bicicleta) chain
correio *nm* **1** mail; postGB; **na volta do correio** by return of post **2** (de droga) courier **3** *pl* (edifício) post office ♦ **correio aéreo** airmail; **correio azul** first-class mailGB; express mailEUA; **correio eletrónico** e-mail, email
correlação *nf* correlation
correlacionar *v* to correlate
correlativo *adj,nm* correlative
corrente *nf* **1** (água, eletricidade) current **2** *(correia)* chain **3** *(tendência)* tendency ▪ *adj2g* **1** *(normal)* common; usual **2** *(atual)* current; present **3** *(sem parar)* running ▪ *nm* **1** *(costume)* common practice **2** (mês) this month ♦ **corrente de ar** draughtGB, draftEUA; **corrente sanguínea** bloodstream; **estar ao corrente da situação** to know what is going on
correr *v* **1** to run **2** *(apressar-se)* to hurry; to rush **3** (líquido) to flow **4** (tempo) to go by **5** (risco, perigo) to take **6** *(passar-se)* to go; **como é que correu?** how did it go? **7** (cortinas) to draw **8** *(expulsar)* to kick out **9** (programa) to run **10** DESP to race
correria *nf* rush
correspondência *nf* correspondence
correspondente *adj2g* corresponding (a, to) ▪ *n2g* **1** (jornalista) correspondent **2** *col* (cartas) penfriend
corresponder *v* **1** *(equivaler)* to correspond (a, to) **2** (a desafio, exigência) to meet (a, -); (a descrição) to match (a, -) **3** *(retribuir)* to return (a, -); **amor não correspondido** unrequited love ▪ **corresponder-se** (cartas) to exchange letters (com, with)
corretagem *nf* brokerage
corretivoAO *adj* corrective ▪ *nm (castigo)* punishment
corretoAO *adj* correct
corretor1AO *nm* **1** (teste) markerGB; graderEUA **2** (tinta) correction fluid; Tipp-Ex
corretor2 *nm* broker
corrida *nf* **1** (competição) race **2** (pressa) run; **numa corrida** at a run **3** (táxi) ride **4** *(repreensão)* telling-off; **levar uma corrida** to get a talking-to ♦ **corrida de touros** bullfight
corrigir *v* **1** to correct **2** (teste) to markGB, to gradeEUA **3** (injustiça) to redress ▪ **corrigir-se** to mend one's ways
corrimão *nm* (escada) banister, handrail
corrimento *nm* discharge
corriqueiro *adj* common, ordinary
corroboração *nf* corroboration
corroborar *v* to corroborate
corroer(-se) *v* to corrode
corromper *v* **1** to corrupt **2** *(subornar)* to bribe ▪ **corromper-se** to become corrupted
corrosão *nf* corrosion
corrosivo *adj,nm* corrosive

corrupção *nf* corruption
corrupio *nm col* hustle and bustle
corrupto *adj* corrupt
corsário *nm* **1** corsair **2** *pl* (calças) capri pants, capris
cortadela *nf col* cut
corta-mato *nm* (desporto) cross-country running; (corrida) cross-country race
cortante *adj2g* **1** (objeto) sharp **2** (vento) cutting
corta-papéis *nm* paper knife
cortar *v* **1** to cut **2** (relva) to cut; (com máquina) to mow **3** (lenha) to chop (up) **4** (golpe profundo) to slash; to slit **5** (água, luz, comunicações) to cut off **6** (rua, estrada) to close **7** (efeito, sabor) to offset **8** INFORM to cut ■ **cortar-se 1** *(golpear-se)* to cut oneself **2** *col (não aparecer)* not to show up ♦ **cortar com** *(terminar a ligação com)* to break with; **cortar em 1** *(diminuir)* to cut **2** *(usar com moderação)* to cut down on
corta-unhas *nm* nail clippers
corte[1] /ó/ *nm* **1** cut; **corte de energia** power cut; **fiz um corte no dedo** I've cut my finger **2** (de cabelo) haircut **3** (roupa) cut ■ *nf (curral)* stable
corte[2] /ô/ *nf* **1** (monarca) court **2** *(namoro)* courtship; **fazer a corte a** to court, to woo **3** *pl (assembleia)* assembly; parliament
cortejar *v (fazer a corte)* to court, to woo
cortejo *nm* procession; (festivo) parade
cortês *adj* courteous, polite
cortesã *nf (dama da corte)* courtier
cortesão *nm* courtier ■ *adj* courtly
cortesia *nf* courtesy; **por cortesia** out of courtesy
córtex *nm* cortex
cortiça *nf* cork
cortiço *nm* (abelhas) beehive
cortina *nf* curtain; **correr as cortinas** to draw the curtains
cortinado *nm* curtains, drapes
cortisona *nf* cortisone
coruja *nf* owl
corujão *nm* eagle owl
corveta *nf* corvette
corvo *nm* crow, raven
cós *nm2n* waistband
coscuvilhar *v col* to gossip
coscuvilheiro *nm* gossip; busybody ■ *adj* nosy
coscuvilhice *nf* gossip
co-seno *a nova grafia é* **cosseno**[AO]
coser *v* to sew, to stitch; **coser um botão** to sew a button
cosmética *nf* cosmetics
cosmético *adj,nm* cosmetic
cósmico *adj* cosmic
cosmologia *nf* cosmology
cosmonauta *n2g* cosmonaut, astronaut
cosmopolita *adj2g* cosmopolitan
cosmos *nm2n* cosmos
cosseno[AO] *nm* cosine
costa *nf* **1** coast, shore **2** *pl* back; **deitar-se de costas** to lie on one's back; **dor de costas** backache **3** *pl* (natação) backstroke ♦ **apunhalar alguém pelas costas** to stab someone in the back; **ter as costas quentes** to have friends in high places
Costa do Marfim *nf* Ivory Coast
Costa Rica *nf* Costa Rica
costa-riquenho *adj,nm* Costa Rican
costeiro *adj* coastal
costela *nf* rib; **costelas flutuantes** floating ribs
costeleta *nf* (porco) chop
costumar *v* **1** (no presente) **eu costumo vir aqui** I usually come here **2** (no passado) **eu costumava vir aqui** I used to come here; **costumavas vir aqui?** did you use to come here? ♦ **como se costuma dizer** as they say
costume *nm* **1** habit; **perder o costume de** to kick the habit of **2** (povo, país) custom **3** *(habitual)* usual; **como de costume** as usual; **vou querer o costume** I'll have the usual

Não confundir a palavra portuguesa **costume** com a palavra inglesa **costume,** que significa traje.

costura *nf* **1** (atividade) sewing; **máquina de costura** sewing machine **2** (peça de roupa) seam; **sem costura** seamless
costurar *v* to sew
costureira *nf* seamstress; *(modista)* dressmaker
costureiro *nm* **1** (alta-costura) couturier; fashion designer **2** (que confeciona) dressmaker
cota *nf* **1** *(parte)* share; portion **2** (limite) quota **3** (clube, associação, etc.) membership fee ■ *n2g col* old person

cotação *nf* **1** (ações) price; (moeda) value **2** *(ato de cotar)* quotation **3** (teste, exame) marks; **cotação máxima** full marks
cotangente[AO] *nf* cotangent
co-tangente *a nova grafia é* **cotangente**[AO]
cotão *nm* fluff
cota-parte *nf* share
cotar *v* **1** (ações) to quote **2** *(avaliar)* to assess
coto *nm* stump
cotonete *nf* cotton bud GB, cotton swab EUA
cotovelada *nf* **1** (para abrir caminho) shove **2** (para chamar a atenção) nudge
cotoveleira *nf* **1** DESP elbow pad **2** (camisola, casaco) elbow patch
cotovelo *nm* elbow ♦ **dor de cotovelo** jealousy, envy; **falar pelos cotovelos** to talk nineteen to the dozen
cotovia *nf* lark
couraça *nf* cuirass
couro *nm* **1** leather; **blusão de couro** leather jacket **2** (animal) hide **3** *col* (em situação difícil) neck; **salvar o couro a alguém** to save somebody's neck
court *nm* DESP court; **court de ténis** tennis court
couve *nf* cabbage
couve-de-bruxelas *nf* Brussels sprout
couve-flor *nf* cauliflower
couve-lombarda *nf* Savoy cabbage
couve-roxa *nf* red cabbage
couvert *nf (aperitivos)* starters GB; entrées GB
cova *nf* **1** (buraco) hole **2** *(sepultura)* grave
covarde *adj,n2g* ⇒ **cobarde**
covardia *nf* ⇒ **covardia**
coveiro *nm* gravedigger
covil *nm* den, lair
covinha *nf* (queixo, face) dimple
cowboy ou **cobói** *nm* cowboy
coxa *nf* **1** thigh **2** CUL leg; **coxa de frango** chicken leg
coxear *v* to limp, to hobble
coxia *nf* aisle
coxo *adj* lame ▪ *nm* lame person
cozedura *nf* cooking, boiling; (forno) baking
cozer *v* **1** (em água) to boil **2** (no forno) to bake
cozido *adj* (em água) boiled; (no forno) baked; **ovo cozido** hard-boiled egg ▪ *nm* CUL stew
cozinha *nf* **1** kitchen **2** (gastronomia) cookery, cuisine
cozinhado *nm (prato)* dish
cozinhar *v* to cook
cozinheiro *nm* cook
CPU *nm* INFORM [*abrev. de* central processing unit]
crachá *nm* badge
craniano *adj* cranial; **traumatismo craniano** concussion
crânio *nm* **1** skull; cranium **2** *(pessoa inteligente)* genius; brain
crápula *n2g col* crook, swindler
craque *n2g* ace
crasso *adj* (erro) huge, serious; (ignorância) crass
cratera *nf* crater
crava *n2g col* cadger
cravanço *nm col* cadging
cravar *v* **1** to drive (em, into); to stick (em, in) **2** (unhas, garras) to dig (em, into); (dentes) to sink (em, into) **3** (olhos) to fix (em, on) **4** (pedras preciosas) to set **5** *col* (dinheiro, tabaco) to cadge (a, from/off)
craveira *nf* **1** *(medida)* measure **2** (reputação) repute
cravelha *nf* MÚS tuning peg
cravinho *nm* clove
cravo *nm* **1** (flor) carnation **2** (na pele) wart **3** (instrumento) harpsichord
cravo-da-índia *nm* clove
crawl *nm* DESP crawl; **nadar crawl** to do the crawl
creche *nf* day nursery GB; day care center EUA
credenciado *adj* accredited
credencial *nf* **1** document; certificate **2** *pl* credentials
credibilidade *nf* credibility
creditar *v* to credit (em, to)
crédito *nm* **1** credit; **cartão de crédito** credit card **2** *(empréstimo)* loan; **crédito à habitação** home loan **3** *(credibilidade)* credibility
credível *adj2g* credible, believable
credo *nm* creed ▪ *interj* (surpresa) heavens!, good heavens!
credor *nm* creditor ▪ *adj* worthy, deserving
credulidade *nf* credulity, gullibility
crédulo *adj* credulous
cremação *nf* cremation
cremar *v* to cremate
crematório *nm* crematorium
creme *nm* **1** cream; **creme hidratante** moisturizing cream **2** *(sopa)* soup **3** *(leite-creme)* crème brûlée ▪ *adj inv,nm* (cor) cream

cremoso *adj* creamy
crença *nf (convicção)* belief
crendice *nf* superstition
crente *n2g* believer ▪ *adj2g* **1** *(religioso)* religious **2** *(convicto)* confident **3** *(ingénuo)* naive
crepe *nf* (tecido, panqueca) crepe
crepitar *v* (fogo) to crackle
crepuscular *adj2g* twilight
crepúsculo *nm* (da tarde) twilight; (da manhã) dawn
crer *v* **1** *(acreditar)* to believe (em, -); **não posso crer!** I can't believe it! **2** (fé, confiança) to believe (em, in); **crer em Deus** to believe in God **3** *(julgar)* to think; **creio que sim** I think so ♦ *col* **podes crer!** you bet!
crescendo *nm* crescendo
crescente *adj2g* increasing, growing ▪ *nm* (fase da Lua) crescent
crescer *v* **1** to grow; **crescer dois centímetros** to grow two centimetres; **deixar crescer a barba** to grow a beard **2** (até à idade adulta) to grow up
crescido *adj* **1** (pessoa) grown-up, grown **2** *(velho)* old; **ser demasiado crescido para brincar** to be too old to play
crescimento *nm* growth
crespo *adj* **1** (cabelo) frizzy **2** (mar) choppy **3** *(áspero)* rough
cretino *nm* idiot, moron ▪ *adj* cretinous, moronic
cria *nf* baby; (cão, foca) pup; (gato, coelho) kitten; (leão, tigre, etc.) cub; (ave) chick; **alimentar as crias** to feed its young
criação *nf* **1** creation **2** (animais) breeding
criadagem *nf* servants
criado *nm* servant
criador *nm* **1** creator **2** (animais) breeder ▪ *adj* creative
criança *nf* child; kid ▪ *adj2g* childish
criançada *nf* children, kids
criancice *nf* childishness
criar *v* **1** to create; to make **2** (crianças, filhos) to bring up **3** (plantas) to grow **4** (animais) to breed
criatividade *nf* creativity
criativo *adj,nm* creative
criatura *nf* creature
crime *nm* crime; **arma do crime** murder weapon; **cometer um crime** to commit a crime
criminal *adj2g* criminal
criminalidade *nf* crime
criminalizar *v* to criminalize
criminologia *nf* criminology
criminologista *n2g* criminologist
criminoso *adj,nm* criminal
crina *nf* mane
crioulo *adj,nm* Creole
cripta *nf* crypt
crípton *nm* krypton
críquete *nm* cricket
crisálida *nf* chrysalis
crisântemo *nm* chrysanthemum
crise *nf* **1** crisis; **estar em crise** to be in crisis **2** attack; **uma crise de pânico** a panic attack
crisma *n2g* (sacramento) confirmation
crismar *v* REL to confirm
crispação *nf (conflito)* friction, tension
crista *nf* crest; (galo) comb
cristal *nm* crystal
cristaleira *nf* display cabinet
cristalino *adj* crystal clear ▪ *nm* (olho) crystalline lens
cristalizado *adj* crystallized
cristalizar(-se) *v* to crystallize
cristandade *nf* **1** (povos) Christendom **2** (qualidade) Christianity
cristão *adj,nm* REL Christian
cristianismo *nm* Christianity
Cristo *nm* Christ
critério *nm* **1** *(norma)* criterion **2** *(juízo)* judgement, discretion
criterioso *adj* **1** *(sensato)* sensible **2** *(rigoroso)* rigorous
crítica *nf* **1** *(censura)* criticism **2** (livro, espetáculo) review **3** (pessoas) critics
criticar *v* **1** to criticize **2** (filme, obra) to review
crítico *nm* critic ▪ *adj* critical
crivar *v* **1** *(peneirar)* to sift **2** (balas) to riddle (de, with)
crível *adj2g* believable
crivo *nm (peneira)* sieve
Croácia *nf* Croatia
croata *adj,n2g* Croat
crocante *adj2g* crunchy, crisp
croché *nm* crochet; **agulha de croché** crochet hook
crocodilo *nm* crocodile
croissant *nm* croissant
cromado *adj* chrome; chromium-plated
cromar *v* to plate with chromium

cromático *adj* MÚS chromatic
crómio *nm* chromium
cromo *nm* **1** (autocolante) sticker; (não autocolante) picture card **2** *col* (pessoa) character
cromossoma *nm* chromosome
crónica *nf* **1** (jornal, revista) column **2** (história, narrativa) chronicle
crónico *adj* chronic
cronista *n2g* **1** (jornal, revista) columnist **2** *(historiador)* chronicler
cronologia *nf* chronology
cronológico *adj* chronological
cronometragem *nf* timekeeping
cronometrar *v* to time
cronómetro *nm* stopwatch, chronometer
croquete *nm* croquette
croqui *nm* sketch
crosta *nf* **1** crust; **crosta terrestre** the earth's crust **2** (ferida) scab
croupier *nm* croupier
cru *adj* **1** *(por cozinhar)* raw **2** *(mal cozinhado)* underdone **3** (cor) natural **4** *(inexperiente)* inexperienced
crucial *adj2g (decisivo)* crucial
crucificação *nf* crucifixion
crucificar *v* to crucify
crucifixo *nm* crucifix
crude *nm* crude oil
cruel *adj2g* cruel
crueldade *nf* cruelty
crustáceo *nm* crustacean
cruz *nf* cross
cruzada *nf* crusade
cruzado *adj* crossed; **de braços cruzados** with one's arms folded; **de pernas cruzadas** with one's legs crossed ▪ *nm* HIST crusader
cruzamento *nm* **1** (estrada) crossroads **2** (animais, plantas) cross
cruzar *v* to cross ▪ **cruzar-se 1** *(encontrar-se)* to meet (com, -) **2** (ruas, caminhos) to cross
cruzeiro *nm* **1** (viagem) cruise **2** (navio) cruiser
cruzeta *nf (cabide)* coat hanger
Cruz Vermelha *nf* Red Cross
cu *nm cal* arse GB; ass EUA
cuba *nf* vat, reservoir
Cuba *nf* Cuba
cubano *adj,nm* Cuban
cúbico *adj* cubic ◆ **raiz cúbica** cube root
cubículo *nm* cubicle
cubismo *nm* cubism
cubista *adj,n2g* cubist
cúbito *nm* ulna
cubo *nm* **1** cube; **cubo de gelo** ice cube; **três ao cubo** three cubed **2** (brinquedo) brick
cuco *nm* cuckoo
cuecas *nfpl* **1** (de homem) underpants **2** (de mulher) knickers GB, panties EUA
cuidado *nm* care; **tem cuidado!** be careful!; **cuidado com o cão** beware of the dog ▪ *adj* **1** careful **2** (aspeto) neat ◆ **cuidado! 1** (perigo iminente) look out! **2** (conselho) be careful!; **todo o cuidado é pouco** you can't be too careful
cuidadoso *adj* careful (com, with)
cuidar *v* to take care (de, of), to look after (de, -) ▪ **cuidar-se** (aparência) to look after oneself
cujo *pron rel > det rel*[DT] whose
culatra *nf* breech
culinária *nf* cookery
culinário *adj* culinary
culminante *adj2g* highest
culminar *v* to culminate
culpa *nf* **1** *(responsabilidade)* fault, blame **2** *(sentimento)* guilt ◆ **por culpa de** because of
culpabilidade *nf* culpability, guilt
culpabilizar *v* to blame (de/por, for) ▪ **culpabilizar-se** to blame oneself (de/por, for)
culpado *adj* guilty (de, of); **declarar-se culpado** to plead guilty ▪ *nm* (delito) culprit; (situação) person to blame
culpar *v* to blame (de, of) ▪ **culpar-se** to blame oneself (de/por, for)
cultivar *v* **1** (legumes, cereais) to grow; (terreno, campo) to cultivate **2** (relação, sentimento) to nurture ▪ **cultivar-se** *(instruir-se)* to improve oneself
cultivável *adj2g* cultivable
cultivo *nm* (terra) cultivation; (plantas, fruta) growing
culto *adj* (instruído) educated, cultured ▪ *nm (veneração)* cult, worship
cultura *nf* **1** culture; **cultura geral** general knowledge **2** (produto cultivado) crop
cultural *adj2g* cultural; **centro cultural** arts centre
culturismo *nm* body-building
culturista *n2g* body-builder
cume *nm* top, peak

cúmplice *n2g* accomplice ▪ *adj2g* (olhar, sorriso) knowing
cumplicidade *nf* **1** (num crime) complicity **2** (numa relação) intimacy
cumpridor *adj* dutiful, diligent
cumprimentar *v* **1** *(saudar)* to greet **2** *(felicitar)* to congratulate
cumprimento *nm* **1** execution; fulfilment **2** (lei, regra) compliance **3** *(saudação)* greeting **4** *(elogio)* compliment **5** *(estima)* regard; **eles mandam cumprimentos** they send their regards
cumprir *v* **1** (lei, ordem) to carry out; **fazer cumprir** to enforce **2** (promessa) to keep **3** *(desempenhar)* to fulfil **4** (pena, serviço militar) to serve **5** (requisito) to fulfil; (prazo) to meet ▪ **cumprir-se** *(realizar-se)* to come true
cumular *v (encher)* to shower (de, with)
cúmulo *nm* height ♦ **para cúmulo** to top it all
cunha *nf* **1** (objeto) wedge **2** (contactos) connections ♦ **à cunha** crowded
cunhada *nf* sister-in-law
cunhado *nm* brother-in-law
cunhar *v* **1** (moedas) to mint **2** (expressão, palavras) to coin
cunho *nm* **1** (moedas) coin die **2** *(marca)* mark; *(carácter)* nature
cupão *nm* coupon
cúpula *nf* dome
cura *nf* **1** cure (para/de, for) **2** *(tratamento)* treatment ▪ *nm* priest
curandeiro *nm* **1** folk healer **2** *pej (charlatão)* quack (doctor)
curar *v* to cure (de, from) ▪ **curar-se** *(restabelecer-se)* to recover (de, from)
curativo *adj* healing ▪ *nm* (ferida) dressing
curdo *nm* Kurd
curgete *nf* courgette GB; zucchini EUA
cúria *nf* curia
cúrio *nm* curium
curiosidade *nf* **1** curiosity **2** (informação) interesting fact
curioso *nm* **1** *(pessoa curiosa)* curious person **2** *(observador)* onlooker **3** *(bisbilhoteiro)* busybody ▪ *adj* **1** curious, eager **2** *(bisbilhoteiro)* curious; nosy **3** *(interessante)* interesting
curral *nm* pen
currículo *nm* **1** (documento) curriculum vitae *form*, CV **2** *(plano de estudos)* curriculum **3** (experiência) record
curso *nm* **1** course; **curso de verão** summer course **2** *(licenciatura)* degree **3** *(distância)* distance
cursor *nm* cursor
curta-metragem *nf* CIN short film
curtir *v* **1** (couro, peles) to tan **2** *col (gostar)* to dig, to enjoy
curto *adj* short; **cabelo curto** short hair
curto-circuito *nm* short circuit
curtume *nm* tanning
curva *nf* **1** curve **2** (estrada, rio) bend ♦ *col* **vai dar uma curva!** get lost!
curvar(-se) *v* to bend
curvatura *nf* curvature
curvilíneo *adj* **1** curvilinear **2** (corpo) curvaceous
curvo *adj* curved
cusca *n2g col* gossip; *(bisbilhoteiro)* busybody
cuscuz *nm* couscous
cuspir *v* to spit
cuspo *nm* spit
custa *nf* cost; **custas judiciais** legal costs ♦ **à(s) custa(s) de 1** at the expense of **2** *(através de)* through
custar *v* **1** to cost; **quanto custa?** how much does it cost? **2** *(ser difícil)* to be difficult; **custa a crer!** it is hard to believe! ♦ **custe o que custar** at all costs
custear *v* to pay for
custo *nm* cost; **custo de vida** cost of living ♦ **a todo o custo** at all cost
custódia *nf* custody; **pôr sob a custódia de** to place in the custody of
custoso *adj* **1** *(difícil)* difficult, hard **2** *(caro)* costly
cutâneo *adj* cutaneous
cutelo *nm* cleaver
cutícula *nf* cuticle
cútis *nf* cutis, skin
cuvete *nf* ice cube tray
czar *nm* tsar
czarina *nf* tsarina

D

d *nm* (letra) d
dactilografar[AO] *a grafia preferível é* **datilografar**[AO]
dactilografia[AO] *a grafia preferível é* **datilografia**[AO]
dactilógrafo[AO] *a grafia preferível é* **datilógrafo**[AO]
dádiva *nf (oferta, dom)* gift
dado *adj* **1** *(oferecido, determinado)* given **2** *(sociável)* sociable **3** *(propenso)* prone (a, to) ▪ *nm* **1** (jogo) die; **jogar aos dados** to play dice **2** (informação) piece of information; fact **3** INFORM datum; **base de dados** database ◆ **dado que** considering that
dador *nm* donor
dália *nf* dahlia
dálmata *nm* (cão) Dalmatian
daltónico *adj* colour-blindGB, color-blindEUA
daltonismo *nm* colour-blindnessGB, color-blindnessEUA
dama *nf* **1** (senhora) lady **2** (xadrez, cartas) queen **3** *pl* (jogo) draughtsGB; checkersEUA ◆ **dama de honor** bridesmaid
damasco *nm* **1** (fruto) apricot **2** (tecido) damask
damasqueiro *nm* apricot tree
danado *adj* **1** *(zangado)* angry, furious **2** *(mau)* wicked **3** *(malandro)* naughty
dança *nf* dance; **dança folclórica** folk dance
dançar *v* **1** to dance; **dançar o tango** to tango **2** *fig (ser largo)* to be loose
dançarino *nm* dancer
dândi *nm* dandy
danificar *v* **1** to damage, to spoil **2** (ficheiro, documento) to corrupt
dano *nm* **1** damage; **danos e prejuízos** damages **2** (pessoa) harm; **causar dano a** to harm
dantes *adv* formerly; before
dar *v* **1** to give; **dar algo a alguém** to give somebody something, to give something to somebody; **dar um concerto** to give a concert; **dar um suspiro** to give a sigh, to sigh **2** *(provocar)* to cause; to make **3** *(pagar)* to pay; **dei 15 euros pelo CD** I've paid 15 euros for the CD **4** (cartas) to deal **5** (aula) to teach; (matéria) to do **6** (relógio) to chime **7** (árvore) to produce; **dar fruto(s)** to bear fruit **8** *(ser transmitido)* to be shown, to be on **9** (cálculo) to be, to make; **dois mais dois dá dois** two and two make four **10** *(ser possível)* to be possible; **tentámos chegar a horas mas não deu** we tried to arrive on time but it wasn't possible ▪ **dar-se 1** *(relacionar-se)* to get on; to get along **2** *(acontecer)* to happen; to take place **3** *(lidar)* to cope **4** *(adaptar-se bem)* to do well (com, with) ◆ **dar com** to find; **dar como 1** to report **2** *(considerar)* to consider; **dar de si** to give way; **dar em 1** to end in **2** *(tornar-se)* to become **3** *(bater em)* to hit; **dar por** to notice; **dar que falar** to cause a sensation; **dar que fazer** to be a hard nut to crack; **ir dar a** to lead to
dardo *nm* **1** (jogo) dart **2** DESP javelin; **lançar o dardo** to throw the javelin
darmstádio *nm* darmstadtium
data *nf* **1** (tempo) date **2** *(grande quantidade)* large quantity
data-limite *nf* deadline, closing date
datar *v* **1** *(pôr a data em)* to date **2** *(atribuir data ou origem a)* to date back (de, to)
datilografar[AO] ou **dactilografar**[AO] *v* to type
datilografia[AO] ou **dactilografia**[AO] *nf* typewriting; typing
datilógrafo[AO] ou **dactilógrafo**[AO] *nm* typist
dativo *adj,nm* dative
d. C. [*abrev. de* depois de Cristo] AD [*abrev. de* Anno Domini]
DDR [*abrev. de* dose diária recomendada] RDA [*abrev. de* recommended daily allowance]
de *prep* **1** (origem) from; **veio do Porto** he came from Oporto **2** (tempo) by; in; at; **de dia** by day; **de noite** at night; **de tarde** in the afternoon **3** (meio de transporte) by; **viajar de comboio** to travel by train **4** of; **um copo de água** a glass of water **5** (autoria) by **6** (frequência) from; every; **de dez em dez dias** every ten days **7** (cores) in; **vestido de branco** dressed in white
deambulação *nf* stroll
deambular *v* to wander

debaixo *adv* under (de, -); underneath (de, -); below (de, -)
debalde *adv* in vain
debandada *nf* stampede
debandar *v* **1** to split **2** to disperse
debate *nm* debate; discussion
debater *v* to debate; to discuss ▪ **debater-se** to struggle
debelar *v* to extinguish
debicar *v* to peck
débil *adj2g* **1** (pessoa) weak **2** *(ténue)* dim
debilidade *nf* weakness; debility
debilitar *v* to weaken; to debilitate
debitar *v* **1** *(colocar na conta de)* to charge **2** *(retirar)* to debit
débito *nm* debit
debruar *v* (roupa) to edge, to hem
debruçar-se *v* **1** *(inclinar-se)* to lean over **2** (assunto, problema) to pore over
debrum *nm* hem
debulhadora *nf* threshing machine
debulhar *v* (cereais) to thresh
debutante *n2g* débutante
década *nf* decade; **a década de oitenta** the eighties
decadência *nf* decadence
decadente *adj2g* decadent
decagrama *nm* decagramGB, dekagramEUA
decair *v* to decline; to decay
decalcar *v* **1** (desenho) to trace **2** *fig* to imitate, to copy
decalitro *nm* decalitreGB, decaliterEUA
decalque *nm* **1** (desenho) tracing **2** *(imitação)* copy
decâmetro *nm* decametreGB, decameterEUA
decantação *nf* decanting
decantar *v* to decant
decapitação *nf* decapitation; beheading
decapitar *v* to decapitate; to behead
decassílabo *nm* decasyllable
decatlo *nm* decathlon
deceçãoAO *nf* deception; disappointment
dececionarAO *v* to disappoint, to let down ▪ **dececionar-se** to be disappointed
decência *nf* decency
decénio *nm* decade
decente *adj2g* decent
decepar *v* to mutilate, to maim
decepção *a nova grafia é* **deceção**AO
decepcionar *a nova grafia é* **dececionar**AO
decerto *adv* surely, certainly
decididamente *adv* definitively, decidedly
decidir *v* to decide, to determine; to settle ▪ **decidir-se** to make up one's mind; **vê lá se te decides!** make up your mind!
decifrar *v* **1** to decipher, to decode **2** (enigma) to solve
decigrama *nm* decigram
decilitro *nm* decilitreGB, deciliterEUA
decimal *adj2g* decimal
decímetro *nm* decimetreGB, decimeterEUA
décimo *num ord > adj num*DT tenth
decisão *nf* decision; **tomar uma decisão** to make a decision
decisivo *adj* decisive
declamação *nf* declamation
declamador *nm* declaimer
declamar *v* to declaim, to recite
declaração *nf* **1** declaration **2** *(depoimento)* statement
declarado *adj* **1** (intenção) declared **2** *(evidente)* clear
declarar *v* **1** to declare **2** (tribunal) to find; to pronounce ▪ **declarar-se 1** *(manifestar-se)* to declare **2** (sentimento amoroso) to declare one's love (a, for) **3** (tribunal) to plead
declarativo *adj* declarative
declinação *nf* **1** LING declension **2** ASTRON declination
declinar *v* to decline
declinável *adj2g* declinable
declínio *nm* decline
declive *nm* slope
decompor *v (apodrecer)* to decompose ▪ **decompor-se** to decompose; to rot
decomposição *nf* decomposition
decoração *nf* decoration
decorador *nm* decorator; **decorador de montras** window dresser
decorar *v* **1** *(ornamentar)* to decorate; **decorar montras** to dress windows **2** *(memorizar)* to learn by heart
decorativo *adj* decorative
decoro *nm (decência)* decorum
decorrente *adj2g* resulting (de, from)
decorrer *v* **1** *(acontecer)* to happen, to take place **2** (tempo) to pass, to elapse
decotado *adj* low-cut; **vestido decotado** low-cut dress
decote *nm* neckline; **decote redondo** crew neck; **decote subido** high neck
decrépito *adj* decrepit

decrescente *adj2g* decreasing; **por ordem decrescente** in descending order
decrescer *v* **1** *(diminuir)* to decrease **2** *(esmorecer)* to wane
decréscimo *nm* decrease
decretar *v* to decree
decreto *nm* decree; **promulgar um decreto** to issue a decree
decreto-lei *nm* decree-law
decurso *nm* course; **no decurso de um mês** in the course of a month
dedada *nf* fingermark
dedal *nm* thimble
dedeira *nf* fingerstall
dedicação *nf* **1** devotion (a, to); dedication (a, to) **2** affection
dedicar *v* **1** to devote (a, to) **2** (obra, vitória) to dedicate (a, to) ▪ **dedicar-se** to devote oneself (a, to)
dedicatória *nf* dedication
dedilhar *v* to finger
dedo *nm* **1** (mão) finger **2** (pé) toe **3** (animal) digit ♦ *col* **dar dois dedos de conversa** to have a chinwag with; **não mexer um dedo** not to lift a finger
dedução *nf* deduction
dedutível *adj2g* deductible
dedutivo *adj* deductive
deduzir *v* **1** (quantia) to deduct, to subtract **2** *(concluir)* to deduce (de, from), to infer (de, from) **3** (nos impostos) to write off (em, against)
defecar *v* to defecate
defectivo *a nova grafia é* **defetivo**[AO]
defeito *nm* **1** defect; **defeito na fala** speech defect **2** (moral) fault **3** (roupa) flaw ♦ **por defeito** by default
defeituoso *adj* defective, faulty
defender *v* **1** to defend **2** *(argumentar)* to argue **3** *(apoiar)* to stand up for ▪ **defender-se** (ataque) to defend oneself
defensável *adj* defensible
defensiva *nf* defensive; **na defensiva** on the defensive
defensivo *adj* defensive
defensor *nm* defender
deferência *nf (estima)* deference
deferimento *nm* granting
deferir *v* (pedido, petição) to grant
defesa *nf* **1** defence GB; defense EUA; **atuar em legítima defesa** to act in self-defence **2** *(proteção)* protection; **defesa do consumidor** consumer protection **3** (animal) tusk ▪ *n2g* DESP back
defetivo[AO] *adj* (verbo) defective
défice *nm* deficit; shortage
deficiência *nf* **1** *(insuficiência)* deficiency **2** (física, mental) disability
deficiente *adj2g* **1** disabled, handicapped *ofens* **2** *(insuficiente)* deficient (em, in) **3** *(imperfeito)* faulty ▪ *n2g* person with disability
deficitário *adj* in deficit
definhar *v* **1** (pessoa) to waste away **2** (planta) to wither
definição *nf* definition
definido *adj* **1** definite; **artigo definido** definite article **2** *(preciso)* precise **3** *(demarcado)* defined
definir *v* **1** to define **2** (princípio, regra) to lay down **3** (prazo) to set ▪ **definir-se 1** *(caracterizar-se)* to define oneself (como, as) **2** *(tornar-se claro)* to become clear **3** *(ganhar forma)* to take form
definitivamente *adv* **1** *(sem dúvida)* definitely **2** *(permanentemente)* for good
definitivo *adj* **1** (solução) definitive **2** *(final)* final
deflação *nf* deflation
deflagração *nf* deflagration
deflagrar *v* to deflagrate
deformação *nf* **1** (corpo) deformation **2** (imagem, pensamento) distortion
deformar *v* **1** (corpo) to deform **2** (imagem, pensamento) to distort
deformidade *nf* deformity
defraudar *v* to defraud
defrontar *v* **1** (problema, perigo) to face up to **2** DESP to face; to take on ♦ **defrontar-se com 1** *(enfrentar)* to be faced with **2** (adversário) to meet
defumar *v* (carne, peixe) to smoke
defunto *nm* deceased; dead person ▪ *adj* deceased; dead
degelo *nm* thaw
degeneração *nf* degeneration
degenerado *adj,nm* degenerate
degenerar *v* to degenerate (em, into)
deglutir *v* to swallow
degolar *v* to behead; to decapitate
degradação *nf* degradation
degradante *adj2g* (situação, condição) degrading

degradar *v* to degrade ▪ **degradar-se** to deteriorate
degrau *nm* **1** (escada) step **2** (escadote) rung **3** (nível) degree
degredar *v* to banish, to exile
degredo *nm* banishment; exile
degustação *nf* tasting
degustar *v* to taste
deíctico *a grafia preferível é* **deítico**[AO]
deitar *v* **1** *(estender)* to lay down **2** *(pôr na cama)* to put to bed **3** (líquidos) to pour **4** *(lançar)* to cast **5** *(colocar)* to put; **deita isso no lixo** put it in the bin **6** *(atirar)* to throw; **deitar fora** to throw away ▪ **deitar-se 1** *(estender-se)* to lie down **2** (na cama) to go to bed **3** *(lançar-se)* to jump ♦ **deitar abaixo** to knock down
deítico[AO] ou **deíctico**[AO] *adj,nm* deictic
deixa *nf* TEAT cue ♦ **pegar na deixa de** to take one's cue from
deixar *v* **1** *(permitir)* to let **2** to leave; **deixa a luz ligada** leave the light on **3** (estudos) to drop out of; (droga, medicamento) to come off **4** *(desistir de)* to give up **5** *(despedir-se de)* to quit **6** *(largar)* to let go of; **deixa-me!** let me go! ▪ **deixar-se** to let oneself ♦ *col* **deixa lá** never mind; forget about it; don't worry; **deixar andar** to sit back; **deixar(-se) de** to stop
dejeção[AO] *nf* dejection
dejecção *a nova grafia é* **dejeção**[AO]
dejecto *a nova grafia é* **dejeto**[AO]
dejeto[AO] *nm* faeces
delação *nf* denunciation
delapidar *v* to squander
delatar *v* to denounce, to inform on
delator *nm* informer
delegação *nf* delegation
delegacia *nf* **1** delegacy **2** BRAS police station
delegado *nm* **1** *(representante)* delegate **2** commissioner ♦ **delegado/a de turma** class representative
delegar *v* to delegate (em, to)
deleitar *v* to delight ▪ **deleitar-se** to take pleasure (com, in)
deleite *nm* delight
delgado *adj* **1** (espessura) thin **2** (pessoa) slender, slim
deliberação *nf* deliberation
deliberadamente *adv* deliberately
deliberado *adj* deliberate, intentional
deliberar *v* to deliberate
deliberativo *adj* deliberative
delicadeza *nf* **1** (qualidade) delicacy **2** *(cortesia)* kindness, courtesy; **que delicadeza!** how thoughtful!
delicado *adj* **1** *(suave)* delicate **2** *(cortês)* polite; thoughtful **3** *(com tato)* tactful **4** *(frágil)* fragile
delícia *nf* **1** *(prazer)* delight; **que delícia!** how lovely! **2** (comida) dainty; **ser uma delícia** to be delicious
deliciar *v* to delight ▪ **deliciar-se** to delight (com, in)
delicioso *adj* **1** (sabor, cheiro) delicious **2** *(encantador)* delightful; lovely
delimitação *nf* delimitation
delimitar *v* **1** *(demarcar)* to demarcate **2** *(definir)* to define
delinear *v* to delineate
delinquência *nf* delinquency
delinquente *adj,n2g* delinquent
delirante *adj2g* **1** *(febril)* delirious **2** *col (incrível)* amazing
delirar *v* **1** (febre) to be delirious **2** *(entusiasmar-se)* to go wild **3** *(dizer disparates)* to talk nonsense
delírio *nm* **1** MED delirium **2** *(excitação)* enthusiasm
delito *nm* crime; **cometer um delito** to commit a crime ♦ **em flagrante delito** in the very act
delta *nm* (letra, rio) delta
demagogia *nf* demagogy
demagógico *adj* demagogic
demagogo *nm* demagogue GB, demagog EUA
demais *adv* **1** *(além disso)* besides **2** *(demasiado)* too much **3** *(muitíssimo)* very much ▪ *pron indef* the others; **ajudar os demais** to help the others
demanda *nf* **1** *(procura)* search **2** DIR lawsuit **3** *(disputa)* claim
demandar *v* **1** *(buscar)* to seek **2** DIR to sue
demão *nf* (tinta) coat, coating; **dar uma demão a** to coat
demarcação *nf* demarcation
demarcar *v* **1** *(delimitar)* to mark out **2** *(assinalar)* to mark **3** *(distinguir)* to demarcate (de, from) ▪ **demarcar-se** *(destacar-se)* to stand out
demasia *nf* excess; **em demasia** in excess, too much
demasiado *adj* **1** excessive **2** too much; **demasiada comida** too much food **3** too many;

demasiadas coisas too many things ▪ *adv* too much; **fumas demasiado** you smoke too much
demência *nf* dementia
demente *adj2g* demented; insane
demissão *nf* **1** (voluntária) resignation **2** (forçada) dismissal
demitir *v* to dismiss; to discharge ▪ **demitir-se** to resign (de, from)
democracia *nf* democracy
democrata *n2g* democrat ▪ *adj* democratic
democrático *adj* democratic
democratização *nf* democratization
demografia *nf* demography
demográfico *adj* demographic
demolhar *v* to soak
demolição *nf* demolition
demolidor *adj* demolishing ▪ *nm* demolisher
demolir *v* to demolish
demoníaco *adj* demoniac
Demónio *nm* Devil; Demon
demonstração *nf* **1** demonstration **2** *(manifestação)* show, display **3** *(prova)* proof
demonstrar *v* to show, to demonstrate
demonstrativo *adj* demonstrative
demora *nf* delay; **sem mais demora** without further delay
demorado *adj* **1** *(atrasado)* late **2** *(lento)* lengthy
demorar *v* **1** *(levar)* to take; **não demoro** I won't be long **2** *(prolongar-se)* to go on **3** *(durar)* to last; **o filme demora três horas** the film lasts three hours ▪ **demorar-se 1** (levar muito tempo) to be/take long **2** *(permanecer)* to linger
demover *v* to dissuade (de, from)
denegrir *v (difamar)* to blacken
denominação *nf* denomination
denominador *nm* MAT denominator
denominar *v* to name; to call
denotação *nm* denotation
denotar *v* to denote
densidade *nf* density
denso *adj* dense; thick
dentada *nf* bite
dentado *adj* toothed
dentadura *nf* teeth; **dentadura postiça** denture, dental plate
dental *adj2g* dental
dentário *adj* dental
dente *nm* **1** tooth; **dor de dentes** toothache **2** (animal) fang; (elefante) tusk **3** (alho) clove **4** (garfo, ancinho) prong **5** (roda) cog ◆ **falar entre dentes** to mutter
dente-de-leão *nm* dandelion
dentição *nf* **1** (dentes) teeth; **primeira dentição** milk teeth **2** (formação dos dentes) teething
dentífrico *nm* toothpaste
dentista *n2g* dentist; **ir ao dentista** to go to the dentist's
dentro *adv* **1** (local) in; inside; **aqui dentro** in here **2** (tempo) within; in; **dentro de momentos** in a little while **3** (restrição) within; **dentro do que é razoável** within reason
dentuça *nf* bucktooth ▪ *n2g* toothy person
denúncia *nf* **1** *(acusação)* accusation; denunciation **2** *(indício)* sign
denunciante *n2g* informer; denouncer
denunciar *v* **1** to denounce; to report **2** *(revelar)* to give away **3** *(dar sinais de)* to show
deparar(-se) *v* **1** *(encontrar por acaso)* to come across (com, -) **2** *(dar com)* to find (com, -)
departamental *adj2g* departmental
departamento *nm* department
depenado *adj* **1** *(sem penas)* plucked **2** *col (sem dinheiro)* penniless; broke
depenar *v* **1** (aves) to pluck **2** *col (extorquir dinheiro)* to fleece
dependência *nf* **1** dependence (de, -) **2** *(vício)* addiction **3** *(construção)* outbuilding **4** *(filial)* branch
dependente *adj2g* **1** dependent (de, on/upon) **2** *(viciado)* addicted (de, to) ▪ *n2g* dependant, dependent
depender *v* to depend (de, on); **isso depende** that depends; **isso depende de ti** that is up to you
dependurar *v* ⇒ **pendurar**
depenicar *v* **1** (aves) to peck at **2** (pessoas) to nibble
depilação *nf* **1** hair removal; depilation **2** (a cera) waxing **3** (com lâmina) shaving
depiladora *nf* (arrancando) epilator; (cortando) lady shaver
depilar *v* **1** to depilate **2** (com cera) to wax **3** (com lâmina) to shave **4** (sobrancelhas) to pluck
depilatório *nm* depilatory; hair remover ▪ *adj* depilatory; hair removing
deplorar *v (lamentar)* to lament
deplorável *adj2g* **1** *(lastimável)* deplorable **2** *(abominável)* appalling
depoente *adj,n2g* deponent

depoimento *nm* evidence; testimony; deposition; **prestar depoimento** to give evidence
depois *adv* **1** *(mais tarde)* later; after; **muito depois** long after **2** *(em seguida)* afterwards; then; **só depois é que começámos** only then did we start **3** *(mais à frente)* after that; **a casa dele é depois** his house is after that ♦ **depois de/que** after; **e depois? 1** (seguimento) and then what? **2** (indiferença) so what?
depor *v* **1** (armas) to lay down **2** (poder) to depose; to throw out **3** *(colocar)* to place; to put **4** DIR to testify
deportação *nf* deportation
deportar *v* to deport
deposição *nf* deposition
depositar *v* **1** to deposit (em, in); **depositar dinheiro no banco** to deposit money in the bank; **depositar uma embalagem num cacifo** to deposit a package in the luggage office **2** *(colocar)* to place; to put ▪ **depositar-se** to settle
depósito *nm* **1** (de dinheiro) deposit **2** (veículo) tank; **encher o depósito** to fill up, to tank up **3** *(sedimento)* sediment; deposit
depravação *nf* depravation
depravado *adj* depraved; corrupt
depravar *v* to deprave; to corrupt
depreciação *nf* depreciation
depreciar *v* to depreciate
depreciativo *adj* **1** disparaging, derogatory **2** (palavra, sentido) pejorative
depreender *v* **1** *(concluir)* to deduce; to infer; **daí se depreende que...** so you can gather that... **2** *(presumir)* to suppose; to assume
depressa *adv* **1** (velocidade) fast; quickly **2** (tempo) soon ♦ **mais depressa!** hurry up!
depressão *nf* depression
depressivo *adj* depressive
deprimente *adj2g* depressing
deprimido *adj* depressed; **sentir-se deprimido** to feel down
deprimir *v* to depress; to sadden
depuração *nf* depuration
depurar *v (purificar)* to depurate; to purify
deputado *nm* POL member of Parliament GB; representative EUA
dérbi ou **derby** *nm* DESP derby
deriva *nf* drift; **andar à deriva** to drift, to be adrift
derivação *nf* derivation
derivada *nf* MAT derivative
derivado *nm* **1** (produto) by-product **2** LING derivative ▪ *adj* derived
derivar *v* to derive (de, from); to come (de, from)
dermatite *nf* dermatitis
dermatologia *nf* dermatology
dermatológico *adj* dermatological
dermatologista *n2g* dermatologist
derme *nf* dermis
derradeiro *adj (último)* last; final
derramamento *nm* **1** (líquidos) spilling **2** (sangue, lágrimas) shedding **3** (petróleo) spillage; discharge
derramar *v* **1** *(entornar)* to spill **2** (lágrimas, sangue) to shed
derrame *nm* **1** *(fuga de líquido)* spillage **2** *(hemorragia)* haemorrhage GB, hemorrhage EUA
derrapagem *nf* skid; skidding
derrapar *v* **1** (automóveis) to skid **2** *(escorregar)* to slip
derreado *adj (cansado)* worn-out; exhausted
derrear *v (extenuar)* to wear out; to exhaust
derreter *v* **1** (neve, gelo) to melt; to thaw **2** *(dissolver)* to dissolve ▪ **derreter-se 1** to melt **2** to dote (por, on); **ele derrete-se por ela** he dotes on her
derrocada *nf* **1** (edifícios) collapse; tumbling-down **2** *(ruína)* ruin
derrogação *nf* DIR derogation (de, to)
derrogar *v* **1** DIR to derogate **2** *(anular)* to invalidate
derrota *nf* defeat; **sofrer uma derrota** to be defeated
derrotar *v* to defeat; to beat; **derrotaram-nos à tangente** we were beaten by an inch
derrotismo *nm* defeatism; pessimism
derrotista *adj,n2g* defeatist
derrubar *v* **1** *(deitar abaixo)* to knock/throw down **2** *(destituir)* to topple; **derrubar o governo** to topple the government **3** (árvore) to fell **4** *(derrotar)* to defeat
desabafar *v* **1** to open one's heart; **tenho de desabafar** I have to get it off my chest **2** *(expressar)* to pour out; (irritação) to give vent to
desabafo *nm* (emoções, sentimentos) expression of one's feelings
desabamento *nm* **1** collapse; **desabamento de um edifício** collapse of a building **2** (terras) landslide

desabar *v* (construções) to collapse; to tumble down
desabitado *adj* uninhabited; deserted
desabituar *v* to wean (de, from) ▪ **desabituar-se** to grow unaccustomed (de, to)
desabotoar *v* (roupa) to unbutton
desabrido *adj* **1** *(áspero)* sharp; bitter **2** *(tempestuoso)* fiery; violent
desabrigado *adj* (local) unsheltered
desabrochar *v* **1** (flor) to bloom; to blossom **2** *fig (surgir)* to appear
desacato *nm* **1** *(desrespeito)* disrespect; insolence **2** *(afronta)* affront (a, to); **desacato à autoridade** affront to the authority
desacerto *nm* **1** *(erro)* mistake; error **2** *(tolice)* nonsense
desacompanhado *adj* **1** *(só)* alone **2** *(desprotegido)* unprotected
desaconselhar *v* **1** to advise against **2** to dissuade (de, from)
desaconselhável *adj2g* inadvisable
desacordo *nm (falta de acordo)* disagreement (com, with)
desacostumar *v* to make (someone) unaccustomed (de, to) ▪ **desacostumar-se** to lose the habit (de, of); to get unused (de, to)
desacreditado *adj* **1** *(sem crédito)* discredited **2** *(depreciado)* undervalued
desacreditar *v* **1** *(causar o descrédito)* to discredit **2** *(depreciar)* to disparage
desactivação *a nova grafia é* **desativação**[AO]
desactivar *a nova grafia é* **desativar**[AO]
desactualizado *a nova grafia é* **desatualizado**[AO]
desafiar *v* **1** (competição, duelo) to challenge (para, to) **2** *(enfrentar)* to defy; **desafiar a lei** to defy the law **3** (convite, sugestão) to invite (para, to)
desafinação *nf* **1** MÚS dissonance **2** *(desarmonia)* lack of harmony; disharmony
desafinado *adj* **1** *(em dissonância)* dissonant; discordant **2** MÚS out of tune
desafinar *v* MÚS to put/go out of tune
desafio *nm* **1** challenge **2** (comportamento, atitude) defiance **3** DESP match
desafogado *adj* **1** (espaço) spacious; ample **2** *(abastado)* well-off **3** *(aliviado)* relieved
desafogo *nm* **1** (financeiro) wealth **2** *(alívio)* relief **3** *(desembaraço)* ease
desaforo *nm* **1** *(petulância)* insolence; impudence **2** *(atrevimento)* sauciness; cheekiness
desafortunado *adj* unlucky; unfortunate
desagradar *v (não agradar)* to displease (a, -)
desagradável *adj2g* **1** *(pouco agradável)* unpleasant; displeasing **2** (pessoa) unfriendly
desagrado *nm* displeasure, dislike
desagravar *v* **1** *(vingar)* to avenge **2** *(aliviar)* to relieve
desagravo *nm* reparation; redress
desagregação *nf* disintegration
desagregar(-se) *v* to disaggregate, to disintegrate
desaguar *v* (rio) to flow (em, into)
desaire *nm (contrariedade)* setback
desajeitado *adj* **1** *(desastrado)* awkward; clumsy **2** *(sem habilidade)* unskilful
desajustar *v* **1** *(desarranjar)* to misadjust **2** *(desencaixar)* to pull apart
desajuste *nm* **1** *(inadequação)* inappropriateness; inadequacy **2** (máquina) maladjustment
desalento *nm (desânimo)* discouragement
desalinhado *adj* **1** (posição) out of alignment **2** *(desarrumado)* untidy **3** (roupa, cabelo) dishevelled
desalinhar *v* **1** to knock out of alignment **2** *(desarrumar)* to mess up **3** (roupa, cabelo) to dishevel
desalinho *nm* **1** *(desarrumação)* mess; untidiness **2** *(desmazelo)* slovenliness
desalojar *v* **1** *(expulsar)* to evict **2** (catástrofe natural) to leave homeless
desamarrar *v (desapertar)* to untie; to unfasten
desamor *nm* **1** (sem amor) lovelessness **2** *(desagrado)* dislike
desamparado *adj* **1** *(abandonado)* forsaken; abandoned **2** *(desprotegido)* unprotected
desamparar *v* **1** *(abandonar)* to forsake; to abandon **2** *(deixar de apoiar)* to deprive of assistance
desamparo *nm* **1** *(abandono)* abandonment **2** *(desproteção)* helplessness **3** *(pobreza)* destitution
desancar *v* **1** *pop* to beat; to thrash **2** *(criticar)* to bash
desanda *nf* **1** *pop (descompostura)* dressing-down; talking-to **2** *pop (tareia)* beating; thrashing
desandar *v* **1** *(dar uma volta a)* to turn **2** *(desaparafusar)* to unscrew **3** *col (ir-se embora)* to get out (de, of); **desanda!** beat it!, clear off!
desanimado *adj (sem ânimo)* discouraged; downcast

desanimar *v* **1** to discourage **2** to lose heart; **não desanimes!** cheer up!
desânimo *nm* discouragement
desanuviado *adj* **1** (céu) clear; bright **2** (pessoa) relaxed
desanuviar *v* **1** (céu) to clear up; **o dia desanuviou** the day cleared up **2** to lighten up
desaparafusar *v* to unscrew
desaparecer *v* **1** to disappear **2** (marca, nódoa, cor) to come out; (problema, cheiro) to go away
desaparecido *adj* missing; **ser dado como desaparecido** to be reported missing ▪ *nm* missing person
desaparecimento *nm* **1** (pessoa) disappearance; vanishing **2** *(extinção)* extinction
desapego *nm* detachment, indifference
desapertar *v* **1** (botão, cinto, nó) to undo **2** *(desatarraxar)* to unscrew **3** (corda, gravata) to loosen
desapontado *adj (dececionado)* disappointed (com, at)
desapontamento *nm* disappointment
desapontar *v (dececionar)* to disappoint
desaprender *v* to unlearn
desapropriar *v (retirar posse de)* to dispossess (de, of)
desaprovação *nf (reprovação)* disapproval
desaprovar *v (reprovar)* to disapprove of
desaproveitar *v (desperdiçar)* to waste
desarborizar *v* to deforest
desarmado *adj* unarmed
desarmamento *nm* disarmament
desarmar *v* **1** *(tirar armas)* to disarm **2** *(desaparelhar)* to dismantle **3** *fig (surpreender)* to take by surprise
desarmonia *nf* disharmony; disagreement
desarranjado *adj* **1** *(desconjuntado)* out of joint **2** *(avariado)* broken down **3** *(desarrumado)* untidy **4** *(desmazelado)* sloppy
desarranjar *v* **1** *(descompor)* to disarrange **2** *(desorganizar)* to put out of order **3** *(perturbar)* to upset **4** *(desarrumar)* to mess up
desarranjo *nm* **1** *(confusão)* confusion; disorder **2** *(desarrumação)* mess
desarrumação *nf* untidiness; mess
desarrumado *adj* **1** (locais) disorderly; untidy **2** (pessoas) untidy; disorganized
desarrumar *v* **1** *(desorganizar)* to mess up; to make untidy **2** *(tirar do sítio)* to displace
desassombro *nm* **1** *(coragem)* courage **2** *(franqueza)* straightforwardness
desassossegar *v* **1** *(preocupar)* to worry **2** *(perturbar)* to disturb
desassossego *nm* **1** *(inquietação)* uneasiness; disquiet **2** *(sarilho)* trouble; disruption
desastrado *adj* clumsy; awkward
desastre *nm* **1** (meios de transporte) accident; crash **2** *(catástrofe)* catastrophe; disaster
desastroso *adj* disastrous
desatar *v* **1** *(desapertar)* to untie; to unfasten **2** (cordões) to unlace **3** *(soltar)* to loosen **4** *(começar)* to begin to; to start **5** (chorar, rir) to burst ▪ **desatar-se** (laço, cordão) to get untied
desatarraxar *v* to unscrew
desatenção *nf* lack of attention
desatento *adj* **1** *(distraído)* absent-minded **2** *(desatencioso)* uncaring
desatinado *adj* **1** *(maluco)* crazy; nuts **2** *(zangado)* angry; annoyed
desatinar *v* **1** to madden; to infuriate **2** to go crazy; **desatinar com alguém** to go mad at someone
desatino *nm* **1** *(loucura)* madness **2** *(confusão)* confusion **3** *(disparate)* nonsense
desativação[AO] *nf* deactivation
desativar[AO] *v* to deactivate
desatrelar *v* **1** *(desunir)* to unlink **2** *(soltar)* to unleash
desatualizado[AO] *adj* **1** *(fora de moda)* out-of-date; outdated **2** *(antiquado)* old-fashioned
desautorizar *v* to discredit
desavença *nf* **1** *(desacordo)* disagreement **2** *(zanga)* quarrel; conflict
desavergonhado *adj* **1** *(vergonhoso)* shameless **2** *(sem pudor)* unbashful
desavindo *adj* in conflict
desbaratar *v* **1** *(derrotar)* to defeat **2** *(desperdiçar)* to squander; to waste
desbarato *nm* **1** *(derrota)* defeat **2** *(dissipação)* waste
desbastar *v* **1** *(aparar)* to trim; to clip **2** *(cortar levemente)* to pare down
desbaste *nm* **1** *(aparamento)* trim **2** *(corte)* cut **3** *(razia)* havoc; devastation
desbloquear *v* **1** to unblock; **desbloquear o telemóvel** to unlock the mobile phone **2** *(libertação)* to free **3** (problema) to solve
desbloqueio *nm* **1** *(levantar bloqueio)* unblocking **2** *(libertação)* release; setting free
desbocado *adj* foul-mouthed; abusive

desbotado *adj* **1** (pelo sol) bleached **2** (cor desmaiada) faint; slight
desbotar *v* **1** (cor) to lose colourGB, to lose colorEUA **2** to fade
desbravar *v* **1** (terras) to grub up; to conquer **2** (animais) to tame
descabido *adj* **1** *(impróprio)* improper; unbecoming **2** *(sem sentido)* out of purpose **3** *(disparatado)* absurd
descafeinado *nm* decaffeinated coffee; decaf ▪ *adj* decaffeinated
descafeinar *v* to decaffeinate
descair *v* (superfície) to droop; to sag ▪ **descair-se** *col* to let something slip; to let out
descalabro *nm* **1** *(ruína)* ruin; destruction; devastation **2** *(derrota)* defeat; rout
descalçar *v* to take off; to remove ▪ **descalçar-se** to take off one's shoes ◆ **descalçar a bota** to get out of a scrape
descalço *adj,adv* in bare feet, barefoot
descambar *v* **1** *(pender)* to slide down **2** *fig (degradar-se)* to go downhill
descampado *nm* **1** (terreno) open country **2** *(deserto)* desert
descansado *adj* **1** not worried; **esteja descansado** don't worry **2** *(descontraído)* relaxed; rested; **durma descansado** sleep well **3** *(sem imprevistos)* uneventful
descansar *v* **1** *(repousar)* to rest; to take a rest **2** *(dormir)* to sleep, to be asleep **3** *(fazer uma pausa)* to pause; to have a break **4** *(não se preocupar)* not to worry; to relax
descanso *nm* **1** *(repouso)* rest **2** *(intervalo)* pause; break **3** *(alívio)* relief **4** *(apoio)* hook; **tirar o telefone do descanso** to take the phone off the hook
descapotável *adj2g,nm* convertible
descaracterizarAO ou **descaraterizar**AO *v* **1** (maquilhagem) to undo the make-up **2** (locais) to disfigure
descarado *adj* cheeky; saucy, shameless
descaramento *nm col* nerve; cheek; **que descaramento!** the nerve!
descarga *nf* **1** discharge **2** (mercadoria) unloading; (barco) unshipment **3** (emoções) outlet (de, for) **4** MIL salvo; discharge
descargo *nm* **1** (funções) discharge **2** *(alívio)* relief; **por descargo de consciência** for conscience sake
descarregamento *nm* (carga) unloading
descarregar *v* **1** (arma, mercadoria) to unload **2** ELET to discharge **3** *(aliviar)* to relieve **4** (frustração, raiva, cólera) to vent; **descarregar em cima de alguém** to take it out on somebody
descarrilamento *nm* (comboio) derailment
descarrilar *v* to derail
descartar *v* **1** (cartas) to discard **2** (candidato, possibilidade) to rule out ▪ **descartar-se** to get rid (de, of)
descartável *adj2g* disposable
descascador *nm* (fruta, vegetais) peeler
descascar *v* **1** (fruta) to peel **2** (ervilhas, marisco, nozes) to shell **3** (cereais) to husk **4** *col* (repreender) to tear a strip off somebody
descendência *nf* **1** (origem) descent, lineage **2** *(geração vindoura)* descendants, offspring
descendente *n2g* descendant (de, of) ▪ *adj2g* **1** (filiação) descendent (de, from) **2** (direção) downward; descending
descender *v* **1** to be descended (de, from) **2** *(derivar)* to derive (de, from)
descentralização *nf* decentralization
descentralizador *adj* decentralizing
descentralizar *v* to decentralize
descentrar *v* to deviate from the centre
descer *v* **1** (escadas, ladeira) to go down, to come down **2** (objetos) to take down **3** to go down, to come down **4** (autocarro, bicicleta, cavalo, comboio) to get off; (do carro) to get out **5** (nível, preços, temperatura) to drop **6** DESP (de divisão, lugar) to be relegated (a, to)
descerrar *v* **1** *(abrir)* to open **2** *(revelar)* to disclose, to reveal **3** (lápide) to unveil
descida *nf* **1** descent **2** *(declive)* slope **3** (temperatura, preços) fall, drop **4** DESP (de divisão, lugar) relegation
desclassificação *nf* disqualification
desclassificado *adj* **1** DESP disqualified **2** *(desacreditado)* discredited ▪ *nm* social outcast
desclassificar *v* **1** DESP to disqualify **2** *(desacreditar)* to discredit
descoberta *nf* **1** discovery; **fazer uma descoberta** to make a discovery **2** find; **descoberta arqueológica** archaeological find **3** *(invenção)* invention
descoberto *adj* **1** discovered **2** *(exposto)* exposed **3** *(nu)* bare, naked **4** *(sem cobertura)* uncovered ◆ **a descoberto** in the open; (conta) **pôr a descoberto** to overdraw
descobridor *nm* discoverer; explorer

descobrimento *nm (descoberta)* discovery, find
descobrir *v* **1** *(encontrar)* to discover, to find **2** *(averiguar)* to find out **3** *(destapar)* to uncover **4** (petróleo) to strike ▪ **descobrir-se** to uncover oneself
descodificador *nm* decoder
descodificar *v* (código, escrita, enigma) to decode, to decipher; to crack *col*
descolagem *nf* AER take-off
descolamento *nm* **1** (autocolante) unsticking **2** MED detachment; **descolamento da retina** detachment of the retina
descolar *v* **1** (autocolante) to unstick, to unglue **2** *(separar)* to detach, to remove **3** (avião) to take off; (nave) to lift off
descoloração *nf* QUÍM discolouration
descolorante *adj2g* discolouring, bleaching
descomedido *adj* **1** *(imoderado)* immoderate **2** *(enorme)* enormous
descompactar *v* INFORM to unzip
descompassado *adj* **1** *(enorme)* enormous **2** *(desproporcionado)* disproportionate **3** MÚS (ritmo) out of step
descompensado *adj* unbalanced
descompor *v* **1** *(desordenar, alterar)* to make something untidy; to disarrange, to unsettle **2** *(repreender)* to scold, to tell off
descomposto *adj* **1** *(desarrumado)* disorderly **2** *(sem pudor)* indecorous **3** *(transtornado)* upset
descompostura *nf* **1** *(falta de compostura)* loss of composure **2** *(reprimenda)* scold, talking-to, dressing-down; **dar/passar uma descompostura a alguém** to give someone a good talking-to, to give somebody a dressing-down
descompressão *nf* FÍS decompression; **câmara de descompressão** decompression chamber
descomprimir *v* to decompress
descomprometido *adj* (pessoa) single, free
descomunal *adj2g* **1** *(extraordinário)* unusual, extraordinary **2** *(colossal)* enormous, huge
desconcentrar *v* to distract ▪ **desconcentrar-se** to lose one's concentration
desconcertado *adj* disconcerted; **ficar desconcertado** to be taken aback
desconcertante *adj2g* **1** *(embaraçoso)* disconcerting **2** *(perturbador)* upsetting
desconcertar *v* **1** to disconcert **2** *(desorientar)* to baffle **3** *(transtornar)* to disturb
desconexão *nf* disconnection
desconexo *adj* **1** *(incoerente)* incoherent **2** *(sem conexão)* disconnected, unrelated
desconfiado *adj* suspicious, distrustful, mistrustful ▪ *nm* suspicious person
desconfiança *nf* **1** suspicion, distrust, mistrust **2** *(ciúmes)* jealousy
desconfiar *v* **1** to suspect (de, -); to be suspicious (de, of/about) **2** *(supor)* to believe; to think
desconforme *adj2g* **1** *(divergente)* divergent, at variance **2** *(descomunal)* enormous, stupendous **3** *(desproporcional)* disproportionate
desconfortável *adj2g* uncomfortable
desconforto *nm* discomfort
descongelação *nf* FÍS thaw, thawing
descongelar *v* **1** (alimento, frigorífico, dinheiro) to unfreeze **2** *(degelar)* to thaw out ▪ **descongelar-se** *(derreter-se)* to melt
descongestionante *adj2g,nm* FARM decongestant
descongestionar *v* **1** (cabeça, trânsito) to clear **2** MED to relieve
desconhecer *v* **1** *(ignorar)* to ignore, not to know **2** *(não reconhecer)* not to recognize
desconhecido *adj* **1** unknown, unheard of **2** *(misterioso)* strange ▪ *nm* stranger; outsider
desconhecimento *nm* **1** ignorance **2** *(ingratidão)* ingratitude
desconjuntar *v* **1** (articulação, ossos) to dislocate **2** to disunite, to disjoint ▪ **desconjuntar-se** *(desfazer-se)* to come apart
desconsideração *nf* **1** *(desrespeito)* disrespect, disregard **2** *(ofensa)* offence
desconsiderar *v* **1** to disregard, to ignore **2** *(vexar)* to humiliate, to snub
desconsolado *adj* **1** *(pesaroso)* miserable, disconsolate **2** *col (insípido)* insipid **3** *col (sem graça)* dull, cheerless; **estar desconsolado** to be dispirited
desconsolo *nf (tristeza)* sorrow, distress
descontaminar *v* to decontaminate
descontar *v* **1** *(abater)* to deduct, to deduce **2** *fig (não fazer caso)* to make light of
descontentamento *nm* discontentment (com, with); dissatisfaction (com, with)
descontente *adj2g* **1** discontented (com, with); dissatisfied (com, with); displeased (com, with) **2** *(triste)* unhappy
descontinuidade *nf* discontinuity

descontínuo *adj* discontinuous, intermittent
desconto *nm* **1** discount; **com desconto** at a discount; **um desconto de cinco por cento** a five per cent discount **2** *(abatimento)* reduction ♦ **dar desconto a** to make allowances for
descontraçãoAO *nf* relaxation
descontracção *a nova grafia é* **descontração**AO
descontraído *adj* **1** *(relaxado)* relaxed **2** *(informal)* casual, informal
descontrair *v* to relax
descontrolado *adj* **1** (máquina) out of control **2** (pessoa) hysterical
descontrolar *v* **1** *(desequilibrar)* to unsettle **2** (pessoa) to drive (someone) crazy ▪ **descontrolar-se 1** (pessoa) to lose control **2** (máquina) to go out of control **3** (situação) to be/get out of hand
descontrolo *nm* lack of control
desconversar *v* to change the subject
desconvocar *v* to call off
descoordenação *nf* lack of coordination
descoordenar *v* to disorganize, to unsettle
descorar *v* **1** *(desbotar)* to discolourGB, to discolorEUA **2** to pale
descortês *adj* discourteous, impolite
descortesia *nf* discourtesy, impoliteness, rudeness
descortinar *v* **1** (retrato) to unveil **2** *fig* (avistar) to catch sight of **3** *fig* (solução) to find out
descoser *v* **1** (costura) to unpick **2** *(rasgar)* to rip apart **3** *(desunir)* to separate ▪ **descoser-se 1** to come apart at the seams **2** *col* (segredo) to spill the beans
descosido *adj* **1** unstitched, unsewn **2** *fig (desconexo)* incoherent, disconnected
descrédito *nm* **1** discredit; **lançar o descrédito sobre** to throw discredit on **2** *(desonra)* dishonour
descrença *nf* unbelief, disbelief
descrente *n2g* **1** unbeliever, disbeliever **2** *(cético)* scepticGB, skepticEUA ▪ *adj2g* unbelieving
descrever *v* **1** *(fazer descrição)* to describe **2** *(traçar)* to draw, to describe
descrição *nf* description; **corresponder à descrição de** to answer to the description of, to fit the description of
descritivo *adj* descriptive
descuidado *adj* **1** careless (com, about), negligent (com, about), neglectful (com, about); **descuidado com a aparência** careless about one's appearance **2** *col (desleixado)* scruffy
descuidar *v (descurar)* to neglect, to disregard ▪ **descuidar-se 1** to be careless **2** to neglect oneself
descuido *nm* **1** *(erro)* oversight, slip, careless mistake; **por descuido** inadvertently **2** *(falta de cuidado)* carelessness
desculpa *nf* **1** *(justificativa)* excuse (para, for); **arranjar desculpas** to make excuses **2** *(pedido de perdão)* apology
desculpar *v* **1** to forgive, to pardon, to excuse **2** *(justificar)* to justify ▪ **desculpar-se 1** *(pedir perdão)* to apologize **2** *(justificar-se)* to excuse oneself
descurar *v* to neglect, to disregard
desde *prep* **1** (lugar) from... to...; **caminhei desde a praia até ao restaurante** I walked from the beach to the restaurant **2** (tempo) **desde então** ever since, from then on ▪ *conj* (contanto que) **desde que** since, as long as
desdém *nm* disdain, contempt, scorn; **com desdém** disdainfully; *col* **tratar com desdém** to spit upon
desdenhar *v* to disdain, to scorn
desdenhoso *adj* disdainful, scornful; dismissive
desdentado *adj* toothless
desdita *nf* **1** *(infelicidade)* unhappiness **2** *(infortúnio)* misfortune, bad luck
desdizer *v* **1** *(retirar)* to take back **2** *(contradizer)* to contradict ▪ **desdizer-se** to retract
desdobramento *nm* **1** *(ato de desdobrar)* deployment, unfolding **2** *(divisão)* ramification **3** *(desenvolvimento)* development
desdobrar *v* **1** (objeto, papel) to unfold **2** *(dividir)* to split up **3** (esforços) to increase ▪ **desdobrar-se 1** to unfold **2** *(empenhar-se)* to work hard
desdramatizar *v* to soften; to play down
desejar *v* **1** to want; to desire **2** (votos) to wish ♦ **que deseja?** what would you like?
desejável *adj2g* desirable
desejo *nm* **1** wish; **satisfazer um desejo** to make a wish come true **2** *(anseio)* desire, longing **3** *(apetite)* craving; **ter desejos de** to have a craving for

desejoso *adj* **1** desirous (de, of) **2** anxious, keen
deselegância *nf* inelegance, clumsiness
deselegante *adj2g* (gesto, resposta) inelegant, clumsy
desemaranhar *v* **1** to disentangle, to untangle; **desemaranhar o cabelo** to get the tangles out of one's hair **2** *(decifrar)* to unravel
desembaciar *v* **1** to dry the steam of **2** to demist
desembalar *v* (embrulho) to unpack, to unwrap
desembaraçado *adj* **1** *(desenrascado)* resourceful **2** *(expedito)* efficient **3** *(desinibido)* uninhibited
desembaraçar *v* **1** *(livrar)* to free **2** *(desenredar)* to disentangle **3** *(desobstruir)* to clear ■ **desembaraçar-se** to get rid (de, of)
desembaraço *nm* **1** *(desenvoltura)* resourcefulness **2** *(facilidade)* ease **3** *(confiança)* confidence
desembarcar *v* **1** (carga) to unload **2** (passageiros) to put on shore **3** to land, to disembark
desembargador *nm* (Tribunal da Relação) judge
desembargar *v* **1** ECON to lift an embargo **2** to dispatch **3** *(resolver)* to free, to clear
desembargo *nm* ECON removal of an embargo
desembarque *nm* **1** landing, disembarkation **2** (aeroporto) arrivals **3** (mercadoria) unloading
desembocar *v* **1** (rio) to flow (em, into) **2** (rua, túnel) to lead (em, into)
desembolsar *v* to pay out, to spend
desembolso *nm* expenditure, disbursement
desembrulhar *v* **1** to unwrap, to unpack **2** *fig (esclarecer)* to clear up
desembuchar *v col (falar)* to spit it out; **desembuche!** speak out, spit it out!
desempacotar *v* to unpack, to unwrap
desempanar *v* (carro) to repair
desempatar *v* **1** (corrida, jogo) to play off **2** (eleição) to break the deadlock **3** to decide
desempate *nm* tie-break; DESP **jogo de desempate** play-off
desempenar *v* to straighten
desempenhar *v* **1** (papel) to play **2** *(cumprir)* to perform, to carry out **3** (cargo) to hold
desempenho *nm* **1** CIN,TEAT (papel) performance, acting **2** (obrigações, tarefas) fulfilment
desemperrar *v* to loosen
desempoeirar *v* to dust
desempregado *adj* unemployed ■ *nm* unemployed person; **os desempregados** the unemployed
desemprego *nm* unemployment; *col* **estar no desemprego** to be unemployed, to be/go on the dole GB; **subsídio de desemprego** unemployment benefit, dole GB, unemployment compensation EUA
desencadear *v* **1** *(causar)* to trigger, to set off **2** *(soltar)* to unleash **3** *(suscitar)* to arouse
desencaixar *v* **1** *(desarticular)* to disjoint **2** *(deslocar)* to dislocate **3** *(tirar de caixa)* to unbox
desencaixe *nm* disjointing
desencaixilhar *v* to remove from its frame
desencaixotar *v* to unpack
desencalhar *v* (embarcação) to get afloat
desencaminhar *v* **1** to mislead, to lead astray **2** *fig* to corrupt, to pervert
desencantado *adj* **1** *(desiludido)* disenchanted; disappointed **2** *col (encontrado)* discovered; found out
desencantar *v* **1** *(desiludir)* to disenchant, to disappoint **2** *(descobrir)* to find, to unearth
desencanto *nm* disenchantment, disappointment
desencontrar-se *v* **1** *(não se encontrar)* to miss each other **2** to disagree
desencontro *nm* **1** failure to meet **2** *(divergência)* disagreement, divergence
desencorajador *adj* discouraging, disheartening
desencorajar *v* to discourage
desencostar(-se) *v (afastar)* to move away from (de, from)
desencravar *v* **1** to take off **2** *fig (desenrascar)* to get out of a fix
desenfeitiçar *v* to free from a spell
desenferrujar *v* **1** (metal) to remove the rust from **2** *fig* (língua) to brush up **3** *fig* (pernas) to stretch
desenfreado *adj* **1** *(descomedido)* unbridled **2** *(desregrado)* unruly, wild
desenganar *v* **1** *(desiludir)* to disillusion **2** *(esclarecer)* to open somebody's eyes
desengano *nm* **1** disillusion, disillusionment **2** *(desapontamento)* disappointment
desengarrafar *v* to take out of a bottle
desengatar *v* **1** to unhook **2** *(desatrelar)* to uncouple
desengate *nm* disengagement

desengonçado *adj* **1** (objeto) rickety **2** (pessoa) ungainly, clumsy
desengonçar *v* to unhinge, to disjoint, to dislocate
desengordurar *v* to remove the grease from, to scour
desenhador *nm* **1** draughtsmanGB; draftsmanEUA; designer **2** (banda desenhada) cartoonist
desenhar *v* **1** to draw **2** (mobiliário, produtos, vestuário) to design
desenho *nm* **1** drawing; **desenho geométrico** technical drawing **2** design; **desenho gráfico** graphic design **3** *(esboço)* sketch ♦ **desenhos animados** cartoons
desenjoar *v* **1** to relieve of nausea **2** *(distrair)* to amuse, to entertain
desenlace *nm* denouement, outcome; **desenlace feliz** happy ending
desenquadrar *v* to unframe
desenraizar *v* to uproot
desenrascar *v* to help somebody out ▪ **desenrascar-se 1** *col* to manage; to get by **2** (problemas) to get out of trouble
desenredar *v* **1** to disentangle; to unravel **2** (dúvida) to clear up
desenrolar *v* **1** (papel, rolo) to unroll **2** (cabo) to unwind **3** *(relatar)* to unfold ▪ **desenrolar-se 1** *(acontecer)* to take place **2** to unfold
desenroscar *v* to unscrew
desenrugar *v* **1** to unwrinkle **2** to smooth
desentalar *v* **1** to free **2** *fig* (sarilho) to get out of a tight spot
desentender-se *v* to fall out (com, with)
desentendido *adj* misunderstood ♦ **fazer-se de desentendido** to pretend not to understand
desentendimento *nm* **1** misunderstanding **2** *(desacordo)* disagreement
desenterrar *v* **1** to dig up, to excavate **2** (informação) to unearth **3** (cadáver) to exhume
desentorpecer *v* to warm up; **desentorpecer as pernas** to stretch one's legs
desentortar *v* to straighten up
desentranhar *v* **1** to disembowel, to eviscerate **2** *fig (arrancar)* to draw out
desentupir *v* (cano) to unblock
desenvencilhar *v* to disentangle, to untie ▪ **desenvencilhar-se** to get rid of
desenvolto *adj* **1** *(desembaraçado)* self-assured, confident **2** *(ágil, ligeiro)* nimble, brisk
desenvoltura *nf* **1** *(desembaraço)* self-confidence **2** *(agilidade)* nimbleness, agility, briskness **3** *(vivacidade)* liveliness
desenvolver *v* **1** to develop **2** *(expor)* to explain **3** *(empreender)* to undertake ▪ **desenvolver-se 1** to develop **2** *(progredir)* to evolve
desenvolvido *adj* developed; ECON **países desenvolvidos** developed countries
desenvolvimento *nm* **1** development; **países em vias de desenvolvimento** developing countries; **os recentes desenvolvimentos** the latest developments **2** *(crescimento)* growth
desenxabido *adj* **1** (comida) insipid **2** (pessoa) dull
desequilibrado *adj* **1** unbalanced; **dieta desequilibrada** unbalanced diet; **pessoa desequilibrada** unbalanced person **2** *fig,col* crazy
desequilibrar *v* (pessoa) to unbalance ▪ **desequilibrar-se** to lose one's balance
desequilíbrio *nm* **1** imbalance **2** (mental) derangement
deserção *nf* desertion
deserdar *v* to disinherit
desertar *v* to desert
desertificação *nf* desertification
deserto *adj* **1** *(desabitado)* desert, deserted, forsaken; **ilha deserta** desert island **2** *(solitário)* lonely ▪ *nm* desert
desertor *nm* deserter
desesperado *adj* **1** desperate **2** (caso, situação) hopeless; **tentativa desesperada** hopeless attempt
desesperar *v* **1** to drive to despair **2** *(enfurecer)* to infuriate **3** *(perder a esperança)* to give up all hope
desespero *nm* despair, desperation
desestabilização *nf* destabilization
desestabilizar *v* to destabilize; to disrupt
desfalcar *v* **1** (dinheiro) to embezzle **2** *(defraudar)* to swindle **3** *(diminuir)* to reduce
desfalecer *v* **1** *(desmaiar)* to faint, to swoon **2** *(enfraquecer)* to weaken **3** *(desalentar)* to lose heart
desfalecimento *nm (desmaio)* faint, swoon
desfalque *nm* **1** embezzlement, misappropriation **2** *(diminuição)* reduction
desfasado *adj* out of step (de, with)

desfavorável *adj2g* **1** unfavourable (para, for/to) **2** *(adverso)* adverse
desfavorecer *v* **1** to be unfavourable to **2** to treat less favourably
desfavorecido *adj* **1** ill-favoured **2** poor; needy ▪ *nm* one of the underprivileged; **os desfavorecidos** the underprivileged
desfazer *v* **1** (embrulho, nó) to undo; (costura) to unpick; (mala) to unpack; (cama) to strip **2** *(dissolver)* to dissolve (em, in) **3** (dúvida, engano) to dispel; (mistério) to clear up **4** *(destruir)* to smash **5** (batatas, cenoura, fruta) to mash; (cubos, grumos) to break up **6** *(anular)* to annul; (contrato, feitiço) to break; (noivado) to break off ▪ **desfazer-se 1** (costura, nó) to come undone **2** *(derreter-se)* to melt **3** *(livrar-se)* to get rid (de, of) **4** (casamento) to break up
desfecho *nm* outcome, denouement, ending
desfeita *nf* **1** *(ultraje)* outrage **2** *(insulto)* insult, slight
desfeito *adj* **1** *(desmanchado)* undone **2** *(dissolvido)* dissolved **3** (contrato) broken **4** (pessoa) weary, destroyed
desferir *v* **1** (golpe) to strike **2** (pontapé) to give
desfiar *v* **1** (costura, tecido); to undo **2** (alimento) to shred ▪ **desfiar-se** (tecido) to fray
desfiguração *nf* disfiguration
desfigurar *v* **1** (cidade, pessoa) to disfigure; **paisagem desfigurada** disfigured landscape **2** (texto) to mutilate
desfilada *nf* **1** *(desfile)* parade **2** *(sucessão)* series ◆ **à desfilada** at full speed
desfiladeiro *nm* gorge, defile
desfilar *v* to parade, to march
desfile *nm* parade, procession ◆ **desfile de moda** fashion show
desflorar *v* to deflower
desflorestação *nf* deforestation
desflorestar *v* to deforest
desfocado *adj* **1** out of focus **2** (foto, imagem) blurred
desfocar *v* to put out of focus
desfolhada *nf* (milho) shucking
desfolhar *v* (flor) to strip of petals; (planta, árvore) to strip of leaves ▪ **desfolhar-se** (flor) to shed its petals; (planta, árvore) to shed its leaves
desforra *nf* revenge; **tirar a desforra** to get even
desforrar-se *v* to take revenge; to get even
desfragmentar *v* INFORM to defragment
desfraldar *v* **1** (velas) to unfurl **2** (bandeira) to hoist
desfrisar *v* to straighten
desfrutar *v (deliciar-se)* to enjoy (de, -)
desfrute *nm* **1** *(deleite)* enjoyment **2** *(zombaria)* mockery, ridicule; **dar-se ao desfrute** to become an object of ridicule
desgarrada *nf* MÚS popular song; **cantar à desgarrada** to sing impromptu in competition
desgastante *adj2g* wearing, stressful
desgastar *v* **1** (roupa, calçado) to wear (out) **2** (superfície, rocha) to wear away **3** *(cansar)* to tire
desgaste *nm* **1** (máquinas, mobiliário, vestuário) wear and tear, wearing out **2** GEOL (rochas) erosion; **desgaste por atrito** detrition **3** (emocional) stress and strain
desgostar *v* **1** *(entristecer)* to sadden; *(aborrecer)* to upset **2** *(desagradar)* to displease **3** *(não gostar)* to dislike (de, -); **não desgostar de** to like
desgosto *nm* **1** *(pesar)* sorrow, grief; **desgosto de amor** heartbreak; **morrer de desgosto** to die of grief **2** displeasure; annoyance
desgostoso *adj* **1** *(triste)* sad; sorrowful, regretful; **sentir-se desgostoso** to sorrow at, to feel sad **2** *(descontente)* displeased, discontent
desgovernado *adj* **1** *(mal gerido)* mismanaged **2** (automóvel, barco) out of control
desgovernar *v* (país) to misgovern; (negócios) to mismanage ▪ **desgovernar-se** to go out of control
desgoverno *nm* **1** *(má gestão)* mismanagement **2** *(desperdício)* wastefulness, waste
desgraça *nf* **1** (acontecimento); disaster **2** *(azar)* misfortune **3** *(vergonha)* disgrace
desgraçado *adj* **1** *(infeliz)* miserable **2** *(pobre)* poor ▪ *nm* wretch
desgraçar *v* to ruin ▪ **desgraçar-se** to ruin yourself
desgrenhar *v* (cabelo) to dishevel, to tousle
desidratação *nf* **1** dehydration; **desidratação da pele** skin dehydration **2** (alimentos) desiccation
desidratado *adj* **1** dehydrated **2** desiccated
desidratar(-se) *v* to dehydrate

design *nm* design

designação *nf* **1** designation; denomination; name **2** (cargo) designation; appointment; nomination

designadamente *adv* **1** namely **2** especially

designar *v* **1** *(nomear, escolher)* to appoint; to name; **designar um sucessor** to name a successor **2** *(indicar)* to show; to indicate **3** to represent

designer *n2g* designer; **designer de moda** fashion designer

desígnio *nm* plan; design

desigual *adj2g* **1** *(injusto)* unequal; unfair **2** *(desequilibrado)* uneven **3** (textura, superfície) uneven; irregular

desigualdade *nf* inequality

desiludido *adj* disappointed

desiludir *v* to disappoint; to let down ▪ **desiludir-se** to be disappointed

desilusão *nf* disappointment

desimpedido *adj* free; clear; **o caminho está desimpedido** the coast is clear

desimpedir *v* **1** to clear; to free; **desimpedir o caminho** to clear the way **2** to unblock; to unclog

desinência *nf* LING ending, termination

desinfeção[AO] *nf* disinfection

desinfecção *a nova grafia é* **desinfeção**[AO]

desinfectante *a nova grafia é* **desinfetante**[AO]

desinfectar *a nova grafia é* **desinfetar**[AO]

desinfestação *nf* disinfestation

desinfestar *v* to disinfest

desinfetante[AO] *adj2g,nm* disinfectant; antiseptic

desinfetar[AO] *v* to disinfect; to cleanse

desinformação *nf* disinformation

desinibido *adj* uninhibited; open

desinstalar *v* INFORM to uninstall

desintegração *nf* disintegration

desintegrar(-se) *v* **1** to disintegrate; to break up **2** (átomo) to split

desinteressado *adj* **1** uninterested (por, in); indifferent (por, to) **2** *(imparcial)* impartial; objective **3** *(não interesseiro)* unselfish

desinteressante *adj2g* uninteresting; dull

desinteressar-se *v* to lose interest (de, in)

desinteresse *nm* **1** disinterest (por, in) **2** *(imparcialidade)* impartiality **3** *(altruísmo)* unselfishness

desintoxicação *nf* detoxication; detoxification; (álcool, drogas) **cura de desintoxicação** detox

desintoxicar *v* to detoxify, to detoxicate

desistência *nf* **1** giving up **2** withdrawal

desistente *n2g* **1** (competição, estudos) dropout **2** loser

desistir *v* **1** to give up (de, on) **2** (estudos, competição) to drop out (de, of)

desktop *nm* INFORM desktop

deslavado *adj* **1** *(desbotado)* faded, washed out **2** *(sem interesse)* dull

desleal *adj2g* disloyal; untrue

deslealdade *nf* **1** disloyalty; falseness, falsehood, falsity **2** untruthfulness

desleixado *adj* **1** careless; slovenly **2** *(desinteressado)* negligent; inattentive

desleixar *v* to neglect; to disregard ▪ **desleixar-se** to grow careless

desleixo *nm* **1** negligence **2** slovenliness; carelessness **3** neglect

desligado *adj* **1** (aparelho) disconnected; off; **a televisão está desligada** the TV is off **2** *fig* (pessoa) uninterested; indifferent

desligar *v* **1** (aparelho, luz) to switch off **2** (da tomada, Internet) to disconnect; **desligar da corrente** to unplug **3** (telefone) to hang up **4** *(distrair-se)* to switch off

deslindar *v* **1** (crime, mistério) to clear up, to solve **2** (novelo, meada) to disentangle **3** to explain

deslizante *adj2g* **1** sliding **2** slippery **3** ECON (taxa) sliding, variable

deslizar *v* **1** to slide; to glide **2** *(escorregar)* to slip

deslize *nm* **1** slide; slip **2** *(lapso)* blunder; slip (of the tongue)

deslocação *nf* **1** MED (osso) dislocation **2** displacement **3** trip; journey

deslocado *adj* **1** dislocated, disjointed, out of joint **2** displaced; dislocated; out of place

deslocamento *nm* **1** displacement **2** dislocation

deslocar *v* **1** to move **2** (osso) to dislocate ▪ **deslocar-se 1** *(ir)* to go; *(vir)* to come; *(viajar)* to travel **2** to move

deslumbrado *adj* dazzled (com, by); fascinated (com, by)

deslumbramento *nm* **1** dazzlement; bewitchment **2** awe; fascination

deslumbrante *adj2g* **1** dazzling; splendid; magnificent **2** fascinating; enthralling
deslumbrar *v (fascinar)* to fascinate; *(maravilhar)* to amaze ▪ **deslumbrar-se** to be fascinated
desmaiado *adj* **1** (pessoa) unconscious; senseless **2** (cor) faded, pale **3** (som) faint, low
desmaiar *v* to faint
desmaio *nm* faint; blackout; swoon *lit*
desmamar *v* **1** (criança) to wean **2** *fig* to emancipate
desmame *nm* weaning
desmancha-prazeres *n2g2n* spoilsport; killjoy; party pooper EUA
desmanchar *v* **1** (nó, laço) to undo **2** (penteado, cama) to rumple **3** (máquina) to dismantle **4** (namoro, noivado) to break off ▪ **desmanchar-se** **1** *(desfazer-se)* to come apart **2** (nó) to come undone
desmantelamento *nm* dismantling
desmantelar *v* to dismantle
desmaquilhante *nm* cleanser; make-up remover ▪ *adj2g* cleansing; **leite desmaquilhante** cleansing milk
desmaquilhar *v* to remove make-up from ▪ **desmaquilhar-se** to take one's make-up off
desmarcar *v* (consulta, reunião) to cancel ▪ **desmarcar-se** DESP to lose one's marker
desmascarar *v* to unmask ▪ **desmascarar-se** *(trair-se)* to betray oneself
desmazelado *adj* careless; slovenly; scruffy ▪ *nm* slob; sloven
desmazelar-se *v*
desmazelo *nm* **1** negligence; carelessness **2** slovenliness; untidiness; carelessness
desmedido *adj* **1** excessive; exaggerate **2** disproportionate **3** *(enorme)* enormous
desmembramento *nm* dismemberment; partition; segmentation
desmembrar *v* **1** to dismember **2** *fig* to divide ▪ **desmembrar-se** to break up; to be divided
desmemoriado *adj* forgetful
desmentido *nm* disclaimer; denial; refutation ▪ *adj* refuted; denied
desmentir *v* **1** to deny; to disclaim; **desmentir uma notícia** to deny a story **2** to contradict
desmerecer *v* to prove oneself unworthy of
desmerecimento *nm* **1** unworthiness **2** demerit, fault
desmesurado *adj* **1** enormous **2** immoderate; excessive
desmilitarização *nf* demilitarization
desmilitarizar *v* to demilitarize
desmiolado *nm* scatterbrain ▪ *adj* hare-brained; silly
desmistificação *nf* demystification
desmistificar *v* to demystify
desmobilização *nf* demobilization; MIL **desmobilização de tropas** troop demobilization
desmobilizar *v* **1** MIL (tropas) to demobilize **2** to disband
desmontar *v* **1** (em várias partes) to dismantle; to take apart **2** (tenda) to take down **3** (de cavalo) to dismount (de, from)
desmontável *adj* that can be dismantled; that can be disassembled
desmoralização *nf* **1** demoralization **2** depravation; corruption
desmoralizado *adj* demoralized; discouraged; dispirited
desmoralizador *adj* demoralizing; discouraging; demotivating
desmoralizar *v* **1** *(desmotivar)* to demoralize; to dispirit; to discourage **2** *(corromper)* to corrupt; to pervert; to deprave
desmoronamento *nm* collapse; breakdown
desmoronar *v* **1** (planos) to fall down, to fail, to fall through **2** to collapse; to crumble
desmotivação *nf* **1** (ato) demotivation; discouragement **2** (estado de espírito) lack of motivation; despondency
desmotivado *adj* demotivated
desmotivante *adj2g* demotivating; discouraging
desmotivar *v* to demotivate; to discourage ▪ **desmotivar-se** to lose all motivation
desnacionalização *nf* denationalization; privatization
desnatado *adj* skimmed; **leite desnatado** skimmed milk
desnatar *v* to skim; to cream
desnaturado *adj* cruel; inhuman
desnaturar *v* **1** to denature **2** to pervert; to corrupt
desnecessariamente *adv* unnecessarily

desnecessário *adj* **1** (não necessário) unnecessary; needless; dispensable **2** *(excessivo)* superfluous; redundant
desnível *nm* **1** unevenness **2** drop; declivity
desnivelado *adj* uneven
desnivelar *v* to make uneven ▪ **desnivelar--se** to become uneven
desnorteado *adj* **1** disorientated, disoriented; lost **2** bewildered; confused
desnorteamento *nm* **1** disorientation **2** bewilderment; perplexity
desnortear *v* to disorient, to disorientate GB; to confuse
desnudar *v* **1** (pessoa) to undress **2** *(revelar, expor)* to lay bare ▪ **desnudar-se** to undress
desnutrição *nf* malnutrition, malnourishment
desnutrido *adj* underfed; malnourished
desobedecer *v* to disobey (a, -)
desobediência *nf* disobedience (a, to)
desobediente *adj2g* **1** disobedient (a, to); disobeying **2** insubordinate
desobrigar *v* to free (de, of)
desobstrução *nf* clearing; clearance; clearout
desobstruir *v* **1** to clear away; to clear out **2** to unblock
desocupação *nf* **1** MIL withdrawal **2** *(ato de desocupar)* vacating **3** *(desemprego)* unemployment **4** idleness
desocupado *adj* **1** (casa, mesa) unoccupied; vacant **2** *(disponível)* free **3** *(ocioso)* idle
desocupar *v* **1** (edifício) to vacate **2** to clear **3** to empty **4** (exército) to pull out; to retreat
desodorizante *nm,adj2g* deodorant
desolação *nf* desolation
desolado *adj* **1** (local) desolate; dreary **2** (pessoa) desolate; miserable; wretched
desolador *adj* devastating
desolar *v* **1** (lugar) to desolate; to devastate; to ruin **2** (pessoa) to desolate; to deject; to sadden
desonerar *v* **1** (dever) to exonerate from; to release from **2** (posto, emprego) to discharge, to dismiss
desonestidade *nf* dishonesty; deceitfulness
desonesto *adj* dishonest; deceitful; crooked
desonra *nf* **1** dishonour; ignominy; disgrace **2** dishonourable act
desonrar *v* to dishonour; to disgrace; to discredit
desonroso *adj* **1** dishonourable; disgraceful; humiliating **2** (vitória) unfair; inglorious
desopilar *v col (descontrair)* to unwind
desordeiro *nm* rioter; ruffian ▪ *adj* unruly; riotous; mutinous
desordem *nf* **1** *(desarrumação)* disorder; untidiness; mess **2** *(confusão)* chaos; disarray; confusion **3** *(tumulto)* riot; quarrel
desordenado *adj* disorderly; untidy; messy
desordenar *v* **1** *(desarrumar)* to untidy; to disarrange; to jumble **2** *(desorganizar)* to disorganize **3** *(confundir)* to confuse; to muddle up
desorganização *nf* **1** disorganization **2** confusion; chaos
desorganizar *v* to disorganize; to jumble; to mix up
desorientação *nf* **1** disorientation **2** bewilderment; confusion
desorientado *adj* **1** *(perdido)* lost; adrift **2** *(confuso)* disoriented; confused; bewildered
desorientar *v* to disorient, to disorientate GB ▪ **desorientar-se** to lose one's bearings
desova *nf* spawn
desovar *v* to spawn
despachado *adj* **1** *(desembaraçado)* resourceful; quick **2** *(pronto)* ready **3** *(eficiente)* efficient
despachante *n2g* **1** (de mercadorias) dispatcher **2** *(funcionário alfandegário)* customs officer
despachar *v* **1** (encomenda, cartas) to dispatch; (bagagem) to check in **2** (assunto, tarefa) to take care of; (problema) to solve **3** (cliente) to serve **4** *col (livrar-se de)* to get rid of ▪ **despachar-se** to hurry up; **despacha-te!** hurry up!
despacho *nm* **1** (mensagem, mercadorias) dispatch; **dar despacho a alguma coisa** to dispatch something **2** resolution; decision **3** promptness; efficiency
desparafusado *adj (louco)* with a screw loose
desparafusar *v* to unscrew
desparasitar *v* to delouse
despedaçado *adj* **1** torn **2** broken in pieces
despedaçar *v* **1** to break to pieces; to shatter **2** to tear
despedida *nf* **1** farewell; goodbye; **festa de despedida** farewell party **2** end; **a despedida do verão** the end of the summer ♦ **despedida de solteiro** stag party
despedido *adj* dismissed

despedimento *nm* dismissal; **despedimento sem justa causa** wrongful dismissal
despedir *v* to dismiss, to fire ▪ **despedir-se 1** to say goodbye **2** to resign
despegar *v* to remove, to peel off ▪ **despegar-se** to come unstuck; to peel (de, from/off)
despeitado *adj* **1** *(vingativo)* spiteful; vindictive **2** *(magoado)* hurt; distressed; sad
despeitar *v* to spite; to vex
despeito *nm* spite; **por despeito** out of spite
despejar *v* **1** (líquido) to pour (em, in/into) **2** (recipiente) to empty **3** (inquilino) to evict (de, from) **4** (lixo, resíduos) to dump **5** *(largar)* to drop; *(atirar)* to dump
despejo *nm* **1** eviction; **ordem de despejo** eviction notice **2** (ato de despejar) dumping
despenalização *nf* decriminalization; legalization
despenalizar *v* to decriminalize; to legalize
despenhadeiro *nm* cliff
despenhar-se *v* **1** (avião) to crash **2** *(cair)* to plunge
despensa *nf* larder; pantry
despenteado *adj* (cabelo) tousled, dishevelled
despentear *v* (cabelo) to mess up, to tousle, to dishevel; **não me despenteies!** don't mess up my hair!
despercebido *adj* unnoticed; **fazer-se despercebido** to pretend not to have noticed something; **passar despercebido** to escape (somebody's) notice, to go unnoticed
desperdiçar *v* **1** *(esbanjar)* to waste; to squander; **desperdiçar dinheiro** to squander money **2** (juventude, talento, oportunidade) to waste, to throw away; **desperdicei uma oportunidade única** I threw away a unique opportunity
desperdício *nm* **1** waste **2** *pl* (lixo) rubbish
despertador *nm* alarm clock, alarm watch; **o despertador tocou às cinco da manhã** the alarm went off at five in the morning; **pôr o despertador para as sete** to set the alarm for seven o'clock
despertar *v* **1** *(acordar)* to wake up **2** (curiosidade, interesse) to arouse **3** (apetite) to whet **4** (relógio, despertador) to go off **5** *(recuperar os sentidos)* to come round
desperto *adj* **1** awake **2** *fig* excited
despesa *nf* expense; **despesas de educação** educational expenses; **não olhar a despesas** to spare no expense
despido *adj* **1** undressed; naked **2** (árvore) bare **3** *fig* free (de, of); **despido de preconceitos** unprejudiced
despir *v* **1** (roupas) to take off **2** (pessoa) to undress ▪ **despir-se** to undress
despistado *adj* *(distraído)* featherbrained; absent-minded
despistar *v* **1** (em perseguição) to shake off **2** (com pistas falsas) to throw off the scent **3** (problema de saúde) to detect **4** *(desorientar)* to confuse ▪ **despistar-se** (veículo) to leave the road
despiste *nm* **1** (veículo) skid **2** *(lapso)* slip
desplante *nm* audacity; cheek
despojado *adj* **1** stripped (de, of); robbed (de, of) **2** (estilo) sober
despojamento *nm* **1** despoliation; plundering **2** *fig* austerity; modesty; simplicity
despojar *v* to strip (de, of)
despojos *nmpl* **1** remains **2** (de guerra) spoils
despoletar *v* **1** (bomba, granada) to defuse **2** *(ocasionar)* to bring about; to spark off, to trigger off; to give rise to **3** (paixões) to arouse
despontar *v* **1** *(surgir)* to emerge **2** (dia) to break **3** (barba, pelo) to sprout
desportista *n2g* (homem) sportsman; (mulher) sportswoman
desportivismo *nm* sportsmanship; fair play; fairness
desportivo *adj* **1** sporting; sports; **carro desportivo** sports car **2** (roupa) casual; sporty
desporto *nm* **1** sport; **desportos aquáticos** aquatic sports; **fazer/praticar desporto** to practice some sport **2** pastime; hobby; **por desporto** as a hobby, as a pastime
desposar *v* to marry, to get married to; to espouse
déspota *n2g* despot; absolute ruler; tyrant
despótico *adj* despotic; tyrannical
despotismo *nm* despotism; autocracy; totalitarianism
despovoado *adj* depopulated ▪ *nm* desert place
despovoar *v* to depopulate
desprender *v* **1** *(soltar)* to let loose **2** (cabelo) to let down **3** *(desamarrar)* to untie **4** *(separar)* to

detach ▪ **desprender-se** **1** (objeto, animal amarrado) to break loose **2** *(cair)* to come off
desprendido *adj* **1** *(solto)* loose **2** *(abnegado)* selfless **3** *(desinteressado)* indifferent
desprendimento *nm* **1** unfastening **2** *(abnegação)* self-abnegation; self-denial; self-sacrifice **3** *(indiferença)* detachment; aloofness; indifference
despreocupação *nf* carefreeness; freedom from worries; tranquillity
despreocupado *adj* **1** *(sem preocupações)* carefree; trouble-free; relaxed **2** *(descontraído)* easy-going; casual; relaxed in manner
desprestigiar *v* **1** *(desacreditar)* to discredit **2** *(desvalorizar)* to underestimate
despretensioso *adj* **1** modest; unassuming; unpretentious **2** uninterested
desprevenido *adj* **1** unwary; careless; negligent **2** unprepared; caught by surprise ♦ **apanhar alguém desprevenido** to catch somebody napping
desprezado *adj* **1** despised; scorned **2** underestimated; undervalued
desprezar *v* **1** *(tratar com desprezo)* to despise; to scorn; to look down on **2** *(menosprezar)* to underestimate; to undervalue **3** *(não dar atenção)* to give no attention to; to neglect
desprezível *adj* despicable; vile; contemptible
desprezo *nm* **1** disdain; contempt; scorn **2** *(renúncia)* renunciation; **desprezo dos confortos materiais** renunciation of material comforts
desprivilegiado *nm* disadvantaged person; **os desprivilegiados da sociedade** the socially deprived, the underprivileged ▪ *adj* disadvantaged; underprivileged
despromoção *nf* demotion
despromover *v* to demote; to downgrade
despromovido *adj* demoted; downgraded
desproporção *nf* **1** disproportion **2** unevenness; imbalance
desproporcionado *adj* disproportionate; unbalanced; out of proportion
desproporcionar *v* to make disproportionate
despropositado *adj* **1** *(inoportuno)* inopportune; unseasonable; inconvenient **2** *(disparatado)* ridiculous; senseless; pointless
despropositar *v* **1** to talk nonsense **2** to act unreasonably
despropósito *nm* **1** nonsense; absurdity; silliness **2** huge amount; **um despropósito de livros velhos** a huge amount of old books
desprotegido *adj* unprotected
desprover *v* to deprive (de, of)
desprovido *adj* **1** deprived (de, of); lacking (de, in) **2** devoid (de, of)
desqualificação *nf* **1** (concurso, competição) disqualification **2** discredit; disrepute
desqualificado *adj* disqualified
desqualificar *v* to disqualify ▪ **desqualificar-se** to get disqualified
desratizar *v* to exterminate mice
desregrado *adj* **1** *(indisciplinado)* unruly; undisciplined **2** *(imoderado)* immoderate; excessive
desrespeitador *adj* **1** disrespectful **2** impolite; rude; discourteous
desrespeitar *v* to behave disrespectfully towards
desrespeito *nm* **1** disrespect **2** insolence; cheek
destacado *adj* **1** *(excelente)* outstanding; remarkable **2** *(em evidência)* stressed; underlined **3** (forças de trabalho, tropas) detached
destacamento *nm* **1** (funções) assignment **2** MIL detachment
destacar *v* **1** *(realçar)* to emphasize **2** *(distinguir)* to distinguish **3** *(cortar)* to detach **4** (funções) to appoint (para, to) **5** (soldados) to detach ▪ **destacar-se** to stand out
destacável *adj* detachable ▪ *nm* pull-out
destapar *v* **1** (tampa, testo) to take the lid off, to open **2** to pull the bedclothes off **3** to uncover; to reveal; to expose
destaque *nm* prominence; **de destaque** outstanding; **pôr em destaque** to highlight
destemido *adj* fearless; bold
desterrado *nm* exile; expatriate ▪ *adj* **1** exiled **2** far away from home
desterrar *v* to exile, to banish ▪ **desterrar-se** to go into exile
desterro *nm* **1** banishment; expatriation; exile **2** (local de exílio) exile **3** isolation
destilação *nf* distillation
destilado *adj* distilled
destilar *v* **1** to distil GB, to distill EUA **2** (ódio, veneno) to ooze
destilaria *nf* distillery

destinar *v* **1** *(atribuir)* to allocate **2** *(reservar)* to set aside **3** *(decidir)* to decide **4** *(predestinar)* to destine ▪ **destinar-se** to be destined (a, for)
destinatário *nm* **1** (carta, encomenda) addressee **2** LING (mensagem) receiver ◆ **chamada a pagar no destinatário** reverse charge call
destino *nm* **1** fate; destiny **2** (viagem) destination
destituição *nf* **1** *(demissão)* dismissal; discharge **2** *(privação)* destitution (de, of)
destituir *v* **1** *(demitir)* to dismiss (de, from) **2** *(privar)* to deprive (de, of)
destoar *v* *(não condizer, divergir)* to clash (de, with)
destrambelhado *adj* **1** *(amalucado)* foolish; daft; crazy **2** *(trapalhão)* clumsy; awkward **3** *(desorganizado)* scatterbrained
destrancar *v* to unbolt; to unlock; to unbar
destravado *adj* **1** (veículo) without the brakes on **2** *(maluco)* crazy **3** *(disparatado)* silly; foolish
destravar *v* **1** (automóvel) to release the brake of **2** to unfetter
destreinado *adj* **1** out of practice **2** DESP out of training
destreza *nf* skill; dexterity
destro *adj* **1** *(hábil)* dexterous; skilful; deft **2** *(astuto, sagaz)* clever; shrewd; astute **3** *(que usa a mão direita)* right-handed
destroçar *v* **1** *(arruinar)* to destroy; to ruin **2** *(despedaçar)* to shatter; to break; *fig* **ele está com o coração destroçado** he is broken-hearted
destroço *nm* **1** destruction **2** *pl* (navio) wreckage; rubble
destronar *v* **1** *(expulsar do trono)* to dethrone **2** *(derrotar)* to beat; **ele destronou o recordista mundial** he beat the world's record-holder
destruição *nf* **1** destruction; devastation; ruin, ruining **2** extermination; annihilation
destruído *adj* **1** destroyed; ruined **2** devastated
destruidor *adj* destructive; harmful ▪ *nm* destroyer
destruir *v* **1** to destroy; to devastate; to ravage **2** to annihilate; to exterminate
destrutivo *adj* **1** destructive; harmful; **críticas destrutivas** destructive criticism **2** ruinous; disastrous
desumanidade *nf* inhumanity
desumanização *nf* dehumanization
desumanizar *v* to dehumanize ▪ **desumanizar-se** to become less human
desumano *adj* inhumane
desumidificador *nm* dehumidifier
desumidificar *v* to dehumidify
desunião *nf* **1** disunion **2** disagreement
desunir *v* to disunite
desuso *nm* disuse; **cair em desuso** to fall into disuse, to go out of use
desvairado *adj* deranged; insane
desvalorização *nf* devaluation
desvalorizar *v* to devalue
desvanecer *v* to dispel ▪ **desvanecer-se** to fade
desvanecimento *nm* **1** *lit (dissipação)* dissipation **2** *lit (esvaecimento)* waning; fading away
desvantagem *nf* **1** disadvantage; **estar em desvantagem** to be at a disadvantage **2** inconvenience; drawback; **é só desvantagens** there are way too much drawbacks **3** *(falha)* handicap
desvantajoso *adj* unfavourable GB, unfavorable EUA
desvão *nm* **1** *(recanto)* nook, recess; corner **2** *(sótão)* garret; attic, loft
desvario *nm* **1** *(loucura)* madness **2** *(asneira)* crazy thing
desvelo *nm* **1** *(atenção)* loving care; kindness **2** *(cuidado)* zeal **3** *(devoção)* devotion; dedication
desvendar *v* **1** *(solucionar)* to solve; to unravel **2** *(revelar)* to reveal
desventura *nf* **1** *(infortúnio)* misfortune; mishap **2** *(infelicidade)* misery; unhappiness **3** *(miséria)* wretchedness
desviante *adj2g* deviant
desviar *v* **1** to divert **2** (objeto em movimento) to deflect **3** (assunto, conversa) to change **4** (olhar) to avert **5** (fundos, dinheiro) to embezzle **6** (sequestrar) to hijack ▪ **desviar-se 1** *(sair da frente)*; to step aside **2** (movimento repentino) to swerve **3** (assunto, conversa) to stray (de, from)
desvincular *v* **1** (compromisso) to free (de, of/from) **2** *(dissociar)* to dissociate ▪ **desvincular-se 1** to disassociate oneself (de, of) **2** to free oneself (de, of)
desvio *nm* **1** (direção) deflection; turn **2** deviation; **desvio padrão** standard deviation

3 (trânsito) detour 4 (dinheiro) embezzlement 5 (assunto) digression; turn
desvirginar *v* to deflower; to take someone's virginity
desvirtuar *v* 1 (depreciação) to depreciate; to devalue 2 *(falsear)* to bring into disrepute
desvitalizar *v* 1 *(tirar vida)* to devitalize 2 (dentes) to kill the nerve of (a tooth)
detalhadamente *adv* in detail; in depth
detalhado *adj* detailed; thorough
detalhar *v* to go into details; to give a full report of; **não vamos agora detalhar o que aconteceu** let's not go into details about what happened
detalhe *nm* detail
deteção[AO] *nf* 1 (notar) detection; **deteção de incêndios** fire detection 2 (descobrir) discovery
detecção *a nova grafia é* **deteção**[AO]
detectar *a nova grafia é* **detetar**[AO]
detective *a nova grafia é* **detetive**[AO]
detector *a nova grafia é* **detetor**[AO]
detenção *nf* arrest
detentor *nm* holder; **detentor do título** titleholder
deter *v* 1 *(prender)* to arrest; *(não deixar ir em liberdade)* to detain 2 *(fazer parar)* to stop 3 *(possuir)* to hold
detergente *nm* detergent
deterioração *nf* 1 (situação) deterioration; impairment; degeneration 2 (alimentos) decay; decomposition 3 (saúde) deterioration; worsening; **deterioração da saúde** deterioration of health
deteriorado *adj* 1 damaged; in bad condition 2 (visão, audição) impaired 3 (alimento) rotten
deteriorar *v* to damage ▪ **deteriorar-se** 1 (situação) to deteriorate 2 (alimentos) to decay
determinação *nf* determination
determinado *adj* 1 *(resoluto)* determined 2 *(definido)* defined; fixed ▪ *det indef > quant exist*[DT] certain
determinante *adj2g* decisive; determinant ▪ *nm* (gramática) determiner ▪ *nf (motivo)* cause
determinar *v* 1 *(apurar)* to determine 2 (documento escrito) to state 3 *(definir)* to define, to set 4 *(calcular)* to work out
detestar *v (odiar)* to detest; to loathe; to hate
detestável *adj2g* detestable; loathsome; hateful
detetar[AO] *v* 1 *(notar)* to detect; to notice; **detetar uma avaria** to detect a fault 2 *(descobrir)* to detect; to discover; to find 3 *(sentir)* to detect; to sense
detetive[AO] *n2g* detective; **detetive privado** private eye
detetor[AO] *nm* detector; **detetor de incêndios** fire detector; **detetor de metais** metal detector
detido *nm* 1 person under arrest; prisoner 2 (prisão) inmate ▪ *adj* (trânsito) trapped; **ficar detido num engarrafamento de trânsito** to be trapped in a traffic jam
detonação *nf* 1 *(explosão)* detonation; explosion; **detonação de uma bomba** detonation of a bomb 2 *(barulho)* bang; blast
detonador *nm* detonator; torpedo GB
detonar *v* 1 *(explodir)* to detonate; to explode 2 (ruído) to bang; to blast
detrás *adv* 1 *(atrás)* behind; **detrás de todos** behind all others; **por detrás da casa** behind the house 2 *(depois)* after; **detrás do cortejo** after the parade
detrimento *nm (prejuízo)* detriment; **em detrimento de** to the detriment of
detrito *nm* (obras, destroços) detritus; debris; rubble
deturpação *nf* 1 *(distorção)* misrepresentation; distortion; **deturpação do sentido de uma frase** distortion of the meaning of a sentence 2 *pej (alteração)* disfigurement 3 *(má interpretação)* misinterpretation
deturpar *v* 1 *(distorcer)* to misrepresent; to distort 2 *(alterar)* to disfigure; to alter 3 *(interpretar mal)* to misread; to misinterpret
deus *nm* 1 god; **deuses pagãos** pagan gods 2 REL [com maiúscula] God
devagar *adv* 1 *(sem pressas)* slowly; slow; **ir muito devagar** to move slow 2 *(pouco a pouco)* little by little ♦ **devagar se vai ao longe** fair and soft goes far in a day
devaneio *nm lit (sonho)* daydream; reverie
devassa *nf* (da privacidade) invasion
devassado *adj* 1 (local) opened; exposed; unprotected 2 (pessoas) exposed; **vidas devassadas** exposed lives
devassar *v* 1 *(expor)* to expose 2 (privacidade) to invade someone's privacy
devassidão *nf pej (libertinagem)* licentiousness; lewdness; debauchery

devasso *nm pej* libertine ▪ *adj* **1** *pej (corrupto)* dissolute; corrupt **2** *pej (lascivo)* licentious; lewd; lascivious
devastação *nf* devastation; destruction
devastador *adj* devastating
devastar *v* to devastate; to destroy; to ravage
devedor *nm* debtor
dever *v* **1** to owe **2** (obrigação, probabilidade) must **3** (intenção, plano) to be to ▪ **dever-se** to be due (a, to) ▪ *nm* **1** duty; **cumprir o dever** to fulfil one's duty **2** *pl* homework
deveras *adv* **1** *(de facto)* indeed; **deveras?** indeed? **2** *(verdadeiramente)* truly; **um facto deveras importante** a truly important aspect
devidamente *adv* **1** *(adequadamente)* properly; adequately; **devidamente equipado** properly equipped **2** *(convenientemente)* properly; decently; **devidamente vestido** decently dressed
devido *adj* due; **na altura devida** in due course, at the right time ◆ **devido a** due to; owing to; **com o devido respeito** if I may say so
devoção *nf* devotion
devolução *nf* **1** return **2** *(reembolso)* refund
devoluto *adj* **1** *(vago)* vacant; empty; **casa devoluta** vacant house **2** *(devolvido)* return; **mercadoria devoluta** return merchandise
devolver *v* to return; to hand back; to give back
devolvido *adj* return; turned back; **carta devolvida** return letter
devorador *adj* **1** *(insaciável)* devouring; insatiable **2** (interesse, paixão) devouring; consuming **3** (apetite) ravenous; **fome devoradora** ravenous hunger ▪ *nm* devourer
devorar *v* to devour
devotar *v* to devote ▪ **devotar-se** to devote oneself
devoto *adj* **1** *(religioso)* devout **2** *(dedicado)* devoted
dez *num card > quant num*[DT] ten; **o dia dez** the tenth
dezanove *num card > quant num*[DT] nineteen; **o dia 19** the nineteenth
dezasseis *num card > quant num*[DT] sixteen; **o dia dezasseis** the sixteenth
dezassete *num card > quant num*[DT] seventeen; **o dia dezassete** the seventeenth
dezembro[AO] *nm* December
dezena *nf* **1** (número) ten; *col* **uma dezena de vezes** about ten times **2** MAT unit of ten ◆ **às dezenas** by the dozen
dezoito *num card > quant num*[DT] eighteen; **o dia dezoito** the eighteenth
dia *nm* day; **de dia** by day; **dia sim, dia não** every other day; **todos os dias** every single day ◆ **de um dia para outro** overnight; **estar em dia** to be up-to-date
dia-a-dia *a nova grafia é* **dia a dia**[AO]
dia a dia[AO] *nm* everyday life
diabetes *nf2n* MED diabetes
diabético *adj,nm* diabetic
diabo *nm* devil
diabólico *adj* diabolical; devilish; **uma ideia diabólica** a devilish idea
diabrete *nm* **1** imp **2** *fig* (criança) little devil
diabrura *nf* trick; devilry
diácono *nm* deacon
diacrítico *adj* diacritic, diacritical; **sinais diacríticos** diacritics
diadema *nm* diadem; tiara
diáfano *adj lit* diaphanous; gauzy
diafragma *nm* **1** ANAT,FOT diaphragm **2** (contraceptivo) diaphragm; cap
diagnosticar *v* MED to diagnose; **foi-lhe diagnosticado um cancro** his illness was diagnosed as cancer
diagnóstico *nm* MED diagnosis; **fazer o diagnóstico da doença** to diagnose the disease ▪ *adj* MED diagnostic
diagonal *adj2g,nf* diagonal
diagrama *nm* **1** *(esquema)* diagram; scheme **2** *(esboço)* sketch
dialéctica *a nova grafia é* **dialética**[AO]
dialecto *a nova grafia é* **dialeto**[AO]
dialética[AO] *nf* dialectics
dialeto[AO] *nm* **1** LING (variante) dialect **2** LING (regionalismo) patois
diálise *nf* MED dialysis
dialogar *v* to talk (com, with/to)
diálogo *nm* **1** conversation; talk **2** (num texto, filme) dialogue, dialog EUA
diamante *nm* diamond
diâmetro *nm* diameter
diante *adv* **diante de** in front of; *(perante)* in the presence of; *(face a)* in view of; **em diante** on; onwards

dianteira *nf* **1** *(liderança)* lead; **estar na dianteira** to have the lead; **tomar a dianteira** to take the lead **2** *(frente)* front
dianteiro *adj* leading
diapasão *nm* **1** MÚS diapason; range; pitch **2** MÚS (instrumento) tuning fork; diapason ◆ **neste diapasão** under these circumstances; **por este diapasão** thus considering
diapositivo *nm* FOT slide, transparency
diária *nf* **1** (rendimento) daily income **2** (despesa) daily charge; daily expense
diário *adj* daily; **caderno diário** notebook; **uso diário** daily use ▪ *nm* **1** (pessoal) diary, journal; **ter um diário** to keep a diary **2** (jornal) daily newspaper, daily paper ◆ **diário de bordo** log book
diarreia *nf* MED diarrhoea
diástole *nf* diastole
dica *nf col* tip; hint
dicção *nf* diction
dicionário *nm* dictionary; **dicionário de verbos** verbal dictionary; **procurar uma palavra no dicionário** to look up a word in the dictionary
dicotomia *nf* dichotomy
didáctica *a nova grafia é* **didática**[AO]
didáctico *a nova grafia é* **didático**[AO]
didascália *nf* TEAT stage direction; acting rules
didática[AO] *nf* didactics; pedagogy; teachings
didático[AO] *adj* teaching; pedagogical; educational
dieta *nf* diet
dietética *nf* dietetics
dietético *adj* dietetic
dietista *n2g* dietician
difamação *nf* **1** *(destruir reputação)* defamation; detraction **2** *(caluniar)* slander; calumny; smear
difamador *adj* slanderous ▪ *nm* slanderer
difamar *v* **1** *(prejudicar reputação)* to defame; to detract **2** *(caluniar)* to slander
difamatório *adj* **1** *(insultuoso)* defamatory **2** *(calunioso)* slanderous; calumnious
diferença *nf* difference; **descubra as diferenças** spot the difference ◆ **fazer diferença 1** (efeito, influência) to make a difference **2** (transtorno) to cause trouble
diferenciação *nf* differentiation; distinction
diferencial *adj2g,nm* MAT,ECON differential
diferenciar *v* to differentiate ▪ **diferenciar-se 1** *(tornar-se diferente)* to become different (de, from) **2** *(sobressair)* to stand out
diferendo *nm* disagreement (entre, between); conflict (entre, between)
diferente *adj2g (distinto)* different (de, from); distinct (de, from)

De notar que a palavra inglesa **different** se escreve com duplo **f**.

diferir *v* **1** *(ser diferente)* to differ (de, from) **2** *(adiar)* to defer; to postpone
difícil *adj2g* **1** difficult **2** *(improvável)* unlikely
dificílimo *adj* very difficult
dificilmente *adv* **1** (improbabilidade) hardly; barely **2** *(com dificuldade)* with difficulty; painfully
dificuldade *nf* **1** difficulty; **levantar dificuldades** to create difficulties; **ter dificuldade em fazer alguma coisa** to have difficulty in doing something **2** *(obstáculo)* obstacle; hindrance **3** *(aflição)* distress; **estar em dificuldades** to be in trouble
dificultar *v* to make difficult; to make things harder
difração[AO] *nf* FÍS diffraction
difracção *a nova grafia é* **difração**[AO]
difteria *nf* MED diphtheria
difundir *v* **1** to spread **2** (comunicado, relatório) to issue **3** (pela televisão, rádio) to broadcast **4** *(transmitir)* to transmit ▪ **difundir-se** to spread
difusão *nf* **1** FÍS diffusion; **difusão de luz** diffusion of light **2** *(circulação)* circulation; dissemination **3** *(transmissão)* transmission; broadcast
difuso *adj* **1** (luz) dim; diffuse **2** *(impreciso)* vague; imprecise
difusor *nm* diffuser
digerir *v* **1** (alimentação) to digest **2** (informação, conhecimento) to digest; to absorb; to assimilate
digestão *nf* digestion ◆ **de difícil digestão** hard to swallow
digestivo *adj* digestive; **aparelho digestivo** digestive tract; **sistema digestivo** digestive system ▪ *nm* (alimento, bebida) digestive
digital *adj2g* **1** INFORM digital; **gravação digital** digital recording; **relógio digital** digital watch

2 (dedos) digital; finger; **impressões digitais** fingerprints
digitalizador *nm* INFORM scanner
digitalizar *v* INFORM to digitize
digitar *v* to type; to key, to key in
dígito *nm* digit
dignar-se *v* to deign (a/-, to); to condescend (a/-, to)
dignidade *nf* **1** (princípio moral) dignity; **dignidade humana** human dignity **2** *(tributo)* honour; tribute; distinction **3** *(valor)* merit; worth; value
dignificação *nf* **1** *(engrandecimento)* dignification; ennoblement **2** *(exaltação)* exaltation
dignificar *v* to dignify; to ennoble
dignitário *nm* dignitary
digno *adj* **1** *(respeitável)* honourableGB, honorableEUA **2** (condições) decent **3** *(merecedor)* worthy (de, of)
digressão *nf* **1** *(ronda)* tour; **digressão europeia** European tour **2** *(divagação)* digression
dilação *nf* **1** *(adiamento)* deferment, deferral; postponement **2** *(prorrogação)* prorogation; prolongation **3** *(atraso)* delay; **sem dilação** without delay
dilacerar *v* **1** *(desfazer)* to tear to pieces **2** *(ferir)* to lacerate; to gash **3** *(perfurar)* to pierce
dilapidação *nf lit* dilapidation; **dilapidação do património** dilapidation of one's heritage
dilapidar *v* to dilapidate; to squander; to waste
dilatação *nf* **1** *(extensão)* dilatation; extension **2** *(aumento)* expansion; growth **3** *(prorrogação)* prolongation; prorogation
dilatado *adj* **1** dilated; (estômago) distended **2** *(comprido)* long
dilatar *v* **1** (olhos) to dilate **2** *(prolongar)* to extend; to prolong; **o prazo foi dilatado** the deadline was extended
dilema *nm* dilemma; quandary; **estar num dilema** to find oneself in a dilemma
diletante *n2g* dilettante; dabbler ▪ *adj2g* dilettantish
diligência *nf* **1** *(zelo)* diligence **2** *(prontidão)* promptness **3** *(providência)* measure; step **4** *(procedimento)* procedure
diligenciar *v* **1** *(executar)* to endeavour; to carry out **2** *(esforçar-se)* to do one's best; to exert oneself
diligente *adj2g* careful; diligent
diluente *nm* thinner, diluent
diluição *nf* dilution
diluir *v* **1** (líquido) to dilute; (sólido) to dissolve **2** *(atenuar)* to alleviate ▪ **diluir-se 1** (líquido) to be diluted **2** *(desvanecer-se)* to fade (away)
dilúvio *nm* deluge ♦ (Bíblia) **o Dilúvio** the Flood; the Deluge
dimensão *nf* dimension; **a três dimensões** three-dimensional
diminuendo *nm* **1** MAT minuend **2** MÚS diminuendo
diminuição *nf* **1** *(decréscimo)* decrease; reduction **2** *(abrandamento)* slack; drop; **diminuição de velocidade** drop of speed **3** MAT subtraction
diminuidor *nm* MAT subtrahend
diminuir *v* **1** *(reduzir)* to reduce; to lower **2** *(tornar-se menor)* to decrease; (temperatura, preço) to drop, to fall **3** *(desvalorizar)* to diminish; to belittle
diminutivo *adj,nm* LING diminutive
diminuto *adj (minúsculo)* small; tiny, minute
Dinamarca *nf* Denmark
dinamarquês *adj* Danish ▪ *nm* **1** (pessoa) Dane **2** (língua) Danish
dinâmica *nf* **1** dynamic **2** FÍS (ciência) dynamics
dinâmico *adj* (geral) dynamic
dinamismo *nm* **1** dynamism **2** initiative
dinamitar *v* **1** (com dinamite) to dynamite **2** *(explodir)* to blow up
dinamite *nf* dynamite
dinamizar *v* **1** to energize **2** *(ativar)* to activate
dínamo *nm* MEC dynamo
dinastia *nf* dynasty; **a dinastia de Aviz** the Aviz dynasty
dinheirão *nm col* a lot of money; a pile of money; heaps of money
dinheiro *nm* **1** money; (trocos) **dinheiro miúdo** small change **2** (notas ou moedas) cash; **pagar em dinheiro** to pay in cash
dinossauro *nm* dinosaur
diocese *nf* diocese
díodo *nm* diode
dioptria *nf* dioptreGB, diopterEUA
diospireiro *nm* persimmon tree
dióspiro *nm* persimmon
dióxido *nm* dioxide; **dióxido de carbono** carbon dioxide
diploma *nm* **1** (de curso) diploma **2** (documento certificativo) certificate

diplomacia *nf* diplomacy
diplomado *adj* **1** *(com um certificado)* certificated **2** *(com um curso)* graduated ▪ *nm* graduate; **um diplomado em Física** a physics graduate
diplomar-se *v* **1** to obtain a diploma **2** *(licenciar-se)* to graduate
diplomata *n2g* diplomat
diplomático *adj* diplomatic ♦ **corpo diplomático** diplomatic corps
dique *nm* **1** *(represa)* dyke, dike **2** *(barragem)* dam
direção[AO] *nf* **1** *(sentido)* direction; **em direção a** towards **2** *(gestão)* management **3** *(endereço)* address **4** *(administração)* board of directors **5** MEC steering; **direção assistida** power steering
direcção *a nova grafia é* **direção**[AO]
directa *a nova grafia é* **direta**[AO]
directiva *a nova grafia é* **diretiva**[AO]
directivo *a nova grafia é* **diretivo**[AO]
directo *a nova grafia é* **direto**[AO]
director *a nova grafia é* **diretor**[AO]
director-geral *a nova grafia é* **diretor-geral**[AO]
directoria *a nova grafia é* **diretoria**[AO]
directório *a nova grafia é* **diretório**[AO]
directriz *a nova grafia é* **diretriz**[AO]
direita *nf* **1** (lado) right; right side; **à direita** on the right **2** POL the right; right wing; **extrema direita** far/extreme right
direito *adj* **1** *(certo)* right; **isto não está direito** this is not right **2** *(posição)* straight; **põe-te direito!** straighten yourself up! **3** *(justo)* just; fair ▪ *nm* **1** right; **ter direito a** to have the right to **2** (ciência, curso) law **3** (imposto) duty ♦ **direitos de autor** copyright
direta[AO] *nf col* all-nighter; **fazer uma direta** to stay up all night
diretiva[AO] *nf* directive; instruction
diretivo[AO] *adj* **1** (comando) directive; **corpo diretivo** board of directors **2** (gestão) managerial
direto[AO] *adj* **1** direct **2** (voo, comboio) non-stop **3** (transmissão) live **4** (pessoa) straightforward; (pergunta, resposta) straight ▪ *adv* directly; straight; **ir direto ao assunto** to get straight to the point
diretor[AO] *nm* **1** (responsável) director **2** *(gestor)* manager **3** (escola) headmaster; principal ▪ *adj2g* directorial
diretor-geral[AO] *nm* director general
diretoria[AO] *nf* **1** board of directors **2** (cargo) directorship
diretório[AO] *nm* directory
diretriz[AO] *nf* **1** *(instrução)* directive **2** GEOM directrix
dirigente *n2g* **1** leader; head **2** (associação, clube) officer ▪ *adj2g* **1** (instruções) directing; guiding **2** *(governante)* ruling; **classes dirigentes** ruling classes
dirigir *v* **1** *(gerir)* to manage; to run **2** *(comandar)* to be in charge of **3** *(direcionar)* to direct (para, to/towards) **4** *(endereçar)* to address (a, to) **5** (atores) to direct; (orquestra, coro) to conduct ▪ **dirigir-se 1** to go (a, to) **2** *(falar)* to address (a, -)
dirigível *nm* airship
discar *v* to dial; **discar um número no telefone** to dial a number on the phone
discente *adj2g* studying, learning; **corpo discente** the student body
discernimento *nm lit* discernment; judgement; **perder o discernimento** to go crazy
discernir *v* **1** *(perceber)* to discern; to make out **2** *(distinguir)* to distinguish
disciplina *nf* **1** (escola, saber) subject; **qual é a tua disciplina favorita?** what's your favourite subject? **2** *(ordem)* discipline; order; **disciplina militar** military discipline **3** *(castigo)* punishment
disciplinado *adj* **1** *(controlado)* disciplined; orderly; controlled **2** *(organizado)* disciplined; organized
disciplinar *adj2g* disciplinary; **problemas disciplinares** disciplinary problems ▪ *v* **1** *(ordenar)* to discipline; to put in order **2** *(regular)* to regulate; to organize **3** *(castigar)* to discipline; to punish
discípulo *nm* disciple
disco *nm* **1** disc, disk EUA **2** (de música) record **3** INFORM disk **4** (atletismo) discus
disco-jóquei *n2g* disc jockey
discordância *nf* disagreement (com, with)
discordante *adj2g* **1** (pontos de vista) conflicting; discordant **2** divergent **3** *fig (contrastante)* clashing
discordar *v* to disagree (de, with)
discórdia *nf* **1** *(diferença de opiniões)* discord; discordance **2** *(discussões)* quarrelling
discorrer *v* **1** *(argumentar)* to reason; to argue **2** *(explanar)* to discourse (sobre, on)

discoteca *nf* **1** (clube) club; discotheque, disco **2** (loja) music shop **3** (coleção) CD collection; record collection
discrepância *nf* discrepancy
discrepante *adj2g* **1** *(discordante)* discrepant; divergent **2** *(contraditório)* contradictory; incongruous
discreto *adj* **1** *(reservado)* discreet **2** *(cauteloso)* cautious; prudent; careful **3** (cor) sober; low-key
discrição *nf* **1** *(reserva)* discretion; tact; reserve **2** *(cautela)* caution; prudence ◆ **à discrição** at one's discretion
discriminação *nf* **1** discrimination **2** *(distinção)* distinction (entre, between)
discriminar *v* **1** (sexo, raça) to discriminate **2** *(distinguir)* to discern; to distinguish
discursar *v* **1** *(fazer discurso)* to make a speech **2** *(dissertar)* to discourse (sobre, on)
discurso *nm* speech
discussão *nf* **1** *(conflito)* argument; quarrel **2** *(debate)* discussion
discutir *v* **1** (briga) to argue (com, with); to fight (com, with) **2** *(debater)* to discuss **3** *(disputar)* to contest
discutível *adj2g* **1** debatable **2** *(controverso)* controversial
disenteria *nf* MED dysentery
disfarçar *v* **1** *(pôr disfarce)* to disguise **2** *(ocultar)* to hide ▪ **disfarçar-se 1** to disguise oneself **2** *(mascarar-se)* to dress up (de, as)
disfarce *nm* disguise
disforme *adj2g* **1** deformed **2** *(monstruoso)* monstrous; grotesque
disformidade *nf* **1** *(deformação)* deformity **2** *(monstruosidade)* monstrosity; eyesore
disfuncional *adj2g* dysfunctional
disjunção *nf* **1** LING disjunction **2** *(separação)* disjunction; disunion
disjuntivo *adj* LING disjunctive; **oração disjuntiva** disjunctive clause
disjuntor *nm* ELET circuit breaker
dislexia *nf* MED dyslexia
disléxico *adj* MED dyslexic
díspar *adj2g* disparate; unequal
disparador *nm* **1** (arma) trigger **2** (máquina fotográfica) shutter; **disparador automático** self-timer
disparar *v* **1** (arma) to shoot; **não dispare!** don't shoot! **2** (preços, vendas) to shoot up **3** (dispositivo) to go off
disparatado *adj* **1** *(sem sentido)* nonsensical **2** *(tolo)* foolish; silly
disparatar *v* **1** *(dizer disparates)* to talk foolishly; to drivel on; to rabbit on **2** *(fazer asneira)* to blunder; to bungle
disparate *nm* nonsense; rubbish
disparidade *nf* disparity (de, in)
disparo *nm* **1** *(tiro)* shot **2** FOT shot; snap
dispêndio *nm* expenditure
dispendioso *adj* expensive; pricey; costly
dispensa *nf* **1** exemption **2** *(demissão)* dismissal
dispensado *adj* **1** *(de licença)* free; **está dispensado por hoje** you are free for today **2** *(despedido)* dismissed; **está dispensado** you are dismissed
dispensar *v* **1** (de obrigação) to excuse (de, from) **2** *(despedir)* to dismiss **3** *(não necessitar)* not to need **4** *(ceder)* to give **5** *(recusar)* to refuse
dispensário *nm* dispensary
dispensável *adj2g* **1** (objeto) dispensable **2** (pessoa) disposable; expendable
dispersão *nf* **1** dispersion **2** *(desatenção)* abstraction
dispersar(-se) *v* to disperse; to scatter
disperso *adj* **1** *(espalhado)* scattered; disperse **2** *(difuso)* diffuse; imprecise; vague **3** (estado de espírito) abstract; absent-minded
displicência *nf* **1** *(negligência)* negligence; carelessness **2** *(aborrecimento)* annoyance
displicente *adj2g* **1** *(descuidado)* negligent; careless **2** *(aborrecido)* annoyed **3** *(desagradável)* displeasing; unpleasant
dispneia *nf* MED dyspnoea
disponibilidade *nf* availability
disponibilizar *v (providenciar)* to provide ▪ **disponibilizar-se** to offer (para, to); to volunteer (para, to)
disponível *adj2g* available
dispor *v* **1** *(colocar)* to arrange; to set out **2** *(ter)* to have (de, -) **3** *(usar)* to make use (de, of) ▪ **dispor-se** to be willing (a, to) ▪ *nm* disposal; **ao seu dispor** at your disposal ◆ *col* **dispõe sempre!** any time!

disposição *nf* **1** *(estado de espírito)* mood **2** *(colocação)* arrangement; disposition **3** *(serviço)* disposal; **à sua disposição** at your disposal
dispositivo *nm* **1** (instrumento) device; gadget; **dispositivo eletrónico** electronic device **2** (estrutura) apparatus; **dispositivo militar** military apparatus; **dispositivo de segurança** safety apparatus **3** (máquina, veículo) gear
disposto *adj* **1** *(pronto)* prepared (a, to) **2** *(organizado)* arranged; laid out
disprósio *nm* dysprosium
disputa *nf* **1** dispute **2** *(luta)* fight
disputar *v* **1** to contest; to compete for **2** *(lutar por)* to fight for **3** *(questionar)* to dispute; to question
disquete *nf* INFORM diskette, floppy disk; INFORM **disquete de arranque** boot disk
dissabor *nm* **1** *(deceção)* disappointment; letdown; **foi um grande dissabor** it was such a let-down **2** *(incómodo)* nuisance
dissecação *nf* dissection
dissecar *v* (geral) to dissect
dissemelhança *nf* dissimilarity; difference
disseminação *nf* dissemination; spreading
disseminar *v* to disseminate; to spread
dissertação *nf* **1** *(discurso)* dissertation; speech **2** *(ensaio)* dissertation; essay
dissertar *v* to discourse (sobre, on)
dissidência *nf* **1** *(cisão)* dissidence **2** *(forte discordância)* dissent; contention; disagreement
dissidente *adj,n2g* dissident; **dissidente político** political dissident
dissilábico *adj* LING dissyllabic
dissílabo *nm* LING dissyllable
dissimulação *nf* **1** *(fingimento)* dissimulation; deception **2** *(ocultação)* camouflage; occultation
dissimulado *adj* **1** *(falso)* false; hypocritical; two-faced **2** *(ardiloso)* sly **3** *(escondido)* hidden; camouflaged; disguised ▪ *nm pej* hypocrite
dissimular *v* **1** *(ocultar)* to dissimulate; to conceal **2** *(fingir)* to feign
dissipação *nf* **1** *(desvanecimento)* dissipation; disappearance **2** *(desregramento)* dissipation; debauchery; **levar uma vida de dissipação** to lead a life of dissipation **3** *(esbanjamento)* waste; squandering; **dissipação de dinheiro** squandering of money
dissipar *v* **1** (dúvidas, suspeitas) to dispel **2** (fortuna) to dissipate; to squander ▪ **dissipar-se** *(desaparecer)* to vanish; to disappear
dissociação *nf* dissociation; disconnection; severance
dissociar *v* to separate (de, from) ▪ **dissociar-se** to dissociate oneself (de, from)
dissolução *nf* **1** (assembleia, associação, casamento) dissolution **2** *(desintegração)* disintegration **3** QUÍM dissolution
dissoluto *adj pej,fig* dissolute; licentious; **levar uma vida dissoluta** to lead a dissolute life
dissolvente *adj2g* QUÍM solvent ▪ *nm* **1** *(líquido que dissolve)* solvent **2** *(diluente)* thinner
dissolver *v* to dissolve ▪ **dissolver-se 1** (líquido) to dissolve **2** *(desvanecer-se)* to fade away
dissonância *nf* **1** MÚS dissonance; disharmony **2** *(discórdia)* discord; disagreement
dissonante *adj2g* **1** MÚS dissonant; inharmonious; harsh **2** *(discordante)* discordant; disagreeing
dissuadir *v* to dissuade (de, from)
dissuasão *nf* dissuasion; determent
dissuasivo *adj* dissuasive; discouraging; deterrent
distância *nf* distance
distanciamento *nm* **1** *(distância)* distance; remoteness **2** *(separação)* parting; separation
distanciar *v* to separate ▪ **distanciar-se 1** to distance oneself (de, from); to detach oneself (de, from) **2** *(deixar para trás)* to leave behind
distante *adj2g* **1** distant (de, from); remote; **locais distantes** far away places **2** (temperamento) distant; reserved
distar *v (distância)* to be distant (de, from)
distender *v* **1** *(dilatar)* to distend; to swell; to enlarge **2** *(expandir)* to expand **3** *(retesar)* to stretch; **distender os músculos** to stretch one's muscles
distensão *nf* **1** MED distension; swelling **2** (músculo) wrench; **fazer uma distensão muscular** to sprain a muscle
dístico *nm* **1** LIT (versos) distich, couplet **2** *(rótulo)* inscription; label
distinção *nf* distinction
distinguir *v* to distinguish ▪ **distinguir-se** to distinguish oneself (em, in)

distintivo *adj* distinctive ▪ *nm* **1** (para identificação) badge **2** *(sinal)* sign

distinto *adj* **1** *(diferente)* different; distinct **2** *(nítido, notável)* distinct **3** *(respeitável)* distinguished

distorção *nf* **1** distortion; misrepresentation; **distorção da realidade** distortion of reality **2** *(interpretação errada)* misinterpretation; misread

distorcer *v* (factos, imagem, palavras, som) to distort, to twist

distração[AO] *nf* **1** *(falta de atenção)* absent-mindedness; **por distração** inadvertently **2** *(divertimento)* distraction, amusement; **para distração** for pleasure **3** *(descuido)* oversight

distracção *a nova grafia é* **distração**[AO]

distraído *adj* **1** absent-minded; **estar distraído** to be miles away; **fazer-se de distraído** to pretend not to notice **2** *(sem atenção)* inattentive **3** *(divertido)* amused, entertained

distrair *v* **1** *(tornar desatento)* to distract **2** *(divertir)* to amuse ▪ **distrair-se 1** to be distracted **2** *(divertir-se)* to enjoy oneself

distribuição *nf* **1** distribution **2** (porta a porta) delivery **3** *(atribuição)* allocation

distribuidor *nm* **1** distributor, distribution company **2** *(grossista)* wholesaler **3** MEC distributor

distribuidora *nf* CIN film distributor

distribuir *v* **1** (comida, panfletos, roupas) to distribute **2** (fotocópias) to hand out **3** *(repartir)* to share **4** (cartas) to deliver

distributivo *adj* distributive

distrital *adj2g* district, concerning a district

distrito *nm* district; **distrito urbano** urban district

distúrbio *nm* **1** disturbance, trouble **2** (violento) riot; **criar distúrbios** to make trouble; **provocar distúrbios** to cause a disturbance **3** PSIC disorder; **distúrbio afetivo** emotional disorder

dita *nf* (sorte) luck, chance, fortune

ditado *nm* **1** (escola) dictation; (alunos) **fazer um ditado** to take dictation **2** *(provérbio)* saying, proverb; **como diz o ditado...** as the saying goes...

ditador *nm* dictator, tyrant

ditadura *nf* dictatorship, tyranny; **durante a ditadura militar** under the military dictatorship

ditame *nm* **1** (consciência) dictate; **seguir os ditames da consciência** to follow/obey the dictates of one's conscience **2** *(regra)* rule, precept **3** *(ordem)* order

ditar *v* **1** to dictate **2** *(impor)* to impose

ditatorial *adj2g* dictatorial; tyrannical

dito *adj* said ▪ *nm* saying ♦ **dar o dito por não dito** to go back on one's word; **dito e feito** no sooner said than done

ditongação *nf* LING diphthongization

ditongo *nm* LING diphthong

ditoso *adj* **1** *(feliz, afortunado)* happy, fortunate **2** *(próspero)* prosperous

diurético *adj,nm* FARM diuretic

diurno *adj* **1** day, daytime, daily; **voos diurnos** daytime flights **2** ASTRON,BOT,ZOOL diurnal

diva *nf* diva

divã *nm* divan, couch, sofa

divagação *nf* digression, rambling

divagar *v* **1** (assunto) to digress, to wander off, to ramble on **2** *(vaguear)* to wander, to stray

divergência *nf* **1** divergence, deviation **2** (de opinião) disagreement

divergente *adj2g* divergent; **opiniões divergentes** divergent opinions

divergir *v* **1** to diverge (de, from) **2** (opinião) to disagree

diversão *nf* **1** *(entretenimento)* entertainment **2** (para desviar atenção) diversion

diversidade *nf* diversity

diversificação *nf* diversification, variation

diversificar *v* to diversify, to vary

diverso *adj* **1** different, diverse ▪ *det indef > quant exist*[DT] various, several; **de diversas formas** in various ways; **diversas vezes** several times

divertido *adj* **1** amusing, entertaining **2** *(engraçado)* funny; **ser muito divertido** to be great fun **3** *(agradável)* enjoyable

divertimento *nm* amusement, entertainment, fun

divertir *v* to amuse ▪ **divertir-se** to have a good time, to have fun

dívida *nf* debt; **estar em dívida para com alguém** to owe somebody

dividendo *nm* (geral) dividend ♦ (lucros) **dar dividendos** to pay dividends

dividido *adj* **1** divided **2** *(indeciso)* undecided

dividir *v* **1** to divide **2** *(partilhar)* to share

divinal *adj2g* **1** godlike, divine **2** *col,fig (maravilhoso)* excellent, divine

divindade *nf* **1** *(natureza divina)* divinity; **divindade grega** Greek divinity **2** (entidade pagã) deity
divinização *nf* deification, divinization
divinizar *v* to deify
divino *adj* **1** godlike, divine; **dádiva divina** godsend **2** *col,fig* excellent, divine
divisa *nf* **1** *(moeda estrangeira)* foreign currency **2** *(lema)* motto; *(emblema)* emblem
divisão *nf* **1** division **2** (casa) room **3** DESP league, division
divisor *nm* MAT divisor; **divisor comum** common divisor
divisória *nf* (casa) partition
divorciado *adj* divorced ▪ *nm* divorcée
divorciar-se *v* to get divorced (de, from)
divórcio *nm* divorce; **requerer o divórcio** to sue for divorce
divulgação *nf* **1** divulging, diffusion **2** (segredo) revelation, disclosure
divulgar *v* **1** *(tornar público)* to release **2** *(espalhar)* to spread **3** (informação secreta) to disclose **4** *(publicitar)* to publicize
dizer *v* **1** to say; to tell; **diz lá?** come again? **2** *(contar)* to tell; **dizer a verdade** to tell the truth **3** *(informar)* to let somebody know ▪ **dizer-se 1** to claim to be **2** to be said; **diz-se que...** it is said that..., they say that... ▪ *nm* *(dito)* saying ♦ **dizer respeito a** to concern; **isso tem muito que se lhe diga** there's more to it than meets the eye
dízima *nf* **1** *(décima parte)* tenth **2** *(imposto)* tax
dizimar *v* to decimate; to wipe out
dízimo *nm* *(décima parte)* tenth
DJ *n2g* [*abrev. de* disc jockey]
dó *nm* **1** pity, compassion; **sem dó nem piedade** ruthlessly; **ter dó de alguém** to take pity on somebody **2** MÚS *(nota musical)* do; *(tom)* C
doação *nf* donation, gift; MED **doação de órgãos** organ donation; **fazer uma doação** to make a donation
doador *nm* donor; MED **doador de órgãos** organ donor; MED **doador de sangue** blood donor
doar *v* to donate
dobar *v* (fio, linha) to reel, to wind
dobra *nf* **1** (tecido) fold, pleat; (envelope, livro) flap **2** (calças) turn-up GB; cuff EUA **3** GEOL fold, folding, bend
dobrada *nf* CUL tripe
dobradiça *nf* hinge
dobrado *adj* **1** folded **2** *(vergado)* stooping, bent **3** CIN,TV dubbed
dobragem *nf* **1** folding **2** CIN,TV dubbing
dobrar *v* **1** (papel, tecido) to fold; (material duro) to bend **2** (parte do corpo) to bend **3** *(contornar)* to go round **4** *(duplicar)* to double **5** (filme, programa) to dub (em/para, into) ▪ **dobrar-se** *(curvar-se)* to bend over
dobro *num mult > quant num*[DT] double
doca *nf* dock
doçaria *nf* confectionery
doce *adj2g* **1** sweet, sugary **2** (água) fresh **3** (pessoa, voz) gentle, soft ▪ *nm* **1** sweet **2** (compota) jam; (de citrinos) marmalade
doce-amargo *adj* bitter-sweet ▪ *nm* bitter-sweetness
doceiro *nm* confectioner
docente *n2g* teacher ▪ *adj2g* teaching; **corpo docente** teaching staff
dócil *adj2g* docile, submissive
docudrama *nm* CIN,TV docudrama
documentação *nf* **1** documentation **2** (de pessoa) papers; (de carro) documents
documental *adj2g* documentary; **prova documental** documentary evidence/proof
documentar *v* to document ▪ **documentar-se** to gather information
documentário *adj,nm* documentary
documento *nm* **1** document; **redigir um documento** to draw up a document **2** *pl* (de uma pessoa) papers; (de carro) documents
doçura *nf* **1** sweetness **2** *(ternura)* gentleness, softness, meekness
doença *nf* MED illness, sickness; disease ♦ **doença contagiosa** contagious disease; **doença crónica** chronic disease; **doença mental** mental illness
doente *adj2g* MED sick, ill; **estar doente** to be sick ▪ *n2g* **1** MED sick person; **os doentes** the sick **2** *(paciente)* patient; **doente de consulta externa** outpatient; **doente internado no hospital** in-patient
doentio *adj* **1** *(débil)* sickly **2** (clima, comida) unhealthy, unwholesome **3** *pej* (curiosidade, interesse) morbid
doer *v* to hurt; (dor contínua) to ache
doge *nm* doge
dogma *nm* dogma
dogmático *adj* dogmatic; opinionated

dogmatismo *nm* dogmatism
doidivanas *n2g* hare-brained person
doido *adj* mad; crazy; insane; *col* **doido varrido** raving mad; **ficar doido** to go mad ▪ *nm pej* mad person
dói-dói *nm infant* wound, bruise
dois *num card > quant num*[DT] two; **os dois** both of them, the two of them; **os dois livros** both books ▪ *nm* **1** (número) two; **dois a dois** in twos, in pairs **2** (data) the second; **a 2 de agosto** on the second of August **3** (carta de jogar, dados, dominó) deuce ◆ **somar dois mais dois** to put two and two together
dois-pontos *nm2n* colon
dólar *nm* dollar; *col* buck EUA
dólmen *nm* HIST dolmen, cromlech
dolo *nm* fraud; deceit
doloroso *adj* **1** *(que dói)* painful, aching **2** *(amargurado)* distressing, sorrowful
doloso *adj* **1** *(intencional)* deliberate **2** *(fraudulento)* fraudulent
dom *nm* **1** gift, talent **2** [com maiúscula] Dom; King
domador *nm* tamer; **domador de leões** lion tamer
domar *v* **1** to tame, to domesticate; **domar um animal selvagem** to tame a wild animal **2** (cavalo) to break in **3** *(subjugar)* to subdue
doméstica *nf* **1** *(dona de casa)* housewife **2** *(empregada)* housemaid
domesticar *v* to domesticate, to tame
domesticável *adj2g* **1** tameable **2** trainable
domesticidade *nf* domesticity, homeliness
doméstico *adj* **1** household; **tarefas domésticas** household chores, housework **2** domestic; **animais domésticos** domestic animals ▪ *nm* (funcionário) domestic
domiciliário *adj* domiciliary; **visita domiciliária** domiciliary visit, house call
domicílio *nm* **1** *(residência)* home, residence, dwelling; **entrega ao domicílio** delivery service; **mudança de domicílio** change of address **2** DIR *(sede)* domicile
dominador *adj* **1** (pessoa, personalidade) domineering, dominating, ruling **2** (olhar) imposing
dominante *adj2g* **1** dominant, ruling; **cor dominante** dominant colour **2** *(predominante)* predominant, prevailing
dominar *v* **1** *(controlar)* to dominate; to control **2** *(governar)* to rule **3** (língua) to be fluent in **4** (tema, técnica) to master **5** (emoção, sentimento) to overcome ▪ **dominar-se** *(conter-se)* to control oneself
domingo *nm* Sunday
domingueiro *adj* belonging to Sunday; *col,joc* **fatos domingueiros** one's Sunday best
Domínica *nf* Dominica
dominicano *adj,nm* Dominican
domínio *nm* **1** *(controlo)* control **2** *(território)* domain **3** *(âmbito)* field, sphere **4** (língua estrangeira) command **5** INFORM domain
dominó *nm* **1** (jogo) dominoes; **jogar dominó** to play dominoes **2** (pedra) domino ◆ **efeito dominó** domino effect
Dona *nf* **1** (título) lady; queen; **Dona Maria I** Queen Maria I **2** *col* Mrs.
donativo *nm* **1** donation; **fazer um donativo** to make a donation **2** *(presente)* gift, present
doninha *nf* weasel; **doninha fedorenta** polecat
dono *nm* owner
donut® *nm* doughnut
donzela *nf* maiden
dopar *v* to dope
doping *nm* doping
dor *nf* **1** pain; **dor de cabeça** headache; **dores de garganta** sore throat **2** *(mágoa)* grief ◆ **dor de cotovelo** jealousy
doravante *adv* from now on, in the future; henceforth, henceforward
dorido *adj* **1** *(que dói)* sore, aching, painful **2** *(magoado)* sorrowful
dormente *adj2g* numb; asleep; **tenho o pé esquerdo dormente** my left foot is gone to sleep
dormida *nf (onde se pernoita)* night's lodging
dorminhoco *nm col* sleepyhead
dormir *v* to sleep; **dorme bem!** sleep tight!; **dormir a sesta** to take a nap
dormitar *v* to doze, to drowse; to slumber
dormitório *nm* dormitory
dorsal *adj2g* dorsal; **espinha dorsal** spine, backbone
dorso *nm* back; **dorso da mão** back of the hand
DOS *nm* INFORM [*abrev. de* Disk Operating System]
dosagem *nf* dosage
dose *nf* **1** (de medicamento) dose **2** (de droga) hit; (em embrulho) wrap **3** *(quantidade)* amount

doseador *nm* measuring cap, measure
doseamento *nm* dosing
dosear *v* to divide into doses, to measure out
dossier *nm* **1** *(processo)* file (sobre, on), dossier (sobre, on) **2** (escolar) folder
dotado *adj* **1** *(talentoso)* gifted, talented **2** (de uma qualidade) endowed (de, with) **3** *(equipado)* equipped (de, with)
dotar *v* **1** *(equipar)* to equip (de/com, with) **2** to endow (de, with)
dote *nm* **1** (de casamento) dowry **2** *fig (talento)* gift, talent; **ter dotes musicais** to have a gift for music
dourada *nf* (peixe) gilded catfish
dourado *adj* **1** golden **2** *(revestido a ouro)* gilt, gilded ▪ *nm* (cor) gilt
dourar *v* **1** to gild, to cover with a thin layer of gold **2** *fig (tornar brilhante)* to brighten **3** *fig (embelezar, disfarçar)* to embellish, to adorn, to disguise; **dourar a pílula** to sugar the pill
douto *adj (instruído)* learned, erudite
doutor *nm* **1** doctor **2** (licenciado) graduate
doutorado *nm* doctor
doutoramento *nm* doctorate, doctor's degree, PhD; **fazer o doutoramento** to get a doctorate
doutorando *nm* candidate for a doctor's degree
doutorar *v* to award (somebody) a doctorate ▪ **doutorar-se** to receive one's doctorate
doutrina *nf* doctrine
doutrinal *adj2g* doctrinal; **diferenças doutrinais** doctrinal differences
doutrinar *v pej* to indoctrinate; to teach
doutrinário *adj* doctrinaire
doze *num card > quant num*[DT] twelve; **o dia doze** the twelfth
dracma *nm* (antiga moeda) drachma
draga *nf* dredge, dredger
dragão *nm* **1** dragon **2** MIL dragoon
dragar *v* to dredge
drageia *nf* tablet
drama *nm* **1** drama; tragedy **2** TEAT drama; **drama histórico** historical drama
dramático *adj* (geral) dramatic; TEAT **arte dramática** dramatics
dramatismo *nm (emoções fortes)* drama
dramatização *nf* (de uma situação, julgamento) dramatization
dramatizar *v* to dramatize
dramaturgia *nf* TEAT dramaturgy
dramaturgo *nm* TEAT playwright, dramatist
drástico *adj* drastic; **medidas drásticas** drastic measures; **mudança drástica** drastic change
drenagem *nf* drainage, draining
drenar *v* to drain
dreno *nm* **1** *(tubo)* drain, drainpipe **2** *(vala)* drainage ditch
driblagem *nf* DESP dribble
driblar *v* DESP to dribble
drive *nf* INFORM drive
droga *nf* **1** (substância) drug; **drogas leves** soft drugs; **drogas pesadas** hard drugs **2** *fig,pej* shit ▪ *interj* damn!
drogado *nm* addict, drug addict ▪ *adj* on drugs, drugged
drogar *v* to drug ▪ **drogar-se** to take drugs, to be on drugs
drogaria *nf* chemist's GB; drugstore EUA; pharmacy
drope *nm (rebuçado)* drop
druida *nm* druid
dualidade *nf* duality
dualismo *nm* dualism
dualista *adj2g* dualistic ▪ *n2g* dualist
duas *num card > quant num*[DT] two; **duas vezes** twice ♦ **das duas uma** either... or...
dúbio *adj* **1** *(duvidoso)* dubious, doubtful **2** *(hesitante)* hesitating **3** *(impreciso)* vague, uncertain
dubitativo *adj* doubtful
dúbnio *nm* dubnium
ducado *nm* **1** dukedom, duchy **2** (moeda) ducat
ducal *adj2g* ducal
duche *nm* shower; **tomar um duche** to have/take a shower
duelista *n2g* duellist, dueller
duelo *nm* duel; **bater-se em duelo** to fight a duel, to duel; **desafiar alguém para um duelo** to challenge somebody to a duel
duende *nm* elf, goblin
dueto *nm* MÚS duet, duo
duna *nf* dune
duo *nm* **1** MÚS (par) duo **2** MÚS (composição) duet
duodécimo *num ord > adj num*[DT] twelfth
duodeno *nm* duodenum

dupla *nf* **1** pair, couple, duo **2** DESP (ténis) doubles

dúplex ou **duplex** *nm* maisonette GB; duplex apartment EUA

duplicação *nf* doubling, duplication

duplicado *adj,nm* duplicate; **duplicado de uma chave** duplicate key ♦ **em duplicado** in duplicate

duplicar *v* **1** *(dobrar)* to double **2** *(copiar)* to duplicate

duplicidade *nf* duplicity, double-dealing

duplo *adj* double, dual; **duplo sentido** double meaning ▪ *nm* CIN stuntman, double

duque *nm* **1** (título) duke **2** (jogo de cartas) deuce

duquesa *nf* (título) duchess

durabilidade *nf* durability

duração *nf* **1** duration; **de curta duração** of short duration; **de pouca duração** short-lived **2** (filme) length **3** (lâmpada, pilhas) life; **pilhas de longa duração** long-life batteries

duradouro *adj* lasting

durante *prep* **1** during, throughout; **durante a nossa vida** throughout our life; **durante o dia** during the day **2** for; **durante algum tempo** for some time; **durante uma hora** for an hour

durar *v* **1** to last; **durar muito** to last a long time **2** *(subsistir)* to endure

dureza *nf* **1** hardness, stiffness; QUÍM **dureza da água** water hardness **2** *fig (severidade)* harshness, hardness

duro *adj* **1** hard; solid **2** *(forte, resistente)* tough **3** (pão) stale

dúvida *nf* **1** doubt; **pôr em dúvida** to doubt; **sem dúvida!** absolutely! **2** *(pergunta)* question

duvidar *v* **1** to doubt (de, -); **duvido!** I doubt it! **2** *(hesitar)* to hesitate; to have doubts

duvidoso *adj* **1** doubtful; **carácter duvidoso** doubtful character **2** *(suspeito)* suspicious, dubious, questionable

duzentos *num card > quant num*[DT] two hundred

dúzia *nf* dozen; **à dúzia** by the dozen; **meia dúzia** half a dozen

E

e[1] /é/ *nm* (letra) e
e[2] /i/ *conj* **1** LING (copulativa) and **2** (frases interrogativas) and what about **3** (para designar as horas) past; **8 e 10** 10 past 8
ébano *nm* ebony
e-book ou **ebook** *nm* e-book
ébrio *nm* drunkard ■ *adj* drunk, drunken; intoxicated
ebulição *nf* **1** FÍS boiling, ebullition **2** *fig* excitement ♦ **entrar em ebulição** to come to the boil; **ponto de ebulição** boiling point
écharpe *nf* scarf
éclair *nm* éclair
ecléctico *a nova grafia é* **eclético**[AO]
eclesiástico *adj* ecclesiastical ■ *nm* clergyman
eclético[AO] *adj,nm* eclectic
eclipsar *v* to eclipse ■ **eclipsar-se** *(desaparecer)* to disappear
eclipse *nm* ASTRON eclipse ♦ **eclipse lunar** lunar eclipse; **eclipse solar** eclipse of the sun
eclodir *v* **1** *(surgir)* to appear, to emerge **2** *(estourar)* to break out **3** *(desabrochar)* to bloom
eclosão *nf* **1** appearance, emergence **2** (insetos) eclosion
eco *nm* **1** echo; **fazer eco** to echo **2** repercussion; **ter eco** to have repercussions
ecoar *v* **1** *(fazer eco)* to echo **2** *(ressoar)* to resound
ecocardiograma *nm* echocardiogram
ecografia *nf* MED ultrasound scan
ecologia *nf* **1** BIOL ecology **2** (escola) environmental studies
ecológico *adj* BIOL ecological; **catástrofe ecológica** ecological catastrophe
ecologista *n2g* ecologist, environmentalist ■ *adj2g* environmental; **grupos ecologistas** environmental groups
economia *nf* **1** *(administração)* economy **2** (ciência) economics **3** *pl* (poupanças) savings; **fazer economias** to save, to put aside/by ♦ **economia de mercado** market economy; **economia doméstica** household management, housekeeping
económico *adj* **1** ECON economic; **crescimento económico** economic growth **2** *(barato, rentável)* economical; **carro económico** economical car **3** (pessoa) thrifty
economista *n2g* economist
economizar *v* **1** to economize, to cut costs **2** *(poupar)* to save; **economizar tempo** to save time
ecoponto *nm* drop-off recycling location
ecossistema *nm* BIOL ecosystem
ecrã *nm* screen
ecstasy *nm* (droga) ecstasy
ecuménico *adj* ecumenical
eczema *nm* MED eczema
edema *nm* MED edema; swelling
éden *nm* eden, paradise
edição *nf* **1** *(publicação)* publishing **2** (livro, texto, jornal) edition **3** CIN,INFORM editing **4** (evento, concurso) round
edificação *nf* **1** *(construção)* building, construction **2** *fig (aperfeiçoamento)* edification
edificante *adj2g* **1** edifying **2** *(moralizador)* uplifting, moralizing
edificar *v* **1** *(construir)* to construct, to build up **2** *fig* (espiritualmente) to edify, to instruct, to enlighten
edifício *nm* building; edifice; **edifício público** public building
edil *nm* HIST aedile, councilman
edital *nm* **1** (oficial) proclamation, edict **2** (publicidade) placard, advertisement
editar *v* **1** *(publicar)* to publish **2** INFORM to edit
édito *nm (ordem judicial)* edict, proclamation
editor *nm* **1** (o que publica) publisher **2** (o que coordena) editor **3** INFORM editor; **editor de texto** text editor
editora *nf (casa editorial)* publishing house, publisher
editorial *adj2g* editorial, publishing; **política editorial** editorial policy ■ *nm* editorial, leading article

edredão *nm* eiderdown, down quilt
educação *nf* **1** *(ensino)* education **2** (dos filhos) upbringing; **boa educação** good upbringing **3** *(cortesia)* manners; **falta de educação** rudeness, impoliteness; **não ter educação** to have no manners ♦ **educação especial** special education; special needs education; **educação física** physical education; **Ministro da Educação** the Minister of Education
educacional *adj2g* educational
educado *adj* **1** *(culto)* educated **2** *(cortês)* polite; well-mannered
educador *nm* educator, teacher; **educador de infância** infant teacher
educando *nm* pupil, student
educar *v* **1** *(instruir)* to educate **2** *(criar)* to bring up **3** (animais) to train
educativo *adj* **1** educational; **brinquedos educativos** educational toys; (escola) **material educativo** teaching aids **2** (programa, sistema) education
efectivamente *a nova grafia é* **efetivamente**[AO]
efectivar *a nova grafia é* **efetivar**[AO]
efectividade *a nova grafia é* **efetividade**[AO]
efectivo *a nova grafia é* **efetivo**[AO]
efectuar *a nova grafia é* **efetuar**[AO]
efeito *nm* **1** *(resultado)* effect **2** *(fim, objetivo)* purpose; **para efeitos de** for the purpose of ♦ **efeito de estufa** greenhouse effect; **efeito secundário** side effect; **efeitos especiais** special effects
efeméride *nf* daily news items
efémero *adj* ephemeral, fleeting; **prazeres efémeros** ephemeral pleasures
efeminação *nf* effeminacy
efeminado *adj pej* (modos, voz) effeminate, womanish, unmanly
efeminar *v* to make effeminate ▪ **efeminar--se** to become effeminate
efervescência *nf* **1** effervescence **2** *fig* excitement
efervescente *adj2g* **1** (bebida) effervescent; *col* fizzy **2** *fig* (pessoa, temperamento) hot-headed
efervescer *v* to effervesce, to bubble up
efetivamente[AO] *adv* **1** effectively, in effect **2** *(realmente)* really, actually, in fact **3** (resposta) that's right
efetivar[AO] *v* **1** (cortes, mudanças) to effect, to carry out, to accomplish **2** *(tornar efetivo)* to get tenure, to be given tenure **3** *(levar a efeito)* to bring into effect, to put into effect
efetividade[AO] *nf* **1** effectiveness **2** *(realidade)* reality
efetivo[AO] *adj* **1** effective; **controlo efetivo** effective control **2** *(real)* real, actual **3** (cargo, funcionário) permanent ▪ *nm* MIL force
efetuar[AO] *v* **1** *(realizar)* to accomplish, to carry out **2** (viagem, gesto) to make ▪ **efetuar-se** *(ter lugar)* to take place
eficácia *nf* **1** (de uma pessoa) efficiency **2** MED (de um tratamento) effectiveness, efficacy
eficaz *adj2g* **1** MED (tratamento) effective **2** (pessoa) efficient, capable
eficiência *nf* efficiency
eficiente *adj2g* efficient, competent
efígie *nf* effigy, image; **em efígie** in effigy
efluente *adj2g* flowing ▪ *nm* effluent; **efluente industrial** industrial effluent; **estação de tratamento de efluentes** effluent treatment plant
efusivo *adj* effusive, enthusiastic
égide *nf* aegis ♦ **sob a égide de** under the aegis of
egípcio *adj* Egyptian ▪ *nm* Egyptian
Egipto *a nova grafia é* **Egito**[AO]
Egito[AO] *nm* Egypt
ego *nm* PSIC ego; **fazer bem ao ego** to be good for one's ego
egocêntrico *adj pej* egocentric, self-centred
egocentrismo *nm* egocentrism
egoísmo *nm* selfishness, egoism
egoísta *adj2g* selfish, egoistic ▪ *n2g* egoist
égua *nf* mare
eh *interj* hey!
eia *interj* cheer up!, come on!
einstéinio *nm* einsteinium
eira *nf* threshing floor ♦ **não ter eira nem beira** to be down and out
eis *adv* here it is
eito *nm* **a eito** uninterruptedly
eixo *nm* **1** (roda) axle **2** (máquina) shaft, spindle **3** axis; **eixo imaginário** imaginary axis **4** (jogo) leap-frog
ejaculação *nf* ejaculation, discharge; MED **ejaculação precoce** premature ejaculation
ejacular *v* to ejaculate
ejeção[AO] *nf* ejection
ejecção *a nova grafia é* **ejeção**[AO]
ejector *a nova grafia é* **ejetor**[AO]

ejetor[AO] *nm* ejector; jet pump
ela *pron pess* (sujeito) she; (com preposições) her; (coisa) it; **ela mesma/própria** herself ♦ *col* **ela por ela** quite the same
elaboração *nf* **1** elaboration **2** *(preparação)* preparation **3** (teoria) working out
elaborar *v* **1** *(preparar)* to prepare **2** *(fazer)* to make, to produce **3** *(redigir)* to draw up **4** (teoria) to work out
elasticidade *nf* **1** (objeto) elasticity **2** (pessoa) suppleness
elástico *adj* **1** elastic; **material elástico** elastic material **2** (atleta) flexible, supple **3** (colchão) springy ▪ *nm* **1** (para papéis) elastic band **2** (roupa) elastic ♦ **punho elástico** wristband
eldorado *nm* El Dorado
ele *pron pess* (sujeito) he; (com preposições) him; (coisa) it; **ele mesmo/próprio** himself
e-learning *nm* e-learning
electrão *a nova grafia é* **eletrão**[AO]
electricidade *a nova grafia é* **eletricidade**[AO]
electricista *a nova grafia é* **eletricista**[AO]
eléctrico *a nova grafia é* **elétrico**[AO]
electrificar *a nova grafia é* **eletrificar**[AO]
electrizante *a nova grafia é* **eletrizante**[AO]
electrizar *a nova grafia é* **eletrizar**[AO]
electrocardiograma *a nova grafia é* **eletrocardiograma**[AO]
electrocussão *a nova grafia é* **eletrocussão**[AO]
electrocutar *a nova grafia é* **eletrocutar**[AO]
eléctrodo *a nova grafia é* **elétrodo**[AO]
electrodoméstico *a nova grafia é* **eletrodoméstico**[AO]
electroencefalograma *a nova grafia é* **eletroencefalograma**[AO]
electroíman *a nova grafia é* **eletroíman**[AO]
electrólise *a nova grafia é* **eletrólise**[AO]
electrolítico *a nova grafia é* **eletrolítico**[AO]
electrólito *a nova grafia é* **eletrólito**[AO]
electromagnético *a nova grafia é* **eletromagnético**[AO]
electrónica *a nova grafia é* **eletrónica**[AO]
electrónico *a nova grafia é* **eletrónico**[AO]
electrostático *a nova grafia é* **eletrostático**[AO]
electrotecnia *a nova grafia é* **eletrotecnia**[AO]
electroterapia *a nova grafia é* **eletroterapia**[AO]
elefante *nm* elephant
elegância *nf* elegance, gracefulness; **andar com elegância** to walk gracefully; **ter elegância** to be graceful
elegante *adj2g* **1** elegant, graceful **2** *(na moda)* fashionable **3** *(esbelto)* handsome
eleger *v* **1** (eleição) to elect **2** *(escolher)* to choose, to select ▪ **eleger-se** to get elected
elegia *nf* LIT elegy
elegível *adj2g* eligible (para, for/to)
eleição *nf* **1** election; poll; **convocar eleições** to call an election **2** *(escolha)* choice ♦ **eleições legislativas** general election; **dia de eleições** polling day
eleito *adj* **1** elected **2** *(escolhido)* chosen
eleitor *nm* elector; voter
eleitorado *nm* electorate; body of electors
eleitoral *adj2g* electoral ♦ **campanha eleitoral** electoral campaign; **fraude eleitoral** ballot-box stuffing; **lista eleitoral** list of candidates
elementar *adj* **1** elementary; **conhecimento elementar** elementary knowledge **2** *(fundamental)* basic, fundamental
elemento *nm* **1** element **2** (equipa) member **3** (parte) component
elenco *nm* **1** list **2** TEAT,CIN cast
eletrão[AO] *nm* FÍS electron
eletricidade[AO] *nf* electricity; **movido a eletricidade** worked by electricity ♦ **eletricidade estática** static electricity; **fio de eletricidade** cable
eletricista[AO] *n2g* electrician
elétrico[AO] *adj* **1** electric, electrical **2** *fig* nervous ▪ *nm* tramcar ♦ **cobertor elétrico** electric blanket; **corrente elétrica** electric current; **instalação elétrica** electrical wiring
eletrificar[AO] *v* to electrify
eletrizante[AO] *adj2g* **1** electrifying **2** *fig* electrifying; exciting
eletrizar[AO] *v* **1** to electrify **2** *fig* to thrill, to excite
eletrocardiograma[AO] *nm* electrocardiogram
eletrocussão[AO] *nf* electrocution
eletrocutar[AO] *v* to electrocute
elétrodo[AO] *nm* ELET electrode ♦ **elétrodo negativo** cathode; **elétrodo positivo** anode
eletrodoméstico[AO] *nm* electrical appliance
eletroencefalograma[AO] *nm* brain scan
eletroíman[AO] *nm* FÍS electromagnet, electrical magnet
eletrólise[AO] *nf* FÍS,QUÍM electrolysis
eletrolítico[AO] *adj* FÍS,QUÍM electrolytic
eletrólito[AO] *nm* FÍS,QUÍM electrolyte

eletromagnético[AO] *adj* ELET electromagnetic
eletrónica[AO] *nf* ELET electronics
eletrónico[AO] *adj* ELET electronic ♦ **calculadora eletrónica** electronic calculator
eletrostático[AO] *adj* FÍS electrostatic
eletrotecnia[AO] *nf* electrical engineering
eletroterapia[AO] *nf* MED electrotherapy
elevação *nf* **1** (altura, nível) height **2** (terreno) elevation; bump **3** (ato) raising **4** *(aumento)* rise; increase
elevado *adj* **1** high **2** (pensamento, estilo) elevated **3** *(distinto)* noble
elevador *nm* lift ♦ **elevador de serviço** service lift
elevar *v* **1** (preço, voz) to raise **2** *(levantar)* to lift up **3** to elevate **4** MAT to raise (a, to) ▪ **elevar-se 1** to amount to **2** to rise; **elevar-se no ar** to rise in the air
eliminação *nf* **1** elimination **2** DESP expulsion
eliminar *v* **1** to eliminate **2** *(tirar)* to remove **3** (possibilidade) to discard; to rule out **4** *(matar)* to get rid of
eliminatória *nf* DESP heat, qualifying round
eliminatório *adj* eliminatory, disqualifying
elipse *nf* **1** GEOM ellipse **2** LING ellipsis
elisão *nf* **1** LING elision **2** suppression
elite *nf* elite
elitista *adj,n2g* elitist
elixir *nm* elixir
elmo *nm* HIST,MIL helmet
elo *nm* **1** link **2** (afetivo) tie; bond
elocução *nf* elocution
elogiar *v* to praise (por, for, on); to commend (por, for); *col* **elogiar ao máximo** to praise to the sky
elogio *nm* **1** praise **2** *(cumprimento)* compliment
eloquência *nf* **1** eloquence **2** *(persuasão)* persuasiveness
eloquente *adj2g* **1** eloquent **2** *(persuasivo)* persuasive ♦ *col* **ser eloquente** to have a silver tongue
El Salvador *nm* El Salvador
elucidar *v* to elucidate; to explain; to make clear
elucidativo *adj* informative, explanatory
em *prep* **1** (lugar) at; in; **em casa** at home; **em Portugal** in Portugal **2** *(sobre)* on; **na mesa** on the table **3** (tempo) in; on; **em julho** in July; **na segunda-feira** on Monday **4** (modo, meio) in; **em silêncio** in silence **5** (estado) in; at; **em lágrimas** in tears **6** (proporção) out of; **três em cinco** three out of five
ema *nf* emu
emagrecer *v* to lose (weight); **emagrecer três quilos** to loose three kilos
emagrecimento *nm* **1** loss of weight, emaciation **2** (dieta) slimming
email *nm* INFORM email
emanação *nf* emanation
emanar *v* **1** to come from, to proceed from **2** (luz, calor) to emanate (de, from) **3** (odor) to exhale
emancipação *nf* **1** emancipation; liberation **2** (maioridade) coming of age
emancipado *adj* **1** emancipated, independent **2** (maioridade) of age
emancipar *v* to emancipate ▪ **emancipar-se** to become emancipated
emaranhado *adj* entangled; tangled ▪ *nm* entanglement
emaranhar *v* to entangle ▪ **emaranhar-se 1** (cabelo) to get entangled **2** *fig* to get into a mess
embaciado *adj* **1** tarnished **2** (vidro, superfície) misted **3** (olhos) misty
embaciar *v* **1** to tarnish **2** (vidro) to steam **3** (olhos) to mist
embainhar *v* (espada) to sheathe
embaixada *nf* embassy
embaixador *nm* ambassador
embaixatriz *nf* ambassadress
embalado *adj* **1** (arma) loaded **2** *(acelerado)* speedy **3** *(apressado)* in a hurry ♦ **ir embalado** to race along
embalagem *nf* package, packing; **embalagem incluída** packing included; **embalagem original** original package
embalar *v* **1** *(empacotar)* to pack **2** (criança) to rock **3** *(sossegar)* to lull
embalo *nm* **1** lull **2** *(balanço)* rocking **3** *(impulso)* rush ♦ **aproveitar o embalo** to take the opportunity
embalsamar *v* **1** (cadáver) to embalm **2** (aves) to stuff
embaraçado *adj* **1** *(constrangido)* embarrassed; **deixar alguém embaraçado** to leave a person in the lurch **2** *(confuso)* confused
embaraçar *v* **1** *(constranger)* to embarrass **2** *(estorvar)* to hinder **3** *(complicar)* to complicate ▪ **embaraçar-se** to get embarrassed

embaraço *nm* **1** *(constrangimento)* embarrassment; unease **2** *(estorvo)* hindrance; impediment **3** *(complicação)* trouble; **evitar embaraços** to steer clear of difficulties; **sair de embaraços** to get out of a tight corner

embaraçoso *adj* **1** embarrassing **2** *(perturbador)* troublesome **3** *(complicado)* difficult

embaratecer *v* **1** to cheapen **2** to get cheaper

embarcação *nf* boat; vessel; **embarcação a remos** rowing boat

embarcar *v* **1** (navio, avião) to embark; to go on board **2** (passageiros) to board **3** (mercadorias) to load

embargar *v* **1** to embargo, to ban **2** *(colocar obstáculos)* to hinder **3** DIR to seize

embargo *nm* **1** embargo; **levantar um embargo** to take off an embargo **2** DIR seizure ♦ **sem embargo** nevertheless

embarque *nm* **1** (pessoas) boarding, embarkation; **está a decorrer o embarque do voo AZ34** flight AZ34 is now boarding **2** (mercadorias) shipping, shipment; **documentos de embarque** shipping documents

embarrar *v* **1** to touch **2** to run (em, against)

embarrilar *v* to barrel

embasbacado *adj* dumbfounded, open-mouthed; **ficar embasbacado** to be dumbfounded

embate *nm* **1** collision; clash **2** *fig (acometida)* shock; outburst

embater *v* to shock; to collide with

embatucado *adj* silent

embatucar *v* **1** to confound **2** *(atrapalhar-se)* to be embarassed

embebedar(-se) *v* to get (someone) drunk

embeber *v* **1** (em líquido) to soak **2** *(absorver)* to absorb ▪ **embeber-se** to be soaked

embelezamento *nm* embellishment

embelezar *v* to embellish ▪ **embelezar-se** to make oneself beautiful

embicar *v* **1** to stumble, to trip **2** *col* to have a tiff (com, with), to quarrel (com, with) **3** *col* to head (para, for); **embicar para alguma coisa** to head for something

embirração *nf* **1** stubbornness **2** antipathy; dislike

embirrar *v* **1** *(teimar)* to be stubborn; to be obstinate **2** to insist (que, that) **3** *(implicar)* to take a dislike (com, to); **embirrar com alguma coisa** to take a dislike to something

embirrento *adj* **1** querulous **2** stubborn

emblema *nm* **1** emblem **2** (roupa) badge

emblemático *adj* emblematic

embocadura *nf* **1** (instrumento) mouthpiece **2** (rio) mouth **3** (freio) bit

embolia *nf* MED embolism

êmbolo *nm* MEC piston

embolsar *v* to pocket

embora *conj* though, although; **embora não gostasse dele** though I didn't like him; **muito embora** although ▪ *adv* away; **ir-se embora** to go away, to leave; **vai-te embora** go away!, off you go! ▪ *interj* be off! ♦ **vamos embora** let's go

emborcar *v* to dump; to empty

emborrachar(-se) *v pop* to get (somebody) sloshed

emboscada *nf* ambush; **armar uma emboscada a alguém** to lay an ambush for someone

emboscar *v* to ambush

embraiagem *nf* MEC clutch ♦ **disco de embraiagem** clutch plate; **pedal de embraiagem** clutch pedal

embraiar *v* to put into gear

embrenhar-se *v* **1** to penetrate deep (em/por, into) **2** (em pensamentos) to be absorbed

embriagado *adj* **1** *(bêbedo)* drunk; intoxicated; tipsy **2** *fig (extasiado)* enraptured

embriagar(-se) *v* to get (somebody) drunk

embriaguez *nf* **1** drunkenness; intoxication **2** *fig (êxtase)* rapture

embrião *nm* BIOL embryo

embriologia *nf* BIOL embryology

embriologista *n2g* embryologist

embrionário *adj* BIOL,MED in embryo, embryonic

embrulhada *nf* **1** confusion; imbroglio; entanglement **2** *col* mess; **meter-se numa embrulhada** to get into a mess; **que embrulhada!** what a mess!

embrulhado *adj* **1** (pacote) wrapped up **2** *(enredado)* entangled **3** *fig (iludido)* deceived, deluded ♦ **todo embrulhado** all in a muddle

embrulhar *v* **1** (presente, embalagem) to wrap up (em, in) **2** *(confundir)* to muddle up **3** *(enganar)* to cheat, to deceive ▪ **embrulhar-se 1** to wrap oneself up **2** to become complicated

embrulho *nm (pacote)* package, parcel, packet; **fazer um embrulho** to wrap up a parcel

embrutecedor *adj* numbing; mind-destroying
embrutecimento *nm* **1** brutalization **2** numbing
embuste *nm* **1** *(ardil)* trick; cheat **2** *(engano)* deception
embusteiro *nm* liar; impostor
embutido *nm* inlaid work ▪ *adj* ARQ built-in; fitted; **armários embutidos** fitted cupboards
embutir *v* **1** (armário) to build in **2** (marfim) to inlay
emenda *nf* **1** *(correção)* correction **2** *(lei)* amendment **3** *(ligação)* joint **4** *(remendo)* patch ◆ **é pior a emenda do que o soneto** the remedy is worse than the disease
emendar *v* **1** (erros, defeitos) to correct **2** (lei) to amend **3** *(reparar)* to mend ▪ **emendar-se** to mend one's ways
ementa *nf* menu; **ementa turística** set menu
emergência *nf* **1** emergency **2** *(crise)* crisis **3** *(surgimento)* emergence; rising ◆ **em caso de emergência** in case of emergency; **saída de emergência** emergency exit
emergente *adj2g* emergent, emerging
emergir *v* **1** to emerge; to come up **2** to appear; to come into view
emersão *nf* emersion
emerso *adj* emerged; afloat
emigração *nf* emigration (de, from; para, to)
emigrado *adj,nm* emigrant
emigrante *n2g* emigrant
emigrar *v* **1** to emigrate (de, from; para, to) **2** (aves) to migrate
eminência *nf* **1** eminence **2** (título) Eminence
eminente *adj2g* **1** eminent; remarkable **2** *(elevado)* high
emir *nm* emir
emirado *nm* emirate
Emiratos Árabes Unidos *nmpl* United Arab Emirates
emissão *nf* **1** *(emanação)* emission **2** (programa) broadcast, transmission **3** (notas, selos, ações) issue
emissário *nm* emissary; messenger
emissor *adj* **1** (notas) issuing **2** broadcasting ▪ *nm* **1** emitter, sender **2** transmitter; **emissor automático** automatic transmitter
emissora *nf* **1** (estação) broadcasting station **2** (empresa) broadcasting company ◆ **emissora de rádio** radio station
emitir *v* **1** (calor, luz, som) to emit **2** (notas, documentos) to issue **3** to broadcast **4** (opinião) to express
emoção *nf* **1** *(comoção)* emotion **2** *(excitação)* excitement; **que emoção!** how exciting!
emocional *adj2g* emotional
emocionante *adj2g* **1** *(comovente)* emotional; moving **2** *(excitante)* thrilling, exciting
emocionar *v* **1** *(comover)* to move **2** *(excitar)* to thrill ▪ **emocionar-se 1** *(comover-se)* to be moved (com, by) **2** *(excitar-se)* to get excited (com, about)
emoldurar *v* to frame
emoticon *nm* (Internet) emoticon
emotividade *nf* emotiveness
emotivo *adj* emotional, emotive
empacotamento *nm* packing; casing
empacotar *v* to pack up; to bale
empada *nf* **1** (grande) pie **2** (pequena) pasty
empadão *nm* **1** (carne) meat pie **2** (peixe) fish pie
empalhador *nm* taxidermist
empalhamento *nm* **1** packing with straw **2** (animais) stuffing **3** (garrafas) casing
empalhar *v* **1** (louça, fruta) to pack up with straw **2** (animais) to stuff
empalidecer *v* to grow pale
empanar *v col* (carro) to break down
empanturrar(-se) *v* to stuff (oneself)
emparelhamento *nm* matching, pairing
emparelhar *v* **1** to couple **2** *(equiparar)* to match
empatado *adj* **1** (jogo) drawn; **estar empatados** to be even **2** (dinheiro) tied up **3** *(atrasado)* delayed
empatar *v* **1** (votação, concurso) to tie **2** DESP (resultado final) to draw **3** (dinheiro) to invest **4** *(embaraçar)* to hinder **5** (tempo) to take up
empate *nm* **1** (jogo) draw; **um empate a dois** a two-all draw **2** (concurso, votação) tie **3** (xadrez) stalemate **4** *(obstáculo)* hindrance **5** (negociações) deadlock
empatia *nf* empathy
empecilho *nm* obstacle
empedernido *adj* **1** hardened, stony **2** hard-hearted **3** confirmed, inveterate
empedrado *adj* paved ▪ *nm* stone pavement
empedramento *nm* **1** paving **2** pavement
empenhado *adj* **1** *(penhorado)* pawned **2** *(endividado)* indebted; *col* **estar empenhado até**

aos olhos to be up to the ears in debt **3** *(interessado)* interested (em, in)
empenhar *v* **1** *(penhorar)* to pawn **2** (palavra) to pledge ▪ **empenhar-se 1** *(endividar-se)* to run into debt **2** *(esforçar-se)* to make an effort (em, to)
empenho *nm* **1** *(penhora)* pawn **2** *(interesse)* interest **3** *(esforço)* commitment (em, to); **ele pôs todo o empenho neste projeto** he committed himself wholeheartedly to this project
emperrado *adj* **1** jammed **2** (porta) stiff **3** (chave) stuck
emperramento *nm* **1** jamming **2** sticking fast **3** *fig* obstinacy, stubbornness
emperrar *v* **1** *(encravar)* to get stuck **2** (máquina) to jam **3** (porta, junta) to make stiff
empertigado *adj* proud; stiff-necked
empertigar *v* to make stiff ▪ **empertigar-se** (altivez) to strut
empestar *v* **1** *(infetar)* to infect; to contaminate **2** to stink
empilhadora *nf* pallet truck, stacking truck
empilhamento *nm* heaping up; stacking
empilhar *v* to heap up; to pile up, to stack; **empilhar a madeira** to pile the wood
empinado *adj* **1** *(direito)* straight, upright **2** (colina) steep **3** (cavalo) reared
empinar *v* **1** to raise **2** *col (memorizar)* to memorize
empírico *adj* empiric, empirical ▪ *nm* empiric, empiricist
empirismo *nm* empiricism
emplastro *nm* **1** MED plaster **2** *fig* ailing person
empobrecer *v* **1** to impoverish **2** to grow poor
empobrecimento *nm* **1** impoverishment **2** (solo) depletion
empoeirar *v* to cover in dust
empolado *adj* **1** swollen; inflated **2** (pele) blistered **3** (estilo) bombastic
empolamento *nm* MED swelling, blistering
empolar *v* to blister
empoleirar(-se) *v* to perch (oneself)
empolgante *adj2g* overpowering; thrilling
empolgar *v* to stimulate, to thrill
empório *nm* **1** *(armazém)* emporium **2** *(mercado)* market **3** trade centre
empossar *v* to appoint; to install in office
empreendedor *nm* entrepreneur ▪ *adj* enterprising; **homem empreendedor** man full of enterprise ♦ **espírito empreendedor** spirit of enterprise
empreender *v* to undertake; to enterprise
empreendimento *nm* enterprise; undertaking; **empreendimento arriscado** dangerous undertaking
empregado *nm* **1** employee **2** (escritório) clerk **3** (limpeza) cleaner **4** (restaurante) waiter **5** (loja) shop assistant ▪ *adj* **1** employed **2** applied
empregador *nm (patrão)* employer; boss
empregar *v* **1** (pessoal) to employ **2** *(utilizar)* to use **3** (tempo, dinheiro) to spend (em, on) ▪ **empregar-se** to get a job
emprego *nm* **1** (trabalho) job; **candidatar-se a um emprego** to apply for a job **2** (local) office **3** *(utilização)* use, application
empreitada *nf* **1** contract job **2** taskwork; **trabalhar de empreitada** to be on taskwork **3** enterprise, venture ♦ **de empreitada** by the job
empreiteiro *nm* contractor
empresa *nf* **1** company, firm; **empresa privada** private company **2** *(projeto)* enterprise; undertaking
empresário *nm* **1** (homem) businessman; (mulher) businesswoman **2** (artístico) manager, agent **3** TEAT impresario
emprestado *adj* lent, loaned; **pedir emprestado** to borrow
emprestar *v* to lend, to loan; **emprestar dinheiro** to lend money; **emprestas-me o teu lápis?** may I borrow your pencil?
empréstimo *nm* **1** lending **2** (objeto) borrowing **3** (financeiro) loan; **contrair um empréstimo** to take out a loan; **pedir um empréstimo** to ask somebody for the loan of ♦ **empréstimo hipotecário** mortgage; **empréstimo bancário** bank loan
emproado *adj* proud; haughty; arrogant
empunhar *v* to handle; to seize
empurrão *nm* push; shove
empurrar *v* **1** to push; to shove; **não empurre!** stop pushing! **2** *(pressionar)* to push (para, into)
emudecer *v* **1** *(calar)* to silence **2** to be silent
emulação *nf* emulation
emulsão *nf* emulsion
emulsionante *n* emulsifier ▪ *adj2g* emulsifying
ena *interj* wow!; gosh!

enaltecer *v* to exalt; to praise
enamorado *adj* **1** *(apaixonado)* in love (de, with); enamoured (de, of); **estar enamorado de alguém** to be in love with someone **2** *(encantado)* enchanted
enamorar-se *v* to fall in love (de, with)
encabeçar *v* to be at the head of, to head
encadeamento *nm* **1** *(série)* chain **2** *(conexão)* link **3** LIT enjambment
encadear *v* **1** to chain **2** (ideias) to link; to connect
encadernação *nf* **1** *(capa)* cover **2** (encadernar) binding
encadernador *nm* bookbinder
encadernar *v* to bind
encaixar *v* **1** *(pôr em caixa)* to box **2** *(juntar)* to fit (em, in/into) **3** *(inserir)* to insert ▪ **encaixar-se** to fit (em, in)
encaixe *nm* **1** groove, notch **2** *(ato de encaixar)* fitting **3** *(buraco)* socket
encaixilhar *v* **1** (quadro) to frame **2** (janela) to sash
encaixotamento *nm* **1** boxing **2** package, packing up
encaixotar *v* **1** to box **2** to pack up
encalacrar *v* to get somebody into trouble
encalço *nm* pursuit; track; **ir no encalço de** to follow, to track, to trace
encalhado *adj* **1** aground, stranded **2** (mercadoria) unsaleable **3** *pej (solteiro)* unmarried
encalhamento *nm* stranding, grounding
encalhar *v* **1** (embarcação) to run aground **2** (processo) to grind to a halt **3** *pop (ficar solteiro)* to be left on the shelf
encalhe *nm fig (dificuldade)* obstacle, difficulty
encaminhamento *nm* **1** guidance, counselling **2** INFORM routing
encaminhar *v* **1** *(dirigir)* to direct, to guide **2** *(pôr no bom caminho)* to put on the right path **3** (processo) to set in motion **4** *(aconselhar)* to advise ▪ **encaminhar-se** to head (para, for)
encanamento *nm* piping; plumbing
encandeamento *nm* dazzle
encandear *v* **1** to dazzle **2** to hallucinate **3** *fig* to charm
encantado *adj* **1** delighted (com, with), overjoyed (com, with), pleased (com, with); **estar encantado com alguma coisa** to be delighted with something **2** *(enfeitiçado)* enchanted; under a charm **3** *(fascinado)* to be smitten (por, with); **ele estava encantado por ela** he was smitten with her ♦ **príncipe encantado** prince charming
encantador *nm* charmer; **encantador de serpentes** snake charmer ▪ *adj* **1** charming, delightful **2** lovely; cute
encantamento *nm* **1** *(fascinação)* enchantment, charm **2** *(magia)* spell; **romper um encantamento** to break a spell
encantar *v* **1** *(cativar)* to charm, to enchant **2** *(deliciar)* to delight **3** *(enfeitiçar)* to bewitch
encanto *nm* **1** enchantment, charm; **é um encanto** it is charming; **ela é um encanto** she's lovely **2** *(feitiço)* spell; **quebrar o encanto** to break the spell
encapar *v* **1** *(cobrir)* to cloak **2** *(envolver)* to wrap up **3** (livro) to put a cover on
encapelado *adj* (mar) rough, swollen
encaracolado *adj* curly, curled
encaracolar *v* to curl (up)
encarapuçar *v* **1** to put a hood on **2** to cover the head of
encarar *v* **1** *(enfrentar)* to face; **encarar uma pessoa** to look a person full in the face **2** *(olhar)* to stare at **3** *(considerar)* to consider ♦ **encarar as coisas como elas são** to face the facts
encarceramento *nm* incarceration; imprisonment
encarcerar *v* to incarcerate; to imprison
encardido *adj* **1** (roupa, casa) grimy, dirty **2** (pele) sallow
encarecer *v* **1** *(subir o preço)* to raise the price of **2** to go up in price
encarecimento *nm* **1** *(valorização)* endearment **2** (preço) increase **3** *(exagero)* exaggeration
encargo *nm* **1** *(responsabilidade)* responsibility **2** (cargo, missão) job; assignment **3** *(obrigação)* obligation **4** *(financeiro)* burden
encarnação *nf* **1** incarnation **2** embodiment
encarnado *nm* (cor) red ▪ *adj* **1** incarnate, embodied **2** (cor) red
encarnar *v* **1** to embody **2** (papel) to play
encarquilhar *v* **1** (pele) to wrinkle **2** (tecido, papel) to crumple
encarregado *nm* **1** (negócios) manager; agent **2** *(supervisor)* person in charge ▪ *adj* in charge (de, of)

encarregar *v* to charge (de, with), to entrust (de, with) ▪ **encarregar-se 1** *(ser responsável)* to take charge of **2** *(cuidar)* to look after
encarrilar *v* **1** to put onto the rails **2** to guide **3** to go well, to succeed
encartar *v* (diploma, patente) to register
encasacar *v* to dress up
encasquetar *v fig* to get into one's head; **encasquetar uma ideia** to get an idea into one's head
encastrado *adj* **1** inlaid; inserted **2** (armário) built-in
encastrar *v* **1** (joias, pedras) to embed **2** *(incrustar)* to insert; to inlay **3** *(encaixar)* to build in
encavacar *v* to pout; to be embarrassed
encefálico *adj* MED encephalic
encefalite *nf* MED encephalitis
encéfalo *nm* encephalon
encenação *nf* **1** TEAT (peça) staging **2** *(produção)* production **3** *fig (fingimento)* simulation ♦ *col* **fazer encenação** to put it on
encenador *nm* stage manager, stage director
encenar *v* **1** TEAT to stage, to stage-manage **2** *(produzir)* to produce **3** *fig (fingir)* to put on
encerado *adj* waxed, polished
enceramento *nm* wax polishing, waxing
encerar *v* to wax
encerramento *nm* **1** (estabelecimento) closure **2** (cerimónia) closing; **discurso de encerramento** closing speech
encerrar *v* **1** to shut; to close; **encerrar uma conta bancária** to close a bank account **2** (reunião, audiência) to end **3** *(limitar)* to limit; to bound
encetar *v* **1** *(iniciar)* to begin; to start **2** *(começar a cortar)* to cut
encharcado *adj* **1** drenched; soaked **2** (terreno) swamped
encharcar *v* **1** to drench; to soak **2** *(alagar)* to flood ▪ **encharcar-se** to get drenched
enchente *nf* **1** *(cheia)* overflow; flood **2** *fig* abundance (de, of); overflow (de, of); **uma enchente de gente** an overflow of people
encher *v* **1** to fill (de, with) **2** (depósito da gasolina) to fill up **3** to stuff; to cram **4** (com ar) to blow up; (pneu) to pump up **5** (maré) to rise ▪ **encher-se 1** to fill up **2** (de comida) to stuff yourself **3** *col* to get tired; to be fed up
enchido *nm* CUL sausage
enchimento *nm* **1** filling up **2** stuffing
enciclopédia *nf* encyclopaedia
enciclopédico *adj* encyclopaedic
enciclopedista *n2g* encyclopaedist
encimar *v* **1** to top; to surmount; to head **2** to raise; to elevate
enclave *nm* enclave
enclítica *nf* LING enclitic
enclítico *adj* LING enclitic
encoberta *nf (esconderijo)* hiding place; shelter ♦ **às encobertas** furtively
encoberto *adj* **1** *(escondido)* hidden; concealed **2** *(disfarçado)* disguised **3** (céu, dia) overcast; cloudy
encobridor *nm* **1** concealer **2** *col (recetador)* fence ▪ *adj* concealing
encobrimento *nm* **1** concealment; hiding; **encobrimento de um criminoso** harbouring a criminal **2** (objetos roubados) fencing
encobrir *v* **1** to conceal; to hide **2** (crime) to cover up **3** (criminoso) to harbourGB, to harborEUA **4** (céu) to cloud over ▪ **encobrir-se** to hide
encolerizar *v* to anger; to enrage ▪ **encolerizar-se** to get angry
encolher *v* **1** to shrink **2** (ombros) to shrug **3** (pernas) to tuck; to shorten ▪ **encolher-se 1** to shrink **2** *(contrair-se)* to contract
encolhido *adj* **1** shrunken **2** *(tímido)* shy
encomenda *nf* **1** order; **feito por encomenda** made to order **2** *(pacote)* parcel **3** (trabalho) commission
encomendar *v* to order
encontrão *nm* shove; push
encontrar *v* **1** *(achar)* to find; to discover **2** (pessoa) to meet **3** (solução) to come up with **4** (dificuldade) to come across ▪ **encontrar-se 1** (encontro marcado) to meet (com, with) **2** (por acaso) to come across
encontro *nm* **1** (amigos) appointment; (amoroso) date **2** *(reunião)* meeting **3** *(colisão)* collision **4** DESP contest; (futebol) match
encorajador *adj* encouraging; **notícias encorajadoras** heartening news
encorajamento *nm* encouragement
encorajar *v* to encourage; to hearten; to cheer up
encorpado *adj* (pessoa) corpulent
encorrilhado *adj* wrinkled
encorrilhar *v* (pele) to wrinkle; (papel) to crumple; (tecido) to crease

encosta *nf* slope; hillside ◆ **encosta abaixo** downhill; **encosta acima** uphill; **pela encosta abaixo** down the slope
encostado *adj* **1** leaning (a, on/against); standing against (a, against) **2** (porta, janela) ajar; **deixar a porta encostada** to leave the door ajar
encostar *v* **1** *(apoiar)* to lean (a, on/against) **2** (objetos) to place (a, against) **3** (carro) to pull over **4** (porta, janela) to leave ajar **5** *(pôr de parte)* to put aside ■ **encostar-se 1** *(apoiar-se)* to lean (a, against/on) **2** *(reclinar-se)* to lean back
encosto *nm* **1** prop; stay **2** (cadeira) back
encravar *v* **1** to nail **2** (joia) to set **3** *(bloquear)* to jam **4** (arma de fogo) to spike ■ **encravar-se** to get into trouble
encrenca *nf* fix; trouble; **meter-se em encrencas** to get into trouble
encriptação *nf* INFORM encryption; encrypting
encriptar *v* INFORM to encrypt
encruado *adj* **1** underdone; raw **2** (bolo) soggy; indigestible
encruzilhada *nf* crossroads
encurralar *v* **1** to stable **2** to confine **3** *fig* to trap; to corner
encurtamento *nm* shortening; curtailment
encurtar *v* **1** to shorten **2** *(resumir)* to abridge **3** *(reduzir)* to diminish
encurvar *v* **1** *(dobrar)* to bend **2** (linha) to curve
endémico *adj* endemic
endereçar *v* **1** *(pôr endereço)* to address (a, to) **2** *(enviar)* to send (a, to)
endereço *nm* address; INFORM **endereço de correio eletrónico** e-mail address
endeusamento *nm* deification
endeusar *v* to deify
endiabrado *adj* naughty; mischievous
endinheirado *adj* rich; moneyed
endireita *nm pop* bonesetter
endireitar *v* **1** *(pôr direito)* to straighten **2** *(corrigir)* to set right; to correct ■ **endireitar-se** to straighten up
endívia *nf* endive
endividado *adj* in debt
endividamento *nm* indebtedness
endividar *v* to run into debt
endócrino *adj* MED endocrine
endógeno *adj* BIOL endogenous
endoidecer *v* **1** to drive mad **2** to go mad
endossado *adj* endorsed ■ *nm* endorsee
endossante *n2g* endorser
endossar *v* to endorse; **endossar um cheque** to endorse a cheque
endosso *nm* endorsement
endovenoso *adj* intravenous
endurecer *v* **1** *(tornar duro)* to harden **2** *fig* to render insensitive
endurecido *adj* **1** *(rijo)* hardened **2** *(resistente)* callous **3** *(insensível)* hard-hearted; cruel
endurecimento *nm* **1** hardening; stiffening **2** *(zona endurecida)* hardness; rigidity **3** *(insensibilidade)* harshness; roughness
enegrecer *v* to blacken
energético *adj* energizing; energetic
energia *nf* energy; **fornecer energia** to provide/supply energy; **estar sem energia** to be lacking in energy ◆ **energia elétrica** electric power; **energia eólica** wind power
enérgico *adj* **1** energetic **2** (pessoa, atitude) dynamic; vigorous **3** *(poderoso)* potent; powerful
energúmeno *nm pej* ignorant
enervante *adj2g* irritating; enervating
enervar *v* to get on somebody's nerves; to irritate ■ **enervar-se 1** to be upset **2** to become/get nervous
enésimo *num ord* > *adj num*[DT] nth; **à enésima potência** to the nth power ■ *adj col* umpteenth; **pela enésima vez** for the umpteenth time
enevoado *adj* **1** (nuvens) cloudy **2** (nevoeiro) foggy
enfado *nm* boredom; tediousness
enfadonho *adj* tiresome; boring
enfaixar *v* to swaddle; to swathe
enfardar *v* **1** to pack up; to bale **2** *col* (tareia) to be beaten
enfarinhar *v* to flour ■ **enfarinhar-se** to get a smattering of
enfarpelar *v* to dress up
enfartado *adj col* full up; crammed
enfartamento *nm* (sensação) glut
enfartar *v* to cram (com, with); to glut (com, with) ■ **enfartar-se** to stuff oneself (com, with)
enfarte *nm* MED coronary; heart attack
ênfase *nf* emphasis; **dar ênfase a** to emphasize, to put emphasis on
enfastiado *adj* bored ◆ **estar enfastiado de tudo** to be sick at heart
enfastiar *v* to bore; to tire ■ **enfastiar-se** to get bored

enfático *adj* emphatic; **tornar enfático** to emphasize
enfeitar *v* **1** *(embelezar)* to adorn **2** *(decorar)* to decorate (com, with) **3** (montra) to dress
enfeite *nm* ornament; decoration; trimming ◆ **enfeites de Natal** Christmas ornaments
enfeitiçar *v* **1** to bewitch; to cast a spell on; to put a spell on **2** *fig* to seduce; to enchant
enfermagem *nf* nursing
enfermaria *nf* (hospital) ward; (escola, instituição) infirmary
enfermeiro *nm* nurse; **enfermeiro chefe** charge nurse, head nurse
enfermidade *nf* disease; illness; sickness
enfermo *adj* sick; ill ▪ *nm* patient
enferrujado *adj* rusty
enferrujar *v* to rust ▪ **enferrujar-se** to get rusty
enfezado *adj* stunted; rachitic
enfezar *v* to stunt (the growth of); to dwarf
enfiada *nf* row; rank; file ◆ **de enfiada** one after another, at a stretch
enfiar *v* **1** *(meter)* to put; to stick **2** (agulha) to thread **3** (roupa, sapatos) to slip on **4** *col* (murro) to punch ▪ **enfiar-se** to slip (em, into)
enfim *adv* **1** finally; at length; **até que enfim!** at last! **2** *(resumindo)* in short; to cut a long story short
enfisema *nf* MED emphysema
enforcado *nm* hanged man/woman ▪ *adj* hanged
enforcamento *nm* hanging
enforcar *v* to hang ▪ **enforcar-se 1** to hang oneself **2** *col,irón (casar-se)* to get hitched
enformar *v* to shape
enfraquecer *v* to weaken
enfraquecimento *nm* weakening
enfrascar *v* **1** to bottle **2** *pop (embebedar)* to make (somebody) drunk ▪ **enfrascar-se** *pop (embebedar-se)* to get drunk
enfrentar *v* **1** to face; to confront **2** *(encarar)* to face up to
enfurecer *v* to infuriate; to enrage ▪ **enfurecer-se** to get mad (com, at)
enfurecido *adj* **1** furious; angry; mad **2** *fig* (mar) rough
engaiolar *v* **1** to cage **2** *fig* to imprison **3** *col* to coop up in
enganado *adj* **1** *(errado)* mistaken; wrong; **estar enganado** to be mistaken **2** *(burlado)* deceived; betrayed; **ser enganado** to be deceived
enganador *adj* **1** *(impostor)* misleading **2** *(ilusório)* deceptive
enganar *v* **1** to deceive **2** *(trair)* to cheat on **3** *(burlar)* to swindle ▪ **enganar-se 1** *(equivocar-se)* to be wrong **2** *(iludir-se)* to deceive oneself **3** *(cometer erro)* to make a mistake
engano *nm* **1** *(erro)* mistake; **por engano** by mistake, by accident **2** *(mal-entendido)* misunderstanding; **deve haver um engano** there must be some misunderstanding **3** *(ilusão)* delusion; deception ◆ (telefone) **é engano!** you've got the wrong number!
enganoso *adj* **1** *(ilusório)* deceptive **2** *(falso)* misleading
engarrafamento *nm* **1** (bebidas) bottling **2** (trânsito) traffic jam
engarrafar *v* **1** (bebidas) to bottle **2** (trânsito) to jam
engasgado *adj* **1** choked (com, on) **2** *(fig.)* speechless; strangled
engasgar(-se) *v* to choke
engastar *v* to enchase; (diamante) to set; (pedra preciosa em ouro) to mount
engatar *v* **1** *(atrelar)* to hitch; to couple **2** (automóvel) to put into gear **3** to hook **4** *col* (pessoa) to chat (somebody) up
engatatão *nm col* lady's man
engate *nm* **1** cramp; clamp **2** coupling **3** *col* (pessoas) pickup; flirt
engatilhar *v* **1** to cock; **engatilhar a espingarda** to cock the gun **2** *fig* to prepare
engavetar *v* **1** to put into a drawer **2** *col (prender)* to bust
engelhado *adj* **1** (tecido, papel) creasy; puckered; crumpled **2** (com rugas) wrinkled; shrivelled **3** *(desalinhado)* rumpled
engelhar *v* to crease; to wrinkle; to shrivel
engendrar *v* **1** *(gerar)* to engender; to beget **2** *(conceber)* to make up
engenharia *nf* engineering ◆ **engenharia agrícola** agronomy; **engenharia civil** civil engineering; **engenharia mecânica** mechanical engineering
engenheiro *nm* engineer ◆ **engenheiro agrónomo** agronomist; **engenheiro de som** sound engineer; **engenheiro químico** chemical engineer

engenho *nm* **1** MIL engine; device; **engenho explosivo** explosive device **2** *(moinho)* mill **3** *fig* art; skill; ingenuity
engenhoca *nf col* contraption; gadget
engenhoso *adj* **1** *(hábil)* ingenious; skilful **2** *(talentoso)* clever
engessado *adj* in plaster; **tenho a perna engessada** my leg's in plaster
engessar *v* to plaster
englobar *v* **1** *(juntar)* to include **2** *(abarcar)* to comprise
engodo *nm* **1** bait; decoy **2** *fig* enticement; allurement
engolir *v* **1** to swallow **2** *(comer depressa)* to gobble; **ele engoliu o almoço** he gobbled his lunch ♦ **engolir em seco** to gulp
engomar *v* **1** (com goma) to starch **2** *(passar a ferro)* to iron
engorda *nf* (animais) force-feeding; fattening
engordar *v* **1** to put on weight **2** (alimento) to be fattening **3** to fatten
engordurar *v* **1** (com gordura) to grease **2** (com óleo) to oil
engraçado *adj* **1** *(divertido)* funny; amusing; **que engraçado!** how funny! **2** *(curioso)* odd; strange; funny **3** *(giro)* cute; pretty ♦ **fazer-se de engraçado** to play the clown
engraçar *v (gostar, simpatizar)* to like (com, -); to fall (com, for)
engrandecer *v* **1** *(alargar)* to enlarge **2** *(enobrecer)* to dignify; to honour
engrandecimento *nm* **1** *(desenvolvimento)* enlargement; growth; rise **2** *(elevação)* improvement
engravatar(-se) *v* to put a tie on
engravidar *v* to get (somebody) pregnant
engraxador *nm* **1** shoeblack **2** *fig (bajulador)* bootlicker
engraxar *v* **1** to polish; to shine **2** *fig (bajular)* to bootlick; to butter up
engrenagem *nf (dispositivo)* gear; **roda de engrenagem** gear-wheel
engrenar *v* **1** to put into gear; to gear (up, down) **2** to connect
engripar *v* to catch a cold; to catch the flu
engrossar *v* **1** to thicken **2** *(aumentar)* to increase
enguia *nf* eel
enguiçar *v* **1** (máquina) to break down **2** (mau-olhado) to bring ill luck to; to bewitch
enguiço *nm (mau-olhado)* ill luck; bad omen; evil eye
enigma *nm* puzzle; enigma; riddle
enigmático *adj* enigmatic; puzzling
enjaular *v* **1** to jail; to cage **2** *fig* (prisão) to put into jail
enjeitar *v* **1** *(rejeitar)* to reject **2** *ant* (criança) to expose
enjoado *adj* **1** sick; (no mar) seasick; **estar enjoado** to be seasick **2** *(farto)* sick and tired; **já estou enjoado de o ouvir a falar** I'm sick and tired of listening to him
enjoar *v* **1** to make (somebody) sick; **isso enjoa-me** that makes me sick **2** to get sick
enjoativo *adj* sickening; nauseating
enjoo *nm* nausea; (no mar) seasickness
enlaçar *v* **1** *(atar)* to tie **2** *(cingir)* to entwine **3** *(abraçar)* to hold
enlace *nm* **1** *(união)* connection; union **2** *(casamento)* marriage
enlameado *adj* muddy
enlamear *v* **1** to cover (something) in mud **2** *(manchar)* to stain ▪ **enlamear-se** to get muddy
enlatado *adj* tinned; canned ▪ *nm* tinned food; canned food
enlatar *v* to tin; to can
enleio *nm* **1** entanglement **2** embarrassment
enlevado *adj* enraptured; in ecstasy
enlevar *v* to ravish ▪ **enlevar-se** to be enraptured (com, with)
enlevo *nm* **1** rapture; ecstasy; ravishment **2** happiness; bliss; joy
enlouquecer *v* **1** to drive mad **2** to go mad
enobrecer *v* to ennoble; to dignify
enojado *adj* disgusted (com, at)
enojar *v* to disgust; to make sick ▪ **enojar-se** to be disgusted
enologia *nf* oenology
enólogo *nm* oenologist
enorme *adj* huge, enormous
enormidade *nf* **1** enormity; hugeness **2** *(asneira)* atrocity; outrage
enquadramento *nm* framing
enquadrar *v* **1** to frame **2** to fit in ▪ **enquadrar-se** to fit (em, in/into)
enquanto *conj* **1** (duração) while; as long as; **enquanto esteve no hospital** while he was in hospital **2** (simultaneidade) as; at the same time as; **sorria enquanto falava** she smiled as she spoke **3** (contraste) while; whereas; **ele**

é bom aluno, enquanto que o irmão não he's a good student, while his brother is not **4** *(na qualidade de)* as; **enquanto professor** as a teacher ◆ **por enquanto** for the time being
enraivecer *v* to enrage; to anger ▪ **enraivecer-se** to get angry
enraizamento *nm* **1** taking root **2** *fig* settling down
enraizar *v* **1** to root; to take root **2** *fig* to settle
enrascada *nf pop* fix; tight spot; **meter-se numa enrascada** to get into a tight spot
enrascar *v* **1** to entangle **2** *col* to entangle; to embroil
enredar *v* **1** to net **2** to entangle
enredo *nm* **1** (livro) plot; storyline **2** *(intriga)* intrigue
enregelar *v* to freeze
enriquecer *v* **1** *(tornar rico)* to make rich **2** *(melhorar)* to enrich; to improve **3** to get rich
enriquecimento *nm* **1** acquiring of wealth **2** *(melhoramento)* improvement
enrodilhar *v* **1** *(enrolar)* to roll up **2** *(amarrotar)* to wrinkle **3** *(emaranhar)* to entangle
enrolar *v* **1** (fio, filme, corda) to wind (up) **2** (papel, tapete, cigarro) to roll (up) **3** (cabelo) to curl **4** *col (enganar)* to con ▪ **enrolar-se 1** to wind **2** *(embrulhar-se)* to wrap up, to roll up **3** (serpente) to coil up
enroscar *v* **1** *(atarraxar)* to screw on **2** *(enrolar)* to coil; to twist ▪ **enroscar-se 1** (cão, gato) to curl up **2** (cobra) to coil up
enrouquecer *v* to hoarsen
enrugar *v* **1** (pele) to wrinkle **2** (roupa) to crease **3** (papel) to crumple ◆ **enrugar a testa** to frown
ensaboar *v* **1** to soap **2** *col* (reprimenda) to scold; to rebuke
ensacar *v* to bag; to pack (into bags)
ensaiar *v* **1** to practise **2** MÚS,TEAT to rehearse; **ensaiar um papel** to rehearse a role **3** *(tentar)* to attempt; to try
ensaio *nm* **1** LIT essay **2** MÚS,TEAT rehearsal; TEAT **ensaio geral** dress rehearsal **3** test
ensaísta *n2g* LIT essayist
ensanguentado *adj* bloodstained
ensanguentar *v* to cover with blood; to stain with blood
ensarilhar *v* **1** to entangle **2** *fig* to entangle; to embroil
enseada *nf* inlet; cove; bay
ensejo *nm* opportunity; chance; occasion
ensinamento *nm* teaching; lesson
ensinar *v* **1** to teach; **ensinar alguém a ler** to teach someone (how) to read; **ensinar línguas** to teach languages **2** *(mostrar)* to show; **ensina-me o caminho** show me the way **3** (animal) to train
ensino *nm* **1** education; instruction; **ensino básico** basic compulsory education **2** (profissão) teaching
ensombrar *v* **1** to cast a shadow over **2** *fig (entristecer)* to haunt
ensopado *adj* soaked; wet ▪ *nm* CUL stew; ragout
ensopar *v* to soak ▪ **ensopar-se** to get soaked
ensurdecedor *adj* deafening; **barulho ensurdecedor** deafening noise
ensurdecer *v* **1** to deafen **2** to go deaf
ensurdecimento *nm* deafness
entalado *adj* **1** drawn together; tightened; (pessoas) packed **2** *fig* in a tight corner ◆ **entalados como sardinhas em lata** packed like sardines
entalar *v* **1** to get (something) caught (in, em) **2** *(prender)* to tighten **3** *(comprometer)* to embarrass ▪ **entalar-se** to get caught; **entalei-me na porta** I got caught in the door
entalhar *v* to carve; to engrave
entalhe *nm* **1** carving; engraving **2** *(corte)* cut; incision
entanto *adv* in the meantime; meanwhile ◆ **no entanto** however; nevertheless
então *adv* **1** (nesse momento) then; by then; **até então** till then **2** (naquele tempo) at that time; by that time **3** (nesse caso) so ▪ *interj* **1** (espanto) now then!; well then! **2** (impaciência, discordância) so what? **3** (ânimo) come on!
entardecer *v* to draw on (the evening) ▪ *nm* evening; nightfall; close of day
ente *nm* being; living being; creature ◆ **entes queridos** loved ones
enteado *nm* (homem) stepson; (mulher) stepdaughter
entediar *v* to bore ▪ **entediar-se** to get bored
entender *v* **1** *(compreender)* to understand; **não entender bem o sentido** not to grasp the meaning **2** *(achar)* to believe **3** *(ouvir)* to hear ▪ **entender-se 1** *(concordar)* to agree **2** *(dar-se bem)* to get along (com, with) ▪ *nm* opinion; un-

derstanding; **no meu entender** in my opinion

entendido *nm* expert; specialist ▪ *adj* **1** understood **2** *(conhecedor)* skilled **3** *(combinado)* settled; agreed

entendimento *nm* **1** *(compreensão)* understanding; discernment **2** *(acordo)* agreement; understanding ♦ **chegar a um entendimento** to reach an understanding

enternecedor *adj* moving; touching

enternecer *v* to move; to touch ▪ **enternecer-se** to be moved; to be touched

enterrar *v* **1** to bury **2** *(inserir)* to sink (em, into) **3** *(esquecer)* to forget about ▪ **enterrar-se 1** *(comprometer-se)* to compromise oneself **2** *(refastelar-se)* to sink (em, into)

enterro *nm* burial; funeral

entidade *nf* **1** entity **2** being ♦ **entidade patronal** employer

entoação *nf* **1** MÚS intonation; modulation **2** tone; **voz com uma entoação doce** soft-toned voice

entoar *v* to intone; to carol

entornar(-se) *v* to spill

entorpecer *v* to numb ▪ **entorpecer-se** to go numb

entorpecimento *nm* numbness; torpor

entorse *nf* sprain; wrench; **fazer uma entorse num tornozelo** to sprain one's ankle

entortar *v* to bend; to crook

entrada *nf* **1** (local) entrance; hall **2** *(admissão)* entry; entrance; **entrada grátis** free entrance **3** (pagamento) down payment **4** (refeição) starter **5** (para carros) access drive **6** *pl* (cabelo) receding hairline

entrançar *v* **1** (cabelo) to braid **2** to plait; to interweave

entranhado *adj* deep; deeply rooted

entranhar-se *v* to penetrate; to go deep

entranhas *nfpl* entrails

entrar *v* **1** to enter (em, -); (aproximando-se) to come in; (afastando-se) to go in; **mandar entrar** to send (somebody) in; **posso entrar?** may I come in? **2** (clube, tropa) to join **3** (jogo) to join in **4** *(participar)* to take part in **5** INFORM to log in **6** to get in; to enter; **entrar na universidade** to get into University ♦ *col* **entrar com alguém** to pull someone's leg

entravar *v* to hinder; to inhibit

entrave *nm* hindrance; obstacle

entre *prep* **1** (dois) between; **entre a árvore e o carro** between the tree and the car **2** (vários) among; amongst; **entre eles** among themselves

entreaberto *adj* ajar; unclosed; half-open

entreabrir *v* to half-open; to set ajar

entreacto *a nova grafia é* **entreato**[AO]

entreato[AO] *nm* TEAT,MÚS interlude

entrecho *nm* plot; story; intrigue

entrecortar *v* to interrupt; to intersect; **com voz entrecortada** in a broken voice

entrecosto *nm* CUL entrecôte

entrecruzar-se *v* to intersect

entrega *nf* **1** delivery; **entrega ao domicílio** home delivery; **entrega contra reembolso** cash on delivery **2** (em mão) handing over **3** *(rendição)* surrender **4** *(dedicação)* dedication (a, to)

entregar *v* **1** to deliver (a, to) **2** (em mão) to hand in (a, to) **3** *(denunciar)* to sell out **4** (armas, cidade) to surrender; (poder) to hand over ▪ **entregar-se 1** to give oneself up (a, to) **2** *(render-se)* to surrender (a, to) **3** *(empenhar-se)* to commit oneself (a, to)

entregue *adj2g* **1** (carta, objeto) delivered; handed over **2** (aos cuidados de alguém) taken care of ♦ **estar entregue a si próprio** to be on one's own; **estar entregue aos seus pensamentos** to be lost in thought

entrelaçado *adj* **1** *(enlaçado)* interlaced; intertwined **2** *(emaranhado)* interwoven

entrelaçar *v* to interweave; to interlace

entrelinha *nf* interlineation ♦ **ler nas entrelinhas** to read between the lines

entrelinhamento *nm* line spacing

entrelinhar *v* to interline

entremear *v* to intermeddle; to intermingle

entremeio *nm* **1** *(tira de renda)* lace insertion **2** *(espaço)* interval; gap

entreposto *nm* **1** *(armazém)* warehouse **2** emporium

entretanto *adv* in the meantime; meanwhile ▪ *nm* (espaço de tempo) time lag; time gap; **no entretanto** in the meantime

entretela *nf* (tecido) buckram; backing

entretenimento *nm* **1** *(divertimento)* amusement; enjoyment; diversion **2** *(espetáculo)* entertainment; show **3** *(passatempo)* hobby; pastime

entreter *v* to amuse, to entertain ▪ **entreter-se** 1 *(divertir-se)* to amuse oneself 2 *(ocupar-se)* to occupy oneself
entretido *adj (ocupado)* busy (com/a, with); occupied (com/a, with); **estar entretido a ler** to be enjoying a book
entrevado *nm* paralytic; invalid; cripple ▪ *adj* paralytic, paralytical; crippled
entrever *v* 1 to catch a glimpse of 2 *(prever)* to foresee; to anticipate
entrevista *nf* 1 interview (para, for; a, to); **dar uma entrevista a** to give an interview to 2 *(consulta)* appointment 3 *(reunião)* meeting
entrevistado *nm* interviewee
entrevistador *nm* interviewer
entrevistar *v* to interview
entristecer *v* to sadden
entronar *v* to enthrone; to crown
entroncado *adj* 1 (corpo) broad-shouldered 2 (construção) well-set
entroncamento *nm* junction
Entrudo *nm* Carnival; **Terça-Feira de Entrudo** Pancake Day
entulhar *v* 1 *(encher)* to fill up with rubbish 2 *(amontoar)* to heap up (de, with); to store up (de, with); **entulhar um quarto de tralha** to heap up a room with junk
entulho *nm* 1 *(lixo)* rubbish; trash; refuse 2 (de obras) waste material; rubble; debris
entupido *adj* 1 obstructed; blocked; **cano entupido** blocked pipe 2 (nariz) bunged up; obstructed
entupir *v* to block
entusiasmado *adj* thrilled; enthusiastic
entusiasmar *v* to excite ▪ **entusiasmar-se** to get excited (com, about); to be enthusiastic (com, about)
entusiasmo *nm* enthusiasm
entusiasta *n2g* enthusiast
entusiástico *adj* enthusiastic; excited
enublado *adj* 1 *(com nuvens)* overcast; cloudy 2 *(com nevoeiro)* foggy; misty 3 *fig (escuro)* dark
enumeração *nf* 1 (conta) enumeration; numbering 2 (pormenorização) enumeration; detailing; specification
enumerar *v* to enumerate
enunciação *nf* 1 *(articulação)* enunciation; articulation 2 *(expressão)* enunciation; statement; expression
enunciado *nm* 1 (discurso) statement 2 (teste) test sheet
enunciar *v* 1 *(pronunciar)* to enunciate; to pronounce 2 *(declarar)* to enunciate; to express; to state
envaidecer *v* to make proud; to puff up ▪ **envaidecer-se** to take pride (com, in)
envelhecer *v* 1 (pessoa) to grow old; to become old 2 (objeto, vinho) to grow old; to age
envelhecido *adj* aged; grown old; **de aspeto envelhecido** old-looking
envelhecimento *nm* ageing; **envelhecimento do vinho** ageing of the wine
envelope *nm* envelope
envenenamento *nm* poisoning
envenenar *v* to poison ▪ **envenenar-se** (voluntariamente) to take poison; (involuntariamente) to be poisoned
enveredar *v* 1 *(partir)* to follow; to set out 2 to follow (por, -)
envergadura *nf* 1 (avião, ave) wingspan 2 (vela) breadth 3 *fig (importância)* importance
envergonhado *adj* 1 *(embaraçado)* embarrassed (por, by; com, about) 2 *(tímido)* shy
envergonhar *v* 1 *(causar vergonha)* to shame 2 *(embaraçar)* to embarrass ▪ **envergonhar-se** to feel ashamed
envernizar *v* 1 to varnish 2 *(polir)* to polish 3 *(polir com laca)* to lacquer
enviado *adj* sent ▪ *nm* 1 POL envoy; emissary 2 (jornalismo) correspondent ◆ (jornalismo) **enviado especial** special correspondent
enviar *v* to send (a, to)
envidraçado *adj* (of) glass; **paredes envidraçadas** glass walls
envidraçar *v* to glaze
enviesado *adj* 1 oblique 2 *(inclinado)* slanting 3 *fig (brusco)* harsh
envio *nm* 1 (carta, embrulho) sending 2 (em barco) shipment 3 (de dinheiro) remittance; **envio de fundos** remittance of funds
enviuvar *v* (mulher) to become a widow; (homem) to become a widower; **ele enviuvou em novo** he became a widower at an early age
envolto *adj* 1 *(envolvido)* enveloped (em, by) 2 *(rodeado)* wrapped up (em, in); **estar envolto em mistério** to be wrapped up in mystery

envolvente *adj2g* **1** *(interessante)* absorbing; engrossing; **enredo envolvente** engrossing plot **2** *(emocionante)* compelling; appealing
envolver *v* **1** *(embrulhar)* to wrap up (em, in) **2** *(abranger)* to comprise; to reach **3** (abraço) to embrace **4** *(cobrir)* to envelop **5** *(implicar)* to involve (em, in) ▪ **envolver-se 1** (pessoas) to get involved (com, with; em, in) **2** *(cobrir-se)* to wrap oneself up (em, in)
envolvido *adj* involved
envolvimento *nm* **1** (situação) involvement; participation; **envolvimento num crime** involvement in a crime **2** (relação) romantic involvement; affair; **o seu envolvimento com ela** his affair with her
enxada *nf* hoe
enxaguadela *nf* rinse
enxaguar *v* **1** *(passar por água)* to rinse; **enxaguar a roupa suja** to rinse the laundry **2** *(lavar)* to wash
enxame *nm* **1** (abelhas) swarm **2** *fig* (pessoas) swarm; multitude
enxaqueca *nf* MED migraine
enxergar *v* **1** to see; **eu não conseguia enxergar nada** I couldn't see a thing **2** *fig (entender)* to grasp; to get; **não enxergar nada** not to get it
enxertar *v* to graft
enxerto *nm* graft ♦ **levar um enxerto de porrada** to be beaten up hard
enxofre *nm* QUÍM sulphur; brimstone
enxotar *v* **1** (pessoas, animais) to drive away; to scare away **2** (moscas) to swatter
enxoval *nm* **1** (bebé) layette **2** (noiva) trousseau
enxovalhar *v* **1** *(manchar)* to dirty; to stain **2** *(amarrotar)* to wrinkle; to crumple **3** *fig* (reputação) to discredit; to tarnish
enxovalho *nm* **1** *(desarrumação)* untidiness; mess **2** *fig (insulto)* insult; offence
enxugar *v* **1** (roupa) to dry **2** (louça) to dry up **3** (lágrimas, suor) to wipe away
enxurrada *nf* **1** torrent; flux; rush **2** *(chuvada)* shower **3** *fig* torrent; hail; **enxurrada de perguntas** hail of questions
enxuto *adj* dry; **tempo enxuto** dry weather; **olhos enxutos** dry eyes ♦ **enxuto de carnes** slim; lean
enzima *nf* QUÍM enzyme
eólico *adj* aeolian; aeolic; **energia eólica** wind power
epiceno *adj* LING epicene
epicentro *nm* GEOL epicentre
épico *adj* epic; **um autor épico** an epic author ▪ *nm* epic
epicurismo *nm* epicureanism
epicurista *adj,n2g* Epicurean
epidemia *nf* **1** MED epidemic; plague; **epidemia da sida** aids epidemic **2** *(contágio)* contagion; contamination
epidémico *adj* **1** MED epidemic, epidemical **2** *(contagioso)* contagious; infectious
epiderme *nf* epidermis
epidural *adj2g,nf* epidural
epiglote *nf* epiglottis
epígrafe *nf* **1** LIT epigraph; motto **2** (inscrição em edifício) inscription **3** (título) heading; title
epilepsia *nf* MED epilepsy
epiléptico *a nova grafia é* **epilético**[AO]
epilético[AO] *nm* (pessoa) epileptic ▪ *adj* epileptic; **ataque epilético** an epileptic fit
epílogo *nm* LIT epilogue
episcopal *adj2g* episcopal
episódio *nm* **1** *(acontecimento)* episode; event; **episódio histórico** historical event **2** TV episode; **episódios seguintes** following episodes; **último episódio da série** final episode of the series
epístola *nf* REL,LIT epistle
epitáfio *nm* epitaph
epitélio *nm* epithelium
epíteto *nm* **1** LING epithet **2** *(alcunha)* nickname
epítome *nm* epitome; model
época *nf* **1** age; time; **naquela época** at that time **2** *(temporada)* season
epopeia *nf* LIT,CIN epic
equação *nf* MAT equation; **equação de primeiro grau** simple equation
equacionar *v* **1** MAT to equate, to make an equation **2** *(sistematizar)* to equate; **há que equacionar o problema** the problem must be equated
equador *nm* equator
Equador *nm* Ecuador
equato-guineense *adj,n2g* Equatorial Guinean
equatoriano *adj,nm* Ecuadorian
equestre *adj2g* equestrian; **estátua equestre** equestrian statue
equiângulo *adj* MAT equiangular
equidade *nf* equity
equídeo *nm* equine; horse ▪ *adj* equine

equidistância *nf* equidistance
equidistante *adj2g* equidistant
equilátero *adj* MAT equilateral
equilibrado *adj* **1** balanced **2** (mentalmente) sound; sane
equilibrar *v* to balance ▪ **equilibrar-se** to keep one's balance (em, on)
equilíbrio *nm* balance; equilibrium
equilibrista *n2g* tightrope walker
equimose *nf* MED contusion; bruise
equino *adj* equine
equinócio *nm* equinox
equipa *nf* **1** team **2** CIN,TV crew
equipado *adj* equipped; **bem equipado** well equipped; **mal equipado** ill equipped
equipamento *nm* **1** equipment **2** DESP strip
equipar *v* **1** *(apetrechar)* to equip (with, com; para, for) **2** DESP to kit out (com, with)
equiparação *nf* **1** *(nivelamento)* equalization; levelling; **equiparação dos níveis de riqueza** levelling of wealth **2** *(comparação)* comparison
equiparar *v* **1** *(comparar)* to compare (a, to) **2** *(nivelar)* to level out ▪ **equiparar-se** to compare (a, to)
equiparável *adj2g* comparable (a, to); equal (a, to)
equitação *nf* **1** DESP riding **2** horsemanship
equitativo *adj* equitable; just
equivalência *nf* equivalence; correspondence; **equivalência de valores** equivalence of values
equivalente *nm* equivalent (de, of) ▪ *adj2g* equivalent (a, to)
equivaler *v* to be equivalent (a, to)
equivocar *v* to mislead ▪ **equivocar-se** to be mistaken
equívoco *nm* **1** *(engano)* mistake **2** *(mal-entendido)* misunderstanding ▪ *adj* equivocal; ambiguous ♦ **por equívoco** in error
era *nf* era; age
erário *nm* exchequer; treasury
érbio *nm* erbium
ereção[AO] *nf* erection
erecção *a nova grafia é* **ereção**[AO]
eréctil *a nova grafia é* **erétil**[AO]
erecto *a nova grafia é* **ereto**[AO]
eremita *n2g* hermit; anchorite
erétil[AO] *adj2g* erectile
ereto[AO] *adj* (geral) erect
ergonomia *nf* ergonomics
ergonómico *adj* ergonomic; **veículo ergonómico** ergonomic vehicle
erguer *v* **1** (objeto) to lift; to raise **2** (olhos, cabeça) to lift **3** (voz) to raise **4** *(erigir)* to build ▪ **erguer-se** *(levantar-se)* to stand up
eriçar(-se) *v* to bristle
erigir *v* to erect; to build; to rise
Eritreia *nf* Eritrea
eritreu *adj,nm* Eritrean
ermida *nf* **1** *(capela em ermo)* hermitage **2** *(capela)* chapel
ermo *adj* solitary; desert ▪ *nm* wilderness; wasteland
erosão *nf* **1** (natureza) erosion **2** *fig* (situações) degradation; deterioration
erosivo *adj* erosive
erótico *adj* erotic
erotismo *nm* eroticism
erradamente *adv* erroneously; wrongly; mistakenly
erradicação *nf* eradication; removal
erradicar *v* **1** to eradicate **2** (doença) to stamp out
errado *adj* **1** *(enganado)* mistaken; **estás errado** you are mistaken **2** *(incorreto)* wrong; **é errado da parte dele** it is quite wrong of him **3** (ideias, crenças) erroneous; false
errante *adj2g* wandering
errar *v* **1** to miss; (resposta, exercício) to get (something) wrong **2** *(equivocar-se)* to be wrong; to be mistaken ♦ **errar é humano** to err is human
errata *nf* erratum
errático *adj* erratic; **movimento errático** erratic movement
erro *nm* error; mistake; **erro crasso** big mistake ♦ **salvo erro** if I am not mistaken
erróneo *adj* erroneous
erudição *nf* erudition; learning
erudito *nm* scholar; learned person ▪ *adj* erudite; learned
erupção *nf* **1** GEOL eruption; **entrar em erupção** to erupt **2** (cutânea) rash
eruptivo *adj* eruptive
erva *nf* **1** grass **2** (chá, remédio) herb **3** *cal (droga)* grass ♦ **erva daninha** weed
erva-cidreira *nf* balm
erva-doce *nf* (planta) anise; (semente) aniseed

ervanário *nm* 1 (pessoa) herbalist 2 (loja) herbalist's
ervilha *nf* pea
ervilheira *nf* pea
esbaforido *adj* out of breath
esbanjador *nm* squanderer ▪ *adj (gastador)* prodigal; extravagant; profligate
esbanjamento *nm* dissipation; squandering; waste
esbanjar *v* 1 (recursos) to squander 2 (dinheiro) to splash out (em, on); to waste (em, on)
esbarrar *v* (objetos) to collide ▪ **esbarrar-se** *(encontrar)* to come across
esbater *v* 1 (cor) to tone down 2 *fig (atenuar)* to attenuate ▪ **esbater-se** to fade out
esbelto *adj* 1 slender; slim 2 elegant
esboçar *v* (desenho, plano) to sketch; to outline ◆ **esboçar uma tentativa** to give it a try; **esboçar um sorriso** to twitch the corners of the lips
esboço *nm* 1 ART sketch 2 *(rascunho)* draft 3 LIT synopsis; summary
esbofetear *v* to slap; to smack; to slap someone's face
esborrachar *v (esmagar)* to crush, to squash ▪ **esborrachar-se** to be squashed
esbracejar *v* to wave one's arms; to gesticulate; to gesture
esbranquiçado *adj* whitish; off-white
esbugalhado *adj* goggled; **olhos esbugalhados** goggled eyes
esbugalhar *v* 1 (olhos) to goggle 2 *(esmigalhar)* to crush; to crumble
esburacado *adj* 1 (estrada) full of holes 2 (paredes) bored; pierced
esburacar *v* to bore; to drill; to make holes
escabeche *nm* 1 CUL pickling brine 2 *fig* row; **armar um escabeche** to make a scene
escabroso *adj* 1 *(acidentado)* rugged; craggy 2 *(indecoroso)* vulgar 3 *fig* (assunto) ticklish; delicate
escada *nf* 1 stairs 2 *(escadaria)* staircase ◆ **escada rolante** escalator
escadaria *nf* 1 staircase 2 *(lanço de escadas)* set of stairs; stairway
escadote *nm* stepladder
escafandro *nm* diving-suit
escala *nf* 1 scale; (desenho, mapa) **desenhar em escala** to draw to scale; **em grande/larga escala** on a large scale 2 (navio) port of call 3 (avião) stopover
escalada *nf* 1 DESP climbing 2 *(agravamento)* escalation; increase
escalão *nm* 1 *(degrau)* step 2 (carreira) rung; rank 3 MIL echelon
escalar *v* 1 (montanha) to climb; to scale 2 (árvore) to climb 3 (cabelo) to layer
escaldado *adj* 1 *(queimado)* scalded; burnt 2 *fig* experienced ◆ (provérbio) **gato escaldado de água fria tem medo** a burnt child dreads the fire
escaldante *adj2g* 1 (temperatura) hot; scalding 2 (tempo) scorching; **um dia escaldante** a scorching day ◆ **notícias escaldantes** hot news
escaldão *nm* sunburn; **apanhar um escaldão** to get sunburnt
escaldar *v* 1 *(queimar)* to scald 2 CUL to blanch ▪ **escaldar-se** 1 (queimadura) to scald oneself 2 *fig (prejudicar-se)* to burn one's fingers
escaleno *adj* ANAT,GEOM scalene
escalfado *adj* poached; **ovos escalfados** poached eggs
escalfar *v* (ovos) to poach
escalonar *v* 1 *(determinar escalão)* to grade; to classify 2 *(estipular)* to schedule 3 MIL to echelon
escalope *nm* escalope GB, scallop EUA
escalpe *nm* scalp
escama *nf* scale
escamar *v* (peixe) to scale ▪ **escamar-se** (pele) to flake; (peixe) to scale
escamoso *adj* scaly; layered; **pele escamosa** scaly skin
escamotear *v* 1 (truque) to palm 2 (pequeno roubo) to pilfer
escancarado *adj* 1 wide-open 2 *fig (descarado)* unabashed ◆ **de portas escancaradas** with doors wide open
escancarar *v* 1 (porta) to set wide open; to open wide 2 (situação) to expose
escandalizar *v* to shock ▪ **escandalizar-se** to be shocked (com, by/at)
escândalo *nm* 1 (situação) scandal; **fazer um escândalo** to make a scandal 2 (ato ofensivo) outrage; **foi um autêntico escândalo** it was an outrage

escandaloso *adj* **1** (comportamento) scandalous; outrageous **2** (situação) scandalous; shocking **3** *(vergonhoso)* shameful
escandinavo *adj,nm* Scandinavian
escândio *nm* scandium
escangalhar *v* **1** *(desfazer)* to pull to pieces **2** *(estragar)* to damage **3** *(desmontar)* to dismantle ▪ **escangalhar-se** to break down
escantilhão *nm* **1** (medida) gauge **2** (molde) moulding
escanzelado *adj* skin and bones
escapada *nf* **1** *(aventura)* escapade; exploit **2** *(fuga)* evasion; flight; escape
escapadela *nf* ⇒ **escapada**
escapar *v* **1** *(fugir)* to escape (de, from) **2** (situação, pergunta) to avoid (a, -) **3** (erro, pormenor) to overlook **4** (segredo) to slip **5** (doença, problema) to pull through ▪ **escapar-se 1** *(fugir)* to evade **2** *(escapulir-se)* to sneak away
escaparate *nm* **1** (móvel) showcase **2** *(vitrina)* display-window; shop-window; **o livro já está nos escaparates** the book is out
escapatória *nf* **1** (pergunta, situação) subterfuge; dodge **2** *(meio hábil de fugir)* loophole *fig* ♦ **não há escapatória** there's no way out
escape *nm* **1** (automóvel) exhaust **2** PSIC escape (a, from); **escape à realidade** escape from reality
escapulir(-se) *v* to get away; to escape
escaqueirar *v* to shatter
escarafunchar *v* **1** *(esgravatar)* to scratch **2** *col* *(revolver)* to rummage in
escaramuça *nf* **1** *(batalha)* skirmish; fight **2** *(discussão)* skirmish; conflict
escaravelho *nm* beetle
escarcéu *nm* **1** (mar) billow **2** *fig (alarido)* uproar; fuss
escarlate *adj2g,nm* (cor) scarlet
escarlatina *nf* MED scarlet fever
escarnecer *v* to make fun (de, of)
escárnio *nm* **1** *(mofa)* mockery; scorn **2** *(sarcasmo)* sarcasm
escarpa *nf* **1** *(encosta)* slope **2** (fortificação) escarpment
escarpado *adj* **1** *(íngreme)* steep **2** *(inclinado)* sloping; slanting
escarrapachado *adj* **1** *pop* (pernas) astride; straddled **2** *pop,fig (revelado)* exposed; **saiu tudo escarrapachado no jornal** it is all there black and white in the paper
escarrapachar *v* **1** *pop* to straddle **2** *col* to splash (em, over/across/on) ▪ **escarrapachar-se** *pop (estatelar-se)* to fall flat (em, on)
escarrar *v* to spit
escarro *nm* spit; gob
escassear *v* **1** *(faltar)* to lack **2** *(haver pouco)* to become scarce; to fall short; **a produção escasseia** production falls short **3** (tempo) to run short; **o tempo escasseia** time is running short
escassez *nf* **1** (haver pouco) scarcity (de, of); **escassez de alimentos** scarcity of food **2** *(falta)* lack (de, of); **escassez de tempo** lack of time
escasso *adj (insuficiente)* sparse; short; **o tempo é escasso** there is not much time left ♦ **escassas vezes** seldom
escavação *nf* **1** (covas) digging **2** *téc* excavation; **escavações arqueológicas** archaeological excavations
escavadora *nf* **1** (a vapor) steam shovel **2** (mecânica) digger, mechanical digger; excavator
escavar *v* to dig; to excavate
esclarecedor *adj* **1** (esclarecimento) enlightening; illuminating **2** (explicação) explanatory; elucidatory
esclarecer *v* **1** (dúvida, explicação) to explain **2** (desentendimentos) to clear up ▪ **esclarecer-se** (dúvida, enigma) to become clear
esclarecido *adj* learned
esclarecimento *nm* **1** (desentendimento, dúvida) clearing up **2** (informação) enlightenment (sobre, about); explanation (sobre, about) **3** (mistérios) solving
esclerose *nf* MED sclerosis ♦ **esclerose múltipla** multiple sclerosis
escoadouro *nm* **1** (canalizações) drain **2** (valas) sewer; gutter; ditch
escoamento *nm* **1** *(vazamento de líquidos)* flowing off **2** *(canalização)* drainage **3** (mercadoria) selling
escoar *v* **1** (líquido) to drain **2** (mercadoria) to sell out
escocês *nm* Scot; (homem) Scotsman; (mulher) Scotswoman ▪ *adj* Scottish; **pronúncia escocesa** Scottish accent
Escócia *nf* Scotland
escola *nf* **1** school; **andar na escola** to go to school **2** (ensino superior) college; school EUA

3 *fig* coaching; experience; **falta-lhe escola** he needs more coaching

escolar *adj2g* school; academic; **em idade escolar** of a school age ♦ **ano escolar** school year; **período escolar** school term

escolaridade *nf* schooling ♦ **escolaridade obrigatória** compulsory schooling

escolástica *nf* scholasticism

escolástico *adj* scholastic

escolha *nf* choice ♦ **à escolha** take your pick

escolher *v* to choose ♦ **quem muito escolhe pouco acerta** he who goes further fares worse

escolhido *adj* **1** *(selecionado)* chosen; selected; **bem escolhido** well-chosen **2** *(preferido)* chosen; preferred ▪ *nm* appointee; the chosen one

escolho *nm* **1** *(rochedo, recife)* reef; rock; cliff **2** *fig (obstáculo)* hindrance; obstacle

escoliose *nf* MED scoliosis

escolta *nf* **1** (pessoa, veículo) escort; **escolta policial** police escort **2** (proteção) guard; **escolta armada** armed guard

escoltar *v* **1** to escort; to convoy; to accompany **2** *(dirigir)* to guide

escombros *nmpl* rubble; ruins ♦ **ficar em escombros** to crumble

esconderijo *nm* **1** (local) hideout; hiding place **2** *(refúgio)* refuge; shelter

esconder(-se) *v* to hide

escondidas *nfpl* (jogo) hide-and-seek; **vamos jogar às escondidas** let's play hide and seek ♦ **às escondidas** stealthily; on the sly

esconjurar *v* **1** *(exorcizar)* to exorcise **2** *(amaldiçoar)* to curse; to swear

esconjuro *nm* **1** *(exorcismo)* exorcism **2** *(maldição)* malediction; curse

escopo *nm (propósito)* purpose; aim

escopro *nm* chisel, flat chisel

escora *nf* **1** shore; prop **2** *fig* support

escoramento *nm* **1** prop; propping up **2** support

escorar *v* to prop; to support

escorbuto *nm* MED scurvy

escória *nf* **1** (metal) slag; dross **2** (carvão) slag **3** *fig,pej* scum; dregs (of society)

escoriação *nf* scratch; graze; grazing

escoriar *v* **1** to graze; to scrape **2** to excoriate; to abrade

escorpião *nm* **1** scorpion **2** (constelação, signo) [com maiúscula] Scorpio

escorraçar *v* to drive/chase away; to expel; to banish

escorredor *nm* **1** (loiça) drainer; (banca) draining board **2** (alimentos) colander

escorrega *nm* ⇒ **escorregão**

escorregadio *adj* slippery

escorregão *nm* (parque infantil) slide

escorregar *v* (acidentalmente) to slip; (voluntariamente) to slide

escorrer *v* **1** (louça) to drain **2** (legumes) to strain; (massas, queijo) to drain **3** (roupa) to wring (out) **4** (suor, água) to drip

escorripichar *v* to drink dry

escotilha *nf* hatch; hatchway

escova *nf* brush; **escova de dentes** toothbrush; **escova do cabelo** hairbrush

escovagem *nf* brushing; brush

escovar *v* **1** (cabelo, peça de roupa) to brush; **escovar o fato** to brush one's suit **2** (cavalo, cão) to groom **3** *fig,col* (bajulação) to suck up to

escravatura *nf* **1** *(escravidão)* slavery **2** (tráfico) slave trade

escravidão *nf* **1** slavery; enslavement **2** *(servidão)* servitude

escravizar *v* to enslave

escravo *nm* slave ▪ *adj* slavish; servile ♦ **escravo do trabalho** slave to work

escrever *v* **1** to write **2** *(soletrar)* to spell ▪ **escrever-se** to correspond

escriba *nm* scribe

escrita *nf* **1** writing **2** *(caligrafia)* handwriting **3** bookkeeping; **fazer a escrita** to keep the books

escrito *nm* **1** piece of writing **2** bill; letter; note ▪ *adj* written ♦ **pôr por escrito** to commit to paper; to set down in writing

escritor *nm* writer

escritório *nm* **1** (local de trabalho) office **2** (em casa) study

escritura *nf* **1** DIR deed **2** [com maiúscula] Scripture

escrituração *nf* bookkeeping; accounts; **fazer a escrituração** to do the bookkeeping

escriturar *v* **1** to register; to write down **2** to keep books

escriturário *nm* **1** clerk **2** bookkeeper

escrivaninha *nf* desk; writing desk

escrivão *nm* **1** clerk; notary **2** (tribunal) clerk

escroque *nm* swindler; crook
escroto *nm* scrotum
escrúpulo *nm* scruple; reluctance ◆ **pessoa sem escrúpulos** unscrupulous person
escrupuloso *adj* **1** *(íntegro)* scrupulous; upright; **pouco escrupuloso** unscrupulous **2** *(meticuloso)* meticulous; careful
escrutínio *nm* ballot ◆ **escrutínio secreto** secret vote
escudo *nm* **1** shield **2** escutcheon; arms; **escudo de armas** coat of arms **3** (antiga moeda) escudo
esculpir *v* (estátua, objeto) to sculpt; (motivo em relevo) to carve
escultor *nm* sculptor
escultura *nf* **1** (obra) sculpture **2** (arte) sculpture; carving
escultural *adj2g* sculptural
escumadeira *nf* skimmer
escumalha *nf* scum; rabble; dregs
escuras *nfpl* **às escuras** in the dark
escurecer *v* **1** to darken **2** *fig* to obscure
escurecimento *nm* darkening
escuridão *nf* **1** darkness; dark; **na escuridão** in the dark **2** *fig* ignorance
escuro *adj* **1** dark; **está a ficar escuro** it's getting dark; **escuro como breu** pitch-black **2** (pão) brown ▪ *nm* dark; **ter medo do escuro** to be afraid of the dark
escusado *adj* unnecessary; needless ◆ **escusado será dizer** it goes without saying; needless to say
escusar *v (dispensar, desculpar)* to excuse ▪ **escusar-se 1** to apologize (por, for) **2** *(recusar-se)* to refuse (a, to)
escuta *nf* listening; **à escuta** on the alert, listening; **estar à escuta** to be on the watch ▪ *n2g (escuteiro)* scout ◆ **escuta eletrónica** phone tapping, bugging; **aparelho de escuta** sound locator, bug
escutar *v (ouvir)* to listen (-, to)
escuteiro *nm* boy scout; girl scout
escutismo *nm* scouting
esdrúxulo *adj* LING proparoxytone
esfacelar *v* **1** to gangrene **2** *(despedaçar)* to blow to pieces **3** *(destruir)* to ravage; to smash
esfalfar *v* to exhaust; to wear out
esfaquear *v* to knife; to stab
esfarelar *v* to crumble
esfarrapado *adj* **1** (pessoa) ragged; in rags; **andar esfarrapado** to go about in rags **2** (roupa) torn; tattered; **as minhas calças estão esfarrapadas** my trousers are in tatters
esfarrapar *v* to tear; to rip
esfera *nf* sphere
esférico *adj* spherical; spheric; round ▪ *nm* DESP ball
esferográfica *nf* biro; ballpoint (pen)
esferovite *nf* **1** PVC (polyvinyl chloride) **2** polystyrene
esfíncter *nm* sphincter
esfinge *nf* **1** sphinx **2** *fig* inscrutable person
esfolar *v* **1** *(tirar pele)* to skin; to flay **2** *(arranhar)* to scratch; to graze; to scrape **3** *fig (explorar)* to fleece
esfoliação *nf* exfoliation
esfoliar *v* to exfoliate
esfomeado *adj* starving; hungry
esforçar *v* (voz, olhos) to strain ▪ **esforçar-se 1** *(aplicar-se)* to work hard; to make an effort **2** (tentativa) to try hard (por, to)
esforço *nm* effort; **fazer um esforço** to make an effort
esfrangalhar *v* to break to pieces; to shatter
esfregão *nm* scourer
esfregar *v* **1** to scrub; **esfregar o chão** to scrub the floor **2** (panela, tacho) to scour **3** *(friccionar)* to rub; **esfregar os olhos** to rub one's eyes
esfregona *nf* mop
esfriar *v* **1** to cool **2** to get cold
esgadanhar *v* to scratch; to claw
esganar *v* **1** *(estrangular)* to strangle **2** *(sufocar)* to choke; to stifle
esganiçado *adj* shrill; piercing
esganiçar *v* to shriek; to screech
esgar *nm* grimace
esgatanhar *v* to scratch; to claw
esgazeado *adj* (olhos, expressão) glaring
esgotado *adj* **1** sold out **2** (livro) out of print **3** *(cansado)* exhausted; tired out ◆ (teatro, concerto) **lotação esgotada** full house
esgotamento *nm* **1** (estado, ação) exhaustion **2** MED breakdown; collapse ◆ **esgotamento nervoso** nervous breakdown
esgotar *v* **1** to exhaust **2** *(encher)* to fill to capacity **3** (produto, bilhetes, atuação) to sell out **4** *(acabar)* to run out

esgoto *nm* drain; gutter ♦ **esgoto a céu aberto** open drain; **rede de esgoto** sewage system
esgravatar *v* **1** (terra) to scratch **2** *(bisbilhotar)* to pry into
esgrima *nf* DESP fencing; **professor de esgrima** fencing master; **praticar esgrima** to fence
esgrimir *v* **1** to fence **2** (argumentos) to put forward
esgrimista *n2g* fencer
esguedelhar *v* (cabelo) to dishevel; to tousle; to rumple
esgueirar-se *v* to slip away; to sneak off
esguelha *nf* bias ♦ **de esguelha** at an angle
esguichar *v* to squirt; to gush
esguicho *nm* squirt; gush
esguio *adj* slender
eslavo *nm* Slav ▪ *adj* Slavonic; Slavic
eslovaco *adj,nm* Slovak, Slovakian
Eslováquia *nf* Slovakia
Eslovénia *nf* Slovenia
esloveno *adj,nm* Slovenian
esmagador *adj* crushing; overwhelming
esmagamento *nm* crushing; smashing; squeezing
esmagar *v* to crush; (objeto mole) to squash; (em papa) to mash
esmaltar *v* to enamel
esmalte *nm* enamel; **louça de esmalte** enamel ware
esmerado *adj* careful
esmeralda *nf* emerald
esmerar-se *v* **1** *(esforçar-se)* to take great pains (a, to) **2** to do one's best; to excel oneself
esmero *nm* care; neatness
esmigalhar *v* **1** (pão, bolachas) to crumble; to mash **2** *(esmagar)* to crush ▪ **esmigalhar-se** to crumble
esmiuçar *v (examinar)* to analyse; to go through (something) in detail
esmo *nm* rough estimate ♦ **a esmo** at random
esmola *nf* alms; charity; **dar uma esmola a alguém** to give alms to somebody ♦ **caixa de esmolas** poor box; **pedir esmola** to beg
esmorecer *v* **1** *(desencorajar-se)* to lose heart **2** (sentimento, luz) to fade away
esmorecimento *nm* **1** discouragement, despondency **2** weakening
esmurrar *v* **1** *(dar murros)* to box; to punch **2** *(amolgar)* to dent; **esmurrar o carro** to dent the car
és-nordeste *nm* east-northeast
esófago *nm* oesophagus GB; esophagus EUA
esotérico *adj* esoteric
espaçado *adj* **1** (no espaço) spaced out; with an interval **2** (no tempo) postponed **3** (visita) occasional; **a intervalos espaçados** at regular intervals
espaçamento *nm* **1** spacing; interval **2** TIP kerning
espaçar *v* **1** *(pôr intervalos)* to space out; to set at intervals **2** *(ampliar)* to extend; to enlarge **3** *(adiar)* to delay; to put off; to postpone
espacejar *v* TIP to space
espacial *adj2g* **1** spatial **2** space ♦ **nave espacial** space ship; **estação espacial** space station
espaço *nm* **1** (extensão) space **2** (a ocupar) room; **espaço livre** free room **3** (tempo) interval; period
espaçoso *adj* spacious; roomy
espada *nf* **1** (arma) sword; **desembainhar a espada** to draw the sword; **embainhar a espada** to sheathe the sword **2** *pl* (naipe) spades; **rei de espadas** king of spades ♦ **entre a espada e a parede** between the devil and the deep blue sea
espadachim *nm* swordsman
espadarte *nm* swordfish
espadaúdo *adj* broad-shouldered
espádua *nf* scapula; shoulder-blade
espairecer *v* **1** *(passear)* to stroll; to go for a walk **2** *(distrair-se)* to amuse oneself
espaldar *nm* **1** (ginásio) wall bars **2** back of a chair
espalhafato *nm* **1** *(confusão)* disorder; commotion **2** *(barulho)* bustle; fuss; **fazer um espalhafato** to make a fuss **3** *(ostentação)* extravagance
espalhafatoso *adj* **1** *pej (espampanante)* garish; ostentatious; showy **2** *(barulhento)* noisy; fussy
espalhar *v* **1** (objetos) to scatter **2** to spread; **espalhar a pomada** to spread the ointment; **espalhar um boato** to spread a rumour ▪ **espalhar-se 1** (objetos) to scatter **2** *(difundir-se, alastrar)* to spread **3** *col (estatelar-se)* to fall flat

espalmar *v* to flatten; to squash ▪ **espalmar-se** to flatten oneself
espampanante *adj2g* extravagant; ostentatious; showy
espanador *nm* duster; feather duster
espancar *v* to beat (somebody) up
Espanha *nf* Spain
espanhol *nm* **1** (pessoa) Spaniard; **os espanhóis** the Spanish **2** (língua) Spanish ▪ *adj* Spanish
espantado *adj* astonished (com, at); amazed (com, at)
espantalho *nm* scarecrow
espantar *v* **1** *(surpreender)* to surprise; to amaze **2** *(assustar)* to frighten; to scare **3** *(afugentar)* to scare away ▪ **espantar-se 1** *(surpreender-se)* to be astonished **2** *(assustar-se)* to get scared
espanto *nm* **1** *(surpresa)* amazement; astonishment **2** *(pasmo)* marvel; wonder ♦ **fazer ar de espanto** to look amazed
espantoso *adj* **1** *(extraordinário)* wonderful; amazing; marvellous **2** *(assombroso)* dreadful; frightful
espargata *nf* splits; **fazer a espargata** to do the splits
espargir *v* to pour; to spread; to splash
espargo *nm* asparagus
esparguete *nm* spaghetti
esparregado *nm* CUL purée of green vegetables
esparrela *nf* snare; noose; trap ♦ **cair na esparrela** to fall/walk into a trap
esparso *adj (espalhado)* sparse; spread; scattered
espartilho *nm* corset
espasmo *nm* MED spasm; cramp
espatifar *v* **1** to smash; to shatter **2** (dinheiro) to waste; to squander
espátula *nf* spatula
especar *v* to freeze; to stop short
especial *adj2g* **1** *(particular)* special; **por especial favor** by special favour **2** *(excelente)* remarkable; exceptional; **tenho um vinho especial** I've got an exceptional wine ♦ **edição especial** special edition
especialidade *nf* specialityGB, specialtyEUA
especialista *n2g* **1** *(perito)* specialist; expert; **ela é especialista em arte** she's a specialist in art **2** MED specialist; **especialista em doenças cardíacas** heart specialist ▪ *adj2g* specialist; expert
especialização *nf* specialization (em, in); **fazer uma especialização em química** to specialize in chemistry
especializado *adj* **1** specialized (em, in) **2** (trabalhador) skilled
especializar *v* to make specialized ▪ **especializar-se** to specialize (em, in)
especialmente *adv* **1** *(particularmente)* especially; **adoro música, especialmente música clássica** I love music, especially classical music **2** *(expressamente)* specially; **desenhado especialmente para** specially designed for
especiaria *nf* spice
espécie *nf* **1** *(género)* sort; kind; variety **2** BOT,ZOOL species; **espécie extinta** extinct species **3** goods; **pagar em espécie** to pay in goods ♦ **da pior espécie** of the worst sort; **fazer espécie** to intrigue
especificação *nf* specification
especificar *v* to specify; to detail; to particularize
específico *adj* specific; particular
espécime *nm* **1** *(amostra)* specimen; sample **2** *(exemplo)* example **3** *(modelo, padrão)* pattern; model
espectacular *a nova grafia é* **espetacular**[AO]
espectáculo *a nova grafia é* **espetáculo**[AO]
espectador[AO] ou **espetador**[AO] *nm* **1** TV viewer; CIN,TEAT member of the audience **2** DESP spectator **3** *(testemunha)* onlooker; bystander
espectro[AO] *a grafia preferível é* **espetro**[AO]
especulação *nf* **1** speculation (sobre, about); **pura especulação** pure speculation **2** ECON speculation ♦ **especulação imobiliária** property speculation
especulador *nm* ECON speculator; **especulador da bolsa** stock-market speculator
especular *v* **1** to speculate (sobre, on/about) **2** ECON to speculate
especulativo *adj* speculative
espeleologia *n* DESP speleology; caving; spelunkingEUA
espeleólogo *nm* speleologist; spelunkerEUA
espelhar *v* **1** to mirror; to reflect **2** to polish
espelho *nm* **1** mirror; looking-glass; **ver-se ao espelho** to look at yourself in the mirror **2** *fig* model, example **3** (fechadura) escutcheon (of a lock) ♦ (interior) **espelho retrovisor**

rearview mirror; (exterior) **espelho retrovisor direito/esquerdo** right/left-hand wing mirror
espelunca *nf col* slum; dump
espera *nf* **1** waiting; (período) wait; **estar à espera de** to be waiting for **2** *(demora)* delay **3** *(cilada)* ambush; trap; **fazer uma espera** to ambush ◆ **sala de espera** waiting-room
esperança *nf* **1** hope; **ter a esperança de** to hope that; **ter esperança em** to hope for **2** expectancy; **esperança de vida** life expectancy **3** DESP (pessoa) hope; **ele é uma das grandes esperanças do ténis** he's one of the most promising tennis players ◆ **alimentar esperanças** to cherish hopes; **estar de esperanças** to be expecting (a baby); **na esperança de que** in hope that
esperançoso *adj* **1** hopeful **2** confident; trusting
esperanto *nm* Esperanto
esperar *v* **1** to wait (por, for) **2** (expectativa, previsão) to expect **3** (desejo, esperança) to hope **4** (grávida) to expect ◆ **quem espera desespera** a watched pot never boils; **quem espera sempre alcança** all good things come to those who wait
esperma *nf* sperm ◆ **banco de esperma** sperm bank
espermatozoide[AO] *nm* spermatozoon
espermatozóide *a nova grafia é* **espermatozoide**[AO]
espernear *v* to kick; to stamp; to throw a tantrum
espertalhão *nm* wise guy *col*
esperteza *nf* **1** *(inteligência)* cleverness **2** *(manha)* cunning; sagacity; craft **3** *(vivacidade)* liveliness; vivacity
esperto *adj* **1** *(inteligente)* clever; smart **2** *(astuto)* sharp
espessamento *nm* thickening
espessar *v* (molho, líquido) to thicken; to compact
espesso *adj* thick; dense
espessura *nf* thickness; **ter 20 centímetros de espessura** to be 20 centimetres thick
espetacular[AO] *adj2g* **1** *(impressionante)* spectacular **2** *(excelente)* excellent
espetáculo[AO] *nm* **1** TEAT,MÚS show; performance **2** *(demonstração)* exhibition; display **3** *(cena, escândalo)* scene; **dar espetáculo** to make a scene **4** *col* something else; **ser um espetáculo** to be great
espetada *nf* (comida) kebab
espetanço *nm* **1** sting; prick **2** *fig (falhanço)* fiasco; blunder
espetar *v* **1** to stick (em, in/into); (dedo, pau, lápis, vareta) poke (em, in) **2** *(picar)* to prick **3** *col (esbarrar)* to crash (com, -) **4** *col* (beijo, murro) to give ▪ **espetar-se 1** to prick yourself **2** *col* (de carro) to crash **3** *col* (exame) to fail
espeto *nm* spit; skewer; **assar no espeto** to spit-roast ◆ (magreza) **ele é um espeto** he's thin as a lath/rake
espetro[AO] ou **espectro**[AO] *nm* **1** spectre; ghost **2** FÍS spectrum ◆ **espetro solar** solar spectrum
espevitar *v* **1** (pessoa) to wake **2** *(encorajar)* to spur **3** (inteligência, imaginação) to stimulate **4** (curiosidade) to arouse **5** (lume) to poke
espezinhar *v* to trample (on)
espia *nf* spy; secret agent; informer
espião *nm* spy; secret agent; informer
espiar *v* **1** to spy on **2** to watch out for
espicaçar *v* **1** *(picar)* to peck; *(furar)* to pierce; to prick **2** *(esporear)* to spur **3** *fig (instigar)* to spur; to urge; to incite
espiga *nf* **1** (trigo, cevada) ear; (milho) cob **2** (grupo de flores) spike
espigado *adj* **1** spiked **2** *col* grown-up **3** (pontas do cabelo) ragged
espigão *nm* **1** (haste) spike **2** (unhas) hangnail
espigar *v* **1** to ear; to seed **2** *col* to grow up
espigo *nm* hangnail
espigueiro *nm* granary
espinafre *nm* spinach
espinal *adj2g* spinal
espingarda *nf* rifle; **tiro de espingarda** rifle shot ◆ **espingarda de ar comprimido** air gun, air rifle; **espingarda de caça** shotgun; **espingarda de dois canos** double-barrelled gun
espinha *nf* **1** spine; **espinha dorsal** spine **2** (peixe) fishbone **3** *(borbulha)* pimple **4** *fig* trouble; obstacle
espinheiro *nm* thorn bush; bramble bush
espinho *nm* **1** (planta) thorn **2** (animal) spine **3** *fig* difficulty; obstacle
espinhoso *adj* **1** thorny; prickly **2** *fig* difficult; hard; **uma tarefa espinhosa** a troublesome task **3** *fig* tricky

espiolhar *v* **1** to delouse **2** *fig* to look carefully into
espionagem *nf* spying; espionage
espiral *nf* spiral; spire ▪ *adj2g* spiral ♦ (livro, caderno) **argolas em espiral** spiral binding; **escadas em espiral** spiral staircase
espírita *adj,n2g* medium
espiritismo *nm* spiritualism; **ir a uma sessão de espiritismo** to attend a seance
espírito *nm* **1** spirit; **espírito de equipa** team spirit **2** *(mente)* mind; **estado de espírito** mood **3** *(fantasma)* ghost
espiritual *adj2g* spiritual; **vida espiritual** spiritual life ▪ *nm* MÚS spiritual ♦ **diretor espiritual** father confessor
espiritualidade *nf* spirituality
espirituoso *adj* **1** witty; humorous **2** (bebida); **bebida espirituosa** spirit
espirrar *v* **1** to sneeze **2** *(esguichar)* to squirt
espirro *nm* sneeze; **dar um espirro** to sneeze
esplanada *nf* outdoor café; **vamos para a esplanada** let's sit outside
esplêndido *adj* **1** *(fantástico)* excellent; brilliant **2** *(luxuoso)* magnificent
esplendor *nm* splendourGB, splendorEUA
espoleta *nf* cap; fuse; detonator
espoliar *v* **1** (cidade) to pillage; to plunder **2** (loja, casa) to loot; to strip **3** *(expropriar)* to dispossess
espólio *nm* **1** (restos) remains **2** (guerra) booty; spoils **3** DIR *(bens)* assets; estate
esponja *nf* **1** ZOOL sponge **2** (material) sponge; **limpar com uma esponja** to sponge **3** *col,fig* sponge; drunkard; wineskin ♦ **passar uma esponja sobre** to draw a curtain over
esponjoso *adj* spongy; porous
esponsais *nmpl* betrothal; marriage ♦ **celebrar os esponsais** to get engaged
espontaneidade *nf* spontaneity
espontâneo *adj* spontaneous ♦ **de livre e espontânea vontade** of one's own free will
espora *nf* spur
esporádico *adj* sporadic
esporão *nm* **1** spur **2** (galo) spur **3** (barco) head
esporo *nm* spore
esposo *nm* (homem) husband; (mulher) wife
espraiar *v* to spread (out) ▪ **espraiar-se** **1** (rio, mar) to overflow **2** to extend
espreguiçadeira *nf* **1** chaise longue; lounger **2** (praia) deck chair
espreguiçar-se *v* to stretch
espreita *nf* peep; furtive glance; **estar à espreita de** to be on the lookout for
espreitadela *nf* peep; peeping; **dar uma espreitadela** to have a peep at
espreitar *v* **1** (às escondidas) to peep; to peek **2** *(ver)* to look **3** *(esperar escondido)* to lurk
espremedor *nm* squeezer; **espremedor de laranjas** orange squeezer ♦ **espremedor elétrico** juicer
espremer *v* **1** (citrinos, esponja) to squeeze; (uvas) to press **2** (à mão) to wring; (na máquina) to spin-dry **3** *fig (interrogar)* to pump (someone)
espuma *nf* **1** (mar) foam **2** (banho) bubble **3** (sabonete, champô, detergente) lather **4** (para o cabelo) mousse **5** (cerveja) froth ♦ **espuma de barbear** shaving foam
espumante *nm* **1** champagne **2** sparkling wine ▪ *adj2g* **1** bubbly; foamy **2** (vinho) sparkling **3** *fig (furioso)* raging
espumar *v* **1** to foam; to froth; to lather **2** (bebidas com gás) to bubble; to sparkle ♦ **espumar de raiva** to foam at the mouth
espumoso *adj* **1** bubbly; foamy **2** (vinho) sparkling **3** (cerveja) frothy ▪ *nm* **1** champagne **2** sparkling wine
esquadra *nf* **1** (polícia) police station **2** (navios de guerra) fleet **3** (soldados) squad
esquadrão *nm* **1** MIL squadron **2** *fig (multidão)* troop; band
esquadria *nf* GEOM square; **corte em esquadria** squaring; **pôr em esquadria** to square
esquadrilha *nf* squadron
esquadrinhar *v* to examine; to scrutinize
esquadro *nm* set square; **esquadro em T** T-square
esquálido *adj* squalid; foul; filthy
esquartejamento *nm* quartering; tearing up; (no talho) cutting up
esquartejar *v* to quarter; to tear up; (no talho) to cut up
esquecer *v* to forget ▪ **esquecer-se** **1** *(não se lembrar)* to forget (de, -) **2** *(deixar, não trazer)* to leave
esquecido *adj* **1** (objeto) forgotten; **esquecido há muito** long forgotten **2** (pessoa) forgetful

esquecimento *nm* **1** *(falta de memória)* forgetfulness **2** oblivion ♦ (um assunto) **deixar cair no esquecimento** to let a matter drop
esquelético *adj col* skinny
esqueleto *nm* **1** skeleton **2** (estrutura) framework **3** *fig* sketch
esquema *nm* **1** *(plano)* scheme **2** *(resumo)* outline, plan **3** *(diagrama)* diagram ♦ **esquema de segurança** security operation
esquemático *adj* **1** schematic **2** *pej* oversimplified
esquematizar *v* **1** *(planejar)* to schematize, to diagram **2** *(resumir)* to outline
esquentador *nm* heater; gas heater, warming pan
esquerda *nf* **1** left; **virar à esquerda** to turn left **2** POL left-wing; **políticos de esquerda** left-wing politicians
esquerdino *adj* left-handed
esquerdo *adj* left
esqui *nm* **1** ski **2** DESP (atividade) skiing; **fazer esqui** to go skiing ♦ DESP **esqui aquático** water-skiing
esquiador *nm* DESP skier
esquiar *v* DESP to ski; **gosto muito de esquiar** I love skiing
esquilo *nm* squirrel
esquimó *adj,n2g* Eskimo
esquina *nf* **1** corner **2** *(orla)* edge
esquisitice *nf* eccentricity; oddity
esquisito *adj* **1** *(estranho)* odd; strange; weird *col* **2** *(exigente)* choosy; hard to please
esquivar-se *v* **1** to avoid (a, de, -) **2** (fisicamente) to dodge (a, de, -)
esquivo *adj* **1** *(reservado)* distant, reserved, standoffish **2** *(acanhado)* coy; shy
esquizofrenia *nf* MED schizophrenia
esquizofrénico *adj,nm* MED schizophrenic
esse *adj* that; **esses livros** those books ▪ *pron dem* **1** (coisa) that one; **não quero esses** I don't want those **2** the former ♦ **ainda mais essa!** that's all we need!; **essa é boa!** that's a good one!; **por essas e por outras** for these and other reasons
essência *nf* **1** (ser) essence **2** *(existência)* nature **3** *(aroma)* perfume; scent
essencial *adj2g* **1** essential (para, to/for) **2** *(principal)* main ▪ *nm* main thing; essence
és-sudeste *nm* east-southeast
estabelecer *v* **1** *(determinar, ordenar)* to establish **2** *(decidir)* to settle **3** *(fundar)* to set up **4** (recorde) to set ▪ **estabelecer-se 1** *(fixar-se)* to settle **2** (negócio) to set up
estabelecimento *nm* **1** *(instituição)* establishment; **estabelecimento de ensino** school **2** *(loja)* shop **3** (preços, prazos) fixing; setting
estabilidade *nf* stability
estabilização *nf* stabilization; balancing
estabilizar *v* to stabilize
estábulo *nm* **1** (cavalos) stable **2** (vacas) cowshed
estaca *nf* **1** *(pau)* stake; post **2** (tenda) peg **3** (parte de ramo) cutting ♦ **voltar à estaca zero** to go back to square one
estação *nf* **1** (transportes) station **2** (ano) season; **meia estação** cool season **3** *(repartição)* office; **estação dos correios** post office ♦ **estação de serviço** service station
estacar *v* to stop, to halt
estacionamento *nm* **1** parking; **estacionamento proibido** no parking **2** (espaço) parking space **3** (lugar, parque) car park
estacionar *v* **1** (veículo) to park **2** (situação, pessoa) to stabilize
estacionário *adj* stationary; **doença estacionária** stationary disease
estada *nf* stay; staying; sojourn
estadia *nf* **1** *(permanência)* stay; sojourn **2** (gastos) living expenses; **pagar os custos da viagem e a estadia** to pay travel and living expenses
estádio *nm* **1** DESP stadium **2** *(período)* period **3** *(fase)* phase
estadista *n2g* (homem) statesman; (mulher) stateswoman
estado *nm* **1** state; **estado de espírito** state of mind **2** (de saúde, conservação) condition **3** *(país, parte de país)* state
estado-maior *nm* staff; General Staff; **Estado-Maior do Exército** General Staff of the Army
estado-membro *nm* member state
Estados Unidos da América *nmpl* United States of America
estafa *nf* **1** *(fadiga)* fatigue **2** *(esgotamento)* nervous exhaustion **3** *(faina)* hard work
estafado *adj* tired out; exhausted
estafar *v* to tire; to fatigue; to weary

estafermo *nm* **1** scarecrow **2** *(inútil)* good-for-nothing **3** *(pessoa repugnante)* creep
estafeta *n2g* courier; messenger ♦ DESP (corridas) **corrida de estafetas** relay race
estagiar *v* to be in training; to take a training post; to do a traineeship
estagiário *nm* **1** trainee **2** (professor) trainee teacher **3** (médico) junior doctor
estágio *nm* **1** (aprendizagem) traineeship **2** *(fase)* stage
estagnação *nf* stagnation
estagnado *adj* stagnant; still
estagnar *v* **1** to stagnate **2** (negociações) to come to a standstill **3** (água) to make stagnant
estalactite *nf* stalactite
estalada *nf col* slap; **dar uma estalada a alguém** to slap a person
estaladiço *adj* (alimento) crunchy, crisp
estalagem *nf* inn; hostelry
estalagmite *nf* stalagmite
estalar *v* **1** *(quebrar, fender)* to crack **2** *(crepitar)* to crackle **3** *(estourar)* to burst **4** *(produzir um estalido)* to click **5** (dedos) to snap; (língua) to click
estaleiro *nm* dockyard, shipyard ♦ **estaleiros navais** naval construction works
estalido *nm* **1** crack **2** (língua) click **3** (dedos) snap **4** (fogueira) crackle
estalo *nm* **1** crack; (madeira a arder) crackle; (língua) click; (dedos) snap **2** *(bofetada)* slap
estampa *nf* **1** *(figura impressa)* print **2** *(ilustração)* picture; plate; **estampas a cores** colour plates
estampado *adj* printed; **vestido estampado** printed dress ▪ *nm* **1** (tecido) print **2** *(padrão)* pattern ♦ **tinha a angústia estampada no rosto** his anxiety was written on his face
estampagem *nf* printing; stamping
estampar *v* **1** *(gravar)* to stamp **2** *(imprimir)* to print ▪ **estampar-se** *col* (acidente) to crash (contra, into)
estampido *nm* **1** noise; crack **2** (arma) bang
estancar *v* **1** (hemorragia) to stanch **2** *(parar, cessar)* to stop
estância *nf* **1** resort **2** LIT stanza ♦ **estância balnear** seaside resort
estandardização *nf* standardization
estandardizar *v* to standardize
estandarte *nm* standard; banner
estanho *nm* tin
estanque *adj* **1** *(impermeável)* tight; watertight **2** *(vedado)* staunched
estante *nf* **1** (armário) bookshelf, bookcase **2** *(prateleira)* shelf **3** (suporte) stand; desk; **estante para músicas** music stand
estapafúrdio *adj* **1** *(excêntrico)* extravagant; **um vestido estapafúrdio** an extravagant dress **2** *(bizarro)* freakish
estar *v* **1** to be; (estado) **como é que estás?** how are you?; (local) **estás aí!** there you are!; (tempo) **estamos a 16 de outubro** it's the 16th of October; **estou a ler o jornal** I'm reading the paper; (clima, temperatura) **hoje está frio** it's cold today **2** to be in; to be there; **o João está?** is John there? ♦ (telefone) **está?** hello?; **está bem!** ok!; **como está?** how are you?
estardalhaço *nm* fuss; racket
estarrecer *v* **1** *(assustar)* to frighten **2** *(espantar)* to amaze
estatal *adj2g* state-owned; state; **escola estatal** state school
estatelar-se *v* to fall flat on one's face
estática *nf* **1** *(interferências)* static **2** FÍS statics
estático *adj* **1** static **2** *(imóvel)* motionless
estatística *nf* statistics
estatístico *adj* statistic(al) ▪ *nm* (profissional) statistician
estátua *nf* statue ♦ **como uma estátua** stockstill
estatuária *nf* statuary
estatuário *nm* sculptor ▪ *adj* statuary
estatueta *nf* statuette
estatuir *v* to ordain; to decide, to decree; to settle
estatura *nf* stature; height
estatutário *adj* statutory
estatuto *nm* **1** *(condição)* status **2** *pl* (instituição, associação) statutes
estável *adj2g* **1** (situação, economia, saúde) stable; **um governo estável** a stable government **2** *(durável)* lasting
este[1] /é/ *nm* east
este[2] /ê/ *det dem* this; *pl* these ▪ *pron dem* **1** (coisa) this one; **prefiro este** I prefer this one **2** (pessoa) this; **quem é este?** who's this? **3** (último referido) the latter
esteira *nf* **1** *(tapete)* straw mat, mat **2** (barco) wake **3** *(caminho)* path
estelar *adj2g* stellar; starry

estendal *nm* **1** (corda) clothes line **2** (de montar) clothes horse
estender *v* **1** (braço, mão, objeto) to hold out **2** *(desdobrar)* to spread out; *(desenrolar)* to roll out **3** *(alargar)* to extend **4** (roupa) to hang out ▪ **estender-se 1** *(deitar-se)* to lie down **2** (no espaço) to stretch (out) **3** (no tempo) to go on **4** *(aplicar-se)* to extend (a, to)
estenderete *nm* **1** downright failure **2** *(trapalhada)* mess
estenografar *v* to stenograph, to take down/write in shorthand
estenografia *nf* shorthand; stenography
estenógrafo *nm* stenographer; shorthand writer
estepe *nf* steppe
éster *nm* QUÍM ester
esterco *nm (estrume)* dung; manure
estéreo *adj* stereo
estereotipar *v* to stereotype
estereótipo *nm* stereotype
estéril *adj2g* **1** (pessoa, animal) sterile **2** (terra) infertile **3** *(inútil)* futile
esterilidade *nf* **1** (pessoa, animal) sterility **2** (terra) infertility **3** *(escassez)* dearth
esterilização *nf* sterilization
esterilizar *v* (pessoa, animal, objeto) to sterilize; **esterilizar instrumentos cirúrgicos** to sterilize surgical instruments
esterlino *adj,nm* sterling ◆ **libra esterlina** pound sterling
esterno *nm* sternum; breastbone
esteroide[AO] *nm* steroid ◆ **esteroide anabolizante** anabolic steroid
esteróide *a nova grafia é* **esteroide**[AO]
esterqueira *nf* dunghill, dump
estertor *nm* death rattle
estética *nf* aesthetics
esteticista *n2g* beautician
estético *adj* aesthetic
estetoscópio *nm* MED stethoscope
estibordo *nm* NÁUT starboard
esticão *nm* pull; tug; yank
esticar *v* **1** to stretch **2** (braço, perna) to stretch (out); (pescoço) to crane **3** (prazo) to extend **4** (cabelo) to flatten ▪ **esticar-se 1** to stretch (out) **2** *col (abusar)* to go too far
estigma *nm* stigma
estigmatizar *v* **1** to stigmatize **2** *(marginalizar)* to ostracize **3** *(acusar)* to blame
estilhaçar(-se) *v* to splinter; to shatter
estilhaço *nm* chip; splinter
estilista *n2g* (moda) fashion designer, stylist
estilística *nf* art of style; stylistics
estilístico *adj* stylistic
estilizar *v* **1** to stylize **2** *(ornamentar)* to ornament
estilo *nm* style ◆ **cheio de estilo** stylish; **estilo de vida** way of life; lifestyle
estima *nf* **1** esteem **2** *(consideração)* regard; **ser tido em grande estima** to be held in high regard **3** *(afeto)* affection
estimação *nf* **1** *(estimativa)* estimate, calculation **2** *(estima)* esteem, respect ◆ **animal de estimação** pet
estimado *adj* **1** esteemed; respected **2** (correspondência) dear; **estimado senhor** dear sir ◆ **bem estimado** well cared for
estimar *v* **1** *(ter estima)* to prize **2** *(cuidar)* to take good care of **3** *(avaliar)* to estimate (em, at) **4** *(apreciar)* to appreciate
estimativa *nf* **1** estimate; **fazer uma estimativa de algo** to estimate something **2** *(avaliação)* valuation **3** *(cálculo)* calculation ◆ **estimativa de custo** estimate, costing
estimulante *adj2g* stimulating; exciting ▪ *nm* stimulant; **a cafeína é um estimulante** caffeine is a stimulant
estimular *v* **1** to stimulate; to spur; to urge **2** *(incentivar)* to encourage
estímulo *nm* stimulus; incentive
estio[AO] *nm* summer; **no rigor do estio** in the height of summer
estipulação *nf* **1** stipulation; condition **2** *(cláusula)* clause
estipular *v* to stipulate; to settle; **estipular condições** to settle terms
estirador *nm* drawing board
estirar *v* to stretch
estirpe *nf* race; lineage ◆ **de baixa estirpe** of humble origin
estivador *nm* docker; stevedore
estival *adj2g* aestival; summery
estofador *nm* upholsterer
estofar *v* **1** (móveis) to upholster; **cadeira estofada** upholstered chair **2** *(acolchoar)* to stuff; to cushion
estofo *nm* **1** (móveis) upholstery **2** *(acolchoamento)* padding
estoicismo *nm* **1** stoicism **2** *(rigidez)* severity

estoico[AO] *nm* stoic ▪ *adj* **1** stoical **2** *(severo)* severe
estóico *a nova grafia é* **estoico**[AO]
estoirar *v* ⇒ **estourar**
estojo *nm* **1** (canetas, lápis) pencil case **2** (óculos, joias) case **3** (arma) cover **4** (com várias peças) kit; **estojo de ferramentas** toolkit
estola *nf* stole
estomacal *adj2g* stomachic
estômago *nm* stomach; **de estômago vazio** on an empty stomach; **dor de estômago** stomach ache ♦ **dar a volta ao estômago** to turn one's stomach, to make one's stomach rise
estomatologia *nf* MED stomatology
Estónia *nf* Estonia
estónio *adj,nm* Estonian
estonteante *adj2g* **1** stunning **2** *(fascinante)* fascinating
estopada *nf* **1** quantity of tow **2** *fig (aborrecimento)* nuisance; annoyance
estore *nm* **1** blind **2** *(persiana)* window shade
estorninho *nm* starling
estorvar *v* **1** *(impedir a passagem de)* to block **2** *(prejudicar)* to get in the way of; *(dificultar)* to make difficult
estorvo *nm* **1** *(dificultação)* embarrassment **2** *(obstáculo)* hindrance; obstacle **3** *(aborrecimento)* bother
estourar *v* **1** *(rebentar)* to burst **2** *(explodir)* to explode **3** (guerra, epidemia) to break out; (escândalo, crise) to blow up
estouro *nm* **1** *(explosão)* burst; explosion **2** *(ruído)* crash ♦ *col* **ser um estouro** to be great
estouvado *adj* hare-brained; foolish
estrábico *adj* MED cross-eyed; squint-eyed
estrabismo *nm* MED strabismus; squint
estraçalhar *v* **1** (pessoa) to cut up, to dismember **2** (livro, objeto) to pull to pieces
estrada *nf* **1** road; **beira da estrada** road side; **estrada de mau piso** rough road **2** *(via rápida)* highway ♦ **estrada nacional** main road
estrado *nm* **1** *(palanque)* platform **2** (cama) base
estragão *nm* tarragon
estragar *v* **1** (aparelho, máquina) to damage; to break **2** *(arruinar)* to ruin **3** *(desperdiçar)* to waste **4** *(mimar)* to spoil **5** (alimento) to make go off ▪ **estragar-se 1** *(avariar)* to break down **2** (alimento) to go off **3** (planos) to get ruined
estrago *nm* **1** *(dano)* damage **2** *(desperdício)* waste **3** *(destruição)* destruction
estrangeirado *adj* foreign-looking; **modos estrangeirados** foreign ways
estrangeirismo *nm* loanword; foreign word
estrangeiro *nm* **1** foreigner **2** *(estranho)* stranger ▪ *adj* **1** foreign, outlandish **2** *(estranho)* strange, alien ♦ **ir ao estrangeiro** to go abroad; **no estrangeiro** abroad
estrangulador *nm* strangler
estrangulamento *nm* **1** strangulation; strangling **2** *(asfixia)* suffocation
estrangular *v* **1** to strangle **2** *(sufocar)* to throttle
estranhar *v* **1** *(achar estranho)* to find strange **2** *(surpreender-se com)* to be surprised at; to wonder at; **estranhei a tua conduta** I was surprised at your behaviour **3** *(sentir-se desconfortável)* to feel uneasy with ♦ **estranhar a alimentação** to take a dislike to food
estranheza *nf* **1** *(estranho)* strangeness; oddness **2** *(admiração)* surprise **3** *(embaraço)* shyness
estranho *nm* **1** *(desconhecido)* stranger **2** (de fora) foreigner; outsider ▪ *adj* **1** strange; **por mais estranho que pareça** strangely enough **2** *(esquisito)* odd ♦ **o nome não me é estranho** the name rings a bell
estratagema *nm* **1** MIL stratagem **2** *(subterfúgio)* artifice **3** *(ardil)* trick
estratégia *nf* strategy; strategics
estratégico *adj* strategic, tactical
estratificação *nf* stratification
estratificar *v* to stratify
estrato *nm* **1** GEOL stratum; layer **2** (social) stratum **3** (nuvens) stratus
estratosfera *nf* stratosphere
estreante *adj2g* new ▪ *n2g* newcomer; beginner
estrear *v* **1** (filme, peça, programa) to premiere; to open **2** *(usar pela primeira vez)* to use for the first time ▪ **estrear-se** to make one's debut
estrebaria *nf* stable
estrebuchar *v* to struggle
estreia *nf* **1** (filme, peça) premiere **2** (artista, desportista) debut **3** first time
estreitamento *nm* **1** *(diminuição)* narrowing **2** (relações) strengthening; **estreitamento de relações** strengthening of friendship/ties **3** *(aperto)* tightening

estreitar *v* **1** (menos largo) to narrow **2** *(diminuir)* to shorten **3** (relações) to strengthen ■ **estreitar-se 1** (relações) to deepen **2** *(reduzir-se)* to become narrower
estreiteza *nf* **1** *(aperto)* narrowness **2** (regulamentos) strictness **3** (mentalidade) narrow-mindedness
estreito *adj* **1** *(pouco largo)* narrow **2** (relação, vínculo) close **3** *(rigoroso)* strict; (vigilância) close ■ *nm* GEOG strait
estrela *nf* **1** ASTRON star **2** CIN star; celebrity **3** *fig (destino)* fortune; destiny ◆ **estrela cadente** shooting star; **estrela de cinema** film star; (dor) **ver estrelas** to see stars
estrelado *adj* **1** (céu) starry; starlit **2** (ovos) fried; **ovos estrelados** fried eggs
estrela-do-mar *nf* starfish
estrelar *v* **1** (céu) to star **2** (ovo) to fry
estrelato *nm* stardom; **atingir o estrelato** to rise to stardom
estremadura *nf* frontier, border
estremeção *nf* shaking; shudder; thrill
estremecer *v* **1** *(vibrar)* to shake **2** *(tremer)* to tremble; to quake **3** *(arrepiar-se, horrorizar-se)* to shudder; **estremecer de medo** to shudder with fear
estremecimento *nm* **1** *(sacudidela)* shake **2** *(arrepio)* shudder **3** *(amizade)* tension
estremunhado *adj* **1** *(ensonado)* half-asleep **2** *(desorientado)* bewildered
estrépito *nm* noise; clatter
estria *nf* **1** (pele) stretch mark **2** *(ranhura)* groove; stria
estribeira *nf* stirrup ◆ *col* **perder as estribeiras** to lose one's temper
estribilho *nm* **1** MÚS chorus **2** (poema) refrain
estribo *nm* **1** (cavalo) stirrup **2** *(degrau)* step **3** *fig (apoio)* support
estricnina *nf* QUÍM strychnine
estridente *adj2g* strident, shrill, piercing
estripador *nm* ripper
estripar *v* to disembowel, to eviscerate
estrito *adj* **1** *(restrito)* restricted **2** *(rigoroso)* strict; precise; **no sentido estrito da palavra** in the strict sense of the word
estrofe *nf* LIT strophe, stanza
estroina *adj2g* hare-brained ■ *n2g* **1** *(boémio)* bohemian person **2** *(esbanjador)* waster
estroinice *nf* **1** *(loucura)* folly; extravagance **2** *(pândega)* spree
estrôncio *nm* strontium
estrondo *nm* **1** (som) roar; crash **2** *fig (aparato)* pomp; ostentation; **com grande estrondo** ostentatiously
estrondoso *adj* **1** *(ruidoso)* noisy **2** (aplausos) thunderous **3** (sucesso) resounding
estropiado *adj* **1** maimed **2** *(mutilado)* mutilated **3** (cavalo) hobbling
estropiar *v* **1** *(aleijar)* to maim; to cripple **2** (texto) to mutilate **3** (pronúncia) to mispronounce
estrugido *nm* fried onions
estrumar *v* **1** to manure; **estrumar a terra** to manure the land **2** *(fertilizar)* to fertilize
estrume *nm* manure; dung
estrumeira *nf* dunghill
estrutura *nf* **1** structure; **a estrutura de um edifício** the structure of a building **2** *(armação)* frame; framework **3** *(contextura)* composition
estrutural *adj2g* structural
estruturar *v* to structure
estuário *nm* estuary
estucador *nm* stucco worker; plasterer
estucar *v* to stucco
estudado *adj* **1** studied **2** *(afetado)* affected **3** *(premeditado)* premeditated
estudante *n2g* **1** (universidade) student **2** (escola) pupil
estudar *v* to study
estúdio *nm* **1** (rádio, televisão) studio **2** (apartamento) studio flat, studio ◆ **estúdio cinematográfico** film studio
estudioso *adj* **1** studious **2** *(aplicado)* hard-working; diligent
estudo *nm* **1** (científico) study; **estudo da História** study of History **2** *(aprendizagem)* learning; **estudo profundo** deep learning **3** (escolaridade) education; **não ter estudos** to lack education ◆ **estudo de mercado** consumer research
estufa *nf* **1** greenhouse; glasshouse **2** (fogão) plate warmer ◆ **este quarto é uma estufa** this room is like an oven; **efeito de estufa** greenhouse effect
estufado *nm* stew ■ *adj* stewed
estufar *v* to stew
estupefação[AO] *nf* **1** MED stupefaction **2** *(admiração)* amazement
estupefacção *a nova grafia é* **estupefação**[AO]

estupefaciente *nm* **1** narcotic; stupefacient **2** *col* dope **3** *(droga)* drug ▪ *adj2g* narcotic; stupefacient
estupefacto *adj* amazed; stupefied
estupendo *adj* **1** amazing; astonishing **2** *(maravilhoso)* wonderful **3** *col* fantastic
estupidez *nf* **1** stupidity **2** (ato, dito) stupid thing; **que estupidez!** what a stupid thing to do!
estúpido *nm* **1** dunce; idiot **2** *cal* moron **3** *(grosseiro)* oaf ▪ *adj* **1** stupid; dull, dullish **2** *(disparatado)* senseless
estupor *nm* **1** MED stupor **2** *col (sacana)* bastard
estupro *nm* rape; violation
estuque *nm* **1** stucco **2** (massa) plaster
esturjão *nm* sturgeon
esturricar *v* **1** (comida) to burn **2** *(secar)* to dry
esturro *nm* burning; **cheirar a esturro** to smell of burning ◆ **cheira-me a esturro** I smell a rat
esvair-se *v* **1** *(desaparecer)* to evaporate; to vanish **2** *(desfalecer)* to faint, to fall into a swoon
esvaziamento *nm* **1** emptying **2** *(exaustão)* exhaustion **3** *(evacuação)* evacuation
esvaziar *v* **1** to empty; **esvaziar uma garrafa de vinho** to empty a bottle of wine **2** (pneu) to deflate
esverdeado *adj* greenish
esvoaçar *v* to flutter
etapa *nf* **1** *(fase)* stage; **por etapas** in stages **2** (caminho) stop **3** DESP stage
etc. [*abrev. de* et cetera] etc.
éter *nm* ether
etéreo *adj* **1** ethereal; aerial **2** *(celestial)* heavenly
eternidade *nf* eternity ◆ (muito tempo) **uma eternidade** ages
eternizar *v* **1** *(tornar eterno)* to eternize **2** (pessoa) to immortalize
eterno *adj* eternal; everlasting
ética *nf* ethics
ético *adj* ethical
etílico *adj* QUÍM ethyl; **álcool etílico** ethyl alcohol
étimo *nm* **1** etymon **2** (palavra) root
etimologia *nf* LING etymology
etimológico *adj* LING etymological
etíope *adj,n2g* Ethiopian ▪ *nm* (língua) Ethiopic
Etiópia *n* Ethiopia
etiqueta *nf* **1** (colada, pegada) label; (atada) tag **2** *(boas maneiras)* etiquette
etiquetagem *nf* labelling
etiquetar *v* **1** to label, to tag **2** *fig (rotular)* to brand
etnia *nf* ethnic group
étnico *adj* ethnic ◆ **limpeza étnica** ethnic cleansing; **música étnica** world music
etnografia *nf* ethnography
etnógrafo *nm* ethnographer
etnologia *nf* ethnology
etnológico *adj* ethnologic
etnólogo *nm* ethnologist
eu *pron pess* **1** (sujeito) I; **vou eu e a minha irmã** my sister and I will go **2** (comparações, com preposições) me; **como eu** like me ◆ **eu próprio** myself
eucalipto *nm* eucalyptus
eucarístico *adj* Eucharistic
eufemismo *nm* LING euphemism
eufonia *nf* euphony
eufónico *adj* euphonic
euforia *nf* euphoria; exuberance
eufórico *adj* euphoric; exuberant; overjoyed
eugenia *nf* eugenics
eunuco *nm* eunuch
eureka *interj* eureca!
euro *nm* Euro
Europa *nf* Europe
europeizar *v* to Europeanize ▪ **europeizar-se** to become Europeanized
europeu *adj,nm* European
európio *nm* europium
eutanásia *nf* euthanasia
evacuação *nf* **1** evacuation; **evacuação da população civil** evacuation of the civilian population **2** MED discharge
evacuar *v* **1** (situação perigosa, emergência) to evacuate **2** to defecate
evadir-se *v* to escape (de, from)
evangelho *nm* gospel
evangélico *adj* evangelical
evangelista *n2g* evangelist
evangelização *nf* evangelization
evangelizador *nm* evangelist ▪ *adj* evangelistic
evangelizar *v* to evangelize
evaporação *nf* evaporation
evaporar(-se) *v* to evaporate

evasão *nf* **1** *(distração)* evasion **2** *(fuga)* escape; **tentativa de evasão** attempt to escape ♦ **evasão fiscal** tax evasion
evasiva *nf* **1** *(escapatória)* evasion; **respondeu com evasivas** his answers were only evasions **2** *(subterfúgio)* subterfuge
evasivo *adj* evasive, elusive
evento *nm* **1** *(acontecimento)* event, happening **2** *(incidente)* incident
eventual *adj2g* **1** *(ocasional)* occasional **2** *(possível)* possible
eventualidade *nf* **1** *(casualidade)* eventuality **2** *(possibilidade)* possibility; chance
evidência *nf* **1** obviousness; clearness **2** evidence; testimony ♦ **em evidência** in evidence
evidenciar *v* **1** *(mostrar)* to show **2** *(destacar)* to point out **3** *(comprovar)* to prove ▪ **evidenciar--se 1** *(notabilizar-se)* to distinguish oneself **2** *(sobressair)* to stand out
evidente *adj2g* evident; clear
evitar *v* **1** *(esquivar-se)* to avoid; **faz tudo para me evitar** he does everything he can to avoid me **2** *(prevenir)* to prevent; **evitar uma catástrofe** to prevent a disaster **3** (golpe, obstáculo) to dodge ♦ **não consigo evitar** I can't help it
evitável *adj2g* avoidable, preventable
evocação *nf* **1** (lembranças) evocation **2** (espíritos) invocation
evocar *v* **1** *(recordar)* to evoke; to call to mind **2** (espíritos) to summon up; to invoke
evocativo *adj* evocative
evolução *nf* **1** evolution; development; **a evolução da criança** child development **2** MIL,NÁUT manoeuvres ♦ **teoria da evolução** theory of evolution
evolucionista *adj* evolutionary ▪ *n2g* evolutionist
evoluir *v* **1** to develop; to progress **2** to evolve
evolutivo *adj* evolutionary
exacerbar *v* to exacerbate ▪ **exacerbar-se** *(agravar-se)* to worsen
exactamente *a nova grafia é* **exatamente**[AO]
exactidão *a nova grafia é* **exatidão**[AO]
exacto *a nova grafia é* **exato**[AO]
exagerado *adj* exaggerated; excessive; **não sejas exagerado** don't exaggerate
exagerar *v* **1** *(aumentar)* to exaggerate; to overemphasize **2** *(fazer de mais)* to overdo it **3** (reação) to overreact; **não vamos exagerar** let's not exaggerate
exagero *nm* exaggeration; excess; **pode-se dizer sem exagero que** one can say without any exaggeration that
exaltação *nf* **1** *(excitação)* exaltation; excitement **2** *(irritação)* irritation; anger; **estar num estado de grande exaltação** to be in a state of fury **3** *(engrandecimento, louvor)* elevation; exaltation; glorification
exaltado *adj* **1** *(excitado)* excited; **os ânimos estão exaltados** feelings are running high **2** *(irritado)* angry; hot-headed **3** *(fanático)* fanatical
exaltar *v* **1** *(irritar)* to anger **2** *(louvar)* to praise **3** *(excitar)* to excite ▪ **exaltar-se 1** *(irritar-se)* to lose one's temper **2** *(excitar-se)* to get excited
exame *nm* **1** exam; test **2** (saúde) test **3** *(análise, inspeção)* examination
examinador *nm* examiner
examinando *nm* examinee; candidate; sitter
examinar *v* to examine
exasperação *nf* exasperation; irritation; anger
exasperante *adj2g* exasperating
exasperar *v* to exasperate ▪ **exasperar-se** to become exasperated
exatamente[AO] *adv* exactly; precisely; **são exatamente onze horas** it's precisely eleven o'clock
exatidão[AO] *nf* **1** *(precisão)* exactness; precision; accuracy **2** *(pontualidade)* punctuality **3** *(perfeição)* correctness
exato[AO] *adj* **1** (número, quantidade) exact; precise; **para ser exato** to be exact **2** (descrição) exact; accurate; **uma descrição exata** an exact description **3** *(idêntico)* identical; exact; **uma cópia exata** an identical copy ♦ **ciências exatas** exact sciences
exaustão *nf* exhaustion; intense fatigue
exaustivo *adj* **1** *(minucioso)* thorough; exhaustive; **uma procura exaustiva** a thorough search **2** *(cansativo)* exhausting
exausto *adj* exhausted
exaustor *nm* extractor fan; ventilator
exceção[AO] *nf* exception; **abrir uma exceção** to make an exception ♦ **à exceção de** except for; **sem exceção** without exception
excecional[AO] *adj2g* exceptional

excedente *adj2g* exceeding; surplus; extra ▪ *nm* **1** surplus; excess; overplus **2** overage
exceder *v* **1** *(ultrapassar)* to exceed **2** *(ser superior a)* to be better than ▪ **exceder-se 1** *(suplantar-se)* to excel oneself **2** *(exagerar)* to overdo
excelência *nf* **1** excellence; **por excelência** par excellence **2** [com maiúscula] Excellency; **Sua Excelência** His/Her Excellency
excelente *adj2g* **1** excellent **2** (escola) A
excelentíssimo *adj* most excellent ♦ **Excelentíssimo Senhor** Dear Sir
excelso *adj* sublime; eminent; high
excentricidade *nf* **1** eccentricity; extravagance; oddity **2** GEOM,MEC eccentricity
excêntrico *adj* **1** eccentric; odd; unconventional **2** MEC eccentric ▪ *nm* **1** eccentric **2** *pej* crank **3** MEC cam
excepção *a nova grafia é* **exceção**[AO]
excepcional *a nova grafia é* **excecional**[AO]
excepto *a nova grafia é* **exceto**[AO]
exceptuar *a nova grafia é* **excetuar**[AO]
excerto *nm* excerpt (de, from); extract (de, from); **um excerto de um livro** an extract from a book
excessivo *adj* **1** excessive; exceeding; **trabalho excessivo** too much work **2** (preço) exorbitant **3** (apetite) inordinate
excesso *nm* **1** *(imoderação)* excess **2** *(excedente)* surplus
exceto[AO] *prep* except (for); but; **todos exceto um** all but one
excetuar[AO] *v* to except (-, from); to exclude
excitação *nf* **1** *(entusiasmo)* excitement **2** (sexual) arousal
excitado *adj* **1** *(entusiasmado)* excited **2** (sexualmente) aroused
excitante *adj2g* **1** exciting; stimulating **2** (sexualmente) arousing; sexy ▪ *nm* (droga, medicamento) stimulant
excitar *v* **1** to excite **2** (sexualmente) to arouse ▪ **excitar-se 1** to get excited (com, about/over) **2** (sexualmente) to get aroused
exclamação *nf* **1** exclamation (de, of); outcry (de, of); **uma exclamação de surpresa** an exclamation of surprise **2** LING exclamation; **ponto de exclamação** exclamation mark
exclamar *v* to exclaim; to cry out
excluir *v* to exclude
exclusão *nf* **1** exclusion; rejection; **à exclusão de** excluding, to the exclusion of **2** *(expulsão)* (organização) expulsion; (sala, reunião) ejection ♦ **exclusão social** social exclusion
exclusividade *nf* exclusivity; **ter a exclusividade de uma reportagem** to have exclusive coverage of an event; **ter um contrato de exclusividade** to have an exclusive contract
exclusivismo *nm* exclusivism
exclusivo *adj* **1** *(único)* exclusive; **modelo exclusivo** exclusive model **2** *(pessoal)* sole ▪ *nm* **1** exclusive; monopoly **2** privilege **3** (jornal) scoop
ex-combatente *n2g* ex-serviceman
excomungar *v* to excommunicate
excomunhão *nf* excommunication
excreção *nf* excretion; evacuation
excremento *nm* excrement
excrescência *nf* excrescence; excrescency
excretar *v* to excrete
excursão *nf* excursion
excursionista *n2g* excursionist; tripper
execrável *adj2g* *(abominável)* detestable; abominable
execução *nf* **1** execution; carrying out; **pôr em execução** to put into operation **2** (música, peça) performance **3** (lei) enforcement **4** (sentença, pena) execution
executar *v* **1** *(realizar)* to carry out; to perform **2** (música, peça) to perform **3** *(matar, fazer cumprir)* to execute
executável *adj2g* **1** feasible **2** INFORM executable; **ficheiro executável** executable file
executivo *adj,nm* executive
executor *nm* **1** executioner **2** *(carrasco)* executioner **3** *(testamenteiro)* executor
exemplar *adj* exemplary ▪ *nm* **1** copy; **exemplar grátis** free copy **2** model
exemplaridade *nf* exemplariness
exemplificação *nf* exemplification
exemplificar *v* to exemplify; to illustrate
exemplo *nm* example; instance; **como exemplo** as an example ♦ **dar um bom exemplo** to set a good example; **por exemplo** for instance, for example; **servir de exemplo** to be an example
exéquias *nfpl* exequies; obsequies
exequível *adj2g* feasible; executable

exercer *v* **1** (profissão) to practise **2** (autoridade, influência) to exercise; to exert **3** (dever, funções) to perform
exercício *nm* **1** exercise; **exercício físico** (physical) exercise **2** (de profissão) practice
exercitar(-se) *v* to exercise
exército *nm* army; **corpo de exército** army corps; **estar no exército** to be in the army ♦ **exército permanente** standing army
exibição *nf* **1** exhibition; display **2** (filme, programa) showing; screening **3** *(desempenho)* performance **4** *pej* showing off
exibicionismo *nm* exhibitionism
exibicionista *n2g* exhibitionist ▪ *adj* exhibitionistic
exibir *v* **1** *(mostrar)* to exhibit; to show **2** *(ostentar)* to flaunt; to show off **3** (filme, peça, etc.) to show ▪ **exibir-se** to show off
exigência *nf* **1** demand **2** *(necessidade)* requirement
exigente *adj2g* demanding; pressing; exacting
exigir *v* to demand; to require
exíguo *adj* **1** *(diminuto)* cramped; tiny **2** *(escasso)* scanty; meagre
exilado *nm* exile; deportee; refugee ▪ *adj* exiled; in exile; **estar exilado** to be in exile
exilar *v* to exile ▪ **exilar-se** to go into exile
exílio *nm* exile; banishment; **ir para o exílio** to go into exile
exímio *adj* distinguished; excellent; renowned
existência *nf* existence
existencial *adj2g* existential; **crise existencial** existential crisis
existencialismo *nm* existentialism
existencialista *adj,n2g* existentialist
existente *adj2g* **1** (matéria) existing; existent **2** (seres) living; existing; alive **3** in stock
existir *v* **1** to exist; to be; **isso não existe** that doesn't exist **2** *(viver)* to live
êxito *nm* success; **com êxito** successfully; **não ter êxito** to fail, not succeed ♦ **êxito de bilheteira** box-office hit; **êxito de livraria** bestseller
ex-líbris *nm2n* ex libris
êxodo *nm* exodus
exoneração *nf* **1** (de culpa, de um encargo) exoneration **2** *(despedimento)* discharge; dismissal **3** *(dispensa)* exemption
exorbitância *nf* **1** (preço) exorbitance; **pedir uma exorbitância** to ask an exorbitant price **2** *(exagero)* excessiveness; excess
exorbitante *adj2g* **1** (preço, quantia) exorbitant; steep; **a conta foi exorbitante** the bill was pretty steep **2** *(exagerado)* excessive **3** (pedido) immoderate; unreasonable
exorcismo *nm* exorcism
exorcista *n2g* exorcist
exorcizar *v* to exorcize
exórdio *nm* exordium
exortação *nf* **1** exhortation (a, to) **2** admonition
exortar *v* to exhort; to encourage; to persuade
exótico *adj* **1** exotic; foreign; **flores exóticas** exotic flowers **2** *(esquisito)* extravagant; odd; weird
exotismo *nm* exoticism
expandir *v* **1** *(alargar)* to expand; to enlarge **2** *(divulgar)* to spread ▪ **expandir-se 1** to expand **2** *(divulgar-se)* to spread
expansão *nf* **1** expansion **2** *(difusão)* spreading
expansivo *adj* **1** (pessoa) expansive; effusive; open-hearted **2** (gás, substância) expansive
expatriação *nf* expatriation; banishment; exile
expatriado *nm* expatriate ▪ *adj* expatriated; banished
expatriar *v* to banish ▪ **expatriar-se** to go into exile
expectativa[AO] ou **expetativa**[AO] *nf* **1** expectation **2** *(suspense)* suspense; **manter alguém na expectativa** to keep someone in suspense
expectoração *a nova grafia é* **expetoração**[AO]
expectorante *a nova grafia é* **expetorante**[AO]
expectorar *a nova grafia é* **expetorar**[AO]
expedição *nf* **1** expedition **2** *(envio)* dispatch; (por navio) shipping
expediente *nm* **1** *(horário de trabalho)* working hours **2** *(correspondência)* official correspondence **3** *(recurso)* expedient
expedir *v* **1** to send; to dispatch **2** (correio, telegrama) to send
expedito *adj* **1** *(rápido)* expeditious; quick; prompt **2** *(desembaraçado)* ready; resourceful
expelir *v* to expel; to eject; to throw out

experiência *nf* **1** *(situação)* experience **2** (científico) experiment **3** *(tentativa)* trial ♦ **à experiência** on trial
experiente *adj2g* experienced
experimentação *nf* experimentation; **fase de experimentação** experimental phase
experimentado *adj* **1** (pessoa) experienced **2** (método) tested; tried
experimental *adj2g* experimental
experimentar *v* **1** *(tentar)* to try **2** *(testar)* to test; to try out **3** (roupa) to try on; (comida, bebida) to taste, to try **4** *(sentir, passar por)* to experience **5** *(atrever-se a)* to dare; to try
expetoração[AO] *nf* expectoration
expetorante[AO] *adj2g,nm* FARM expectorant
expetorar[AO] *v* to expectorate
expiação *nf* expiation; atonement
expiar *v* to expiate; to atone for
expiração *nf* **1** *(respiração)* expiration; breathing out; exhalation **2** (de um prazo) expiration, expiry; (de um período) cessation, termination; **data de expiração** expiration/expiry date
expirar *v* **1** to breathe out; to exhale **2** *(terminar, morrer)* to expire
explanação *nf* explanation; exposition
explanar *v* to explain; to expound
expletivo *adj* LING expletive
explicação *nf* **1** explanation **2** *pl* private lessons
explicador *nm* tutor; coach; private teacher
explicar *v* to explain ■ **explicar-se** to explain oneself
explicativo *adj* explanatory; elucidative
explícito *adj* explicit
explodir *v* to explode; to blow up
exploração *nf* **1** exploitation **2** *(gestão)* running **3** (de território) exploration
explorador *nm* **1** *(investigador)* explorer; researcher **2** *fig (de pessoas)* exploiter ■ *adj* exploiting; exploring
explorar *v* **1** to explore **2** (mina, terreno) to exploit **3** *(abusar de)* to exploit **4** (negócio) to run **5** (preço exagerado) to overcharge; **eles exploram os clientes** they overcharge their customers
explosão *nf* **1** explosion; blast **2** *fig (aumento)* explosion; outbreak; **explosão demográfica** population explosion **3** *fig* (sentimentos) outburst; **uma explosão de alegria** an outburst of joy
explosivo *adj,nm* explosive ♦ **situação explosiva** explosive situation
expoente *nm* **1** MAT exponent **2** (pessoa) exponent
expor *v* **1** to show **2** *(apresentar)* to set out; to present **3** (proposta, sugestão) to put forward **4** (perigo, ar, sol) to expose (a, to) ■ **expor-se** to expose oneself (a, to)
exportação *nf* export; exportation ♦ **empresa de exportação** export firm
exportador *nm* exporter ■ *adj* exporting
exportar *v* to export
exposição *nf* **1** *(arte)* exhibition, show; (mercadorias) display; *(feira)* fair **2** *(apresentação)* presentation **3** FOT exposure **4** (ao sol, ao vento) exposure
expositor *nm* **1** display stand **2** exhibitor, showcase
exposto *adj* **1** exposed **2** (obra, objeto) on exhibition; (artigo, produto) on display **3** (fratura) open
expressamente *adv* **1** *(deliberadamente)* on purpose; deliberately; **vim expressamente para te visitar** I came on purpose to visit you **2** *(especificamente)* expressly; specifically
expressão *nf* expression
expressar(-se) *v* to express (oneself)
expressionismo *nm* expressionism
expressionista *adj,n2g* expressionist
expressividade *nf* expressiveness
expressivo *adj* **1** *(significativo)* expressive; meaningful; revealing **2** *(vivo)* expressive; vivid
expresso *adj* express ■ *nm* **1** (transporte) express **2** *(café)* espresso
exprimir(-se) *v* to express (oneself)
expropriação *nf* expropriation; dispossession ♦ **expropriação de terras** expropriation of land
expropriar *v* to dispossess; to expropriate; to seize
expulsão *nf* **1** expulsion; ejection; banishment **2** DESP sending-off **3** (escola) expulsion; (universidade) sending down
expulsar *v* **1** (de local) to throw out **2** (de escola, organização, país) to expel **3** DESP (do campo) to send off GB; (de competição, prova) to expel
expulso *adj* **1** expelled; banished **2** (escola) expelled; (universidade) sent down; **o estudante foi expulso da universidade** the student was sent down **3** (inquilino) evicted

expurgar *v* **1** to expurgate; to purge **2** (ferida) to clean; to cleanse **3** *fig* to purge
êxtase *nm* ecstasy; rapture
extasiar *v* to transport; to enrapture
extático *adj* ecstatic; enraptured
extensão *nf* **1** *(aumento)* enlargement; extension **2** *(área)* area; *(comprimento)* length **3** (de problema, estragos) extent **4** (telefone) extension **5** (fio elétrico) extension (lead)GB, extension cordEUA **6** (cabelo) hair extension
extensível *adj2g* **1** extendable; **mesa extensível** extendable table **2** applicable
extensivo *adj* extensive; **ser extensivo a** to extend to
extenso *adj* **1** (em tamanho) extensive; large **2** *(longo)* long ◆ **por extenso** in full
extenuação *nf* **1** *(exaustão)* extenuation; exhaustion; prostration **2** *(enfraquecimento)* debility; weakness
extenuado *adj* **1** *(cansado)* exhausted; worn out **2** *(fraco)* weak; weakened
extenuante *adj2g* **1** extenuating; exhausting; draining **2** weakening; debilitating
extenuar(-se) *v* to exhaust (oneself)
exterior *adj2g* **1** exterior; external; outer **2** *(estrangeiro)* foreign ▪ *nm* **1** (superfície externa) exterior; outside **2** (pessoa) appearance **3** *(estrangeiro)* abroad; overseas
exteriorização *nf* externalization; expression
exteriorizar *v* to express
exterminação *nf* extermination; destruction
exterminador *nm* exterminator
exterminar *v* **1** (pessoas) to exterminate; to massacre **2** (insetos, parasitas) to exterminate **3** *fig* to eradicate; to abolish
extermínio *nm* **1** extermination **2** extinction; **o extermínio de animais selvagens** the extinction of wild animals **3** *fig* (costumes, tradições) extinction; annihilation
externato *nm* day school
externo *adj* **1** external; outer; (medicamento) **de uso externo** external use only **2** (aluno) day **3** *(estrangeiro)* foreign ▪ *nm* (aluno) day-pupil
extinção *nf* **1** *(apagamento)* extinction; **extinção de um incêndio** extinction of a fire **2** *(extermínio)* extinction; destruction **3** *(abolição)* abolition; **extinção da pena de morte** abolition of death penalty ◆ **espécies em vias de extinção** endangered species
extinguir *v* **1** (fogo, luz) to extinguish **2** *(erradicar)* to eradicate **3** *(abolir)* to abolish **4** (espécie) to drive to extinction ▪ **extinguir-se 1** (fogo, luz) to go out **2** (espécie, vulcão) to become extinct
extinto *adj* **1** extinct **2** (fogo) extinguished
extintor *nm* extinguisher; **extintor de incêndios** fire extinguisher
extirpação *nf* **1** extirpation; eradication **2** MED removal; extraction
extirpar *v* **1** (planta) to root out; to pull up **2** MED to remove; to extract **3** *fig* to eradicate; to abolish; to wipe out
extorquir *v* **1** (dinheiro, bens) to extort; **extorquir dinheiro a** to extort money out of **2** (informação, confissão) to wring
extorsão *nf* **1** extortion; **crime de extorsão** criminal extortion **2** *(chantagem)* blackmail; coercion
extra *nm* **1** extra **2** *col* (gratificação) freebie ▪ *adj inv* extra; additional; **trabalhar horas extra** to work extra time
extraçãoAO *nf* **1** extraction; removal **2** (sorteio) draw **3** INFORM retrieval
extracção *a nova grafia é* **extração**AO
extraconjugal *adj2g* extramarital
extracto *a nova grafia é* **extrato**AO
extracurricular *adj2g* extracurricular
extradição *nf* extradition
extraditar *v* to extradite
extrafino *adj* extra fine; superfine ◆ **açúcar extrafino** caster sugar
extrair *v* **1** to extract; to draw; **extrair carvão** to extract coal **2** (dente) to pull out; to extract **3** MAT to extract; **extrair a raiz quadrada** to extract the square root
extrajudicial *adj2g* extrajudicial
extramatrimonial *adj2g* extramarital
extramuros *adv* outside the city
extranet *nf* INFORM extranet
extraordinariamente *adv* extraordinarily
extraordinário *adj* **1** extraordinary **2** (trabalho) overtime **3** *(extra)* additional; extra
extrapolar *v* to extrapolate
extra-sensorial *a nova grafia é* **extrassensorial**AO
extrassensorialAO *adj2g* extrasensory ◆ **perceção extrassensorial** extrasensory perception
extraterrestre *adj,n2g* extraterrestrial
extraterritorial *adj2g* extraterritorial

extrato[AO] *nm* **1** *(substância)* extract; **extrato de plantas** plant extract **2** *(trecho)* extract; excerpt; passage **3** (bancário) bank statement; statement of account
extravagância *nf* **1** extravagance; eccentricity; excess **2** oddity; queerness
extravagante *adj2g* **1** (comportamento, ideia) extravagant **2** (pessoa) flamboyant; bizarre ▪ *n2g* flamboyant person
extravasar *v* **1** *(transbordar)* to overflow (de, -) **2** (sentimentos, emoções) to vent
extraviado *adj* **1** (pessoa, objeto, carta) missing, lost; miscarried **2** (dinheiro) stolen **3** *fig (desencaminhado)* gone astray
extraviar *v* **1** (correio, mercadoria) to lose **2** (dinheiro) to embezzle ▪ **extraviar-se 1** (correio, mercadoria) to get lost **2** *(desencaminhar-se)* to go astray
extravio *nm* **1** deviation **2** *(desfalque)* embezzlement **3** *(perda)* loss
extremamente *adv* exceedingly
extrema-unção *nf* extreme unction
extremidade *nf* **1** *(ponta)* end; (de dedo, faca) tip **2** *(limite, beira)* edge **3** *(membro)* limb
extremismo *nm* extremism
extremista *adj,n2g* extremist
extremo *adj,nm* extreme
extremoso *adj* loving; affectionate; devoted
extrínseco *adj* **1** *(exterior)* extrinsic **2** *(acessório)* external; not inherent
extrovertido *nm* extrovert ▪ *adj* extroverted; sociable
exuberância *nf* **1** *(entusiasmo)* exuberance; enthusiasm **2** *(abundância)* abundance; luxury
exuberante *adj2g* **1** exuberant **2** (pessoa) flamboyant **3** (formas, corpo) full
exultação *nf* exultation; jubilation; joy
exumação *nf* exhumation
exumar *v* to exhume; to unbury
eyeliner *nm* (cosmética) eyeliner

F

f *nm* (letra) f
fá *nm* MÚS F, fa
fã *n2g* fan; admirer
fábrica *nf* factory
fabricação *nf* **1** manufacture; production; making **2** *fig (invenção)* fabrication
fabricante *n2g* manufacturer; maker
fabricar *v* **1** *(produzir)* to make; to manufacture; to produce **2** *fig (inventar)* to fabricate; to invent ♦ **fabricado em Portugal** made in Portugal; **fabricar em série** to mass-produce
fabrico *nm* manufacture; production; making ♦ **fabrico em série** mass production; **de fabrico artesanal** hand-made; **de fabrico caseiro** home-made
fabril *adj2g* manufacturing; industrial
fábula *nf* **1** LIT fable **2** *(mito)* myth; legend
fabuloso *adj* fabulous
faca *nf* knife; **afiar uma faca** to sharpen a knife; **cortar com uma faca** to cut with a knife ♦ **ambiente de cortar à faca** tense situation; **ir à faca** to undergo an operation; **ter a faca e o queijo na mão** to hold all the trumps
facada *nf* **1** stab; **dar uma facada a alguém** to stab someone; **levar uma facada** to get stabbed **2** *fig* (emoções) shock; blow; painful surprise **3** *fig* fraud; embezzlement
façanha *nf* deed; feat
fação[AO] *nf* **1** POL faction; party; **fação política** political party **2** *(grupo divergente)* faction; wing
facção *a nova grafia é* **fação**[AO]
faccioso *adj* factious
face *nf* **1** *(rosto)* face **2** *(bochecha)* cheek **3** *(superfície)* face; surface; **à face de** on the surface of ♦ **em face de** in view of
faceta *nf* **1** *(face)* facet **2** *(característica)* side; feature; aspect
facetar *v* to facet; to cut
fachada *nf* **1** ARQ front; façade; **fachada lateral** side façade **2** *fig (aparência)* outward show
facho *nm* torch ♦ **facho olímpico** Olympic torch
facial *adj2g* facial; **paralisia facial** facial paralysis
fácil *adj2g* **1** easy; simple; **fácil de obter** easy to get **2** *(acessível)* easy; accessible; **essa pergunta é fácil** that's an easy question **3** *(leviano)* easy; facile ♦ **coisa fácil** child's play
facilidade *nf* **1** (capacidade) facility; ease; **com toda a facilidade** quite easily, with ease **2** *pl* facilities; **com facilidades de pagamento** on easy terms
facilitação *nf* facilitation
facilitar *v* **1** *(simplificar)* to make easy; to facilitate **2** *(proporcionar)* to provide; to supply with; **facilitar a acomodação** to provide accommodation
facilmente *adv* easily; with ease; **ela zanga-se facilmente** she gets angry easily
fac-símile *nm* facsimile
facto *nm* fact ♦ **de facto** in fact
factor *a nova grafia é* **fator**[AO]
factual *adj2g* factual; real; actual
factura *a nova grafia é* **fatura**[AO]
facturação *a nova grafia é* **faturação**[AO]
facturar *a nova grafia é* **faturar**[AO]
faculdade *nf* **1** *(capacidade)* faculty; ability; **perder as faculdades** to lose one's faculties **2** *(poder)* faculty; power; **faculdades mentais** mental powers **3** (universidade) faculty, college; **andar na faculdade** to go to college; **faculdade de direito** faculty of law, law school
facultar *v* **1** *(permitir)* to allow; **facultar a entrada a alguém** to allow someone in **2** *(conceder)* to grant; to facilitate
facultativo *adj* optional
fada *nf* fairy ♦ **fada madrinha** fairy godmother; **conto de fadas** fairy tale; fairy story
fadar *v* to destine; to fate
fadário *nm* **1** fate; destiny **2** *(vida difícil)* hard life; struggle
fadiga *nf* **1** *(cansaço)* fatigue; exhaustion; weariness **2** *(trabalho árduo)* toil; hard work; labour

fadista *n2g* *fado* singer
fado *nm* **1** *(destino)* fate, destiny, doom **2** MÚS *fado*, Portuguese folk song
fagote *nm* MÚS bassoon
fagotista *n2g* MÚS bassoonist
fagulha *nf* spark
faia *nf* **1** (árvore) beech **2** (madeira) beechwood
faial *nm* beech grove
faiança *nf* (louça) faience; earthenware; **faiança portuguesa** Portuguese faience
faina *nf (trabalho)* work
faisão *nm* pheasant
faísca *nf* **1** *(chispa)* spark; gleam **2** *(raio)* streak of lightning; thunderbolt **3** ELET *(descarga elétrica)* spark ♦ **lançar faíscas** to throw off sparks
faiscar *v* **1** (metal, fogo) to sparkle; to flash **2** *(cintilar)* to twinkle; to glitter
faixa *nf* **1** (para a cintura) sash; waistband **2** *(tira)* band; strip **3** *(ligadura)* bandage **4** (estrada) lane **5** (disco, CD) track ♦ **faixa etária** age group
fala *nf* speech ♦ **ficar sem fala** to be speechless
fala-barato *nm pej* fast talker
falacioso *adj* **1** *(enganador)* fallacious **2** *(aldrabão)* deceitful; misleading
falador *nm* chatterbox ▪ *adj* talkative; communicative
falange *nf* phalanx
falangeta *nf* terminal phalanx
falar(-se) *v* to speak; to talk
falatório *nm* **1** *(má-língua)* gossip **2** *(vozearia)* chattering
falcão *nm* hawk; falcon
falcatrua *nf (fraude)* fraud; cheat; swindle
falecer *v* to die, to pass away
falecido *adj,nm* deceased
falecimento *nm* death; departure
falência *nf* **1** bankruptcy; insolvency; **ir à falência** to go bankrupt **2** *(falhanço)* failure
falésia *nf* cliff
falha *nf* **1** *(erro)* mistake; error **2** *(defeito)* defect; flaw **3** *(lacuna)* gap
falhado *adj* unfulfilled ▪ *nm* loser
falhanço *nm* flop; fiasco
falhar *v* **1** (insucesso) to fail **2** *(não acertar)* to miss; (pergunta) to answer wrong **3** *(não ir)* to miss
fálico *adj* phallic
falido *adj* bankrupt; broke
falinha *nf* whisper ♦ **falinhas mansas** sweet talk; **com falinhas mansas** honey-tongued
falir *v* **1** to go bankrupt **2** to fail
falível *adj2g* fallible, liable to error
falo *nm* phallus
falsário *nm (falsificador)* forger; counterfeiter
falsear *v* **1** *(falsificar)* to counterfeit; to forge **2** *(adulterar)* to give a false account of; to distort
falsete *nm* MÚS falsetto ♦ **voz de falsete** shrill voice
falsidade *nf* **1** falsehood; untruthfulness **2** *(mentira)* lie
falsificação *nf* **1** (ato) falsification **2** (objeto) forgery **3** (dinheiro) counterfeiting
falsificado *adj* (assinatura, documento, dinheiro, joias) forged; counterfeit; fake
falsificador *nm* **1** (de objetos) forger **2** (de dinheiro) counterfeiter
falsificar *v* **1** to falsify **2** (objeto) to forge; **falsificar uma assinatura** to forge a signature **3** (dinheiro) to counterfeit
falso *adj* **1** false **2** (moeda) false, counterfeit **3** (quadro) forged **4** (joia) fake ▪ *nm* hypocrite
falta *nf* **1** lack (de, of); **por falta de** for lack of **2** *(ausência)* absence **3** DESP foul **4** *(erro)* error **5** *(infração)* offence GB, offense EUA ♦ **sem falta** without delay; **sentir a falta de** to miss
faltar *v* **1** (coisa) to be missing; (pessoa) to be absent **2** *(não ir a)* to miss **3** *(fazer falta)* to be lacking **4** *(falhar)* to fail **5** to remain; to be left; **falta pouco para** it won't be long till; **faltam cinco minutos para as nove** it's five to nine
faltoso *adj* absent
fama *nf* **1** *(renome)* fame; **ganhar fama** to become famous **2** *(reputação)* reputation
família *nf* **1** family; household; **o mais velho da família** the eldest of the family **2** *(categoria)* family; group; category ♦ **de boas famílias** well-born; **estar em família** to be among friends; **a Sagrada Família** the Holy Family
familiar *adj2g* **1** *(da família)* family; of the family **2** *(conhecido)* familiar; well-known **3** LING colloquial ▪ *n2g* relative; relation
familiaridade *nf* **1** *(conhecimento)* familiarity; knowledge **2** *(intimidade)* intimacy **3** *(informalidade)* informality
familiarizar(-se) *v* to familiarize (com, with)
faminto *adj* **1** *(esfomeado)* famished; hungry; starving **2** *fig (ávido)* longing (de, for); craving

(de, for); **faminto de riqueza** craving for riches
famoso *adj* famous (por, for); well-known (por, for) ▪ *nm* famous person; celebrity
fanar *v col* to steal; to pinch; to rob
fanático *adj* fanatic ▪ *nm* **1** fanatic; addict *fig*; **fanático do futebol** soccer addict **2** *(fundamentalista)* bigot
fanatismo *nm* **1** fanaticism **2** *(fundamentalismo)* bigotry
faneca *nf* whiting pout
fanfarra *nf* brass band; fanfare
fanfarrão *adj* swanky; boastful ▪ *nm* show-off; braggart; boaster
fanfarronice *nf* boast; swaggering; bragging
fanhoso *adj* **1** snuffling **2** nasal
fanico *nm* **1** *(desmaio)* fainting; swoon **2** *(pedaço)* morsel; bit ◆ **dar-lhe o fanico** to freak out
fantasia *nf* **1** fantasy **2** (fato) costume **3** (joia) costume jewellery
fantasiar *v* **1** (imaginação) to fantasize (com, about) **2** *(mascarar)* to dress (somebody) up (de, as) ▪ **fantasiar-se** to dress up (de, as)
fantasma *nm* ghost
fantasmagórico *adj* ghostly; sinister
fantástico *adj* fantastic
fantochada *nf* **1** *(espetáculo com fantoches)* puppet show; puppets **2** *fig (palhaçada)* nonsense; **mas que fantochada vem a ser esta?** what's all this nonsense about?
fantoche *nm* puppet
fanzine *nf* fanzine
faqueiro *nm* **1** canteen **2** knife case
faquir *nm* fakir
faraó *nm* HIST Pharaoh
farda *nf* **1** (polícia, soldado, estudante, funcionário) uniform **2** (soldados) regimentals **3** (criados) livery
fardado *adj* in uniform; **soldados fardados** soldiers in uniform
fardar *v* to dress in uniform ▪ **fardar-se** to put on one's uniform
fardo *nm* **1** (tecido, papel, cereais) bale **2** *fig* burden
farejar *v* **1** to scent **2** to sniff around
farejo *nm* sniff
farelo *nm* **1** (farinha) bran **2** *fig (insignificância)* trifle
farfalhar *v* (ruído) to rustle
farfalheira *nf* **1** *(ruído)* rustle; rustling **2** *col* (tosse) chesty cough
farináceo *adj* starchy
faringe *nf* pharynx
faringite *nf* MED pharyngitis
farinha *nf* flour
farinha-de-pau *a nova grafia é* **farinha de pau**[AO]
farinha de pau[AO] *nf* cassava, manioc flour
farinheira *nf* flour pork sausage
farinhento *adj* floury; mealy
farmacêutico *nm* (pessoa) chemist; pharmacist ▪ *adj* pharmaceutical; **artigos farmacêuticos** pharmaceutical items; **empresas farmacêuticas** pharmaceutical companies
farmácia *nf* **1** (estabelecimento) chemist's, pharmacy; pharmacist's; drugstore EUA **2** (ciência) pharmacy
fármaco *nm* medicine
farmacologia *nf* pharmacology
farnel *nm* **1** *(marmita)* knapsack; lunch box **2** (para viagem) provisions
faro *nm* **1** scent; smell **2** *fig (intuição)* intuition ◆ **ter faro para o negócio** to have a nose for business
faroeste *nm* Far West; Wild West
farofa *nf* cream puff
farol *nm* **1** (navegação) lighthouse **2** (automóvel) headlight; light; **faróis de nevoeiro** fog lamps GB, fog lights EUA; **farol de trás** rear light
farolim *nm* (automóvel) sidelight; **farolim traseiro** rear sidelight
farpa *nf* **1** (arame) barb **2** (madeira) splinter
farpado *adj* barbed; **arame farpado** barbed wire
farpar *v* **1** (pôr farpa) to barb **2** *(rasgar)* to tear; to rag
farpela *nf col* (apresentação) getup
farra *nf col* partying
farrapada *nf* heap of rags
farrapo *nm* **1** (pano) rag; (peça de roupa) tatters **2** *fig* (pessoa) wreck
farrusco *adj* **1** (com fuligem) sooty **2** *(escuro)* dark; shady
farsa *nf* **1** TEAT farce **2** *fig (embuste)* sham; fiction
fartar *v* **1** (comida, prazer) to satiate **2** (aborrecimento) to tire; to weary ▪ **fartar-se 1** *(aborrecer-se)* to get fed up (de, with) **2** *(ficar cheio)* to be full; to glut oneself
farto *adj* **1** (quantidade) abundant; **uma colheita farta** an abundant crop **2** *(aborrecido)*

fed up (de, with); **estar farto da rotina quotidiana** to be fed up with the daily routine
fartote *nm col* glut; overabundance; **um fartote de golos** a lot of goals
fartura *nf* **1** *(abundância)* abundance; plenty; **com fartura** in plenty **2** CUL strip of fried dough
fascículo *nm* **1** (plano, história) instalment **2** BOT fascicle
fascinação *nf* ⇒ **fascínio**
fascinado *adj* fascinated; **lançar um olhar fascinado a alguém** to cast a fascinated glance to someone
fascinante *adj2g* fascinating; **uma história fascinante** a fascinating story
fascinar *v* **1** to fascinate; **que te fascina mais na ciência?** what fascinates you the most in science? **2** *(seduzir)* to charm
fascínio *nf* **1** (estado de espírito) fascination; absorption **2** *(atração)* charm (de, of); appeal (de, of)
fascismo *nm* POL fascism
fascista *adj,n2g* POL fascist; **regime fascista** fascist regime
fase *nf* phase; **fase inicial** initial phase; **as quatro fases da lua** the four phases of the moon
fasear *v* to phase; **fasear o projeto** to phase the plan
fasquia *nf* **1** *(ripa de madeira)* lath **2** DESP bar ◆ **elevar demasiado a fasquia** to demand way too much
fastidioso *adj (aborrecido)* tedious; wearisome
fastio *nm* **1** *(falta de apetite)* lack of appetite **2** *(aversão)* aversion; repugnance **3** *(tédio)* boredom; tedium
fatal *adj2g* **1** *(mortal)* fatal **2** *(inevitável)* inevitable
fatalidade *nf (destino, acontecimento)* fatality
fatalismo *nm* fatalism
fatalista *n2g* fatalist ▪ *adj2g* fatalistic
fatalmente *adv* fatally; inevitably
fatela *adj2g* **1** *col,pej (de má qualidade)* cheesy **2** *col,pej* (atitude) corny
fatia *nf* **1** slice; piece; **em fatias** sliced; **cortar às fatias** to slice up **2** *(parte)* slice; share
fatiar *v* to slice, to slice up; to cut into slices
fatídico *adj* **1** (destino) fateful **2** (morte) fatal, tragic
fatigado *adj* exhausted; weary
fatigante *adj2g* tiresome; wearisome; **um dia fatigante** a tiresome day
fatigar *v* **1** *(cansar)* to tire **2** *(aborrecer)* to bore ▪ **fatigar-se** *(cansar-se)* to get tired
fatiota *nf* **1** *col* (fato) rig; drapes **2** *col* (vestido) threads; togs; rags
fato *nm* suit ◆ **fato de banho** swimsuit; bathing suit; **fato de treino** tracksuit
fato-macaco *nm* overalls
fator[AO] *nm* **1** factor; element; part **2** MAT factor
fátuo *adj* **1** *(ignorante)* fatuous; foolish; ignorant **2** *(frívolo)* vain; conceited
fatura[AO] *nf* invoice; bill ◆ **pagar a fatura** to pay the price
faturação[AO] *nf* invoicing
faturar[AO] *v* **1** (mercadoria, serviço) to invoice; to bill; to charge for **2** (dinheiro) to turn over; **o filme faturou vários milhões de dólares** the film turned over several million dollars
faúlha *nf* spark ◆ (discussão) **até fez faúlha!** the sparks flew!; (situação) **fazer faúlha** to heat up
fauna *nf* fauna
fausto *nm (luxo)* pomp; splendour; magnificence
fava *nf* broad bean
favela *nf* BRAS shanty town
favo *nm* honeycomb
favor *nm* favour GB, favor EUA ◆ **faz favor!** excuse me!
favorável *adj2g* favourable GB, favorable EUA
favorecer *v* **1** to favour GB, to favor EUA **2** *(ficar bem)* to suit; to flatter
favorecido *nm* favoured
favorecimento *nm* favours GB, favors EUA
favoritismo *nm* favouritism
favorito *adj* favourite; **o meu cantor favorito** my favourite singer ▪ *nm* favourite; **não há favoritos** there is no favourite
fax *nm* (mensagem, aparelho, sistema) fax; **manda-me por fax a resposta** fax me your answer
faxina *nf* **1** (limpeza de casa) housework; **fazer a faxina** to do one's housework **2** MIL (limpeza de quartel) fatigue duty; **estar de faxina** to be on fatigue
fazenda *nf* **1** *(tecido)* cloth **2** *(quinta)* plantation; ranch **3** *(finanças)* tax office
fazendeiro *nm* landowner
fazer *v* **1** to do; **que estás a fazer?** what are you doing? **2** *(criar, fabricar)* to make; *(construir)* to build **3** (pergunta) to ask **4** (ideia) to have **5** (encomenda) to place **6** (almoço, jantar) to cook;

(bolo, pão) to bake **7** (visita, elogio) to pay **8** (pausa, sesta) to take **9** (frio, calor) to be ▪ **fazer-se 1** *(tornar-se)* to get; to become **2** to make oneself; **fazer-se compreender** to make oneself understood ♦ **não faz mal!** never mind!; **tanto faz!** all the same!

faz-tudo *n2g* (habilidoso) jack-of-all-trades; handyman

fé *nf* faith (em, in) ♦ **dar fé de alguma coisa** to notice something

febra *nf* (carne) lean meat

febre *nf* fever; **estar com febre** to have a fever; (obsessão) **a febre do futebol** football fever

febril *adj2g* **1** MED feverish; **em estado febril** feverishly **2** *fig (exaltado)* feverish, passionate

fechado *adj* **1** (porta, janela, torneira, olhos) closed; shut **2** (com chave) locked **3** (pessoa) reserved; distant

fechadura *nf* lock ♦ **fechadura de segredo** puzzle lock; **buraco da fechadura** keyhole

fechamento *nm* closing down; shutting down

fechar *v* **1** (porta, loja, olhos) to close **2** *(trancar)* to lock **3** (torneira) to turn off; (luz) to turn out **4** (cortina) to draw **5** (garrafa, frasco) to put the tap on **6** (vidro de automóvel) to wind up ▪ **fechar-se 1** (porta, boca, olhos) to close, to shut **2** (pessoa) to shut oneself (away); *(trancar-se)* to lock oneself **3** (etapa) to come to an end

fecho *nm* **1** (roupa) zip; zipperEUA; **fechar o fecho** to zip up **2** *(ferrolho)* bolt; fastener **3** (porta) lock **4** *(encerramento)* closing; **horário de fecho** closing time ♦ (automóvel) **fecho centralizado** central locking system

fécula *nf* starch; **fécula de batata** potato flour

fecundação *nf* BIOL fertilization

fecundar *v* BIOL to fertilize

fecundidade *nf* fecundity; fruitfulness; *fig* **a fecundidade da obra de alguém** the fecundity of someone's work

fecundo *adj* fecund; fertile

fedelho *nm pop* brat; punk

feder *v pop* (cheiro) to stink (a, of); to reek (a, of)

federação *nf* **1** POL federation; **uma federação de Estados** a federation of states **2** (organizações) federation; association; league

federal *adj2g* federal; **estado federal** federal state

federalismo *nm* POL federalism

federalista *adj,n2g* federalist; **sistema federalista** federalist system

fedor *nm* stench; stink

fedorento *adj* **1** *cal* stinking **2** *(fétido)* smelly; fetid ▪ *nm pop (chato)* pain in the neck, pain in the arse

feedback *nm* feedback; **não ter feedback** not to get any feedback

feição *nf* **1** *(traço)* feature; trait; characteristic **2** *(figura)* figure; form; shape **3** *pl* features; **feições regulares** clean-cut features ♦ **o vento está de feição** the wind is fair

feijão *nm* bean

feijão-frade *nm* cowpea, black-eyed pea

feijão-verde *nm* green bean

feijão-vermelho *nm* kidney bean

feijoada *nf* dish made of beans and several kinds of meat

feijoeiro *nm* bean plant

feio *adj* **1** (aspeto, situação) ugly **2** *(insultuoso)* rude; **palavras feias** rude words

feira *nf* **1** *(mercado)* street market **2** (evento) fair; show **3** *fig* confusion; *(desarrumação)* mess ♦ **feira da ladra** flea market; **feira popular** funfair

feirante *n2g* stallholder

feita *nf* occasion; time; **desta feita** this time, on this occasion

feitiçaria *nf* **1** (atividade) sorcery; witchcraft; witchery **2** (efeito) enchantment; spell; charm

feiticeira *nf* witch; sorceress

feiticeiro *nm* sorcerer

feitiço *nm* spell ♦ **virou-se o feitiço contra o feiticeiro** to plan backfired

feitio *nm* **1** *(forma)* shape **2** *(temperamento)* temper

feito *adj* **1** made; **feito à mão** handmade **2** (resultado) done; **um trabalho bem feito** a well done job **3** *(pronto)* ready; concluded ▪ *nm* feat; achievement ♦ **dito e feito** no sooner said than done; **estou feito!** that's it for me!; **bem feito!** it serves you/him/her right!

feitor *nm* (propriedade) steward; custodian

feitoria *nf* **1** trading depot **2** (de terrenos) stewardship

feixe *nm* **1** (de luz, laser) beam **2** *(molho)* bundle

fel *nm* **1** bile; gall **2** *fig (azedume)* bitterness; spite; **palavras de fel** bitter words

felicidade *nf* **1** (estado) happiness; **andar em busca da felicidade** to search for happiness **2** *(sorte)* luck; **muitas felicidades!** good luck to you!; **ter a felicidade de** to be lucky enough to
felicitações *nfpl* congratulations (por, on)
felicitar *v* (elogio) to congratulate (por, on); **gostaria de felicitá-lo por tudo o que fez** may I congratulate you on what you have done?
felino *adj,nm* feline
feliz *adj2g* **1** (estado) happy; **dar-se por muito feliz** to count oneself happy; **um casamento feliz** a happy marriage **2** (ocasião) merry; joyful; **feliz Natal!** merry Christmas! **3** (acaso) fortunate; lucky
felizardo *nm* lucky devil; lucky dog
felizmente *adv* happily; fortunately
felpo *nm* (tecido) nap; pile
felpudo *adj* **1** *(com penugem)* downy **2** *(com pelo)* hairy
feltro *nm* felt; **caneta de feltro** felt-tip pen; **chapéu de feltro** felt hat
fêmea *nf* **1** (animal) female; **um tigre fêmea** a she-tiger **2** (gancho) eye **3** (parafuso) nut
feminino *adj* **1** LING feminine; **pronome feminino** feminine pronoun; **substantivo feminino** feminine noun **2** (de mulher) feminine; **o sexo feminino** the feminine gender ▪ *nm* LING feminine; **no feminino** in the feminine
feminismo *nm* feminism
feminista *adj,n2g* feminist; **conceitos feministas** feminist concepts
fémur *nm* femur, thighbone
fenda *nf* **1** (louça, parede) crack; split **2** (rocha, terra) fissure; crevice **3** *(frincha)* chink
fenecer *v* **1** *(morrer)* to die; to pass away **2** *(esmorecer)* to fade away; to wane **3** *(murchar)* to wither; to wilt
fenício *adj,nm* Phoenician
feno *nm* hay
fenomenal *adj2g* **1** *(incrível)* phenomenal; incredible **2** *(colossal)* prodigious; colossal **3** *(espantoso)* remarkable; amazing
fenómeno *nm* phenomenon; **fenómenos por explicar** unexplained phenomena
fera *nf* wild beast; wild animal
feriado *nm* holiday
férias *nfpl* holidays GB; vacation EUA; **estar de férias** to be on holiday
ferida *nf* **1** *(ferimento)* wound; injury; **cicatrizar uma ferida** to heal a wound **2** *fig (mágoa)* hurt ◆ **pôr o dedo na ferida** to touch a person on the raw
ferido *adj* **1** (fisicamente) wounded; injured **2** (emocionalmente) hurt ▪ *nm* casualty
ferimento *nm* wound; injury; **ferimentos graves** severe injury
ferir *v* **1** to wound **2** *fig (magoar)* to hurt **3** *(ofender)* to offend ▪ **ferir-se** to get hurt
fermentação *nf* **1** QUÍM fermentation; leavening **2** *fig (agitação)* agitation; turmoil
fermentar *v* to ferment
fermento *nm* (de padeiro) yeast; **fermento em pó** baking powder
férmio *nm* fermium
ferocidade *nf* **1** (animais) ferocity **2** *fig (crueldade)* cruelty
feroz *adj2g* **1** fierce; ferocious **2** *(cruel)* cruel
ferradela *nf* (cão, inseto) bite
ferradura *nf* horseshoe
ferragem *nf* **1** (utensílios) ironmongery; hardware **2** (peça) iron fitting ◆ **loja de ferragens** hardware store
ferramenta *nf* tool; **caixa de ferramentas** tool box
ferrão *nm* (inseto) sting; **ferrão de abelha** bee sting
ferrar *v* **1** *(morder)* to bite **2** (cavalo) to shoe **3** (gado) to brand
ferreiro *nm* (ofício) blacksmith; smith ◆ (provérbio) **em casa de ferreiro espeto de pau** shoemaker's children are always ill-shod
ferrenho *adj* **1** *fig* (pessoa) inflexible, hard **2** *fig* (adepto) fanatic
férreo *adj* firm; hard; inflexible ◆ **linha férrea** railway track
ferrete *nm* **1** (utensílio) branding iron **2** *(marca)* stigma; mark
ferrinhos *nmpl* MÚS triangle
ferro *nm* **1** (metal) iron **2** (de engomar) iron; **passar a ferro** to iron ◆ **ferro forjado** wrought iron; **ninguém é de ferro** we are only human
ferroada *nf* **1** *(picada)* prick **2** *fig (censura)* stinging remark; rebuke
ferrolho *nm* bolt; **fechar com ferrolho** to bolt
ferro-velho *nm* **1** *(sucata)* scrap iron **2** junkdealer; junk shop **3** (em segunda mão) second-hand dealer

ferrovia *nf* railway; railroadEUA
ferroviário *adj* railwayGB, railroadEUA
ferrugem *nf* rust; **ganhar ferrugem** to rust away
ferrugento *adj* rusty; rusted; **latas ferrugentas** rusty tins
ferryboat *nm* ferryboat
fértil *adj2g* fertile
fertilidade *nf* fertility; fecundity
fertilização *nf* fertilization ♦ **fertilização in vitro** in vitro fertilization
fertilizante *nm* AGR fertilizer ▪ *adj2g* fertilizing
fertilizar *v* BIOL to fertilize; to fecundate
fervedor *nm* boiler
ferver *v* **1** to boil; **ferver de mais** to overboil **2** *(enervar-se)* to seethe ♦ **ferver em pouca água** to have a short fuse
fervilhar *v* **1** *(ferver)* to simmer; to boil **2** *fig (abundar)* to swarm (de, with); **fervilhar de gente** to swarm with people
fervor *nm (ardor)* fervour; enthusiasm; zeal
fervoroso *adj* fervent; **adeptos fervorosos** fervent supporters
fervura *nf (ebulição)* boiling; **levantar fervura** to boil up ♦ **pôr/deitar água na fervura** to pour oil on troubled waters
festa *nf* **1** party; **festa de aniversário** birthday party **2** (religiosa) feast **3** *(comemoração)* celebration **4** *(carícia)* stroke; caress ♦ **Boas Festas!** Merry Christmas!
festejar *v* to celebrate
festejo *nm* celebration; festivity
festim *nm* feast; banquet
festival *nm* **1** *(evento)* festival; **festivais de verão** summer festivals **2** *col* show; display
festivaleiro *adj* **1** *col* festival; merry-making; **gente festivaleira** festival people **2** *pej* downmarket; tacky
festividade *nf (celebração)* festivity; festival
festivo *adj* **1** (época, evento) festive **2** (festa) joyous
fetal *adj2g* foetal; **posição fetal** foetal position
fetiche *nm* fetish
fetichismo *nm* fetishism
fetichista *n2g* fetishist ▪ *adj2g* fetishistic
fétido *adj* fetid; stinking
feto *nm* **1** *(embrião)* foetusGB, fetusEUA **2** (planta) fern
feudal *adj2g* feudal
feudalismo *nm* HIST feudalism
feudo *nm* HIST feud
fêvera *nf* (carne) lean meat
fevereiroAO *nm* February
fezes *nfpl* faeces; excrement
fiação *nf* **1** (processo) spinning; **fiação e tecelagem** spinning and weaving **2** (fábrica) textile mill; **fiação de seda** silk mill
fiada *nf* **1** *(série)* course; **fiada de tijolos** course of bricks **2** *(fila)* line; row
fiado *adj* **1** (fios) spun **2** *(a crédito)* on credit; on trust; **comprar fiado** to buy on credit
fiador *nm* guarantor; surety; **servir de fiador** to stand surety
fiambre *nm* ham
fiança *nf* **1** *(caução)* guaranty; security **2** (montante) guarantee; guaranty **3** DIR bail; **pagar a fiança a alguém** to bail a person out; **sair sob fiança** to be out on bail
fiapo *nm* thread
fiar *v* **1** (venda) to sell on credit **2** (fio, lã) to spin ▪ **fiar-se** to trust (em, to)
fiasco *nm (fracasso)* fiasco; flop; blunder
fiável *adj2g* trustworthy; dependable
fibra *nf* **1** fibre **2** *fig (coragem)* guts; nerve ♦ **fibra de vidro** fibreglass; **fibra ótica** optical fibre
fibroma *nm* MED fibroma
fibrose *nf* MED fibrosis
ficar *v* **1** *(passar a estar, ser)* to get; to become **2** *(permanecer, habitar)* to stay **3** (posição) to be; **eles ficaram em terceiro** they were third **4** *(localizar-se)* to be situated **5** *(servir)* to fit **6** *(sobrar)* to be left ▪ **ficar-se** *col* not to go further ♦ **ficar com** *(não devolver)* to keep; **ficar de** *(comprometer-se)* to promise; **ficar por** *(custar)* to cost; **ficar sem** *(perder)* to lose; *(deixar de ter)* to be left without
ficção *nf* **1** LIT fiction **2** *fig* fiction; fabrication; **isso é pura ficção** that is sheer fiction ♦ LIT **ficção científica** science fiction
ficcional *adj2g* fictional
ficcionista *n2g* storyteller; writer; fiction writer
ficha *nf* **1** (biblioteca, ficheiro) card **2** (dados pessoais) record; file **3** (elétrica) plug; **ficha tripla** three-way plug **4** (escola) handout; **ficha de trabalho** exercise sheet; **ficha de avaliação** evaluation test **5** (de jogo) chip
ficheiro *nm* **1** INFORM file; **abrir um ficheiro** to open a file; **gravar um ficheiro** to save a

file **2** (armário) file; filing cabinet; **pôr em ficheiro** to file
fictício *adj* fictitious
fidalgo *nm* **1** HIST *(nobre)* nobleman **2** (de boas famílias) lord
fidalguia *nf* **1** (estado) nobility **2** (classe social) the nobles
fidedigno *adj* reliable; trustworthy
fidelidade *nf* **1** (moral) fidelity; faithfulness; **fidelidade conjugal** marital fidelity **2** *(lealdade)* loyalty; fidelity; faithfulness **3** *(exatidão)* accuracy; fidelity
fiduciário *adj* ECON fiduciary; **aumento de circulação fiduciária** the expansion of the currency
fiel *adj2g* **1** *(leal)* faithful; loyal **2** (descrição, relato) exact; accurate ▪ *nm* **1** (balança) pointer **2** *pl* *(crentes)* the faithful
fífia *nf* **1** MÚS discordance; **dar uma fífia** to be out of tune **2** *fig (erro crasso)* blunder; gaffe; **que fífia!** what a blunder!
figa *nf* amulet; lucky charm ♦ **fazer figas** to cross one's fingers
figadeira *nf pop* liver disease, liver complaint
fígado *nm* liver
figo *nm* fig
figueira *nf* fig tree
figura *nf* **1** figure; *(aparência)* **boa figura** fine figure; **figura geométrica** geometrical figure; **figuras históricas** historical figures **2** *(imagem)* picture
figurado *adj* figurative
figurante *n2g* TEAT,CIN extra
figurão *nm col* big shot; bigwig ♦ **fazer um figurão** to cut a great figure
figurativo *adj* figurative; **arte figurativa** figurative art
figurino *nm* **1** *(revista de moda)* fashion magazine; fashion plate **2** *fig (modelo)* model; example
Fiji *nfpl* Fiji
fila *nf* **1** (lado a lado) row **2** (frente com costas) line; **em fila indiana** in single file **3** (espera) queue GB; line EUA
filamento *nm* **1** *(fio)* filament; thread **2** *(fibra)* filament; fibre **3** (lâmpada) filament; **lâmpada com filamento** filament bulb
filantropia *nf* philanthropy
filantrópico *adj* philanthropic
filantropo *nm* philanthropist
filão *nm* MIN vein; seam
filarmónica *nf* MÚS brass band; philharmonic
filarmónico *adj* MÚS philharmonic; **orquestra filarmónica** Philharmonic Orchestra
filatelia *nf* philately
filatélico *adj* philatelic
filatelista *n2g* philatelist, postage stamp collector
fileira *nf* **1** (geral) rank; row; **fileira de casas** row of houses **2** (pessoas) file; line **3** MIL ranks; **cerrar fileiras** to close ranks
filete *nm* fillet; **filetes de pescada** whiting fillets
filha *nf* daughter
filho *nm* **1** son **2** *pl* (rapazes, raparigas) children; (só rapazes) sons **3** (de animal) young ♦ **filho de peixe sabe nadar** a chip off the old block
filhó *nf* fritter
filhote *nm* **1** (mamíferos) baby animal; cub **2** (pássaros) nestling; fledgling **3** *col,fig* (pessoa) baby; deary
filiação *nf* **1** (pais) filiation; affiliation **2** (grupo, partido) affiliation (em, to)
filial *nf* branch; affiliation; **filial de um banco** affiliation of a bank, local branch of a bank
filiar *v (inscrever)* to make (somebody) a member (em, of) ▪ **filiar-se** (partido, grupo) to join (em, -)
filigrana *nf* filigree
Filipinas *nfpl* Philippines
filmagem *nf* shooting; filming
filmar *v* to film; to shoot; **filmar um acontecimento** to film an event
filme *nm* **1** CIN film GB; movie EUA **2** (fotografia, reportagem) film ♦ *col* **tirem-me deste filme!** get me out of here!
filologia *nf* philology
filológico *adj* philological
filólogo *nm* philologist
filosofal *adj2g* philosophic, philosophical ♦ **pedra filosofal** philosopher's stone
filosofar *v* to philosophize; to theorize
filosofia *nf* philosophy
filosófico *adj* philosophic, philosophical
filósofo *nm* philosopher
filtragem *nf* filtering; filtration
filtrar *v* to filter
filtro *nm* **1** (utensílio) filter; **papel de filtro** filtering paper **2** (tabaco) filter tip; **cigarro de filtro** filter-tipped cigarette, filter cigarette

fim *nm* **1** *(final)* end; **chegar ao fim** to come to an end **2** *(finalidade)* purpose; aim; **com que fim?** to what purpose? ♦ **a fim de** in order to; **a fim de que** so that; **por fim** at last

fim-de-semana *a nova grafia é* **fim de semana**AO

fim de semanaAO *nm* weekend; **bom fim de semana!** have a nice weekend!; **durante o fim de semana** during the weekend ♦ **fim de semana prolongado** long weekend

finado *adj* dead; deceased ▪ *nm* dead person; deceased; **dia de Finados** All Soul's Day

final *adj2g* **1** *(final)* final; last; **etapa final** final stage **2** *(conclusivo)* conclusive; decisive; definite ▪ *nm* **1** *(fim)* end; **final feliz** happy end; **no final** in the end **2** *(desfecho)* ending; closing; **o final do filme** the closing of the film ▪ *nf* DESP final; **a final do campeonato do mundo de futebol** the final of the football world championship

finalidade *nf (propósito)* purpose; aim; goal ♦ **com esta finalidade** to this effect; **sem finalidade** aimless; purposeless

finalista *n2g* DESP finalist ♦ **aluno finalista** senior pupil

finalizar *v* to finish; to conclude

finalmente *adv* **1** *(por fim)* finally; at last, lastly **2** *(por último)* in conclusion

finanças *nfpl* (gestão, fundos) finances; **como estás de finanças?** how well are your finances? ♦ **ministro das Finanças** Chancellor of the Exchequer

financeiro *adj* financial; **a nível financeiro** in financial terms; **dificuldades financeiras** financial difficulties

financiador *nm* financier; funder

financiamento *nm* **1** (ato) financing; funding **2** (montante) finance; **faltar o financiamento** not to have enough finance; **financiamento privado** private finance

financiar *v* to finance; to fund; **financiar um evento** to finance an event

finca-pé *nm* obstinacy; stubbornness ♦ **fazer finca-pé** to put one's foot down

findar *v* **1** *(acabar)* to finish; to end **2** (prazo) to be due

fineza *nf* **1** *(delicadeza)* politeness; gentleness; kindness **2** *(perspicácia)* sharpness; shrewdness; sagacity ♦ **quer ter a fineza de me seguir?** would you be so kind as to follow me?

fingido *adj* false; dissimulated ▪ *nm (impostor)* fake

fingidor *nm* pretender

fingimento *nm* **1** *(simulação)* pretence; simulation **2** *(hipocrisia)* hypocrisy; dissimulation

fingir *v* to pretend ▪ **fingir-se** to pretend to be

finito *adj* finite; limited; **número finito** finite number

finlandês *adj* Finnish ▪ *nm* **1** (pessoa) Finn **2** (língua) Finnish

Finlândia *nf* Finland

fino *adj* **1** (espessura) thin **2** *(magro)* thin; slender **3** *(requintado)* refined; elegant **4** *(esperto)* clever; sharp **5** (voz) high ▪ *nm* (cerveja) glass of lager

finório *adj col* sly; crafty

finta *nf* DESP feint; **fazer uma finta** to feint

fintar *v* **1** DESP (boxe) to feint **2** DESP (futebol) to dribble **3** *fig (enganar)* to deceive; to cheat

finura *nf* **1** (espessura) fineness; thinness **2** *(magreza)* thinness; slenderness; slimness **3** *(requinte)* elegance; fineness

fio *nm* **1** (tecido) thread **2** *(cordel)* string **3** (elétrico) wire **4** (de água, sangue) trickle; (de azeite) drizzle **5** (joia) chain ♦ **fio dental 1** dental floss **2** (biquíni, roupa interior) thong; **horas a fio** hours on end

fio-de-prumo *a nova grafia é* **fio de prumo**AO

fio de prumoAO *nm* plumb line

fiorde *nm* fiord

firewall *nf* INFORM firewall

firma *nf* firm; business company; enterprise

firmamento *nm* firmament; sky

firmar *v* **1** *(segurar)* to secure **2** *(assinar)* to sign **3** *(estabelecer)* to settle

firme *adj2g* firm

firmemente *adv* **1** *(sem se mover)* firmly **2** *(com força)* strongly **3** *(com resolução)* resolutely; unwaveringly

firmeza *nf* **1** firmness **2** *(determinação)* tenacity

fiscal *adj2g* tax; **ano fiscal** tax yearGB, fiscal yearEUA ▪ *n2g* **1** inspector **2** (de alfândega) customs officer

fiscalidade *nf* **1** ECON (sistema) tax system **2** ECON (processo) taxation

fiscalização *nf* **1** (dentro de organização) control **2** (a nível governamental) inspection

fiscalizar *v* **1** (departamento) to control **2** (governo) to inspect

fisco *nm* **1** exchequer **2** (tributação) Inland RevenueGB; Internal Revenue SystemEUA
fisga *nf* catapultGB; slingshotEUA
fisgar *v (perceber)* to get the meaning of
física *nf* physics
físico *adj* physical ▪ *nm* **1** (cientista) physicist **2** *(corpo)* physique
fisiologia *nf* physiology
fisiológico *adj* physiological
fisionomia *nf* features
fisionómico *adj* physiognomic
fisioterapeuta *n2g* physiotherapistGB; physical therapistEUA
fisioterapia *nf* physiotherapyGB; physical therapyEUA
fissão *nf* fission
fissura *nf* crack; fissure
fístula *nf* fistula
fita *nf* **1** (tecido) ribbon; (cabelo) band **2** *(tira)* strip **3** *(filme)* filmGB; movieEUA **4** (de cassete) tape **5** *col (fingimento)* act; **é tudo fita!** it's all an act! ◆ **fita adesiva** adhesive tape; **fita métrica** tape measure
fita-cola *nf* SellotapeGB; Scotch tapeEUA
fitar *v (fixar a vista em)* to stare (-, at); to glare (-, at/upon)
fiteiro *nm* (pessoa) cheater; deceiver; trickster
fito *nm (objetivo)* aim; goal; intention ▪ *adj* (olhar) fixed
fivela *nf* buckle; clasp
fixação *nf* **1** fixing; fastening **2** *(obsessão)* fixation (por, about/on); obsession (por, for)
fixador *nm* (cabelo) hair spray; hair cream
fixar *v* **1** to fix; **fixar um preço** to fix a price **2** *(decorar)* to memorize **3** *(observar)* to stare fixedly at **4** *(colar)* to stick ▪ **fixar-se 1** *(instalar-se)* to settle down **2** *(atentar)* to focus one's attention (em, on)
fixe *adj2g col* cool, great
fixo *adj* **1** fixed; **endereço fixo** fixed address **2** *(pregado)* nailed **3** *(estável)* stable; steady
flacidez *nf* **1** (pele, músculos) flaccidity; flabbiness **2** *fig* (carácter) feebleness; weakness
flácido *adj* flaccid; flabby
flagelar *v* to flagellate
flagelo *nm* **1** *(chicote)* whip **2** *(calamidade)* scourge
flagrante *adj2g* flagrant; glaring ◆ **em flagrante** in the act
flamejante *adj2g* **1** (fogo) flaming **2** *(resplandecente)* sparkling; glittering; shining
flamengo *adj* Flemish ▪ *nm* **1** (pessoa) Fleming **2** (língua) Flemish
flamingo *nm* flamingo
flanco *nm* flank, side
flanela *nf* flannel; **camisa de flanela** flannel shirt
flanquear *v* **1** MIL *(defender o flanco)* to flank **2** MIL *(atacar de flanco)* to attack the enemy's flank
flash *nm* FOT flashlight, flash
flashback *nm* CIN,LIT flashback
flatulência *nf* MED flatulence
flatulento *adj* flatulent
flauta *nf* MÚS flute
flautim *nm* MÚS piccolo
flautista *n2g* MÚS flautist, flutist, flute player
flecha *nf* arrow; **arco e flecha** bow and arrow; **lançar uma flecha** to shoot an arrow ◆ **rápido como uma flecha** quick as a flash; (preços) **subir em flecha** to shoot up
flectir *a nova grafia é* **fletir**AO
fletirAO *v* to flex; to bend; **fletir os joelhos** to flex your knees
fleuma *nf* phlegm
fleumático *adj* **1** *(sereno)* phlegmatic; self-possessed; restrained **2** *(indiferente)* indifferent
flexão *nf* **1** bending; flexion; flection **2** (exercício físico) press-upGB, push-upEUA **3** LING inflection
flexibilidade *nf* **1** flexibility; nimbleness **2** *(versatilidade)* adaptability; versatility
flexionar *v* LING to inflect
flexível *adj2g* flexible
flipado *adj col* freaked out; crazy; **uma ideia flipada** a crazy idea
flipar *v col* to flip out; to go berserk
flippers *nmpl* (jogo eletrónico) pinball
flirt *nm* flirt
floco *nm* flake
flor *nf* **1** flower **2** (árvore de fruto) blossom; **flor de laranjeira** orange blossom ◆ **não ser flor que se cheire** to be a bad lot; **ser uma flor de estufa** to be very touchy
flora *nf* flora
floral *adj2g* floral; **um vestido com um padrão floral** a dress with a floral pattern
floreado *adj* (estilo) florid; ornate; overwrought
florear *v* **1** *(adornar)* to ornate; to embellish; to adorn **2** (estilo) to overwrite
floreio *nm* flourish

floreira *nf* flowerpot; flower vase
florescente *adj2g* **1** (planta) in flower, in bloom **2** *(próspero)* prosperous; thriving; prospering
florescer *v* **1** *(dar flor)* to bloom; to blossom **2** *(prosperar)* to prosper; to flourish
florescimento *nm* **1** blooming; blossoming **2** flourishing; thriving; prosperity
floresta *nf* forest; **floresta tropical** rain forest; **floresta virgem** primeval forest
florestal *adj2g* forest; **guarda florestal** forester; **incêndio florestal** forest fire
florete *nm* (esgrima) foil
floricultor *nm* flower grower; floriculturist
floricultura *nf* flower growing; floriculture
florido *adj* **1** *(em flor)* in bloom, in flower **2** *(enfeitado com flores)* florid; flowery **3** *(embelezado)* ornate; florid; adorned
florim *nm* (antiga moeda) florin
florir *v* **1** to flower; to bloom; to blossom **2** *fig* to flourish; to thrive
florista *n2g* (pessoa) florist; flower-seller ▪ *nf* (loja) florist's; flower shop
fluência *nf* fluency
fluente *adj2g* fluent (em, in)
fluentemente *adv* fluently; **ele fala alemão fluentemente** he speaks German fluently
fluidez *nf* **1** (qualidade) fluidity **2** flow; **a fluidez do trânsito** the flow of traffic **3** fluency; **a fluidez de um discurso** the fluency of a speech
fluido *nm* fluid ▪ *adj* **1** *(que desliza com facilidade)* fluid **2** (linguagem, estilo) fluent
fluir *v* to flow
flúor *nm* **1** fluorine **2** (dentífrico) fluoride
fluorescência *nf* fluorescence
fluorescente *adj2g* **1** fluorescent; **lâmpada fluorescente** fluorescent lamp **2** (sinal, tinta) luminous ◆ **marcador fluorescente** highlighter
flutuação *nf* fluctuation
flutuador *nm* float ▪ *adj* floating
flutuante *adj2g* **1** floating **2** (nível, mercado) fluctuating
flutuar *v* **1** to float **2** *(variar)* to fluctuate
fluvial *adj2g* fluvial; river; **praia fluvial** river beach
fluxo *nm* **1** flux; **fluxo de sangue** blood flux **2** flow; **o fluxo das águas** the flow of the water **3** *fig* abundance; overflow

FMI [*abrev. de* Fundo Monetário Internacional] IMF [*abrev. de* International Monetary Fund]
fobia *nf* phobia (de, about)
fóbico *adj* phobic
foca *nf* seal
focagem *nf* FOT focussing
focal *adj2g* focal; FOT **distância focal** focal distance
focar *v* **1** FOT to focus **2** (assunto, questão) to approach
focinho *nm* **1** (animal) snout; muzzle **2** *pop (cara)* mug; **cair de focinho** to fall flat on one's face; **levar um murro no focinho** to get punched in the mug
foco *nm* **1** FOT focus; focal point **2** (luz) spotlight **3** source; **um foco de infeção** a source of infection ◆ **pôr em foco** to bring into focus
fofo *adj* **1** (material) soft **2** *col* (pessoa) plump; chubby **3** *col (amoroso)* cute; sweet
fofoca *nf* BRAS a piece of gossip
fofocar *v* BRAS to gossip
fofoqueiro *nm* BRAS gossiper
fogaça *nf* sweet bread
fogão *nm* cooker, stove EUA; **fogão a gás** gas stove; **fogão elétrico** electric stove ◆ **fogão de sala** fireplace
fogareiro *nm* little stove
fogo *nm* fire; **deitar fogo a** to set fire to, to set on fire; (armas) **abrir fogo** to open fire ◆ **fogo posto** arson; **à prova de fogo** fireproof
fogo-de-artifício *a nova grafia é* **fogo de artifício**[AO]
fogo de artifício[AO] *nm* **1** (dispositivo) firework **2** (espetáculo) fireworks
fogo-de-vista *a nova grafia é* **fogo de vista**[AO]
fogo de vista[AO] *nm* **1** showy display, razzle-dazzle **2** *(palavras sem valor)* hot air
fogo-fátuo *nm* will-o'-the-wisp
fogosidade *nf* **1** *(impetuosidade)* impetuosity; rashness; recklessness **2** *(ardor)* enthusiasm; passion; ardour
fogoso *adj* **1** *(impaciente)* impetuous **2** *(apaixonado)* passionate **3** *(irascível)* fiery; hotheaded; quick-tempered
fogueira *nf* fire, bonfire; **fazer uma fogueira** to build a fire ◆ **deitar achas na fogueira** to add fuel to the fire
foguetão *nm* rocket

foguete *nm* rocket; **lançar um foguete** to launch a rocket ♦ **como um foguete** very quickly; **deitar foguetes** to celebrate; **não lances os foguetes antes da festa** don't count your chickens before they're hatched
foice *nf* sickle ♦ **meter a foice em seara alheia** to stick one's nose in someone else's business
folclore *nm* **1** folklore **2** (dança) folk-dance; **um rancho de folclore** a group of folk-dancers
folclórico *adj* **1** folkloric **2** *pej (berrante)* garish; gaudy; showy
fole *nm* **1** (a pair of) bellows **2** BRAS MÚS mouth organ
fôlego *nm* breath; **estar sem fôlego** to be out of breath
foleiro *adj* **1** *col (de mau gosto)* tasteless; tacky; kitschy **2** *col (desagradável)* nasty; rude; **uma boca foleira** a nasty remark
folga *nf* **1** time off; day off; **estar de folga** to be off duty **2** rest; break
folgado *adj* **1** (roupa) loose, loose-fitting **2** (vida) comfortable; well off **3** BRAS *(atrevido)* cheeky; impertinent
folgar *v* **1** *(tirar folga)* to have time off **2** *(descansar)* to rest **3** *(divertir-se)* to have fun **4** *(estar contente)* to be delighted
folha *nf* **1** (planta) leaf **2** (papel) sheet **3** (metal) foil ♦ **novo em folha** brand new
folha-de-flandres *a nova grafia é* **folha de Flandres**[AO]
folha de Flandres[AO] *nf* tin plate
folhado *adj* CUL flaky; **massa folhada** puff pastry ▪ *nm* CUL turnover
folhagem *nf* foliage
folheado *nm* **1** veneer; **folheado de nogueira** walnut veneer **2** laminate
folhear *v* (livro, revista) to leaf through, to thumb through, to turn over the pages of
folhetim *nm* **1** (texto) serial **2** soap opera
folheto *nm* leaflet; pamphlet; brochure
folho *nm* **1** (roupa) flounce; frill; ruffle **2** (roupa de cama) dust ruffle
folia *nf* revelry; spree
folião *nm* reveller; merrymaker; raver
folículo *nm* ANAT,BOT follicle
fome *nf* **1** hunger; famine; **estar com/ter fome** to be hungry **2** *fig (desejo ardente)* hunger (de, for); yearning (de, for); **fome de poder** hunger for power
fomentar *v* **1** *(promover)* to promote **2** *(instigar)* to instigate
fomento *nm* **1** *(estímulo)* promotion; support; fostering **2** *(incitamento)* fomentation; instigation; incitation
fondue *nm* fondue
fonema *nm* LING phoneme
fonética *nf* LING phonetics
fonético *adj* phonetic
fónico *adj* phonic
fonologia *nf* LING phonology
fonológico *adj* phonological
fontanário *nm* drinking fountain GB; water fountain EUA
fonte *nf* **1** *(nascente)* spring **2** *(chafariz)* fountain **3** *(origem)* source **4** *pl* ANAT *(têmpora)* temples
fora *adv* **1** outside; **ir lá para fora** to go outside **2** out; **passámos o dia inteiro fora** we were out all day **3** *(no estrangeiro)* abroad; **ele foi para fora** he travelled abroad ▪ *prep* **1** *(para além de)* besides **2** *(sem contar com)* not including ▪ *interj* out!
fora-da-lei *a nova grafia é* **fora da lei**[AO]
fora da lei[AO] *n2g2n* outlaw; criminal
fora-de-jogo *a nova grafia é* **fora de jogo**[AO]
fora de jogo[AO] *nm* DESP offside
foragido *nm (fugitivo)* fugitive; runaway
foral *nm* HIST charter
forasteiro *nm* stranger; outsider
forca *nf* gallows
força *nf* **1** force; **à/ pela força** by force; **força aérea** air force **2** strength; **força interior** inner strength
forcado *nm* **1** AGR pitchfork, hay fork **2** (tourada) bullfighter; torero
forçado *adj* forced
forçar *v* **1** *(coagir)* to force (a, to) **2** (vista, voz) to strain **3** *(arrombar)* to force (open)
fórceps *nm* MED forceps
forçosamente *adv* necessarily; inevitably
forçoso *adj* unavoidable; inevitable; ineluctable
forense *adj2g* forensic
forja *nf* **1** *(oficina de ferreiro)* forge **2** *(fornalha)* furnace; hearth; forge ♦ **estar na forja** to be in preparation
forjado *adj* **1** (falsificação) forged **2** (ferro) wrought; **uma cama de ferro forjado** a

wrought iron bed **3** *(criado)* created; invented; devised

forjar *v* **1** (metal) to forge **2** *(falsificar)* to forge; to fabricate; **forjar um documento** to fabricate a document **3** *fig (criar)* to invent; to create

forma[1] /ó/ *nf* **1** *(feitio)* shape; form; **tomar forma** to take shape **2** *(modo)* manner; way; **desta forma** in this way **3** (condição física) shape; fitness; **em forma** in shape ◆ **de alguma forma** somehow; **de forma alguma** by no means; **de outra forma** otherwise; **de qualquer forma** anyway

forma[2] /ô/ *nf* **1** mouldGB, moldEUA; (para bolo) tinGB, panEUA **2** (de sapato) last

formação *nf* **1** formation **2** *(educação)* upbringing **3** (ensino) education **4** training; **formação profissional** vocational training

formado *adj* **1** formed; constituted **2** *(licenciado)* graduated (em, in); **ela é formada em Direito** she has a degree in Law

formador *nm* instructor; trainer; educator

formal *adj2g* formal

formalidade *nf* **1** *(norma de procedimento)* formality; **este exame é apenas uma formalidade** this exam is a mere formality; **formalidades legais** legal formalities **2** *(etiqueta)* ceremony; formality; etiquette

formalizar *v* to formalize

formalmente *adv* formally

formando *nm* trainee

formão *nm* chisel

formar *v* **1** to form; **formar uma roda** to form a circle **2** *(constituir)* to make up **3** *(educar)* to educate; (para profissão, tarefa) to train ▪ **formar-se** **1** to form; to build up **2** (curso) to graduate (em, in)

formatar *v* INFORM to format

formativo *adj* **1** formative **2** educational

formato *nm* format

formatura *nf* **1** (universidade) graduation; **dia da formatura** graduation day **2** MIL formation

formidável *adj2g* **1** *(fantástico)* wonderful; splendid **2** *(colossal)* huge; gigantic

formiga *nf* ant

formigar *v* **1** *(sentir comichão)* to be itching **2** (multidão) to be swarming (de, with); to be teeming (de, with)

formigueiro *nm* **1** *(ninho de formigas)* anthill **2** *(comichão)* pins and needles **3** *(multidão)* crowd

formol *nm* QUÍM formaldehyde

formoso *adj* **1** *ant* (pessoa) beautiful; comely; fair **2** *ant (aprazível)* pleasant

formosura *nf* beauty; **ela é uma formosura!** she is a beauty!

fórmula *nf* formula; **fórmula química** chemical formula; **uma fórmula mágica** a magic formula ◆ DESP **Fórmula Um** Formula One

formulação *nf* formulation

formular *v* **1** to formulate **2** to express

formulário *nm* formulary

fornada *nf* batch

fornalha *nf* furnace

fornecedor *nm* **1** supplier **2** (restauração) caterer

fornecer *v* to supply; **fornecer mantimentos a** to supply with provisions; **fornecer informações** to provide information

fornecimento *nm* supply; delivery; distribution

fornicar *v* to fornicate

forno *nm* **1** (cozinha) oven; **aqui dentro está um forno!** it's like an oven in here! **2** (industrial) furnace

foro *nm* **1** court of justice **2** nature; character; **problemas do foro íntimo** problems of an intimate nature

forquilha *nf* fork; hayfork; pitch fork

forrado *adj* **1** (roupa) lined; **uma saia forrada a seda** a silk-lined skirt **2** (mobília) upholstered

forragem *nf* fodder; forage

forrar *v* **1** (roupa) to line **2** (parede) to (wall)paper **3** (mobília) to upholster

forreta *n2g* miser; niggard; cheapskateEUA

forro *nm* **1** (de roupa) lining **2** (de mobília) cover, covering **3** (de parede) wallpaper

forrobodó *nm* spree; rave-up; party

fortalecer *v* **1** to strengthen **2** *(animar)* to encourage **3** *(corroborar)* to confirm; to consolidate; to corroborate

fortalecimento *nf* **1** strengthening **2** reinforcement; consolidation

fortaleza *nf* **1** *(fortificação)* fortress **2** *(força)* strength

forte *adj* **1** (geral) strong **2** (cor) bright; strong **3** (chuva) heavy **4** (crítica, dor) severe ▪ *nm* **1** MIL fort **2** (talento) forte; **matemática não é o meu forte** maths is not my forte

fortificação *nf* MIL fortification

fortificante *adj2g* invigorating; fortifying ■ *nm* tonic
fortificar *v* **1** *(fortalecer)* to strengthen **2** MIL to fortify
fortuito *adj* fortuitous; accidental; casual
fortuna *nf* **1** *(riqueza, sorte)* fortune **2** *(destino)* fate; destiny
fórum *nm* forum
fosco *adj* **1** dim **2** *(baço)* dull; lustreless; tarnished **3** (vidro) frosted
fosforescência *nf* phosphorescence
fosforescente *adj2g* phosphorescent
fósforo *nm* **1** phosphorus **2** match; **caixa de fósforos** matchbox
fossa *nf* **1** sewer; cesspit **2** *(cova)* hole; **cavar uma fossa** to dig a hole **3** ANAT fossa
fóssil *nm* fossil
fossilização *nf* fossilization
fossilizar *v* to fossilize
fosso *nm* **1** *(trincheira)* trench **2** *(valeta)* ditch **3** *fig (abismo)* gulf (entre, between); gap (entre, between); **há um fosso enorme entre as gerações deles** there's an enormous gap between their generations
fotão *nm* FÍS photon
foto *nm col* photo; **tirar uma foto** to take a photo; **uma foto de família** a family photo
fotocópia *nf* photocopy; **fotocópia a cores** colour photocopy; **tirar fotocópias de um documento** to make photocopies of a document
fotocopiadora *nf* photocopier; photocopying machine
fotocopiar *v* to photocopy
fotoeléctrico *a nova grafia é* **fotoelétrico**[AO]
fotoelétrico[AO] *adj* photoelectric; **célula fotoelétrica** photoelectric cell, electric eye
fotogenia *nf* photogeny
fotogénico *adj* photogenic; **ser fotogénico** to be photogenic, to photograph well
fotografar *v* to photograph; to take a photograph of
fotografia *nf* **1** *(retrato)* photograph, photo; **fotografia tipo passe** passport photo **2** (arte) photography
fotográfico *adj* photographic ♦ **máquina fotográfica** camera; **memória fotográfica** photographic memory; **sessão fotográfica** photo shoot
fotógrafo *nm* photographer; **fotógrafo de moda** fashion photographer
fotojornalismo *nm* photojournalism
fotomontagem *nf* photomontage
fotonovela *nf* photo romance
fotorreportagem *nf* photo story
fotossensível *adj2g* photosensitive
fotossíntese *nf* photosynthesis
fototerapia *nf* MED phototherapy
foz *nf* (de rio) mouth
fração[AO] *nf* **1** MAT fraction **2** *(porção)* fraction; fragment; portion
fracassar *v* to fail; not to succeed
fracasso *nm* failure
fracção *a nova grafia é* **fração**[AO]
fraccionamento *a nova grafia é* **fracionamento**[AO]
fraccionar *a nova grafia é* **fracionar**[AO]
fraccionário *a nova grafia é* **fracionário**[AO]
fracionamento[AO] *nm* fractionation; division; fragmentation
fracionar[AO] *v* to fractionate; to fragment; to divide
fracionário[AO] *adj* fractional
fraco *adj* **1** weak; **sentir-se fraco** to feel weak **2** poor; **de fraca qualidade** of poor quality **3** (luz) dim; (voz) faint ■ *nm (predileção)* weakness ♦ **não dar parte fraca** not to give in
fractura *a nova grafia é* **fratura**[AO]
fracturar *a nova grafia é* **fraturar**[AO]
frade *nm* monk
fraga *nf (rocha escarpada)* crag; cliff
fragata *nf* frigate
frágil *adj2g* **1** (objeto) fragile; breakable; frail **2** (pessoa) weak; feeble; frail
fragilidade *nf* **1** *(qualidade do que é frágil)* fragility **2** *(debilidade)* frailty; weakness
fragmentação *nf* fragmentation; separation
fragmentar(-se) *v* to fragment
fragmento *nm* **1** fragment; piece; part **2** (de madeira, vidro) splinter
fragrância *nf* fragrance; perfume
fragrante *adj2g* fragrant; aromatic; perfumed
fralda *nf* **1** nappy GB; diaper EUA; **mudar a fralda ao bebé** to change the baby's nappy **2** (de camisa) shirt-tail
framboesa *nf* raspberry
framboeseiro *nm* raspberry cane, raspberry bush
França *nf* France

francamente *adv* frankly; honestly; sincerely
francês *adj* French ▪ *nm* **1** (homem) Frenchman; (mulher) Frenchwoman; **os franceses** the French **2** (língua) French ◆ **despedir-se à francesa** to take French leave
francesismo *nm* Gallicism
frâncio *nm* francium
franciscano *adj,nm* Franciscan; **frade franciscano** Franciscan friar ◆ **pobreza franciscana** extreme poverty
franco *adj* **1** *(sincero)* frank; sincere **2** (impostos) free ▪ *nm* (moeda) franc
francoatirador[AO] *nm* sniper
franco-atirador *a nova grafia é* **francoatirador**[AO]
francófono *adj,nm* francophone; **população francófona** francophone population
frangalho *nm* **1** *(farrapo)* rag; tatter **2** *(coisa de pouco valor)* worthless thing ◆ **fazer em frangalhos** to tear to pieces; **ficar feito num frangalho** to have your nerves in a frazzle
franganito *nm pej* (pessoa) whippersnapper; pup
frango *nm* chicken ◆ **frango de churrasco** barbecued chicken
franja *nf* **1** (cabelo) fringe GB; bangs EUA; **usar franja** to wear a fringe **2** (tecido) fringe; trimming
franquear *v* **1** (correspondência) to frank **2** *(desimpedir)* to clear
franqueza *nf* frankness; sincerity ◆ **para dizer com franqueza** to speak candidly
franquia *nf* **1** *(regalia)* exemption from duties **2** *(portes de correio)* postage
franquiar *v* (carta, encomenda) to stamp, to frank
franzido *adj* **1** (tecido) gathered in folds **2** (sobrolho, testa) wrinkled
franzino *adj* **1** (pessoa) feeble; frail **2** (corpo) puny; small
franzir *v* (testa, sobrancelha) to wrinkle ◆ **franzir o sobrolho** to frown
fraque *nm* dress coat
fraquejar *v* **1** *(enfraquecer)* to weaken **2** *(ceder)* to yield; to give in; to surrender
fraqueza *nf* weakness; **um momento de fraqueza** a weak moment
fraquinho *nm* **1** weakness; **ter um fraquinho por alguma coisa** to have a weakness for something **2** *(paixoneta)* crush; **ter um fraquinho por alguém** to have a crush on somebody
frasco *nm* **1** (de comprimidos) bottle **2** (de perfume) flask **3** (de compota, geleia) jar
frase *nf* sentence; **construir uma frase** to build a sentence ◆ **frase feita** saying; meaningless phrase
frásico *adj* phrasal
fraternal *adj2g* fraternal; brotherly
fraternidade *nf* fraternity; brotherhood
fraterno *adj* fraternal; brotherly
fratricida *n2g* fratricide ▪ *adj* fratricidal
fratricídio *nm* fratricide
fratura[AO] *nf* fracture
fraturar[AO] *v* to fracture
fraude *nf* fraud; **fraude fiscal** tax fraud
fraudulento *adj* fraudulent; deceitful; dishonest
freelance *n2g* freelance
freelancer *n2g* ⇒ **freelance**
freeware *nm* INFORM freeware
freguês *nm* customer; client ◆ **o freguês tem sempre razão** the customer is always right
freguesia *nf* **1** *(clientela)* customers; clients **2** (concelho) parish; community

O termo **freguesia** tem como equivalentes *parish* ou *civil parish* (na Inglaterra) e *civil township* (nos Estados Unidos), ou, relativamente a grandes cidades, *borough*.

frei *nm* friar
freio *nm* **1** (veículo) brake **2** (cavalo) bit **3** *fig* repression
freira *nf* nun; **ir para freira** to become a nun ◆ **colégio de freiras** Catholic school
freixo *nm* ash tree
frenesim *nm* frenzy; excitement
frenético *adj* **1** frantic; frenetic; frenzied **2** furious; in a rage
frente *nf* front ◆ **à frente de** ahead of; **de frente para** facing; **fazer frente a alguém** to stand up to someone; (impressão) **frente e verso** on both sides
frente-a-frente *a nova grafia é* **frente a frente**[AO]
frente a frente[AO] *nm* face-to-face debate
frequência *nf* **1** frequency **2** (ensino superior) examination **3** attendance (de, at); **a frequência das aulas** attendance at school ◆ **alta/baixa frequência** high/low frequency;

com frequência frequently; (rádio) **frequência modulada** frequency modulation
frequentador *nm* regular customer
frequentar *v* **1** to frequent; to visit regularly **2** (loja) to patronize; to be a regular (customer) at **3** (curso, escola) to attend; **frequentar Direito** to read Law
frequente *adj2g* **1** frequent **2** *(habitual)* common
fresca *nf* cool air; fresh breeze; **à fresca** in the cool air
fresco *adj* **1** (temperatura) cool; fresh **2** (alimento) fresh **3** (notícia) latest ▪ *nm* (pintura) fresco
frescura *nf* **1** freshness **2** coolness **3** vigour
fresta *nf* chink; slit; gap
fretar *v* to charter
frete *nm* **1** *(transporte)* freight **2** *col* bore; **que frete!** what a bore!
fricassé *nm* fricassee
fricativa *nf* LING (consoante) fricative
fricativo *adj* LING fricative
fricção *nf* **1** friction; rubbing; chafing **2** *fig (conflito)* clash; disagreement; conflict
friccionar *v* to rub
frieira *nf* chilblain
frieza *nf* **1** *(frio)* coolness; cold **2** *(indiferença)* indifference; cold-heartedness; **tratar alguém com frieza** to give somebody the cold shoulder
frigideira *nf* frying pan
frigidez *nf* frigidity
frígido *adj* frigid
frigorífico *nm* refrigerator; fridge
frincha *nf* chink; slit; gap
frio *adj* cold ▪ *nm* cold; **estou com muito frio** I'm very cold ♦ **a sangue frio** in cold blood; cold-bloodedly
friorento *adj* sensitive to cold
frisa *nf* TEAT box
frisado *adj* (cabelo) wavy, curly
frisar *v* **1** (cabelo) to curl; to frizz **2** *fig (salientar)* to lay stress on
friso *nm* ARQ frieze
fritadeira *nf* electric fryer
fritar *v* to fry
frito *adj* fried; **batatas fritas** chips, fried potatoes ▪ *nm* piece of fried food ♦ (pessoa) **estar frito** to be done for
frivolidade *nf* frivolity
frívolo *adj* frivolous
frondoso *adj* leafy
fronha *nf* pillowcase
frontal *adj2g* **1** (ataque) frontal **2** (pessoa) frank **3** (choque) head-on
frontalidade *nf* straightforwardness; honesty
frontão *nm* ARQ pediment
frontaria *nf* ARQ front; façade
fronte *nf* forehead; brow
fronteira *nf* boundary; border; **atravessar a fronteira** to cross the border
fronteiriço *adj* bordering; border
frontispício *nm* **1** (livro) frontispiece **2** ARQ façade; forefront
frota *nf* fleet; **frota mercante** merchant fleet
frouxidão *nf* **1** *(abrandamento)* slackness **2** *(debilidade)* weakness **3** *(indecisão)* indecision
frouxo *adj* **1** (elástico, corda) slack **2** *(indolente)* remiss **3** *(fraco)* feeble, weak **4** *col (tolerante)* soft
frugal *adj2g* **1** (refeição) frugal; scanty **2** (pessoa) thrifty
frugalidade *nf* frugality
fruição *nf* **1** *(gozo)* fruition **2** *(satisfação)* enjoyment, satisfaction
fruir *v* to enjoy; **fruir de algo** to enjoy something
frustração *nf* frustration
frustrado *adj* **1** (pessoa) frustrated **2** (planos) thwarted
frustrar *v* (pessoa, planos) to frustrate
fruta *nf* fruit
frutaria *nf* fruiterer's; greengrocer's; greengrocery
fruteira *nf* **1** (cesto) fruit basket **2** (louça) fruit bowl
fruticultor *nm* fruit farmer, fruit grower
fruticultura *nf* fruit farming, fruit growing
frutífero *adj* **1** (árvore) fructiferous **2** *fig (proveitoso)* fruitful; useful
fruto *nm* **1** fruit **2** *(benefício)* fruit; benefit; **dar frutos** to bear fruit **3** *(resultado)* result; consequence
frutuoso *adj* **1** fruitful **2** (negócio) profitable
fúcsia *nf* (planta, cor) fuchsia
fuga *nf* **1** *(evasão)* flight, escape; **pôr em fuga** to put to flight **2** (gás, água) leak **3** (a responsabilidade, obrigação) evasion **4** MÚS fugue
fugacidade *nf* fugacity
fugaz *adj2g* fleeting

fugida *nf* flight ♦ **dar uma fugida** to pop out for a moment; **de fugida** in a hurry
fugidio *adj* 1 fleeting 2 *(passageiro)* passing
fugir *v* 1 (prisão) to escape (de, from); **fugiram da prisão** they escaped from prison 2 (casa, colégio) to run away (de, from); **ela fugiu de casa** she ran away from home 3 (país) to flee; **fugiram do país** they have fled the country ♦ **fugir ao assunto** to stray from the subject; **fugir a sete pés** to show a clean pair of heels; **fugir à justiça** to evade justice
fugitivo *adj* fugitive, runaway ▪ *nm* fugitive
fuinha *nf* weasel ▪ *n2g (avarento)* miser
fulano *nm* Mr. So-and-So, what's-his-name ♦ **fulana de tal** Jean Doe; **fulano, sicrano e beltrano** Tom, Dick and Harry
fulcral *adj2g* 1 *(central)* central 2 *(decisivo)* decisive
fulcro *nm* 1 *(ponto crucial)* fulcrum 2 *(ponto de apoio)* basis, support
fuligem *nf* soot
fulminante *adj2g* 1 *(que lança raios)* fulminating 2 (doença) sudden 3 (olhar) withering
fulminar *v* 1 (raio) to strike 2 *(ferir, matar)* to strike down
fulo *adj col* furious; wild
fumaça *nf* smoke screen
fumado *adj* smoked; **salmão fumado** smoked salmon
fumador *adj* smoking ▪ *nm* smoker; **fumador passivo** passive smoker; **não fumador** non-smoker ♦ (transportes, restaurantes) **fumador ou não fumador?** smoking or non-smoking?
fumar *v* to smoke; **deixar de fumar** to give up smoking ♦ **proibido fumar** no smoking
fumarento *adj* smoky
fumegante *adj2g* steaming
fumegar *v* 1 (fumo) to smoke 2 (vapor) to steam
fumeiro *nm* 1 chimney 2 (carnes) fumatory
fumo *nm* 1 (fogo) smoke; **cortina de fumo** smoke screen 2 (gás, vapor) fume; **fumo do tubo de escape** exhaust fumes ♦ **sala de fumo** smoke room
função *nf* 1 function 2 *(cargo)* duty 3 *(papel)* role ♦ **em função de** according to
funcho *nm* fennel
funcional *adj2g* functional
funcionamento *nm* working, operation; **funcionamento irregular** irregular working; **modo de funcionamento** working method ♦ **pôr em funcionamento** to set going, to start
funcionar *v* 1 (máquina) to function; to work; **não funciona** it's out of order 2 *(resultar)* to work 3 (combustível) to run (a, on); **este carro funciona a gasóleo** this car runs on diesel
funcionário *nm* 1 employee 2 (representante) official; **funcionário da ONU** a UN official ♦ **funcionário público** civil servant
fundação *nf* 1 *(criação)* establishment 2 *(instituição)* foundation 3 *(base)* base, basis ♦ **fundação de beneficência** charitable institution; **fundação particular** private trust
fundador *nm* founder ▪ *adj* founder, founding; **os membros fundadores** the founder members
fundamentado *adj* founded, justified; **bem fundamentado** well-founded, well-grounded
fundamental *adj2g* 1 *(básico)* fundamental 2 *(essencial)* essential
fundamentalismo *nm* fundamentalism
fundamentalista *adj,n2g* fundamentalist
fundamentar *v* 1 to found 2 (argumento) to substantiate 3 *(basear)* to base (em, on)
fundamento *nm* 1 *(razão)* reason, cause 2 *(base)* foundation 3 *(motivo)* ground ♦ **sem fundamento** unfounded
fundão *nm* whirlpool
fundar *v* 1 *(criar)* to found; to establish 2 *(basear)* to base (em, on/upon)
fundiário *adj* agrarian
fundição *nf* 1 (fábrica) foundry 2 (atividade) casting, fusion ♦ **fundição de ferro** iron foundry, ironworks
fundido *adj* 1 cast 2 melted 3 (lâmpada, fusível) blown, burnt out
fundir *v* 1 *(derreter)* to melt 2 (lâmpada, fusível) to blow 3 *(unir)* to fuse
fundo *adj* deep ▪ *nm* 1 bottom; **chegar ao fundo da questão** to get to the bottom of a subject 2 (quadro) background 3 (loja, quarto) back 4 (rua, corredor) end 5 *pl* funds ♦ **ir ao fundo** to sink
fúnebre *adj2g* 1 (funeral) funeral; funereal; **cortejo fúnebre** funeral procession 2 (aparência) gloomy, mournful
funeral *nm* funeral; **ir a um funeral** to attend a funeral
funerário *adj* funeral; **agência funerária** funeral parlour GB, funeral home EUA

funesto *adj* fatal; ill-fated
fungadela *nf* sniff
fungar *v* to sniff
fungicida *nm* fungicide
fungo *nm* fungus
funicular *adj,nm* funicular
funil *nm* funnel
furacão *nm* **1** hurricane **2** *(redemoinho)* whirlwind ♦ **entrar como um furacão** to storm in
furado *adj* **1** *(perfurado)* bored **2** (pneu) flat **3** (orelha) pierced **4** (dente) bad **5** *col (frustrado)* spoiled, frustrated
furador *nm* **1** *(broca)* borer, piercer **2** (papel) paper punch
fura-greves *n2g2n* strikebreaker
furão *nm* ferret
furar *v* **1** *(perfurar)* to bore **2** (berbequim) to drill **3** (papel) to punch holes in **4** (pneu) to puncture **5** (orelha) to pierce **6** (fila) to jump **7** (greve) to break
fura-vidas *n2g2n col* go-getter
furgão *nm* luggage van
furgoneta *nf* van
fúria *nf* fury, rage, anger; **explosão de fúria** a fit of temper
furibundo *adj* **1** furious, mad **2** *(raivoso)* raging, raving
furioso *adj* **1** furious, mad **2** *(raivoso)* raging, raving
furna *nf* cavern
furo *nm* **1** *(buraco)* hole **2** (pneu) puncture **3** *col* (aulas) free period
furor *nm* **1** *(ira)* fury, rage **2** *(entusiasmo)* enthusiasm ♦ **fazer furor** to be all the rage
furriel *nm* MIL quartermaster sergeant
furtar *v (roubar)* to steal ▪ **furtar-se** *(esquivar-se)* to avoid (a, -), to evade (a, -)
furtivo *adj* furtive, stealthy; **um olhar furtivo** a furtive glance ♦ **caçador furtivo** poacher
furto *nm* theft, robbery
furúnculo *nm* MED furuncle, boil, blotch
fusa *nf* MÚS demisemiquaver
fusão *nf* **1** fusion **2** (gelo, metais) melting; **ponto de fusão** melting point **3** (empresas) merger
fuselagem *nf* AER fuselage
fusível *nm* ELET fuse; **houve um fusível que se queimou** a fuse blew out ♦ **caixa de fusíveis** fuse box
fuso *nm* (para fiar) spindle ♦ **fuso horário** time zone
fustigação *nf* **1** *(açoite)* whipping **2** *(punição)* flogging
fustigar *v* **1** *(açoitar)* to whip, to flog **2** *fig (censurar)* to criticize severely
futebol *nm* football GB; soccer; **futebol de salão** indoor football

> Nos EUA usa-se preferencialmente o termo *soccer*, para não confundir com o futebol americano.

futebolista *n2g* DESP football player, footballer
fútil *adj2g* **1** *(inútil)* futile; **pessoa fútil** a futile person **2** *(frívolo)* frivolous **3** *(insignificante)* trivial
futilidade *nf* **1** *(inutilidade)* futility **2** *(insignificância)* triviality, trifle
futurismo *nm* (arte) futurism
futurista *adj2g* futuristic
futuro *nm* **1** future; **assegurar o futuro da família** to provide for the future of one's family **2** LING future tense ▪ *adj* future, coming ♦ **de futuro** for the future; in future; **num futuro distante** in the distant future; **num futuro próximo** in the near future
fuzil *nm* rifle, flintlock
fuzilamento *nm* shooting
fuzilar *v* to shoot
fuzileiro *nm* fusilier ♦ **fuzileiro naval** marine

G

g *nm* (letra) g
Gabão *nm* Gabon
gabar *v* to praise ▪ **gabar-se** to boast (de, about/of); to brag (de, about)
gabardina *nf* **1** raincoat **2** *(impermeável)* waterproof coat
gabarito *nm* **1** *(modelo)* model **2** *fig (classe, categoria)* calibre; **de gabarito** of high caliber **3** *(instrumento de medição)* gauge
gabarola *n2g* boaster
gabarolice *nf* boasting, boastful talk
gabinete *nm* **1** (departamento) office; **gabinete de imprensa** press office **2** POL cabinet **3** *(escritório)* office **4** *col* small study, den
gabonês *adj,nm* Gabonese
gado *nm* livestock; (bovino) cattle; **gado ovino** sheep; **gado suíno** pigs
gadolínio *nm* (elemento químico)
gaélico *adj* Gaelic ▪ *nm* (língua) Gaelic
gafanhoto *nm* grasshopper
gafe *nf* gaffe; blunder
gagá *adj2g col,pej* gaga; **estar gagá** to be gaga
gago *nm* stammerer, stutterer ▪ *adj* stuttering
gaguejar *v* to stammer, to stutter
gaguez *nf* stammering, stutter
gaiato *nm* urchin, lad ▪ *adj* playful
gaiola *nf* **1** (pássaro) cage; **gaiola de pássaros** birdcage **2** *fig (prisão)* prison
gaita *nf* pipe, reed ▪ *interj* damn!
gaita-de-foles *a nova grafia é* **gaita de foles**[AO]
gaita de foles[AO] *nf* MÚS bagpipes
gaivota *nf* **1** seagull **2** (barco) pedalo
gajo *nm col* bloke; guy
gala *nf* gala, pomp, show; **dia de gala** gala day ♦ **fazer gala de** to make a show of; **traje de gala** formal dress
galã *nm* **1** *fig (conquistador)* ladies' man **2** (ator) romantic lead
galáctico *adj* galactic
galantaria *nf* gallantry; flattery
galante *adj2g* **1** *(gentil)* gallant **2** *(cortês)* elegant **3** *(bem vestido)* well dressed
galanteador *nm* **1** *(gentil)* gallant **2** *(amante)* lover
galanteio *nm* gallantry, courtship
galão *nm* **1** MIL stripe **2** (medida) gallon **3** (bebida) long white coffee
galardão *nm* **1** *(prémio)* prize, award **2** *(recompensa)* reward
galardoar *v* **1** to award a prize to; **ser galardoado com** to be awarded **2** to reward; **galardoar um ato de bravura** to reward a deed of bravery
galáxia *nf* ASTRON galaxy
galé *nf* galley
galeão *nm* galleon
galera *nf* galley
galeria *nf* **1** (arte) gallery **2** TEAT gods **3** (mina) drift way, tunnel ♦ **galeria comercial** shopping arcade
galês *adj* Welsh ▪ *nm* **1** (homem) Welshman; (mulher) Welshwoman; **os Galeses** the Welsh **2** (língua) Welsh
galgar *v* **1** *(saltar)* to leap over; to jump **2** *(atravessar)* to cross
galgo *nm* greyhound
galhardete *nm* pennant
galheta *nf* **1** cruet, burette **2** *col (bofetada)* slap
galheteiro *nm* cruet stand, cruet set
galho *nm* **1** (animal) horn **2** (árvore) branch
galhofa *nf* banter; fun; **fazer galhofa de** to make fun of
galhofar *v* to banter; to be joking
galhofeiro *adj* playful ▪ *nm* joker, jester
galicismo *nm* Gallicism
gálico *adj* Gallic
galinha *nf* **1** (animal) hen **2** CUL chicken; **galinha assada** roasted chicken ♦ **quando as galinhas tiverem dentes** when pigs fly
galinheiro *nm* (lugar) coop, hen-house
gálio *nm* gallium
galo *nm* **1** (ave) cock, rooster **2** *col (inchaço)* bump
galocha *nf* **1** galosh, golosh **2** *pl* rubbers; wellingtons

galopante *adj2g* galloping
galopar *v* to gallop
galope *nm* gallop; **a galope** at full gallop
galvanização *nf* galvanization
galvanizar *v* **1** (metalurgia) to galvanize **2** *fig (estimular)* to stimulate
gama *nf* **1** MÚS gamut, scale **2** *fig (série)* range; **uma vasta gama de** a wide range of ■ *nm* (letra) gamma
gamão *nm* (jogo) backgammon
gamar *v pop* to pinch, to nick, to snitch
gamba *nf* prawn
Gâmbia *nf* Gambia
gambiano *adj,nm* Gambian
gamela *nf* trough, bin
gâmeta *nm* BIOL gamete
gana *nf* **1** *(desejo)* desire, wish **2** *(ódio)* hate ◆ **ter ganas de** to have a good mind to
Gana *nm* Ghana
ganância *nf* **1** *(avidez)* greed **2** *(usura)* usury
ganancioso *adj* covetous; greedy
gancho *nm* **1** hook **2** (cabelo) hairpin **3** (murro) jab **4** (calças) crotch
gandaia *nf* **1** *(vadiagem)* idleness **2** *(farra)* living it up ◆ **andar na gandaia** to gad about
ganês *adj,nm* Ghanaian
ganga *nf* **1** (minerais) gangue **2** (tecido) nankeen ◆ **calças de ganga** blue jeans
gânglio *nm* ganglion
gangrena *nf* MED gangrene
gangrenar *v* to gangrene
gângster *nm* gangster
ganha-pão *nm* **1** *col* breadwinner **2** *(subsistência)* livelihood
ganhar *v* **1** *(vencer)* to win **2** *(derrotar)* to beat (a, -) **3** *(adquirir)* to gain **4** (dinheiro) to earn ◆ **ganhei o dia** it made my day
ganho *nm* **1** *(lucro)* gain, profit **2** *pl* (capital) earnings **3** *pl* (jogo) winnings ◆ **ganhos e perdas** profit and loss
ganido *nm* **1** (cão) bark, yelp **2** (pessoa) squeal
ganir *v* **1** (cão) to yelp **2** (pessoa) to squeal
ganso *nm* goose, gander
garagem *nf* garage
garanhão *nm* **1** (cavalo) stallion, sire **2** *fig* (homem) stud
garante *nm* guarantor; guarantee
garantia *nf* **1** (segurança) guarantee **2** warranty; guarantee; **estar na garantia** to be under guarantee
garantir *v* **1** *(afiançar, responsabilizar-se)* to guarantee **2** *(certificar)* to warrant **3** *(assegurar)* to assure; **garanto-te que virão** they'll come, I assure you
garatuja *nf* scrawl, scribble
garatujar *v* to scrawl, to scribble
garça *nf* heron
gardénia *nf* gardenia
gare *nf* (caminhos de ferro) platform
garfo *nm* fork ◆ **ser um bom garfo** to be a hearty eater
gargalhada *nf* burst of laughter, peal of laughter, guffaw; **desatar às gargalhadas** to break into laughter
gargalo *nm* (garrafa) neck
garganta *nf* **1** throat **2** *(desfiladeiro)* gorge **3** *(bazófia)* bluff; **é só garganta!** he's bluffing!
gargantilha *nf* (joia) choker
gargarejar *v* to gargle
gargarejo *nm* **1** (líquido) gargle **2** (ação) gargling
gárgula *nf* gargoyle
garotada *nf* **1** (criançada) kids **2** *(partida)* prank
garoto *nm* **1** kid; boy **2** (bebida) short caffè latte
garra *nf* **1** (animal) claw **2** (ave de rapina) talon **3** *fig (determinação)* guts **4** *pl fig* clutches
garrafa *nf* bottle; **de/em garrafa** bottled
garrafal *adj2g* round, huge; **letras garrafais** round letters
garrafão *nm* flagon, demijohn
garrafa-termo *nf* thermos flask
garrafeira *nf* **1** wine cellar **2** (loja) off-licence
garrido *adj* **1** *(vistoso)* showy **2** *(colorido)* colourful **3** *(alegre)* lively
garrote *nm* **1** MED tourniquet **2** *ant* (tortura) garrotte
garupa *nf* **1** (cavalo) croup, hind quarters **2** (moto) back seat ◆ **ir na garupa do cavalo** to ride pillion
gás *nm* **1** gas; **fuga de gás** gas leak **2** *pl* MED wind; **ter gases** to be troubled with wind ◆ **gás lacrimogéneo** tear gas; **a meio gás** slowly; **a todo o gás** at full speed
gasear *v* to gas
gaseificado *adj* (bebidas) carbonated; sparkling
gaseificar *v* **1** QUÍM to gasify **2** (bebidas) to carbonate
gasoduto *nm* gas pipeline
gasóleo *nm* diesel

gasolina *nf* petrol; gasoline ◆ **bomba de gasolina** filling station
gasómetro *nm* gasometer
gasosa *nf* fizzy drink, soda pop
gasoso *adj* **1** QUÍM gaseous **2** (água) sparkling **3** (bebida) fizzy ◆ **água gasosa** tonic water
gáspea *nf* vamp
gastador *nm* spendthrift; spender
gastar *v* **1** (dinheiro, tempo) to spend (em, on) **2** (calçado, roupa) to wear out **3** (combustível, energia) to use; to consume **4** *(esgotar)* to use up **5** *(desperdiçar)* to waste ▪ **gastar-se 1** (calçado, roupa) to wear out **2** (bateria, pilha) to run down
gasto *adj* **1** (roupa, sapatos) worn out **2** (tempo, dinheiro) spent **3** (água, eletricidade) used up **4** *(desperdiçado)* wasted ▪ *nm* **1** (água, eletricidade) consumption **2** *(despesa)* expense
gástrico *adj* MED gastric ◆ **úlcera gástrica** gastric ulcer
gastrite *nf* MED gastritis
gastroenterite *nf* MED gastroenteritis
gastronomia *nf* gastronomy
gastronómico *adj* gastronomic
gastrónomo *nm* gastronome, gourmet
Gata-Borralheira *nf* Cinderella
gatafunho *nm* **1** (escrita) scrawl, scribble **2** (desenho) doodle
gatilho *nm* trigger; **apertar o gatilho** to pull the trigger
gatinhar *v* to crawl
gato *nm* **1** cat; (macho) tom-cat **2** *(grampo)* cramp
gatuno *nm* thief
gáudio *nm* pleasure, joy ◆ **para gáudio de** to the great entertainment of
gaulês *adj* Gaulish ▪ *nm* Gaul, Gaulish
gaveta *nf* drawer
gavetão *nm* large drawer
gavião *nm* (ave) sparrowhawk
gaze *nf* gauze
gazela *nf* gazelle
gazeta *nf* newspaper ◆ *col* **fazer gazeta** to play truant
gazua *nf* picklock
geada *nf* frost, hoar-frost, ice
gêiser *nm* GEOL geyser
gel *nm* gel ◆ **gel de banho** bath gel; **gel para o cabelo** hair gel
geladeira *nf* **1** (industrial) icebox **2** *(congelador)* freezer, deep freeze; **geladeira para sorvetes** ice-cream freezer **3** BRAS *(frigorífico)* fridge, refrigerator
gelado *nm* ice cream ▪ *adj (congelado, muito frio)* frozen
gelar *v* **1** *(congelar)* to freeze **2** *(arrefecer muito)* to chill ◆ **o sangue gelou-lhe nas veias** his blood ran cold
gelataria *nf* ice-cream parlour
gelatina *nf* **1** (ingrediente) gelatine **2** (doce) jelly
gelatinoso *adj* gelatinous
geleia *nf* **1** (fruta) jelly; jam **2** (carne) jelly
gélido *adj* **1** (gelo) icy; gelid **2** (geada) frosty **3** *fig* (comportamento) cold; gelid; icy
gelo *nm* ice; **cubo de gelo** ice cube ◆ **quebrar o gelo** to break the ice
gema *nf* **1** (ovo) yolk **2** (pedra preciosa) gem
gemada *nf* (com brandy) egg-flip
gémeo *nm* twin; **gémeos verdadeiros** identical twins; **eles são gémeos** they are twins ▪ *adj* twin; **irmãos gémeos** twin brothers
Gémeos *nmpl* (constelação, signo) Gemini
gemer *v* **1** (som baixo) to moan; to groan (de, with); **gemer de dor** to groan with pain **2** (som agudo) to wail; to howl (de, with)
gemido *nm* **1** (baixo) groan; moan; **soltar um gemido** to groan **2** (agudo) wailing; howl; cry
geminado *adj* **1** (gémeos) geminate, geminated **2** (edifícios) semi-detached; **casas geminadas** semi-detached houses **3** (interligações) linked; **cidades geminadas** linked towns
geminar *v* to geminate; to double
gene *nm* BIOL gene
genealogia *nf* **1** (gerações) genealogy **2** *(linhagem)* genealogy; lineage; pedigree **3** *fig (proveniência)* origin
genealógico *adj* genealogical, genealogic ◆ **árvore genealógica** family tree
genebra *nf* (bebida) gin
general *nm* MIL general; **general de divisão** major general
generalidade *nf* generality; **na generalidade** in general
generalista *adj2g* general-purpose
generalização *nf* **1** (atribuição) generalization; **generalização abusiva** abusive generalization **2** *(vulgarização)* massification; **generalização do uso do telemóvel** massive use of mobile phones
generalizado *adj* **1** (vulgarização) generalized; widespread; **ideia generalizada** generalized

idea **2** (massas) massive; large-scale; **uso generalizado de antidepressivos** massive use of antidepressants
generalizar *v* to generalize ▪ **generalizar-se** to become widespread
generativo *adj* generative
genericamente *adv* generically; in general; as a rule
genérico *adj* generic ▪ *nm* **1** FARM generic drug **2** CIN,TV credits
género *nm* **1** *(tipo)* kind; sort; type **2** LING gender **3** BIOL genus **4** (arte) genre **5** *pl* (artigos) goods
generosidade *nf* **1** (comportamento) generosity **2** *(bondade)* kindness **3** *(altruísmo)* selflessness; unselfishness
generoso *adj* generous
génese *nf* genesis; origin
genética *nf* genetics
geneticista *n2g* geneticist
genético *adj* genetic ♦ **código genético** genetic code
gengibre *nm* ginger
gengiva *nf* gum
gengivite *nf* MED gingivitis
genial *adj2g* **1** brilliant **2** *(fantástico)* splendid; great; **ideia genial** great idea
genica *nf col* energy
génio *nm* **1** (talento) genius **2** *(temperamento)* nature; temper **3** *(espírito)* genie
genital *adj2g* genital; **órgãos genitais** genitals, genitalia
genitivo *adj,nm* LING genitive
genocídio *nm* genocide
genoma *nm* BIOL (genética) genome
genro *nm* son-in-law
gente *nf* **1** (pessoas) people **2** (multidão) crowd **3** *(alguém)* someone, somebody; anyone, anybody; **há gente em casa?** is there anyone at home? **4** *col (nós)* we; you
gentil *adj2g* **1** *(suave)* gentle; mild **2** *(amável)* kind; affable; **é muito gentil da sua parte** that is very kind of you
gentileza *nf* **1** *(suavidade)* gentleness; mildness **2** *(delicadeza)* kindness **3** *(educação)* politeness; urbanity ♦ **é muita gentileza da sua parte** that is very kind of you; *form* **por gentileza...** I beg your pardon...
gentil-homem *nm* **1** (fidalgo) gentleman **2** (nobreza) nobleman
gentílico *adj* (não judeu) gentile
genuflectir *a nova grafia é* **genufletir**[AO]
genufletir[AO] *v* to genuflect; to kneel down
genuflexão *nf* genuflexion
genuíno *adj* **1** *(real)* genuine; authentic **2** *(verdadeiro)* genuine; sincere; **sentimentos genuínos** sincere feelings
geocêntrico *adj* geocentric; **teoria geocêntrica** geocentric theory
geofísica *nf* geophysics
geofísico *adj* geophysical ▪ *nm* geophysicist ♦ **engenharia geofísica** geophysical engineering
geografia *nf* geography
geográfico *adj* geographical
geógrafo *nm* geographer
geologia *nf* geology
geológico *adj* geological
geólogo *nm* geologist
geometria *nf* geometry ♦ **geometria analítica** analytic geometry; **geometria descritiva** descriptive geometry
geométrico *adj* geometric; geometrical
geopolítica *nf* geopolitics
geopolítico *adj* geopolitical
Geórgia *nf* Georgia
georgiano *adj,nm* Georgian
geração *nf* **1** generation; **a última geração** the last generation **2** *(formação)* formation; creation ♦ **de última geração** high-end
gerador *adj* generative ▪ *nm* **1** (eletricidade) generator **2** *(criador)* breeder **3** *(pai)* progenitor
geral *adj2g* **1** (abrangência) general; **cultura geral** general knowledge **2** (acesso) common; public; **é de domínio geral que...** it is common knowledge that... ▪ *nf* TEAT gallery ♦ **de um modo geral** on the whole; **em geral** in general
geralmente *adv* in general; usually; **geralmente vêm juntos** they usually come together
gerânio *nm* geranium
gerar *v* **1** (filhos) to conceive **2** to generate; **gerar calor** to generate heat ▪ **gerar-se** *(surgir)* to come about; to happen
gerência *nf* **1** (corpo diretivo) management; board of directors **2** (processo) management
gerente *n2g* manager ▪ *adj2g* managing ♦ **gerente de banco** bank manager; **sócio gerente** managing partner
geriatra *n2g* geriatrician

geriatria *nf* MED geriatrics
geringonça *nf col* (objeto) contraption; gadget; **para que serve esta geringonça?** what's this gadget for?
gerir *v* to run; to manage
germânico *adj* Germanic; **cultura germânica** Germanic culture; **estudos germânicos** German studies
germânio *nm* germanium
germe *nm* germ; **em germe** in germ
gérmen *nm* **1** BIOL germ **2** BIOL *(embrião)* germ; embryo **3** *fig* (ideias) origin; germ; source
germicida *nm* germicide ▪ *adj* germ-killing; **substâncias germicidas** germ-killing substances
germinação *nf* (plantas, ideias) germination
germinar *v* to germinate
gerúndio *nm* LING gerund
gesso *nm* **1** (arte) plaster; gesso **2** MED (material) plaster of Paris; gypsum **3** MED plaster cast
gestação *nf* **1** *(gravidez)* gestation; pregnancy **2** *fig (desenvolvimento)* gestation; formation; development
gestão *nf* **1** (departamento) management **2** (direção) administration
gesticulação *nf* gesticulation; gesturing
gesticular *v* to gesticulate; to gesture
gesto *nm* gesture
gestor *nm* **1** (departamento) manager **2** (direção) director ♦ **gestor de conta** account executive
gestual *adj2g* using gestures ♦ **linguagem gestual** sign language
giesta *nf* broom
giga *nf* flat wicker basket
gigabyte *nm* INFORM gigabyte
gigante *adj2g* gigantic; huge ▪ *nm* giant
gigantesco *adj* gigantic; huge
gigawatt *nm* gigawatt
gila *nf* BOT,CUL squash, gourd
gilete *nf* razor
gim *nm* gin; **gim tónico** gin and tonic
gimnodesportivo *adj* sporting ♦ **pavilhão gimnodesportivo** sports centre; sports complex
gin *nm* (bebida) gin
ginásio *nm* gymnasium; gym *col*
ginasta *n2g* gymnast
ginástica *nf* DESP gymnastics; **aula de ginástica** gym lesson ♦ **ginástica de manutenção** keep-fit
gincana *nf* gymkhana
ginecologia *nf* gynaecology
ginecológico *adj* gynaecological
ginecologista *n2g* gynaecologist
gingão *nm* **1** (vaidoso) strutter; waddler **2** (trapalhão) swaggerer **3** *fig,pej (desordeiro)* bully
gingar *v* (tornear as ancas) to swing; to waddle; **gingar as ancas** to swing the hips
ginger ale *nm* (bebida) ginger ale
ginja *nf* morello cherry
ginjeira *nf* morello tree ♦ **conhecer alguém de ginjeira** to know someone inside out
ginjinha *nf* cherry brandy
gira-discos *nm* record player
girafa *nf* giraffe
girar *v* **1** to turn round; **girar o volante** to turn the wheel round **2** (volta completa) to revolve; **a Terra gira em volta do sol** the Earth revolves around the sun **3** *(rodar)* to rotate **4** (em velocidade) to spin **5** (conversa, debate) to revolve (em torno de, around)
girassol *nm* sunflower
giratório *adj* gyratory ♦ **cadeira giratória** swivel chair, revolving chair; **porta giratória** revolving door
gíria *nf* (linguagem técnica) jargon; argot; **a gíria dos médicos** medical jargon
girino *nm* tadpole
giro *adj col* (pessoas, objetos) cute; **é tão giro!** it's so cute! ▪ *nm* **1** *(volta)* rotation **2** *(ronda)* circuit; beat; **fazer o giro** to be on one's beat **3** *col (passeio)* stroll
giz *nm* chalk; **pau de giz** piece of chalk
glacial *adj2g* **1** glacial **2** *(gelado)* frozen **3** *fig* (comportamento) glacial; icy; cold
glaciar *nm* GEOL glacier
gladiador *nm* HIST gladiator
gladíolo *nm* gladiolus
glamoroso *adj* glamorous
glamour *nm* glamour
glande *nf* **1** ANAT glans **2** BOT acorn
glândula *nf* gland
glandular *adj2g* glandular
glaucoma *nm* MED glaucoma
glicerina *nf* glycerin
glicínia *nf* wistaria
glicose *nf* BIOL,QUÍM glucose

global *adj2g* **1** *(mundial)* global **2** *(genérico)* general ♦ **quantia global** lump sum; **no global** on the whole
globalidade *nf* generality; **a globalidade das pessoas** people in general
globalização *nf* POL,ECON globalization
globalmente *adv* in general; on the whole
globo *nm* **1** (mundo) globe, world **2** (objeto) globe **3** *(esfera)* sphere
glóbulo *nm* (sangue) corpuscle; blood cell ♦ **glóbulos brancos** white corpuscles; **glóbulos vermelhos** red corpuscles
glória *nf* glory; triumph
glorificação *nf* glorification (de, of); praise (de, of)
glorificar *v* to glorify
glorioso *adj* **1** *(ilustre)* glorious; famous **2** *(estupendo)* glorious; wonderful **3** *(celestial)* glorious; heavenly
glossário *nm* glossary
glote *nf* glottis
glucose *nf* BIOL,QUÍM glucose
glutão *nm* glutton ▪ *adj* gluttonous; voracious
glúten *nm* gluten
gnomo *nm* gnome
gnu *nm* gnu
godé *nm* ART pot ♦ **saia de godé** flared skirt
godo *nm* (pedra) pebble
goela *nf col* pipes; goozle; throat ♦ *col* **molhar a goela** to wet one's whistle
gofre *nm* waffle
goiaba *nf* guava
goiabada *nf* guava jam
goivo *nm* wallflower
gola *nf* (roupa) collar; **gola alta** polo neck
golada *nf* gulp; swig; **beber de uma golada** to drink in one gulp
gole *nm* **1** *(pequena quantidade)* sip; **bebe um gole** have a sip **2** *(golada de líquido)* gulp; swig; **de um só gole** in one gulp
goleada *nf* DESP high score
goleador *nm* DESP scorer
golfe *nm* DESP golf ♦ **campo de golfe** golf course; **jogador de golfe** golfer
golfinho *nm* dolphin
golfo *nm* gulf
golo *nm* goal; **defender um golo certo** to save the goal; **marcar um golo** to score
golpe *nm* **1** *(corte)* cut **2** *(pancada, abalo)* blow **3** *(lance)* stroke; **golpe de sorte** stroke of luck **4** POL coup; **golpe militar** military coup
golpear *v* **1** *(cortar)* to cut; to slash **2** *fig (ferir)* to hurt; to wound
goma *nf* **1** (guloseima) gum, gumdrop **2** *(cola)* glue **3** (para linho) starch
gomo *nm* **1** (planta) bud; **uma árvore em gomos** a tree in bud **2** (fruto) segment; **gomo de laranja** orange segment
gôndola *nf* gondola
gondoleiro *nm* gondolier
gongo *nm* gong
gonorreia *nf* MED gonorrhoea
gonzo *nm* hinge; **estar fora dos gonzos** to be off the hinges
gorar *v* **1** to frustrate; to thwart **2** to fail
goraz *nm* sea bream
gordo *adj* **1** (excesso de peso) fat; overweight **2** (alimento) fatty ♦ *col* **nunca o vi mais gordo** I don't know him from Adam
gorducho *adj* plump; chubby
gordura *nf* **1** (alimentos) fat **2** *(óleo)* grease; **nódoa de gordura** grease spot **3** (pessoa) fatness
gorduroso *adj* **1** (óleo) greasy; oily **2** *(gordo)* fat
gorgulho *nm* weevil
gorila *nm* gorilla
gorjeta *nf* tip; **dar uma gorjeta** to give a tip, to tip
gorro *nm* round cap; cap
gostar *v* **1** to like (de, -); **gostar de chocolate** to like chocolate **2** *(apreciar)* to enjoy (de, -); **gostaste da viagem?** did you enjoy your trip?
gosto *nm* taste; **bom gosto** good taste ♦ **a teu gosto** as you please; **gostos não se discutem** there is no accounting for tastes
gostoso *adj* **1** *(saboroso)* tasty **2** *(agradável)* pleasant; agreeable
gota *nf* **1** (líquido, medicamento) drop **2** MED gout
goteira *nf* **1** *(caleira)* gutter; trough **2** (fenda) leak
gotejar *v* to drip
gótico *adj,nm* (arte) Gothic; **estilo gótico** Gothic style
gotícula *nf* droplet
goto *nm pop* windpipe ♦ **cair no goto** to take one's fancy

governação *nf* **1** (comandar) governing; ruling; **a governação de um país** the ruling of a country **2** (gerir) management; direction
governador *nm* POL governor
governador-geral *nm* Governor-General
governamental *adj2g* governmental ♦ **decisão governamental** government decision
governanta *nf* (criada) governess
governante *adj2g* governing ▪ *n2g* leader; ruler
governar *v* **1** (país) to govern **2** *(administrar)* to manage **3** *(chefiar)* to be in charge of ▪ **governar-se 1** *(orientar-se)* to be guided (por, by) **2** *col (arranjar-se)* to manage
governo *nm* **1** government; **membros do governo** the Cabinet **2** (gestão) administration; management
governo-sombra *nm* POL shadow cabinet
gozar *v* **1** *(troçar)* to make fun (com, of) **2** *(brincar)* to kid; to joke; **deves estar a gozar** you must be kidding **3** *(desfrutar, usufruir)* to enjoy (de, -)
gozo *nm* **1** *(prazer)* pleasure; satisfaction; joy **2** *(troça)* fun; *col* **ele está no gozo** he is just kidding **3** *(posse)* possession; enjoyment
GPS *nm* [*abrev. de* Global Positioning System]
graal *nm* grail ♦ **o Santo Graal** the Holy Grail
Grã-Bretanha *nf* Great Britain; Britain
graça *nf* **1** *(piada)* crack; joke **2** *(graciosidade)* grace; elegance ♦ **graças a** thanks to; **de graça** for free
gracejar *v* **1** (piadas) to jest; to joke; to make jokes **2** (pequenas provocações) to banter (sobre, about); **gracejar sobre o acontecido** to banter about what happened
gracejo *nm* **1** *(dito espirituoso)* jest; witticism **2** *(piada)* joke; crack
gracioso *adj* **1** *(elegante)* gracious; graceful; elegant **2** *(delgado)* slender; slim
graçola *nf pej* stupid joke; wisecrack; jive
gradação *nf* gradation; **gradações de cor** colour gradations
grade *nf* **1** (janela, porta) grille **2** (vedação) bar **3** (para garrafas) crate ♦ **atrás das grades** behind bars
gradeado *nm* ⇒ **gradeamento**
gradeamento *nm* railing
grado *nm* **1** (gosto) liking; **não é do meu grado** I don't like it **2** (vontade) will; **de bom grado** gladly, willingly; **de mau grado** unwillingly **3** GEOM grade
graduação *nf* **1** *(medida em graus)* graduation **2** MIL grade; rank
graduado *adj* graduated; graduate ▪ *nm* graduate ♦ **frasco graduado** graduated flask; **óculos graduados** prescription glasses
gradual *adj2g* gradual; progressive
gradualmente *adv* bit by bit; little by little
graduar *v* **1** *(ordenar)* to grade; to rank **2** *(regular)* to regulate **3** (termómetro, recipiente) to graduate
grã-duquesa *nf* grand duchess
grafar *v* **1** *(escrever)* to write down **2** *(ortografar)* to spell
graffiti *nm* graffiti; **uma parede cheia de graffiti** a wall filled with graffiti
grafia *nf* **1** *(ortografia)* spelling **2** *(caligrafia)* handwriting
gráfica *nf* (empresa) printing firm
gráfico *adj* graphic; **design gráfico** graphic design ▪ *nm* graph; chart
grafismo *nm* graphics
grafite *nf* graphite
grafologia *nf* graphology
grafólogo *nm* graphologist
grafonola *nf* gramophone
grageia *nf* FARM coated pill
grainha *nf* pip
gralha *nf* **1** (ave) rook **2** (escrita) misprint; spelling mistake **3** *col* (pessoa) chatterbox
grama *nm* (medida de peso) gram, gramme EUA ▪ *nf* BRAS *(relva)* grass
gramar *v* **1** *pop (gostar)* to be keen on; **não gramar alguém** not to be wild about someone **2** *pop (aturar)* to put up with
gramática *nf* **1** (ciência) grammar **2** (livro) grammar book, grammar; **gramática de Inglês** English grammar
gramatical *adj2g* grammatical; **regras gramaticais** grammatical rules
gramático *nm* grammarian
gramínea *nf* grass
gramofone *nm* gramophone
grampo *nm* **1** (para colar madeiras) clamp **2** (para unir blocos) cramp
granada *nf* **1** MIL grenade; shell **2** (pedra) garnet **3** (cor) garnet red
granadeiro *nm* MIL grenadier

grande *adj2g* **1** big; great **2** *(espaçoso)* large; roomy **3** *(grandioso)* great; grand **4** *(alto)* tall **5** (quantia) large **6** *(notável)* great ♦ **à grande** in style
grandeza *nf* **1** (tamanho, dimensões) greatness **2** (importância, poder) magnitude **3** *(grandiosidade)* grandeur; magnificence
grandiosidade *nf* **1** (importância) grandiosity; greatness **2** (dimensões) vastness
grandioso *adj* **1** *(imponente)* imposing; grand; impressive **2** *(eminente)* eminent; great **3** (ideias, objetivos) lofty; exalted
granel *nm* **1** *(celeiro)* barn **2** TIP galley proof ♦ **a granel** in bulk; *col* **isso há a granel** there are heaps of it
granítico *adj* granitic; **pedra granítica** granitic stone
granito *nm* granite
granizo *nm* hail
granja *nf* (propriedade) grange
granjear *v* **1** *(conseguir)* to get; to obtain; to acquire **2** *fig* to win; **granjear a amizade de alguém** to win somebody's friendship ♦ **granjear fama** to become famous
granulação *nf* granulation
granulado *adj* **1** (grãos grandes) granulated; **açúcar granulado** granulated sugar **2** (em grão) grainy; granular
granular *adj2g* granular ▪ *v* to granulate
grânulo *nm* granule
grão *nm* **1** (cereais, arroz) grain **2** (café) bean **3** (de poeira, pó) speck ♦ **grão a grão enche a galinha o papo** many a mickle makes a muckle
grão-de-bico *nm* chickpea
grão-ducado *nm* grand duchy
grão-duque *nm* grand duke
grasnar *v* **1** (pato) to quack **2** (corvo, gralha) to caw; to croak
grasnido *nm* **1** (patos) quack **2** (gralhas, corvos) caw; croak **3** (pássaros assustados) squawk
grassar *v* to spread; to disseminate
gratidão *nf* gratitude (por, for); thankfulness (por, for)
gratificação *nf* **1** (extra) bonus **2** *(gorjeta)* tip; gratuity **3** *(recompensa)* reward
gratificante *adj2g* gratifying; rewarding; **um trabalho gratificante** a gratifying job
gratificar *v* **1** *(recompensar)* to reward **2** *(agradar)* to gratify; to please **3** *(dar gorjeta)* to tip
gratinado *adj* au gratin ▪ *nm* gratin
gratinar *v* to gratinate
grátis *adv* free
grato *adj* grateful; thankful
gratuito *adj* **1** (preço) free **2** *(injustificado)* gratuitous
grau *nm* **1** degree; **grau centígrado** degree Celsius; **grau comparativo** comparative degree **2** *(nível)* level; **grau de dificuldade** level of difficulty
graúdo *adj* **1** (pessoas, animais, coisas) big; great; large **2** (pessoa) grown-up
gravação *nf* **1** (som, imagem) recording; **gravação de vídeo** VCR recording **2** (metal, madeira, pedra) engraving
gravador *nm* **1** (pessoa) engraver **2** (som, imagem) recorder ♦ **gravador de cassetes** tape recorder; **gravador de vídeo** VCR
gravar *v* **1** to record; (em fita) to tape; (no computador) to burn **2** INFORM to save (em, in) **3** (pedra, madeira) to engrave; to carve **4** (memória) to stamp
gravata *nf* tie, necktie
grave *adj2g* **1** serious; **acidente grave** serious accident; **uma questão grave** a serious issue **2** (som) low **3** (voz) deep **4** (acento) grave; (palavra) paroxytone
gravemente *adv* seriously; badly
graveto *nm* **1** *(ramo)* twig **2** *fig,pop (dinheiro)* dough; beans; money
grávida *nf* pregnant woman
gravidade *nf* gravity
gravidez *nf* pregnancy ♦ **gravidez indesejada** unwanted pregnancy; **teste de gravidez** pregnancy test
gravilha *nf* gravel
gravitação *nf* FÍS gravitation
gravitar *v* to gravitate
gravoso *adj* **1** *(muito sério)* grievous; serious **2** (gravidade) aggravating; **circunstâncias gravosas** aggravating circumstances
gravura *nf* **1** (pedra, madeira, metal) engraving **2** (livro) picture; illustration ♦ **gravura rupestre** rock engraving
graxa *nf* **1** (sapatos) shoe polish **2** *fig,col* butter; flattery ♦ **dar graxa a alguém** to butter someone up
graxista *n2g col* toady; crawler
Grécia *nf* Greece ♦ **Grécia Antiga** Ancient Greece

gregário *adj* gregarious; **animais gregários** gregarious animals
grego *adj,nm* Greek; **filósofos gregos** Greek philosophers ◆ **agradar a gregos e a troianos** to please everybody; **ver-se grego para fazer alguma coisa** to find it hard to do something
gregoriano *adj* Gregorian; **canto gregoriano** Gregorian chant, plainsong
grelar *v* to sprout
grelha *nf* **1** (para cozinhar) barbecue; grill **2** *(grade)* grille **3** *(tabela)* chart **4** TV programmesGB, programsEUA
grelhado *adj* grilledGB, broiledEUA ▪ *nm* grill
grelhador *nm* grill
grelhar *v* to grill
grelo *nm* **1** *(rebento)* sprout **2** (nabos) turnip shoot **3** (couve) cabbage shoot
grémio *nm* **1** *(corporação)* guild; union **2** *(associação)* club; society; association
grená *nm,adj2g* (cor) garnet
grés *nm* (obras) sandstone
greta *nf* **1** *(fenda)* crack **2** (pele, lábios) chap
gretar *v* **1** (ferida) to slit **2** (racha) to crack
greve *nf* strike; **convocar uma greve** to call a strike; **fazer greve** to go on strike ◆ **greve de fome** hunger strike; **greve geral** general strike
grevista *n2g* striker
grilhão *nm* **1** *(cordão de ouro)* gold chain **2** *pl (algemas)* fetters
grilheta *nf (correntes)* fetter; shackle
grilo *nm* cricket
grinalda *nf* garland; wreath
gringo *nm pej,col* gringo
gripar *v* **1** (doença) to catch flu **2** (motor) to seize up; to jam
gripe *nf* flu; influenza
grisalho *adj* **1** (cor) greyish; grey **2** (pessoa) grey-haired; **cabelo grisalho** grey hair
gritante *adj2g (chocante)* shocking; appaling
gritar *v* **1** (falar alto) to shout **2** (de medo, entusiasmo, dor) to scream; to yell
gritaria *nf* shouting; screaming
grito *nm* shout; cry; yell; (agudo) scream
grogue *nm* (bebida) grog ▪ *adj2g col (bêbedo)* drunk; tipsy; **ele está grogue!** he's drunk!
gronelandês *adj,nm* Greenlander
Gronelândia *nf* Greenland
grosa *nf* **1** *(doze dúzias)* gross **2** *(lima)* wood rasp
groselha *nf* **1** (fruto) gooseberry **2** (sumo) gooseberry juice
grosseirão *nm* brute; boor
grosseiro *adj* **1** *(indelicado)* rude; (linguagem) crude **2** (material, objeto) coarse **3** *(não exato)* rough **4** (erro, injustiça) glaring
grosseria *nf* **1** coarseness **2** *(desrespeito)* rudeness; disrespect **3** *(palavrão)* rude word
grossista *n2g* wholesaler, wholesale dealer
grosso *adj* **1** (espessura) thick **2** (voz) deep **3** *(rude)* rude ▪ *nm (maior parte)* bulk ◆ **a/por grosso** wholesale
grossura *nf* **1** *(espessura)* thickness; **dois metros de grossura** two metres thick **2** *(tamanho)* size **3** (dimensões) bigness; largeness
grotesco *adj pej (aberrante)* grotesque; hideous ▪ *nm* grotesque
grua *nf* **1** *(guindaste)* crane **2** (barcos, poços de petróleo) derrick
grudar *v (colar)* to glue; to stick
grude *nm* **1** *(cola)* glue **2** *(pasta)* paste
grumo *nm* **1** (sólidos) lump **2** (líquido) clot
grunhido *nm* grunt; **o grunhido de um porco** a pig's grunt
grunhir *v* **1** (porco) to grunt **2** *fig (resmungar)* to grumble; to moan
grupo *nm* **1** group **2** *(banda)* band; **um grupo de rock** a rock band
gruta *nf* GEOL cave; cavern
guache *nm* ART gouache
guarda *nf* **1** guard **2** (de menores) custody **3** *(cuidado)* care ▪ *n2g (polícia)* officer
guarda-chuva *nm* umbrella; **fechar o guarda-chuva** to put your umbrella down
guarda-costas *n2g* bodyguard
guarda-fatos *nm* wardrobe
guarda-fiscal *n2g* **1** (fronteira) customs officer **2** *(guarda costeiro)* coastguard
guarda-florestal *n2g* forester; forest ranger
guarda-fogo *nm* fireguard
guarda-joias[AO] *nm2n* jewel case, jewel box
guarda-jóias *a nova grafia é* **guarda-joias**[AO]
guarda-lamas *nm2n* mudguardGB; fenderEUA
guarda-linha *n2g* line guard; line keeper
guarda-livros *n2g2n* book-keeper; accountant
guardanapo *nm* napkin; serviette

guarda-nocturno *a nova grafia é* **guarda-noturno**[AO]
guarda-noturno[AO] *nm* night watchman
guardar *v* **1** *(manter)* to keep; **guardar um segredo** to keep a secret **2** *(vigiar)* to guard; to watch **3** *(proteger)* to protect; to shelter **4** (dinheiro) to put away; to save up
guarda-redes *n2g2n* DESP goalkeeper; keeper
guarda-roupa *nm* (móvel, departamento) wardrobe
guarda-sol *nm* parasol; sunshade
guarda-vento *nm* windbreak
guarda-vestidos *nm* wardrobe
guardião *nm* guardian
guarida *nf* **1** *(covil)* den **2** *(proteção)* shelter (a, to); **dar guarida a alguém** to give shelter to someone
guarita *nf* sentry box
guarnecer *v* **1** *(adornar)* to garnish; to adorn **2** *(fornecer)* to furnish; to provide with **3** MIL to fortify; to garrison; to man
guarnecimento *nm* **1** *(adorno)* garnishing **2** *(fornecimento)* furnishing **3** MIL garrison
guarnição *nf* **1** (tropas) garrison **2** CUL garnish
Guatemala *nf* Guatemala
guatemalteco *adj,nm* Guatemalan
guelra *nf* gill ♦ **ter sangue na guelra** to be full of zest
guerra *nf* war; **declarar guerra a** to declare war on; **estar em guerra com** to be at war with
guerrear *v* **1** (guerra) to make war **2** *(lutar)* to fight; to struggle
guerreiro *nm* warrior ▪ *adj* warlike
guerrilha *nf* guerilla warfare
guerrilheiro *nm* guerilla fighter
gueto *nm* ghetto
guia *n2g* **1** guide, leader **2** (turismo) tour leader ▪ *nm* guidebook
guiador *nm* steering wheel
guianês *adj,nm* **1** (Guiana Francesa) Guianese **2** (Guiana) Guyanese
guião *nm* CIN script
guiar *v* **1** (carro) to drive; (bicicleta) to ride **2** *(orientar, encaminhar)* to guide ▪ **guiar-se** *(orientar-se)* to find one's way (por, by)
guiché *nm* **1** (balcão fechado) window; ticket window **2** (balcão de atendimento) desk; counter; **guiché de informações** information desk
guilhotina *nf* **1** (executar pessoas) guillotine **2** (cortar papel) paper-cutter; guillotine
guinada *nf* **1** *(desvio)* swerve; **dar uma guinada** to swerve **2** (de navio) yaw **3** (dor) stab
guinar *v* **1** (automóvel) to swerve; to veer **2** (barco, avião) to yaw; to pitch
guinchar *v* **1** (som agudo) to squeal **2** (grito ou riso agudo) to shriek; to screech
guincho *nm* **1** squeal, shriek; **o guincho dos travões** the squeal of brakes **2** (máquina) winch
guindaste *nm* crane
Guiné-Bissau *nf* Guinea-Bissau
guineense *adj,n2g* Guinean
Guiné Equatorial *nf* Equatorial Guinea
guionista *n2g* CIN,TV scriptwriter
guisado *adj* stewed ▪ *nm* stew
guisar *v* to stew
guita *nf* **1** *(fio)* string **2** *col (dinheiro)* dough, cash; **ele está cheio de guita** he is loaded
guitarra *nf* MÚS guitar; **tocar guitarra** to play the guitar ♦ **guitarra elétrica** electric guitar
guitarrista *n2g* guitar player, guitarist
guizo *nm* **1** (para bebés) rattle **2** *(sininho)* little bell
gula *nf* gluttony
gulodice *nf* **1** *(rebuçado)* candy **2** *(sobremesa)* sweet; afters **3** *(gula)* gluttony
guloseima *nf* **1** *(rebuçado)* candy **2** *(doce)* goody; treat **3** (algo apetitoso) delicacy; titbit
guloso *adj* **1** *(voraz)* greedy **2** *(comilão)* gluttonous; **ser guloso** to have a sweet tooth ▪ *nm* sweet tooth
gume *nm* edge; **gume de uma faca** edge of a knife ♦ **espada de dois gumes** two-edged sword
guru *nm* guru
gustação *nf* **1** (ato de provar) gustation **2** *(sabor)* tasting
gustativo *adj* gustatory; **células gustativas** gustatory cells
gutural *adj2g* guttural; harsh; **som gutural** guttural sound

H

h *nm* (letra) h
hábil *adj2g* **1** *(capaz)* skilful; handy **2** *(astuto)* clever; ingenious
habilidade *nf* **1** *(aptidão)* skill **2** *(perspicácia)* cleverness; smartness **3** *pl (truques)* tricks ◆ **ter habilidade para** to be good at
habilidoso *adj* skilful; handy ▪ *nm* handyman; jack-of-all-trades
habilitação *nf* **1** *(capacidade)* ability; capacity **2** DIR entitlement **3** *pl (qualificações)* qualifications; **habilitações literárias** academic qualifications; **que habilitações tem?** what are your qualifications?
habilitado *adj* **1** *(que possui habilitações)* qualified **2** *(apto)* able; fit; capable
habilitar *v* **1** *(qualificar)* to qualify (a, to) **2** *(dar o direito)* to entitle (a, to) **3** *(permitir)* to enable ▪ **habilitar-se 1** *(adquirir o direito)* to qualify **2** to apply (a, for) **3** *(arriscar-se)* to risk
habilmente *adv* **1** *(com habilidade)* skilfully **2** *(com perspicácia)* cleverly; cunningly
habitação *nf* **1** *(moradia)* residence; dwelling; house **2** (ato de habitar) habitation; occupation
habitacional *adj2g* dwelling; housing; **problema habitacional** the housing problem
habitáculo *nm* (automóvel) cabin; safety cell
habitante *n2g* **1** (país, povoação) inhabitant **2** (local, casa) dweller; resident
habitar *v* to live (em, in)
habitat *nm* habitat; **habitat natural** natural habitat
habitável *adj2g* habitable
hábito *nm* habit ◆ (provérbio) **o hábito não faz o monge** clothes don't make the man
habituação *nf* **1** *(hábito)* growing habit; habituation **2** *(vício)* addiction; **a nicotina causa habituação** nicotine causes addiction
habituado *adj* used (a, to)
habitual *adj2g* **1** (hábito) usual; habitual; customary **2** *(frequente)* frequent; usual; regular ◆ **como é habitual** as usual; as always
habitualmente *adv* **1** (hábito) usually; as a habit **2** (frequência) frequently; often
habituar *v* to get (somebody) used (a, to) ▪ **habituar-se** to get used (a, to)
háfnio *nm* hafnium
Haiti *nm* Haiti
hálito *nm* breath ◆ **mau hálito** halitosis; bad breath
halo *nm* halo; aureole
halogéneo *nm* QUÍM halogen ◆ **lâmpada de halogéneo** halogen electric bulb
haltere *nm* DESP dumb-bell
halterofilia *nf* DESP weightlifting
halterofilista *n2g* DESP weightlifter
hambúrguer *nm* hamburger
hamster *nm* hamster
hangar *nm* AER hangar
haraquíri *nm* hara-kiri
hardware *nm* INFORM hardware
harém *nm* harem
harmonia *nf* (geral) harmony ◆ **em harmonia com** in harmony with
harmónica *nf* MÚS harmonica, mouth organ
harmónico *adj* harmonic
harmónio *nm* MÚS harmonium; reed organ
harmonioso *adj* **1** *(melodioso)* harmonious; tuneful; melodious **2** *(proporcionado)* harmonious; well-proportioned
harmonização *nf* harmonization
harmonizar(-se) *v* to harmonize
harpa *nf* MÚS harp
harpista *n2g* harper, harpist
hássio *nm* hassium
hasta *nf (leilão)* auction ◆ **vender em hasta pública** to sell by public auction
haste *nf* **1** (bandeira) pole; staff **2** (de óculos) arm **3** (ramo) stem; (talo) stalk **4** (veado) antler
hastear *v* (bandeira, etc.) to hoist; to run up
Havai *nm* Hawaii
havano *nm* (charuto) Havana, Havana cigar
haver *v* **1** *(existir)* there to be; **há** there is, there are; **há aqui algo de estranho** there is something wrong here **2** *(acontecer)* to happen; **que é que houve?** what happened? ▪ *nm* **1** credit **2** *pl (bens)* possessions ◆ **há**

muito tempo a long time ago; **há pouco tempo** recently; **haja o que houver** come what may
haxixe *nm* (droga) hashish; hash *col*; pot *col*
heavy metal *nm* MÚS heavy metal
hebraico *adj* Hebraic, Hebrew ■ *nm* (língua) Hebrew
hebreu *adj,nm* Hebrew
hecatombe *nf* disaster; catastrophe
hectare *nm* (medida) hectare
hectograma *nm* hectogram, hectogramme GB
hectolitro *nm* (medida) hectolitre
hediondo *adj* **1** *(horroroso)* hideous; ghastly; awful **2** *(malvado)* mean; nasty **3** *(assustador)* frightful; appalling; shocking
hedonismo *nm* hedonism
hedonista *adj2g* hedonistic ■ *n2g* hedonist
hegemonia *nf* hegemony
helénico *adj* Hellenic
hélice *nf* **1** (avião, barco) propeller; **pá de hélice** propeller blade **2** (helicóptero) rotor blade **3** *(espiral)* spiral; coil
helicóptero *nm* AER helicopter; chopper *col* ♦ MIL **helicóptero de combate** helicopter gunship
hélio *nm* helium
heliocêntrico *adj* heliocentric ♦ ASTRON **teoria heliocêntrica** heliocentric theory
heliporto *nm* AER heliport
hem *interj* eh?; what?; hey!
hematologia *nf* BIOL,MED haematology
hematoma *nm* MED haematoma
hemiciclo *nm* **1** (meio círculo) hemicycle; semicircle **2** (parlamento) floor
hemisfério *nm* hemisphere
hemodiálise *nf* MED haemodialysis
hemofilia *nf* MED haemophilia
hemofílico *adj,nm* haemophiliac
hemoglobina *nf* BIOL haemoglobin
hemorragia *nf* MED haemorrhage; **hemorragia cerebral** cerebral haemorrhage; **hemorragia nasal** nasal haemorrhage
hemorroidas[AO] *nfpl* MED haemorrhoids; piles *col*
hemorróidas *a nova grafia é* **hemorroidas**[AO]
hepático *adj* hepatic; **doença hepática** hepatic illness
hepatite *nf* MED hepatitis
hera *nf* ivy
heráldica *nf* heraldry
heráldico *adj* heraldic
herança *nf* **1** (bens, dinheiro) inheritance; heritage **2** BIOL (genética) heredity **3** *(legado)* legacy; bequest
herbicida *nm* weedkiller; herbicide
herbívoro *adj* herbivorous ■ *nm* herbivore
herdade *nf* **1** *(quinta)* farm **2** *(propriedade)* estate; property
herdar *v* to inherit (de, from)
herdeiro *nm* heir (to, de); **herdeiro do trono** heir to the throne
hereditariedade *nf* heredity
hereditário *adj* hereditary; **doença hereditária** hereditary illness; **título hereditário** hereditary title
herege *adj2g* heretical ■ *n2g* heretic
heresia *nf* **1** heresy **2** *fig (disparate)* nonsense
hermafrodita *adj,n2g* hermaphrodite
hermenêutica *nf* hermeneutics
hermético *adj* **1** (objeto) hermetic; air-tight **2** (texto) hermetic
hérnia *nf* MED hernia; rupture
herói *nm* **1** (livro, filme) hero **2** (feito) hero; braveman **3** *(ídolo)* hero; idol
heroico[AO] *adj* heroic; brave; **feitos heroicos** heroic deeds
heróico *a nova grafia é* **heroico**[AO]
heroína *nf* (droga) heroin
heroísmo *nm* heroism; bravery; **um ato de heroísmo** an act of heroism
herpes *nm2n* MED herpes; **herpes labial** cold sore, oral herpes
hesitação *nf* hesitation ♦ **sem a mínima hesitação** without the slightest hesitation
hesitante *adj2g* hesitant (em, to)
hesitar *v* **1** (incerteza) to hesitate (em, to); **não hesite em perguntar** don't hesitate to ask **2** (indecisão) to waver (entre, between); to hesitate (entre, between) ♦ **sem hesitar** without flinching
heterodoxo *adj* heterodox; unorthodox ■ *nm* heterodox person
heterogeneidade *nf* heterogeneity
heterogéneo *adj* heterogeneous
heterónimo *nm* LIT heteronym
heterossexual *adj,n2g* heterosexual
heterossexualidade *nf* heterosexuality
hexágono *nm* GEOM hexagon
hiato *nm* hiatus; **um hiato no tempo** a hiatus in time
hibernação *nf* hibernation

hibernar *v* to hibernate
híbrido *adj* **1** (ser vivo) hybrid; cross-bred **2** (substância) composite; hybrid ▪ *nm* BIOL hybrid; cross
hidrângea *nf* hydrangea
hidratação *nf* **1** hydration **2** (pele) moisturizing
hidratante *adj2g* moisturizing ▪ *nm* moisturizing cream
hidratar *v* **1** to hydrate **2** (pele) to moisturize
hidrato *nm* QUÍM hydrate; **hidrato de carbono** carbohydrate
hidráulica *nf* hydraulics
hidráulico *adj* hydraulic; **sistema hidráulico** hydraulic system
hidroavião *nm* AER seaplane; hydroplane
hidrodinâmica *nf* MED hydrodynamics
hidroeléctrico *a nova grafia é* **hidroelétrico**[AO]
hidroelétrico[AO] *adj* hydroelectric; **central hidroelétrica** hydroelectric station
hidrófilo *adj* **1** hydrophilic **2** *(absorvente)* absorbent; **algodão hidrófilo** cotton wool GB, absorbent cotton EUA
hidrofobia *nf* hydrophobia
hidrófobo *adj* hydrophobic ▪ *nm* hydrophobic person
hidrófugo *adj* waterproof
hidrogénio *nm* hydrogen
hidroginástica *nf* DESP aquarobics
hidrográfico *adj* hydrographic; **bacia hidrográfica** watershed
hidrólise *nf* QUÍM hydrolysis
hidrologia *nf* hydrology
hidroplano *nm* ⇒ **hidroavião**
hidroterapia *nf* MED hydrotherapy
hidróxido *nm* QUÍM hydroxide
hiena *nf* hyena
hierarquia *nf* hierarchy
hierárquico *adj* hierarchical
hierarquizar *v* to hierarchize
hieróglifo *nm* hieroglyph
hífen *nm* hyphen; dash
hifenizar *v* to hyphenate
higiene *nf* hygiene; **higiene oral** mouth hygiene; **higiene pessoal** personal hygiene
higiénico *adj* hygienic ♦ **papel higiénico** toilet paper
higienista *n2g* hygienist
hilariante *adj2g* hilarious ♦ **gás hilariante** laughing gas
hímen *nm* hymen
hindu *adj,n2g* Hindu
hinduísmo *nm* Hinduism
hino *nm* anthem; hymn ♦ **hino nacional** national anthem
hiperactividade *a nova grafia é* **hiperatividade**[AO]
hiperactivo *a nova grafia é* **hiperativo**[AO]
hiperatividade[AO] *nf* hyperactivity
hiperativo[AO] *adj* hyperactive
hipérbato *nm* hyperbaton
hipérbole *nf* hyperbole
hiperbólico *adj* hyperbolic; **estilo hiperbólico** hyperbolic style
hiperespaço *nm* hyperspace
hiperligação *nf* INFORM hyperlink
hipermercado *nm* hypermarket
hipersensibilidade *nf* hypersensitivity (a, to); **hipersensibilidade à luz** hypersensitivity to light
hipersensível *adj2g* hypersensitive
hipertensão *nf* MED hypertension
hipertenso *adj* hypertensive ▪ *nm* MED hypertensive person
hipertexto *nm* INFORM hypertext
hipertrofia *nf* MED hypertrophy
hípico *adj* equestrian ♦ DESP **concurso hípico** equestrian event; DESP **concurso hípico de saltos** show jumping competition
hipismo *nm* DESP horse riding
hipnose *nf* hypnosis
hipnótico *adj,nm* hypnotic
hipnotismo *nm* hypnotism
hipnotizador *nm* hypnotist
hipnotizar *v* **1** to hypnotize **2** *fig* (fascínio) to mesmerize; to fascinate
hipoalergénico *adj* FARM (substância) hypoallergenic
hipocondria *nf* MED hypochondria
hipocondríaco *adj,nm* hypochondriac
hipocrisia *nf* hypocrisy
hipócrita *adj2g* hypocritical ▪ *n2g* hypocrite
hipoderme *nf* hypodermis
hipódromo *nm* racetrack
hipopótamo *nm* hippopotamus
hipoteca *nf* mortgage
hipotecar *v* **1** to mortgage **2** *fig (pôr em risco)* to jeopardize
hipotecário *adj* mortgage; **obrigações hipotecárias** mortgage bonds

hipotensão *nf* MED hypotension; **sofrer de hipotensão** to suffer from hypotension
hipotenso *adj,nm* hypotensive
hipotenusa *nf* GEOM hypotenuse
hipotermia *nf* MED hypothermia; exposure
hipótese *nf* **1** *(suposição)* hypothesis; assumption; **isto é só uma hipótese** this is a sheer assumption **2** *(possibilidade)* chance (de, of); possibility (de, of); **há alguma hipótese de conseguir o emprego?** is there any chance of getting the job? **3** *(teoria)* hypothesis; **formular uma hipótese** to propose a hypothesis ♦ **não ter hipóteses** to have no chance; **na pior das hipóteses** at the worst
hipotético *adj* hypothetical
hirsuto *adj* **1** (cabelo) hirsute **2** *(áspero)* rough; harsh
hirto *adj* stiff; rigid
hispânico *adj* Hispanic; Spanish
hispano-americano *adj* Hispanic-American; Latin-American
histeria *nf* MED hysteria; hysterics ♦ **histeria coletiva** mass hysteria
histérico *adj* hysterical; **riso histérico** hysterical laughter
histerismo *nm* MED hysteria; hysterics
histologia *nf* BIOL histology
história *nf* **1** (factos) history **2** (narração) story
historiador *nm* historian
historial *nm* history; record; account
histórico *adj* **1** *(relativo à história)* historical **2** *(memorável)* historic; memorable **3** *(verdadeiro)* historical; true; **baseado em factos históricos** based on historical facts
historieta *nf* **1** *(narrativa breve)* short story; tale **2** *(anedota)* yarn
hoje *adv* today ♦ **hoje em dia** nowadays; **até hoje** up till now
Holanda *nf* the Netherlands; Holland
holandês *adj* Dutch ▪ *nm* **1** (homem) Dutchman; (mulher) Dutchwoman **2** (língua) Dutch
hólmio *nm* holmium
holocausto *nm* holocaust
holofote *nm* **1** (busca) searchlight **2** (foco) spotlight
holograma *nm* hologram
homem *nm* **1** *(indivíduo)* man **2** *(humanidade)* mankind **3** *pop (marido)* husband; man ♦ **homem prevenido vale por dois** forewarned is forearmed
homem-rã *nm* (mergulhador) frogman
homenagear *v* to pay homage to; to pay tribute to; to honour
homenagem *nf* homage; tribute ♦ **prestar homenagem a** to pay homage to; to pay tribute to
homeopatia *nf* MED homeopathy
homeopático *adj* homeopathic; **tratamento homeopático** homeopathic treatment
homepage *nf* homepage
homicida *n2g* homicide; murderer; killer ▪ *adj2g* homicidal; murderous; **tendências homicidas** homicidal tendencies
homicídio *nm* homicide; murder
homófono *adj* LING homophonous
homogeneizar *v* to homogenize
homogéneo *adj* homogeneous; uniform
homógrafo *adj* LING homographic; **palavra homógrafa** homograph
homologação *nf* ratification; recognition
homologar *v* to approve; to ratify
homólogo *adj* homologous; corresponding ▪ *nm* counterpart
homonímia *nf* LING homonymy
homónimo *adj* LING homonymous
homossexual *adj,n2g* homosexual; gay
homossexualidade *nf* homosexuality
Honduras *nfpl* Honduras
hondurenho *adj,nm* Honduran
honestidade *nf (integridade)* honesty; integrity
honesto *adj* **1** *(íntegro)* honest; upright; reliable **2** *(sincero)* honest; frank; open
honorário *adj* (estatuto, membro) honorary ▪ *nmpl* fees; emoluments
honorífico *adj* **1** (atribuição) honorary **2** (tributo) honorific
honra *nf* honour ♦ **em honra de** in honour of; **fazer as honras da casa** to do the honours; **ter a honra de** to have the honour of
honradez *nf* honesty; integrity
honrado *adj* **1** *(respeitável)* honourable; respectable; **gente honrada** respectable people **2** *(honesto)* honest; reliable; trustworthy **3** *(decente)* decent; virtuous
honrar *v* **1** *(respeitar)* to honour; to respect **2** *(homenagear)* to honour
honroso *adj* **1** *(que honra)* honourable **2** *(digno)* creditable; dignified

hóquei *nm* DESP hockey ◆ **hóquei em campo** field hockey; **hóquei em patins** roller-skate hockey; **hóquei sobre o gelo** ice hockey
hora *nf* **1** hour; **meia hora** half an hour **2** (tempo) time; **a qualquer hora** at any time **3** *(momento)* moment; **chegou a hora** the moment has come ◆ **hora de ponta** rush hour; **hora H** zero hour
horário *adj* **1** *(de hora a hora)* hourly **2** time; **fuso horário** time zone ▪ *nm* (escola, transportes) timetable; schedule ◆ **horário de trabalho** working hours; **horário nobre** primetime
horda *nf* horde; multitude; mass
horizontal *adj2g* horizontal; **linha horizontal** horizontal line
horizonte *nm* **1** horizon; skyline; **no horizonte** on the horizon **2** *fig (perspetiva)* horizon; perspective; **há que alargar os horizontes** you must broaden your horizons
hormona *nf* BIOL hormone
hormonal *adj2g* hormonal; **tratamento hormonal** hormone treatment
horóscopo *nm* horoscope
horrendo *adj* horrible; horrifying; frightful
horripilante *adj2g* **1** *(terrível)* horrifying; horrific; terrible **2** *(assustador)* hair-raising; ghastly; terrifying
horrível *adj2g* awful; dreadful; appaling
horror *nm* **1** *(pavor)* horror; terror; fear **2** *(aversão)* horror; abhorrence ◆ **que horror!** how awful!; **ser um horror** to be awful; to be a nightmare; **ter horror a** to loathe
horrorizar *v* **1** *(aterrorizar)* to terrify; to petrify **2** *(assustar)* to frighten; to scare
horroroso *adj* **1** horrible; terrible **2** *(feio)* hideous
horta *nf* vegetable garden, kitchen garden
hortaliça *nf* greens, green vegetables
hortelã *nf* mint
hortelã-pimenta *nf* peppermint
hortense *adj2g* horticultural; **produto hortense** kitchen garden produce
hortênsia *nf* hydrangea
hortícola *adj2g* horticultural; **produtos hortícolas** horticultural items
horticultor *nm* horticulturalist
horticultura *nf* horticulture
horto *nm* market garden GB; truck farm EUA
hosana *nf* hosanna
hospedar *v* to lodge ▪ **hospedar-se** to stay
hospedaria *nf* inn; hostel
hóspede *n2g* **1** *(visita)* guest **2** (hotel) lodger; boarder
hospedeira *nf* (avião) hostess ◆ **hospedeira de bordo/do ar** stewardess; air hostess
hospedeiro *nm* BIOL (organismo) host
hospício *nm* **1** *ant (manicómio)* madhouse **2** (para pobres) home
hospital *nm* hospital
hospitalar *adj2g* hospital
hospitaleiro *adj* hospitable
hospitalidade *nf* hospitality ◆ **abusar da hospitalidade de alguém** to wear out one's welcome
hospitalização *nf* hospitalization
hospitalizar *v* to hospitalize; to send into hospital
hoste *nf* **1** *(exército)* troop, army **2** *fig (bando)* gang
hóstia *nf* host
hostil *adj2g* **1** *(inimigo)* hostile (a, to) **2** *(agressivo)* aggressive
hostilidade *nf* **1** hostility **2** *pl* (guerra) hostilities; **suspender as hostilidades** to suspend hostilities
hostilizar *v* **1** *(opor)* to oppose; to antagonize **2** (guerra) to wage war on
hotel *nm* hotel ◆ **hotel de cinco estrelas** five star hotel
hotelaria *nf* **1** (atividade) catering business **2** (curso) hotel management
hoteleiro *nm* hotel manager, hotelier ▪ *adj* hotel; **indústria hoteleira** hotel industry
hovercraft *nm* hovercraft
hulha *nf* pit coal, black coal
hum *interj* hem!, hum!, humph!
humanidade *nf* **1** *(género humano)* humankind **2** *(compaixão)* humanity **3** *pl* (área de estudo) humanities
humanismo *nm* humanism
humanista *adj,n2g* humanist
humanitário *adj* humanitarian; **ajuda humanitária** humanitarian aid
humanização *nf* humanization
humanizar *v* to humanize ▪ **humanizar-se** to become more human
humano *adj* **1** human; **direitos humanos** human rights **2** *(bondoso)* humane ▪ *nm* human being
humanoide[AO] *adj,n2g* humanoid
humanóide *a nova grafia é* **humanoide**[AO]
humedecer *v* to dampen; to moisten

humedecimento *nm* moistening, damping
humidade *nf* **1** (atmosfera) humidity **2** (vapor) moisture; **humidade do ar** moisture of the air **3** (parede) dampness, damp; **esta parede tem humidade** this wall is damp
humidificação *nf* humidification, moistening
humidificar *v* to humidify
húmido *adj* **1** (clima) humid **2** (ar) moist **3** (relva) wet **4** (roupa) damp
humildade *nf* **1** *(modéstia)* humility; modesty **2** *(pobreza)* humbleness
humilde *adj2g* **1** *(modesto)* humble, modest **2** *(pobre)* low, poor ◆ **de origem humilde** lowborn
humilhação *nf* humiliation; abasement; **sofrer humilhações** to be humiliated
humilhante *adj2g* humiliating
humilhar *v* to humiliate ▪ **humilhar-se** to lower oneself
humor *nm* **1** (comicidade) humour; **ter sentido de humor** to have a good sense of humour **2** *(disposição)* mood; **estar de bom/mau humor** to be in a good/bad mood ◆ **humor negro** black comedy
humorista *n2g* **1** (escritor) humorist **2** (ator) comedian
humorístico *adj* humorous
húmus *nm* BIOL humus
húngaro *adj,nm* Hungarian ▪ *nm* (língua) Hungarian
Hungria *nf* Hungary
hurra *interj* hurrah!

I

i *nm* (letra) i
ianque *adj,n2g* Yankee
ião *nm* QUÍM ion
iate *nm* yacht
ibérico *adj* Iberian
íbis *nf2n* ibis
içar *v* **1** (bandeira) to hoist, to lift **2** (vela) to haul up
icebergue *nm* iceberg
ícone *nm* (geral) icon
iconografia *nf* iconography
icterícia[AO] ou **iterícia**[AO] *nf* MED jaundice
ictiologia *nf* ichthyology
ida *nf* **1** *(marcha)* going **2** *(partida)* departure, setting off ◆ **bilhete de ida e volta** return ticket; round-trip ticket; **na ida** on the way there
idade *nf* **1** age; **não aparentar a idade** not to look one's age **2** *(anos)* years; **um ano de idade** one year old; **que idade tem?** how old are you? **3** *(época)* age ◆ **Idade Média** the Middle Ages; **Idade da Pedra** the Stone Age; **pessoa de idade** an elderly person
ideal *adj2g* ideal; **o sítio ideal** the ideal place ▪ *nm* (princípio, valor) ideal
idealismo *nm* idealism
idealista *adj* idealistic ▪ *n2g* idealist
idealização *nf* idealization
idealizar *v* **1** to idealize **2** *(imaginar)* to fancy, to dream **3** *(planear)* to devise, to create
ideia *nf* **1** idea; **transmitir uma ideia** to convey an idea **2** *(mente)* mind
idem *pron dem* ditto; idem
idêntico *adj* identical (a, to); **é idêntico ao meu** it's identical to mine
identidade *nf* identity ◆ **bilhete de identidade** identity card
identificação *nf* identification
identificar *v* **1** to identify; **não identificado** unidentified **2** *(reconhecer)* to recognize ▪ **identificar-se 1** (documentação) to identify oneself **2** (empatia) to identify (com, with)
ideologia *nf* ideology
ideológico *adj* ideological
ideólogo *nm* ideologist
idílico *adj* idyllic
idílio *nm* idyll
idioma *nm* idiom, language
idiomático *adj* idiomatic ◆ **expressão idiomática** idiomatic expression
idiota *adj* idiot, idiotic ▪ *nm* idiot ◆ **idiota chapado** tomfool; drivelling idiot
idiotice *nf* **1** silliness, idiocy **2** *(disparate)* nonsense; **dizer idiotices** to talk nonsense
idolatrar *v* **1** to idolize **2** *fig (adorar)* to adore
ídolo *nm* **1** idol **2** *fig* false god
idoneidade *nf* **1** suitability; fitness **2** reliability
idóneo *adj* **1** *(adequado)* suitable, fit **2** *(de confiança)* reliable
idoso *adj* elderly, old ▪ *nm* (homem) elderly man; (mulher) elderly woman; **os idosos** the elderly
Iémen *nm* Yemen
iene *nm* (moeda japonesa) yen
iglu *nm* igloo
ignição *nf* ignition ◆ **chave de ignição** ignition key
ignóbil *adj2g* ignoble
ignomínia *nf* ignominy; infamy; dishonour
ignorado *adj* **1** ignored **2** *(desconhecido)* unknown
ignorância *nf* **1** *(desconhecimento)* ignorance; **por ignorância** out of ignorance **2** *(inexperiência)* inexperience **3** *(analfabetismo)* illiteracy
ignorante *adj2g* **1** ignorant **2** *(iletrado)* unlearned ▪ *n2g* ignoramus
ignorar *v* **1** *(desconhecer)* to ignore, not to know; **ignorar o facto** to be ignorant of the fact **2** *(não dar atenção)* to disregard
igreja *nf* church; **ir à igreja** to go to church ◆ **Igreja Anglicana** the Anglican Church, the Church of England
igual *adj2g* **1** equal; **duas partes iguais** two equal parts **2** *(idêntico)* just like (a, -); **aquela saia é igual à tua** that skirt is just like yours

3 (superfície) even ▪ *n2g* equal; **nunca veremos outro igual** we shall never see his equal ♦ **de igual para igual** between equals; **sem igual** without equal
igualar *v* 1 *(tornar igual)* to equal 2 *(nivelar)* to level 3 to be equal to; to match 4 DESP to equalize ▪ **igualar-se** *(comparar-se)* to compare (a, to)
igualdade *nf* 1 *(paridade)* equality 2 *(uniformidade)* evenness, uniformity ♦ **igualdade de direitos** equal rights; **estar em pé de igualdade com** to be on an equal footing with
igualitário *adj* egalitarian
igualmente *adv* 1 equally; in an equal manner; **eles são igualmente culpados** they are equally guilty 2 *(também)* likewise, also 3 (saudação) the same to you!
igualzinho *adj* perfectly equal, identical
iguana *nf* iguana
iguaria *nf* delicacy
ilação *nf* 1 *(inferência)* illation 2 *(dedução)* deduction
ilegal *adj2g* illegal, illicit
ilegalidade *nf* illegality
ilegitimidade *nf* illegitimacy
ilegítimo *adj* 1 illegitimate 2 *(ilegal)* illegal
ilegível *adj2g* illegible
ileso *adj* unhurt, uninjured; **ele sai sempre ileso** he always comes off clear
iletrado *adj* 1 *(analfabeto)* illiterate 2 *(ignorante)* uneducated
ilha *nf* 1 island 2 (com nome próprio) isle ♦ **Ilhas Britânicas** British Isles
Ilhas Malvinas *nfpl* Falkland Islands
Ilhas Salomão *nfpl* Solomon Islands
Ilhas Virgens *nfpl* Virgin Islands
ilhéu *adj* insular ▪ *nm* 1 (pessoa) islander 2 *(ilhota)* islet
ilhó *nm* eyelet
ilhota *nf* islet
ilibação *nf (inocência)* innocence
ilibar *v* 1 *(inocentar)* to declare not guilty of 2 *(reabilitar)* to rehabilitate
ilícito *adj* illicit, illegal; unlawful; **venda ilícita** illicit sale
ilimitado *adj* 1 *(sem restrições)* unlimited; **confiança ilimitada** unlimited confidence 2 *(infinito)* infinite 3 *(sem limites)* boundless
ilíquido *adj* (rendimento) gross
iliteracia *nf* illiteracy
ilógico *adj* 1 *(irracional)* illogical 2 *(absurdo)* absurd
iludir *v* to delude; to deceive ▪ **iludir-se** to delude oneself
iluminação *nf* 1 lighting; illumination 2 *fig (esclarecimento)* enlightenment
iluminado *adj* 1 lighted (com, by); lit (com, with) 2 *fig (esclarecido)* enlightened ▪ *nm* visionary
iluminar *v* 1 (casas, ruas) to illuminate; to light up 2 *(esclarecer)* to enlighten ▪ **iluminar-se** 1 (com luz) to lighten up 2 (alegria) to light up
Iluminismo *nm* Enlightenment
iluminura *nf* illumination
ilusão *nf* 1 illusion 2 *(engano)* delusion ♦ **ilusão de ótica** optical illusion
ilusionismo *nm* conjuring
ilusionista *n2g* conjurer; illusionist
ilusório *adj* 1 illusory 2 *(enganador)* deceptive
ilustração *nf* 1 (livro) picture, plate 2 *(exemplo)* illustration
ilustrado *adj* 1 (com gravuras) illustrated; **bem ilustrado** well-illustrated 2 *(instruído)* learned, erudite
ilustrador *nm* illustrator
ilustrar *v* (geral) to illustrate
ilustrativo *adj* illustrative
ilustre *adj2g* illustrious, famous; **de descendência ilustre** of high birth ♦ **um ilustre desconhecido** a complete stranger
imaculado *adj* immaculate ♦ **Imaculada Conceição** Immaculate Conception
imagem *nf* 1 image 2 CIN,TV picture 3 (figura pública) public image 4 (espelho) reflection
imaginação *nf* 1 *(fantasia)* fancy, fantasy 2 *(criatividade)* imagination ♦ **dar largas à imaginação** to give free rein to one's imagination; **sem imaginação** unimaginative
imaginar *v* 1 to imagine 2 *(conceber)* to conceive; to create 3 *(supor)* to suppose ♦ **imagine!** just fancy!
imaginário *adj* 1 imaginary 2 *(ilusório)* illusory ▪ *nm* the imagination
imaginativo *adj* imaginative, fanciful
imaginável *adj2g* imaginable
íman *nm* magnet
imanente *adj2g* 1 immanent 2 *(inerente)* inherent (a, in)
imaterial *adj2g* immaterial, incorporeal
imaturidade *nf* immaturity

imaturo *adj* **1** immature **2** *(não desenvolvido)* undeveloped **3** *(prematuro)* premature
imbatível *adj2g* **1** (preço, recorde) unbeatable **2** *(invencível)* invincible
imbecil *n2g* **1** *(idiota)* imbecile, idiot; jerk *col*; **cala-te, imbecil!** be quiet, you idiot! **2** *(estúpido)* stupid ▪ *adj2g* **1** *(idiota)* imbecile **2** *(estúpido)* stupid; **não sejas imbecil!** don't be stupid!
imberbe *adj2g* **1** *(sem barba)* beardless **2** *(imaturo)* immature
imbróglio *nm* **1** *(confusão)* imbroglio **2** *(mal-entendido)* misunderstanding
imbuir *v* **1** (sentimentos) to imbue (de, with) **2** *(impregnar)* to impregnate (de, with)
imediações *nfpl* vicinity; **nas imediações de** in the vicinity of
imediatamente *adv* immediately, at once, right away; **eles decidiram a questão imediatamente** they came to a decision then and there
imediato *adj* **1** immediate; **uma resposta imediata** a prompt answer **2** *(seguinte)* next (a, to) **3** *(instantâneo)* without delay, prompt; **entrega imediata** prompt delivery ♦ **de imediato** straight away
imemorial *adj2g* immemorial; **desde tempos imemoriais** from time immemorial
imensidão *nf* immensity, vastness
imenso *adj* immense; vast; enormous ▪ *adv* a lot; **choveu imenso** it rained a lot ♦ **lamento imenso** I'm awfully sorry
imerecido *adj* undeserved
imergir *v* to immerse
imersão *nf (submersão)* immersion, submersion ♦ **em imersão** under water
imerso *adj* immersed
imigração *nf* immigration
imigrante *adj,n2g* immigrant
imigrar *v* to immigrate
iminência *nf* imminence
iminente *adj2g* **1** *(prestes a acontecer)* imminent, impending; **estar iminente** to impend **2** *(próximo)* upcoming ♦ **perigo iminente** imminent danger
imiscuir-se *v* to meddle (em, with); to interfere (em, with)
imitação *nf* **1** imitation **2** *(cópia)* copy **3** (espetáculo) impression; impersonation ♦ **imitação fraudulenta** fake; **cuidado com as imitações!** beware of imitations!
imitador *nm* **1** imitator **2** (espetáculo) impressionist; impersonator
imitar *v* **1** *(copiar)* to imitate; to copy **2** *(parodiar)* to mimic; **imita muito bem os professores** he's really good at mimicking the teachers **3** (espetáculo) to impersonate
imobiliária *nf* estate agent's
imobilidade *nf* immobility
imobilização *nf* immobilization; **imobilização do capital** lock-up of capital
imobilizar *v* **1** to immobilize **2** (capital) to tie up ▪ **imobilizar-se** to stop
imoderado *adj* immoderate; unreasonable
imolação *nf* sacrifice
imolar *v* to sacrifice
imoral *adj2g* immoral
imoralidade *nf* immorality
imortal *adj,n2g* immortal
imortalidade *nf* immortality
imortalizar *v* to immortalize; to render immortal
imóvel *adj2g* **1** immobile **2** *(parado)* motionless, still; **permanecer imóvel** to stand still ▪ *nm* **1** *(edifício)* building **2** DIR real estate
impaciência *nf* impatience
impacientar *v* to make impatient; to exasperate ▪ **impacientar-se** to grow impatient
impaciente *adj2g* **1** impatient **2** *(agitado)* restless
impacto *nm* (geral) impact ♦ **impacto ambiental** environmental impact; **causar impacto** to cause a stir; to make an impact
impagável *adj2g* **1** *(inestimável)* priceless **2** *(hilariante)* priceless; hilarious
impalpável *adj2g* impalpable
ímpar *adj2g* **1** (número) odd; **número ímpar** odd number **2** *(único)* single; unique
imparável *adj2g* unstoppable
imparcial *adj2g* impartial (em relação a, towards)
imparcialidade *nf* impartiality
impasse *nm* impasse, deadlock
impassível *adj2g* **1** *(imperturbável)* impassive **2** *(indiferente)* insensitive
impávido *adj* **1** *(destemido)* fearless, intrepid **2** *(corajoso)* brave ♦ **impávido e sereno** not bothered

impecável *adj2g* 1 impeccable 2 *(perfeito)* faultless 3 (pessoa) great; **é um tipo impecável** he's a great guy
impedido *adj* 1 hindered, prevented 2 (linha telefónica) engaged 3 (trânsito) blocked
impedimento *nm* 1 *(obstáculo)* obstacle; hindrance 2 DIR impediment
impedir *v* 1 *(impossibilitar)* to prevent (de, from) 2 *(dificultar)* to hinder; to hamper
impeditivo *adj* deterrent, preventive
impelir *v* 1 *(dar impulso a)* to propel; to drive forward 2 *fig (incitar)* to impel; to incite
impenetrável *adj2g* 1 *(que não dá passagem)* impenetrable; **florestas impenetráveis** impenetrable forests 2 *(incompreensível)* incomprehensible, inscrutable
impensado *adj* 1 thoughtless, rash 2 *(inesperado)* unexpected
impensável *adj2g* unthinkable, inconceivable
imperador *nm* emperor
imperar *v* 1 *(governar)* to rule 2 *(prevalecer)* to prevail
imperativo *adj* 1 imperative; **uma ordem imperativa** an imperative order 2 *(dominante)* commanding ▪ *nm* LING (modo) imperative
imperatriz *nf* empress
imperceptível *a nova grafia é* **impercetível**[AO]
impercetível[AO] *adj2g* 1 imperceptible 2 *(sem discernimento)* indiscernible, unapparent
imperdível *adj2g* (filme, espetáculo) unmissable
imperdoável *adj2g* unforgivable, inexcusable
imperecível *adj2g* imperishable
imperfeição *nf* 1 imperfection 2 *(defeito)* defect; fault
imperfeito *adj* 1 imperfect; **trabalho muito imperfeito** poorly done work 2 *(defeituoso)* defective ▪ *nm* LING (tempo verbal) imperfect
imperial *adj2g* imperial
imperialismo *nm* imperialism
imperialista *adj,n2g* imperialist
império *nm* empire
imperioso *adj* 1 (tom, olhar) imperious; commanding 2 (necessidade) urgent, pressing
impermeabilizar *v* to waterproof
impermeável *adj2g* 1 (tecido, roupa) waterproof 2 (geral) impermeable (a, to); impervious (a, to) ▪ *nm* (casaco) waterproof, mackintosh, raincoat
impertinência *nf* impertinence
impertinente *adj2g* impertinent
imperturbável *adj2g* 1 *(tranquilo)* undisturbed 2 *(inabalável)* unmovable
impessoal *adj2g* impersonal
ímpeto *nm* 1 *(força)* impetus 2 *(movimento súbito)* start; **levantar-se num ímpeto** to get up with a start 3 *(impulso)* impulse; urge
impetuosidade *nf* 1 impetuosity 2 *(violência)* violence 3 *(veemência)* vehemence
impetuoso *adj* 1 (ato) rash, hasty 2 (pessoa); passionate
impiedade *nf* 1 impiety 2 *(crueldade)* cruelty 3 *(implacável)* mercilessness
impiedoso *adj* 1 unmerciful, merciless 2 *(cruel)* hard-hearted
impigem *nf* MED tetter, eczema
impingir *v* 1 *(impor)* to impose (a, upon) 2 (mentiras, mercadorias) to foist (a, on)
ímpio *adj* impious
implacável *adj2g* 1 implacable 2 (destino, perseguição) relentless 3 (pessoa) unforgiving
implantação *nf* 1 implementation 2 *(introdução)* introduction 3 MED implant
implantar *v* 1 MED to implant 2 *(estabelecer)* to implement 3 *(fixar)* to fix
implante *nm* MED implant
implementação *nf* implementation
implementar *v* 1 to implement 2 *(executar)* to fulfil, to perform
implicação *nf* implication
implicância *nf* tease, annoyance
implicante *adj2g* 1 nitpicking 2 *(rabugento)* peevish
implicar *v* 1 *(chatear)* to tease (com, -); to pick (com, on) 2 *(envolver, acarretar)* to involve (em, in)
implícito *adj* 1 implicit 2 *(implicado)* implied
implodir *v* to implode
implorar *v* to implore (-, for), to beg (-, for)
implosão *nf* implosion
imponderável *adj2g* 1 imponderable 2 *(inapreciável)* inappreciable
imponência *nf* magnificence, splendour
imponente *adj2g* 1 imposing; sumptuous 2 *(pomposo)* stately
impopular *adj* unpopular
impopularidade *nf* unpopularity
impor *v* 1 to impose 2 (respeito) to command ▪ **impor-se** 1 *(afirmar-se)* to assert oneself 2 *(prevalecer)* to prevail (-, over)

importação *nf* **1** (ato) importation, imports; **reduzir as importações** to reduce imports **2** (mercadoria) import; **importação de trigo** the import of wheat ♦ **importação e exportação** import and export
importador *nm* importer
importância *nf* **1** importance; **um ar de importância** an air of importance **2** (dinheiro) sum; amount ♦ **não tem importância** never mind
importante *adj2g* **1** important; **é muito importante** it is very important **2** *(considerável)* considerable; **um importante número de ofertas** a considerable number of offers ▪ *nm* the essential point ♦ **dar-se ares de importante** to give oneself airs
importar *v* **1** *(ter importância)* to matter **2** (comércio) to import **3** (quantia) to amount (em, to) ▪ **importar-se 1** to mind (de/que, if); **se não se importa** if you don't mind **2** *(preocupar-se)* to care (com, about)
importunar *v* **1** to importune **2** *(aborrecer)* to annoy **3** *(molestar)* to harass
importuno *adj* **1** *(inoportuno)* importune **2** *(perturbador)* troublesome
imposição *nf* **1** (imposto, encargo) imposition **2** *(regra)* rule
impossibilidade *nf* impossibility; **ver-se na impossibilidade de** to be deprived of the means to
impossibilitar *v* **1** to render impossible; **impossibilitar algo** to make something impossible **2** *(incapacitar)* to disable
impossível *adj2g* impossible; **é impossível!** it's impossible!, that's not possible! ♦ **pedir o impossível** to cry for the moon
imposto *nm* **1** *(contribuição)* tax; **isento de imposto** tax-free **2** *(taxa)* duty; **imposto de selo** stamp duty ♦ **imposto predial** house tax; **imposto sobre o rendimento** income tax; **imposto sobre o valor acrescentado** value added tax
impostor *nm* **1** impostor, deceiver **2** *(charlatão)* charlatan
impostura *nf* **1** imposture **2** *(fingimento)* deceit, sham
impotência *nf* (geral) impotence
impotente *adj2g* **1** MED impotent **2** *(incapaz)* impotent; powerless
impraticável *adj2g* **1** impracticable **2** (rua, rio) impassable
imprecisão *nf* inaccuracy; imprecision
impreciso *adj* **1** *(falta de rigor)* inaccurate **2** *(indefinido)* vague; undefined
impregnação *nf* impregnation
impregnar *v* to impregnate (de, with) ▪ **impregnar-se** to be impregnated (de, with)
imprensa *nf* **1** *(jornalistas)* press **2** (jornais) papers
imprescindível *adj2g* indispensable
impressão *nf* **1** *(sensação)* impression **2** (processo) printing; **erro de impressão** misprint **3** *(cópia)* printout ♦ **impressão digital** fingerprint
impressionante *adj2g* **1** *(comovente)* moving, affecting, touching; **uma cena impressionante** a touching scene **2** *(impressivo)* impressive; **um feito impressionante** an impressive achievement **3** *(espetacular)* striking; **uma beleza impressionante** a striking beauty
impressionar *v* **1** *(causar respeito)* to impress **2** *(emocionar)* to move; to affect ▪ **impressionar-se** to be impressed (com, by)
impressionável *adj2g* **1** impressionable **2** *(suscetível)* sensitive
impressionismo *nm* impressionism
impressionista *adj2g* impressionistic ▪ *n2g* impressionist
impresso *adj* printed; **impresso no verso** printed on the back ▪ *nm* **1** *(folheto)* leaflet **2** *(formulário)* form; **preencher um impresso** to fill in a form **3** (impressão) printed matter
impressor *nm* printer
impressora *nf* INFORM printer; **impressora laser** laser printer
impreterível *adj2g* **1** (compromisso) essential **2** (prazo) final
impreterivelmente *adv* without delay
imprevidência *nf* **1** improvidence **2** *(negligência)* carelessness, negligence
imprevidente *adj2g* **1** improvident **2** *(descuidado)* careless **3** *(negligente)* heedless
imprevisão *nf* **1** improvidence **2** *(descuido)* carelessness **3** *(negligência)* negligence
imprevisível *adj2g* unpredictable; unforeseeable
imprevisto *adj* unforeseen, unexpected; **despesas imprevistas** unforeseen charges

▪ *nm* accident, unexpected event; **surgiu um imprevisto** something came up
imprimir *v* **1** to print **2** (marca) to stamp **3** *fig (inspirar)* inspire
improbabilidade *nf* improbability
improcedente *adj2g* **1** *(infundado)* groundless, unfounded **2** *(ilógico)* illogical **3** DIR inadmissible
improdutivo *adj* **1** unproductive **2** *(ineficaz)* ineffective **3** *(não lucrativo)* unprofitable
impróprio *adj* **1** *(inadequado)* unsuitable (para, for); **água imprópria para consumo** water unsuitable for human consumption **2** *(indecente)* improper; **piada imprópria** blue joke
improvável *adj2g* **1** (acontecimento) improbable **2** *(inverosímil)* unlikely
improvidente *adj2g* **1** improvident **2** *(descuidado)* careless
improvisação *nf* **1** improvisation **2** MÚS impromptu
improvisador *nm* improviser
improvisar *v* **1** to improvise; **improvisar um discurso** to improvise a speech **2** MÚS to extemporize
improviso *nm* improvisation ♦ **falar de improviso** to speak impromptu
imprudência *nf* **1** rashness **2** *(descuidado)* carelessness
imprudente *adj2g* **1** *(irrefletido)* rash **2** (condutor) careless
impudico *adj* **1** immodest **2** *(despudor)* shameless, indecent
impugnação *nf* refutation
impugnar *v* to refute
impulsionar *v* **1** *(impelir)* to impel **2** *fig (estimular)* to promote
impulsivo *adj* **1** impulsive **2** *(precipitado)* hasty **3** *(impetuoso)* hot-headed
impulso *nm* **1** impulse **2** *fig (estímulo)* boost ♦ **num impulso** on an impulse
impune *adj* unpunished; **ele saiu impune** he left scot-free
impunemente *adv* with impunity
impunidade *nf* impunity
impureza *nf* **1** impurity **2** *(sujidade)* uncleanness
impuro *adj* **1** impure **2** *(adulterado)* adulterated
imputação *nf* **1** imputation **2** *(acusação)* accusation
imputar *v* **1** to impute (a, to) **2** *(atribuir)* to attribute (a, to); to ascribe (a, to) **3** *(acusar)* to blame (-, for); **imputar algo a alguém** to blame somebody for something
imputável *adj2g* imputable
imundície *nf* **1** *(porcaria)* dirt, filth **2** *(lixo)* rubbish
imundo *adj* filthy
imune *adj* immune (a, to)
imunidade *nf* **1** immunity **2** (imposto, responsabilidade) exemption ♦ **imunidade diplomática** diplomatic immunity
imunitário *adj* MED (sistema, defesas) immune
imunização *nf* immunization
imunizar *v* to immunize
imunodeficiência *nf* MED immunodeficiency
imunologia *nf* immunology
imunológico *adj* immunologic
imunossupressor *adj,nm* immunosuppressant
imutável *adj2g* **1** *(que não se pode mudar)* immutable; unalterable **2** *(constante)* unchanging
inabalável *adj2g* **1** (crença, confiança, opinião) unshakeable; firm; deep-rooted **2** (pessoa) intrepid **3** (laços, vínculos) deep-seated; unbreakable
inábil *adj2g* **1** *(sem habilidade)* unskilful; inept **2** *(desajeitado)* clumsy; awkward
inabitável *adj2g* uninhabitable
inacabado *adj* unfinished; incomplete
inação[AO] *nf (falta de ação)* inaction; inactivity
inacção *a nova grafia é* **inação**[AO]
inaceitável *adj2g* unacceptable; inadmissible
inacessível *adj2g* **1** inaccessible **2** *(inalcançável)* unattainable
inacreditável *adj2g* incredible; unbelievable
inactividade *a nova grafia é* **inatividade**[AO]
inactivo *a nova grafia é* **inativo**[AO]
inadaptação *nf* maladjustment
inadaptado *nm* misfit ▪ *adj* **1** (pessoa) maladjusted **2** unsuitable
inadequado *adj* unsuitable; inappropriate
inadiável *adj2g* **1** *(que não pode ser adiado)* that cannot be delayed, that cannot be postponed **2** *(urgente)* pressing; urgent; **uma decisão inadiável** a pressing decision
inadmissível *adj2g* inadmissible; unacceptable; **um comportamento inadmissível** unacceptable behaviour

inadvertência *nf (falta de atenção)* inadvertence; carelessness
inadvertidamente *adv* inadvertently
inalação *nf* inhalation
inalador *nm* inhaler
inalar *v* to inhale; to breathe in
inalcançável *adj2g* unattainable; impossible
inalienável *adj2g* inalienable; untransferable; **direitos inalienáveis** inalienable rights
inalterado *adj* **1** unaltered; unchanged **2** (pessoa) undisturbed
inalterável *adj2g* unalterable; unchangeable
inanimado *adj* inanimate
inaplicável *adj2g* **1** inapplicable **2** unsuitable; inappropriate
inaptidão *nf* incompetence; inability
inapto *adj (sem aptidão)* inapt; incompetent; unskilful
inatacável *adj2g (incontestável)* unquestionable; incontestable
inatingível *adj2g* **1** *(inalcançável)* unattainable **2** *(incompreensível)* incomprehensible
inatividadeAO *nf* **1** inactivity; inertia **2** (reforma) retirement
inativoAO *adj* inactive
inato *adj* innate; inborn; **qualidades inatas** innate qualities
inaudito *adj* unprecedented; unheard of; unparalleled
inaudível *adj2g* inaudible
inauguração *nf* inauguration
inaugural *adj2g* inaugural; **discurso inaugural** inaugural speech
inaugurar *v* to inaugurate; to (declare) open
incalculável *adj2g* inestimable; immeasurable; incalculable
incandescência *nf* incandescence; glow
incandescente *adj2g* incandescent; glowing; red-hot
incansável *adj2g* tireless
incapacidade *nf* **1** incapacity (para, for) **2** incapability; **incapacidade física** physical disablement
incapacitar *v* **1** *(tornar incapaz)* to incapacitate; to render incapable **2** (fisicamente) to disable; to cripple
incapaz *adj* **1** *(que não consegue)* incapable (de, of); unable (de, to) **2** *(inapto)* incompetent; inept
incaracterísticoAO ou **incaraterístico**AO *adj* uncharacteristic (de, of)
incauto *adj* **1** unwary; careless **2** *(irrefletido)* incautious; imprudent
incendiar *v* **1** to set on fire, to set fire to **2** *(excitar)* to inflame ▪ **incendiar-se 1** to catch fire **2** *(excitar-se)* to become excited
incendiário *nm* arsonist; incendiary ▪ *adj* incendiary; **bomba incendiária** incendiary bomb, firebomb
incêndio *nm* fire; **incêndio florestal** forest fire
incenso *nm* incense
incentivar *v* **1** *(estimular)* to encourage (a, to); to stimulate (a, to); to inspire (a, to) **2** ECON to give incentives to
incentivo *nm* **1** incentive (a, for; to) **2** *(motivação)* incitement; encouragement
incerteza *nf* uncertainty; incertitude; doubt
incerto *adj* uncertain
incessante *adj2g* **1** *(que não cessa)* incessant; unceasing; endless **2** *(contínuo)* continual; constant
incesto *nm* incest
incestuoso *adj* incestuous
inchaço *nm* swelling
inchado *adj* **1** swollen **2** *(vaidoso)* puffed-up
inchar *v* **1** to swell **2** *fig* (orgulho) to puff up
incidência *nf* incidence ♦ **ângulo de incidência** angle of incidence
incidente *nm* incident; event
incidir *v* to fall (em, upon)
incineração *nf* incineration
incineradora *nf* incinerator
incinerar *v* to incinerate
incipiente *adj2g* incipient; initial
incisão *nf* incision; cut
incisivo *adj* **1** *(cortante)* sharp; pointed; acute **2** (crítica, palavras) incisive; mordant ▪ *nm* (dente) incisor
incitação *nf* **1** *(instigação)* incitement; instigation; exhortation **2** *(estímulo)* stimulus
incitar *v* **1** *(estimular)* to incite (a, to); to urge (a, to); to exhort (a, to) **2** *(instigar)* to instigate; **incitar à violência** to instigate violence
inclemência *nf* inclemency; mercilessness; **a inclemência do tempo** the inclemency of the weather
inclemente *adj2g* inclement; merciless; pitiless

inclinação *nf* **1** inclination **2** *(tendência)* tendency (para, to) **3** *(afeição)* affection (por, for)
inclinado *adj* **1** *(oblíquo)* inclined; leaning **2** *(propenso)* prone (a, to)
inclinar *v* **1** to tilt; to lean **2** *(levar a)* to incline (a, to) ▪ **inclinar-se 1** to lean **2** *(ter propensão)* to have an inclination (para, for)
incluído *adj* included; **está tudo incluído no preço** everything is included in the price
incluindo *adv* including; **ao todo somos seis, incluindo a minha irmã** we're six in all, including my sister
incluir *v* **1** to include **2** (em anexo) to enclose ▪ **incluir-se** to be included (em, in)
inclusão *nf* inclusion (em, in)
inclusivamente *adv* inclusively
inclusive *adv* inclusively; inclusive
inclusivo *adj* inclusive
incluso *adj* **1** included (em, in) **2** enclosed (em, in) **3** (dente) impacted
incoerência *nf* incoherence
incoerente *adj2g* **1** (ideias) incoherent; illogical **2** (discurso) disconnected
incógnita *nf* **1** MAT (equação) unknown quantity **2** *(mistério)* mystery; enigma
incógnito *adj* **1** unknown; **o remetente da carta é incógnito** the sender of the letter is unknown **2** *(sob disfarce)* incognito; in disguise; under cover
incolor *adj2g* colourless
incólume *adj2g* **1** intact; untouched **2** safe and sound
incomensurável *adj2g* **1** *(que não se pode medir)* immeasurable; inestimable **2** *(imenso)* immense; huge
incomodado *adj* **1** disturbed; annoyed; bothered **2** *(indisposto)* indisposed; ill **3** *(preocupado)* troubled (com, with)
incomodar *v* **1** to disturb; to trouble; to bother **2** *(afligir)* to worry ▪ **incomodar-se** to worry ◆ **não incomodar** do not disturb
incomodativo *adj* disagreeable; unpleasant; inconvenient
incómodo *adj* **1** *(desconfortável)* uncomfortable; **esta cadeira é muito incómoda** this chair is very uncomfortable **2** *(que perturba)* annoying; upsetting; distressing ▪ *nm* **1** *(maçada)* trouble; inconvenience; **dar-se ao incómodo de fazer alguma coisa** to take the trouble to do something **2** *(indisposição)* ailment
incomparável *adj2g* incomparable (a, to)
incomparavelmente *adv* incomparably
incompatibilidade *nf* incompatibility (com, with)
incompatível *adj2g* incompatible (com, with)
incompetência *nf* incompetence; incapacity
incompetente *adj2g* incompetent; unfit (para, for); **um empregado incompetente** an incompetent employee
incompleto *adj* **1** *(não acabado)* incomplete; unfinished **2** *(imperfeito)* imperfect
incomportável *adj2g* unaffordable; unsustainable; **custos incomportáveis** unsustainable costs
incompreendido *adj* misunderstood; misinterpreted
incompreensão *nf* incomprehension; failure to understand
incompreensível *adj2g* incomprehensible; unintelligible
incomunicável *adj2g* incommunicable; unspeakable
inconcebível *adj2g* **1** *(impensável)* inconceivable; unimaginable; unthinkable **2** *(inacreditável)* incredible; extraordinary
inconciliável *adj2g* irreconcilable (com, with); incompatible (com, with)
incondicional *adj2g* unconditional
inconfessável *adj2g* **1** that cannot be confessed; unspeakable **2** *(vergonhoso)* shameful; scandalous; **um desejo inconfessável** a shameful desire
inconfidência *nf* **1** indiscretion **2** *(falta de confiança)* lack of trust, distrust
inconformismo *nm* non-conformity
inconformista *n2g* non-conformist
inconfundível *adj2g* unmistakable
inconfundivelmente *adv* unmistakably
incongruência *nf* incongruity
incongruente *adj2g* **1** incongruous **2** *(inadequado)* unsuitable (com, to); inappropriate (com, to)
inconsciência *nf* **1** unconsciousness **2** *(irresponsabilidade)* irresponsibility; thoughtlessness
inconsciente *adj2g* **1** unconscious; **desejos inconscientes** unconscious desires **2** unaware (de, of) **3** *(irresponsável)* thoughtless; irresponsible ▪ *nm* the unconscious

inconsequência *nf* **1** inconsistency; incoherence **2** *(irreflexão)* thoughtlessness
inconsequente *adj2g* **1** inconsequential; illogical **2** *(incoerente)* incoherent; incongruous **3** *(irrefletido)* hasty
inconsistência *nf* inconsistency; incoherence; inconstancy
inconsistente *adj2g* **1** (material) unstable **2** *(incoerente)* inconsistent; incoherent
inconsolável *adj2g* desolate
inconstância *nf* **1** *(volubilidade)* inconstancy; moodiness **2** *(instabilidade)* variability; changeability
inconstante *adj2g* **1** *(que muda)* changeable; inconstant **2** *(de carácter instável)* inconstant; fickle; **comportamento inconstante** fickle behaviour
inconstitucional *adj2g* unconstitutional; **medida inconstitucional** unconstitutional measure
inconstitucionalidade *nf* unconstitutionality
incontável *adj2g* uncountable
incontestável *adj2g* indisputable; unquestionable
incontinência *nf* incontinence ♦ **incontinência urinária** incontinence of urine
incontinente *adj2g* incontinent; **doentes incontinentes** incontinent patients
incontrolável *adj2g* uncontrollable
incontroverso *adj* **1** uncontroversial **2** *(incontestável)* incontrovertible; indisputable
inconveniência *nf* **1** inconvenience **2** *(grosseria)* impropriety; indelicacy
inconveniente *adj2g* **1** *(inoportuno)* inconvenient; inopportune **2** *(indelicado)* impolite **3** *(indecoroso)* indecorous ▪ *nm* **1** *(obstáculo, transtorno)* inconvenience; hindrance **2** *(desvantagem)* disadvantage
incorporação *nf* incorporation; integration
incorporar *v* to incorporate (em, in/into)
incorpóreo *adj* incorporeal
incorreção[AO] *nf* **1** *(imprecisão)* inaccuracy **2** *(erro)* mistake; error **3** *(indelicadeza)* impoliteness
incorrecção *a nova grafia é* **incorreção**[AO]
incorrecto *a nova grafia é* **incorreto**[AO]
incorrer *v* to incur (em, -)
incorreto[AO] *adj* **1** *(inexato)* incorrect; inaccurate; wrong **2** *(indelicado)* impolite; **ser incorreto** to have bad manners
incorrigível *adj2g* incorrigible; incurable
incorruptível *adj2g* incorruptible
incredulidade *nf* **1** incredulity; unbelief **2** *(dúvida)* doubt; suspicion
incrédulo *adj* incredulous; sceptical; unbelieving ▪ *nm* unbeliever
incrementação *nf* **1** expansion; enlargement **2** development
incrementar *v* **1** to expand; to enlarge; to increase **2** *(fomentar)* to promote; to foment
incremento *nm* **1** expansion **2** promotion
incriminação *nf* incrimination; accusation
incriminar *v* to incriminate; to prove guilty
incriminatório *adj* incriminating; **provas incriminatórias** incriminating evidence
incrível *adj2g* incredible
incrustação *nf* incrustation
incrustar *v* **1** to incrust **2** to inlay **3** (pedras preciosas) to set; **ele mandou incrustar o diamante no anel** he had the diamond set on a ring
incubação *nf* **1** MED incubation; **o período de incubação de uma doença** the incubation period of a disease **2** (de ovos) hatching; incubation
incubadora *nf* incubator
incubar *v* to incubate
inculto *adj* **1** (terra) uncultivated **2** *(sem educação)* uncultured; unrefined; uncultivated
incumbência *nf* **1** incumbency (como, as) **2** duty; mission
incumbir *v* to charge (de, of) ▪ **incumbir-se** to take upon oneself (de, to)
incurável *adj2g* **1** incurable; **uma doença incurável** an incurable disease **2** *(irremediável)* irremediable; irreparable
incúria *nf* negligence; carelessness
incursão *nf* incursion
incutir *v* **1** *(infundir)* to instil (em, in); to inculcate (em, in) **2** *(inspirar)* to inspire
indagar *v* to investigate
indecência *nf* **1** indecency **2** *(desrespeito)* impoliteness; disrespect **3** (dito, ato) obscenity
indecente *adj2g* **1** *(vergonhoso)* indecent; shameful **2** *(inconveniente)* inconvenient
indecifrável *adj2g* indecipherable; unintelligible
indecisão *nf* indecision; irresolution
indeciso *adj* undecided; irresolute; hesitating ▪ *nm* (eleições) floating voter

indecoroso *adj* indecorous; improper
indeferido *adj* rejected; refused; denied
indeferir *v* to reject; to refuse; to deny
indefeso *adj (desprotegido)* helpless; defenceless
indefinidamente *adv* indefinitely
indefinido *adj* indefinite
indelével *adj2g* indelible
indelicadeza *nf* indelicacy; impoliteness; incivility
indelicado *adj* **1** *(grosseiro)* indelicate; crude **2** *(mal-educado)* impolite; uncivil
indemnização *nf* **1** (montante) indemnity; compensation; **pagar uma indemnização a** to pay an indemnity to **2** (ato de indemnizar) indemnification
indemnizar *v* to indemnify (por, for); to compensate (por, for); **ser indemnizado por** to receive compensation for
indentação *nf* TIP indentation
independência *nf* independence; autonomy; **independência financeira** financial independence
independente *adj2g* **1** independent (de, of) **2** *(autónomo)* autonomous; self-sufficient ▪ *n2g* POL independent
independentemente *adv* **1** independently **2** regardless (de, of); irrespective (de, of)
indescritível *adj2g* indescribable; beyond description
indesculpável *adj2g* inexcusable; unforgivable
indesejado *adj* **1** unwanted; unwished for; **uma gravidez indesejada** an unwanted pregnancy **2** unwelcome; **uma visita indesejada** an unwelcome visitor
indesejável *adj2g* unwanted
indestrutível *adj2g* **1** indestructible **2** *(eterno)* imperishable; everlasting
indeterminação *nf* **1** indetermination **2** *(hesitação)* indecision; irresolution
indeterminado *adj* **1** *(incerto)* indeterminate; indefinite **2** *(indeciso)* irresolute
indevidamente *adv* **1** wrongly; incorrectly **2** improperly
indevido *adj* **1** *(impróprio)* improper; wrong **2** *(injusto)* unjust; unfair; undeserved
índex *nm* **1** index **2** (dedo) index finger, forefinger
indexar *v* to index
Índia *nf* India
indiano *adj,nm* Indian ♦ **em fila indiana** in Indian file; in single file
indicação *nf* **1** *(instrução)* direction; instruction **2** *(dica)* suggestion **3** *(sinal)* sign (de, of) **4** *(recomendação)* recommendation; advice; **por indicação de** on the orders of
indicado *adj* suitable (para, for); appropriate (para, for)
indicador *adj* indicative (de, of); symptomatic (de, of) ▪ *nm* **1** indicator **2** (dedo) index finger, forefinger
indicar *v* **1** *(apontar)* to point at **2** *(ser indício de)* to indicate **3** *(aconselhar)* to recommend **4** *(fazer referência a)* to mention
indicativo *adj* indicative; **modo indicativo** indicative mood ▪ *nm* **1** LING indicative **2** (telefone) dialling code
índice *nm* **1** index **2** *(taxa)* rate; index; **o índice de desemprego** the unemployment index/rate **3** *(nível)* level; **índice de álcool no sangue** blood alcohol level
indiciação *nf* DIR indictment
indiciar *v* **1** DIR to indict, to accuse **2** *(ser indício de)* to indicate; to denote; to be a sign of
indício *nm* sign (de, of); indication (de, of)
índico *adj* Indian; **Oceano Índico** Indian Ocean
indiferença *nf (desinteresse)* indifference; detachment
indiferente *adj2g* indifferent

> De notar que a palavra inglesa **indifferent** se escreve com duplo **f**.

indígena *adj2g* indigenous; **povos indígenas** indigenous peoples ▪ *n2g* native
indigência *nf (pobreza extrema)* indigence; poverty
indigente *adj2g* indigent; poor; needy ▪ *n2g* indigent person
indigestão *nf* indigestion; **ter uma indigestão** to suffer from indigestion
indigesto *adj* indigestible
indigitar *v (nomear)* to designate; to appoint; to nominate
indignação *nf* indignation
indignado *adj* indignant
indignar *v* to arouse indignation ▪ **indignar-se** to grow indignant (com, at/about)

indignidade *nf* indignity
indigno *adj* unworthy (de, of)
índio *adj,nm* (pessoa) Indian ▪ *nm* (elemento químico) indium
indirecta *a nova grafia é* **indireta**[AO]
indirectamente *a nova grafia é* **indiretamente**[AO]
indirecto *a nova grafia é* **indireto**[AO]
indireta[AO] *nf col* insinuation; hint; **mandar uma indireta** to drop a hint
indiretamente[AO] *adv* indirectly
indireto[AO] *adj* indirect; **efeitos indiretos** indirect effects ♦ LING **complemento indireto** indirect object; LING **discurso indireto** reported speech
indisciplina *nf* indiscipline, lack of discipline
indisciplinado *adj* undisciplined; unruly; disobedient
indiscreto *adj* **1** *(bisbilhoteiro)* indiscreet; gossipy **2** *(sem tato)* tactless; thoughtless
indiscrição *nf* **1** *(falta de discrição)* indiscretion **2** *(imprudência)* imprudence **3** *(gafe)* gaffe; blunder
indiscriminadamente *adv* aimlessly; randomly
indiscriminado *adj* indiscriminate
indiscutível *adj2g* indisputable; unquestionable; undeniable
indiscutivelmente *adv* unarguably; unquestionably; undoubtedly
indisfarçável *adj2g* undeniable
indispensável *adj2g* **1** *(obrigatório)* indispensable; obligatory; mandatory **2** *(essencial)* essential; vital ♦ **apenas o indispensável** the bare essentials
indisponibilidade *nf* unavailability
indisponível *adj2g* **1** unavailable **2** busy
indispor *v* to upset ▪ **indispor-se** to fall out
indisposição *nf* indisposition; ailment
indisposto *adj* indisposed; slightly unwell
indissociável *adj2g* inseparable (de, from)
indissolúvel *adj2g* (substância) indissoluble
indistinção *nf* indistinctness
indistinto *adj* **1** indistinct; indistinguishable **2** *(confuso)* vague; unclear
individual *adj2g* **1** individual; (comida) **doses individuais** individual portions **2** (quarto) single; **quarto individual** single room
individualidade *nf* **1** individuality **2** *(pessoa célebre)* personality; celebrity
individualismo *nm* **1** individualism **2** *pej (egoísmo)* selfishness
individualista *adj2g* **1** individualistic **2** *pej* selfish ▪ *n2g* individualist
individualização *nf* individualization
individualizar *v* to individualize; to distinguish
individualmente *adv* individually; separately
indivíduo *nm* individual; person
indivisível *adj2g* indivisible
indo-europeu *adj,nm* Indo-European
índole *nf* character; temper
indolência *nf* indolence; idleness
indolente *adj2g* indolent; idle
indolor *adj2g* painless; **parto indolor** painless childbirth
Indonésia *nf* Indonesia
indonésio *adj,nm* Indonesian
indubitável *adj2g* undoubtable; undeniable; indisputable
indubitavelmente *adv* undoubtedly
indução *nf* induction
indulgência *nf* indulgence
indulgente *adj2g* indulgent
indultar *v* to pardon; to forgive
indulto *nm* pardon; amnesty
indumentária *nf* costume; clothing
indústria *nf* industry ♦ **indústrias pesadas** heavy industries; **indústria petrolífera** oil business; **indústria têxtil** clothing industry
industrial *adj2g* industrial ▪ *n2g* industrialist ♦ **revolução industrial** industrial revolution; **zona industrial** industrial park
industrialização *nf* industrialization
industrializar *v* to industrialize
indutivo *adj* inductive
indutor *nm* ELET inductor
induzir *v* **1** *(incitar)* to induce (a, to) **2** *(inferir)* to infer (de, from); to deduce (de, from)
inebriante *adj2g* intoxicating; inebriating
inebriar *v* to inebriate; to intoxicate
inédito *adj* **1** (obra) unpublished **2** (acontecimento) unprecedented ▪ *nm* unpublished work
inefável *adj2g* ineffable
ineficácia *nf* inefficiency; ineffectiveness
ineficaz *adj2g* **1** ineffective, ineffectual **2** *(inútil)* useless; futile
ineficiência *nf* inefficiency
ineficiente *adj2g* inefficient

inegável *adj2g* undeniable; incontestable; irrefutable
inepto *adj (inábil)* inept, inapt; unskilful; unskilled
inequívoco *adj* unequivocal; unambiguous
inércia *nf* **1** inertia; apathy **2** FÍS inertia
inerência *nf* inherence
inerente *adj2g* inherent (a, in); intrinsic (a, to)
inerte *adj2g (que não tem movimento)* inert; motionless
inesgotável *adj2g* inexhaustible; unceasing; endless
inesperadamente *adv* **1** unexpectedly **2** suddenly
inesperado *adj* unexpected; unforeseen; sudden
inesquecível *adj2g* unforgettable; memorable
inestético *adj* unaesthetic; unsightly
inestimável *adj2g* inestimable; invaluable; priceless
inevitabilidade *nf* inevitability
inevitável *adj2g* inevitable; unavoidable
inexactidão *a nova grafia é* **inexatidão**[AO]
inexacto *a nova grafia é* **inexato**[AO]
inexatidão[AO] *nf* inexactitude; inaccuracy; imprecision
inexato[AO] *adj* inexact; inaccurate; imprecise
inexcedível *adj2g* unsurpassable; unbeatable
inexequível *adj2g* impracticable; impossible
inexistência *nf* **1** non-existence **2** lack (de, of); want (de, of)
inexistente *adj2g* non-existent
inexperiência *nf* inexperience (em, in)
inexperiente *adj2g* **1** inexperienced (em, in) **2** *(ingénuo)* innocent; naïve
inexplicável *adj2g* inexplicable; unexplainable
inexplorado *adj* unexplored
inexpressivo *adj* inexpressive
infalível *adj2g* infallible; unfailing
infame *adj2g* **1** *(desacreditado)* infamous; disreputable **2** *(desprezível)* despicable ■ *n2g* infamous fellow
infâmia *nf* **1** infamy **2** disgrace
infância *nf* **1** childhood; **recordações de uma infância feliz** memories of a happy childhood **2** *fig (princípio)* infancy
infantaria *nf* MIL infantry; foot-soldiers; **infantaria a cavalo** mounted infantry
infantário *nm* nursery school; nursery
infante *nm* **1** (filho de rei) infante; prince **2** MIL infantryman, foot-soldier
infantil *adj2g* **1** (criança) infantile **2** *pej* immature; childish ◆ **não sejas infantil!** grow up!
infeção[AO] *nf* MED infection ◆ **risco de infeção** risk of infection
infecção *a nova grafia é* **infeção**[AO]
infeccionar[AO] *a grafia preferível é* **infecionar**[AO]
infeccioso[AO] *a grafia preferível é* **infecioso**[AO]
infecionar[AO] ou **infeccionar**[AO] *v* **1** to infect **2** to become infected
infecioso[AO] ou **infeccioso**[AO] *adj* infectious; contagious
infectar *a nova grafia é* **infetar**[AO]
infelicidade *nf* **1** unhappiness **2** (acontecimento) misfortune
infeliz *adj2g* **1** unhappy; miserable **2** *(sem sorte)* unfortunate; unlucky
infelizmente *adv* unfortunately
inferência *nf* inference; deduction; conclusion
inferior *adj* **1** (qualidade) inferior (a, to); **de qualidade inferior** of inferior quality **2** lower; **as classes inferiores** the lower classes; **membro inferior** lower limb ■ *nm* subordinate ◆ **ser inferior a alguém** to be inferior to someone
inferioridade *nf* inferiority ◆ **complexo de inferioridade** inferiority complex
inferiorizar *v* **1** *(diminuir o valor)* to diminish; to belittle; to depreciate **2** *(desprezar)* to look down on
inferir *v* to infer (de, from); to deduce (de, from)
infernal *adj2g* infernal; hellish; **que barulheira infernal!** what an infernal racket!
infernizar *v* to torment; to torture; **infernizar a vida de alguém** to make someone's life hell
inferno *nm* hell ◆ **vai para o inferno!** go to hell!
infértil *adj2g* infertile; barren
infertilidade *nf* infertility; barrenness
infestar *v* to infest; to plague
infetar[AO] *v* **1** to infect **2** to become infected
infidelidade *nf* **1** *(adultério)* infidelity; adultery **2** *(falta de lealdade)* unfaithfulness; disloyalty
infiel *adj2g* **1** *(adúltero)* unfaithful (a, to) **2** *(desleal)* disloyal (a, to) ■ *n2g* REL unbeliever
infiltração *nf* infiltration

infiltrado *adj* infiltrated ▪ *nm* infiltrator
infiltrar *v* to infiltrate (em, into)
ínfimo *adj* lowest; meanest ♦ **de ínfima qualidade** of the lowest quality
infindável *adj2g* endless; unending; ceaseless
infinidade *nf* infinity (de, of); infinitude (de, of)
infinitivo *nm* LING (modo) infinitive
infinito *adj* infinite ▪ *nm* the infinite
infixo *nm* LING infix
inflação *nf* ECON inflation; **reduzir a inflação** to bring down inflation; **taxa anual de inflação** annual inflation rate
inflamação *nf* MED inflammation
inflamado *adj* **1** (inflamação) inflamed **2** *fig* passionate; vehement
inflamar *v* **1** MED to inflame **2** (fogo) to ignite; to set on fire **3** *fig (exaltar)* to inflame; to excite
inflamatório *adj* MED inflammatory
inflamável *adj2g* (substância) inflammable
inflectir *a nova grafia é* **infletir**[AO]
infletir[AO] *v* **1** to inflect; to bend; to curve **2** LING to inflect
inflexão *nf* inflection
inflexibilidade *nf* inflexibility
inflexível *adj2g* **1** *(que não se dobra)* inflexible; unbendable; stiff **2** *(intransigente)* uncompromising
infligir *v* to inflict (a, on/upon); to impose (a, on/upon)
influência *nf* influence
influenciar *v* **1** to influence; to exert influence on **2** *(alterar)* to affect **3** *(condicionar)* to bias
influenciável *adj2g* easily influenced; easily led
influente *adj2g* influential; powerful; **um empresário influente** an influential businessman
influenza *nf* MED influenza
influir *v* **1** to exert influence (em, on) **2** *(ter importância)* to matter
influxo *nm* inflow; influx
informação *nf* **1** information **2** *pl* (telefone) directory enquiries; information EUA ♦ **serviços de informação** Intelligence Department
informador *nm* informant; (da polícia) informer
informal *adj2g* **1** informal; **uma reunião informal** an informal meeting **2** (roupa) casual
informar *v* **1** to inform (de, of/about) **2** to explain ▪ **informar-se** to get information (de/sobre, about/on)
informática *nf* computing; computer science
informático *nm* computer expert, computer scientist ▪ *adj* computing
informativo *adj* informative
infortúnio *nm* misfortune
infração[AO] *nf* **1** (de lei, regra) infraction (de, of); violation (de, of) **2** DESP foul play
infracção *a nova grafia é* **infração**[AO]
infractor *a nova grafia é* **infrator**[AO]
infraestrutura[AO] *nf* infrastructure
infra-estrutura *a nova grafia é* **infraestrutura**[AO]
infrator[AO] *nm* criminal offender; infractor
infravermelho *adj,nm* infrared
infringir *v* to infringe; to violate; **infringir a lei** to break the law
infrutífero *adj* **1** unfruitful **2** *fig (vão)* useless; vain; futile
infundado *adj* groundless
infundir *v* **1** to instil; to inculcate **2** (sentimentos) to inspire; **infundir medo** to inspire fear
infusão *nf* infusion (de, of)
ingenuidade *nf* naivety

> Não confundir a palavra portuguesa **ingenuidade** com a palavra inglesa **ingenuity,** que significa engenho, habilidade.

ingénuo *adj* naïve; ingenuous
ingerência *nf* interference (em, in); intrusion (em, in)
ingerir *v* to swallow; to ingest
ingestão *nf* ingestion; swallowing
Inglaterra *nf* England
inglês *adj* English ▪ *nm* **1** (homem) Englishman; (mulher) Englishwoman; **os ingleses** the English **2** (língua) English ♦ **isso é só para inglês ver** that's just show-off
inglório *adj (vergonhoso)* shameful; ignominious; **uma derrota inglória** a shameful defeat
ingratidão *nf* ingratitude; ungratefulness
ingrato *adj* **1** (pessoa) ungrateful **2** (atividade) thankless; unpleasant; **uma tarefa ingrata** a thankless task
ingrediente *nm* **1** ingredient; **os ingredientes de um bolo** the ingredients of a cake **2** *fig (componente)* ingredient; component

íngreme *adj2g* steep; **uma estrada íngreme** a steep road
ingressar *v* **1** (associação) to join (em, -) **2** (escola, universidade) to gain admission (em, to) **3** MIL to join (em, -); to enlist (em, -)
ingresso *nm* **1** *(bilhete)* ticket **2** *(admissão)* admission; access; **preço de ingresso** admission fare
inibição *nf* inhibition
inibido *adj* inhibited; repressed; **sentir-se inibido** to be/feel inhibited
inibir *v* to inhibit; to repress
iniciação *nf* **1** (primeira experiência) initiation **2** (formação) introduction (a, to)
iniciado *adj* initiated ▪ *nm* initiate
inicial *adj2g* initial; **o objetivo inicial** the initial aim ▪ *nf* (letra) initial, initial letter; **as iniciais de um nome** the initials of a name
inicialmente *adv* in the beginning; initially
iniciar *v* **1** *(começar)* to initiate; to start **2** (computador) to boot (up); to start ▪ **iniciar-se** to take one's first steps (em, in)
iniciativa *nf* initiative ♦ **por iniciativa própria** on one's own initiative; **ter capacidade de iniciativa** to have initiative; **tomar a iniciativa** to take the initiative
início *nm* beginning; start; outset ♦ **desde o início** from the outset; **ter início** to start off
inigualável *adj2g* unparalleled
inimaginável *adj2g* unimaginable; inconceivable
inimigo *nm* enemy; foe; **derrotar os inimigos** to defeat one's enemies ▪ *adj* enemy
inimitável *adj2g* inimitable
inimizade *nf* enmity; hostility
ininteligível *adj2g* unintelligible; incomprehensible
ininterrupto *adj* uninterrupted; unceasing; constant
injeção[AO] *nf* **1** injection; shot *col* **2** *col (aborrecimento)* bore
injecção *a nova grafia é* **injeção**[AO]
injectado *a nova grafia é* **injetado**[AO]
injectar *a nova grafia é* **injetar**[AO]
injetado[AO] *adj* **1** (injeção) injected **2** (inflamação) bloodshot; inflamed; **olhos injetados** bloodshot eyes
injetar[AO] *v* to inject (em, into) ▪ **injetar-se** to inject oneself
injúria *nf* **1** (ofensa) insult; offence **2** *(calúnia)* slander; calumny
injuriar *v* **1** *(insultar)* to insult **2** *(caluniar)* to slander; to defame
injurioso *adj* **1** *(insultuoso)* insulting; injurious **2** *(calunioso)* slanderous
injustamente *adv* unjustly; unfairly
injustiça *nf* injustice; unfairness
injustificável *adj2g* unjustifiable; inexcusable
injusto *adj* unjust; unfair; inequitable
inocência *nf* **1** (condição) innocence; **proclamar a sua inocência** to protest one's innocence **2** *(ingenuidade)* naivety; innocence ♦ **a idade da inocência** the age of innocence
inocentar *v* **1** (crime) to declare not guilty; to acquit **2** (transgressão) to clear (de, of)
inocente *adj2g* **1** (culpa) innocent; guiltless; DIR **declarar inocente** to declare not guilty **2** *(ingénuo)* naïve ▪ *n2g* innocent ♦ **fazer-se de inocente** to play the innocent
inoculação *nf* inoculation; vaccination
inocular *v* to inoculate (com, with; contra, against)
inócuo *adj (inofensivo)* innocuous; harmless; inoffensive
inodoro *adj* odourless; scentless ♦ **gás inodoro** odourless gas
inofensivo *adj* harmless
inoportuno *adj* inopportune; inconvenient
inorgânico *adj* inorganic ♦ **química inorgânica** inorganic chemistry
inóspito *adj* (local) inhospitable; desolate; barren
inovação *nf* innovation; **inovação tecnológica** technological innovation
inovador *adj* innovative; progressive ▪ *nm* innovator; pioneer
inovar *v* to innovate
inoxidável *adj2g* rustproof ♦ **aço inoxidável** stainless steel
inqualificável *adj2g* **1** unqualified **2** *(vergonhoso)* contemptible; despicable; **ato inqualificável** despicable deed
inquebrável *adj2g* unbreakable, nonbreaking
inquérito *nm* **1** (opinião pública) survey **2** (polícia) inquiry; investigation; **abrir um inquérito** to hold an inquiry ♦ **inquérito preliminar** preliminary inquest
inquestionável *adj2g* unquestionable

inquietação *nf* **1** *(agitação)* restlessness; unrest **2** *(perturbação)* uneasiness; worry **3** *(preocupação)* anxiety; anxiousness; concern
inquietar *v* to worry ▪ **inquietar-se** to worry (com, about)
inquieto *adj* **1** *(agitado)* restless **2** *(preocupado)* worried; concerned
inquilino *nm* tenant
inquirir *v* **1** *(investigar)* to inquire into; to look into; to investigate **2** *(perguntar)* to inquire; to ask; to query EUA **3** (testemunha) to inquire; to interrogate; to question
Inquisição *nf* HIST Inquisition, Office
inquisidor *nm* inquisitor; interrogator ▪ *adj* inquisitive; **olhar inquisidor** inquisitive glance
insaciável *adj2g* **1** (condição mental) insatiable; unquenchable **2** (sentidos) voracious; insatiable; **apetite insaciável** voracious appetite
insalubre *adj2g* noxious; unhealthy
insatisfação *nf* dissatisfaction (com, with)
insatisfeito *adj* dissatisfied (com, with)
inscrever *v* **1** (escola, universidade) to enrol (em, on) **2** (gravação) to inscribe (em, on) ▪ **inscrever-se 1** (escola, universidade) to enrol (em, in) **2** (exército, marinha) to enlist (em, in/into)
inscrição *nf* **1** *(matrícula)* enrolment **2** (competição) entry **3** (em pedra ou metal) inscription
inscrito *adj* **1** *(registado)* registered **2** (escola, associação) enrolled; signed-in; **membros inscritos** enrolled members
insecticida *a nova grafia é* **inseticida**[AO]
insectívoro[AO] *a grafia preferível é* **insetívoro**[AO]
insecto *a nova grafia é* **inseto**[AO]
insegurança *nf* **1** (sentimentos, situação) insecurity **2** *(incerteza)* uncertainty; doubt **3** (perigo) lack of safety
inseguro *adj* **1** *(sem confiança)* insecure; **sentir-se inseguro** to feel insecure **2** *(duvidoso)* uncertain; doubtful **3** (situação) unsafe; insecure
inseminação *nf* insemination ♦ **inseminação artificial** artificial insemination
inseminar *v* to inseminate
insensato *adj* **1** unwise; unreasonable **2** *(tolo)* foolish; silly
insensibilidade *nf* insensitivity (a, to)
insensibilizar *v* to numb; to dull; to deaden
insensível *adj2g* (sentidos) insensitive (a, to)
inseparável *adj2g* inseparable (de, from)
inserção *nf* insertion ♦ **inserção social** social integration
inserir *v* **1** to insert **2** (sociedade) to integrate (em, into)
inseticida[AO] *adj,nm* insecticide; **pó inseticida** insect powder
insetívoro[AO] ou **insectívoro**[AO] *adj* insectivorous ▪ *nm* insectivore
inseto[AO] *nm* insect
insígnia *nf* **1** (organizações) emblem; insignia **2** *fig (símbolo)* token; symbol
insignificância *nf* **1** insignificance; **a insignificância da soma** the insignificance of the sum **2** *(ninharia)* trifle; triviality; **preocupar-se com insignificâncias** to worry about trifles
insignificante *adj2g* insignificant; unimportant
insinuação *nf* insinuation; hint
insinuante *adj2g* **1** insinuating **2** charming
insinuar *v* to insinuate; to hint at ▪ **insinuar-se** (sedução) to make a pass (a, at)
insipidez *nf* (sabor) insipidity; unsavouriness; tastelessness
insípido *adj* **1** (sabor) insipid; tasteless; savourless **2** *fig* (monotonia) dull; uninteresting
insistência *nf* **1** insistence (em, on) **2** *(persistência)* persistence **3** *(teimosia)* stubbornness
insistente *adj2g* **1** insistent **2** *(persistente)* persistent **3** *(teimoso)* stubborn
insistir *v* **1** to insist (em, on) **2** *(pressionar)* to pressure (com, -)
insolação *nf* MED sunstroke
insolência *nf* **1** (comportamento) insolence; rudeness **2** arrogance
insolente *adj2g* **1** (comportamento) insolent; rude **2** arrogant
insólito *adj* **1** *(invulgar)* extremely unusual; uncommon **2** *(nunca visto)* unprecedented; unheard-of
insolúvel *adj2g* **1** (substância) insoluble **2** *fig (sem solução)* unsolvable; insoluble
insolvência *nf (falência)* insolvency; bankruptcy
insolvente *adj2g* (falência) insolvent; bankrupt
insondável *adj2g* unfathomable; impenetrable
insónia *nf* insomnia; sleeplessness; **ter insónias** to suffer from insomnia
insonorização *nf* sound-proofing
insosso *adj* **1** *(sem sal)* unsalted **2** *(sem sabor)* unsavoury; insipid; tasteless **3** *fig (sem interesse)* dull; boring

inspeção[AO] *nf* inspection; examination ♦ **inspeção sanitária** health inspection
inspecção *a nova grafia é* **inspeção**[AO]
inspeccionar *a nova grafia é* **inspecionar**[AO]
inspecionar[AO] *v* to inspect; to investigate; to look into
inspector *a nova grafia é* **inspetor**[AO]
inspetor[AO] *nm* inspector
inspiração *nf* **1** (criação) inspiration **2** (respiração) breathing; inhaling ♦ **estar sem inspiração** to lack inspiration; **fontes de inspiração** sources of inspiration
inspirador *nm* inspirer ▪ *adj* inspiring; inspirational
inspirar *v* **1** to inspire (a, to) **2** (respiração) to breathe in; to inhale ▪ **inspirar-se** to draw inspiration (em, from)
instabilidade *nf* **1** (situação) instability **2** *(desequilíbrio)* unsteadiness
instalação *nf* **1** installation **2** *(equipamento)* fitting; equipment **3** *(colocação)* setting-in **4** *pl* (edifício) facilities
instalar *v* **1** (equipamento) to install; to set up **2** *(alojar)* to accommodate ▪ **instalar-se 1** *(estabelecer-se)* to settle **2** *(acomodar-se)* to sit comfortably
instância *nf* **1** *(exemplo)* instance; case **2** DIR lawsuit; **tribunal de primeira instância** court of first instance; **tribunal de última instância** court of last resource ♦ **em última instância** as a last resource
instantaneamente *adv* instantly
instantâneo *adj* **1** *(imediato)* instantaneous; immediate; **a reação foi instantânea** reaction was instantaneous **2** *(súbito)* sudden; **morte instantânea** sudden death **3** (alimentos) instant; **café instantâneo** instant coffee
instante *nm* instant; moment ♦ **a cada instante** all the time; **nesse preciso instante** at that very moment; **num instante** in a moment
instar *v* **1** *(pressionar)* to urge **2** *(solicitar)* to request
instauração *nf* establishment
instaurar *v* **1** *(estabelecer)* to establish; to institute **2** DIR (processo) to bring (contra, against)
instável *adj2g* **1** (equilíbrio) unsteady; shaky **2** (situação) unstable; unpredictable **3** (pessoa) unstable; unbalanced
instigação *nf* instigation (a, to); incitement (a, to)
instigar *v* to instigate (a, to); to incite (a, to)
instintivo *adj* **1** instinctive; **reação instintiva** instinctive reaction **2** (impulsos) spontaneous **3** (mente) intuitive
instinto *nm* **1** instinct; **instinto de sobrevivência** survival instinct; **agir por instinto** to act on instinct **2** (mente) intuition
institucional *adj2g* institutional
institucionalizar *v* to institutionalize
instituição *nf* **1** *(organização)* institution; **instituição de caridade** charitable institution **2** (processo) setting-up; establishment
instituir *v* **1** (regra, sistema) to institute; to establish **2** (fundação) to set up; to found **3** *(nomear)* to appoint (em, to)
instituto *nm* **1** (ensino, investigação) institute **2** (arte) academy; institute ♦ **instituto de beleza** beauty salon; **instituto de investigação médica** medical research institute; **instituto de línguas** language institute
instrução *nf* **1** (ensino) instruction; teaching; education **2** (aprendizagem) education; learning; training **3** *pl (indicações, ordens)* instructions; **seguir as instruções** to follow instructions; **receber instruções para** to be instructed to
instruído *nm* learned; widely-read; cultured
instruir *v* **1** (ensino) to teach, to train **2** (ordens) to instruct ▪ **instruir-se** to broaden one's mind
instrumental *adj2g* instrumental
instrumentista *n2g* MÚS instrumentalist
instrumento *nm* **1** *(ferramentas)* instrument; tool **2** MÚS instrument
instrutivo *adj* instructive; informative
instrutor *nm* instructor; trainer; teacher
insubmisso *adj* insubordinate
insubordinação *nf* insubordination
insubordinado *adj* insubordinate ▪ *nm (rebelde)* insubordinate person; rebel
insubstituível *adj2g* irreplaceable
insucesso *nm* failure; flop ♦ **insucesso escolar** academic failure
insuficiência *nf* **1** *(escassez)* insufficiency; shortage **2** MED insufficiency; failure; **insuficiência renal** kidney failure

insuficiente *adj2g* insufficient ▪ *nm* (nota de escola) D; **tive insuficiente no teste** I got a D on the test
insuflar *v* (sopro) to breathe into
insuflável *adj2g* inflatable ♦ **colchão insuflável** airbed
insular *adj2g* insular
insularidade *nf* insularity
insulina *nf* insulin
insultar *v* (linguagem, ato) to insult; to be offensive to
insulto *nm* insult
insultuoso *adj* (insulto) insulting; abusive; **linguagem insultuosa** foul language
insuperável *adj2g* **1** (obstáculo) insurmountable; insuperable; **dificuldades insuperáveis** insurmountable difficulties **2** (competição) unbeatable **3** *(sem paralelo)* unrivalled; unmatched; unparalleled
insuportável *adj2g* unbearable; intolerable
insurgir-se *v* (revolta) to rebel (contra, against)
insurreição *nf* **1** insurrection **2** riot
insuspeito *adj* unsuspected; unknown
insustentável *adj2g* **1** (argumento) untenable **2** unbearable; intolerable; **situação insustentável** unbearable situation
intacto *adj* **1** (inteireza) intact **2** *fig* (pureza) untouched
íntegra *nf* totality; full text ♦ **na íntegra** in full
integração *nf* integration
integral *adj2g* **1** *(completo)* comprehensive **2** (alimento) whole; **pão integral** wholemeal bread **3** MAT integral ▪ *nf* MAT integral
integralidade *nf* entirety ♦ **na integralidade** in its entirety
integralmente *adv* in its entirety; completely
integrante *adj2g* integral ♦ **parte integrante** integral part
integrar *v* **1** to integrate (em, into); **integrar na sociedade** to integrate into society **2** *(pertencer)* to be part of; to take part in; **integrar uma equipa** to be part of a team
integridade *nf* integrity; honesty
íntegro *adj* **1** (totalidade) whole; complete; entire **2** (moral) upright; honest; righteous
inteiramente *adv* entirely; absolutely
inteirar *v (informar)* to inform ▪ **inteirar-se** to find out (de, about); to learn (de, about)
inteiro *adj* **1** entire; whole **2** MAT integer ♦ **por inteiro** fully
intelecto *nm* intellect
intelectual *adj,n2g* intellectual; **atividade intelectual** intellectual activity
inteligência *nf* **1** intelligence **2** (agudeza de espírito) wit ♦ **inteligência artificial** artificial intelligence
inteligente *adj2g* intelligent
inteligível *adj2g* intelligible
intempérie *nf* (tempo) bad weather; inclemency ♦ **exposto à intempérie** exposed to the elements
intempestivo *adj* **1** (tempo) untimely **2** *(súbito)* sudden; unforeseen
intenção *nf* intention ♦ **segundas intenções** ulterior motive
intencional *adj2g* intentional; premeditated; deliberate
intencionalmente *adv* intentionally; on purpose; deliberately
intendência *nf* **1** (departamento) superintendence; intendance **2** MIL intendance
intendente *n2g* **1** (repartição) intendant **2** (polícia) superintendent
intensidade *nf* (geral) intensity
intensificação *nf* **1** *(aumento)* intensification; enhancement **2** *(agravamento)* aggravation
intensificador *nm* intensifier ▪ *adj* intensifying; enhancing
intensificar *v* **1** (força) to intensify **2** *(reforçar)* to enhance; to heighten
intensivo *adj* intensive ♦ **cuidados intensivos** intensive care; **curso intensivo** crash course
intenso *adj* intense
interação[AO] *nf* interaction; interplay
interacção *a nova grafia é* **interação**[AO]
interactividade *a nova grafia é* **interatividade**[AO]
interactivo *a nova grafia é* **interativo**[AO]
interajuda *nf* cooperation; teamwork
interatividade[AO] *nf* interactivity
interativo[AO] *adj* interactive; **atividades interativas** interactive activities
intercalar *v* to insert
intercâmbio *nm* interchange; exchange; **intercâmbio de ideias** interchange of ideas
interceder *v* to intercede (por, for; junto de, with); **interceder por alguém** to intercede for someone
interceptar *a nova grafia é* **intercetar**[AO]

intercessão *nf* intercession; mediation; intervention
intercetar[AO] *v* **1** (viajante, encomenda) to intercept **2** (sinal de rádio) to intercept; to interfere
intercomunicador *nf* (aparelho) intercom
intercontinental *adj2g* intercontinental; **viagem intercontinental** intercontinental voyage
interdependência *nf* interdependence
interdependente *adj2g* interdependent
interdição *nf (proibição)* interdiction; prohibition
interdigital *adj2g* interdigital
interdisciplinar *adj2g* interdisciplinary
interditar *v* to interdict
interdito *adj (proibido)* forbidden; **filme interdito a menores de dezoito anos** NC-17, No One 17 and Under Admitted ▪ *nm* interdict
interessado *adj* **1** (curiosidade) interested (em, in) **2** (empenho) interested (em, in); concerned (em, in); **mostrou-se interessado em aprender mais sobre o tema** he showed interest in learning the subject further **3** DIR concerned (em, in); **as partes interessadas** the concerned parties ▪ *nm* interested party
interessante *adj2g* **1** interesting **2** *(absorvente)* engrossing; absorbing; **um livro interessante** an engrossing book
interessar *v* **1** to interest **2** *(dizer respeito a)* to concern **3** *(ser conveniente)* to be advisable ▪ **interessar-se** (gosto) to be interested (por, in) ♦ **a quem interessar** to whom it may concern; **não interessa** it doesn't matter
interesse *nm* interest (por, em, in); **perder o interesse em** to lose interest in
interesseiro *adj* self-interested ▪ *nm* false friend
interface *nf* interface
interferência *nf* interference
interferir *v* (intervenção) to interfere
interino *adj* temporary; interim
interior *adj2g* **1** interior **2** (estradas, autódromos) inside; **faixa interior** inside lane ▪ *nm* **1** interior; inside **2** (território) inland; interior
interiorização *nf* internalization
interiorizar *v* to internalize; **interiorizar conhecimentos** to internalize knowledge
interiormente *adv* **1** (espaço) interiorly; inwardly **2** (íntimo) deep down inside; inwardly; privately
interjeição *nf* LING interjection
interligado *adj* interconnected; interrelated
interligar *v* to interconnect; to interrelate
interlocutor *nm* **1** (diálogo) interlocutor **2** (contenda) interlocutor; mediator
interlúdio *nm* **1** MÚS interlude **2** *(pausa)* interlude; break
intermediário *nm* go-between; middleman; intermediary
intermédio *adj* **1** intermediate **2** (tamanho) medium; average ♦ **por intermédio de** through
interminável *adj2g* endless; never-ending; interminable
intermitente *adj2g* intermittent
internacional *adj2g* international ♦ **comércio internacional** international trade; **direito internacional** international law; **relações internacionais** international relations
internacionalização *nf* internationalization
internacionalizar *v* to internationalize
internamento *nm* hospitalization
internar *v* **1** (hospital, clínica) to hospitalize **2** (doenças mentais) to commit; **internar alguém numa clínica para doentes mentais** to commit someone to a mental institution
internato *nm* boarding school
Internet *nf* INFORM Internet
interno *adj* **1** internal **2** (aluno) boarding
interpelação *nf* interpellation; **interpelação ao Governo** interpellation to the Government
interpelar *v* to interpellate; to question; **interpelar um ministro** to interpellate a minister
interpessoal *adj2g* interpersonal; **relações interpessoais** interpersonal relations
interplanetário *adj* interplanetary; **espaço interplanetário** interplanetary space
interpolar *v (incluir)* to interpolate; to insert
interpor *v* **1** to interpose; to put between **2** DIR to lodge ▪ **interpor-se** to come (entre, between)
interpretação *nf* **1** interpretation; **interpretação de textos** interpretation of a text **2** (músico, ator) performance **3** *(tradução)* interpreting
interpretar *v* to interpret
interpretativo *adj* interpretative
intérprete *n2g* **1** *(tradutor)* interpreter; translator **2** (arte, música, representação) performer

inter-racial *adj2g* interracial
interregno *nm (intervalo)* interregnum; **neste interregno** in the meantime
inter-relação *nf* interrelationship (entre, between); correspondence (entre, between)
inter-relacionado *adj* interrelated; interconnected; linked
inter-relacionar *v* to interrelate; to interconnect
interrogação *nf* **1** (ação) interrogation; inquiry; query **2** *(pergunta)* question **3** *fig* doubt; **ainda estava cheia de interrogações** she was still full of doubts ♦ **ponto de interrogação** question mark
interrogador *nm* interrogator
interrogar *v* **1** to interrogate; to question **2** (investigação criminal) to cross-examine; to examine; **interrogar testemunhas** to cross-examine witnesses
interrogativo *adj* interrogative; inquisitive; **olhar interrogativo** inquisitive glance ♦ **pronome interrogativo** interrogative pronoun
interrogatório *nm* **1** (tribunal) cross-examination **2** (investigação) inquiry, enquiry **3** (geral) interrogation
interromper *v* to interrupt
interrupção *nf* **1** interruption; break **2** *(corte)* cutting off
interruptor[AO] ou **interrutor**[AO] *nm* switch; **desligar o interruptor** to switch off; **interruptor da luz** electric light switch
interseção[AO] ou **intersecção**[AO] *nf* intersection
intersetar[AO] ou **intersectar**[AO] *v* to intersect
interstício *nm* interstice
interurbano *adj* **1** (entre cidades) interurban; **autocarros interurbanos** interurban buses **2** (telefone) long-distance; **chamada interurbana** long-distance call
intervalo *nm* **1** interval; **com curtos intervalos** at short intervals; **com intervalos de** at intervals of **2** *(pausa)* break; **vamos fazer um intervalo** let's take a break **3** (espaço) gap
intervenção *nf* **1** intervention **2** MED operation
interveniente *adj2g* intervening ▪ *n2g* participant
intervir *v* (participação) to intervene (em, in); to take action (em, in)
intestinal *adj2g* intestinal
intestino *nm* intestine; **intestino delgado** small intestine; **intestino grosso** large intestine
intimação *nf* **1** intimation; announcement; notification **2** DIR summons; subpoena
intimar *v* DIR *(notificar)* to summon; to notify
intimidação *nf* intimidation
intimidade *nf* **1** *(proximidade)* intimacy; closeness; **ter uma relação de intimidade com alguém** to have a close relationship with someone **2** *(privacidade)* intimacy; privacy
intimidar *v* to intimidate
íntimo *adj* **1** (amizade) intimate; close; **amigos íntimos** close friends **2** (espaço) intimate; cosy; **restaurante íntimo** cosy restaurant **3** *(privado)* intimate; private; **conversa íntima** private conversation ▪ *nm* core; heart; **no seu íntimo** deep down inside
intitular *v* to give a title to; to name ▪ **intitular-se 1** (obra) to be entitled; to be called **2** (pessoa) to call oneself
intocável *adj2g* untouchable
intolerância *nf* intolerance
intolerante *adj2g* intolerant
intolerável *adj2g* intolerable; insufferable; unbearable
intoxicação *nf* poisoning; **intoxicação alimentar** food poisoning
intoxicar *v* to poison
intracelular *adj2g* intracellular
intraduzível *adj2g* untranslatable
intragável *adj2g* **1** (comida) uneatable **2** *fig,pej (insuportável)* unbearable; insufferable; **um filme intragável** an insufferable film
intramuscular *adj2g* intramuscular
intransigência *nf* intransigence; inflexibility
intransigente *adj2g* intransigent; inflexible
intransitável *adj2g* (via) impassable
intransitivo *adj* LING intransitive; **verbo intransitivo** intransitive verb
intransmissível *adj2g* untransferable
intransponível *adj2g* insurmountable
intratável *adj2g* **1** intractable **2** (pessoa) unsociable
intravenoso *adj* intravenous
intrepidez *nf (coragem)* intrepidity; dauntlessness
intrépido *adj (sem medo)* intrepid; fearless; dauntless

intriga *nf* **1** *(maquinação)* intrigue; plotting **2** (enredo) plot
intrigante *adj2g* intriguing; puzzling; baffling
intrigar *v* to intrigue
intriguista *n2g* schemer; plotter; intriguer
intrínseco *adj* intrinsic; inherent; **qualidades intrínsecas** intrinsic qualities
introdução *nf* **1** introduction; **introdução de novas ideias** introduction of new ideas **2** (obra) introduction; preface; foreword
introdutório *adj* introductory; preliminary
introduzir *v* **1** to introduce (em, in); to bring in; **introduzir novas tecnologias** to bring in new technologies **2** (estabelecimento) to establish; to set up; **introduzir novas regras** to set up new regulations
intrometer-se *v* to meddle (em, in); to interfere (em, in)
intrometido *adj* meddlesome; interfering
intromissão *nf* interference (em, in)
introspeção[AO] *nf* introspection; **momentos de introspeção** moments of introspection
introspecção *a nova grafia é* **introspeção**[AO]
introspectivo *a nova grafia é* **introspetivo**[AO]
introspetivo[AO] *adj* introspective
introversão *nf* introversion
introvertido *adj* introverted ▪ *nm* introvert
intrujão *adj* deceitful ▪ *nm* cheat
intrujar *v* to swindle
intruso *nm* **1** (festa, local) intruder **2** (propriedade) trespasser
intuição *nf* **1** (sentidos) intuition; instinct; **a minha intuição diz-mo** my intuition tells me so **2** (conhecimento) perception; insight
intuir *v* to intuit; to guess
intuitivo *adj* intuitive; instinctive
intuito *nm* aim; objective
inultrapassável *adj2g* unsurpassable; insurmountable
inundação *nf* flood
inundar *v* **1** to flood **2** *fig* to inundate (com, with)
inusitado *adj* unusual; uncommon; never seen before
inútil *adj2g* **1** *(sem utilidade)* useless **2** *(vão)* vain; pointless ▪ *n2g* a good-for-nothing; **não passava de um inútil** he was nothing but a good-for-nothing
inutilidade *nf* uselessness
inutilizar *v* **1** *(estragar)* to damage **2** (pessoa) to disable; to cripple; **o acidente inutilizou-o** the accident disabled him **3** *(anular)* to invalidate
inutilmente *adv* in vain; of no use; uselessly
invadir *v* (geral) to invade
invalidação *nf* invalidation
invalidade *nf* DIR invalidity; nullity; **invalidade de um casamento** invalidity of a marriage
invalidar *v* to invalidate
invalidez *nf* MED invalidity; disability; handicap ♦ **pensão de invalidez** invalidity pension
inválido *adj* **1** (pessoa) disabled; handicapped **2** (validade) invalid; **o contrato foi considerado inválido** the contract was considered invalid ▪ *nm* (pessoa) disabled person; handicapped person
invariável *adj2g* **1** *(imutável)* invariable; unchangeable **2** *(constante)* firm; persistent; constant
invasão *nf* invasion ♦ **invasão de privacidade** invasion of privacy
invasor *adj* invading; **tropas invasoras** invading troops ▪ *nm* invader
inveja *nf* envy
invejar *v* to envy
invejável *adj2g* enviable
invejoso *adj* envious (de, of) ▪ *nm* envious person
invenção *nf* **1** *(invento)* invention **2** *pej* (imaginação) fabrication
invencível *adj2g* **1** (competição) unbeatable; invincible; **uma equipa invencível** an unbeatable team **2** (território) unconquerable; undefeatable
inventar *v* **1** (engenho, técnica) to invent; **inventar uma nova máquina** to invent a new machine **2** (história, mentira) to make up **3** (plano, esquema) to devise; to conceive
inventariar *v* to draw up an inventory; to register
inventário *nm (listagem)* inventory (de, of)
inventiva *nf* inventiveness; imagination
inventivo *adj* inventive
invento *nm* invention
inventor *nm* inventor
inverno[AO] *nm* winter; **inverno rigoroso** hard winter ♦ **desportos de inverno** winter sports
invernoso *adj* wintry
inverosímil *adj2g* unlikely

inversão *nf* inversion; reversal ♦ **inversão de marcha** reversing of motion; turning round
inverso *adj* **1** inverse; reverse; **em ordem inversa** in reverse order **2** *(contrário)* opposite
invertebrado *adj,nm* invertebrate
inverter *v* to invert; to reverse; **inverter a ordem natural das coisas** to reverse the natural course of things
invés *nm* contrary ♦ **ao invés** on the contrary; **ao invés disso** instead of that
investida *nf (ataque)* assault; attack
investidor *nm* ECON investor
investidura *nf* investiture
investigação *nf* **1** (polícia, ciência) investigation; **investigação criminal** crime investigation **2** *(pesquisa)* research; **investigação científica** scientific research; **trabalho de investigação** research work
investigador *nm* **1** (polícia, função) investigator **2** (pesquisa) researcher
investigar *v* **1** (crime) to investigate; to look into **2** *(pesquisar)* to do research on; to research ♦ **investigar a fundo** to go to the root of the matter
investimento *nm* **1** ECON investment (em, in); outlay **2** (bens) investment; acquisition
investir *v* **1** to invest (em, in) **2** *(atacar)* to attack
inviabilidade *nf* unfeasibility
inviável *adj2g* impracticable; unfeasible
invicto *adj (invencível)* unvanquished; invincible; unconquered
inviolável *adj2g* inviolable
invisível *adj2g* invisible
invisual *adj2g* blind ▪ *n2g* blind person
invocação *nf* invocation
invocar *v* to invoke
invólucro *nm* **1** *(embrulho)* wrapping; wrapper; **invólucro de papel** paper wrapping **2** *(embalagem)* pack; packet EUA
involuntário *adj* **1** (movimento) involuntary **2** (erro) unintentional
invulgar *adj* uncommon, unusual
invulnerável *adj2g* invulnerable
iodo *nm* iodine; **tintura de iodo** tincture of iodine
ioga *nf* yoga
iogurte *nm* yoghurt; **iogurte magro** low-fat yoghurt
iogurteira *nf* yoghurt-maker
ioió *nm* yo-yo
IP [*abrev. de* Internet Protocol]
ir *v* **1** to go; **ir a pé** to go on foot; (transportes) **ir de carro/comboio** to go by car/train; (estado) **como vão as coisas?** how are things going? **2** MAT to carry; **22 e vão dois** 22 and carry two ▪ **ir-se 1** *(partir)* to go away; **ir-se embora** to go away **2** (luz, dor) to go; **foi-se a luz** the electricity's gone ♦ (caminho) **ir dar a** to lead to; **ir ter com** to meet
ira *nf* anger, rage, wrath; **acesso de ira** fit of rage
irado *adj* irate, enraged; **olhar irado** angry stare
iraniano *adj,nm* Iranian
Irão *nm* Iran
Iraque *nm* Iraq
iraquiano *adj,nm* Iraqi
irascível *adj2g* irascible
irídio *nm* iridium
íris *nf* ANAT,BOT iris
Irlanda *nf* Ireland
Irlanda do Norte *nf* Northern Ireland
irlandês *adj* Irish ▪ *nm* **1** (homem) Irishman; (mulher) Irishwoman; **os irlandeses** the Irish **2** (língua) Irish
irmã *nf* sister; **irmã mais nova** youngest sister
irmandade *nf* **1** (entre homens) brotherhood; (entre mulheres) sisterhood **2** *(associação)* association
irmão *nm* brother
ironia *nf* irony ♦ **ironia do destino** the irony of fate
ironicamente *adv* **1** ironically **2** *(sarcasticamente)* sarcastically
irónico *adj* ironic; **ser irónico** to be ironic
ironizar *v* **1** to use irony **2** to speak ironically
irra *interj* hell!, damn!; Christ!
irracional *adj2g* irrational
irracionalidade *nf* irrationality
irradiação *nf* irradiation; radiation
irradiar *v* to irradiate; to radiate
irreal *adj2g* **1** *(não real)* unreal **2** *(imaginário)* imaginary
irreconciliável *adj2g* irreconcilable
irreconhecível *adj2g* unrecognizable
irrecuperável *adj2g* irrecoverable; irretrievable

irrecusável *adj2g* **1** (convite) that cannot be refused **2** *(incontestável)* irrefutable
irredutível *adj2g* irreducible
irreflectido *a nova grafia é* **irrefletido**[AO]
irrefletido[AO] *adj* **1** *(inconsiderado)* inconsiderate, thoughtless **2** *(precipitado)* rash; **de maneira irrefletida** rashly
irrefutável *adj2g* irrefutable
irregular *adj* **1** irregular **2** (situação) abnormal; **uma situação irregular** an abnormal situation ♦ LING **verbo irregular** irregular verb
irregularidade *nf* **1** irregularity **2** (superfície) unevenness; **irregularidades do terreno** unevenness of the ground
irrelevância *nf* irrelevancy
irrelevante *adj2g* irrelevant
irremediável *adj2g* **1** (situação) irremediable **2** *(sem remédio)* incurable **3** *(irrecuperável)* irrecoverable
irreparável *adj2g* **1** (estragos, situação) irreparable; **perda irreparável** irreparable loss **2** *(irremediável)* irremediable, irretrievable
irrepreensível *adj2g* irreproachable, impeccable
irrequieto *adj (inquieto)* turbulent, restless; **criança irrequieta** a restless child
irresistível *adj2g* **1** irresistible; **encantos irresistíveis** irresistible charms **2** (desejo) overwhelming
irresoluto *adj* (pessoa) irresolute, indecisive
irrespirável *adj2g* unbreathable
irresponsabilidade *nf* irresponsibility
irresponsável *adj2g* (pessoa, ato) irresponsible; **pessoa irresponsável** an irresponsible person
irreverência *nf* irreverence
irreverente *adj2g* irreverent
irreversível *adj2g* irreversible
irrevogável *adj2g* **1** *(não revogável)* irrevocable **2** *(definitivo)* final
irrigação *nf* **1** AGR irrigation, watering **2** MED circulation; **irrigação sanguínea** circulation
irrigar *v* **1** to irrigate, to water **2** MED to irrigate, to wash
irrisório *adj* derisory
irritação *nf* **1** (nervosismo, cólera) irritation, anger **2** (pele, olhos) rash, irritation
irritante *adj2g* irritant, irritating, annoying
irritar *v* **1** *(enervar)* to annoy **2** (pele, olhos) to inflame, to irritate ▪ **irritar-se** to get angry
irritável *adj2g* irascible, short-tempered
irromper *v* to burst
irrupção *nf* irruption
isca *nf* (pesca) bait, decoy
isco *nm* (pesca) bait ♦ **isco artificial** fishing fly; **morder o isco** to take the bait; to swallow the bait
isenção *nf* exemption (de, from)
isentar *v* **1** *(dispensar)* to exempt (de, from) **2** *(livrar)* to free (de, from)
isento *adj* **1** exempt; free **2** *(imparcial)* impartial
islâmico *adj* Islamic
islamismo *nm* Islamism
islandês *adj* Icelandic ▪ *nm* **1** (pessoa) Icelander **2** (língua) Icelandic
Islândia *nf* Iceland
Islão *nm* Islam
isolado *adj* **1** *(separado)* isolated **2** *(solitário)* secluded, lonely **3** ELET insulated
isolamento *nm* **1** isolation **2** insulation; **isolamento acústico** sound insulation
isolante *adj2g* insulating ▪ *nm* insulator, insulating material
isolar *v* **1** *(separar)* to isolate (de, from) **2** (ruído) to soundproof **3** *(pôr incomunicável)* to cut off (de, from) **4** ELET to insulate (de, from) ▪ **isolar-se** to isolate oneself (de, from)
isósceles *adj inv* (triângulo, trapézio) isosceles
ISP [*abrev. de* Internet service provider]
isqueiro *nm* lighter
Israel *nm* Israel
israelita *adj,n2g* Israeli
isso *pron dem* that; **é só isso?** is that all? ♦ **é isso mesmo** that's it; **nem por isso** not really
isto *pron dem* this ♦ **isto é** that is
Itália *nf* Italy
italiano *adj,nm* Italian
itálico *nm* italics; **em itálico** in italics ▪ *adj* italic
item *nm* item
itérbio *nm* ytterbium
itinerário *nm* itinerary
ítrio *nm* yttrium
IVA [*abrev. de* Imposto sobre o Valor Acrescentado] VAT [*abrev. de* Value Added Tax]

J

j *nm* (letra) j
já *adv* **1** *(imediatamente)* now; right now; **vou já!** I'm coming! **2** (passado) already; (em perguntas) yet **3** *(alguma vez)* ever **4** *(agora)* by now; already **5** (uso enfático); **já sei** I know ▪ *conj* on the other hand ♦ **já agora** by the way; **já não** no longer; **já que** since
jacaré *nm* alligator
jacente *adj2g* lying, recumbent
jacinto *nm* hyacinth
jackpot *nm* jackpot
jactância *nf* **1** boastfulness, bragging **2** *(altivez)* pride
jacto *a nova grafia é* **jato**[AO]
jacúzi *nm* jacuzzi
jade *nm* jade
jaguar *nm* jaguar
Jamaica *nf* Jamaica
jamaicano *adj,nm* Jamaican
jamais *adv* **1** never; **jamais conheci alguém assim** I've never known anyone like him **2** (com palavra negativa) ever; **ninguém jamais o tratou assim** nobody ever treated him like that
janeiro[AO] *nm* January
janela *nf* **1** window; **olhar pela janela** to look out the window; **reservar um lugar à janela** to book a window seat **2** (parede, telhado) opening ♦ **janela de guilhotina** sash window; **deitar pela janela fora** to throw out of the window; **peitoril de janela** window-sill
jangada *nf* raft, float
janota *adj* **1** *(elegante)* smart **2** *pej* foppish
jantar *nm* dinner; **ao jantar** at dinner time ▪ *v* **1** to have (something) for dinner **2** to have dinner, to dine; **jantar fora de casa** to dine out
jante *nf* (automóvel) wheel rim
Japão *nm* Japan
japonês *adj,nm* Japanese
jaqueta *nf* short jacket
jarda *nf* (unidade de medida) yard
jardim *nm* garden ♦ **jardim zoológico** zoo
jardim-infantil *nm* kindergarten, nursery school
jardinagem *nf* gardening
jardinar *v* to garden
jardineiras *nfpl* (calças) dungarees
jardineiro *nm* gardener
jarra *nf* (flores) vase
jarro *nm* **1** jug GB, pitcher EUA **2** (planta, flor) arum lily; arum
jasmim *nm* jasmine
jato[AO] *nm* **1** (água) jet, stream **2** (luz) flash **3** (ar) blast **4** (avião, motor) jet ♦ **a jato** at full speed
jaula *nf* **1** cage **2** *col (prisão)* jail
javali *nm* (macho) wild boar; (fêmea) wild sow
javardo *nm* **1** ZOOL wild boar **2** *(tosco, desajeitado)* clumsy fellow **3** *(patife)* rascal ▪ *adj* **1** *(campónio)* boorish **2** *(imundo)* nasty, filthy
jazer *v* to lie ♦ **aqui jaz** here lies
jazida *nf* **1** GEOL (minerais) bed, deposit; **uma jazida de carvão** a coalfield **2** (cemitério) resting place **3** (arqueologia) site
jazigo *nm* **1** (monumento funerário) tomb; **jazigo de família** family tomb **2** (cemitério) grave **3** GEOL (minerais) bed, deposit, field; **jazigo de minerais** ore bed
jazz *nm* MÚS jazz
jeito *nm* **1** *(habilidade)* skill, flair **2** (modo) way **3** *(lesão)* sprain **4** *(arranjo)* fixing; **dar um jeito na televisão** to fix the television **5** *col (favor)* favour GB, favor EUA ♦ **com jeito** gently
jeitoso *adj* **1** *(hábil)* handy, skilful **2** *(elegante)* handsome **3** *(apropriado)* suitable
jejuar *v* **1** to fast **2** *fig* to abstain (de, from)
jejum *nm* fast, fasting; **estar de jejum** to be fasting; **quebrar o jejum** to break one's fast
jerico *nm* donkey, ass
jeropiga *nm* unfermented wine
jesuíta *adj,nm* Jesuit
jesus *interj* bless me! ▪ *nm* REL Jesus
jiboia[AO] *nf* boa constrictor
jibóia *a nova grafia é* **jiboia**[AO]
Jibuti *nm* Djibouti
jipe *nm* jeep

jiu-jitsu *nm* ju-jitsu
joalharia *nf* **1** (joias) jewellery **2** (loja) jeweller's
joalheiro *nm* jeweller
joanete *nm* MED bunion
joaninha *nf* ladybird GB; ladybug EUA
joão-ninguém *nm* a nobody
jocosidade *nf* jocosity
jocoso *adj* jocose
joelhada *nf* blow with the knee; **dar uma joelhada em alguém** to knee somebody
joelheira *nf* **1** DESP kneepad **2** MED knee support **3** *(remendo)* knee patch
joelho *nm* knee
jogada *nf* **1** (vez) play **2** (jogo) move **3** (lançamento) throw, hit **4** *(tacada)* stroke **5** (negócio) scheme
jogador *nm* **1** (competição) player; **jogador de futebol** football player **2** (a dinheiro) gambler **3** (Bolsa) speculator; **jogador na Bolsa** speculator on Change
jogar *v* **1** to play; **jogar às escondidas** to play hide and seek **2** (jogos de azar) to gamble **3** *(lançar)* to throw **4** to put money (em, on)
jogo *nm* **1** game; **jogo de tabuleiro** board game **2** (a dinheiro) gambling **3** DESP match **4** *(conjunto)* set **5** *(artimanha)* trick; **jogo sujo** dirty tricks ♦ **abrir o jogo** to lay one's cards on the table; **em jogo** at stake; **Jogos Olímpicos** Olympic Games
jogral *nm* jester
joguete *nm* **1** plaything, toy **2** *(bobo)* fool ♦ **ser um joguete nas mãos de alguém** to be a tool in someone's hands
joia[AO] *nf* **1** (adorno) jewel, piece of jewellery; **ele comprou-lhe uma joia** he bought her a jewel **2** (inscrição, taxa) entrance fee, membership fee **3** *col* (pessoa) darling, treasure; *col* **ela é uma joia** she's a treasure
jóia *a nova grafia é* **joia**[AO]
joio *nm* darnel, cockle
jóquei *nm* DESP (cavaleiro) jockey
jóquer *nm* (cartas) joker
jornada *nf* **1** (viagem) journey **2** (dia) a day's work **3** DESP round
jornal *nm* **1** newspaper; paper *col*; **jornal diário** daily paper **2** news
jornaleco *nm pej* rag
jornalismo *nm* journalism
jornalista *n2g* journalist
jornalístico *adj* journalistic
jorrar *v* to spout out, to gush out, to shoot out; **o sangue jorrava da ferida** the blood was spouting from the wound
jorro *nm* **1** jet **2** (abundante) gush; **a jorros** in torrents **3** (sangue) spurt
jovem *adj2g* **1** young **2** (aspeto) youthful ▪ *n2g* young person, youth
jovial *adj2g* **1** jovial **2** *(alegre)* cheerful, jolly
jovialidade *nf* joviality
joystick *nm* joystick
JPEG INFORM [*abrev. de* Joint Photographic Experts Group]
juba *nf* **1** (leão) mane **2** (cabelo) mop
jubilação *nf* **1** *(exaltação)* jubilation **2** *(aposentação)* retirement
jubilado *adj (aposentado)* retired
jubilar(-se) *v* (aposentação) to retire
jubileu *nm* jubilee
júbilo *nm* jubilation
judaico *adj* **1** Judaic **2** *(judeu)* Jewish
judaísmo *nm* Judaism
judas *nm (traidor)* traitor, false friend
judeu *adj* Jewish ▪ *nm* Jew
judia *nf* Jewess
judicial *adj2g* judicial; **separação judicial** judicial separation
judiciária *nf* (polícia) police
judiciário *adj* judiciary
judicioso *adj* judicious, prudent, wise
judo *nm* DESP judo
judoca *n2g* DESP judoist
jugo *nm* **1** (canga de bois) yoke **2** *fig (submissão)* servitude, obedience **3** *fig (opressão)* oppression
jugular *adj2g* jugular; **veias jugulares** jugular veins
juiz *nm* **1** judge **2** DESP referee
juízo *nm* **1** good sense, common sense **2** *(sentença, opinião)* judgement ♦ *col* **moer o juízo** to bother
julgamento *nm* **1** *(parecer)* judgement **2** *(veredito)* sentence **3** DIR (audiência) trial; **ser submetido a julgamento** to stand trial
julgar *v* **1** *(avaliar, sentenciar)* to judge **2** *(achar)* to think, to suppose ▪ **julgar-se** to think
julho[AO] *nm* July
jumento *nm* donkey; ass
junção *nf* **1** *(ligação)* connection **2** ELET connection
junco *nm* rush
junho[AO] *nm* June

júnior *adj2g* junior, younger ▪ *n2g* DESP junior; **ele joga nos juniores** he plays in the junior team
junquilho *nm* jonquil
junta *nf* **1** *(corporação)* council; **junta de freguesia** parish council **2** *(ligação)* joint **3** *(comissão)* board, committee **4** (bois) yoke
juntamente *adv* jointly, together (com, with)
juntar *v* **1** *(unir, ligar)* to join; to put together **2** *(emparelhar)* to couple **3** *(reunir)* to bring together **4** *(adicionar)* to add **5** *(poupar)* (dinheiro) to save up **6** *(recolher)* to collect ▪ **juntar-se 1** *(reunir-se)* to gather, to meet **2** (casal) to move in together **3** *(associar-se)* to join up
junto *adj* **1** *(um com o outro)* together **2** *(ligado)* joined **3** *(em anexo)* attached, enclosed ▪ *adv* **1** *(juntamente)* together **2** *(próximo)* near, next **3** (em anexo) enclosed; **junto segue** please find enclosed
Júpiter *nm* Jupiter
jura *nf* **1** *(juramento)* oath **2** *(compromisso solene)* vow **3** *(praga)* curse
jurado *adj* sworn ▪ *nm* juror, member of a jury; **bancada dos jurados** jury-box
juramento *nm* oath; **prestar juramento** to take an oath; **sob juramento** on/upon one's oath
jurar *v* **1** to swear **2** (voto solene) to vow to, to promise **3** (fazer juramento) to take an oath
jurássico *adj* Jurassic
júri *nm* **1** (concurso) panel of judges **2** DIR jury; **membro do júri** member of the jury, juror **3** (exame) examining board
jurídico *adj* juridical
jurisdição *nf* jurisdiction
jurisprudência *nf* DIR jurisprudence
jurista *n2g* **1** DIR jurist **2** DIR *(advogado)* lawyer
juro *nm* ECON interest; **juros vencidos** interest due ♦ **juros de mora** interest on deferred payment
jus *nm* right; **fazer jus a algo** to live up to something
jusante *nf* ebb tide; **a jusante** downstream
justamente *adv* **1** *(precisamente)* exactly, just; **encontrei-o justamente onde me disseste** I found it just where you told me **2** *(de modo justo)* fairly, rightfully
justapor *v* to juxtapose (a, with) ▪ **justapor-se** to be juxtaposed
justaposição *nf* juxtaposition
justeza *nf* **1** *(justo)* justness, correctness **2** *(precisão)* precision **3** *(exatidão)* accuracy
justiça *nf* justice
justiceiro *nm* defender of the justice
justificação *nf* justification (para, for)
justificar *v* **1** to justify **2** *(demonstrar)* to prove
justificativo *adj* **1** justificatory **2** *(comprobante)* supporting
justificável *adj2g* justifiable
justo *adj* **1** fair **2** *(apertado)* tight **3** *(preciso)* exact; accurate
juvenil *adj2g* **1** (roupa) teenage; **moda juvenil** teenage fashion **2** (carácter, ar) youthful **3** DESP junior
juventude *nf* **1** (idade) youth **2** *(jovialidade)* youthfulness **3** *(jovens)* young people; **a juventude de hoje** the young people/youth of today

K

k *nm* (letra) k
karaoke *nm* MÚS (aparelho, bar, atividade) karaoke
karaté *nm* DESP karate
karateca *n2g* DESP karateka
kart *nm* go-kart
karting *nm* DESP go-karting
kartódromo *nm* circuit for karting races
ketchup *nm* ketchup
kickboxing *nm* kickboxing
kilowatt *nm* kilowatt
kitchenette *nf* kitchenette
kitsch *adj2g,nm* kitsch
kiwi *nm* **1** (fruto) kiwi fruit; (planta) kiwi **2** (ave) kiwi
kung fu *nm* DESP kung fu
Kuwait *nm* Kuwait

L

l *nm* (letra) l
lá *adv* **1** (lugar) there; **cá e lá** here and there **2** (tempo) then; **até lá** until then ▪ *nm* MÚS A ◆ (estrangeiro) **lá fora** abroad; **anda lá!** come on!; **sei lá!** don't ask me!
lã *nf* **1** wool **2** (ovelha) fleece ◆ **lã virgem** new wool; **de lã** woollen; **de pura lã** pure wool
labareda *nf* (fogo) blaze; flame
lábia *nf* prattle, babble ◆ **ter muita lábia** to be honey-tongued; to be glib
lábio *nm* lip
labirinto *nm* **1** labyrinth **2** (jardim) maze
laboral *adj2g* labour; working ◆ **horário laboral** working hours
laborar *v* to labour; **laborar num erro** to labour under a mistake
laboratório *nm* laboratory; lab *col*
laborioso *adj* laborious; hard
labrego *adj* **1** *(rústico)* rustic **2** *(grosseiro)* boorish ▪ *nm* boor, yokel, bumpkin
labuta *nf* **1** *(trabalho árduo)* toil **2** struggle; **a vida é uma labuta constante** life is a continual struggle
labutar *v* to labour; to struggle
laca *nf* **1** (cabelo) hair spray **2** (verniz) lacquer
laçada *nf* slipknot
lacado *adj* lacquered
lacaio *nm* lackey
lacar *v* to lacquer
lacerar *v* to lacerate
laço *nm* **1** *(laçada)* bow **2** *(fita)* ribbon **3** (gravata) knot **4** *fig (vínculo)* bond, tie
lacónico *adj* laconic, terse
lacrar *v* to seal
lacre *nm* sealing wax
lacrimal *adj2g* lacrimal; **glândulas lacrimais** lacrimal glands
lacrimejar *v* (olhos) to water
lacrimogéneo *adj* tear ◆ **gás lacrimogéneo** tear gas
lácteo *adj* milky ◆ **produtos lácteos** dairy products
lacticínio[AO] *a grafia preferível é* **laticínio**[AO]
lacuna *nf* gap; **preencher uma lacuna** to fill a gap
ladainha *nf* **1** litany **2** *fig* rigmarole
ladear *v* **1** *(acompanhar ao lado)* to go along **2** *(flanquear)* to flank
ladeira *nf* hillside
lado *nm* **1** side; **ao lado de** beside; **lado a lado** side by side **2** (rumo) direction, way; **olhar para todos os lados** to look in all directions **3** *(lugar)* place; **em algum lado** somewhere ◆ **por outro lado** on the other hand; **por um lado** on the one hand
ladrão *nm* **1** thief **2** (bancos) robber **3** (casas) burglar **4** (automóveis) carjacker
ladrar *v* to bark (a, at)
ladrilho *nm* **1** *(azulejo)* tile **2** *(tijolo)* brick **3** (chão) tiled floor
lagar *nm* press
lagarta *nf* caterpillar
lagartixa *nf* gecko
lagarto *nm* lizard
lago *nm* **1** (natural) lake; **região de lagos** lake district **2** (jardim, parque) pond
lagoa *nf (laguna)* lagoon
lagosta *nf* lobster; spiny lobster; **viveiro de lagostas** lobster-bed
lagostim *nm* crayfish
lágrima *nf* tear ◆ **lágrimas de crocodilo** crocodile tears; **derramar lágrimas de sangue** to shed bitter tears
laia *nf* (pessoa) type, sort; **da mesma laia** of that type ◆ **à laia de** by way of
laico *adj* **1** lay **2** secular
laivo *nm* **1** *(mancha)* stain **2** *pl (indícios)* trace (de, of), streak (de, of)
laje *nf* **1** (construção exterior) paving stone, flagstone **2** (construção interior) floor tile **3** (placa) slab; **laje de granito** granite slab
lama *nf* mud ▪ *nm* (animal) llama
lamaçal *nm* quagmire, mire
lamacento *adj* muddy; **caminhos lamacentos** muddy roads
lambada *nf* **1** *(bofetada)* slap **2** (dança) lambada

lambão *adj pop* gluttonous, greedy ▪ *nm pop* glutton, sweet tooth
lambareiro *nm* glutton
lambe-botas *n2g2n* crawler *fig*; toady
lamber *v* to lick ♦ **lamber as botas a alguém** to lick someone's boots
lambisgoia[AO] *nf col* bimbo
lambisgóia *a nova grafia é* **lambisgoia**[AO]
lambreta *nf* scooter
lambuzar *v* **1** *(besuntar)* to besmear **2** *(sujar)* to dirty **3** *(manchar)* to stain
lamechas *adj inv* **1** *(sentimental)* mawkish; **ser lamechas** to be sentimental **2** *(piegas)* soppy
lamentação *nf (queixa)* lament, complaint
lamentar *v* to lament, to regret ▪ **lamentar-se** **1** *(lastimar-se)* to lament **2** *(queixar-se)* to complain ♦ **lamento imenso** I'm terribly sorry
lamentável *adj2g* **1** *(deplorável)* deplorable **2** (erro, injustiça) regrettable **3** (aspeto, condição) pitiful
lamento *nm* **1** lament **2** *(gemido)* moan
lâmina *nf* **1** blade **2** *(placa metálica)* plate **3** (microscópio) slide **4** (persiana) slat
lâmpada *nf* light bulb ♦ **lâmpada de incandescência** glow-lamp; **lâmpada elétrica** electric bulb; **lâmpada fluorescente** fluorescent light
lamparina *nf* **1** *ant* lamp **2** *ant* (azeite) oil lamp
lampião *nm* **1** (casa) lantern **2** (rua) streetlamp **3** (jardim) garden light
lampreia *nf* lamprey
lamúria *nf (queixa)* lament; complaint
lamuriar *v (queixar-se)* to complain (de, about)
LAN INFORM [*abrev. de* Local Area Network]
lança *nf* lance, spear ♦ **meter uma lança em África** to set the Thames on fire
lança-chamas *nm2n* flame-thrower
lançador *nm* **1** DESP thrower **2** (leilão) bidder **3** DESP (basebol) pitcher
lança-granadas *nm* grenade launcher
lançamento *nm* **1** throwing **2** (produto, míssil) launch **3** (disco, filme) release
lançar *v* **1** *(atirar)* to throw **2** (produto, míssil) to launch **3** (disco, filme) to release **4** (moda, rumor) to start ▪ **lançar-se** *(atirar-se)* to throw oneself (para, at)
lance *nm* **1** *(arremesso)* throwing, throw **2** *(acontecimento)* event; incident **3** (leilão) bid **4** (jogada) shot
lanceta *nf* lancet
lancetar *v* (com lanceta) to prick
lancha *nf* launch
lanchar *v* to have tea
lanche *nm* **1** (refeição rápida) snack **2** (tarde) afternoon tea ♦ **lanche ajantarado** high tea
lancheira *nf* lunch case, lunch box
lanço *nm* **1** *(arremesso)* throw, cast; **lanço de dados** throw of dice; **lanço de rede** a cast of the net **2** (escadas) flight **3** (estrada) stretch ♦ (dados) **bom lanço** lucky throw
languidez *nf* **1** languor, lassitude **2** *(fraqueza)* weakness
lânguido *adj* languid
lanifício *nm* **1** woollen good **2** *pl* woollens
lantânio *nm* lanthanum
lantejoula *nf* sequin, spangle; **vestido enfeitado de lantejoulas** dress trimmed with spangles
lanterna *nf* **1** lantern **2** (portátil) torch; flashlight ♦ **lanterna mágica** magic lantern
Laos *nm* Laos
laosiano *adj,nm* Laotian
lapa *nf* **1** *(caverna)* den **2** (molusco) limpet **3** *col* (pessoa) bore
lapão *adj,nm* Laplander
lapela *nf* lapel ♦ (flor) **na lapela** in the buttonhole
lapidar *v* **1** (pedras preciosas) to lapidate **2** *fig (refinar)* to refine
lápide *nf* **1** (tumular) tombstone, gravestone **2** (comemorativa) memorial stone
lápis *nm* pencil; **a lápis** in pencil ♦ **lápis de cor** coloured pencil; crayon; **lápis dos olhos** eye pencil
lapiseira *nf* propelling pencil GB; mechanical pencil EUA
lápis-lazúli *nm* lapis lazuli
Lapónia *nf* Lapland
lapso *nm* **1** *(erro)* mistake; **por lapso** by mistake **2** (memória) slip **3** (tempo) period of time
laquear *v* to tie the arteries
lar *nm* **1** *(casa)* home **2** *(família)* family, household ♦ **lar de terceira idade** old people's home; **lar doce lar** home sweet home
laranja *nf* orange ▪ *adj inv,nm* (cor) orange
laranjada *nf* orange juice
laranjeira *nf* orange tree
larápio *nm* pilferer; thief
lareira *nf* fireplace; **estar à lareira** to be by the fireplace

larga *nf* looseness ♦ **viver à larga** to be well off; **dar largas a** to give vent to; **dar largas à imaginação** to set one's imagination free
largada *nf* **1** (animais, balões) release **2** DESP start
largamente *adv* **1** widely; broadly **2** extensively
largar *v* **1** *(soltar)* to let go; to drop **2** *(lançar)* to release **3** (bomba) to drop **4** (pelo, tinta) to let off **5** *col* (emprego, estudos) to quit ▪ **largar-se** *pop* (gases intestinais) to break wind
largo *adj* **1** (medida, extensão) broad; wide; **estrada muito larga** wide open road **2** (roupa) loose; baggy; **calças largas** baggy trousers **3** (tempo) many; **durante largos anos** for many years ▪ *nm* **1** *(praça)* square; plaza **2** open sea; **fazer-se ao largo** to put out to sea
largura *nf* width; breadth; **qual é a largura da sala?** how wide is the room?; **ter um metro de largura** to be one metre wide
laringe *nf* larynx
laringite *nf* MED laryngitis
larva *nf* BIOL larva; grub; **larvas de insetos** insect larvae
lasanha *nf* lasagne, lasagna
lasca *nf* **1** *(fragmento)* chip **2** (madeira, metal) splinter **3** (comida) morsel
lascado *adj* chipped
lascar *v* to splinter; to chip
lascívia *nf* lust
lascivo *adj* lascivious; lustful; lewd
laser *nf* FÍS laser ♦ **raios laser** laser beams
lasso *adj (cansado)* weary
lástima *nf* **1** *(pena)* pity **2** (pessoa) dreadful state; **ela está uma lástima** she is in a dreadful state
lastimar *v (lamentar)* to deplore; to regret ▪ **lastimar-se** *(queixar-se)* to complain
lastimável *adj2g* regrettable; pitiful; deplorable
lastro *nm* ballast
lata *nf* **1** can; tin **2** *fig,col (descaramento)* cheek; nerve; **tens muita lata!** you've got a lot of nerve! ♦ **conservas em lata** tinned goods; canned goods
latada *nf* **1** (grade) trellis **2** (barulho de latas) jangle; clank; rattle
latão *nm* yellow brass, brass
latejar *v* to throb
latente *adj2g* latent; dormant; **doença latente** latent disease
lateral *adj2g* lateral; **questão lateral** lateral issue
látex *nm* latex
laticínio[AO] ou **lacticínio**[AO] *nm* dairy product
latido *nm* (cães) bark
latifundiário *nm* large land owner
latifúndio *nm* AGR latifundium; large estate
latim *nm* Latin ♦ **escusas de gastar o teu latim** you can save your breath
latino *adj,nm* Latin
latino-americano *adj,nm* Latin-American ♦ **países latino-americanos** Latin-American countries
latir *v* to bark
latitude *nf* latitude
lato *adj* broad; wide ♦ **em sentido lato** in the broad sense of the word
latrina *nf* latrine
laurear *v* (homenagem, prémio) to laureate; to honour
laurêncio *nm* lawrencium
lauto *adj* (abundância) plentiful; abundant; copious
lava *nf* lava
lavabo *nm* **1** *(lavatório)* washbasin **2** *pl (casa de banho)* toilet
lavadela *nf* (banho) light wash; scrub; **dar uma lavadela a** to give it a scrub
lavado *adj* **1** (roupa) clean **2** (louça) washed ♦ **estar lavado em lágrimas** to cry one's heart out
lavagante *nm* crayfish
lavagem *nf* **1** (limpeza) wash, washing **2** (comida de porco) hog wash; swill; slops ♦ **lavagem a seco** dry cleaning; **lavagem cerebral** brainwash; ECON **lavagem de dinheiro** money laundering
lava-louça *nm* sink, kitchen sink
lavanda *nf* lavender
lavandaria *nf* **1** (estabelecimento) dry cleaner's **2** (divisão em casa) utility room **3** (divisão em edifício) laundry ♦ **levar à lavandaria** to have (something) cleaned; to take (something) to the cleaner's
lava-pés *nm* maundy
lavar *v* **1** to wash; **lavar a louça** to do the dishes **2** (dinheiro) to launder
lavatório *nm* washbasin; sink; lavatory
lavável *adj2g* washable
lavor *nm (costura)* needlework

lavoura *nf* **1** AGR (atividade) husbandry; farming **2** AGR *(lavra)* tillage
lavrador *nm* **1** (trabalhador agrícola) farmhand **2** (proprietário) farmer; **casa de lavradores** farmhouse
lavrar *v* **1** *(arar)* to plough **2** *(cultivar)* to till; to cultivate **3** (documento) to draw up; **lavrar uma ata** to draw up an official report; **lavrar um auto** to draw up a deed
laxante *adj2g,nm* FARM laxative
lazer *nm* **1** *(ócio)* leisure; relaxation **2** *(tempo livre)* spare time; free time; recreation
LCD (monitor) [*abrev. de* liquid crystal display]
leal *adj2g* loyal; faithful
lealdade *nf* **1** *(confiança)* loyalty; fair play **2** (relações) faithfulness **3** *(sinceridade)* honesty
leão *nm* **1** lion **2** (constelação, signo) [com maiúscula] Leo
leão-marinho *nm* sea-lion
lebre *nf* hare
leccionar *a nova grafia é* **lecionar**[AO]
lecionar[AO] *v* (aulas) to teach; to lecture (sobre, about)
lectivo *a nova grafia é* **letivo**[AO]
legado *nm* legacy
legal *adj2g* legal; lawful ♦ **em termos legais** legally speaking; **recorrer a meios legais** to take legal proceedings
legalidade *nf* legality; legitimacy; lawfulness
legalização *nf* legalization
legalizar *v* **1** (situação) to legalize **2** (documento) to certify; to validate
legalmente *adv* according to law; legally
legar *v* **1** (herança) to bequeath **2** *fig* to pass on
legenda *nf* **1** CIN,TV subtitle **2** (jornais, livros) caption **3** *(inscrição)* inscription
legendagem *nf* **1** CIN,TV subtitling **2** (jornais, livros) captioning
legião *nf* **1** MIL legion; **legião estrangeira** foreign legion **2** *fig (multidão)* legion; hoards; masses
legionário *nm* MIL legionary
legislação *nf* legislation
legislador *nm* legislator; lawmaker
legislar *v* to legislate
legislativo *adj* legislative ♦ **reformas legislativas** legislative reform
legislatura *nf* legislature; legislative body
legitimação *nf* legitimation
legitimar *v* to legitimize; to sanction; to validate
legitimidade *nf* legitimacy; legality; validity
legítimo *adj* legitimate ♦ **em legítima defesa** in self-defense
legível *adj2g* legible; readable
légua *nf ant* league ♦ **légua marítima** marine league
legume *nm* vegetable; **legumes frescos** green vegetables
leguminoso *adj* leguminous
lei *nf* **1** (autoridade) law; **infringir a lei** to break the law **2** *(regra)* rule; regulation ♦ **lei orgânica** constitutional law; **a lei do mais forte** the law of the jungle; **a lei do menor esforço** the principle of least effort
leigo *adj* lay ▪ *nm* lay person
leilão *nf* auction; **levar a leilão** to sale at an auction; **vender tudo em leilão** to auction off
leiloar *v* to auction; to sell by auction
leiloeira *nf* auction house
leiloeiro *nm* auctioneer
leitão *nm* sucking pig, suckling pig
leitaria *nf* **1** creamery **2** (venda de leite e gelados) milk bar **3** (venda, recolha) dairy
leite *nm* milk; **leite gordo** whole milk; **leite magro** skimmed milk[GB], skim milk[EUA]
leite-creme *nm* custard
leiteira *nf* **1** (recipiente) milk pot, milk jug **2** (pessoa) milkmaid
leiteiro *nm* milkman
leito *nm* (geral) bed; **leito do rio** river bed, river bottom
leitor *nm* **1** (textos) reader **2** (universidade) foreign language assistant **3** (palestra) lecturer ♦ **leitor de CD** CD player; **leitor de cassetes** tape recorder; **leitor ótico** optical character reader
leitoso *adj* milky
leitura *nf* **1** (texto) reading; **leitura fácil** easy reading; **uma boa leitura** a good reading **2** *(interpretação)* reading; interpretation; understanding
lema *nm* **1** (divisa) motto **2** (publicidade) slogan
lembrança *nf* **1** (memória) recollection **2** *(pequeno presente)* souvenir **3** *pl* (cumprimento) regards; **dê lembranças minhas à sua mãe** give my regards to your mother

lembrar *v* to remind (de, of/to) ▪ **lembrar-se** 1 (memória) to remember (de, -); to recall (de, -) 2 (fixar na memória) to bear in mind
leme *nm* rudder
lenço *nm* handkerchief; hankie ♦ **lenço de papel** tissue; **lenço do pescoço** scarf
lençol *nm* sheet ♦ **estar em maus lençóis** to be in a tight corner
lenda *nf* 1 (história tradicional) legend 2 *(mito)* myth
lendário *adj* 1 (lenda) legendary 2 (fama) legendary; renowned; famous
lêndea *nf* nit
lengalenga *nf* rigmarole
lenha *nf* wood; firewood ♦ **arranjar lenha para se queimar** to make a rod for one's own back
lenhador *nm* woodcutter; lumberjack
lentamente *adv* slowly
lente *nf* lens ♦ **lentes de contacto** contact lenses
lentidão *nf* 1 (movimento) slowness 2 (ritmo, duração) sluggishness
lentilha *nf* lentil
lento *adj* slow
leoa *nf* lioness
leopardo *nm* leopard
lepra *nf* MED leprosy
leproso *adj* leprous ▪ *nm* leper
leque *nm* 1 (objeto) fan 2 *(gama)* range
ler *v* to read
léria *nf* nonsense
lés *nm* east ♦ **de lés a lés** coast to coast
lesão *nf* MED injury; lesion; **ter uma lesão grave** to be seriously injured
lesar *v (prejudicar)* to harm; to damage
lésbica *adj,nf* lesbian
lesionado *adj* MED injured; hurt
lesionar *v* to injure; to hurt ▪ **lesionar-se** to get injured
lesma *nf* slug
Lesoto *nm* Lesotho
leste *nm* east
letal *adj2g* lethal; mortal; deadly
letão *adj,nm* Latvian
letargia *nf* lethargy
letárgico *adj* lethargic
letivo[AO] *adj* academic ♦ **ano letivo** school year; **período letivo** term
Letónia *nf* Latvia
letra *nf* 1 (alfabeto) letter 2 *(caligrafia)* handwriting 3 (música) lyrics 4 ECON bill; **pagar uma letra** to meet a bill 5 *pl* arts; humanities
letrado *adj* learned
letreiro *nm* sign; notice
léu *nm pop* drag ♦ **ao léu** naked
leucemia *nf* leukaemia GB; leukemia EUA
leucócito *nm* leucocyte
leva *nf* 1 *(grupo)* intake; **a leva de estudantes deste ano** this year's intake of students 2 MIL levy
levado *adj* 1 *(incitado)* instigated 2 *(intrujado)* duped; **foste levado!** you have been taken! 3 *(maroto)* naughty; **levado da breca** very naughty
levantamento *nm* 1 (ação de levantar) raising 2 *(revolta)* insubordination; rebellion 3 (banco) withdrawal; **levantamento de dinheiro** withdrawal of money 4 (embargo) lifting
levantar *v* 1 to raise; to lift 2 *(apanhar)* to pick up 3 (dinheiro) to withdraw 4 (avião) to take off 5 (tempo) to clear up ▪ **levantar-se** 1 (de assento) to stand up 2 (de cama) to get up
levar *v* 1 to take 2 *(transportar)* to carry 3 *(conter)* to hold 4 (vida) to lead 5 *(induzir)* to lead 6 *(afastar)* to take away 7 (preço) to charge 8 *col* (pancada) to get smacked ♦ **levar a cabo** to carry it out; **levar a mal** to take something amiss
leve *adj* 1 (pouco peso) light 2 *(ténue)* thin; faint; **uma leve esperança** a faint hope 3 *(suave)* soft; mild 4 *(ligeiro)* slight; **uma leve constipação** a slight cold
levedar *v* 1 (massa) to leaven 2 (pão) to ferment
levedura *nf* (massa) yeast; leaven
levemente *adv* 1 *(ao de leve)* lightly 2 *(por pouco)* slightly
leveza *nf* lightness
leviandade *nf* 1 *(inconsciência)* thoughtlessness 2 *(superficialidade)* frivolity; superficiality
leviano *adj* 1 (inconsciência) thoughtless; lightheaded 2 frivolous; superficial; light
levitação *nf* levitation
levitar *v* (corpo) to levitate
lexical *adj2g* lexical
léxico *nm* lexicon
lexicografia *nf* LING lexicography
lexicógrafo *nm* lexicographer
lezíria *nf* marshland

lhe *pron pess (a ele)* (to) him; *(a ela)* (to) her; (neutro) it; *(a você)* you
lhes *pron pess pl* **1** *(a eles, a elas)* them **2** *(a vocês)* you
libanês *adj,nm* Lebanese
Líbano *nm* Lebanon
libelinha *nf* dragonfly
libelo *nm* **1** (escrito) libel; **lançar um libelo contra alguém** to libel someone **2** (sátira) lampoon
libélula *nf* dragonfly
liberal *adj,n2g* liberal
liberalidade *nf* **1** *(generosidade)* generosity **2** *(tolerância)* tolerance **3** (mentalidade) broad-mindedness, open-mindedness
liberalismo *nm* POL liberalism
liberalização *nf* ECON liberalization; **liberalização do mercado** trade liberalization
liberalizar *v* to liberalize
liberdade *nf* freedom; liberty ♦ **estar em liberdade condicional** to be on probation
Libéria *nf* Liberia
liberiano *adj,nm* Liberian
libertação *nf* **1** (pessoas) release **2** (calor, energia, gases) release; emission **3** *(liberdade)* liberation; freedom
libertar *v* **1** *(soltar)* to release, to free **2** (calor, energia) to release; to discharge ▪ **libertar-se 1** *(soltar-se)* to set oneself free (de, from) **2** *(livrar-se)* to get rid (de, of)
libertinagem *nf* licentiousness
libertino *adj* licentious ▪ *nm* libertine
liberto *adj* free; **liberto de todas as restrições** free from restrictions
Líbia *nf* Libya
libidinoso *adj* libidinous; lustful
líbido *nf* PSIC libido
líbio *adj,nm* Libyan
libra *nf* pound ♦ **libra esterlina** pound sterling; **libra irlandesa** punt
libré *nf* livery; **criados de libré** servants in livery
libreto *nm* libretto
lição *nf* **1** (escola) lesson **2** *fig* (sermão) lecture; lesson; **não preciso das tuas lições** stop lecturing me ♦ **dar uma lição a alguém** to teach somebody a lesson; **que isto te sirva de lição** let this be a lesson to you; **serviu-lhe de lição** it served him right
liceal *adj2g* of a secondary school GB; of a high school EUA
licença *nf* **1** *(permissão)* permission; consent **2** (documento) licence GB; license EUA **3** (dispensa legal) leave; **estar de licença** to be on leave ♦ **dá-me licença?** excuse me!, may I?
licenciado *nm* (universidade) graduate; **licenciado em Letras** Master of Arts ▪ *adj* **1** (licença) authorized; allowed **2** (estudos) graduate
licenciar *v* (autorização) to license; to authorize ▪ **licenciar-se** (universidade) to graduate
licenciatura *nf* graduation; academic degree
liceu *nm* grammar school, secondary school GB; high school EUA
licitação *nf* (leilão) bidding
licitador *nm* bidder
licitamente *adv* lawfully; legally; under legal terms
licitar *v* to bid
lícito *adj* **1** *(legal)* licit; legal **2** *(legítimo)* lawful
licor *nm* liqueur
licra *nf* (tecido) lycra
lida *nf* **1** *(trabalho)* toil **2** *(tarefa)* chore ♦ **lida doméstica** housework
lidar *v* **1** *(enfrentar)* to deal (com, with); **como vamos lidar com este problema?** how will we deal with this problem? **2** (luta) to fight (com, -); to struggle (com, -)
lide *nf* **1** *(labuta)* toil **2** *(luta)* fight; struggle **3** (tourada) bullfighting
líder *n2g* leader
liderança *nf* **1** (organização, grupo) leadership; **capacidade de liderança** leadership ability **2** (competição) head; top; **estar na liderança da corrida** to be at the head of the race
liderar *v* to lead; to be at the head of
Liechtenstein *nm* Liechtenstein
lifting *nm* (rosto) facelift
liga *nf* **1** *(aliança)* alliance; league; pact **2** QUÍM alloy **3** DESP league; **Liga dos Campeões** Champions League **4** (meia) garter
ligação *nf* **1** *(relação)* connection; association; **em ligação com** in connection with **2** (telefone) connection; call; **a ligação está feita** the call is through **3** (relação amorosa) relationship
ligado *adj* **1** connected (a, to) **2** (pessoas) attached (a, to) **3** (luz, aparelho) switched-on **4** (com ligadura) bandaged

ligadura *nf* **1** (ferida) bandage **2** (material cirúrgico) ligature
ligamento *nm* ligament
ligar *v* **1** *(juntar)* to unite; to join; to link up **2** (canos, fios) to connect; to link **3** *(relacionar)* to connect **4** (luz, aparelho) to switch on, to turn on **5** ELET to plug in **6** (com ligadura) to bandage **7** *(dar importância)* to care (a, for); to pay attention (a, to) **8** (telefone) to phone (a, to) ▪ **ligar-se** (sentimentos) to become attached (a, to)
ligeiramente *adv (ao de leve)* slightly
ligeireza *nf* **1** *(leveza)* lightness **2** *fig (irreflexão)* thoughtlessness
ligeiro *adj* **1** (leve) light; superficial **2** *(ao de leve)* slight; **um toque ligeiro** a slight touch
lilás *nm* (planta, flor) lilac ▪ *adj2g,nm* (cor) lilac; mauve
lima *nf* **1** (utensílio) file **2** (fruto) sweet lime
limalha *nf* (metal) file dust; (ferro) iron filings
limão *nm* lemon
limar *v* **1** (metal, madeira, unhas) to file; to smooth **2** *fig (aperfeiçoar)* to polish; **limar as arestas** to polish up
limbo *nm* limbo
limiar *nm* **1** *(soleira da porta)* doorstep; threshold **2** *(entrada)* entrance **3** *fig (começo)* brink; beginning; **no limiar de** at the beginning of
limitação *nf* **1** *(restrição)* limitation; restriction **2** *(incapacidade)* limitation; shortcoming; **conhecer as suas limitações** to know one's limitations
limitado *adj* **1** (espaço) limited; restricted; circumscribed **2** (número) limited; **edição limitada** limited edition **3** *fig* (pessoa) narrow-minded; unintelligent ♦ ECON **companhia limitada** limited company
limitar *v* **1** (restrição) to limit; to restrict **2** (espaço) to bound ▪ **limitar-se** to limit oneself (a, to); to do no more (a, than)
limitativo *adj* limiting; restrictive; confining
limite *nm* limit
limítrofe *adj2g* bordering; **concelhos limítrofes** bordering districts
limo *nm* **1** seaweed **2** *(lodo)* slime
limoeiro *nm* lemon tree
limonada *nf* lemonade
limpa-chaminés *n2g2n* chimney sweeper
limpadela *nf* clean; **dar uma limpadela a alguma coisa** to give something a clean
limpa-neves *nm2n* snowplough
limpa-nódoas *nm2n* stain remover
limpa-para-brisasAO *nm2n* wiper, windscreen wiper, windshield wiper EUA
limpa-pára-brisas *a nova grafia é* **limpa-para-brisas**AO
limpar *v* **1** to clean; **limpar a seco** to dry-clean **2** (pó, louça, lágrimas) to wipe; to rub **3** (ferida) to cleanse **4** *col* to clean out; to wipe
limpa-vidros *nm2n* (detergente) window cleaning fluid
limpeza *nf* **1** (processo) cleaning; **fazer grandes limpezas à casa** to clean down the house; **fazer limpezas** to clean up **2** (estado) neatness **3** *fig,col (roubo)* snatch; knock-over; **foi uma limpeza total** it was quite a snatch ♦ **limpeza a seco** dry cleaning
limpidez *nf* (céu, brilho) clearness; brightness
límpido *adj* **1** limpid; crystal-clear **2** (céu) clear
limpo *adj* **1** *(sem sujidade)* clean **2** (céu) clear; bright **3** *(honesto)* fair **4** (dinheiro) net; clear ♦ **tirar a limpo** to get to the bottom of a thing
limusina *nf* limousine; limo *col*
lince *nm* lynx
linchamento *nm* lynching
linchar *v* to lynch
lindamente *adv* **1** (beleza) beautifully **2** *(bem)* well; fine
lindo *adj* **1** beautiful **2** (mulher) pretty; (homem) handsome
linear *adj2g* linear
linfa *nf* lymph
linfático *adj* lymphatic ♦ **glândula linfática** lymph gland; **sistema linfático** lymphatic system; **vaso linfático** lymphatic
lingerie *nf* lingerie; women's underwear
lingote *nm* ingot; **lingote de ouro** ingot of gold
língua *nf* **1** tongue **2** (idioma) language ♦ **dar à língua** to chatter; **dar com a língua nos dentes** to let the cat out of the bag
linguado *nm* **1** (peixe) sole **2** *col* (beijo) French kiss, deep kiss
linguagem *nf* language; **linguagem ofensiva** rude language ♦ **linguagem corporal** body language; INFORM **linguagem de programação** programming language; **linguagem gestual** sign language
linguareiro *adj pop* gossipy ▪ *nm pop* gossip
linguiça *nf* spicy sausage

linguista *n2g* linguist
linguística *nf* linguistics
linguístico *adj* linguistic; **estudos linguísticos** linguistic studies
linha *nf* **1** line **2** *(fio)* thread; line **3** INFORM line; connection; **em linha** online **4** (forma física) figure; **manter a linha** to keep one's figure **5** (comboios, etc.) railway ♦ **linha de ação** course of action; **em linhas gerais** generally speaking
linhaça *nf* **1** (semente) linseed **2** (óleo) linseed oil
linhagem *nf* (famílias) lineage
linho *nm* **1** (planta) flax **2** (tecido) linen
linkar *v* INFORM to link
linóleo *nm* linoleum, lino; **chão revestido a linóleo** linoleum floor
lípido *nm* BIOL,QUÍM lipid
lipoaspiração *nf* MED liposuction
lipossolúvel *adj2g* fat-soluble
liquefação[AO] *nf* liquefaction
liquefacção *a nova grafia é* **liquefação**[AO]
liquefazer *v* to liquefy
liquefeito *adj* liquefied
líquen *nm* lichen
liquidação *nf* **1** (falência) liquidation; winding-up; **mandado de liquidação** winding-up order **2** (loja) clearance sale; sell-out **3** (crime de morte) murder ♦ **liquidação total** clearance sale
liquidar *v* **1** (falência) to liquidate; to wind up **2** (recheio de loja) to sell out **3** (conta) to close **4** *(matar)* to kill
liquidez *nf* ECON liquidity; **liquidez de uma empresa** liquidity of a firm
liquidificador *nm* liquidizer
liquidificar *v* to liquidize
líquido *nm* liquid; fluid ▪ *adj* **1** liquid **2** ECON (quantia) net
lira *nf* **1** MÚS lyre **2** (antiga moeda) lira
lírica *nf* LIT poetry; lyric poetry
lírico *adj* **1** LIT lyric **2** *(romântico)* sentimental **3** *(irrealista)* unpractical; unreasonable
lírio *nm* lily
lirismo *nm* LIT lyricism
liso *adj* **1** *(regular)* smooth; even **2** *(plano)* plain; flat **3** (cabelo) straight **4** (sem nada) blank **5** (cor) plain **6** *col* broke; **estou completamente liso** I'm broke
lisonja *nf* flattery
lisonjear *v* to flatter
lisonjeiro *adj* flattering; ingratiating
lista *nf* **1** *(rol)* list **2** *(risca)* stripe **3** *(ementa)* menu; carte ♦ **lista telefónica** phone directory
listagem *nf* listing, list
listar *v* to list; to catalogue; to index
listra *nf* stripe; streak
listrar *v* to stripe; to streak
lisura *nf* **1** (textura) smoothness **2** *fig (sinceridade)* honesty; sincerity
liteira *nf* (transporte) litter
literacia *nf* literacy
literal *adj2g* literal; **no sentido literal** in the literal sense; **tradução literal** literal translation
literário *adj* literary; **obra literária** literary work
literato *nm* man of letters
literatura *nf* literature
litigante *n2g* DIR litigant; plaintiff; accused
litigar *v* DIR to litigate
litígio *nm* **1** DIR (processo em tribunal) litigation; lawsuit **2** (desentendimento) dispute (com, against); **entrar em litígio com** to go into dispute against
litigioso *adj* litigious; **divórcio litigioso** litigious divorce; **processo litigioso** litigious lawsuit
lítio *nm* lithium
litoral *nm* coastline, coastal region, littoral ▪ *adj2g* coastal, littoral
litro *nm* litre GB; liter EUA ♦ *col* **é igual ao litro** I couldn't care less
Lituânia *nf* Lithuania
lituano *adj,nm* Lithuanian
liturgia *nf* liturgy
litúrgico *adj* liturgical
lívido *adj* **1** (palidez) pale; livid; **rostos lívidos** livid faces **2** (fúria) livid; furious; **lívido de raiva** livid with rage
livrar *v* **1** *(libertar)* to release (de, from); to free (de, from) **2** *(salvar)* to save (de, from) ▪ **livrar-se 1** *(libertar-se)* to free oneself (de, from) **2** *(desembaraçar-se)* to get rid (de, of) **3** *(escapar-se)* to escape (de, from)
livraria *nf* bookshop GB, bookstore EUA

Não confundir a palavra portuguesa **livraria** com a palavra inglesa **library,** que significa biblioteca.

livre *adj* **1** (liberdade) free **2** (espaço) open; **ao ar livre** in the open air **3** *(disponível)* free; available **4** (sem obstáculos) clear **5** *(salvo)* out (de, of) ■ *nm* (futebol) free kick; **livre de canto** corner kick
livre-arbítrio *nm* free will
livre-câmbio *nm* ECON free trade
livreiro *nm* bookseller
livremente *adv* freely; **circular livremente** to walk around freely
livre-pensador *nm* free-thinker
livrete *nm* **1** (livro pequeno) booklet **2** (documento) registration; **livrete do carro** car registration
livre-trânsito *nm* free pass
livro *nm* book
lixa *nf* (material) sandpaper; glasspaper
lixar *v* **1** (superfície) to sand (down) **2** *cal (estragar)* to screw up; to mess up ■ **lixar-se** *cal* to screw up; **que se lixe!** screw it!
lixeira *nf* dump; dumping ground
lixeiro *nm* dustman; garbage collector
lixívia *nf* bleach
lixo *nm* rubbish GB; garbage EUA; trash EUA
lobby ou **lóbi** *nm* lobby; pressure group
lóbi *nm* ⇒ **lobby**
lobisomem *nm* werewolf
lobo[1] /ó/ *nm* lobe; **lobo da orelha** earlobe
lobo[2] /ô/ *nm* wolf
lobotomia *nf* MED lobotomy
lóbulo *nm* **1** ANAT lobule **2** BOT lobe
locação *nf* **1** (arrendamento) letting out; leasing; renting **2** (fundos) allocation
local *adj2g* local; **autoridades locais** local authority ■ *nm* **1** *(sítio)* place **2** (ponto específico) site; **local arqueológico** archaeological site **3** (povoação) locality ◆ **local de nascimento** birthplace; **local de trabalho** workplace
localidade *nf* place; site
localização *nf* **1** (ação) location **2** *(local)* locale; site
localizar *v* **1** *(situar)* to locate; to pinpoint **2** *(procurar)* to track down **3** *(restringir)* to localize ■ **localizar-se** to be situated (em, in); to be located (em, in)
loção *nf* lotion ◆ **loção de barbear** shaving lotion; **loção para depois da barba** aftershave lotion
locatário *nm* **1** (quarto) lodger **2** *(inquilino)* tenant
locomoção *nf* locomotion
locomotiva *nf* railway engine; locomotive
locomotor *adj* (órgãos) locomotive
locução *nf* **1** locution; diction **2** LING locution; phrase
locutor *nm* **1** (geral) announcer; **locutor de continuidade** continuity announcer **2** (notícias) newscaster
lodo *nm (lama)* mud
logaritmo *nm* MAT logarithm
lógica *nf* logic; **tem lógica** that's logic
lógico *adj* logical; reasonable; **argumento lógico** logical argument ■ *nm* logician ◆ **é lógico** of course
login *nm* INFORM login
logística *nf* logistics
logo *adv* **1** *(mais tarde)* later **2** *(imediatamente)* right away, at once **3** *(em breve)* soon ■ *conj* therefore, so ◆ **até logo!** see you later!; **logo que** as soon as
logon *nm* INFORM logon
logótipo *nm* logo; logotype
lograr *v* **1** *(obter)* to obtain **2** *(alcançar)* to achieve **3** *(enganar)* to cheat
logro *nm (engano)* deceit; **cair no logro** to fall into the trap
loiça *nf* ⇒ **louça**
loiro *adj,nm* ⇒ **louro**
loja *nf* **1** shop **2** (maçónica) lodge ◆ **loja de brinquedos** toyshop
lojista *n2g* shopkeeper
LOL (Internet, e-mail) [*abrev. de* laughing out loud]
lomba *nf* **1** *(cume)* lump, ridge **2** *(ladeira)* slope **3** (estrada) ramp
lombada *nf* **1** (livro) spine, back **2** (animal) rump
lombar *adj2g* lumbar
lombo *nm* **1** loin; **lombo de vaca** sirloin **2** *pop* back
lombriga *nf* ringworm
lona *nf* canvas, sailcloth ◆ **estar nas lonas** to be broke
Londres *nf* London
londrino *nm* Londoner ■ *adj* London; from London
longa-metragem *nf* CIN feature film, full-length movie
longe *adv* far, far away ◆ **ao longe** in the distance; **de longe 1** from a distance **2** *(sem dúvida)* by far; **longe da vista, longe do coração** out of sight, out of mind

longevidade *nf* longevity
longínquo *adj* distant, remote, faraway; **regiões longínquas** the remote regions
longitude *nf* longitude
longitudinal *adj2g* longitudinal
longo *adj* **1** *(extenso, comprido)* long **2** *(demorado)* lengthy ◆ **ao longo de** along; throughout
lontra *nf* otter
lorde *nm* lord
lorpa *n2g pej* dimwit; fool ▪ *adj2g pej* idiotic; foolish
losango *nm* GEOM rhombus
lota *nf* fish market
lotação *nf* **1** (recinto, veículo) capacity **2** (vinhos) blending ◆ **lotação esgotada** full house
lotaria *nf* lottery; **bilhete de lotaria** lottery ticket; **ganhar um prémio na lotaria** to draw a prize in the lottery
lote *nm* **1** (terreno) plot **2** (leilão) lot **3** *(porção)* share, portion
loto *nm* (jogo) lotto
lótus *nm2n* lotus
louça *nf* **1** tableware; dishes; **lavar a louça** to do the dishes **2** (conjunto) crockery ◆ **louça de barro** earthenware
louco *adj* mad, crazy ▪ *nm* madman
loucura *nf* **1** madness, folly; **fazer uma loucura** to do a foolish thing **2** *(demência)* insanity ◆ **que loucura!** it's mad!
loureiro *nm* laurel
louro *adj* (cabelo, mulher) blonde; (homem) blond ▪ *nm* **1** (homem) blond man; (mulher) blonde **2** BOT laurel **3** CUL bay leaf **4** *pl* laurels; honours
lousa *nf (ardósia)* slate
louva-a-deus *nm* praying mantis
louvar *v* to praise (por, for)
louvável *adj2g* laudable; praiseworthy; creditable
louvor *nm* praise, commendation; **digno de louvor** praiseworthy
lua *nf* moon; **lua cheia** full moon; **lua nova** new moon ◆ **andar na lua** to be in the clouds
lua-de-mel *a nova grafia é* **lua de mel**[AO]
lua de mel[AO] *nf* honeymoon
luar *nm* moonlight; **iluminado pelo luar** moonlit
lubrificante *adj2g,nm* lubricant
lubrificar *v* to lubricate
lucidez *nf* lucidity; clearness
lúcido *adj* lucid; clear-headed
lúcio *nm* (peixe) pike
lucrar *v* **1** *(ganhar)* to gain **2** *(tirar proveito)* to profit **3** to make a profit
lucrativo *adj* lucrative, profitable; **negócio lucrativo** lucrative trade
lucro *nm* **1** profit; **com lucro** at a profit **2** *(benefício)* gain; profit
ludibriar *v* to deceive
lúdico *adj* entertaining; recreational
lufada *nf* (vento) gust, blast ◆ **ser uma lufada de ar fresco** to be a breath of fresh air
lufa-lufa *nf col* hurly-burly ◆ **andar numa lufa-lufa** to be on the rush
lugar *nm* **1** *(sítio, posição)* place **2** (cinema, teatro, veículo) seat **3** *(espaço)* space, room; **deixar lugar para** to leave room for ◆ **dar lugar a** to give place to; **em lugar de** instead of; **em primeiro lugar** firstly
lugar-comum *nm* commonplace, cliché
lúgubre *adj* gloomy
lula *nf* squid
lume *nm* **1** *(fogo)* fire **2** (cigarro) light; *col* **tem lumes?** have you got a light? ◆ **vir a lume** to come to light
luminosidade *nf* **1** (luz) luminosity **2** *(brilho)* brightness
luminoso *adj* **1** (luz) luminous; bright **2** (letreiro) illuminated **3** *fig* (ideia) brilliant
lunar *adj2g* lunar
lunático *nm* lunatic
luneta *nf* eyeglass
lupa *nf* magnifying glass
lúpulo *nm* hop
lúpus *nm* MED lupus
luso *adj* Portuguese
lusofonia *nf* lusophony
lusófono *adj* Portuguese-speaking ▪ *nm* Portuguese speaker
lustre *nm (candelabro)* lustre
lustro *nm* **1** *(brilho)* lustre **2** *(cinco anos)* lustrum
lustroso *adj* lustrous, shiny, glossy
luta *nf* **1** *(combate)* fight (contra, against; por, for) **2** *(conflito)* struggle; **luta de classes** class struggle ◆ DESP **luta livre** wrestling
lutador *nm* **1** fighter **2** DESP wrestler
lutar *v* **1** to struggle (para, por, for) **2** *(combater)* to fight (por, for; contra, against) **3** DESP to wrestle ◆ **lutar em vão** to beat the air

lutécio *nm* lutetium
luterano *adj* Lutheran
luto *nm* **1** mourning; **estar de luto** to be in mourning **2** (traje) mourning dress
luva *nf* (mãos) glove; **luvas de borracha** rubber gloves ◆ **assentar como uma luva** to fit like a glove
luxação *nf* MED dislocation
Luxemburgo *nm* Luxembourg
luxemburguês *adj* of/from Luxembourg ▪ *nm* Luxembourger
luxo *nm* luxury ◆ **dar-se ao luxo de** to allow oneself to; **de luxo** luxury; luxurious
luxuoso *adj* luxurious; **casa luxuosa** luxurious house
luxúria *nf* lust, lasciviousness
luz *nf* **1** light; **desligar a luz** to switch off the light, to turn off the light **2** *pl fig (noções)* notions; **ter umas luzes de** to have a nodding acquaintance with **3** *pl* (automóvel) headlights ◆ (ordem para avançar) **luz verde** go-ahead; **à luz do dia** in broad daylight; (filho) **dar à luz** to give birth to
luzidio *adj* shiny
luzir *v* to glitter, to gleam ◆ **nem tudo o que luz é ouro** all that glitters is not gold

M

m *nm* (letra) m
maca *nf* **1** MED stretcher **2** *(padiola)* litter
maça *nf* **1** club **2** *(clava)* mace
maçã *nf* apple ◆ **maçãs do rosto** cheekbones
macabro *adj* macabre, gruesome
macaca *nf* (jogo) hopscotch
macacão *nm* **1** (roupa de trabalho) overall **2** *(calças de peito)* dungarees
macaco *nm* **1** monkey; ape **2** MEC screw jack ◆ **macaco de imitação** copycat
maçada *nf (aborrecimento)* bore, nuisance; **dava-lhe muita maçada?** would it trouble you too much?; **que maçada!** what a bore!
maçã-de-adão *a nova grafia é* **maçã de Adão**[AO]
maçã de Adão[AO] *nf* Adam's apple
maçador *adj* **1** *(chato)* boring **2** *(cansativo)* tiresome ▪ *nm* (pessoa) bore; **ser um grande maçador** to be an awful bore
maçaneta *nf* **1** (porta) doorknob, door handle **2** (porta, gaveta) knob, handle
maçapão *nm* marzipan
maçar *v* **1** *(importunar)* to bother **2** *(chatear)* to bore ▪ **maçar-se 1** *(incomodar-se)* to trouble oneself **2** *(chatear-se)* to get bored
maçarico *nm* **1** (chama) blowtorch, blowpipe; **maçarico de soldar** soldering-lamp **2** *col* (pessoa) beginner
maçaroca *nf* (milho) maize cob, corn cob
macarrão *nm* macaroni
macarronete *nm* thin macaroni
macarrónico *adj* macaronic; **latim macarrónico** dog Latin
Macedónia *nf* Macedonia
macedónio *adj,nm* Macedonian
machado *nm* axe ◆ **feito a machado** bungled
machão *nm* **1** macho man **2** *(valentão)* tough guy
machismo *nm* machismo, male chauvinism
machista *adj2g,nm* male chauvinist
macho *nm* **1** (sexo) male **2** *col (homem viril)* stud; macho-man **3** *(mula)* mule **4** *téc* (peça) tap ▪ *adj* male, virile
machucar *v* **1** *(pisar, magoar)* to bruise **2** *(esmagar)* to crush **3** *(ferir)* to hurt
maciço *adj* **1** (objeto) solid **2** *(espesso)* thick **3** (quantidade) massive ▪ *nm* GEOL massif
macieira *nf* apple tree
macilento *adj* **1** *(pálido)* wan, pale **2** *(magro)* lean
macio *adj* **1** *(tenro)* soft **2** *(liso)* smooth
maço *nm* **1** packet **2** (notas) bundle, wad **3** (martelo) mallet
maçonaria *nf* masonry, freemasonry
maçónico *adj* masonic, freemasonic ▪ *nm* mason, freemason
má-criação *nf* **1** *(rudeza)* rudeness **2** *(grosseria)* coarseness
maçudo *adj* **1** *(cansativo)* tiresome **2** *(aborrecido)* dull
mácula *nf* **1** *(mancha)* stain, spot, taint **2** *(desonra)* infamy, dishonour
macumba *nf* **1** BRAS voodoo **2** BRAS *(feitiçaria)* sorcery
Madagáscar *nm* Madagascar
madeira *nf* **1** (material) wood; **de madeira** wooden **2** (construção) timber ◆ **bater na madeira** to touch wood
madeixa *nf* **1** (cabelo) lock **2** (cabeleireiro) highlight; **fazer madeixas** to have highlights put in one's hair
madrasta *nf* stepmother
madre *nf* (convento) mother
madrepérola *nf* mother-of-pearl
madressilva *nf* honeysuckle
madrigal *nm* MÚS madrigal
madrinha *nf* **1** (batismo) godmother; **ser madrinha de uma criança** to stand godmother to a child **2** *fig (patrocinadora)* patron
madrugada *nf* dawn, daybreak; **de madrugada** at daybreak
madrugar *v (levantar-se)* to rise early, to get up early
maduro *adj* **1** (fruta) ripe **2** (pessoa, vinho) mature **3** *(sensato)* wise; mature

mãe *nf* **1** mother; **mãe de família** wife and mother **2** *fig (fonte)* source (de, of) ◆ **futura mãe** expectant mother
maestro *nm* MÚS conductor, maestro
mafarrico *nm* **1** *(Diabo)* devil, deuce **2** (criança) wayward child
má-fé *nf* malicious intent
máfia *nf* mafia, Mob
mafioso *nm* mafioso, mobster, gangster ▪ *adj* mafia
magenta *adj2g,nf* (cor) magenta
magia *nf* **1** magic **2** *(bruxaria)* sorcery, witchcraft ◆ **magia negra** black magic
magicar *v* **1** *(matutar)* to brood (em, about/over) **2** *(considerar)* to rack one's brain
mágico *adj* magical, magic ▪ *nm (ilusionista)* magician ◆ **por artes mágicas** as if by magic
magistério *nm* **1** *(profissão)* the teaching profession **2** *(ensino)* teaching **3** *(professorado)* teachers
magistrado *nm* magistrate
magistral *adj2g* **1** *(magnífico)* magnificent **2** *(perfeito)* perfect
magistratura *nf* **1** (funções) judgeship **2** (profissionais) judges
magnânimo *adj* **1** magnanimous, generous **2** *(nobre)* noble
magnata *n2g* magnate, tycoon
magnésio *nm* magnesium
magnético *adj* magnetic ◆ **campo magnético** magnetic field
magnetismo *nm* magnetism
magnífico *adj (esplendoroso)* magnificent; splendid; **voz magnífica** magnificent voice
magnitude *nf* **1** magnitude **2** *(importância)* importance
magno *adj* great
magnólia *nf* magnolia
mago *nm* magician ◆ **os três reis magos** the three wise men
mágoa *nf* **1** sorrow, grief, sadness **2** *pl (lamentações)* complaints
magoado *adj* **1** (emocional) hurt **2** (físico) hurt; injured
magoar *v* to hurt ▪ **magoar-se** to get injured; to hurt oneself
magote *nm* **1** (pessoas) crowd; swarm **2** (coisas) heap, mass; **aos magotes** masses of it
magreza *nf* **1** leanness; thinness **2** *(escassez)* spareness
magricela *adj2g* skinny ▪ *n2g* barebones, skinny person
magro *adj* **1** (pessoa) slim; thin **2** (carne) lean **3** (alimento) low-fat **4** (leite) skimmed
magusto *nm* **1** (fogueira) fire for roasting chestnuts **2** *(castanhas)* roast chestnuts
maia *nf* yellow broom
maio[AO] *nm* May
maionese *nf* mayonnaise
maior *adj* **1** (comparativo) bigger (do que, than); **Londres é maior do que Lisboa** London is bigger than Lisbon **2** (superlativo) biggest; **o maior dos três** the biggest of the three **3** MÚS major; **dó maior** C major ◆ **ser maior de idade** to be of age
maioral *nm* **1** chief, boss **2** *(responsável)* head; higher-up
maioria *nf* majority; **a maioria de** most of ◆ **maioria absoluta** absolute majority; **maioria silenciosa** silent majority; **estar em maioria** to be in the majority
maioridade *nf* majority; **atingir a maioridade** to come of age
mais *adv* **1** (comparativo) more (do que, than); **ela é mais inteligente do que eu** she is more intelligent than me **2** (superlativo) most (de, in/of); **a loja que mais livros vendeu** the shop that has sold most books **3** *(aliás)* moreover **4** (com pronomes interrogativos, indefinidos) else; **mais alguém?** anybody else?; **que mais?** what else? **5** (frases negativas) only; **não sabemos mais do que isto** we only know that **6** *(de sobra)* spare; **ter uma caneta a mais** to have a spare pen ▪ *det indef* > *quant exist*[DT], *pron indef* more ▪ *nm* MAT (sinal) plus ▪ *conj* **1** and **2** MAT plus; **dois mais dois são quatro** two plus two are four ◆ **mais ou menos** more or less; **por mais que** whatever, however; **sem mais nem menos** out of the blue
maisena *nf* maize starch
mais-que-perfeito *adj,nm* LING pluperfect
mais-valia *nf* ECON surplus value; unearned increment
maiúscula *nf* capital letter; **escreva em maiúsculas** write in block letters/in capitals
majestade *nf* **1** (título) majesty; **Sua Majestade** His (Her) Majesty; **Vossa Majestade**

your Majesty **2** *(pompa)* grandeur **3** *(dignidade)* dignity
majestoso *adj* **1** majestic **2** *(solene)* stately
major *nm* MIL major
mal *adv* **1** badly **2** *(quase não)* hardly; *(quase nunca)* hardly ever **3** *(desfavoravelmente)* ill; **falar mal de** to speak ill of **4** bad; **parecer mal** to look bad **5** (errado moralmente) wrongly ■ *nm* **1** evil **2** *(problema)* problem **3** *(dano)* harm ■ *conj (assim que)* as soon as, no sooner ... than; **mal chegaram** as soon as they arrived ◆ **de mal a pior** out of the frying pan into the fire; **há males que vêm por bem** every cloud has a silver lining; **não faz mal!** never mind!
mala *nf* **1** (viagem) suitcase; **fazer as malas** to pack **2** (carro) bootGB, trunkEUA **3** *(carteira)* handbag
malabarismo *nm* **1** juggling **2** *fig (estratagema)* shrewd manoeuver
malabarista *n2g* **1** juggler **2** *fig (intriguista)* smooth operator
mal-agradecido *adj* ungrateful
malagueta *nf* chilli pepper
malaio *adj,nm* Malaysian
malandro *nm* rascal, scamp ■ *adj* mischievous; naughty; malicious
malária *nf* MED malaria
Malásia *nf* Malaysia
Malawi ou **Malaui** *nm* Malawi
malawiano ou **malauiano** *adj,nm* Malawian
malcheiroso *adj* smelly, stinking
malcriado *adj* **1** *(grosseiro)* rude **2** ill-bred, impolite
maldade *nf* **1** *(malícia)* malice **2** *(ruindade)* wickedness, evil **3** *(mau comportamento)* naughtiness; **fazer maldades** to be naughty
maldição *nf* curse, malediction
maldisposto *adj* **1** (saúde) indisposed, out of sorts **2** (humor) in a bad mood, grumpy, cross
maldito *adj* **1** *(amaldiçoado)* cursed, damned **2** (mau agoiro) ill-omened
Maldivas *nfpl* Maldives
maldiviano *adj,nm* Maldivian
maldizer *v* **1** *(difamar)* to slander, to defame **2** *(amaldiçoar)* to curse
maldoso *adj* **1** *(mau)* wicked, bad **2** *(malicioso)* mischievous **3** *(mal-intencionado)* ill-meant
maleabilidade *nf* **1** malleability **2** *(elasticidade)* elasticity, give
maleável *adj2g* **1** malleable, supple **2** *(flexível)* pliable
maledicência *nf* slander, malicious gossip
maledicente *adj2g* slanderous, defamatory ■ *n2g* slanderer, backbiter
mal-educado *adj* **1** ill-bred, ill-mannered **2** *(grosseiro)* rude
malefício *nm (dano)* harm, damage
maléfico *adj* **1** *(malévolo)* evil **2** *(nocivo)* harmful, noxious
mal-encarado *adj* **1** ugly, ill-looking **2** *(antipático)* unfriendly; disagreeable
mal-entendido *nm* **1** misunderstanding **2** *(engano)* mistake
mal-estar *nm* **1** *(indisposição)* indisposition, discomfort **2** *(embaraço)* uncomfortableness, uneasiness
maleta *nf* small suitcase, grip
malevolência *nf* **1** malevolence; malice **2** *(rancor)* ill-will
malévolo *adj2g* **1** malevolent **2** *(maligno)* malignant **3** *(rancoroso)* spiteful
malfadado *adj* **1** ill-fated **2** *(sem sorte)* unlucky **3** (viagem) fateful
malfeitor *nm* crook, villain
malformação *nf* malformation
malga *nf* bowl
malgaxe *adj,n2g* Madagascan
malha *nf* **1** (tecido) knitwear; **fazer malha** to knit **2** (rede) mesh **3** (meia) ladder **4** (ballet, ginástica) leotard **5** (jogo) quoit; **jogar a malha** to play at quoits **6** (animal) spot
malhação *nf* BRAS DESP keep-fit
malhado *adj* (animal) spotted
malhar *v* **1** (cereais) to thresh **2** *(bater)* to beat
malho *nm (maço)* mallet
mal-humorado *adj* **1** ill-tempered; **estar mal-humorado** to be in a bad mood **2** *(antipático)* unfriendly
Mali *nm* Mali
maliano *adj,nm* Malian
malícia *nf* **1** malice **2** *(malevolência)* malevolence, spite
malicioso *adj* **1** *(malévolo)* malicious **2** (interpretação) dirty-minded **3** *(maroto)* naughty
maligno *adj* **1** MED malignant **2** *(prejudicial)* pernicious **3** *(malévolo)* malevolent ◆ **tumor maligno** malignant tumour

má-língua *nf* (ação) gossip, backbiting ▪ *n2g* (pessoa) backbiter ♦ **dizem as más-línguas que...** gossip has it that...
mal-intencionado *adj* evil-minded, malicious
malmequer *nm* daisy
malnutrição *nf* malnutrition
malograr *v* to frustrate ▪ **malograr-se** *(fracassar)* to fail
malogro *nm* failure
malpassado *adj* **1** underdone **2** (bife) rare
malta *nf* **1** (amigos) gang **2** *(populaça)* mob
Malta *nm* Malta
malte *nm* malt
maltês *adj,nm* Maltese
maltrapilho *adj* ragged, tattered ▪ *nm* ragamuffin, scoundrel
maltratar *v* **1** to ill-treat, to ill-use **2** (verbalmente) to abuse **3** *(estragar)* to damage
maluco *adj* mad (por, about), crazy (por, about); **ela é maluca por chocolate** she's mad about chocolate; **isso põe-me maluco** it drives me crazy ▪ *nm* madman
maluqueira *nf* madness, foolishness; **deu-lhe na maluqueira ir para a América** he got the wild idea of going to America
maluquice *nf* **1** *(loucura)* madness **2** (ideia) wild notion **3** *(disparate)* crazy thing; **é uma maluquice ir sozinho** it's crazy to go alone
malva *nf* mallow ▪ *adj inv,nm* (cor) mauve
malvadez *nf* **1** wickedness, malignancy **2** (ato) wicked thing
malvado *adj* wicked ▪ *nm* malefactor, criminal
mama *nf* breast, teat; boob *pop* ♦ **cancro da mama** breast cancer
mamã *nf* mum; mummy
mamada *nf* feeding, nursing, suckling
mamar *v* **1** to suck; **dar de mamar** to suckle, to breastfeed **2** (bebé) to feed **3** *col* (dinheiro) to extort
mamário *adj* mammary
mamarracho *nm* eyesore
mamífero *nm* mammal ▪ *adj* mammalian
mamilo *nm* nipple
mamografia *nf* MED mammography
mamute *nm* mammoth
manada *nf* **1** (gado) herd, drove **2** *col (punhado)* handful (of, de)
manancial *nm* **1** spring **2** *fig (fonte)* source, fountain **3** *fig (abundância)* wealth
mancar *v* to limp; to hobble
mancha *nf* **1** (sujidade) stain **2** (pele) spot, mark **3** *fig* (mácula) spot
manchado *adj* stained (de, with)
manchar *v* **1** *(sujar)* to stain (de, with) **2** (reputação) to soil, to dishonour
manchete *nf* headline
manco *adj* **1** *pop (estropiado)* crippled **2** *pop (coxo)* lame ▪ *nm pop* cripple, lame person
mandachuva[AO] *nm* **1** *(figurão)* big shot **2** *(chefe)* boss, leader
manda-chuva *a nova grafia é* **mandachuva**[AO]
mandado *nm* **1** *(ordem)* order **2** DIR writ, injunction, warrant ♦ **mandado de prisão** warrant of arrest; **um mandado de busca** a search warrant
mandamento *nm* commandment
mandão *adj* bossy ▪ *nm* bossy boots *col*
mandar *v* **1** *(ordenar)* to command, to order **2** *(enviar)* to send; **mandar buscar** to send for **3** *(encomendar, levar)* to have something done; **vou mandar limpá-lo** I'm going to have it cleaned **4** *(atirar)* to cast **5** (governo) to be in power **6** (chefe) to boss
mandarim *nm* mandarin
mandatário *nm* **1** *(delegado)* delegate **2** *(representante)* representative
mandato *nm* **1** *(autorização)* mandate **2** POL term of office **3** *(ordem)* order
mandíbula *nf* mandible
mandioca *nf* manioc, cassava
mando *nm* **1** *(comando)* command, rule; **a mando de** by order of **2** *(poder)* power, authority
mandrião *nm* idler, sluggard, lazybones; **é um mandrião** he's a lazybones ▪ *adj* idle, lazy
mandriar *v* to idle, to laze around
maneio *nm* **1** handling **2** *(gestão)* management, administration
maneira *nf* **1** *(modo)* manner, way; **de outra maneira** elsewise **2** *pl (comportamento)* manners; **ter boas maneiras** to have good manners ♦ **de maneira nenhuma** by no means
maneirismo *nm* mannerism
manejar *v* **1** (instrumento) to handle **2** (máquina) to operate (com, with) **3** *(lidar)* to deal (com, with)
manejo *nm* **1** handling **2** *(manejamento)* management

manequim *nm* **1** (montra) dummy **2** (pessoa) model
maneta *n2g* **1** *pop* (sem mão) one-handed person **2** *pop* (sem braço) one-armed person ▪ *adj2g pop* one-handed
manga *nf* **1** (roupa) sleeve **2** (fruto) mango **3** (banda desenhada) manga **4** (aeroporto) jetway; jet bridge
manganésio *nm* manganese
mangar *v* to mock; to tease
mangueira *nf* **1** (água) hose; **mangueira de incêndio** firehose **2** (árvore) mango tree
manha *nf* **1** *(astúcia)* cunning; **ter manha** to be cunning **2** *(ardil)* trick **3** *(fingimento)* act; **fazer manha** to put on an act ♦ **usar de manha** to play the fox
manhã *nf* morning
manhoso *adj* cunning; crafty; artful
mania *nf* **1** MED mania; **mania da perseguição** persecution mania **2** *(obsessão)* craze **3** *(passatempo)* hobby; **tem a mania de colecionar selos** his hobby is collecting stamps
maníaco *nm* maniac ▪ *adj* maniac, crazy
manicómio *nm* mental hospital
manicura *nf* **1** (pessoa) manicurist **2** (tratamento) manicure
manifestação *nf* **1** *(protesto)* demonstration **2** *(expressão)* expression, display; **uma manifestação de apoio** an expression of support
manifestante *nm* demonstrator
manifestar *v* **1** *(expressar)* to express **2** *(revelar)* to show ▪ **manifestar-se 1** *(mostrar-se)* to show oneself; to appear **2** *(pronunciar-se)* to express an opinion **3** (em manifestação) to demonstrate
manifesto *adj* evident, clear ▪ *nm* manifesto
manipulação *nf* manipulation, handling ♦ **manipulação genética** genetic manipulation
manipulador *nm* manipulator
manipular *v* **1** to manipulate; **não te deixes manipular** don't let yourself be manipulated **2** *(manejar)* to handle **3** (genética) to engineer
manípulo *nm* handle; **manípulo das velocidades** gear handle/lever
manivela *nf* handle, crank; **dar à manivela** to crank
manjar *nm* **1** *(iguaria)* delicacy, titbit **2** *(comida)* food
manjedoura *nf* manger
manjericão *nm* sweet basil
manjerico *nm* basil
manjerona *nf* marjoram
manobra *nf* **1** (carro, barco, avião) manoeuvre GB, maneuver EUA **2** (comboio) shunting **3** *fig* move
manobrar *v* **1** to manoeuvre **2** *(manusear)* to handle **3** (mecanismo) to operate **4** *(manipular)* to manipulate
mansão *nf* mansion
mansarda *nf* garret
mansinho *adj* very docile, very meek ♦ **de mansinho** softly; gently
manso *adj* **1** (pessoa) meek **2** (mar) calm **3** (animal) tame
manta *nf* **1** *(cobertor)* blanket **2** (viagem) rug **3** *(xaile)* shawl ♦ **pintar a manta** to paint the town red
manteiga *nf* **1** butter; **pôr manteiga em** to butter **2** *(bajulação)* flattery
manter *v* **1** *(conservar)* to keep; to maintain **2** *(cumprir)* to keep up **3** *(suster)* to hold; to support ▪ **manter-se 1** (situação, problema) to remain **2** *(sustentar-se)* to support oneself
mantimento *nm* **1** (manutenção) maintenance **2** *pl (provisões)* provisions, victuals; **prover-se de mantimentos** to furnish oneself with provisions
manto *nm* mantle, cloak ♦ **manto de neve** a blanket of snow
manual *adj2g* manual, handmade ▪ *nm* **1** manual, handbook **2** (escola) textbook, schoolbook ♦ **manual de instruções** instruction manual
manufacturar *a nova grafia é* **manufaturar**[AO]
manufaturar[AO] *v* to manufacture
manuscrito *nm* manuscript ▪ *adj* handwritten; manuscript
manusear *v* **1** to handle **2** (livro) to thumb through
manutenção *nf* **1** *(conservação)* maintenance **2** *(administração)* management
mão *nf* **1** hand; **de mãos dadas** holding hands **2** (de animal) forefoot **3** (de tinta) coat **4** *(ajuda)* help; **dar uma mão a** to lend a hand to **5** *(controlo)* control (em, over) **6** *(jeito)* hand (para, for) **7** DESP leg ♦ **abrir mão de** to forgo; **à mão** (close) at hand
mão-cheia *nf* handful (de, of)
mão-de-obra *a nova grafia é* **mão de obra**[AO]

mão de obra[AO] *nf* labour; **mão de obra barata** cheap labour; **mão de obra especializada** skilled labour
mãos-largas *n2g* open-handed person; generous person
mapa *nm* map; **mapa de estradas** road map
mapa-múndi *nm* map of the world
maqueiro *nm* stretcher-bearer
maqueta *nf* ARQ,ART model
maquia *nf* (de dinheiro) sum; **uma bela maquia** a good sum of money
maquiavélico *adj* Machiavellian; **um plano maquiavélico** a Machiavellian plan
maquilhador *nm* make-up artist
maquilhagem *nf* make-up; **pôr maquilhagem** to put on make-up
maquilhar *v* to make up ▪ **maquilhar-se** to put on make-up
máquina *nf* **1** machine; **máquina de barbear** electric razor, shaver; **máquina de café** espresso machine **2** *col* efficient worker; **ele é uma máquina!** he is very efficient
maquinação *nf* machination; plot; scheme
maquinal *adj2g* automatic; mechanical; **uma reação maquinal** a mechanical response
maquinar *v* to machinate; to plot
maquinaria *nf* **1** machinery; **maquinaria pesada** heavy machinery **2** (casa das máquinas) engine room
maquineta *nf* contraption; gadget
maquinismo *nm* **1** machinery **2** mechanism
maquinista *n2g* **1** (de comboio) engine driver; engineerEUA **2** *(construtor de máquinas)* machinist
mar *nm* **1** sea, ocean **2** *fig* (abundância) stream
maracujá *nm* passion fruit
marado *adj col* nuts; screwed-up *col*
marajá *nm* maharajah
marasmo *nm* **1** apathy; lethargy **2** stagnation; inactivity
maratona *nf* DESP marathon; **correr a maratona** to run the marathon
maratonista *n2g* marathon runner
maravilha *nf* wonder; marvel; **as sete maravilhas do mundo** the seven wonders of the world ♦ **às mil maravilhas** fine and dandy; **fazer maravilhas** to work wonders
maravilhado *adj* amazed; awestruck; overwhelmed
maravilhar *v* to amaze ▪ **maravilhar-se** to be amazed (com, at)
maravilhosamente *adv* marvellously; wonderfully; admirably
maravilhoso *adj* marvellous; wonderful
marca *nf* **1** *(sinal distintivo, característica)* mark; sign **2** (produto) brand; make **3** *(cicatriz)* scar ♦ **marca registada** trademark; **passar das marcas** to overstep the mark
marcação *nf* **1** *(reserva)* reservation; booking **2** *(consulta)* appointment **3** (de adversário) marking
marcado *adj* **1** *(reservado)* booked; reserved **2** *(assinalado)* marked **3** *(combinado)* agreed
marcador *nm* **1** (caneta) marker, marker penGB; **marcador fluorescente** highlighter **2** (livro, internet) bookmark **3** (golo) scorer **4** (quadro) scoreboard
marcante *adj2g* **1** *(notável)* remarkable; outstanding **2** (acontecimento) important; momentous
marcar *v* **1** (consulta, data, reunião) to arrange; to set **2** *(reservar)* to book; to reserve **3** *(assinalar)* to mark **4** (número de telefone) to dial **5** *(influenciar)* to leave a mark **6** (golos, pontos) to score ♦ **marcar a diferença** to stand out
marcenaria *nf* joinery; cabinet-making
marceneiro *nm* joiner; cabinet-maker
marcha *nf* **1** march; **abrandar a marcha** to slow down **2** (atletismo) walk
marcha-atrás *nf* reverse; **fazer marcha-atrás** to reverse
marchar *v* **1** to march **2** to walk **3** *(prosseguir)* to advance; to progress
marcial *adj2g* martial ♦ **artes marciais** martial arts; **lei marcial** martial law
marciano *adj,nm* Martian
marco *nm* **1** milestone; landmark **2** (de fronteira) boundary **3** (de correio) letter boxGB, mailboxEUA **4** (antiga moeda) mark
março[AO] *nm* March
maré *nf* **1** tide; **maré alta/cheia** high tide; **maré baixa** low tide **2** *fig* streak; series; **uma maré de desgraças** a series of misfortunes ♦ **andar ao sabor da maré** to go with the flow
marechal *nm* MIL marshal
maremoto *nm* **1** seaquake **2** *(onda gigante)* tidal wave
maresia *nf* sea breeze
marfim *nm* ivory
margarida *nf* daisy

margarina *nf* margarine
margem *nf* **1** (rio, lago, canal) bank; shore **2** (texto impresso) margin ◆ **margem de erro** margin of error; **margem de manobra** room for manoeuvre
marginal *adj2g* marginal ▪ *n2g* **1** outcast **2** *(criminoso)* delinquent ▪ *nf* esplanade; coast road
marginalidade *nf* **1** exclusion; **marginalidade social** social exclusion **2** delinquency
marginalização *nf* segregation; ostracism; **marginalização das minorias** ostracism of minorities
marginalizar *v* **1** to segregate; to ostracize **2** to ignore; to neglect
marginar *v* (folha) to marginate
maria-rapaz *nf* tomboy
maricas *nm* **1** *(indivíduo efeminado)* sissy, pansy **2** *pej* (homossexual) fag, faggot **3** *(medricas)* sissy, coward ▪ *adj inv* **1** *(efeminado)* sissy; effeminate **2** *pej* gay **3** *(medricas)* cowardly; chicken-hearted; sissy
marido *nm* husband
marijuana *nf* marijuana
marimbar-se *v col* not to care
marinada *nf* marinade
marinar *v* to marinate
marinha *nf* navy; **ele alistou-se na Marinha** he joined the Navy; **oficial da Marinha** Navy officer, marine ◆ **marinha mercante** merchant navy; **marinha de guerra** (war) navy
marinheiro *nm* sailor; seaman ◆ **marinheiro de água doce** inexperienced sailor
marinho *adj* **1** marine; **biologia marinha** marine biology **2** sea; **ave marinha** sea bird
marioneta *nf* puppet; **espetáculo de marionetas** puppet show
mariposa *nf* (borboleta, natação) butterfly
mariquice *nf* **1** effeminacy **2** *(futilidade)* trifle
marisco *nm* **1** ZOOL shellfish **2** CUL seafood
marisqueira *nf* seafood restaurant
marital *adj2g* marital
marítimo *adj* **1** maritime; **uma grande potência marítima** a great maritime power **2** sea; **brisa marítima** sea breeze
marketing *nm* marketing; **campanha de marketing** marketing campaign
marmanjo *nm* **1** *(patife)* rogue; rascal **2** *col* grown man **3** *(rapagão)* hulk; lout
marmelada *nf* **1** quince jam **2** *col* (carícias, beijos) smooch; snog
marmeleiro *nm* quince tree
marmelo *nm* quince
marmita *nf* small pot
mármore *nm* marble
marmota *nf* **1** (peixe) whiting **2** (animal roedor) marmot
marosca *nf* trick; dodge
maroto *adj* **1** *(atrevido)* saucy; pert; impudent **2** *(malandro)* naughty ▪ *nm* **1** rascal; imp; rogue **2** saucy fellow
marquês *nm* marquis; marquessGB
marquesa *nf* **1** (nobreza) marquise; marchionessGB **2** MED (examination) table **3** *(canapé)* couch
marquise *nf* glass veranda
marrada *nf* butt; head-butt; jab
marralhar *v* **1** *(insistir, teimar em)* to insist on; to make a point of **2** *(regatear preços)* to bargain; to haggle
marrão *nm cal* swotGB, grindEUA
marrar *v* **1** *(dar marrada)* to butt **2** *(teimar)* to insist **3** *col* (escola) to cram for an exam, to swot for an exam
marreca *nf* hunch
Marrocos *nmpl* Morocco
marroquino *adj,nm* Moroccan
marsupial *adj2g,nm* marsupial
marsúpio *nm* **1** (animal) pouch **2** (bebés) sling
marta *nf* marten; **pelo de marta** marten fur
Marte *nm* Mars
martelada *nf* hammer blow
martelar *v* **1** to hammer **2** *(insistir)* to harp (em, on)
martelo *nm* **1** hammer **2** (no tribunal, em leilões) gavel ◆ **martelo pneumático** jackhammer
mártir *n2g* martyr; **um mártir da liberdade** a martyr for the cause of freedom
martírio *nm* **1** martyrdom **2** *fig* torment; torture; suffering
martirizar *v* **1** to martyr **2** *fig* to torment; to torture
marujo *nm* sailor; seaman
marxismo *nm* Marxism
marxista *adj,n2g* Marxist
mas *conj* but; yet; **não só... mas também** not only... but also ▪ *nm (obstáculo, senão)* but; obstacle ◆ **nem mas nem meio mas!** (there are) no buts about it!

mascar *v (mastigar)* to chew
máscara *nf* **1** mask **2** *(disfarce)* disguise; mask; *(desmascarar)* **tirar a máscara a alguém** to unmask someone, to expose someone ♦ **máscara de mergulho** snorkelling mask; **máscara de oxigénio** oxygen mask; (cosmética) **máscara facial** face mask
mascarado *adj* **1** in fancy dress **2** in disguise; masked
mascarar *v* **1** *(pôr um disfarce)* to dress up as **2** *(disfarçar)* to mask; to conceal ▪ **mascarar-se** to dress up (de, as)
mascarilha *nf* mask
mascavado *adj (não refinado)* unrefined; raw; **açúcar mascavado** raw sugar
mascote *nm* mascot
masculinidade *nf* masculinity; manliness
masculino *adj* **1** masculine; manly **2** LING masculine; **substantivos masculinos** masculine nouns
másculo *adj* manly; masculine; **feições másculas** manly features
masmorra *nf* dungeon
masoquismo *nm* masochism
masoquista *n2g* masochist ▪ *adj2g* masochistic
massa *nf* **1** (substância) paste **2** CUL pasta **3** (bolos) dough; pastry **4** FÍS mass **5** *col (dinheiro)* dosh; dough ♦ **massa cinzenta** grey matter
massacrar *v* **1** to massacre; to slaughter **2** to pester (com, with); to tease (com, with)
massacre *nm* massacre; slaughter; **sobreviver a um massacre** to survive a massacre
massagem *nf* massage; **fazer uma massagem a alguém** to give somebody a massage; **uma massagem nas costas** a back massage
massagista *n2g* (homem) masseur; (mulher) masseuse
massajar *v* to massage
mastigação *nf* chewing
mastigar *v* **1** *(mascar)* to chew; to masticate; to munch **2** *(murmurar)* to mumble; to mutter **3** *(ponderar)* to consider; to ponder
mastro *nm* mast
masturbação *nf* masturbation
masturbar *v* to masturbate
mata *nf* wood
mata-bicho *nm* **1** (porção de bebida alcoólica) tot; nip **2** (refeição ligeira) snack
mata-borrão *nm* blotting paper
matadouro *nm* slaughterhouse; abattoir
matagal *nm* **1** *(bosque denso)* thicket; brake **2** *(confusão)* tangle; confusion; mess
matança *nf* slaughter; massacre
matar *v* **1** to kill; to murder **2** (animais) to slaughter **3** *(satisfazer)* to quench; to satisfy **4** *(passar)* to kill ▪ **matar-se 1** to commit suicide **2** *(ralar-se)* to worry ♦ **ficar a matar** to suit to perfection
mate *nm* (xadrez) mate, checkmate
matemática *nf* mathematics, maths *col*
matemático *nm* mathematician ▪ *adj* mathematical
matéria *nf* **1** matter **2** *(assunto)* subject; **ser perito na matéria** to be an expert on the subject
material *nm* **1** *(tecido)* material; fabric **2** material; **materiais de construção** building materials; **material escolar** school materials **3** equipment; **material desportivo** sports equipment ▪ *adj2g* material; **bens materiais** worldly goods; **o mundo material** the material world
materialismo *nm* materialism
materialista *n2g* materialist ▪ *adj2g* materialistic
materialização *nf* materialization
materializar *v* to materialize
matéria-prima *nf* raw material
maternal *adj2g* maternal; motherly
maternidade *nf* **1** maternity; motherhood **2** (hospital, clínica) maternity, maternity hospital
materno *adj* **1** motherly; maternal; **avô materno** maternal grandfather **2** mother; **língua materna** mother tongue
matilha *nf* **1** (cães) pack **2** *fig,pej* (pessoas) gang; mob
matinal *adj2g* morning; **café matinal** morning coffee
matinée *nf* TEAT,CIN matinée, afternoon performance
matiz *nm* nuance; shade; hue
matizar *v (colorir)* to colour; to tinge
mato *nm* wood(s) ♦ *col* **ser mato** to be very common
matraca *nf* **1** rattle **2** *fig (boca)* mouth
matreiro *adj* cunning; sly
matriarca *nf* matriarch
matriarcal *adj2g* matriarchal

matrícula *nf* **1** (em escola, curso) enrolment; registration **2** (automóvel) number plateGB, license plateEUA
matricular *v* (em escola, curso) to enrol (em, in/for); to register
matrimonial *adj2g* matrimonial; marital; **votos matrimoniais** marital vows
matrimónio *nm* matrimony; marriage
matriz *nf* **1** *(origem, fonte)* origin; source **2** MAT matrix ▪ *adj* **1** original; initial **2** main ◆ **igreja matriz** main church
matulão *nm pop* hulk; bruiser
maturação *nf* **1** *(desenvolvimento)* maturation; development **2** *(amadurecimento)* ripening
maturidade *nf* **1** maturity; adulthood; **atingir a maturidade** to reach maturity **2** full development
matutar *v* to muse; to brood
matutino *adj* morning ▪ *nm* morning paper
mau *adj* **1** bad; **mau tempo** bad weather **2** *(maléfico)* evil; wicked **3** poor; **em mau estado** in a poor condition ▪ *nm* bad person
mau-olhado *nm* evil eye
Maurícia *nf* Mauritius
mauriciano *adj,nm* Mauritian
Mauritânia *nf* Mauritania
mauritano *adj,nm* Mauritanian
mausoléu *nm* mausoleum
maus-tratos *nmpl* physical abuse
maxila *nf* jawbone
maxilar *nm* jaw; maxilla
máxima *nf* **1** maxim; saying **2** (meteorologia) maximum temperature
máximo *adj* **1** maximum; **prisão de segurança máxima** maximum security prison **2** highest; **a nota máxima** the highest mark ▪ *nm* **1** maximum; **um máximo de 15 pessoas** a maximum of 15 people; **ao máximo** to the maximum **2** *pl* (automóvel) high beams; **com os máximos ligados** with the high beams on ◆ **é o máximo que posso fazer por ti** that is all I can do for you; **no máximo** at the most; tops; **ser o máximo** to be great
mazela *nf* ailment; illness
me *pron pess* **1** me; **ela bateu-me** she hit me **2** to me; **não me faças isso!** don't you do that to me! **3** myself; **cortei-me numa faca** I cut myself on a knife
meada *nf* (lã) hank ◆ **perder o fio à meada** to lose the thread of the story
meado *nm* middle; **em meados de junho** in mid-June
mealheiro *nm* **1** moneybox; piggy bank **2** *col (poupanças)* savings; nest egg
meandro *nm* meander; turn; twist
mecânica *nf* mechanics ◆ **mecânica quântica** quantum mechanics
mecânico *nm* mechanic; **mecânico de automóveis** car mechanic ▪ *adj* **1** mechanical; **avaria mecânica** mechanical failure **2** *(automático)* mechanical; automatic; **ela deu-nos uma resposta mecânica** she gave us a mechanical answer ◆ **engenheiro mecânico** mechanical engineer
mecanismo *nm* mechanism; **mecanismo do relógio** watch mechanism ◆ **mecanismo de defesa** defence mechanism
mecanização *nf* mechanization
mecanizar *v* to mechanize
mecenas *n2g* **1** (arte) patron **2** *(patrocinador)* sponsor
mecha *nf* **1** lamp wick **2** (de cabelo) lock ◆ *col* **na mecha** at full speed
medalha *nf* **1** medal; **atribuir uma medalha** to award a medal **2** (joia) medallion
medalhão *nm* medallion
medalhista *n2g* medallist
média *nf* **1** average **2** (escola) average mark **3** (velocidade) average speed **4** MAT mean
mediação *nf* mediation (em, in); intervention (em, in)
mediador *nm* **1** mediator; arbitrator **2** agent; **mediador de seguros** insurance agent ▪ *adj* mediatory
mediana *nf* GEOM,ZOOL median
mediano *adj* **1** (qualidade) mediocre; ordinary **2** (estatura, altura) medium
mediante *prep* by means of; thanks to
mediar *v* **1** *(estar no meio)* to lie between **2** *(intervir)* to mediate
mediático *adj* public; in the public eye; **personalidade mediática** public figure
mediato *adj* indirect
medicação *nf* medication; **estar sob medicação** to be on medication
medicamento *nm* drug; medicine; **medicamentos de venda livre** drugs without prescription

medição *nf* measurement; measuring; **sistema métrico de medição** the metric system of measurement
medicar *v* to medicate; to treat with medication
medicina *nf* medicine ◆ **faculdade de medicina** medical school; **medicina alternativa** alternative medicine; **medicina dentária** dentistry
medicinal *adj2g* **1** medicinal; **ervas medicinais** medicinal herbs **2** medicated; **champô medicinal** medicated shampoo
médico *nm* doctor; physicianEUA ■ *adj* medical; **investigação médica** medical research ◆ **médico de clínica geral** general practitioner; **médico de família** family doctor; **médico especialista** specialist, consultant
médico-cirurgião *nm* surgeon
medida *nf* **1** measurement **2** *(providência)* measure; **medidas de precaução** preventive measures ◆ **à medida de** according to; **na medida do possível** as far as possible; **em certa medida** to some extent
medieval *adj2g* mediaeval, medieval
médio *adj* **1** middle; **classe média** middle class **2** medium; **um homem de altura média** a man of medium height **3** average; **temperatura média** average temperature ■ *nm* **1** DESP halfback, half **2** *pl* (automóvel) dipped beams ◆ **a Idade Média** the Middle Ages; **o Médio Oriente** the Middle East
medíocre *adj* **1** *(mediano)* mediocre; average **2** (de qualidade inferior) second-rate; inferior
medir *v* **1** to measure **2** (pessoa) to be... tall; **ele mede um metro e oitenta** he is 1,80 metres tall **3** *(calcular)* to estimate **4** *(ponderar)* to ponder; to weigh
meditação *nf* meditation
meditar *v* to meditate
mediterrâneo *adj* Mediterranean
mediterrânico *adj* Mediterranean; **clima mediterrânico** Mediterranean climate
médium *n2g (vidente)* medium
medo *nm* fear; **estar a morrer de medo** to be terrified
medonho *adj* **1** *(assustador)* frightening; terrifying; horrifying **2** *(horrível, feio)* hideous; awful; ugly
medrar *v* **1** *(crescer)* to grow **2** *(prosperar)* to thrive; to prosper
medricas *n2g2n* yellow-belly; sissy; coward ■ *adj inv* yellow-bellied; chicken; cowardly
medronho *nm* arbutus berry
medroso *adj* fearful
medula *nf* ANAT,BOT medulla; marrow; **medula óssea** bone marrow ◆ **até à medula** to the marrow
medusa *nf* medusa, jellyfish
megafone *nm* megaphone
megalítico *adj* megalithic
megalomania *nf* megalomania
megalómano *nm* megalomaniac
megera *nf pej* shrew
meia *nf* **1** (curta) sock; **um par de meias** a pair of socks **2** (até meio da perna) stocking ◆ **a meias** fifty-fifty; **pagar a meias** to go halves on
meia-calça *nf* tightsGB, pantihoseEUA
meia de leite *nf* big cup of milk with coffee
meia-final *nf* DESP semi-final; **passar à meia--final** to be through to the semi-final
meia-idade *nf* middle age; **de meia-idade** middle-aged
meia-noite *nf* midnight
meia-pensão *nf* (hotel) half board
meia-verdade *nf* half-truth
meia-volta *nf* **1** half turn; **dar meia-volta** to make a half turn **2** MIL about-turn
meigo *adj* **1** (pessoa) tender; loving; affectionate **2** (voz, olhar, expressão) soft; gentle; kind
meiguice *nf* **1** (pessoa) tenderness **2** (voz, olhar) gentleness; kindness **3** *pl* caresses
meio *nm* **1** *(centro)* middle **2** *(metade)* half; **ano e meio** a year and a half **3** *(maneira)* way; means **4** *(ambiente)* environment **5** *pl (recursos)* means; resources ■ *adj* half; (comida) **meia dose** half a serving ■ *adv* half; **ele está meio a dormir** he is half asleep ◆ **a meio** halfway through; **por meio de** by means of
meio-campo *nm* **1** DESP (zona do campo) midfield **2** DESP (jogador) halfback
meio-dia *nm* midday; noon; **ao meio-dia** at midday/noon
meio-irmão *nm* half-brother
meio-morto *adj* (cansaço) half-dead
meio-soprano *nm* mezzo-soprano
meio-tempo *nm* DESP half-time
meio-termo *nm* compromise; happy medium; **encontrar o meio-termo entre...** to strike the happy medium between...

meitnério *nm* meitnerium
mel *nm* honey ◆ **favo de mel** honeycomb
melaço *nm* molasses
melancia *nf* watermelon
melancolia *nf* melancholy
melancólico *adj* melancholic, melancholy; **canções melancólicas** melancholy songs
melanina *nf* BIOL melanin
melanoma *nm* melanoma
melão *nm* melon
melena *nf* **1** a mop of (long) hair **2** fringe
melga *nf* **1** gnat, midge **2** *col* (pessoa) nagger; pest
melhor *adj2g* **1** (comparativo) better (do que, than); **não há nada melhor do que** there's nothing better than **2** (superlativo) best; **a minha melhor amiga** my best friend ▪ *adv* better; **ela pinta muito melhor do que eu** she paints much better than I do ▪ *nm* best; **ele é o melhor!** he is the greatest! ◆ **tanto melhor** so much the better
melhora *nf* **1** improvement **2** *pl* change for the better; recovery; **as melhoras!** get well soon!
melhoramento *nm* improvement
melhorar *v* **1** to improve **2** (doença) to get better; to recover **3** (tempo) to clear up
melhoria *nf* **1** improvement (de, in); betterment (de, in) **2** (depois de doença) recovery
melífluo *adj* mellifluous; sugary
melindrar *v* to offend; to hurt ▪ **melindrar-se** to take offence
melindre *nm* touchiness; susceptibility
melindroso *adj* **1** *(suscetível)* touchy; susceptible **2** *(débil)* frail **3** (questão, assunto) tricky
meloa *nf* cantaloupe melon
melodia *nf* melody; tune
melódico *adj* melodious
melodioso *adj* **1** melodious; tuneful **2** harmonious
melodrama *nm* melodrama
melodramático *adj* melodramatic
melómano *nm* music lover ▪ *adj* music-loving
melro *nm* blackbird
membrana *nf* membrane
membro *nm* **1** member (de, of); **um membro da família** a member of the family **2** ANAT limb
memorando *nm* memorandum; memo *col*
memorável *adj2g* memorable; unforgettable
memória *nf* **1** memory; recollection; **perda de memória** memory loss **2** *pl* LIT memoirs ◆ **memória auditiva** verbal memory; **em memória de** in loving memory of; **se a memória não me falha** if my memory serves me well
memorial *nm* memorial; **um memorial às vítimas da guerra** a memorial to the victims of the war
memorização *nf* memorization
memorizar *v* to commit to memory; to memorize
menção *nf* mention; **fazer menção a** to mention ◆ **menção honrosa** honourable mention
mencionar *v* to mention; to refer to
mendelévio *nm* mendelevium
mendicidade *nf* poverty; indigence; beggary
mendigar *v* to beg
mendigo *nm* beggar
menear *v* (corpo) to wag; to wiggle ▪ **menear-se** to waddle; to swing one's body
menina *nf* **1** (little) girl; **uma menina de seis anos** a six-year-old girl **2** Miss; **é a menina Isabel** this is Miss Isabel ◆ **ser a menina dos olhos de alguém** to be the apple of somebody's eye
meninge *nf* meninx
meningite *nf* MED meningitis
meninice *nf* childhood
menino *nm* **1** *(rapaz)* (little) boy **2** *pl (miúdos)* kids ◆ **menino da mamã** mummy's boy; **menino prodígio** child prodigy
menopausa *nf* menopause
menor *adj2g* **1** (comparativo) smaller (do que, than); **a minha casa é menor do que a tua** my house is smaller than yours **2** (superlativo) smallest; **ele é o menor dos cinco primos** he is the smallest of the five cousins **3** (de idade) underage **4** *(pouco importante)* minor **5** MÚS minor; **dó menor** C minor ▪ *n2g* minor
menoridade *nf* minority
menos *adv* **1** fewest; less; **devias fumar menos** you should smoke less **2** (comparativo) less (do que, than) **3** (superlativo) the least ▪ *det indef > quant exist*[DT]*,pron indef* less; fewer; **tenho menos trabalho** I have less work ▪ *prep* **1** *(exceto)* except; **tudo menos isso** anything but that **2** MAT minus; **dez menos três são sete** ten minus three is seven **3** (horas) to; **dez menos um quarto** a quarter to ten

menosprezar *v* to undervalue; to underestimate
menosprezo *nm* **1** *(subestimação)* underestimation **2** *(desprezo)* contempt; disdain
mensageiro *nm* messenger; go-between
mensagem *nf* message
mensal *adj2g* monthly
mensalidade *nf* **1** (que se paga) monthly payment, instalment **2** (que se recebe) monthly allowance
mensalmente *adv* monthly
menstruação *nf* menstruation; period; **estar com a menstruação** to have one's period
menstrual *adj2g* menstrual; **ciclo menstrual** menstrual cycle; **dores menstruais** cramps
menstruar *v* to menstruate
mensurável *adj2g* measurable; mensurable
menta *nf* BOT,CUL mint; **com sabor a menta** mint-flavoured
mental *adj2g* mental ♦ **cálculo mental** mental arithmetic
mentalidade *nf* mentality; mind
mente *nf* **1** mind; intellect; **ele tem uma mente brilhante** he has a brilliant mind **2** imagination; mind; **uma mente fértil** a fertile imagination ♦ **ter em mente** to have in mind
mentecapto *adj* foolish; silly
mentir *v* to lie (a, to)
mentira *nf* lie; **dizer mentiras** to tell lies ♦ **uma mentira descarada** a barefaced lie; **uma mentira piedosa** a white lie
mentiroso *nm* liar; **és um grande mentiroso!** you're a big liar! ▪ *adj* lying; untruthful; deceitful
mentol *nm* menthol
mentor *nm* mentor
menu *nm* **1** *(ementa)* menu **2** INFORM menu ♦ **menu turístico** tourist menu
meramente *adv* **1** *(simplesmente)* merely; purely; simply **2** *(unicamente)* only; solely
mercado *nm* market
mercador *nm* merchant ♦ **fazer ouvidos de mercador** to turn a deaf ear
mercadoria *nf* goods; merchandise
mercante *adj2g* merchant; **marinha mercante** merchant navy GB, merchant marine EUA
mercantil *adj2g* mercantile; commercial
mercantilismo *nm* ECON mercantilism
mercê *nf* mercy; **à mercê de** at the mercy of
mercearia *nf* **1** grocer's (shop), grocery shop **2** *pl* (produtos) groceries
merceeiro *nm* grocer
mercenário *adj,nm* mercenary
mercúrio *nm* mercury
mercurocromo *nm* FARM mercurochrome
merecedor *adj* worthy (de, of); deserving (de, of)
merecer *v* **1** to deserve; **a vossa equipa mereceu ganhar** your team deserved to win **2** to be worthy of; **ele merece o nosso respeito** he is worthy of our respect ♦ **ter o que se merece** to get what you deserve
merecidamente *adv* deservedly
merecido *adj* deserved
merecimento *nm* **1** merit **2** worthiness
merenda *nf* afternoon snack
merendar *v* to take an afternoon snack
merengue *nm* **1** CUL meringue **2** (música, dança) merengue
meretriz *nf* prostitute; whore
mergulhador *nm* diver
mergulhar *v* **1** to dip; to plunge; **mergulhei o biscoito no chá** I dipped the biscuit in the tea **2** to dive (em, into); **ele mergulhou no rio** he dived into the river
mergulho *nm* **1** dive **2** (banho rápido) dip; plunge; **ir dar um mergulho** to go for a dip ♦ **fato de mergulho** diving suit; (piscina) **prancha de mergulho** diving board
meridiano *adj,nm* meridian
meridional *adj2g* meridional; southern
meritíssimo *adj* well-deserving; **Meritíssimo (Juiz)** your Honour
mérito *nm* **1** (pessoa) merit **2** (pessoa, coisa) worth ♦ **por mérito próprio** on its merits
meritório *adj* creditable; praiseworthy; laudable
mero *adj* mere; **uma mera formalidade** a mere formality; **por mero acaso** by pure chance
mês *nm* month; **daqui a um mês** in a month's time
mesa *nf* **1** table; **pôr a mesa** to lay/set the table **2** *(comida)* food **3** (em hotel, pensão) board
mesada *nf* monthly allowance
mesa-de-cabeceira *a nova grafia é* **mesa de cabeceira**AO
mesa de cabeceiraAO *nf* bedside table GB, night table EUA

mescla *nf* mixture (de, of); medley (de, of)
meseta *nf* plateau; tableland
mesmo *det,pron dem* **1** same; **na mesma ocasião** on the same occasion **2** *(próprio)* -self; **fi-lo eu mesmo** I did it myself ▪ *adv* **1** just; **ele saiu agora mesmo** he's just left **2** even; **mesmo que chova** even if it rains **3** really; **vens mesmo à festa?** are you really coming to the party? ▪ *nm* same thing
mesolítico *adj* Mesolithic
mesquinhez *nf* **1** *(perversidade)* meanness; nastiness **2** *(sovinice)* niggardliness; meanness
mesquinho *adj* **1** *(perverso)* mean; nasty **2** *(insignificante)* paltry; petty; trifling **3** *(sovina)* niggardly; stingy
mesquita *nf* mosque
mester *nm* craft; trade; skill
mestiço *nm* mestizo; mixed-blood ▪ *adj* **1** of mixed breed **2** (cão) mongrel
mestrado *nm* (universidade) master's degree
mestre *nm (especialista)* master; expert ▪ *adj* chief; main ♦ **golpe de mestre** masterstroke; **parede mestra** master wall; **essa foi de mestre!** you couldn't beat that one!
mestre-de-obras *a nova grafia é* **mestre de obras**[AO]
mestre de obras[AO] *nm* contractor; foreman; work supervisor
meta *nf* **1** *(fim)* end; limit **2** DESP finishing post, finishing line; **passar a meta** to cross the finishing line **3** *(objetivo)* goal, aim; **atingir as nossas metas** to reach one's goals
metabólico *adj* BIOL metabolic
metabolismo *nm* BIOL metabolism
metade *nf* half; **pagar metade** to pay half ♦ **deixar as coisas pela metade** to do things by halves
metadona *nf* FARM methadone
metafísica *nf* metaphysics
metafísico *adj* metaphysical
metáfora *nf* LIT metaphor
metafórico *adj* metaphorical; **linguagem metafórica** metaphorical language
metal *nm* **1** QUÍM metal; **metal precioso** precious metal **2** *fig,col (dinheiro)* coin; dough; **metal sonante** hard cash **3** *pl* MÚS brass
metálico *adj* **1** (metal) metallic **2** (som) metallic; harsh; **som metálico** metallic sound
metalinguagem *nf* LING metalanguage
metalizado *adj* metallic; **cor metalizada** metallic colour
metalizar *v* to metallize
metalurgia *nf* metallurgy
metalúrgico *adj* metallurgic ▪ *nm* metallurgist
metamorfose *nf* **1** metamorphosis **2** *fig* change; transformation
metano *nm* QUÍM methane
metástase *nf* MED metastasis
metediço *adj col,pej* nosy; interfering ▪ *nm col,pej* busybody; nosyparker
meteórico *adj* **1** ASTRON meteoric **2** *fig* meteoric; dazzling; **uma carreira meteórica** a meteoric career
meteorito *nm* ASTRON meteorite; **cratera de meteorito** meteorite crater
meteoro *nm* ASTRON meteor
meteorologia *nf* meteorology
meteorológico *adj* meteorological ♦ **boletim meteorológico** weather report
meteorologista *n2g* meteorologist
meter *v* **1** *(introduzir)* to put; **meter gasolina** to refuel **2** *(enfiar)* to thrust **3** (início) to set **4** *(provocar)* to cause; to provoke **5** (velocidade, marcha-atrás) to engage ▪ **meter-se 1** *(introduzir-se)* to get (em, in/into) **2** *(enfiar-se)* to go ♦ **meter-se a** to start; **meter-se com 1** (provocação) to pick a quarrel with **2** *(envolver-se com)* to get involved with; **meter-se em 1** *(interferir em)* to meddle in **2** (sarilhos) to get into
meticuloso *adj* **1** (pessoa) meticulous; fastidious **2** (atividade) painstaking; scrupulous
metódico *adj* methodical; systematic
método *nm* method; **com método** methodically
metodologia *nf* methodology
metodólogo *nm* methodologist
metonímia *nf* LIT metonymy
metonímico *adj* LIT metonymic
metralhadora *nf* machine-gun
metralhar *v* to machine-gun
métrica *nf* LIT metrics
métrico *adj* metrical ♦ **sistema métrico** metric system
metro *nm* **1** (unidade de medida) metre GB, meter EUA **2** *col* (meio de transporte) tube GB, subway EUA ♦ **metro articulado** folding rule

O metro de Londres é designado normalmente como *the tube*, numa alusão à estrutura cilíndrica dos túneis cuja construção teve início no século XIX.

metrópole *nf* metropolis
metropolitano *adj* metropolitan ▪ *nm* (meio de transporte) underground GB, tube GB; subway EUA ◆ **área metropolitana** metropolitan area
metrossexual *adj,n2g* metrosexual
meu *det poss* my; **o meu amigo** my friend; **um amigo meu** a friend of mine ▪ *pron poss* mine; **isso é meu** that's mine ◆ *col* **que aconteceu, meu?** what happened, man?
mexer *v* **1** to stir; **mexer o café** to stir one's coffee; **mexer o corpo** to stir one's body **2** (tocar) to touch (em, -); **não mexas em nada** don't touch anything **3** (ovos) to scramble **4** (sentimentos) to stir up ▪ **mexer-se 1** (movimento) to move **2** *(apressar-se)* to hurry
mexericar *v* **1** (causar desentendimentos) to intrigue; to scheme **2** *(bisbilhotar)* to gossip
mexerico *nm* gossip; rumour
mexeriqueiro *nm* gossip; busybody
mexicano *adj,nm* Mexican
México *nm* Mexico
mexida *nf (mudança)* change; transformation
mexido *adj* **1** (pessoa) active; dynamic **2** (ambiente) lively; animated **3** (ovos) scrambled
mexilhão *nm* mussel
mezinha *nf* old wives' remedy
mi *nm* MÚS E, mi
miado *nm* mew, mewing
Mianmar *nm* Myanmar
miar *v* to mew, to meow, to miaow
mica *nf* mica
micção *nf* micturition
micose *nf* MED mycosis
micróbio *nm* microbe
microbiologia *nf* microbiology
microchip *nm* INFORM microchip
microcomputador *nm* INFORM microcomputer
microeconomia *nf* ECON microeconomics
microfilme *nm* microfilm
microfone *nm* microphone; mike *col*
mícron *nm* micron
microonda *a nova grafia é* **micro-onda**[AO]
micro-onda[AO] *nf* FÍS microwave
microondas *a nova grafia é* **micro-ondas**[AO]
micro-ondas[AO] *nm2n* (eletrodoméstico) microwave, microwave oven
microprocessador *nm* INFORM microprocessor, micro
microrganismo *nm* BIOL microorganism
microscopia *nf* microscopy
microscópico *adj* microscopic
microscópio *nm* microscope; **ao microscópio** under a microscope
mictório *nm* urinal
migalha *nf* **1** (pão, bolos) crumb; **migalha de pão** breadcrumb **2** (porção) small amount; crumb; bit ◆ **ficar com as migalhas** to be left with the crumbs
migração *nf* migration
migrar *v* to migrate
migratório *adj* migratory; **aves migratórias** migratory birds
mijadela *nf cal* piss; leak
mijar *v cal* to piss; to pee ▪ **mijar-se** *cal* to piss; to wet oneself
mijo *nm cal,pop* piss
mil *num card > quant num*[DT] thousand
milagre *nm* miracle ◆ **fazer milagres** to work miracles; **não faço milagres** I'm no miracle worker; **por milagre** by a miracle
milagrosamente *adv* miraculously
milagroso *adj* **1** miraculous; **cura milagrosa** miracle cure **2** *(extraordinário)* amazing
míldio *nm* blight
milenar *adj2g* millenary
milenário *adj,nm* millenarian
milénio *nm* millennium
milésimo *num ord > adj num*[DT] thousandth
milha *nf* mile ◆ **ficar a milhas de** to be miles away from
milhafre *nm* kite
milhão *num card > quant num*[DT] million; **um milhão de vezes** a million times
milhar *nm* a thousand; **aos milhares** by the thousands
milho *nm* maize GB; corn EUA
milícia *nf* militia
miligrama *nm* milligramme GB, milligram EUA
mililitro *nm* millilitre GB; milliliter EUA
milímetro *nm* millimetre GB; millimeter EUA
milionário *nm* millionaire
milionésimo *num ord > adj num*[DT] millionth
militante *n2g* militant; active member ▪ *adj2g* militant
militar *adj2g* military ▪ *nm* soldier; member of the army; **ser militar** to be in the army ▪ *v* to be an active member (em, of)
mim *pron pess* me; **faz isso por mim** do it for me; **para mim** for myself

mimado *adj* spoilt; **criança mimada** spoilt child

mimalho *adj* spoilt; **criança mimalha** spoilt child ▪ *nm* crybaby

mimar *v* **1** (tratar bem) to pamper **2** (indulgência) to spoil

mimetismo *nm* mimicry

mímica *nf* mime

mimo *nm* **1** *(carícia)* caress **2** pampering; **estragar alguém com mimos** to spoil someone **3** *(prenda)* present; gift

mimosa *nf* mimosa

mimoso *adj* delicate

mina *nf* **1** (minério) mine; pit **2** (lapiseira) lead; refill **3** MIL (bomba) mine; **mina antipessoal** land mine ♦ **mina de carvão** coal mine; **mina de ouro** gold mine; **descobrir uma mina** to strike oil

minar *v* **1** *(pôr minas)* to mine **2** *(explorar minas)* to dig **3** *(corroer)* to undermine

minarete *nm* ARQ minaret

mindinho *nm* little finger

mineiro *nm* miner; (carvão) collier GB ▪ *adj* mining; **região mineira** mining district

mineral *adj2g,nm* mineral; **água mineral** mineral water; **reino mineral** mineral kingdom

mineralização *nf* mineralization

mineralizar *v* to mineralize

mineralogia *nf* mineralogy

mineralogista *n2g* mineralogist

minério *nm* ore

míngua *nf* lack; want; **à míngua de** for want of

minguante *adj2g* decreasing ♦ **quarto minguante** last quarter

minguar *v* **1** to shrink **2** *(diminuir)* to decrease; to diminish **3** *(escassear)* to become scarce

minha *det poss* my; **a minha casa** my house; **uma amiga minha** a friend of mine ▪ *pron poss* mine; **esta é minha** this one is mine

minhoca *nf* earthworm ♦ **ter minhocas na cabeça** to think nonsense

miniatura *nf* miniature; **em miniatura** in miniature

minigolfe *nm* miniature golf

minimizar *v* **1** (redução) to minimize **2** (depreciação) to play down

mínimo *adj* minimum; **salário mínimo** minimum wage ▪ *nm* **1** minimum **2** (dedo) little finger **3** *pl* (faróis) sidelights GB, parking lights EUA ♦ **no mínimo** at the least; **o mínimo possível** as little as possible

minissaia *nf* miniskirt

ministerial *adj2g* ministerial ♦ **crise ministerial** cabinet crisis

ministério *nm* ministry; office ♦ **Ministério Público** public prosecutor's office; district attorney's office EUA

ministrar *v* **1** *(fornecer)* to supply **2** (medicamento, injeção) to administer

ministro *nm* minister; secretary

minorar *v* **1** *(diminuir)* to reduce **2** *(atenuar)* to downplay

minoria *nf* minority; **estar em minoria** to be in a/the minority; **minorias étnicas** ethnic minorities

minúcia *nf* detail; minuteness; **em minúcia** in detail

minuciosamente *adv* minutely; meticulously

minucioso *adj* **1** *(exigente)* meticulous **2** *(implicativo)* particular; fussy **3** (estudo, trabalho) accurate; precise; **descrições minuciosas** minute descriptions

minúscula *nf* lower case, small letter

minúsculo *adj* minuscule; tiny; small

minuta *nf* minute; **escrever minutas** to take minutes

minuto *nm* minute; **falta um minuto** one minute left

mioleira *nf* **1** *(miolos)* brains **2** *fig (juízo)* sense

miolo *nm* **1** (pão) crumb **2** (nozes) kernel **3** *pl col* (cérebro) brains

míope *adj* MED myopic; short-sighted *col* ▪ *n2g* MED myope; short-sighted person *col*

miopia *nf* MED myopia; short-sightedness *col*

miosótis *nf* forget-me-not

mira *nf* **1** (arma) sight **2** *fig (objetivo)* goal; aim; **ter alguma coisa em mira** to aim at something ♦ **ponto de mira** line of sight

mirabolante *adj2g* incredible

miradouro *nm* **1** sightseeing point **2** (em edifício) glassed-in balcony

miragem *nf* **1** mirage **2** *fig (ilusão)* delusion; deception

mirante *nm* ⇒ **miradouro**

mirar *v* **1** (olhar) to look at; to stare at **2** (pontaria) to aim (-, at) ▪ **mirar-se** to look at oneself; to gaze at oneself

mirolho *adj col* squinting ▪ *nm col* squint-eyed person

mirone *n2g* onlooker; spectator; bystander
mirra *nf* myrrh
mirrar *v* **1** (plantas) to wither; to shrivel **2** (pessoas) to wither; to shrink
mirtilo *nm* blueberry
misantropia *nf* misanthropy
misantropo *adj* misanthropic ▪ *nm* misanthrope
miscelânea *nf* miscellany, miscellanea; assortment; medley
miserável *adj2g* **1** *(pobre)* poor **2** *(desgraçado)* wretched **3** *(sem valor)* worthless **4** (quantia) paltry; meagre ▪ *n2g* **1** *(infeliz)* wretch **2** *(pedinte)* beggar
miséria *nf* **1** *(pobreza)* poverty **2** (condição) wretchedness; squalor **3** (pouca quantidade) trifle; sheer nothing ♦ **viver na miséria** to live in misery and want
misericórdia *nf* **1** *(comiseração)* mercy (de, on); pity (de, on); **pedir misericórdia** to cry for mercy **2** (instituição) charity, charitable institution **3** *(perdão)* forgiveness; pardon ♦ **golpe de misericórdia** finishing stroke
misericordioso *adj* merciful; compassionate
mísero *adj* **1** *(pobre)* poor **2** *(sem valor)* worthless **3** (quantidade) sheer; mere; **uns míseros tostões** a sheer nothing
missa *nf* Mass; **ajudar à missa** to serve at Mass ♦ **missa do galo** midnight Mass; *col* **não sabes da missa a metade** you don't know half of it
missal *nm* missal, Mass book
missanga *nf* bead
missão *nf* (geral) mission ♦ **missão diplomática** diplomatic mission
míssil *nm* missile ♦ **míssil de longo alcance** long-range missile
missionário *nm* missionary
missiva *nf lit* missive; letter
mistela *nf* hotchpotch
mister *nm* **1** *(necessidade)* need, necessity; **ser mister** to be absolutely necessary **2** *(obrigação)* duty; obligation **3** *(incumbência)* job; task
mistério *nm* mystery ♦ **fazer mistério de** to make a mystery of
misterioso *adj* mysterious; enigmatic
mística *nf* mystique
misticismo *nm* mysticism
místico *adj,nm* mystic
mistificar *v* **1** to mystify; to baffle **2** *(intrigar)* to puzzle
misto *adj* mixed ▪ *nm* mixture; blend
mistura *nf* **1** mixture **2** (bebidas) blend **3** editing
misturador *nm* **1** (aparelho) mixer **2** MÚS sampler
misturar *v* **1** to mix **2** *(juntar)* to combine **3** *(mexer)* to stir together **4** MÚS to sample **5** CUL *(adicionar)* to add ▪ **misturar-se 1** (pessoas) to mingle; to mix **2** *(fundir-se)* to blend; to merge
mítico *adj* mythical
mitigação *nf* mitigation; alleviation
mitigar *v (aliviar)* to mitigate; to alleviate; to relieve
mito *nm* myth
mitologia *nf* mythology ♦ **mitologia grega** Greek mythology
mitológico *adj* mythological; **deuses mitológicos** mythological gods
mitra *nf* mitre
miudagem *nf* kids; brats
miudeza *nf* **1** *(minúcia)* detail **2** *pl (coisas pequenas)* minutiae; small things
miudinho *adj* **1** *pej (implicativo)* particular; fussy **2** *pej* (mesquinhice) nitpicking **3** *(exigente)* demanding ▪ *nm pej* nitpicker
miúdo *adj* **1** (tamanho) tiny; minute **2** *(magro)* slender; slim ▪ *nm (jovem)* kid ♦ **arraia miúda** mob, rabble; **despesas miúdas** petty expenses
miúdos *nmpl* **1** *(trocos)* small change **2** *(vísceras)* (animais) offal; (aves) giblets
mixórdia *nf pej* hotchpotch; jumble
MMS *nf* [*abrev. de* Multimedia Messaging Service]
mnemónica *nf* mnemonics
mó *nf* **1** (moinho) millstone **2** (para afiar) grindstone ♦ **estar na mó de cima** to be in the ascendant
moagem *nf* (moinho) milling ♦ **fábrica de moagem** flour mill
móbil *nm (motivo)* cause; motive ♦ **o móbil do crime** the motive of the crime
mobilado *adj* furnished; **apartamento mobilado** furnished flat
mobilar *v* **1** (mobílias, adornos) to furnish **2** (equipamento) to fit up; to kit out
mobília *nf* furniture; **mobília completa** a suite of furniture

mobiliário *nm* furniture; fittings
mobilidade *nf* mobility
mobilização *nf* mobilization
mobilizar *v* to mobilize; to gather
moca *nf* **1** *(bastão)* club; cudgel **2** (café) mocha **3** *cal (ressaca)* hangover; **apanhar uma moca** to get drunk
moça *nf* girl; lass
moçambicano *adj,nm* Mozambican
Moçambique *nm* Mozambique
moção *nf* motion ◆ **moção de censura** motion of censure; **moção de confiança** confidence motion
mocassim *nm* (calçado) loafer
mochila *nf* rucksack; backpack EUA
mocho *nm* **1** owl **2** (assento) stool
mocidade *nf* youth
moço *adj* young; **ele é ainda muito moço** he is still very young ▪ *nm* **1** (idade) young person **2** *(serviçal)* servant; boy; **moço de recados** errand boy
moda *nf* **1** (novas tendências) fashion; **a última moda** the latest fashion **2** (costumes) way; custom; **à nossa moda** our way ◆ **estar na moda** to be all the fashion; **fora de moda** out of fashion, old-fashioned; **lançar a moda** to set the trend
modal *adj2g* modal; **verbos modais** modal verbs
modalidade *nf* **1** modality **2** DESP sport; **qual é a tua modalidade desportiva favorita?** what sport do you like the most?
modelação *nf* moulding; shaping
modelar *adj2g* (exemplo) exemplary; **um caso modelar** an exemplary case ▪ *v* **1** *(moldar)* to mould; to shape **2** *(adaptar)* to adapt; to adjust; to fit
modelo *nm* (geral) model; **modelo de virtudes** a model of virtue ▪ *n2g* **1** (moda) model **2** (pintura, escultura) model; sitter ◆ **passagem de modelos** fashion show
modem *nm* INFORM modem
moderação *nf* moderation
moderadamente *adv* moderately
moderado *adj* **1** POL moderate; middle-of-the-road **2** (temperamento) moderate **3** (preços) affordable; moderate; **despesas moderadas** affordable expenses ▪ *nm* POL moderate
moderador *adj* moderating ▪ *nm* **1** (discussão, debate) moderator **2** (instrumento) regulator
moderar *v* **1** to moderate **2** *(restringir)* to restrain **3** (velocidade) to slow down **4** (discussão, debate) to moderate; to mediate ▪ **moderar-se** to control oneself
modernamente *adv (hoje em dia)* nowadays; at present
modernice *nf pej* modern stuff
modernidade *nf* modernity
modernismo *nm* modernism
modernista *adj,n2g* modernist; **arte modernista** modernist art
modernização *nf* modernization; updating
modernizar *v* to modernize; to update
moderno *adj* modern
modéstia *nf* modesty
modesto *adj* **1** *(despretensioso)* modest **2** *(humilde)* humble
módico *adj* small; low
modificação *nf (mudança)* modification; change; **modificação de planos** change of plans
modificador *adj* modifying ▪ *nm* modifier
modificar *v* **1** *(mudar)* to modify; to alter **2** (personalidade) to change ▪ **modificar-se** to change
modista *nf* dressmaker; seamstress
modo *nm* **1** way; manner **2** (verbo) mood; (advérbio) manner **3** MÚS mode **4** *pl* (atitudes) manners; **com bons modos** politely ◆ **de certo modo** in a way; **de modo geral** broadly speaking; **de modo que** in order that, so that
modulação *nf* modulation ◆ **modulação de frequência** frequency modulation
modular *adj2g* modular ▪ *v* to modulate
módulo *nm* **1** *(unidade)* module; component; unit **2** AER *(cápsula)* capsule; module
moeda *nf* **1** (peça) coin **2** (unidade monetária) currency; **moeda única** single currency ◆ **casa da moeda** the mint; **atirar a moeda ao ar** to toss up a coin; **pagar na mesma moeda** to give tit for tat
moela *nf* gizzard
moer *v* **1** (grãos) to grind **2** *(esmagar)* to crush **3** *col (cansar)* to tire; to weary **4** *col (bater)* to beat **5** *col (aborrecer)* to nag
mofo *nm* **1** (bafio) mould; mildew; **cheiro a mofo** mouldy smell, frowst **2** (bolor) must
mogno *nm* **1** (madeira) mahogany **2** (árvore) mahogany tree
mohair *nm* (lã) mohair

moído *adj* **1** (grão) ground; crushed **2** *fig (cansado)* dead-beat, worn-out; exhausted
moinho *nm* **1** (edifício) mill; **moinho de água** water mill; **moinho de vento** windmill **2** (utensílio) mill; grinder; **moinho de café** coffee grinder ♦ (provérbio) **levar a água ao seu moinho** to bring grist to one's mill
moita *nf* thicket
mola *nf* **1** (peça) spring; **colchão de molas** spring mattress **2** (roupa) peg **3** (carteiras) clutch; **mola de íman** magnetic clutch
molar *adj2g,nm* molar
moldar *v* to mouldGB, to moldEUA ▪ **moldar-se** *(ajustar-se)* to adjust oneself (a, to)
Moldávia *nf* Moldavia
moldavo *adj,nm* Moldavian
molde *nm* **1** (forma) cast; mould **2** *(padrão)* pattern; model
moldura *nf* frame; picture frame; **moldura de madeira** wooden frame
mole *adj* **1** (coisa) soft; smooth **2** (pessoa) soft; mellow; soft-hearted **3** *pej* (preguiça) indolent; lazy
molécula *nf* molecule
molecular *adj2g* molecular
moleiro *nm* miller
molengão *nm col* lazybones; sleepyhead ▪ *adj col* lazy; idle
moleque *nm* BRAS brat; imp
molestar *v* **1** *(incomodar)* to bother **2** *(assediar)* to harass **3** (abusos sexuais) to molest
moléstia *nf* **1** *(doença)* illness; sickness **2** *(incómodo)* nuisance
moleza *nf* **1** *(suavidade)* softness; smoothness **2** *(preguiça)* slackness; laziness
molha *nf col* wetting; **apanhar uma molha** to get a wetting, to get wet through
molhar *v* (acidentalmente) to get something wet; (de propósito) to wet ▪ **molhar-se** to get wet; to get soaked
molhe *nm* mole; breakwater
molheira *nf* sauce boat; (carne) gravy boat
molho[1] /ó/ *nm* **1** (chaves, ervas) bunch **2** (palha, cereais) sheaf **3** (lenha, papéis) bundle
molho[2] /ô/ *nm* **1** sauce; **molho picante** hot sauce **2** (de carne) gravy ♦ **estar de molho** to be sick in bed; **pôr de molho** to put to soak
molibdénio *nm* molybdenum
molusco *nm* mollusc
momentaneamente *adv* for an instant; for a moment
momentâneo *adj* **1** *(breve)* momentary; brief **2** *(transitório)* transient; transitory
momento *nm* **1** moment **2** *(ocasião)* time; **chegou o teu momento** your time has come ♦ **a todo o momento** at any time; **até ao momento** up to now
Mónaco *nm* Monaco
monarca *nm* monarch
monarquia *nf* monarchy
monárquico *adj* monarchical ▪ *nm* monarchist; royalist
monarquismo *nm* monarchism
monarquista *n2g* monarchist
monástico *adj* monastic; monachal
monção *nf* monsoon
mondar *v* **1** AGR *(desbastar)* to weed; to hoe **2** *fig (limpar)* to clear, to clear out
monegasco *adj,nm* Monegasque
monetário *adj* monetary; **união económica e monetária** economic and monetary union
monge *nm* monk
mongol *adj,n2g* Mongolian
Mongólia *nf* Mongolia
mongoloide[AO] *n2g* **1** (raça) Mongoloid **2** *col* (insulto) mongoloid
mongolóide *a nova grafia é* **mongoloide**[AO]
monitor *nm* **1** INFORM,TV monitor; screen **2** *(professor)* instructor
monitorizar *v* to monitor
monja *nf* nun
monocarril *nm* monorail
monocórdico *adj* monotonous
monocromático *adj* monochromatic, monochrome
monóculo *nm* **1** (lente) monocle **2** (luneta) eyeglass
monogamia *nf* monogamy
monogâmico *adj* monogamous, monogamic
monógamo *adj* monogamous ▪ *nm* monogamist
monografia *nf* monograph
monograma *nm* monogram
monolingue *adj2g* monolingual
monólogo *nm* monologue; soliloquy ♦ LIT **monólogo interior** stream of consciousness
monómio *nm* MAT monomial
monoparental *adj2g* single-parent; **família monoparental** single-parent family
monoplano *nm* AER monoplane

monopólio *nm* monopoly
monopolista *n2g* monopolist
monopolização *nf* monopolization
monopolizador *nm* monopolist
monopolizar *v* **1** to monopolize **2** *col* to hog; to keep for oneself
monoquíni *nm* monokini
monossilábico *adj* **1** LING monosyllabic **2** *fig (lacónico)* monosyllabic; terse
monossílabo *nm* LING monosyllable
monoteísmo *nm* monotheism
monoteísta *adj2g* monotheistic ▪ *n2g* monotheist
monotonia *nf* **1** monotony **2** dreariness
monótono *adj* monotonous
monovolume *nm* (veículo) minivan
monóxido *nm* QUÍM monoxide; **monóxido de carbono** carbon monoxide
monsenhor *nm* **1** REL Monsignor **2** (título) Monseigneur
monstro *nm* monster
monstruosidade *nf* monstrosity
monstruoso *adj* **1** (dimensões) monstrous; gigantic **2** *(abominável)* monstrous; shocking
monta *nf* **1** *(quantia)* amount **2** *(custo)* cost; expense ◆ **coisa de pouca monta** a trifle; **de monta** of consequence
monta-cargas *nm2n* goods lift; elevator
montagem *nf* **1** assembly; **linha de montagem** assembly line **2** (filme) editing; (espetáculo) staging
montanha *nf* **1** mountain; **cadeia de montanhas** mountain range **2** *fig (pilha)* heap; pile; mountain
montanha-russa *nf* roller-coaster
montanhismo *nm* DESP mountaineering, mountain climbing; **praticar montanhismo** to mountaineer
montanhista *n2g* mountain climber, mountaineer
montanhoso *adj* mountainous
montante *nm* **1** (quantia) amount; sum; **no montante de** amounting to **2** (rio) upstream; **a montante** upstream, up-river
montão *nm* heap; pile
montar *v* **1** (cavalo, bicicleta) to ride; to mount **2** (exposição) to put on **3** (objetos) to fit up **4** (campanha) to launch **5** (fábricas) to assemble **6** (negócio) to set up **7** (tenda) to pitch
monte *nm* **1** hill; mountain **2** *(pilha)* heap; pile
montenegrino *adj,nm* Montenegrin
Montenegro *nm* Montenegro
montículo *nm* monticule, mound, hillock
montra *nf* shop window; **decoração de montras** window-dressing; **ver as montras** to window-shop
monumental *adj2g* **1** monumental **2** *fig (grandioso)* majestic **3** *col (enorme)* huge
monumento *nm* **1** monument; **monumento nacional** national monument **2** memorial
mora *nf* delay, respite ◆ **juros de mora** interest on delayed payment
morada *nf* **1** *(endereço)* address **2** *(residência)* residence, home; domicile ◆ **a última morada** the grave
moradia *nf* residence, house, dwelling
morador *nm* **1** (casa, bairro) resident **2** (casa alugada) tenant **3** *(habitante)* inhabitant ▪ *adj* resident (em, in)
moral *adj2g* moral, ethical; **dever moral** moral duty ▪ *nf* **1** (conclusão) moral, morals; **moral da história** moral of the story **2** *(ética)* ethics ▪ *nm (ânimo)* morale; **o moral das tropas é excelente** the morale of the troops is excellent
moralidade *nf* morality
moralista *adj2g* moralistic ▪ *n2g* moralist
moralização *nf* moralization
moralizar *v* to moralize
morango *nm* strawberry
morar *v* to live; **onde mora?** where do you live? ◆ (mudanças) **ir morar para** to move to
morbidez *nf* morbidity
mórbido *adj* morbid
morcão *nm pop* dork
morcego *nm* bat
morcela *nf* black pudding GB; blood sausage EUA
mordaça *nf* gag; **pôr uma mordaça a alguém** to gag somebody
mordaz *adj2g* **1** *(incisivo)* mordant; sarcastic **2** *(cáustico)* caustic
mordedela *nf* bite, nibble
mordedura *nf* bite, nip; **mordedura de cobra venenosa** poisonous snake bite
morder *v* (pessoa, cão) to bite; **morder os lábios** to bite one's lips ◆ **morder-se de inveja** to grow green with envy; **morder o isco** to take the bait
mordiscar *v* to nibble
mordomia *nf* **1** *(regalia)* perk **2** *(luxo)* luxury

mordomo *nm* butler, steward
moreia *nf* moray, moray eel
morena *nf* brunette
moreno *adj* **1** (pele) dark-skinned; **tez morena** dark complexion **2** (cabelo) dark-haired **3** *(bronzeado)* suntanned; brown; **ficar moreno** to get a suntan ▪ *nm* dark-haired person
morfina *nf* QUÍM,FARM morphine
morfologia *nf* morphology
morfológico *adj* morphologic
morgue *nf* mortuary, morgue
moribundo *adj* moribund, dying ▪ *nm* dying person
mormente *adv* mainly, especially, chiefly
mórmon *nm* Mormon
morno *adj* lukewarm, tepid
morosidade *nf* **1** slowness **2** *(lentidão)* tardiness
moroso *adj* slow; sluggish
morrer *v* **1** to die **2** *(desvanecer-se)* to fade away **3** (desejo) to long (por, for)
morrinha *nf (chuvisco)* drizzle
morro *nm* **1** *(monte)* hillock **2** BRAS *(favela)* shanty town; slum
morsa *nf* walrus, morse
morse *nm* Morse Code
mortadela *nf* Italian sausage, salami
mortal *adj2g* **1** mortal **2** (veneno, inimigo) deadly **3** (doença, acidente) fatal ▪ *n2g* mortal
mortalha *nf* **1** (cadáver) shroud **2** (cigarro) cigarette paper
mortalidade *nf* mortality ♦ **mortalidade infantil** infant mortality; **taxa de mortalidade** death rate
mortandade *nf* **1** slaughter **2** *(massacre)* massacre
morte *nf* death; **por morte de** on the death of
morteiro *nm* MIL mortar
mortiço *adj* **1** (fogo) dying **2** (olhar) dull **3** *(desanimado)* spiritless
mortífero *adj* deadly, lethal
mortificar *v* to mortify
morto *adj* **1** dead **2** *(assassinado)* killed; murdered ▪ *nm* dead person ♦ **morto de cansaço** dead tired; **não ter onde cair morto** not to have a penny to one's name
mortuário *adj* mortuary ♦ **casa mortuária** funeral home
mosaico *nm* **1** mosaic **2** *fig* miscellany
mosca *nf* **1** fly **2** *(barbicha)* goatee ♦ **estar às moscas** to be empty; **não faz mal a uma mosca** he wouldn't hurt a fly
moscardo *nm* gadfly
moscatel *adj2g,nm* muscatel; **vinho moscatel** muscatel wine
mosquete *nm* **1** musket **2** *col* slap
mosqueteiro *nm* musketeer
mosquiteiro *nm* mosquito curtain, mosquito net
mosquito *nm* mosquito
mossa *nf* dent ♦ (emocionalmente) **fazer mossa a** to affect
mostarda *nf* BOT,CUL mustard ♦ **subir a mostarda ao nariz** to take the huff
mosteiro *nm* **1** monastery **2** (freiras) convent
mosto *nm* (vinho) must
mostra *nf* **1** *(exibição)* show, display **2** *pl (sinais)* signs, indications; **dar mostras de** to show signs of ♦ **à mostra** uncovered, bare, naked
mostrador *nm* (relógio) dial, face
mostrar *v* **1** to show **2** (mercadorias) to display, to exhibit **3** *(indicar)* to point out **4** *(provar)* to demonstrate, to prove ▪ **mostrar-se 1** *(parecer)* to appear, to seem **2** *(exibir-se)* to show off
mostrengo *nm* monster
mostruário *nm* **1** collection of samples **2** showcase **3** (loja) shop window
mota *nf* motorbike, motorcycle; bike *col*
motard *n2g* biker
mote *nm* motto
motel *nm* motel
motim *nm* **1** riot, rebellion; **promover um motim** to stir up a rebellion **2** (militar) mutiny
motivação *nf* motivation
motivar *v* **1** *(incentivar)* to motivate **2** *(causar)* to cause; to give rise to; **motivar uma reclamação** to give grounds for complaint
motivo *nm* **1** *(causa)* cause, reason **2** *(padrão)* pattern **3** MÚS motif
moto *nm* **1** *(motorizada)* bike **2** *(lema)* motto; **de moto próprio** of one's own accord **3** *(impulso)* motion; **moto contínuo** continual motion
motocicleta *nf* motorcycle
motociclismo *nm* motorcycling
motociclista *n2g* motorcyclist
motocrosse *nm* DESP motocross

moto quatro *nf* quad bike
motoqueiro *nm* biker, motorcyclist
motor *nm* **1** motor; **barco a motor** motorboat **2** (carro, avião) engine ▪ *adj* **1** motor; **nervo motor** motor nerve **2** *téc* driving ♦ **motor de arranque** starter
motorista *n2g* **1** driver **2** *(automobilista)* motorist
motriz *adj* motive, driving; **força motriz** driving force
mouco *adj pop* deaf ▪ *nm pop* deaf person
mourisco *adj* Moorish
mouro *adj* Moorish ▪ *nm* Moor
mousse *nf* (geral) mousse
movediço *adj (instável)* unstable, changeable ♦ **areias movediças** quicksand
móvel *adj2g* movable, mobile; **bens móveis** personal property ▪ *nm* **1** *(peça de mobília)* piece of furniture; **os móveis estavam cobertos de pó** the furniture was covered in dust **2** *(causa)* motive, cause
mover *v* **1** (mudar de sítio) to move; to shift **2** (funcionamento) to put something in motion **3** *(induzir)* to persuade ▪ **mover-se 1** to move **2** (funcionamento) to be put in motion
movimentação *nf* **1** movement, motion **2** (rua) bustle
movimentado *adj* **1** (rua, lugar) busy; **rua muito movimentada** busy street **2** *(animado)* lively; **um bar muito movimentado** a very popular bar
movimentar *v* **1** to move **2** *(animar)* to liven up
movimento *nm* **1** movement, motion; **em movimento** in motion **2** (lojas, ruas) activity, bustle **3** *(trânsito)* traffic **4** (dinheiro) turnover **5** MÚS time
MP3 INFORM [*abrev. de* MPEG audio layer 3]
MPEG INFORM [*abrev. de* Moving Pictures Experts Group]
muco *nm* mucus
mucosa *nf* mucous membrane
mucosidade *nf* mucosity
mucoso *adj* mucous
muçulmano *adj,nm* Muslim
muda *nf* **1** change; **muda de roupa** change of clothes **2** *(transformação)* transformation **3** (penas) moulting
mudança *nf* **1** *(alteração)* change **2** (casa) move; **camioneta das mudanças** removal van **3** (vento) shifting **4** (automóvel) gear
mudar *v* **1** *(alterar)* to change (de, -) **2** *(transformar)* to transform ▪ **mudar-se** (casa) to move
mudez *nf* muteness, dumbness
mudo *adj* **1** dumb, mute **2** CIN silent **3** LING silent; **letras mudas** silent letters ▪ *nm* mute, dumb person ♦ **cinema mudo** silent films
muesli *nm* muesli; granola
muffin *nm* muffin
mugido *nm* **1** (touro) bellow **2** (vaca) moo
mugir *v* **1** (touro) to bellow **2** (vaca) to moo, to low
muito *det indef > quant exist*[DT] **1** (em grande quantidade) a lot of; plenty of **2** [frases negativas e interrogativas] much; a lot of ▪ *pron indef* **1** [singular] much **2** [plural] many ▪ *adv* **1** [com adjetivo ou advérbio] very; very much **2** much; **muito mais interessante** much more interesting **3** a lot; **doer muito** to hurt a lot **4** *(demasiado)* too much; **bebeu muito** he drank too much
mula *nf* mule
mulato *adj,nm* mulatto
muleta *nf* **1** (andar) crutch; **andar de muletas** to walk on crutches **2** *fig (apoio)* support
mulher *nf* **1** woman **2** *(esposa)* wife ♦ **direitos das mulheres** women's rights
mulher-a-dias *a nova grafia é* **mulher a dias**[AO]
mulher a dias[AO] *nf* daily help; cleaning lady, domestic help
mulherengo *nm* womanizer ▪ *adj* womanizing
mulher-polícia *nf* policewoman
multa *nf* fine; **apanhar uma multa** to get fined; **pagar multa** to pay a fine
multar *v* to fine; **multar em dez libras** to fine a person £10
multibanco *nm* **1** (cartão) cash card; cashpoint card **2** (caixa) cash dispenser, cashpoint GB; ATM, Automatic Teller Machine EUA
multicolor *adj* multicoloured
multicultural *adj* multicultural
multiculturalismo *nm* multiculturalism
multidão *nf* **1** crowd **2** *pej* mob ♦ **uma multidão de** lots of
multifacetado *adj* versatile; multitalented
multilateral *adj2g* multilateral
multilingue *adj* multilingual
multimédia *adj,nm* multimedia
multimilionário *nm* multimillionaire

multinacional *adj2g* multinational ▪ *nf* ECON multinational corporation, multinational
multiplicação *nf* multiplication
multiplicador *adj* MAT multiplying ▪ *nm* multiplier, multiplicator
multiplicando *nm* MAT multiplicand
multiplicar *v* to multiply (por, by) ▪ **multiplicar-se** **1** to multiply **2** *(aumentar)* to increase
multiplicativo *adj* multiplicative
multiplicidade *nf* multiplicity
múltiplo *adj* **1** (aposta, escolha) multiple; **escolha múltipla** multiple choice; **uma fratura múltipla** a multiple fracture **2** *(numerosos)* numerous ▪ *nm* MAT multiple
multirracial *adj2g* multiracial
multitarefa *nf* INFORM multitasking
multiusos *adj inv* multipurpose
múmia *nf* mummy
mundano *adj* worldly, mundane
mundial *adj2g* **1** worldwide **2** (guerra, recorde) world; **Primeira Guerra Mundial** First World War ▪ *nm* (campeonato) world championship; **Mundial de Futebol** World Cup
mundo *nm* **1** world; **dar volta ao mundo** to go round the world **2** *(terra)* the earth **3** *(grande quantidade)* a large quantity ♦ **meio mundo** all the world and his wife; **não ser nada de outro mundo** to be nothing to write home about; **vir ao mundo** to come into the world
mungir *v* to milk
munição *nf* **1** (armas) ammunition **2** *pl* MIL munitions, supplies; **falta de munições** shortage of munitions
municipal *adj2g* municipal ♦ (organismo) **polícia municipal** local police
munícipe *n2g* (homem) townsman; (mulher) townswoman
município *nm* **1** municipality **2** (divisão administrativa) township **3** *(câmara)* city council
munir *v* to provide (de, with) ▪ **munir-se** to provide oneself (de, with)
mural *adj2g,nm* mural
muralha *nf* **1** (muro) wall **2** (fortaleza) rampart ♦ **Muralha da China** Great Wall of China
murar *v* (muro) to wall, to enclose; **murar um jardim** to enclose a garden
murchar *v* **1** (flor) to wither **2** *fig* to fade
murcho *adj* **1** (flor) wilting, withered **2** *fig (débil)* languid, resigned
murmurar *v* **1** *(segredar)* to murmur, to whisper **2** *(queixar-se)* to grumble **3** *(maldizer)* to backbite, to gossip (-, about)
murmúrio *nm* **1** murmur, whisper **2** *(queixa)* complaint
muro *nm* wall
murro *nm* punch, cuff; **levar um murro de alguém** to be punched by somebody
murta *nf* myrtle
musa *nf* **1** muse **2** *(inspiração)* poetical inspiration
musculação *nf* DESP body-building; **praticante de musculação** body-builder
muscular *adj* muscular; **lesão muscular** a muscle injury; **tecido muscular** muscular tissue
musculatura *nf* musculature
músculo *nm* **1** muscle **2** *fig (força)* strength; **ter músculo** to be strong
musculoso *adj* muscular
museu *nm* **1** museum; **museu aeronáutico** air museum **2** (pintura) gallery
musgo *nm* moss
musgoso *adj* mossy
música *nf* **1** music **2** *col (canção)* song ♦ **dar música a alguém** to wind somebody up
musical *adj2g* musical; **instrumento musical** musical instrument ▪ *nm* (peça, filme) musical ♦ **fundo musical** background music
musicalidade *nf* musicality
musicar *v* to set to music
músico *nm* musician
musselina *nf* muslin
mutação *nf* mutation
mutante *adj,n2g* mutant
mutável *adj2g* **1** mutable **2** *(variável)* changeable
mutilação *nf* mutilation
mutilado *adj* **1** mutilated **2** (pessoa) maimed ▪ *nm (inválido)* disabled person; cripple
mutilar *v* to mutilate
mutismo *nm* muteness, dumbness
mutuamente *adv* **1** mutually **2** *(um ao outro)* each other, one another; **odeiam-se mutuamente** they hate each other
mútuo *adj* mutual, reciprocal; **de mútuo acordo** by mutual consent ♦ **sociedade de socorros mútuos** mutual benefit society

N

n *nm* (letra) n
nabiça *nf* turnip greens
nabo *nm* **1** turnip **2** *col (estúpido)* blockhead, dork ♦ **tirar nabos da púcara** to worm information out of somebody
nação *nf* nation ♦ **Nações Unidas** United Nations
nácar *nm* **1** *(madrepérola)* mother-of-pearl **2** (cor) pink
nacional *adj2g* **1** (da nação) national; **bandeira nacional** national flag **2** (de âmbito interno) domestic; **produtos nacionais** domestic goods; **voos nacionais** domestic flights
nacionalidade *nf* nationality; **ter dupla nacionalidade** to have dual nationality
nacionalismo *nm* nationalism
nacionalista *adj,n2g* nationalist
nacionalização *nf* **1** ECON nationalization **2** (estrangeiro) naturalization
nacionalizar *v* to nationalize, to naturalize ▪ **nacionalizar-se** to become naturalized
naco *nm* piece, slice
nada *pron indef* nothing, anything; **não fez nada** he has done nothing; **não quero nada** I don't want anything ▪ *adv* not at all; **nada mau** not bad at all ▪ *nm* emptiness ♦ **antes de mais nada** first of all; **de nada!** don't mention it!; **por nada** for no reason at all

> Utiliza-se **nothing** quando o verbo está na forma afirmativa e **anything** quando está na forma negativa.

nadador *nm* swimmer
nadador-salvador *nm* lifeguard
nadar *v* to swim ♦ **nadar como um prego** to sink like a stone; **nadar em dinheiro** to roll in money
nádega *nf* buttock
nado *nm* swim ♦ **ir a nado** to go swimming
nado-morto *nm* still-born
naftalina *nf* QUÍM naphthalene
naipe *nm* (cartas) suit
Namíbia *nf* Namibia
namibiano *adj,nm* Namibian
namorada *nf* girlfriend
namorado *nm* boyfriend
namorador *adj* (pessoa) flirtatious ▪ *nm* flirter, womanizer
namorar *v* **1** to date (com, -) **2** *fig (cobiçar)* to covet
namorico *nm col* flirtation, flirt
namoro *nm* **1** *(relação)* relationship **2** (ação de namorar) courtship
nanar *v infant* to sleep
nanquim *nm* **1** (tecido) nankeen **2** (cor) nankeen **3** *(tinta da China)* Indian ink
não *adv* **1** (resposta) no; **não, obrigado** no, thank you **2** (frase negativa) not; **não é um bom exemplo** it's not a good example ▪ *nm* no
não-fumador *a nova grafia é* **não fumador**[AO]
não fumador[AO] *nm* non-smoker
não-identificado *a nova grafia é* **não identificado**[AO]
não identificado[AO] *adj* unidentified
não-sei-quê *nm* something
narcisismo *nm* narcissism
narcisista *adj2g* narcissistic ▪ *n2g* narcissist
narciso *nm* narcissus
narcótico *adj,nm* FARM narcotic
narcotraficante *n2g* drug trafficker
narcotráfico *nm* drug traffic
narigudo *adj* long-nosed; **ser narigudo** to have a big nose
narina *nf* nostril
nariz *nm* nose; **nariz arrebitado** turned-up nose, snub nose ♦ **meter o nariz em tudo** to poke one's nose into everything; to nose around; **torcer o nariz a** to turn up one's nose at
narração *nf* **1** narration, narrative **2** *(relato)* account
narrador *nm* **1** narrator **2** storyteller
narrar *v* to narrate; to tell
narrativa *nf* narrative, tale
narrativo *adj* narrative

nasal *adj2g* ANAT,LING nasal
nascença *nf* **1** *(nascimento)* birth **2** *(origem)* origin, source ♦ **de nascença** from birth; by birth
nascente *nf* **1** (água) spring; **nascente de água** water spring **2** GEOL (rio) source ▪ *nm* East, Orient ▪ *adj2g* **1** new **2** (Sol) rising
nascer *v* **1** (pessoa, animal) to be born **2** (sol) to rise; (dia) to dawn **3** (ave) to hatch **4** (planta) to sprout **5** (cabelo) to grow **6** (dente) to come through **7** *(ter origem)* to come into existence ▪ *nm* **1** birth **2** (sol) rising ♦ **eu não nasci ontem** I wasn't born yesterday
nascimento *nm* **1** birth **2** *(origem)* origin **3** *(estirpe)* descent
nata *nf* **1** (leite) skin **2** (pastel) cream cake **3** *(elite)* cream **4** *pl* whipped cream
natação *nf* DESP swimming
natal *adj2g* native; **país natal** native country ▪ *nm* [com maiúscula] Christmas; **Feliz Natal!** Merry Christmas!
natalício *adj* **1** (Natal) Christmas; **época natalícia** Christmas tide **2** natal; **aniversário natalício** birthday **3** (terra, local) birth
natalidade *nf* birth ♦ **taxa de natalidade** birth rate
nativo *adj,nm* native
nato *adj* born; **um músico nato** a born musician
natural *adj2g* **1** natural; **sumo de laranja natural** freshly squeezed orange juice **2** (temperatura) at room temperature **3** (iogurte) plain **4** *(oriundo)* native (de, of)
naturalidade *nf* **1** *(simplicidade)* simplicity **2** *(espontaneidade)* spontaneity; **agir com a maior naturalidade** to act as if nothing had happened **3** (nascimento) birthplace
naturalismo *nm* naturalism
naturalista *adj,n2g* naturalist
naturalização *nf* naturalization
naturalizar(-se) *v* to naturalize
naturalmente *adv* naturally ▪ *interj (certamente)* naturally!, of course!
natureza *nf* **1** nature **2** *(espécie)* kind, sort, class **3** *(carácter)* character, nature; **natureza humana** human nature
natureza-morta *nf* ART still life
naturismo *nm* (nudismo) naturism
naturista *adj,n2g* naturist
nau *nf* vessel
naufragar *v* **1** to be shipwrecked **2** *fig (fracassar)* to fail
naufrágio *nm* **1** shipwreck **2** *fig (malogro)* failure
náufrago *nm* castaway, shipwrecked person
Nauru *nm* Nauru
nauruano *adj,nm* Nauruan
náusea *nf* **1** *(enjoo)* nausea; **ter náuseas** to feel nauseous/sick **2** *col (repulsa)* sickness, nausea; **dá-me náuseas** it's disgusting
nauseabundo *adj* **1** (cheiro) nauseating, sickening **2** (aparência, aspeto) disgusting, loathsome
náutica *nf* **1** navigation; seamanship **2** (ciência) nautical science
náutico *adj* **1** (instrumento, ciência, desporto) nautical **2** (clube) sailing
naval *adj2g* naval
navalha *nf* **1** (arma) knife **2** (barba) razor
navalhada *nf* cut with a knife, knifing, stabbing; **dar uma navalhada a alguém** to knife/stab someone; **levar uma navalhada** to be knifed/stabbed
nave *nf* **1** ship, craft **2** ARQ nave, aisle
navegação *nf* **1** navigation **2** (comércio) shipping; **companhia de navegação** shipping company **3** *(viagem)* voyage ♦ **navegação aérea** air traffic
navegador *nm* **1** navigator **2** DESP (automóvel) navigator ▪ *adj* **1** (povo, nação) seafaring **2** (tripulante, técnico) navigation
navegante *nm* **1** navigator, seaman, sailor **2** (que dirige navio ou avião) navigator ▪ *adj2g* seagoing
navegar *v* **1** (barcos) to sail **2** (aviões) to fly **3** INFORM to surf; **navegar na Internet** to surf the Net
navegável *adj2g* navigable
navio *nm* ship, vessel; **navio de guerra** warship; **navio mercante** merchant ship ♦ **ficar a ver navios** to be left high and dry
nazi *adj,n2g* Nazi
nazismo *nm* Nazism
neblina *nf* mist; **neblina matinal** morning mist
nebulosa *nf* ASTRON nebula
nebulosidade *nf* cloudiness
nebuloso *adj* **1** misty, foggy **2** (céu) cloudy **3** *fig* (ideias, futuro) hazy, vague

necessariamente *adv* **1** necessarily **2** *(certamente)* of course
necessário *adj* necessary, needful; **se for necessário** if need be
necessidade *nf* **1** (coisa imprescindível) necessity; **o aquecimento é uma necessidade** heating is a necessity **2** (o que se necessita) need (de, for) **3** *(pobreza)* poverty; want ♦ **fazer as necessidades** to do as nature calls; **não há necessidade** there's no need; **passar necessidades** to be in need
necessitado *adj* **1** needy **2** *(carente)* in need (de, of) ▪ *nm* poor person, needy person; **ajudar os necessitados** to help the poor/the needy
necessitar *v* to need (de, -); to be in need (de, of); **necessitar de alguma coisa** to need something
necrologia *nf* **1** *(registo de falecimento)* necrology **2** (jornal) obituary
necrópole *nf* necropolis
necrose *nf* MED necrosis
necrotério *nm* morgue
néctar *nm* nectar
nectarina *nf* nectarine
neerlandês *adj* Netherlandish; Dutch ▪ *nm* **1** (pessoa) Netherlander **2** (língua) Dutch
nefasto *adj* **1** *(nocivo)* harmful **2** unlucky; ill-fated
nega *nf* **1** *col (recusa)* refusal **2** *col* (resultado negativo, nota) fail; **apanhar uma nega** to get a fail
negação *nf* **1** negation **2** *(desmentido)* denial **3** *(recusa)* refusal **4** LING negation
negar *v* to deny; to refuse; **negar a pés juntos** to deny flatly ▪ **negar-se** to refuse (a, to)
negativa *nf* **1** LING negative **2** *(recusa)* denial, refusal **3** (classificação) F, negative mark; **tenho duas negativas** I got F in two subjects ♦ **ver as coisas pela negativa** to look on the black side
negativismo *nm* negativism; pessimism
negativo *adj* (geral) negative ▪ *nm* FOT photographic negative, negative
negligência *nf* negligence; carelessness ♦ **por negligência** through negligence
negligenciar *v* **1** (trabalho, responsabilidade) to neglect **2** *(ignorar)* to disregard
negligente *adj2g* negligent, careless
negociação *nf* **1** negotiation; **entrar em negociações com** to enter into negotiations with **2** *(transação)* transaction **3** *(acordo)* deal
negociador *nm* **1** *(comerciante)* trader **2** *(empresário)* businessman **3** POL negotiator
negociante *n2g* **1** *(comerciante)* merchandiser, merchant **2** *(empresário)* businessman; **negociante honrado** honest businessman
negociar *v* to trade (em, in); to deal (em, in)
negociata *nf* shady transaction, dubious affair ♦ **negociatas** wheeling and dealing
negociável *adj2g* negotiable
negócio *nm* **1** business; **homem/mulher de negócios** businessman/businesswoman **2** *(transação)* deal; **mau negócio** bad deal ♦ **negócio escuro** shady business; **negócio fechado** it's a deal; **fazer um bom negócio** to strike a bargain
negra *nf* **1** (raça) black woman **2** *pop (nódoa negra)* bruise
negro *adj* **1** (cor) black **2** (pele) dark **3** *fig (terrível)* gloomy, black ▪ *nm* **1** (cor) black **2** black person
nem *conj* **1** (negativa dupla) nor, neither; **nem eu** neither do I; **nem um nem outro** neither one nor the other **2** *(nem sequer)* not even; **nem mesmo** not even ♦ **nem mais nem menos** that's just it; **nem que** not even if
nenhum *det indef* > *quant univ*[DT] no, not any; **não é nenhum tolo** he's no fool ▪ *pron indef (nem um só)* none, not one; **nenhum deles** none of them
nenhures *adv* nowhere
nenúfar *nm* water lily
neoclássico *adj* neoclassic, neoclassical
neodímio *nm* neodymium
neolítico *adj* Neolithic
neologismo *nm* LING neologism
néon *nm* neon
neonazi *adj,n2g* neonazi
neozelandês *adj,nm* New Zealander
Nepal *nm* Nepal
nepalês *adj,nm* Nepalese
neptúnio *nm* neptunium
Neptuno *nm* Neptune
nervo *nm* **1** nerve **2** (carne) sinew **3** *pl (irritabilidade)* nerves ♦ **andar com os nervos à flor da pele** to be on edge; **que nervos!** how irritating!
nervosismo *nm* **1** nervousness **2** *(irritabilidade)* nervous irritability

nervoso *adj* **1** nervous; **ficar nervoso** to get nervous; **sistema nervoso** nervous system **2** *(irritável)* irritable, touchy
nervura *nf* **1** BOT,ZOOL nervure, vein **2** ARQ rib; **nervuras de uma abóbada** ribs of an arch
néscio *adj* **1** *(idiota)* idiot, ignorant **2** *(insensato)* foolish
nesga *nf* **1** (costura) bit **2** *(pedaço)* piece **3** (mesa, terra) corner, patch
nêspera *nf* medlar
nespereira *nf* medlar tree
neta *nf* granddaughter
netiqueta *nf* (Internet) netiquette
neto *nm* grandson
neura *nf pop* depression; dejection ▪ *adj2g pop* depressed; dejected; in the dumps
neurocirurgia *nf* MED neurosurgery
neurocirurgião *nm* neurosurgeon
neurologia *nf* MED neurology
neurologista *n2g* neurologist
neurónio *nm* neuron; nerve cell
neurose *nf* MED neurosis
neurótico *adj,nm* neurotic
neurotransmissor *nm* neurotransmitter
neutral *adj2g* **1** *(imparcial)* impartial **2** DIR,POL (país) neutral
neutralidade *nf* neutrality
neutralizar *v* **1** to neutralize **2** *(anular)* to counteract **3** MIL to render ineffective
neutrão *nm* FÍS neutron
neutro *adj* **1** neutral **2** LING (género) neuter ▪ *nm* ELET,LING neuter
nevão *nm* **1** heavy snowfall, snowstorm **2** *(neve acumulada)* snowdrift
nevar *v* to snow
neve *nf* snow; **boneco de neve** snowman
névoa *nf* **1** fog, mist **2** (olhos) film
nevoeiro *nm* fog, mist; **está muito nevoeiro** it's very foggy
nevralgia *nf* MED neuralgia
nevrálgico *adj* neuralgic
nexo *nm* **1** *(ligação)* nexus, link **2** *(coerência)* coherence ◆ **sem nexo** incoherent
Nicarágua *nf* Nicaragua
nicaraguano *adj,nm* Nicaraguan
nicho *nm* (parede, muro, habitação) niche
nicles *adv col* nothing at all
nicotina *nf* QUÍM nicotine
nidificar *v* to nest
Níger *nm* (país, rio) Niger
Nigéria *nf* Nigeria
nigeriano *adj,nm* Nigerian
ninfa *nf* nymph
ninfomaníaca *nf* nymphomaniac
ninguém *pron indef* **1** *(nenhuma pessoa)* nobody; no one; **ninguém sabe** nobody knows **2** *(qualquer pessoa)* anybody; anyone; **melhor do que ninguém** better than anybody
ninhada *nf* **1** litter; (aves) brood **2** *col (filhos)* children; brood
ninharia *nf (insignificância)* trifle; triviality
ninho *nm* **1** (pássaros) nest **2** (animais selvagens) lair **3** *col (lar)* home
nióbio *nm* niobium
nipónico *adj* Nipponese, Japanese
níquel *nm* nickel
niquento *adj* **1** *(difícil de satisfazer)* nitpicking; hard to please **2** *(rabugento)* peevish; touchy
niquice *nf* trifle; insignificance
nirvana *nm* nirvana
nitidamente *adv* distinctly; clearly
nitidez *nf* **1** *(clareza)* clarity; clearness **2** FOT sharpness **3** (de pensamentos, ideias) comprehensibility; clarity; intelligibility
nítido *adj* **1** (fotografia, imagem) sharp **2** *(transparente, límpido)* clear; transparent **3** *(inconfundível)* unmistakable; obvious; clear
nitrogénio *nm* QUÍM nitrogen
nitroglicerina *nf* QUÍM nitroglycerine
nível *nm* **1** level **2** *(categoria)* rank; status; position **3** *fig (gabarito)* class; distinction; **uma pessoa com nível** a distinct person **4** (instrumento) level ◆ **nível de vida** standard of living
nivelação *nf* levelling
nivelador *nm* leveller
nivelamento *nm* levelling
nivelar *v* to level ▪ **nivelar-se** to place oneself on the same footing (a/com, as)
nó *nm* **1** knot; **dar um nó** to tie a knot **2** *(vínculo)* bond; tie **3** (dedo) knuckle **4** (estrada) junction GB; intersection EUA ◆ (casar) **dar o nó** to tie the knot
nobélio *nm* nobelium
nobre *adj* **1** noble; **uma família nobre** a noble family **2** *(ilustre)* illustrious; distinguished ▪ *n2g* noble
nobreza *nf* **1** nobility; aristocracy; **membro da nobreza** member of the nobility **2** (de carácter) dignity; nobility; excellence

noção *nf* **1** notion; idea **2** *pl* fundamentals (de, of)
nocivo *adj* harmful
noctívago[AO] *a grafia preferível é* **notívago**[AO]
nocturno *a nova grafia é* **noturno**[AO]
nódoa *nf* **1** *(mancha)* stain **2** (reputação) blemish ◆ **nódoa negra** bruise; **ser uma nódoa a** to be hopeless at
nodoso *adj* nodose
nódulo *nm* nodule
nogado *nm* nougat
nogueira *nf* walnut tree
noitada *nf* **1** a night out **2** (estudo, trabalho) all-nighter ◆ **fazer uma noitada** to be up all night
noite *nf* **1** night; **esta noite** tonight **2** (fim do dia) evening **3** *(vida noturna)* nightlife ◆ **boa noite! 1** (saudação) good evening! **2** (despedida, antes de ir dormir) good night!
noitinha *nf* nightfall; dusk ◆ **à noitinha** at nightfall/ dusk
noiva *nf* **1** (noivado) fiancée **2** (cerimónia) bride
noivado *nm* engagement; **romper o noivado com** to break off the engagement to
noivo *nm* **1** groom, bridegroom **2** *pl* (noivado) engaged couple **3** *pl* (cerimónia) the bride and the groom
nojento *adj* **1** disgusting; gross **2** (atitude, ato) despicable; contemptible **3** (que se enoja facilmente) queasy
nojo *nm* **1** disgust (de, at/for); repugnance (de, for) **2** filthiness; **o teu quarto está um nojo!** your room is filthy! ◆ **que nojo!** gross!
nómada *n2g* nomad ▪ *adj2g* nomadic; **tribos nómadas** nomadic tribes
nome *nm* **1** name; **nome completo** full name **2** (gramática) noun ◆ **em nome de** on behalf of
nomeação *nf* **1** (cargo, função) nomination; appointment **2** (galardão) nomination (para, for)
nomeada *nf* reputation
nomeadamente *adv* **1** namely **2** particularly; especially
nomeado *adj* **1** (cargo) appointed; designated **2** (nome) named
nomear *v* **1** to nominate **2** (nome) to name; to call by name **3** (cargo, função) to appoint (-, as); to designate (-, as)
nomenclatura *nf* nomenclature; terminology
nominal *adj2g* **1** (nome) nominal **2** ECON face; **valor nominal** face value **3** LING nominal
nominativo *adj,nm* LING nominative
nonagenário *adj,nm* nonagenarian
nonagésimo *num ord > adj num*[DT] ninetieth
nono *num ord > adj num*[DT] ninth
nora *nf* daughter-in-law ◆ **andar à nora** to be confused; **ver-se à nora para fazer alguma coisa** to have difficulty in doing something
nordeste *nm* northeast
nórdico *adj,nm* Nordic; **os países nórdicos** the Nordic countries
norma *nf* **1** *(regra)* rule; regulation; **as normas da escola** school regulations **2** *(requisito)* standard; **normas europeias** European standards ◆ **por norma** normally; as a rule
normal *adj2g* normal; usual
normalidade *nf* normality; **voltar à normalidade** to return to normal
normalizar *v* to normalize
normalmente *adv* normally; usually; ordinarily
normativo *adj* **1** normative **2** prescriptive; **gramática normativa** prescriptive grammar
nor-nordeste *nm* north-northeast
nor-noroeste *nm* north-northwest
noroeste *nm* northwest
nortada *nf* north wind, northerly wind
norte *nm* north
norte-americano *adj,nm* North American
nortear *v* to guide; to lead ▪ **nortear-se** to be guided (por, by)
Noruega *nf* Norway
norueguês *adj,nm* Norwegian
nos *pron pess* **1** (complemento) us; **ele chamou-nos** he called us **2** (reflexo) ourselves; **nós lavamo-nos** we wash ourselves **3** (recíproco) each other; **conhecemo-nos há anos** we've known each other for years
nós *pron pess* **1** (sujeito) we; **nós adoramo-nos** we love each other **2** (com preposições) us; **quanto a nós** as for us **3** (recíproco) ourselves
nosso *det poss* our; **a nossa casa é bonita** our house is beautiful; **um amigo nosso** a friend of ours ▪ *pron poss* ours; **gosto mais do nosso** I like ours better ▪ *nm* **1** (posse) our things **2** *pl* (familiares) our relatives; our family ◆ **à nossa!** cheers!; **nos nossos dias** nowadays
nostalgia *nf* nostalgia (de, for); **ter nostalgia de** to feel nostalgic for
nostálgico *adj* nostalgic

nota *nf* **1** *(apontamento)* note; annotation **2** (escola) mark GB; grade EUA **3** (dinheiro) note GB; bill EUA **4** MÚS note ♦ **nota de rodapé** footnote; **custar uma nota preta** to cost a fortune
notabilizar *v* to make famous ▪ **notabilizar-se** to become famous
notação *nf* notation
notar *v* **1** *(reparar)* to notice; to take notice of **2** *(comentar)* to observe; to comment; to remark
notariado *nm* notary's office
notarial *adj2g* notarial
notário *nm* **1** (pessoa) notary (public) **2** (local) notary's office
notável *adj2g* **1** *(digno de atenção)* remarkable; extraordinary **2** *(eminente)* prominent; notable **3** *(distinto)* distinguished; illustrious
notícia *nf* news; **boas/más notícias** good/bad news
noticiar *v* to publish; to report
noticiário *nm* the news; newscast
noticioso *adj* news; **agência noticiosa** news agency, press agency
notificação *nf* **1** notification **2** DIR summons; citation; **ela recebeu uma notificação para comparecer em tribunal** she received a summons to appear in court
notificar *v* **1** to notify (de, of); to inform (de, of) **2** DIR to summon; to cite
notívago[AO] ou **noctívago**[AO] *nm* (pessoa) night owl *col* ▪ *adj* noctivagous
notoriedade *nf* **1** (do que é bom) fame; repute; prestige **2** (do que é mau) notoriety; disrepute
notório *adj* **1** *(óbvio)* evident; obvious **2** *(público, conhecido)* public; well-known

Não confundir a palavra portuguesa **notório** com a palavra inglesa **notorious,** que significa de má reputação.

noturno[AO] *adj* **1** nocturnal **2** (vida) night ▪ *nm* MÚS nocturne
nova *nf (notícia)* tidings (de, of); **boas novas** glad tidings
novamente *adv* again; once more
novato *nm* beginner ▪ *adj* inexperienced
Nova Zelândia *nf* New Zealand
nove *num card > quant num*[DT] nine; **o dia nove** the ninth
novecentos *num card > quant num*[DT] nine hundred
novela *nf* **1** LIT short story; narrative **2** TV soap opera
novelista *n2g* story writer
novelo *nm* **1** ball; **novelo de lã** ball of wool **2** *fig (enredo)* mix-up; tangle
novembro[AO] *nm* November
noventa *num card > quant num*[DT] ninety; **os anos noventa** the nineties
noviço *nm* novice
novidade *nf* **1** news; piece of news; **contar as novidades** to tell the news **2** novelty
novilho *nm* steer; young bull
novo *adj* **1** new **2** (pessoa) young ♦ **novo em folha** brand new; **começar de novo** to start over; **de novo** again
novo-rico *nm* nouveau riche; parvenu; upstart
noz *nf* **1** walnut **2** (de manteiga) knob
noz-moscada *nf* BOT,CUL nutmeg
nu *adj* **1** (pessoa) naked; nude **2** (parte do corpo) bare ▪ *nm* ART nude ♦ (segredo) **pôr a nu** to expose
nuance *nf* nuance
nublado *adj* (céu) cloudy; overcast
nublar *v* **1** (céu) to cloud; to cover with clouds **2** *fig (escurecer)* to darken ▪ **nublar-se** (céu) to cloud over
nuca *nf* nape; back of the neck
nuclear *adj2g* **1** nuclear; **bomba nuclear** nuclear bomb **2** FÍS nuclear, of the nucleus
núcleo *nm* **1** (de átomo, célula) nucleus **2** (de fruto) kernel **3** (de questão) crux; kernel
nudez *nf* nudity; nakedness
nudismo *nm* nudism; naturism; **praticar nudismo** to practise nudism
nudista *n2g* nudist; naturist; **uma praia de nudistas** a nudist beach
nulidade *nf* **1** *(falta de validade)* nullity; invalidity **2** *(insignificância)* nothingness; insignificance; triviality **3** *col (pessoa incompetente)* failure; **ele é uma nulidade como professor** he is a failure as a teacher
nulo *adj* **1** null; **resultados nulos** null results **2** DIR *(inválido)* null and void; invalid **3** *(vão, ineficaz)* useless; pointless; vain
numeração *nf* numeration ♦ **numeração árabe/romana** Arabic/Roman numerals
numerado *adj* **1** numbered **2** in numerical order
numerador *nm* MAT numerator

numeral *nm* **1** number **2** numeral ▪ *adj2g* numeral ♦ **numeral cardinal** cardinal number; **numeral ordinal** ordinal number
numerar *v* to number
numerário *nm* cash; money; **pagar em numerário** to pay in cash
numérico *adj* numerical ♦ **por ordem numérica** in numerical order
número *nm* **1** MAT,LING number **2** (publicação, espetáculo) number; **um número de dança** a dance number **3** (roupa, sapatos) size
numeroso *adj* numerous
numismata *n2g* numismatist
numismática *nf* numismatics
numismático *adj* numismatic
nunca *adv* **1** *(nenhuma vez)* never; **nunca antes** never before **2** *(alguma vez)* ever; **quase nunca** hardly ever ♦ **nunca digas nunca** never say never; **nunca se sabe** you never know
nupcial *adj2g* nuptial; wedding
núpcias *nfpl* wedding; **noite de núpcias** wedding night ♦ **casar em segundas núpcias** to marry for the second time
nutrição *nf* **1** nutrition **2** nourishment
nutricionismo *nm* nutrition; dietetics
nutricionista *n2g* nutritionist
nutriente *nm* nutrient ▪ *adj2g* nourishing
nutrir *v* **1** *(alimentar)* to nourish; to feed **2** (sentimento) to foster; to nurture
nutritivo *adj* nutritious; nourishing
nuvem *nf* cloud ♦ **cair das nuvens** to wake up to reality
nylon *nm* nylon

O

o[1] /ó/ *nm* (letra) o

o[2] /u/ *art def* **1** the; **o carro** the car has broken down; **o Pedro levou-me ao cinema** Pedro took me to the cinema **2** (por cada) a; per; **€5 o quilo** €5 a kilo ▪ *pron pess* **1** *(a ele)* him; **ela viu-o** she saw him **2** (objeto, animal) it; **devolvi-o** I returned it **3** *(a si)* you; **eu vi-o ontem** I saw you yesterday ▪ *pron dem* **1** *(este, esse, aquele)* the one; that **2** *(aquilo)* what; **o que eu queria** what I wanted

oásis *nm* oasis

obcecado *adj* obsessed ▪ *nm* maniac

obcecar *v* to obsess; to haunt

obedecer *v* to obey (a, to); to comply (a, with); **obedecer às leis** to comply with rules

obediência *nf* **1** obedience (a, to); compliance (a, with) **2** *(sujeição)* submission; meekness; docility ◆ **em obediência a** in compliance with; in obedience to; **prestar obediência a** to pay obedience to

obediente *adj2g* **1** *(que obedece)* obedient; compliant; dutiful **2** *(submisso)* submissive; meek; docile

obelisco *nm* ARQ,HIST obelisk

obesidade *nf* obesity

obeso *adj* obese; fat; overweight

óbito *nm* death ◆ **certidão de óbito** death certificate

obituário *adj,nm* obituary

objeção[AO] *nf* objection; **levantar objeções a** to raise objections to ◆ **objeção de consciência** conscience objection

objecção *a nova grafia é* **objeção**[AO]

objectar *a nova grafia é* **objetar**[AO]

objectiva *a nova grafia é* **objetiva**[AO]

objectivar *a nova grafia é* **objetivar**[AO]

objectividade *a nova grafia é* **objetividade**[AO]

objectivo *a nova grafia é* **objetivo**[AO]

objecto *a nova grafia é* **objeto**[AO]

objector *a nova grafia é* **objetor**[AO]

objetar[AO] *v* to object

objetiva[AO] *nf* FOT objective; lens

objetivar[AO] *v* to objectify

objetividade[AO] *nf* **1** objectivity **2** impartiality

objetivo[AO] *adj,nm* objective

objeto[AO] *nm* **1** object; thing; item **2** (estudo) subject **3** LING object; **objeto direto** direct object; **objeto indireto** indirect object ◆ **objeto de desejo** object of desire; **objetos de valor** valuables

objetor[AO] *nm* objector ◆ **objetor de consciência** conscientious objector

oblíqua *nf* GEOM oblique line

oblíquo *adj* **1** oblique; slanting **2** (olhar) sideways; sidelong

obliteração *nf* obliteration

obliterador *nm* ticket punch

obliterar *v* **1** *(apagar)* to obliterate; to efface; to blot out **2** (bilhete, selo) to validate

obnóxio *adj* despicable; contemptible

oboé *nm* MÚS oboe

oboísta *n2g* MÚS oboist

obra *nf* **1** (artística) work **2** *(ação, feito)* deed; feat **3** (construção) construction site **4** *pl* (estrada) roadworks; (casa) home improvements ◆ **obra de arte** work of art

obra-prima *nf* masterpiece, masterwork

obrar *v (defecar)* to evacuate; to excrete

obrigação *nf* obligation; **cumprir as suas obrigações** to fulfil one's obligations

obrigado *adj* **1** *(forçado)* compelled (a, to); forced (a, to); **ele viu-se obrigado a assinar o cheque** he was forced to sign the check **2** *(grato)* thankful (por, for); grateful (por, for) ▪ *interj* thank you!, thanks!; **muito obrigado!** many thanks!, much obliged!, thank you very much!

obrigar *v* **1** *(forçar)* to compel (a, to); to force (a, to) **2** *(exigir)* to require; to demand ▪ **obrigar-se 1** *(comprometer-se)* to commit yourself (a, to) **2** *(responsabilizar-se)* to assume responsibility (por, for)

obrigatoriamente *adv* compulsorily; obligatorily

obrigatório *adj* obligatory; compulsory; mandatory

obscenidade *nf* obscenity; indecency ♦ **dizer obscenidades** to curse
obsceno *adj* obscene; indecent
obscurantismo *nm* obscurantism
obscurecer *v* **1** to obscure **2** *(ofuscar)* to outshine **3** *(confundir, baralhar)* to confuse; to mix up; to confound
obscuridade *nf* **1** *(escuridão)* obscurity; darkness **2** *fig (falta de clareza)* unclearness
obscuro *adj* **1** *(escuro)* obscure; dark **2** *fig (difícil de compreender)* obscure; unclear **3** *fig (secreto)* hidden; secret; concealed
obséquio *nm* kindness; favour; **faça-me o obséquio de abrir a porta** do me a favour and open the door ♦ **por obséquio** please
observação *nf* **1** observation **2** (ordem, regulamento) observance (de, of)
observador *nm* observer ▪ *adj* **1** observant; perceptive; shrewd **2** (ordem, regulamento) observant; compliant
observância *nf (cumprimento)* observance (de, of); compliance (de, with)
observar *v* **1** to observe; to watch **2** *(notar)* to notice **3** *(cumprir)* to comply with; to observe **4** *(comentar)* to comment
observatório *nm* observatory ♦ **observatório astronómico** astronomical observatory; **observatório meteorológico** weather station
obsessão *nf* obsession (por, with); fixation (por, with)
obsessivo *adj* obsessive
obsoleto *adj* obsolete; out of date; **tornar-se obsoleto** to become obsolete
obstáculo *nm* obstacle (a, to); hindrance (a, to); impediment (a, to)
obstante *adj2g* hindering; **não obstante o mau tempo, não cancelámos a viagem** despite the bad weather, we didn't cancel the trip; **o tempo está péssimo; não obstante, não vamos cancelar a viagem** the weather is awful; however, we are not cancelling the trip
obstar *v* **1** to hinder; to hamper **2** to object (a, to); to oppose (a, -) **3** to be an obstacle to
obstetra *n2g* obstetrician
obstetrícia *nf* MED obstetrics
obstinação *nf* **1** *(teimosia)* obstinacy; stubbornness **2** *(persistência)* tenacity; persistence
obstinado *adj* **1** *(teimoso)* obstinate; stubborn **2** *(persistente)* persistent
obstipação *nf* MED constipation
obstrução *nf* obstruction ♦ MED **obstrução intestinal** intestinal obstruction
obstruir *v* **1** to obstruct; to clog; to block up **2** *(impedir)* to hinder; to impede; to hamper
obtenção *nf* **1** *(aquisição)* obtention (de, of) **2** achievement; accomplishment ♦ **obtenção de visto** the obtainment of a visa
obter *v* **1** *(adquirir)* to obtain; to get; to acquire **2** *(conseguir, alcançar)* to achieve; to accomplish; to attain
obturar *v* **1** *(obstruir)* to obstruct; to block up; to clog **2** *(tapar, fechar)* to seal; to close (up); to plug (up)
obtuso *adj* **1** (ângulo) obtuse **2** *fig,pej (estúpido)* stupid; dull
obus *nm* MIL howitzer, shell
obviamente *adv* obviously
óbvio *adj* obvious; evident ♦ **por razões óbvias** for obvious reasons
ocasião *nf* occasion ♦ (preço) **de ocasião** cut-price
ocasional *adj2g* **1** *(esporádico)* occasional; sporadic; casual **2** *(casual)* accidental; casual
ocasionalmente *adv* occasionally
ocasionar *v* to occasion; to cause
ocaso *nm* **1** sunset; sundown; nightfall **2** *fig (declínio)* decline; decay
oceanário *nm* oceanarium
Oceânia *nf* Oceania
oceânico *adj* ocean; oceanic; **correntes oceânicas** ocean currents
oceano *nm* ocean; **as profundezas do oceano** the depths of the ocean ♦ **Oceano Atlântico** Atlantic Ocean; **Oceano Índico** Indian Ocean; **Oceano Pacífico** Pacific Ocean
oceanografia *nf* oceanography
oceanógrafo *nm* oceanographer
ocidental *adj2g* western ▪ *n2g* westerner
ocidente *nm* the West
ócio *nm* **1** *(tempo livre)* leisure time; free time **2** *(preguiça)* idleness; indolence
ociosidade *nf* idleness; indolence; laziness
ocioso *adj* **1** *(desocupado)* inactive; unemployed; unoccupied **2** *(preguiçoso)* idle; lazy; indolent **3** *(inútil)* pointless; useless ▪ *nm* idler
oclusão *nf* occlusion
oclusivo *adj* occlusive; **consoante oclusiva** occlusive consonant

oco *adj* **1** hollow; void; empty **2** *fig (vão)* vain; futile; useless **3** *fig (ignorante)* empty-headed; ignorant

ocorrência *nf (acontecimento)* occurrence; event; incident

ocorrente *adj2g* **1** occasional; casual; incidental **2** occurring

ocorrer *v* **1** *(suceder)* to occur; to happen; to take place **2** *(vir à memória)* to occur (a, to)

ocre *nm* ochre

octana *nf* octane

octogenário *adj,nm* octogenarian

octogésimo *num ord > adj num*[DT] eightieth

octogonal *adj2g* octagonal

octógono *nm* octagon

ocular *adj2g* (of the) eye; ocular; **globo ocular** eyeball; **testemunha ocular** eyewitness

oculista *nm* (estabelecimento) optician's ▪ *n2g* (pessoa) optometrist; optician*GB*

óculos *nmpl* spectacles, glasses, eyeglasses; **usar óculos** to wear glasses ♦ **óculos de proteção** goggles; **óculos de sol** sunglasses

ocultação *nf* concealment; hiding

ocultar *v* to conceal; to hide

ocultismo *nm* **1** (crença) occultism **2** (artes) occult sciences

oculto *adj* **1** occult; **ciências ocultas** the occult sciences **2** *(escondido)* hidden; concealed **3** *(secreto)* secret; unknown; mysterious ▪ *nm* the occult; the supernatural

ocupação *nf* **1** *(profissão)* occupation; job **2** *(passatempo)* pastime; hobby **3** MIL occupation

ocupado *adj* **1** (pessoa) busy (com, with) **2** (lugar) taken **3** (local, território) occupied **4** (telefone) engaged*GB*; busy*EUA*

ocupar *v* **1** (espaço) to occupy; to take up; to fill **2** (cargo, função) to hold **3** (território) to occupy **4** (tempo) to spend ▪ **ocupar-se 1** to take care (de, of) **2** to busy yourself (de, with)

odalisca *nf* odalisque

ode *nf* LIT ode

odiar *v* to hate

ódio *nm* hatred; hate

odioso *adj* hateful; repulsive

odisseia *nf* **1** odyssey **2** *fig* adventurous journey

odontologia *nf* MED odontology; dentistry

odontologista *n2g* odontologist ▪ *adj* odontological

odor *nm* **1** smell; odour*GB*; odor*EUA* **2** (agradável) fragrance; scent; aroma **3** (desagradável) stench; stink

odre *nm* wineskin

oés-noroeste *nm* west-northwest

oés-sudoeste *nm* west-southwest

oeste *nm* west

ofegante *adj2g* (fôlego) panting; out of breath; breathless

ofegar *v* to pant; to gasp; to breathe heavily

ofender *v* **1** *(afrontar)* to offend **2** *(ferir)* to wound ▪ **ofender-se** to take offence (com, at)

ofensa *nf* **1** *(afronta)* affront (a, to); insult (a, to) **2** REL *(pecado)* sin ♦ **sem ofensa** no offence

ofensiva *nf* offensive; attack

ofensivo *adj* **1** *(insultuoso)* offensive; insulting; **comentários ofensivos** offensive remarks **2** *(que ataca)* attacking; offensive

oferecer *v* **1** *(dar, proporcionar)* to offer **2** *(presentear)* to give **3** *(dedicar)* to dedicate (a, to) ▪ **oferecer-se 1** to offer (para, to) **2** (para emprego) to seek employment

oferenda *nf* offering

oferta *nf* **1** offer **2** *(presente)* gift; present **3** ECON supply; **oferta e procura** supply and demand **4** (leilão) bid

ofertar *v* to offer

ofertório *nm* offertory

offshore *adj inv* off-shore ▪ *nm* ECON off-shore

oficial *adj2g* official; **residência oficial** official residence; **uma visita oficial ao Japão** an official visit to Japan ▪ *n2g* **1** MIL officer; **oficial da marinha** navy officer; **oficial do exército** army officer **2** official; **oficial do governo** government official **3** clerk; **oficial de justiça** clerk of the court

oficializar *v* **1** *(tornar público)* to make official; to announce; **o casal oficializou o divórcio** the couple announced their divorce **2** *(tornar oficial)* to sanction

oficialmente *adv* officially

oficina *nf* **1** workshop; **oficina de carpinteiro** carpenter's workshop **2** (mecânica) garage; **o carro está na oficina a arranjar** the car is being repaired

oficinal *adj2g* **1** (of a) workshop **2** FARM (medicamentos) medicinal

ofício *nm* **1** *(arte)* trade; craft; **aprender um ofício** to learn a trade **2** *(profissão)* job; occu-

pation **3** *(função)* role; function **4** (carta oficial) official note
oficioso *adj* **1** (notícia, fonte) unofficial; off-the-record **2** *(prestável)* obliging; helpful
oftálmico *adj* ophthalmic
oftalmologia *nf* MED ophthalmology
oftalmologista *n2g* ophthalmologist; optician; eye doctor
ofuscante *adj2g* **1** blinding; **uma luz ofuscante** a blinding light **2** *(deslumbrante)* dazzling; overwhelming; overpowering
ofuscar *v* **1** *(obscurecer)* to obscure **2** (visão) to blind; to dazzle **3** *(deslumbrar)* to overwhelm **4** *(confundir)* to muddle
ogiva *nf* **1** ARQ ogive, diagonal rib **2** MIL warhead; **ogiva nuclear** nuclear warhead
ogre *nm* ogre
oh *interj* oh!
ohm *nm* FÍS ohm
oídio *nm* oidium; blight
oitava *nf* MÚS,LIT octave
oitavo *num ord > adj num*[DT] eighth
oitavos-de-final *a nova grafia é* **oitavos de final**[AO]
oitavos de final[AO] *nmpl* eighth-finals
oitenta *num card > quant num*[DT] eighty; **os anos oitenta** the eighties
oito *num card > quant num*[DT] eight; **o dia oito** the eighth ♦ **oito ou oitenta** all or nothing; **ficar feito num oito** to be exhausted
oitocentos *num card > quant num*[DT] eight hundred
olá *interj* hello!, hi!
olaria *nf* **1** pottery; earthenware; ceramics **2** (oficina) pottery; potter's workshop
oleado *nm* **1** oilskin **2** linoleum
olear *v* to oil; to grease
oleiro *nm* potter; **roda de oleiro** potter's wheel
óleo *nm* **1** oil **2** ART oil paint, oils; **um quadro a óleo** an oil painting ♦ **óleo de amêndoas doces** almond oil; **óleo de fígado de bacalhau** cod liver oil; **óleo de girassol** sunflower oil
oleoduto *nm* oil pipeline
oleoso *adj* **1** oily **2** (cabelo, pele) greasy
olfacto *a nova grafia é* **olfato**[AO]
olfato[AO] *nm* smell; olfaction; **o sentido do olfato** the sense of smell
olhadela *nf* quick look; glimpse; **dar uma olhadela a** to give something a quick look
olhar *nm* glance; look ▪ *v* to look (para, at) ▪ **olhar-se 1** to look at yourself **2** to look at each other ♦ **olha quem fala!** look who's talking!
olheiras *nfpl* dark circles, dark rings; **estar com olheiras** to have dark rings under the eyes
olho *nm* **1** eye; **a olho nu** with the naked eye **2** (hortaliça) heart ♦ **a olhos vistos** clearly; **não pregar olho** not to sleep a wink; **num abrir e fechar de olhos** in the blink of an eye
oligarca *n2g* oligarch
oligarquia *nf* oligarchy
oligárquico *adj* oligarchic
olimpíada *nf* Olympiad; **Olimpíadas de Matemática** mathematics Olympiads ♦ **as Olimpíadas** the Olympic Games
olímpico *adj* Olympic; **atleta olímpico** Olympic athlete ♦ **Jogos Olímpicos** Olympic Games; Olympics
Olimpo *nm* MIT Olympus
olival *nm* olive grove
oliveira *nf* olive tree
olmo *nm* elm tree
Omã *nm* Oman
omanense *adj,n2g* Omani
ombrear *v* to rival (com, with); to measure up (com, to)
ombreira *nf* **1** shoulder pad; **um casaco com ombreiras** a jacket with shoulder pads **2** ARQ doorpost
ombro *nm* shoulder; **largo de ombros** broad-shouldered, well-built
ómega *nm* (letra grega) omega
omeleta *nf* omelette GB, omelet EUA
omissão *nf* **1** omission; lacuna **2** withholding; **omissão de provas** withholding of evidence
omisso *adj* **1** *(omitido)* omitted; left out **2** *(descuidado)* negligent; careless
omitir *v* **1** *(não mencionar)* to omit; to leave out **2** to keep (secret); to hide; **a secretária omitiu informação ao seu superior** the secretary kept some information from her superior
omnipotência *nf* omnipotence
omnipotente *adj2g* omnipotent
omnipresente *adj2g* omnipresent
omnisciência *nf* omniscience

omnisciente *adj2g* omniscient
omnívoro *adj* omnivorous ▪ *nm* omnivore
omoplata *nf* shoulder blade, scapula
onça *nf* (animal, medida de peso) ounce
oncologia *nf* MED oncology
oncologista *n2g* oncologist
onda *nf* wave ♦ **ir na onda** to swim with the tide
onde *adv* where; **onde vais?** where are you going? ♦ **onde quer que** wherever
ondulação *nf* **1** (água) ripple; ruffle; waves **2** undulation **3** (cabelo) waviness
ondulado *adj* **1** (cabelo) wavy **2** (papel, chapa) corrugated
ondular *v* **1** (cabelo) to wave **2** (forma, movimento) to undulate **3** (bandeira) to flutter
onerar *v* **1** *(sobrecarregar)* to burden; to place a burden on; **um país onerado com altas indemnizações** a country burdened with high compensation payments **2** *(tributar)* to tax; to impose a tax on
oneroso *adj* **1** onerous; burdensome **2** expensive
ONG *nf* [*abrev. de* organização não governamental] NGO [*abrev. de* non-governmental organization]
ónix *nm2n* onyx
onomástica *nf* onomastics; onomasiology
onomástico *adj* onomastic
onomatopeia *nf* LING onomatopoeia
onomatopeico *adj* onomatopoeic
ontem *adv* yesterday ♦ **olhar para ontem** to have your head in the clouds
ontologia *nf* ontology
ontológico *adj* ontological
ONU *nf* [*abrev. de* Organização das Nações Unidas] UN [*abrev. de* United Nations]
ónus *nm2n* **1** onus; burden **2** tax
onze *num card > quant num*[DT] eleven; **o dia onze** the eleventh
óó *nm infant* beddy-byes; **fazer óó** to go to beddy-byes
opacidade *nf* opacity
opaco *adj* **1** opaque **2** *fig* (significado) obscure
opala *nf* opal
opção *nf* option; choice
opcional *adj2g* optional
ópera *nf* **1** (espetáculo) opera; **ir à ópera** to go to the opera **2** (edifício) opera house
operação *nf* **1** operation **2** ECON transaction; deal
operacional *adj2g* operational
operador *nm* **1** MED surgeon **2** (aparelho) operator ♦ CIN,TV **operador de câmara** cameraman; camerawoman
operar *v* **1** MED to operate on **2** *(funcionar)* to operate **3** *(provocar)* to bring about
operariado *nm* working classes; proletariat
operário *nm* worker, workman; **a classe operária** the working class
operativo *adj* operative ♦ INFORM **sistema operativo** operating system
operatório *adj* **1** operative **2** operating; MED **bloco operatório** operating theatre GB, operating room EUA
opinar *v* to give an opinion (sobre, about/on)
opinião *nf* opinion; view; **opinião pública** public opinion
ópio *nm* opium
opíparo *adj* **1** *(magnífico)* sumptuous; magnificent; splendid **2** *(abundante)* abundant; plentiful
oponente *n2g* opponent; opposer
opor *v* **1** *(contrapor)* to counter with **2** *(comparar)* to compare (a, with) **3** (objeção) to raise ▪ **opor-se 1** *(discordar)* to be against (a, -); to oppose (a, -) **2** *(recusar)* to refuse (a, to)
oportunamente *adv* **1** *(a tempo)* in due time **2** *(na ocasião própria)* at a suitable time
oportunidade *nf* **1** opportunity; **aproveitar a oportunidade** to seize the opportunity; **perder uma oportunidade** to let an opportunity slip **2** *(possibilidade)* chance; opportunity; **ainda não tive oportunidade** I haven't had the chance yet **3** *(momento)* occasion; **chegou a tua oportunidade** your moment has come ♦ **igualdade de oportunidades** equal opportunities
oportunismo *nm* opportunism
oportunista *n2g* opportunist ▪ *adj2g* opportunistic
oportuno *adj* **1** *(conveniente)* opportune; convenient **2** *(adequado)* suitable
oposição *nf* **1** POL opposition; **chefe da oposição** leader of the opposition; **ser da oposição** to be in opposition **2** *(resistência)* opposition; resistance
opositor *nm* opponent; adversary; enemy

oposto *adj* **1** *(contrário)* opposite **2** *(que está em frente)* facing; opposite; **a casa oposta** the opposite house ▪ *nm* contrary; opposite; reverse ♦ **o sexo oposto** the opposite sex
opressão *nf* (geral) oppression; POL **regime de opressão** oppressive regime
opressivo *adj* oppressive
opressor *nm* oppressor; persecutor; tyrant
oprimir *v* to oppress
optar *v* (decisão) to opt (por, for); to decide (por, to)
óptica *a nova grafia é* **ótica**[AO]
óptico *a nova grafia é* **ótico**[1 AO]
optimismo *a nova grafia é* **otimismo**[AO]
optimista *a nova grafia é* **otimista**[AO]
optimização *a nova grafia é* **otimização**[AO]
optimizar *a nova grafia é* **otimizar**[AO]
óptimo *a nova grafia é* **ótimo**[AO]
optometria *nf* optometry
opulência *nf* opulence; affluence
opulento *adj* (riqueza) opulent; affluent
ora *conj* **1** *(mas)* but **2** *(por isso)* therefore **3** *(ou)* either; **ora diz que sim, ora diz que não** he either says yes or no ♦ **ora bolas!** damn it!; **ora essa!** why!; **por ora** for the present; for the time being; for now
oração *nf* **1** *(prece)* prayer **2** LING clause
oráculo *nm* (pessoa, local) oracle
orador *nm* orator; speaker
oral *adj2g* **1** spoken; oral **2** oral; **comprimidos de ingestão oral** pills to be taken orally ▪ *nf* (exame) oral, oral test
oralidade *nf* orality
orangotango *nm* orang-utang
orar *v* to pray
oratória *nf* oratory
oratório *nm* oratory
orbe *nm* orb; sphere; globe
órbita *nf* **1** ASTRON orbit **2** ANAT eye socket **3** *fig (âmbito)* sphere of action
orbital *adj2g* orbital
orçamental *adj2g* budgetary; **políticas orçamentais** budgetary policies
orçamentar *v* **1** *(atribuir verbas)* to budget for **2** *(calcular)* to estimate
orçamento *nm* budget; **baixo orçamento** low budget
orçar *v* **1** *(calcular)* to estimate **2** (quantia) to amount (em, to)
ordeiro *adj* orderly
ordem *nf* **1** order; **ordem alfabética** alphabetical order **2** (aviso) notice; warrant; **até nova ordem** until further notice **3** *(arrumação)* order; tidiness **4** *(associação)* [com maiúscula] association; **Ordem dos Advogados** Bar Association ♦ **ordem de despejo** eviction notice; **às suas ordens** at your disposal
ordenação *nf* **1** *(disposição)* ordering; arrangement **2** REL ordination
ordenadamente *adv* **1** (sequência) in order; in an orderly way **2** (arrumação) tidily; in order
ordenado *nm* salary; wage ▪ *adj* ordered; in order
ordenar *v* **1** *(mandar)* to order; to command **2** (sequência) to put in order **3** *(dispor)* to arrange; to dispose **4** REL to ordain
ordenha *nf* milking
ordenhar *v* to milk
ordinal *adj2g* ordinal; **número ordinal** ordinal number ▪ *nm* ordinal number
ordinarice *nf* vulgarity
ordinário *adj* **1** *(habitual)* common; ordinary **2** *pej (grosseiro)* vulgar; rude; **homem ordinário** rude man ♦ **de ordinário** usually
orégão *nm* oregano
orelha *nf* ear; **orelhas arrebitadas** pricked ears ♦ **até às orelhas** from head to toe
orelheira *nf* **1** (porco) pig's ears **2** CUL pork's ears
órfã *nf* orphan
orfanato *nm* orphanage
orfandade *nf* orphanhood
órfão *nm* orphan ▪ *adj (desprovido)* bereft (de, of)
orfeão *nm* **1** MÚS (associação) choral society **2** MÚS *(coro)* choir
organdi *nm* (tecido) organdie
orgânica *nf* **1** *(estrutura)* structure **2** (regras) law; regulations **3** *(organização)* organization; arrangement
orgânico *adj* organic; **química orgânica** organic chemistry
organigrama *nm* (empresa, organização) organization chart
organismo *nm* **1** BIOL organism **2** *(instituição)* organization; body
organista *n2g* MÚS organist
organização *nf* **1** organization; **organização de um evento** organization of an event **2** *(associação)* institution; organization; **organi-**

zação sem fins lucrativos non-profit-making organization ♦ **Organização Mundial de Saúde** World Health Organization
organizador *adj* organizing ▪ *nm* organizer
organizar *v* to organize ▪ **organizar-se** to get organized
órgão *nm* ANAT,MÚS organ ♦ **órgãos de comunicação social** mass media; **órgãos digestivos** digestive organs
orgasmo *nm* orgasm
orgia *nf* orgy
orgulhar *v* to make proud ▪ **orgulhar-se** to be proud (de, of); to take pride (de, in)
orgulho *nm* **1** *(vaidade)* pride **2** *(arrogância)* arrogance; pride; haughtiness ♦ **perder o orgulho** to lose one's pride; **ser o orgulho de alguém** to be someone's pride; **ter orgulho em** to be proud of
orgulhoso *adj* proud
orientação *nf* orientation
orientador *nm* **1** (escola) tutor **2** *(conselheiro)* adviser **3** *(guia)* guide
oriental *adj2g* eastern; oriental ▪ *n2g* Oriental
orientar *v* **1** *(guiar)* to direct; to guide **2** *(liderar)* to lead; to direct **3** (conselhos) to advise ▪ **orientar-se** to get one's bearings
Oriente *nm* East ♦ **Extremo Oriente** Far East; **Médio Oriente** Middle East; **Próximo Oriente** Near East
orifício *nm* **1** *(abertura)* opening; mouth; orifice **2** *(buraco)* orifice; hole
origem *nf* **1** *(princípio)* origin; source **2** (pessoa) extraction; **de origem portuguesa** of Portuguese extraction **3** *(causa)* cause; origin ♦ **dar origem a** to give rise to; **país de origem** fatherland
originador *adj* originating ▪ *nm* originator; causer; creator
original *adj2g* (geral) original ▪ *nm* (documento, obra de arte) original
originalidade *nf* originality
originar *v* to originate; to cause to begin; **ser originado por** to grow out of
originário *adj* (pessoa) native (de, of); **ser originário de** to come from
oriundo *adj* native (de, of); descendant (de, from)
orla *nf* **1** *(fímbria)* edge; border; skirt **2** *(bainha)* hem **3** *(beira)* edge; brink ♦ **orla marítima** seafront
ornamentação *nf* ornamentation; decoration
ornamental *adj2g* ornamental; decorative
ornamentar *v* to ornament; to adorn; to decorate
ornamento *nm* (objeto) ornament
ornato *nm* ornament; adornment
ornitorrinco *nm* platypus
orquestra *nf* orchestra ♦ **orquestra filarmónica** philharmonic orchestra; **orquestra sinfónica** symphony orchestra
orquestração *nf* MÚS orchestration
orquestral *adj2g* orchestral
orquestrar *v* **1** MÚS to orchestrate **2** *fig (organizar)* to orchestrate; **orquestrar uma campanha contra alguém** to orchestrate a campaign against someone
orquídea *nf* orchid
ortodoxia *nf* orthodoxy
ortodoxo *adj* orthodox; **pouco ortodoxo** unorthodox
ortoépia *nf* LING orthoepy
ortogonal *adj2g* orthogonal
ortografia *nf* LING orthography; spelling
ortográfico *adj* orthographic; spelling
ortopedia *nf* MED orthopaedics
ortopédico *adj* orthopaedic; **sapatos ortopédicos** orthopaedic shoes
ortopedista *n2g* MED orthopaedist
orvalhada *nf* dewfall
orvalhar *v* to dew
orvalho *nm* dew; **gotas de orvalho** dewdrops
Óscar *nm* CIN (prémio) Oscar
oscilação *nf* **1** FÍS oscillation **2** ECON fluctuation; **oscilação de mercado** market fluctuation
oscilante *adj2g* (movimento) oscillating; swaying
oscilar *v* **1** (movimento) to oscillate; to swing; to sway **2** *(variar)* to fluctuate; to oscillate
osga *nf* gecko
ósmio *nm* osmium
osmose *nf* osmosis
ossada *nf* bones; heap of bones; remains
ossário *nm* ossuary; charnel house
ossatura *nf* frame; skeletal structure
ósseo *adj* bony; osseous
ossificar *v* **1** (processo) to ossify; to fossilize **2** *fig (endurecer)* to ossify; to harden
osso *nm* bone ♦ **em carne e osso** in flesh and blood; **osso duro de roer** a hard nut to crack

ossudo *adj* bony; large boned
ostensivamente *adv* ostensibly; deliberately; on purpose
ostensivo *adj* **1** (objeto) ostensible; showy **2** (pessoa) ostentatious; flashy; flamboyant **3** (comportamento) ostentatious; conspicuous
ostentação *nf* **1** *(exibição)* parade; show; exhibition **2** *(aparato)* ostentation; pomp **3** *(vaidade)* boasting; brag
ostentar *v* to display; to exhibit; to show
osteopata *n2g* osteopath
osteopatia *nf* MED osteopathy
osteoporose *nf* MED osteoporosis
ostra *nf* oyster
ostracismo *nm* ostracism
ostracizar *v* to ostracize
otário *nm pop* dumbhead; dummy
óticaAO *nf* **1** FÍS optics **2** (estabelecimento) optician's **3** *(opinião)* point of view; opinion
ótico1AO *adj* **1** (instrumento, efeito) optical **2** (nervo) optic
ótico2 *adj* otic; auricular; auditory
otimismoAO *nm* optimism
otimistaAO *adj2g* optimistic; confident ▪ *n2g* optimist
otimizaçãoAO *nf* optimization
otimizarAO *v* to optimize
ótimoAO *adj* **1** very good; excellent **2** *(ideal)* optimum; ideal
otite *nf* MED otitis
otorrinolaringologia *nf* MED otolaryngology
otorrinolaringologista *n2g* otolaryngologist; ear, nose and throat specialist
ou *conj* or; **ou... ou** either... or; **ou ficas ou vais** either you stay or you go; **ou então...** or else... ♦ **ou seja** that is
ouriço *nm* **1** BOT chestnut bur **2** ZOOL hedgehog
ouriço-cacheiro *nm* hedgehog
ouriço-do-mar *nm* sea urchin
ourives *nm2n* goldsmith; jeweller
ourivesaria *nf* **1** (loja) jeweller's; jewellery **2** (arte) jewelry
ouro *nm* **1** (metal) gold; **com banho de ouro** gold-plated; **de ouro** golden **2** *pl* (jogo de cartas) diamonds; **ás de ouros** ace of diamonds
ousadia *nf* **1** *(audácia)* boldness; **ter a ousadia de fazer alguma coisa** to be so bold as to do something **2** *(atrevimento)* nerve; cheek
ousado *adj* **1** (coragem) bold **2** (atrevimento) forward
ousar *v* **1** *(atrever-se)* to dare; **não ousarias tal!** you wouldn't dare such a thing! **2** *(arriscar)* to venture **3** *(tentar)* to try
outeiro *nm* hillock
outlet *nm* (loja) outlet
outonal *adj2g* autumnal
outonoAO *nm* autumn; fall EUA
outorga *nf* DIR grant; charter
outorgante *n2g* DIR grantor
outorgar *v* **1** *(conceder)* to grant **2** DIR to execute; draw up
outrem *pron indef* somebody else, someone else
outro *det indef,dem* **1** another; **escreveu outro livro** he wrote another book **2** other; **a outra chave** the other key ▪ *pron indef,dem* **1** another one, another; **posso comer outro?** can I have another one? **2** other one, other
outrora *adv* formerly; long ago
outubroAO *nm* October
ouvido *nm* **1** ear **2** *(audição)* hearing ♦ **dar ouvidos a** to listen to; **fazer ouvidos de mercador** to turn a deaf ear to; **ser todo ouvidos** to be all ears
ouvinte *n2g* **1** (quem ouve) listener; hearer **2** listener
ouvir *v* **1** (todos os sons) to hear; **não ouço nada** I can't hear a thing **2** *(escutar)* to listen; **ouve-me!** listen to me!; **ouvir música** to listen to music **3** (sem querer) to overhear; **ouvir alguém dizer** to overhear someone
ova *nf* ZOOL spawn; CUL roe ♦ **uma ova!** you wish!
ovação *nf (aplauso)* ovation; burst of applause
oval *adj2g,nf* oval
ovário *nm* ovary
ovelha *nf* sheep; (fêmea) ewe ♦ **ovelha negra** black sheep
overbooking *nm* overbooking
overdose *nf* overdose; **morrer de overdose** to die of overdose; **ter uma overdose** to take an overdose
ovino *adj* ovine; **gado ovino** ovine cattle
óvni *nm* UFO, unidentified flying object; flying saucer
ovo *nm* egg; **ovo cozido** boiled egg; **ovo estrelado** fried egg; **ovos mexidos** scrambled eggs
ovulação *nf* BIOL ovulation

ovular *v* BIOL to ovulate
óvulo *nm* BIOL ovule
oxalá *interj* would to God!, God grant! ♦ **oxalá que assim seja!** may it be so!
oxidação *nf* **1** QUÍM oxidation **2** (ferrugem) rusting
oxidante *adj2g* QUÍM oxidizing ■ *nm* QUÍM oxidizing agent
oxidar *v* **1** QUÍM to oxidize **2** *(enferrujar)* to rust
óxido *nm* QUÍM oxide ♦ **óxido de ferro** iron oxide
oxigenar *v* **1** QUÍM to oxygenate **2** (cabelo) to bleach; **oxigenar o cabelo** to have one's hair bleached
oxigénio *nm* QUÍM oxygen
oximoro *nm* LING oxymoron
oxítono *adj* LING oxytone
oxiúro *nm* pinworm
ozono *nm* QUÍM ozone ♦ **camada de ozono** ozone layer

P

p *nm* (letra) p
pá *nf* **1** (quadrada) spade; **pá de praia** beach spade **2** (redonda) shovel; **pá e apanhador** shovel and pick **3** (remo) blade ▪ *interj col* man; **então, pá, como vais?** hey, man, how are you doing?
pacatez *nf* **1** (local) tranquillity; quietness **2** (pessoa) calmness; peacefulness
pacato *adj* **1** (pessoa) peaceful; placid; mild **2** (local) quiet; tranquil
pacemaker *nm* MED pacemaker
pachorra *nf* **1** *pop (lentidão)* sluggishness; slowness **2** *pop (paciência)* patience; **não tenho pachorra para isto** I've run out of patience for this
pachorrento *adj col* (lentidão) sluggish; slow
paciência *nf* patience; **esgotar a paciência** to run out of patience
paciente *adj2g* patient ▪ *n2g (doente)* patient
pacificador *adj* pacifying ▪ *nm* peacemaker
pacificar *v* **1** to pacify; to appease **2** *(acalmar)* to calm down; to quiet down
pacífico *adj* pacific; peaceful ▪ *nm* (oceano) [com maiúscula] Pacific
pacifismo *nm* pacifism
pacifista *adj,n2g* pacifist; **movimento pacifista** pacifist movement
paço *nm* **1** *(palácio)* palace **2** *fig (corte)* court ♦ **paços do concelho** Town Hall
pacote *nm* **1** *(embalagem)* parcel **2** *(embalagem pequena)* package **3** carton; **pacote de leite** milk carton **4** ECON package
pacóvio *nm* simpleton; silly person ▪ *adj* silly
pacto *nm* pact; deal; agreement ♦ **pacto de não agressão** non-aggression pact
padaria *nf* **1** (fabrico) bakery **2** (loja) baker's shop, baker's
padecer *v* to suffer (de, from)
padeiro *nm* baker
padrão *nm* **1** pattern **2** (monumento) stone pillar
padrasto *nm* stepfather
padre *nm* priest; father
padrinho *nm* **1** (batismo) godfather **2** (casamento) best man **3** (duelo) second
padroeiro *nm* patron, patron saint ▪ *adj* patron ♦ **santo padroeiro** patron saint
paelha *nf* paella
paga *nf* **1** *(pagamento)* payment **2** *(salário)* salary; wage **3** *(recompensa)* reward **4** *col (vingança)* revenge
pagamento *nm* **1** *(salário)* pay; wage **2** (ato) payment
paganismo *nm* paganism
pagão *adj,nm* pagan
pagar *v* **1** (ato) to pay; **pagar a meias** to go halves on, to go fifty-fifty; **queria pagar, se faz favor!** check, please! **2** (liquidação) to pay off; **pagar uma dívida** to pay off a debt ♦ **pagar na mesma moeda** to give tit for tat
página *nf* page
paginação *nf* pagination
paginar *v* **1** (artes gráficas) to lay out; to make into pages **2** to paginate; to page, to page up
pago *adj* **1** (conta saldada) sold out; **estamos pagos** now we're even **2** *(remunerado)* paid; **trabalho pago** paid work
pagode *nm col (alegria)* spree; merriment
pai *nm* **1** father; dad *col* **2** *pl* (pai e mãe) parents; **os meus pais** my parents ♦ **sai ao pai** he takes after his father; **tal pai, tal filho** like father like son
Pai Natal *nm* Santa Claus
painel *nm* **1** ART panel **2** (comandos) panel; board ♦ **painel de controlo** control panel
paintball *nm* DESP paintball
paio *nm* CUL smoked pork sausage
paiol *nm* MIL magazine; ammunition storeroom
pairar *v* **1** to hover (sobre, over); to hang (sobre, over) **2** *fig (ver do alto)* to soar; to tower
país *nm* country ♦ **país das maravilhas** wonderland; **país em vias de desenvolvimento** developing country; **país natal** fatherland
paisagem *nf* scenery; landscape
paisagista *n2g* **1** (pintor) landscape painter **2** (arquiteto) landscape architect, landscape gardener

paisana *nm* civilian; **à paisana** in civilian clothes
País de Gales *nm* Wales
paixão *nf* passion (por, for); **falar com paixão** to speak passionately
paixoneta *nf* infatuation; crush *col*
pajem *nm* HIST page
pala *nf* **1** (boné) peak; eyeshade **2** *pl* (burros, cavalos) blinkers ♦ **viver à pala de alguém** to live at someone's expenses
palacete *nm* small palace; mansion
palácio *nm* palace ♦ **Palácio da Justiça** Courthouse
paladar *nm* **1** (sentido) taste; palate **2** *(sabor)* flavour **3** ANAT palate
paládio *nm* palladium
palanque *nm* platform; stand; stage
palatal *adj2g* ANAT,LING palatal
palato *nm* **1** ANAT palate **2** *(gosto)* taste
palavra *nf* word ♦ **palavra de honra!** upon my word; **em poucas palavras** in short
palavra-chave *nf* keyword
palavrão *nm* **1** (calão) swearword; obscene word, obscenity **2** (palavra difícil) long word; difficult word
palavras-cruzadas *nfpl* crosswords, crossword puzzle
palavreado *nm* prattle; babble
palavrinha *nf col* small talk; word; **posso dar-lhe uma palavrinha?** can I have a word with you?
palco *nm* stage
paleio *nm col* chit-chat; natter
paleolítico *nm* Palaeolithic age; **homem do Paleolítico** Palaeolithic man ▪ *adj* Palaeolithic
paleontologia *nf* palaeontology
paleontológico *adj* palaeontological
palerma *n2g* silly person; fool ▪ *adj2g* silly; stupid
palermice *nf* silliness; stupidity; foolishness
palestino *adj,nm* Palestinian
palestra *nf* lecture; **dar uma palestra sobre** to hold a lecture on
paleta *nf* (pintura) palette
paletó *nm (casaco)* jacket; *(sobretudo)* overcoat
palha *nf* **1** straw **2** *(ninharia)* trifle **3** (na escrita) pap; waffle; **só escrevi palha** I only wrote pap ♦ **por dá cá aquela palha** for nothing
palhaçada *nf* **1** clowning; buffoonery **2** *fig (disparate)* fooling around; messing around
palhaço *nm* **1** clown **2** *fig (brincalhão)* clown; joker
palha-de-aço *a nova grafia é* **palha de aço**[AO]
palha de aço[AO] *nf* steel wool
palheiro *nm* haystack
palhete *adj2g* (vinho) pale; **vinho palhete** pale wine
palhinha *nf* **1** wicker; **cadeira de palhinha** wicker chair **2** (para beber) straw; **beber por uma palhinha** to drink through a straw ▪ *nm* (chapéu) straw hat
palhota *nf (cabana)* thatched hut
paliativo *adj,nm* FARM palliative
paliçada *nf* **1** (defesa) palisade **2** *(barreira)* fence; stake
palidez *nf* paleness; pallor
pálido *adj* pale; pallid; **estar pálido** to look pale
palitar *v* to pick; **palitar os dentes** to pick the teeth
paliteiro *nm* toothpick holder
palito *nm* **1** toothpick **2** *fig,col* (pessoa) bag of bones, stack of bones, beanpole
palma *nf* **1** (mão) palm **2** (árvore) palm tree **3** (folha) palm leaf **4** *pl* (aplausos) clap; clapping; **bater palmas** to clap; **uma salva de palmas** a round of applause
palmada *nf* slap, smack, clout; **dar palmadas nas costas** to slap on the back; **dar uma palmada a alguém** to slap someone
palmatória *nf* (castigo) ferule ♦ **dar a mão à palmatória** to admit one's guilt; **um erro de palmatória** a blunder
palmeira *nf* palm tree
palmilha *nf* **1** (sapato) insole **2** (meia) foot of sock
palmito *nm* **1** (tipo de palmeira) palmetto; fan palm **2** (folha) palm leaf **3** (comestível) palm heart
palmo *nm* (medida) span ♦ **palmo a palmo** inch by inch; **não ver um palmo à frente do nariz** not to see a thing
palmtop *nm* (computador) palmtop
palpar *v* **1** to touch; to feel **2** MED to palpate; to examine
palpável *adj2g* palpable; tangible
pálpebra *nf* eyelid
palpitação *nf* **1** (batimentos cardíacos) palpitation; **sessenta palpitações por minuto** sixty

heartbeats a minute **2** (coração agitado) throbbing; **palpitações do coração** heart-throbs
palpitar *v* **1** (coração) to pulsate; to throb **2** (pressentimento) to have an inkling; to have a feeling; **palpita-me** I have an inkling
palpite *nm* **1** *(pressentimento)* hunch; feeling **2** *(dica)* hint; tip
palrar *v* **1** *col* to prattle; to chatter **2** (bebé) to babble
paludismo *nm* MED malaria, paludism
panado *adj* breaded; crumbed with bread; **costeletas panadas** breaded chops
panamá *nm* panama, panama hat
panar *v* to bread, to coat with breadcrumbs
panca *nf col (falha mental)* crank; **ele tem uma panca** he's got a screw loose
pança *nf col* paunch; pot belly; **encher a pança** to stuff one's belly
pancada *nf* **1** *(murro)* blow; stroke **2** (barulho) bang **3** *(tareia)* beating **4** *col (mania)* crank ♦ **feito às três pancadas** sloppily done
pancadaria *nf* **1** *(altercação)* brawl; punch-up **2** (bater em alguém) beating
pâncreas *nm* pancreas
pançudo *adj* big-bellied, pot-bellied
panda *nm* panda
pândega *nf* spree; **ir para a pândega** to go on a spree
pandeireta *nf* MÚS tambourine
pandeiro *nm* MÚS timbrel
pandemónio *nm* pandemonium; chaos
panela *nf* pot; **panela de pressão** pressure cooker; **panelas e tachos** pots and pans
paneleiro *nm* **1** potter **2** *cal,pej (homossexual)* gay; fag
panfleto *nm* **1** *(folheto)* pamphlet; booklet **2** POL (texto) lampoon
pânico *nm* panic
panificação *nf* baking; **indústria de panificação** baking industry
panificar *v* to bake
pano *nm* **1** cloth **2** TEAT curtain; **subir o pano** to raise the curtain ♦ **pano de fundo** background
panorama *nm* panorama; landscape; scenery
panorâmico *adj* panoramic; **vista panorâmica** panoramic view
panqueca *nf* pancake
pantanal *nm* marshland
pântano *nm* swamp; marsh; bog
panteão *nm* pantheon
pantera *nf* panther
pantomina *nf* **1** TEAT pantomime; mime show; dumb show **2** *fig* (situação) farce
pantufa *nf* slipper
pão *nm* **1** (individual) bread; **pão com manteiga** bread and butter; **pão integral** wholemeal bread; **pão ralado** breadcrumbs **2** (para cortar em fatias) loaf; bread; **pão de forma** tin loaf **3** *fig (alimento)* food; nourishment ♦ **pão pão, queijo queijo** to call a spade a spade
pão-de-ló *a nova grafia é* **pão de ló**[AO]
pão de ló[AO] *nm* sponge cake
papa *nf* **1** (bebés, doentes) pap; mush **2** (de cereais) porridge ▪ *nm* Pope ♦ **não ter papas na língua** to be outspoken
papá *nm col* dad, daddy
papada *nf* double chin
papa-formigas *nm* anteater
papagaio *nm* **1** parrot **2** (de papel) kite; **lançar um papagaio** to fly a kite
papaguear *v (repetir)* to parrot; to echo
papaia *nf* papaya
papal *adj2g* papal
papanicolau *nm* MED smear, smear test
papão *nm infant* bogey, bogeyman
papar *v infant* to eat
paparazzi *nmpl* paparazzi
papeira *nf* MED mumps
papel *nm* **1** paper **2** piece of paper **3** TEAT,CIN part; role; **papel principal/secundário** leading/supporting role **4** *fig,col (dinheiro)* dough **5** *pl (documentos)* papers; documents
papelada *nf* **1** (quantidade) heap of papers **2** *(documentos)* documents; papers
papelão *nm* pasteboard
papelaria *nf* stationer's, stationer
papeleira *nf* desk; bureau GB
papelote *nm* curlpaper
papiro *nm* papyrus
papo *nm* **1** *(inchaço)* swell; swelling **2** *(de ave)* crop ♦ *col* **estar de papo para o ar** to be lying on one's back; *col* **isso já está no papo** that's in the bag
papoila *nf* poppy
papo-seco *nm* roll, bread-roll
paprica *nf* paprika
papuano *adj,nm* Papuan
Papua Nova Guiné *nf* Papua New Guinea

paquete *nm* **1** (navio) liner **2** (funcionário) errand boy; message boy **3** (hotel) bellboy
paquistanês *adj,nm* Pakistani
Paquistão *nm* Pakistan
par *adj* **1** MAT even; **número par** even number **2** *(parecido)* similar; alike ▪ *nm* pair; **aos pares** in pairs; **um par de calças** a pair of trousers ♦ **aberto de par em par** wide open; **a par** side by side
para *prep* **1** (direção) to; **para mim** to me; **para onde?** where to? **2** (objetivo) for; **não servir para nada** to be good for nothing **3** (finalidade) in order to; **para ser feliz** in order to be happy **4** (temporal) for; around; **para o ano** next year
parabéns *nmpl* congratulations; **dar os parabéns a alguém por...** to congratulate someone on... ▪ *interj* (aniversário) happy birthday!
parábola *nf* **1** (narração) allegory; parable **2** GEOM parabola
parabólica *nf* satellite dish
para-brisas[AO] *nm* (automóvel) windscreen GB; windshield EUA
pára-brisas *a nova grafia é* **para-brisas**[AO]
para-choques[AO] *nm* (automóvel) bumper
pára-choques *a nova grafia é* **para-choques**[AO]
parada *nf* **1** *(desfile)* parade; **participar numa parada** to parade **2** (jogada) stake; **subir a parada** to raise the stake
paradeiro *nm* whereabouts; **ninguém sabe do paradeiro dele** no one knows his whereabouts
paradigma *nm* paradigm
paradisíaco *adj* paradisiac; heavenly; **paisagens paradisíacas** paradisiac landscapes
parado *adj* **1** *(imóvel)* still; motionless **2** *col (aborrecido)* uneventful; dull
paradoxal *adj2g* paradoxical
paradoxo *nm* paradox
parafina *nf* paraffin
paráfrase *nf* LING paraphrase
parafrasear *v* LING to paraphrase
parafuso *nm* **1** (parede) screw **2** (unir peças) bolt; **parafuso com porca** nut screw ♦ **chave de parafusos** screwdriver; **ter um parafuso a menos** to have a screw loose
paragem *nf* **1** (ação de parar) stopping; stop **2** (local) stopping place **3** *(pausa)* break; pause **4** (meios de transporte) stop **5** *pl* hereabouts; place; **por estas paragens** hereabouts
parágrafo *nm* **1** (texto) paragraph; **dividir em parágrafos** to paragraph **2** (contrato) clause
Paraguai *nm* Paraguay
paraguaio *adj,nm* Paraguayan
paraíso *nm* paradise; heaven
para-lamas[AO] *nm* (automóvel) mudguard, splashboard
pára-lamas *a nova grafia é* **para-lamas**[AO]
paralela *nf* GEOM parallel; **traçar uma paralela** to draw up a parallel
paralelepípedo *nm* GEOM parallelepiped
paralelismo *nm* parallelism
paralelo *adj* parallel ▪ *nm* **1** parallel; equivalent; **sem paralelo** unparalleled **2** GEOG parallel
paralelogramo *nm* GEOM parallelogram
paralisação *nf* **1** (processo, atividade) stoppage **2** *(entorpecimento)* paralysing; numbing
paralisar *v* to paralyse GB; to paralyze EUA
paralisia *nf* **1** MED paralysis **2** *(entorpecimento)* numbness ♦ **paralisia cerebral** brain palsy
paralítico *adj,nm* MED paralytic
paramédico *nm* paramedic
parâmetro *nm* parameter
parangona *nf* **1** TIP paragon **2** (jornal) headline
paranoia[AO] *nf* paranoia
paranóia *a nova grafia é* **paranoia**[AO]
paranoico[AO] *adj,nm* paranoid
paranóico *a nova grafia é* **paranoico**[AO]
paranormal *adj2g,nm* paranormal; supernatural; **fenómenos paranormais** paranormal phenomena
paraolimpíadas *nfpl* DESP Special Olympics; Paralympics
paraolímpico *adj* DESP special olympic, paralympic; **atleta paraolímpico** special olympic athlete
parapeito *nm* parapet; **parapeito de janela** window sill
parapente *nm* **1** (planador) paraglider **2** DESP (atividade) paragliding; **voar em parapente** to paraglide
paraplégico *adj,nm* MED paraplegic
parapsicologia *nf* parapsychology
parapsicólogo *nm* parapsychologist
paraquedas[AO] *nm* parachute; **saltar de paraquedas** to parachute
pára-quedas *a nova grafia é* **paraquedas**[AO]

paraquedismo[AO] *nm* skydiving; parachute jumping
pára-quedismo *a nova grafia é* **paraquedismo**[AO]
paraquedista[AO] *n2g* **1** skydiver; parachutist **2** MIL paratrooper; MIL **tropas paraquedistas** paratroops
pára-quedista *a nova grafia é* **paraquedista**[AO]
parar *v* **1** (trânsito, processo) to stop; **mandar parar** to halt **2** *(interromper)* to stop; to hold; **parar um movimento** to hold a movement **3** *(acabar)* to come to an end **4** *col* to hang (por, around)
para-raios[AO] *nm* lightning conductorGB; lightning rodEUA
pára-raios *a nova grafia é* **para-raios**[AO]
parasita *nm* **1** BIOL parasite **2** *fig* (pessoa) parasite; sponger; leech ▪ *adj2g* BIOL parasitic; **insetos parasitas** parasitic insects
para-vento[AO] *nm* windscreen; windbreaker
pára-vento *a nova grafia é* **para-vento**[AO]
parceiro *nm* **1** *(sócio)* partner; collaborator **2** *(colega)* partner; mate; colleague **3** (relação amorosa) partner
parcela *nf* **1** parcel **2** (divisão) share; part; **uma parcela dos lucros** a share in profit
parcelar *v* **1** *(dividir)* to divide into parts **2** (terreno) to parcel ▪ *adj2g* **1** *(dividido)* divided into parts **2** *(parcial)* partial; incomplete
parceria *nf* partnership (com, with); alliance (com, with); **em parceria com** in partnership with
parcial *adj2g* **1** *(não isento)* partial; biassed **2** *(não acabado)* partial; incomplete
parcialidade *nf* **1** *(falta de isenção)* partiality; bias **2** *(preferência)* partiality; preference
parcialmente *adv* partially; partly
parcimónia *nf* moderation; **com parcimónia** moderately
parco *adj* **1** (quantidade, tamanho) scanty; sparse; **ser parco em palavras** to be short of words **2** *(escasso)* slender; poor; **parcos meios** slender means
parcómetro *nm* parking meter
pardal *nm* sparrow
pardieiro *nm* hovel; shack; dump
pardo *adj* **1** *(acinzentado)* grey, greyish **2** *(cinza acastanhado)* dun
parecença *nf* resemblance; likeness
parecer *nm* **1** *(opinião)* opinion; view **2** (de especialista) report **3** DIR counsel ▪ *v* **1** to seem; to look like; **parece que** it seems like, it looks as though **2** (opinião) to think; to seem; **está-me a parecer que** it seems to me that **3** (semelhança) to look; to resemble ▪ **parecer-se** (semelhança) to look (com, like); to resemble (com, -) ♦ **ao que parece** apparently
parecido *adj* resembling; alike; **são muito parecidos um com o outro** they look alike
paredão *nm* **1** (praia) breakwater **2** (porto) pier
parede *nf* wall ♦ **as paredes têm ouvidos** walls have ears; **ir à parede** to be pushed to the wall; **viver paredes meias com** to live next to
parede-mestra *nf* main wall
parelha *nf* **1** (par) couple; pair; **que parelha!** what a pair! **2** (cavalos) team; **uma parelha de póneis** a team of ponies
parental *adj2g* parental
parentalidade *nf* parenthood
parente *n2g* relative

> Não confundir a palavra portuguesa **parente** com a palavra inglesa **parent,** que significa pai ou mãe.

parentesco *nm* kinship; relationship
parêntese *nm* bracket; parenthesisEUA; **parênteses curvos** round brackets; **parênteses retos** square brackets
pária *nm* outcast
paridade *nf* parity; equality
parietal *adj2g* **1** ANAT parietal **2** (parede) mural ▪ *nm* ANAT parietal
parir *v* (mulher) to give birth (to)
parisiense *adj,n2g* Parisian
parka *nf* parka; hooded jacket
parlamentar *adj2g* parliamentary; **assento parlamentar** a chair in parliament ▪ *n2g* member of parliament
parlamentarismo *nm* POL parliamentary system
parlamento *nm* parliament; **Parlamento Europeu** European Parliament
parmesão *adj* Parmesan ▪ *nm* Parmesan cheese
pároco *nm* parish priest; parson
paródia *nf* **1** parody **2** *(festança)* spree; shindig
parodiar *v* to parody
parodista *n2g* parodist
parolice *nf* tackiness

parolo *adj* tacky; corny ▪ *nm col* bumpkin; hillbilly
parónimo *adj* LING paronymous; **palavra parónima** paronym
paróquia *nf* (zona) parish
paroquial *adj2g* parochial; **registo paroquial** parochial register
paroquiano *nm* parishioner ▪ *adj* parochial
parótida *nf* parotid gland
paroxítono *adj,nm* LING paroxytone; **palavras paroxítonas** paroxytone words
parque *nm* **1** park **2** (de bebé) playpen ♦ **parque de campismo** campsite, camping park; **parque de diversões** amusement park
parquê *nm* parquet, parquet flooring
parquímetro *nm* parking meter
parra *nf* vine leaf ♦ **muita parra e pouca uva** much cry and little wool
parte *nf* **1** part; **em partes iguais** in equal parts; **parte do corpo** part of the body **2** *(sítio)* place; **em toda a parte** everywhere **3** *(lado)* side; **por parte do pai** on one's father's side **4** DIR,ECON party **5** *(comunicação)* report; **dar parte de doente** to report sick **6** DESP half **7** *pl col (órgãos genitais)* private parts
parteira *nf* midwife
parteiro *nm* obstetrician
partição *nf* partition; division
participação *nf* **1** (tomar parte) participation; involvement **2** (informações) communication; report **3** ECON share
participante *n2g* **1** (atividade) participant (em, in) **2** (que colabora) collaborator; partner ▪ *adj2g* **1** (tomar parte) participating **2** (colaboração) sharing; collaborating
participar *v* **1** *(tomar parte)* to participate (em, in); to take part (em, in) **2** *(associar-se)* to associate (em, with); to join (em, -) **3** *(partilhar)* to share (em, in) **4** *(informar)* to inform; to report; (à polícia) to give notice of
particípio *nm* LING participle; **particípio passado** past participle
partícula *nf* (geral) particle
particular *adj2g* **1** *(privado)* private; **casa particular** private house **2** *(íntimo)* private; personal; **em particular** privately, particularly **3** *(peculiar)* particular; peculiar ▪ *nm* **1** individual; **a casa é de um particular** it is a private house **2** *pl (pormenores)* particulars; details
particularidade *nf (singularidade)* particularity; peculiarity; singularity
particularizar *v* **1** *(singularizar)* to particularize; to singularize **2** *(especificar)* to specify
partida *nf* **1** *(saída)* departure; leaving **2** *(arranque)* start **3** DESP match; game **4** *(brincadeira)* trick; prank ♦ **à partida 1** from the beginning **2** *(em princípio)* in principle
partidário *nm* partisan; supporter
partido *nm* **1** POL party; **filiar-se num partido** to join a party **2** *(parceiro)* match; catch; **ser um bom partido** to be a good catch **3** (apoio) side; **tomar o partido de alguém** to side with someone ▪ *adj (quebrado)* broken; cracked; in pieces ♦ **Partido Conservador** Conservative Party; **Partido Trabalhista** Labour Party; **tirar partido de** to take advantage of
partilha *nf* division; sharing out; **fazer partilhas** to divide up an inheritance
partilhar *v* to share
partir *v* **1** *(quebrar)* to break **2** (com faca) to cut **3** *(dividir)* to divide; to parcel out **4** *(ir embora)* to depart (para, for); to leave (para, to) ♦ **a partir de agora** from now on
partitivo *adj,nm* LING partitive
partitura *nf* MÚS score
parto *nm* labourGB, laborEUA; childbirth
parturiente *nf* woman in labour
parvo *nm* **1** *(tolo)* fool; silly; **fazer figura de parvo** to make a fool of oneself **2** *(estúpido)* idiot; jerk; dumb ▪ *adj* **1** *(tolo)* foolish; silly **2** *(estúpido)* stupid; dumb
parvoíce *nf* **1** *(tolice)* nonsense **2** *(idiotice)* stupidity
parvónia *nf* **1** *col,pej* dullsville; the back of beyond; the middle of nowhere **2** *col,pej (campo)* country; countryside
pascácio *nm* **1** *(estúpido)* idiot; stupid **2** *(simplório)* simpleton; dork; dupe
pascal *adj2g* (Páscoa) paschal; **celebração pascal** paschal feast
Páscoa *nf* Easter ♦ **domingo de Páscoa** Easter Sunday
Pascoela *nf* Low Sunday
pasmaceira *nf col,pej (tédio)* boredom; idleness
pasmado *adj* astonished; amazed; dumbfounded
pasmar *v* to be amazed; to be astonished; **pasmem!** behold!

pasmo *nm* **1** *(admiração)* amazement; astonishment **2** *(surpresa)* wonder; surprise; **olhar com pasmo** to stare in wonder **3** *(perplexidade)* bewilderment; perplexity

paspalhão *nm pop (parvo)* silly person; fool; dumbhead

pasquim *nm pej* rag

passa *nf* **1** (uva) raisin **2** (cigarro) puff; drag; **dar uma passa num cigarro** to take a puff of a cigarette

passada *nf* **1** (andar) step; **ouvir passadas** to hear footsteps **2** (ritmo) pace; **a passadas regulares** in a steady pace

passadeira *nf* **1** (escadas) stair carpet; (corredor) carpet; **passadeira vermelha** red carpet **2** (rua) zebra crossing, pedestrian crossingGB; crosswalkEUA; **passadeira com semáforo** pelican crossing

passadiço *nm* **1** *(caminho pedonal)* way; footway **2** *(ponte pedonal)* footbridge

passado *nm* past ▪ *adj* **1** (tempo) last; later; **o mês passado** last month **2** (história) past; gone **3** *col (descontrolado)* crazy; **deves estar passado!** you must be crazy! **4** (carne) done; (sopa) strained

passador *nm* **1** (líquidos) strainer **2** (comida) colander **3** (droga) smuggler

passageiro *adj* **1** (movimento) passing; moving; **nuvens passageiras** passing clouds **2** *(fugaz)* fleeting; transient; **momentos passageiros** fleeting moments ▪ *nm* **1** (meios de transportes) passenger **2** *(viajante)* traveller ◆ **passageiro clandestino** stowaway

passagem *nf* **1** (tempo) passage; **com a passagem dos anos** as years went by **2** *(caminho)* passage, way; **passagem para peões** pedestrian crossing **3** *(bilhete)* ticket; (custo) fare; **quanto custou a passagem?** how much was the fare? **4** *(excerto)* passage; section ◆ **passagem de modelos** fashion show; **passagem de nível** level crossing

passaporte *nm* passport; **passaporte nacional** national passport

passar *v* **1** (movimento) to pass; to go **2** *(ultrapassar)* to go beyond **3** *(atravessar)* to go through; to suffer **4** (tempo) to go by; to pass **5** (cumprimento, estado) to do; **passar bem** to do well **6** (exame) to pass **7** (dor, barulho, estado) to come to an end **8** *(avançar)* to proceed (a, to) **9** (objeto) to hand **10** (roupa) to iron; to press ▪ **passar-se 1** *(acontecer)* to happen; to go on **2** to pretend to be (por, -) **3** *col (perder o controlo)* to go berserk; to freak out

passarela *nf* catwalk

passarinho *nm* little bird, birdie

pássaro *nm* bird ◆ **mais vale um pássaro na mão do que dois a voar** a bird in the hand is worth two in the bush

passatempo *nm* hobby

passe *nm* **1** DESP pass; **o ponta de lança fez um passe perfeito** the striker made a perfect pass **2** (transportes) pass; **passe de autocarro** bus pass **3** (licença) licence; permit

passear *v* **1** *(dar uma volta)* to take a walk, to go for a walk **2** to walk; **passear o cão** to walk the dog **3** (de carro) to go for a drive ◆ **mandar alguém passear** to send somebody packing

passeio *nm* **1** walk; stroll **2** *(viagem)* outing; trip; tour **3** (ruas) pavementGB; sidewalkEUA

passe-partout *nm* picture frame

passerelle *nf* (desfile) catwalkGB; runwayEUA

passe-vite *nm* potato masher

passional *adj2g* **1** (crime) of passion; **crime passional** crime of passion **2** *(apaixonado)* passionate

passiva *nf* LING passive voice, passive

passível *adj2g* **1** *(suscetível)* susceptible (de, to); vulnerable (de, to); **passível de ataque** vulnerable to an attack **2** *(sujeito)* subject (de, to)

passividade *nf* passivity; inertia

passivo *adj* **1** (ausência de ação) passive; unresponsive; **resistência passiva** passive resistance **2** LING passive; **voz passiva** passive voice

passo *nm* **1** (movimento do pé) step; **passo a passo** step by step **2** (ao andar) walk **3** *(ritmo)* pace **4** *(excerto)* passage; excerpt **5** *(jogada)* move ◆ **passo em falso** wrong move; **ao passo que** while

password *nf* password

pasta *nf* **1** (documentos) briefcase **2** (trabalhos) portfolio **3** (escola) schoolbag **4** (substância) paste; **pasta de dentes** toothpaste **5** INFORM folder **6** *pop (dinheiro)* dough

pastagem *nf* pasture, pasturage, pastureland

pastar *v* **1** (gado) to pasture **2** *col (não fazer nada)* to idle

pastel *nm* **1** (doce) pastry; tart **2** (carne, compota) pie; pasty; **pastel de carne** meat pasty **3** (cor) pastel ▪ *adj2g* (cor) pastel
pastelão *nm* **1** CUL puff pastry pie **2** *pop (preguiçoso)* lazybones; sluggard
pastelaria *nf* confectionery, confectioner's; baker's; cake shop
pasteleiro *nm* pastry-cook; baker
pasteurização *nf* pasteurization
pasteurizar *v* to pasteurize
pastiche *nm lit* pastiche; imitation; copy
pastilha *nf* **1** *(comprimido)* pill **2** (para chupar) pastille; lozenge **3** gum; **pastilha elástica** chewing gum
pasto *nm* pastureland; pasture
pastor *nm* **1** (profissão) shepherd **2** *(padre)* minister, pastor
pastoral *nf* LIT pastoral
pastor-alemão *nm* (raça de cão) German shepherd; Alsatian
pastoso *adj* **1** *(viscoso)* clammy; slimy **2** *(pegajoso)* sticky **3** (voz) muzzy
pata *nf* **1** (de animal) paw; (de ave) foot **2** female duck
patacoada *nf col* nonsense; rubbish; crap
patada *nf col* kick
patamar *nm* **1** (escadas) landing **2** *(planalto)* plateau **3** *fig (nível)* stage; level; **neste patamar** at this level
patarata *adj2g* **1** *(idiota)* idiotic **2** *(tolo)* fool; silly ▪ *n2g (simplório)* simpleton; bubblehead; idiot
patavina *nf* nothing; **não perceber patavina de** to make neither head nor tail of
patê *nm* pâté
patego *adj col* stupid; jerk; dorf ▪ *nm col* stupid person; jerk; dorf
patente *adj2g* patent; obvious; clear ▪ *nf* **1** (direito oficial) patent **2** MIL rank
patentear *v* **1** *(evidenciar)* to manifest; to show **2** (registo oficial) to patent
paternal *adj2g* paternal; fatherly; **amor paternal** fatherly love
paternalismo *nm* paternalism
paternalista *adj2g* paternalistic, paternalist
paternidade *nf* paternity; fatherhood ♦ **licença de paternidade** paternity leave
paterno *adj* paternal; fatherly; **avó paterna** paternal grandmother
pateta *n2g* **1** simpleton; jerk **2** *(tolo)* fool; silly **3** *(estúpido)* blockhead; dumbhead ▪ *adj2g* **1** *(disparatado)* foolish; silly **2** *(estúpido)* stupid; dumb
patetice *nf* **1** *(disparate)* nonsense; rubbish **2** *(tolice)* silliness; foolishness
patético *adj* pathetic; pitiable
patíbulo *nm* scaffold; gallows
patifaria *nf* wickedness; meanness
patife *nm* villain; rascal
patilha *nf* **1** (latas de conserva) tin ring; can ring EUA **2** *pl (suíças)* whiskers, side whiskers
patim *nm* rollerskate ♦ **patins em linha** in-line skates; rollerblades
patinador *nm* skater
patinagem *nf* skating ♦ **patinagem artística** figure skating; **patinagem no gelo** ice skating
patinar *v* **1** (gelo, recinto) to skate; **ir patinar** to go skating **2** *(derrapar)* to skid; to slide
pátio *nm* yard; courtyard; **pátio da escola** school yard
pato *nm* (espécie) duck; (macho) drake ♦ **caiu que nem um pato** he got it in the neck
patogénico *adj* pathogenic
patologia *nf* pathology
patológico *adj* pathologic, pathological
patologista *n2g* pathologist
patranha *nf* fib; lie
patrão *nm* boss; employer
pátria *nf* homeland
patriarca *nm* patriarch
patriarcado *nm* patriarchate
patriarcal *adj2g* patriarchal
patrício *adj,nm* patrician
patrimonial *adj2g* patrimonial
património *nm* **1** *(herança)* patrimony; heritage **2** *(propriedade)* property; estate **3** (valor cultural) heritage ♦ **património do Estado** State property; **património mundial** world heritage
patriota *n2g* patriot
patriótico *adj* patriotic
patriotismo *nm* patriotism
patroa *nf* **1** (empresa) boss; employer **2** *(dona de casa)* lady of the house **3** *pop (esposa)* wife
patrocinador *nm* sponsor; *(mecenas)* patron; **patrocinador de um acontecimento** sponsor of an event
patrocinar *v* **1** (atribuição de fundos) to sponsor; to support **2** (fazer mecenato) to patronize **3** *(apoiar)* to support; to protect; **patrocinar uma causa** to support a cause

patrocínio *nm* **1** (fundos) sponsorship; funding; backing **2** *(mecenato)* patronage **3** *(apoio)* support; protection
patronal *adj2g* employer's ◆ **entidade patronal** employer
patronato *nm* **1** *(empregadores)* body of employers **2** *(mecenato)* patronage
patrono *nm* **1** patron saint **2** *(patrocinador)* sponsor **3** *(defensor)* patron
patrulha *nf* patrol
patrulhar *v* to patrol
patuscada *nf* **1** (ao ar livre) garden party; picnic **2** *(churrascada)* barbecue
patusco *adj* **1** *col (alegre)* cheerful; funny; lighthearted **2** *col (tolo)* silly; foolish
pau *nm* **1** (madeira) stick; piece of wood **2** (arma) cudgel; **bater em alguém com um pau** to cudgel someone **3** *pl* (cartas) clubs; **ás de paus** ace of clubs ◆ **jogar com um pau de dois bicos** to hunt with the hounds and run with the hare; **põe-te a pau!** beware!
pau-brasil *nm* Brazil-wood
pau-de-cabeleira *a nova grafia é* **pau de cabeleira**[AO]
pau de cabeleira[AO] *n2g* chaperon; **servir de pau de cabeleira** to play gooseberry
paulada *nf* blow; stroke; cudgel blow
pau-mandado *nm col,pej* plaything; cat's paw; dupe
pausa *nf (intervalo)* pause; break
pausado *adj* **1** *(lento)* slow **2** *(relaxado)* leisurely; relaxed **3** *(meditado)* measured
pauta *nf* **1** MÚS stave **2** *(lista)* register; list; roll **3** ECON tariff **4** (papel) paper-ruler
pautado *adj* (papel) ruled; **folhas pautadas** ruled sheets
pautar *v* **1** (linhas em papel) to rule **2** *(orientar)* to direct; to lead ■ **pautar-se** to be ruled (por, by)
pavão *nm* peacock
pavilhão *nm* **1** DESP pavilion **2** (feira) stand
pavimentar *v* to pave
pavimento *nm* **1** *(chão)* floor **2** (ruas) surface of a road; pavement EUA
pavio *nm* wick; **pavio de uma vela** wick of a candle ◆ **de fio a pavio** from beginning to end
pavonear-se *v* **1** *(armar-se)* to show off **2** *(gabar-se)* to boast; to brag
pavor *nm* dread; terror ◆ **ter pavor de** to have a horror of
pavoroso *adj* frightful; dreadful
paxá *nm* pasha
paz *nf* peace ◆ **deixar em paz** to leave alone; **deixa-me em paz!** let me be!
PDA *nm* [*abrev. de* Personal Digital Assistant]
PDF *nm* [*abrev. de* portable document format]
pé *nm* **1** foot; **ir a pé** to go on foot **2** (medida) foot; **30 pés de comprimento** 30-foot length **3** (mobília) leg **4** (planta, copo) stem ◆ **pé ante pé** on tiptoe; **ao pé** nearby; **meter os pés pelas mãos** to mess up
peão *nm* **1** pedestrian; **rua para peões** pedestrian street **2** (xadrez) pawn **3** *fig (joguete)* pawn; puppet
peça *nf* **1** (parte de um todo) piece; item **2** (material) part; **peças sobresselentes** spare parts **3** TEAT play **4** *(partida)* trick; prank **5** (jogos) playing piece
pecado *nm* sin
pecador *nm* sinner; wrongdoer
pecaminoso *adj* sinful
pecar *v* **1** to sin **2** to err; **pecar por excesso de** to err on the side of
pechincha *nf* bargain; find; **isto foi cá uma pechincha!** this was really a find
peçonha *nf* **1** *(veneno)* poison; (cobras, aranhas) venom **2** *fig,pej (malícia)* venom; spite
pé-coxinho *nm* hop; **a pé-coxinho** hopping
pecuária *nf* cattle breeding, cattle raising
peculato *nm* DIR peculation; embezzlement; **cometer peculato** to peculate
peculiar *adj2g* peculiar
peculiaridade *nf* peculiarity
pecúlio *nm* savings; nest-egg
pecuniário *adj* pecuniary; monetary
pedaço *nm* **1** *(bocado)* piece **2** (de tempo) some time
pedagogia *nf* pedagogy
pedagógico *adj* pedagogical; **material pedagógico** teaching aids
pedagogo *nm* pedagogue
pedal *nm* pedal
pedalar *v* to pedal
pedante *adj2g pej* (ares de superioridade) pedantic; pretentious ■ *n2g* **1** *pej* pedant **2** *pej (gabarolas)* braggart; show-off
pé-de-atleta *a nova grafia é* **pé de atleta**[AO]
pé de atleta[AO] *nm* (micose) athlete's foot
pé-de-cabra *a nova grafia é* **pé de cabra**[AO]
pé de cabra[AO] *nm* crowbar

pé-de-galinha *a nova grafia é* **pé de galinha**[AO]
pé de galinha[AO] *nm* (ruga) crow's foot
pé-de-galo *a nova grafia é* **pé de galo**[AO]
pé de galo[AO] *nm* hop; **mesa de pé de galo** pedestal table
pé-de-meia *nm* savings; nest-egg; **ter um bom pé-de-meia** to have some money put away
pederasta *nm* homosexual; gay
pederneira *nf* flint; firestone
pedestal *nm* base; stand; pedestal ♦ **pôr num pedestal** to set on a pedestal
pedestre *adj2g* pedestrian
pé-de-vento *a nova grafia é* **pé de vento**[AO]
pé de vento[AO] *nm (confusão)* hullabaloo; commotion; **armaram cá um pé de vento** they caused a hell of a hullabaloo
pediatra *n2g* paediatrician
pediatria *nf* MED paediatrics
pedicuro *nm* pedicure; chiropodist
pedido *nm* **1** *(demanda)* request; demand **2** *(apelo)* appeal; call **3** *(encomenda)* order; request **4** (casamento) proposal
pedigree *nm* pedigree
pedinchar *v* to beg (for); to cadge
pedinte *n2g* beggar
pedir *v* **1** *(solicitar)* to ask for; **pedir um favor** to ask a favour **2** *(apelar)* to call **3** *(requerer)* to request; to demand **4** *(encomendar)* to order **5** *(implorar)* to beg for; to implore
peditório *nm* **1** (obra de caridade) collection **2** (pedintes) begging
pedofilia *nf* paedophilia
pedófilo *nm* paedophile; child molester ▪ *adj* paedophilic
pedonal *adj2g* pedestrian; **zona pedonal** pedestrian precinct
pedra *nf* **1** stone **2** (jogo de damas) piece; man **3** (túmulo) tombstone **4** *(grão)* grain
pedrada *nf* **1** blow with a stone **2** *fig,cal* (drogas) trip; **estar com uma pedrada** to be stoned
pedrado *adj col* stoned; high
pedra-pomes *nf* pumice stone
pedregoso *adj* stony; rocky; **caminho pedregoso** stony path
pedregulho *nm* boulder
pedreira *nf* stone quarry; stone pit
pedreiro *nm* mason, stonemason
peeling *nm (esfoliação)* face peel; exfoliation
pega[1] /é/ *nf* **1** (mala, tacho) handle **2** (de tecido) pot holder; (para o forno) oven mitt **3** *(disputa)* quarrel; row; **ter uma pega com** to have a row with **4** (tourada) grappling
pega[2] /ê/ *nf* (ave) magpie
pegada *nf* **1** (pés) footprint; footmark **2** *(vestígios)* trace; track; **seguir as pegadas de alguém** to follow someone else's track
pegajoso *adj* sticky; slimy
pegar *v* **1** *(levantar, agarrar)* to take (em, up); to hold (em, up) **2** *(colar)* to stick; to glue **3** *(juntar)* to join; to put together **4** (doenças) to infect **5** (fogo) to set **6** *(provocar)* to tease (com, -) **7** (carro) to start ▪ **pegar-se 1** *(colar-se)* to cling; to stick; to glue **2** *(transmitir-se)* to be contagious **3** (discussão, luta) to quarrel; to fight
peido *nm cal* fart *cal*
peito *nm* **1** chest **2** *(seio)* breast; bosom; **criança de peito** breast-fed child **3** (carne) brisket; (de ave) breast
peitoral *adj2g,nm* pectoral
peitoril *nm* **1** (varanda, corrimão) parapet **2** (janela) window sill
peixaria *nf* fishmonger's; fish market
peixe *nm* fish; **peixe fresco** wet fish ♦ **estar como peixe fora de água** to be out of one's element; (provérbio) **filho de peixe sabe nadar** like father like son
peixe-espada *nm* swordfish
peixeiro *nm* fishmonger
Peixes *nmpl* (constelação, signo) Pisces
pejado *adj* crammed (de, with); full (de, of)
pejo *nm* shyness
pejorativo *adj* pejorative; disparaging; **comentários pejorativos** disparaging comments
pelada *nf* **1** MED alopecia **2** (floresta) clearing
pelagem *nf* fur; (cão) coat of hair
pelar *v* **1** (animal) to skin **2** (fruta, legume) to peel; (amêndoas) to blanch ▪ **pelar-se** to be keen (por, on); to enjoy (por, -)
pele *nf* **1** (pessoas) skin **2** (tez) complexion; **pele clara** light complexion **3** (animais) fur **4** *(couro)* leather **5** (fruta, legumes) peel ♦ **pele de galinha** goose flesh, goose pimples
pele-vermelha *n2g* redskin; American Indian
pelica *nf* kid; **luvas de pelica** kid gloves
pelicano *nm* pelican
película *nf* CIN,FOT film ♦ **película aderente** clingfilm GB; plastic wrap EUA
pelo[AO] *nm* **1** (pessoas) hair **2** (animais) fur **3** (pano) nap ♦ **em pelo** naked

pêlo *a nova grafia é* **pelo**[AO]
pelota *nf* (bola) pellet ◆ **em pelota** stark naked
pelotão *nm* **1** MIL platoon **2** DESP (corridas, ciclismo) bunch ◆ **pelotão de fuzilamento** firing squad
pelourinho *nm* pillory
pelouro *nm* **1** MIL (bala) cannonball **2** (serviços) office; department
peluche *nm* **1** *(pelúcia)* plush **2** (brinquedo) soft toy, cuddly toy, fluffy toy; **urso de peluche** teddy bear
peludo *adj* hairy
pélvico *adj* pelvic
pélvis *nf* pelvis
pena *nf* **1** (aves) feather **2** *(caneta)* quill **3** (sentimento) pity; **ter pena de** to be sorry for, to pity **4** *(castigo)* penalty; punishment ◆ **valer a pena** to be worthwhile
penacho *nm* plume; plume of feathers
penada *nf* stroke of the quill ◆ **de uma penada** in a flash
penal *adj2g* penal ◆ **código penal** penal code
penalidade *nf* **1** DIR penalty; punishment **2** DESP penalty; **grande penalidade** penalty
penalizar *v (castigar)* to penalize; to punish
penálti *nm* DESP penalty; **assinalar um penálti** to give a penalty
penar *v (sofrer)* to be in pain; to suffer; to grieve
penca *nf* **1** white cabbage **2** *col* (nariz) hooter
pendente *adj2g* **1** *(pendurado)* hanging; suspended **2** (questão, trabalho) pending; standing; **assuntos pendentes** pending matters ▪ *nm (ornamento)* pendant
pender *v* **1** (algo pendurado) to hang; to be suspended; **pender por um fio** to hang by a thread **2** (inclinação) to lean; to slant; **pender para a direita** to slant to the right
pendor *nm* **1** *(inclinação)* declivity; inclination **2** *(tendência)* drift; trend
pendular *adj2g* pendular ▪ *nm* (comboio) pendular train
pêndulo *nm* pendulum
pendura *n2g col* (pessoa) leech; hanger-on
pendurado *adj* hanging (em, on) ◆ (expectativa, impasse) **deixar alguém pendurado** to leave someone dangling
pendurar *v* to hang; **pendurar um quadro** to hang a painting
penedo *nm* rock; boulder
peneira *nf* **1** (objeto) sieve; (máquina) sifting machine **2** *pl col,pej* show-off; snobbery; **ele só tem peneiras** he is full of himself
peneirar *v* (cereais, terra) to sift
peneirento *nm col,pej* prig; snob; goody-goody ▪ *adj col,pej* priggish; show-off
penetra *n2g col* crasher; intruder; uninvited guest
penetração *nf* (geral) penetration
penetrante *adj2g* **1** (dor, som) piercing; sharp **2** (olhar) sharp; piercing; probing **3** (cheiro) pervading
penetrar *v* **1** *(entrar)* to penetrate; to enter **2** *(perceber)* to grasp
penha *nf* crag; cliff
penhasco *nm* cliff; ravine
penhor *nm* **1** (empenhar bens) pawn **2** *(prova)* pledge; guarantee; **como penhor da minha palavra** as a pledge of my word ◆ **casa de penhores** pawnbroker, pawn shop
penhora *nf* DIR seizure
penhorar *v* **1** (indivíduo) to pawn **2** DIR (Estado) to seize; to confiscate; to distrain
péni *nm* penny
penicilina *nf* FARM penicillin
penico *nm* chamber pot; jerry *col*
península *nf* peninsula
peninsular *adj2g* peninsular
pénis *nm* penis
penitência *nf* **1** *(arrependimento)* penitence; repentance **2** *(castigo)* penance
penitenciária *nf* prison; penitentiary EUA
penitenciário *nm* prisoner
penitente *adj,n2g* penitent
penoso *adj* **1** *(doloroso)* painful **2** *(trabalhoso)* difficult; hard
pensado *adj* deliberate; intentional
pensador *nm* thinker
pensamento *nm* thought ◆ **vir ao pensamento** to come to mind
pensão *nf* **1** (acomodação) boarding house; guest house **2** (subsídios, reformas) pension ◆ **pensão de alimentos** alimony; **pensão de reforma** old age pension
pensão-completa *nf* (hotéis) full board
pensar *v* **1** to think (em, of) **2** (para si mesmo) to wonder; **estava apenas a pensar** I was just wondering ◆ **pensando melhor** on second thoughts; **não penses mais nisso!** forget

it!; **pensando bem,...** all things considered,...

pensativo *adj* thoughtful; **estar pensativo** to be lost in thought

pensionista *n2g* pensioner; **caderneta de pensionista** pension book; **regime pensionista** pension scheme

penso *nm* dressing ◆ **penso higiénico** sanitary towelGB, sanitary napkinEUA; **penso rápido** band-aid; plaster

pentágono *nm* GEOM pentagon

pentatlo *nm* DESP pentathlon

pente *nm* **1** (cabelo) comb **2** (para a lã) card ◆ **passar a pente fino** to search all over

penteado *nm* hairdo ▪ *adj* combed; **cabelo bem penteado** well combed hair

pentear *v* (com pente) to comb; (com escova) to brush ▪ **pentear-se** (com pente) to comb one's hair; (com escova) to brush one's hair

Pentecostes *nm* Pentecost

penugem *nf* **1** (aves) down **2** (tecidos) fluff

penugento *adj* **1** (aves) downy **2** (tecidos) fluffy

penúltimo *adj* the last but one; penultimate

penumbra *nf* **1** *(escuridão)* half-light; dark **2** *(crepúsculo)* dusk ◆ **na penumbra** in the dark

penúria *nf* poverty

pepino *nm* cucumber

pepita *nf* nugget; **pepita de ouro** gold nugget

pequena *nf* **1** *(rapariga)* girl **2** *col (namorada)* girlfriend

pequenada *nf* children

pequenino *nm* child; little one ▪ *adj* tiny; very little; very small

pequeno *adj* **1** (dimensões) small **2** (quantidade) little **3** *(baixo)* short ▪ *nm* **1** *(criança)* child; little one; **os pequenos brincavam na rua** the little ones were playing in the street **2** *(rapaz)* boy; youngster; lad ◆ **quando eu era pequeno** when I was growing up

pequeno-almoço *nm* breakfast ◆ **pequeno--almoço à inglesa** English breakfast

pequeno-burguês *adj* petty bourgeois; middle class ▪ *nm* petty bourgeois

peraAO *nf* **1** pear **2** (barba) goatee **3** (interruptor) switch ◆ **não ser pera doce** to be no picnic

pêra *a nova grafia é* **pera**AO

perante *prep* **1** *(na presença de)* before **2** *(face a)* in the face of

perca *nf* perch

percalço *nm* **1** *(contratempo)* mishap; misfortune; contretemps **2** *(transtorno)* drawback; hindrance; obstacle

perceba *nm* goose barnacle

perceber *v* **1** *(entender)* to understand **2** *(notar)* to realize **3** *(saber)* to know (de, about) **4** *(sentir)* to sense

perceçãoAO *nf* **1** *(apreensão)* perception **2** *(compreensão)* insight; understanding

percentagem *nf* percentage; rate

percentual *adj2g* percentage; **a inflação subiu um ponto percentual** inflation has risen one percentage point ◆ **em termos percentuais** in percentage terms

percepção *a nova grafia é* **perceção**AO

perceptível *a nova grafia é* **percetível**AO

perceptivo *a nova grafia é* **percetivo**AO

percetívelAO *adj2g* **1** perceptible; perceivable **2** *(visível)* discernible; visible

percetivoAO *adj* perceptive; sharp; observant

percevejo *nm* bedbug

percorrer *v* **1** (a pé) to cover; **percorremos trinta quilómetros num dia** we covered thirty kilometres in a day **2** (país) to travel over; **o candidato percorreu todo o país em campanha** the candidate travelled all over the country in campaign **3** *(analisar)* to look over; to go through

percurso *nm* **1** course; route **2** distance ◆ (parque) **percurso pedestre** nature trail

percussão *nf* percussion ◆ MÚS **instrumentos de percussão** percussion instruments

percussionista *n2g* percussionist

perda *nf* **1** loss; **perda de sangue** loss of blood; **sentimento de perda** sense of loss **2** *(desperdício)* waste; **vir aqui foi uma perda de tempo** coming here was a waste of time **3** *fig (morte)* death; loss

perdão *nm* **1** pardon; **(com o seu) perdão!** excuse me!; **(peço) perdão!** (I beg your) pardon!, I am sorry! **2** forgiveness; **pedir perdão a alguém por alguma coisa** to ask somebody for forgiveness for something **3** DIR pardon; **perdão de uma dívida** pardon of a debt; **conceder um perdão** to grant a pardon

perdedor *nm* loser ▪ *adj* losing ◆ **mau perdedor** bad loser

perder *v* **1** to lose **2** (oportunidade, transporte) to miss **3** *(desperdiçar)* to waste ▪ **perder-se**

1 *(desorientar-se)* to get lost; to go astray **2** *(desgraçar-se)* to fall into ruin
perdição *nf* **1** *(desgraça)* downfall; disgrace **2** *(imoralidade)* immorality; iniquity **3** *col (tentação)* weakness (-, for); soft spot (-, for)
perdidamente *adv* desperately; extremely; **perdidamente apaixonado** desperately in love
perdido *adj* lost ◆ **perdido por cem, perdido por mil** in for a penny, in for a pound
perdigoto *nm* dribble
perdigueiro *nm* (cão) pointer; gun dog
perdiz *nf* partridge
perdoar *v* **1** to forgive **2** (delicadeza) to excuse; to pardon; **perdoe a minha interrupção** excuse my interrupting you **3** (dívida, castigo) to pardon
perdurar *v* **1** to last long **2** to endure; to survive
perecer *v* **1** to perish **2** to die; to lose one's life; to expire
perecível *adj2g* perishable
peregrinação *nf* pilgrimage; **ir em peregrinação** to go on a pilgrimage
peregrinar *v* **1** (peregrinação) to go on a pilgrimage **2** *fig (vaguear)* to wander like a pilgrim
peregrino *nm* pilgrim
pereira *nf* pear tree
peremptório *a nova grafia é* **perentório**[AO]
perene *adj2g* **1** (árvore, planta) perennial **2** *(eterno)* eternal; ever-lasting; endless
perentório[AO] *adj* decisive; ultimate
perfazer *v (totalizar)* to amount to; to add up to
perfeccionismo[AO] ou **perfecionismo**[AO] *nm* perfectionism
perfeccionista[AO] ou **perfecionista**[AO] *adj,n2g* perfectionist
perfeição *nf* perfection; **o desempenho da atriz esteve perto da perfeição** the performance of the actress was close to perfection ◆ **na perfeição** beautifully
perfeitamente *adv* perfectly; **a reação dela é perfeitamente normal** her reaction is perfectly normal
perfeito *adj* **1** perfect **2** absolute; complete
pérfido *adj* perfidious
perfil *nm* (geral) profile; **traçar o perfil de** to profile ◆ **perfil psicológico** psychological profile; **de perfil** in profile
perfilar *v* **1** to profile **2** MIL (soldados) to line up ▪ **perfilar-se** to line up
perfilhação *nf* **1** (do filho de outrem) adoption **2** (do próprio filho) affiliation
perfilhar *v* **1** (o filho de outrem) to adopt **2** (o próprio filho) to admit paternity of
perfumado *adj* scented; **velas perfumadas** scented candles
perfumar *v* to perfume; to scent
perfumaria *nf* perfumery
perfume *nm* perfume
perfuradora *nf* drill ◆ **perfuradora elétrica** electric drill; **perfuradora pneumática** pneumatic drill
perfurar *v* **1** (geral) to perforate; to pierce **2** (terreno) to bore; to drill
pergaminho *nm* parchment
pergunta *nf* question
perguntar *v* to ask ▪ **perguntar-se** to wonder
perícia *nf* expertise; skill
periclitante *adj2g* **1** unstable **2** *(arriscado)* risky; chancy; uncertain **3** *(em perigo)* in danger
periferia *nf* **1** (geral) periphery **2** (de cidade) outskirts; **eles vivem na periferia de Londres** they live on the outskirts of London
periférico *adj* peripheral ▪ *nm* INFORM peripheral ◆ MED **visão periférica** peripheral vision
perífrase *nf* periphrasis
perifrástico *adj* periphrastic
perigo *nm* danger; **correr perigo** to be in danger
perigoso *adj* **1** dangerous; perilous; unsafe **2** *(arriscado)* risky; chancy
perímetro *nm* perimeter
periodicamente *adv* periodically; regularly
periodicidade *nf* periodicity (de, of); frequency (de, of)
periódico *adj* periodic; periodical ▪ *nm* (jornal) newspaper
período *nm* **1** *(espaço de tempo)* period **2** (escola) term GB; trimester EUA **3** *(menstruação)* period **4** LING sentence
peripécia *nf* **1** *(incidente)* incident; episode **2** *(aventura)* adventure
periquito *nm* parakeet
periscópio *nm* periscope
peritagem *nf* overhaul; **fazer a peritagem do carro** to have the car overhauled

perito *adj,nm (especialista)* expert; specialist
perjúrio *nm* **1** DIR *(falso testemunho)* perjury; breach of an oath **2** (promessa) breach of a promise
permanecer *v* **1** *(manter-se)* to remain **2** (local) to stay **3** *(persistir)* to stay behind; to be left
permanência *nf* **1** *(continuidade)* permanence; constancy; steadfastness **2** *(estada)* stay; **a permanência dele aqui causa muito incómodo** his stay here causes a lot of trouble ♦ **em permanência** permanently
permanente *adj2g* **1** permanent **2** *(duradouro)* enduring ▪ *nf* (cabelo) perm, permanent wave; **fazer uma permanente** to have a perm
permanentemente *adv* permanently
permeável *adj2g* **1** permeable (a, to) **2** *fig* receptive (a, to)
permeio *adv* **de permeio** between, in the middle of
permissão *nf* permission; **com a sua permissão** with your permission
permissivo *adj* **1** permissive; assenting; acquiescent **2** *(tolerante)* tolerant; liberal
permitir *v* **1** to allow; to permit; **não é permitido fumar** smoking is not allowed **2** *(tolerar)* to tolerate
permuta *nf* exchange (de, of)
permutar *v* to exchange; to trade
perna *nf* leg; **de pernas cruzadas** cross-legged
pernicioso *adj* pernicious; harmful
pernil *nm* **1** slender leg **2** (de porco) leg ♦ **esticar o pernil** to kick the bucket
perno *nm* pin; bolt
pernoitar *v* to stay overnight (em, in)
pero[AO] *nm* sweet apple ♦ **são como um pero** as fit as a fiddle
pêro *a nova grafia é* **pero**[AO]
pérola *nf* **1** pearl; **um colar de pérolas** a pearl necklace **2** *fig (gota)* drop; bead ♦ **dar pérolas a porcos** to cast pearls before swine
perpendicular *adj* perpendicular (a, to) ▪ *nf* GEOM perpendicular line
perpetração *nf* perpetration
perpetrador *nm* perpetrator
perpetrar *v* (crime) to perpetrate; to commit
perpetuar *v* **1** *(dar continuidade)* to perpetuate **2** *(imortalizar)* to immortalize ▪ **perpetuar-se** to last forever; to go on
perpétuo *adj* **1** *(eterno)* perpetual; eternal; everlasting **2** *(contínuo)* continuous; incessant; perpetual **3** (cargo, função) permanent
perplexidade *nf* **1** perplexity **2** *(dúvida)* doubt
perplexo *adj* **1** *(espantado)* perplexed **2** *(indeciso)* irresolute; hesitating
perro *adj pop* (fechadura, porta) stiff
persa *adj2g* Persian ▪ *nm* (língua) Persian ▪ *n2g* (pessoa) Persian ♦ **gato persa** Persian cat; **tapete persa** Persian carpet
perscrutar *v* to look into
perseguição *nf* **1** chase; pursuit (de, of) **2** *(repressão)* persecution (de, of)
perseguidor *nm* persecutor; chaser
perseguir *v* **1** to chase; **o cão perseguiu o gato** the dog chased the cat **2** to persecute; **os judeus foram perseguidos pela Inquisição** Jews were persecuted by the Inquisition
perseverança *nf* perseverance; persistence; determination
perseverante *adj2g* persevering; persistent; tenacious
persiana *nf* blind; **subir/baixar as persianas** to pull up/to pull down the blinds
pérsico *adj* Persian; **Golfo Pérsico** Persian Gulf
persistência *nf* persistence; perseverance; determination
persistente *adj2g* persistent
persistir *v* **1** *(perseverar)* to persist (em, in); to persevere (em, in); **ela persiste na busca da verdade** she persists in her search for the truth **2** *(insistir)* to insist; **ela persiste em não falar com ele** she insists on not speaking to him **3** *(perdurar)* to persist; to continue (to exist); **persistem algumas dúvidas** there are still some doubts
personagem *nm/f* **1** (filme, obra) character; **personagem principal** main character; **personagem secundária** minor character **2** *(pessoa ilustre)* personality; personage; celebrity
personalidade *nf* **1** *(carácter)* personality; character; **ter uma personalidade forte** to have a strong character **2** *(celebridade)* personality; personage; celebrity ♦ PSIC **dupla personalidade** split personality
personalizar *v (tornar pessoal)* to personalize; to individualize
personificação *nf* personification

personificar *v* to personify
perspectiva *a nova grafia é* **perspetiva**[AO]
perspectivar *a nova grafia é* **perspetivar**[AO]
perspetiva[AO] *nf* **1** perspective **2** *(possibilidade)* prospect; possibility
perspetivar[AO] *v* to put in perspective
perspicácia *nf* acumen; insight
perspicaz *adj2g* discerning; shrewd; sagacious
persuadir *v* to persuade
persuasão *nf* persuasion ◆ **poder de persuasão** power of persuasion; persuasiveness
persuasivo *adj* persuasive; convincing
pertença *nf* property; **este edifício é pertença da universidade** this building is university property
pertencente *adj2g* **1** belonging (a, to) **2** *(relativo a)* pertaining (a, to)
pertencer *v* **1** (posse) to belong (a, to); **este relógio pertence ao meu pai** this watch belongs to my father **2** *(dizer respeito)* to pertain (a, to) **3** *(ser membro de)* to be part of; **Portugal pertence à União Europeia** Portugal is part of the European Union
pertences *nmpl* belongings
pertinência *nf* pertinence; relevance
pertinente *adj2g* pertinent; relevant; **uma pergunta pertinente** a pertinent question
perto *adv* **1** (distância) near; close; nearby **2** (tempo) nearly; close ◆ **perto de 1** (espaço) close to **2** *(aproximadamente)* nearly; **de perto** closely; **por perto** nearby; close by
perturbação *nf* **1** *(alteração, transtorno)* disturbance; disruption; upset **2** *(problema)* trouble; problem; **perturbações respiratórias** respiratory problems **3** (mental) derangement ◆ **perturbação da ordem pública** disturbance of public order
perturbador *adj* **1** disturbing **2** (indisciplina) disruptive; unruly
perturbar *v* **1** *(transtornar)* to upset; to disturb; **as más notícias perturbaram-na** the bad news upset her **2** *(prejudicar)* to disturb; to disrupt **3** *(incomodar)* to bother; to disturb
peru *nm* turkey; **peru recheado** stuffed turkey
Peru *nm* Peru
peruano *adj,nm* Peruvian
peruca *nf* wig; **usar peruca** to wear a wig
perversão *nf* perversion ◆ **perversão sexual** sexual perversion/deviation
perversidade *nf* perversity
perverso *adj* **1** perverse **2** *(malvado)* wicked; evil
perverter *v* **1** to pervert **2** *(distorcer)* to distort; to twist ▪ **perverter-se** to become perverted
pesadelo *nm* nightmare
pesado *adj* **1** (objeto, pessoa) heavy **2** *(intenso)* intense; strong **3** *(árduo)* hard; arduous **4** *(tenso)* heavy; tense
pesagem *nf* **1** weighing **2** DESP weigh-in
pêsames *nmpl* condolences; **dar os pêsames a** to offer your condolences to
pesar *v* **1** to weigh; **quanto pesas?** how much do you weigh?; **pesar as palavras** to weigh your words; **pesar os prós e os contras** to weigh the pros and cons **2** *(ser uma carga)* to burden ▪ *nm* **1** *(mágoa)* sorrow; grief **2** *(arrependimento)* regret; remorse
pesaroso *adj* **1** *(triste)* sorrowful; unhappy; sad **2** *(arrependido)* sorry; regretful
pesca *nf* **1** (atividade) fishing; **barco de pesca** fishing boat; **ir à pesca** to go fishing **2** (indústria) fishery
pescada *nf* hake
pescador *nm* fisherman; fisher
pescar *v* **1** to fish for **2** to go fishing **3** *col (perceber)* to understand **4** *(arranjar)* to get
pescaria *nf* **1** fishing **2** *(grande quantidade de peixe)* good haul, good catch
pescoço *nm* neck
peseta *nf* (antiga moeda) peseta
peso *nm* **1** weight; **perder peso** to lose weight; DESP **peso pesado** heavyweight **2** *(fardo)* burden **3** (moeda) peso ◆ **de peso** important; **ter dois pesos e duas medidas** to be unfair
pespontar *v* to backstitch
pesponto *nm* backstitch
pesqueiro *adj* fishing
pesquisa *nf* **1** research; **fazer pesquisa** to do research; **pesquisa científica** scientific research **2** investigation **3** INFORM search
pesquisar *v* to research (-, into)
pêssego *nm* peach ◆ **pele de pêssego** peachy skin
pessegueiro *nm* peach tree
pessimamente *adv* dreadfully; awfully
pessimismo *nm* pessimism
pessimista *adj2g* pessimistic ▪ *n2g* pessimist
péssimo *adj* terrible; awful

pessoa *nf* person; **qualquer pessoa** anyone
pessoal *adj2g* **1** personal; **recorde pessoal** personal best; **vida pessoal** personal life **2** LING personal; **pronomes pessoais** personal pronouns **3** private; **assuntos pessoais** private matters ▪ *nm* **1** (funcionários) personnel; staff; **o pessoal da segurança** the security personnel **2** *col* guys; **olá, pessoal!** hi guys! **3** *col* people
pessoalmente *adv* personally; in person
pestana *nf* eyelash
pestanejar *v* to blink; to wink ♦ **sem pestanejar** without a wince
pestanejo *nm* blinking; winking
peste *nf* **1** *(epidemia)* plague; **um surto de peste** an outburst of plague **2** *fig* (pessoa) menace ♦ MED **peste bubónica** bubonic plague; **Peste Negra** Black Death
pesticida *nm* pesticide
pestilento *adj* (cheiro) stinking; foul-smelling
peta *nf col* fib; white lie; **contar uma peta** to tell a fib
pétala *nf* petal
petardo *nm* **1** MIL petard **2** (fogo de artifício) cracker
petição *nf* (pedido, requerimento) petition
peticionário *nm* petitioner
petiscar *v* to nibble
petisco *nm* **1** delicacy; dainty; treat **2** *pl* nibbles
petrificar *v* to petrify
petroleiro *nm* (navio) oil tanker
petróleo *nm* oil; petroleum; **petróleo bruto** crude

Não confundir a palavra portuguesa **petróleo** com a palavra inglesa **petrol,** que significa gasolina.

petrolífero *adj* **1** oil-bearing **2** oil
petulância *nf* **1** *(insolência)* cheekiness; impertinence **2** *(arrogância, vaidade)* arrogance; presumption
petulante *adj2g* **1** *(atrevido)* cheeky; impertinent; saucy **2** *(vaidoso)* conceited; vain
peúga *nf* sock; **um par de peúgas** a pair of socks
peugada *nf* **1** *(pegada)* footstep **2** track; trail; **ir na peugada de alguém** to follow someone's tracks
pevide *nf* pip; seed
pia *nf* **1** (quarto de banho) washbasin **2** (cozinha, roupa) sink **3** (para animais) trough
piada *nf* **1** joke, crack **2** *(graça)* fun
piamente *adv* **1** *(com devoção)* piously; devotedly **2** *(sinceramente)* earnestly; sincerely
pianista *n2g* pianist; piano player
piano *nm* MÚS piano; **tocar piano** to play the piano ♦ **piano de cauda** grand piano; **piano vertical** upright piano
pião *nm* **1** (brinquedo) top; **fazer girar o pião** to spin the top **2** *col* (automóvel) spin; **o carro fez um pião** the car went into a spin
piar *v* (pássaro) to peep; to tweet
PIB ECON [*abrev. de* Produto Interno Bruto] GDP [*abrev. de* Gross Domestic Product]
pica *nm col* (transportes públicos) inspector ▪ *nf* **1** *(picadela)* sting **2** *col (injeção)* injection
picada *nf* **1** (de inseto) sting **2** (de outro animal) bite **3** (de agulha, alfinete) prick **4** *(dor aguda)* prick; twinge; tingle
picadeiro *nm* riding school
picado *adj* **1** pricked; stung **2** (carne) minced **3** (cebola) chopped **4** (mar) rough ▪ *nm* CUL hash ♦ **voo picado** nosedive
picadora *nf* mincer
picanha *nf* rump steak
picante *adj2g* **1** (comida) spicy; hot **2** (anedota) saucy; bawdy
pica-pau *nm* woodpecker
picar *v* **1** (agulha, espinho) to prick **2** (inseto) to sting **3** (mosquito, serpente) to bite **4** (pássaro) to peck **5** *(furar)* to pierce; to punch **6** CUL to mince **7** *(provocar)* to tease **8** (roupa, tecido) to itch **9** (barba, bigode) to tickle ▪ **picar-se** to prick yourself
picareta *nf* pickaxe
piche *nm* pitch; tar
picheleiro *nm* **1** *(canalizador)* plumber **2** (fabricante de peças de estanho) tinsmith
pickles *nmpl* pickles
pick-up *nf* (carrinha) pick-up
pico *nm* **1** (montanha) summit; peak **2** (planta) thorn; prickle **3** *(auge)* climax; peak **4** *col* a little more; odd; **era meia-noite e pico** it was just after midnight
picotado *adj* perforated ▪ *nm* perforations; **destacar pelo picotado** tear out along the perforations

picotar *v* **1** (papel) to perforate **2** (bilhete) to punch
picuinhas *adj inv* fussy; choosy
piedade *nf* **1** *(devoção)* piety **2** *(compaixão)* mercy; compassion
piedoso *adj* **1** merciful; pitiful **2** *(devoto)* devout; pious
piegas *adj inv* **1** *(lamecha)* maudlin; mawkish **2** *(medricas)* yellow-bellied; bashful
pieguice *nf* **1** *(sentimentalismo)* mawkishness; sentimentalism **2** *(medo)* bashfulness
pieira *nf* wheeze
piela *nf col* drunkenness; **apanhar uma piela** to get drunk
piercing *nm* piercing
pifar *v* **1** *pop (roubar)* to pilfer; to snitch **2** *col* (mecanismo, veículo) to conk out; to break down
pífaro *nm* MÚS fife
pigmentação *nf* pigmentation
pigmentar *v* to pigment; to dye; to colour
pigmento *nm* pigment
pigmeu *nm* pygmy
pijama *nm* pyjamas; **calças de pijama** pyjama trousers; **um pijama** a pair of pyjamas
pila *nf col* willy
pilão *nm* **1** (de almofariz) pestle **2** *(martelo pneumático)* mallet **3** *pop (patife)* rascal; knave
pilar *nm* ARQ (decorativo) pillar; (não decorativo) pier; column
pilates *nm2n* (exercícios) Pilates
pilha *nf* **1** *(monte)* pile (de, of); heap (de, of) **2** *(bateria)* battery **3** *col (lanterna)* torch; flashlight ♦ **uma pilha de nervos** a bag of nerves
pilhagem *nf* **1** (durante a guerra) pillage; plundering **2** (em lojas, casas) looting
pilhar *v* to pillage; to plunder
pilotar *v* **1** (avião) to fly; to pilot **2** (navio) to steer; to pilot **3** (carro de corrida) to drive
piloto *n2g* pilot ▪ *adj* pilot; trial; **programa piloto** pilot programme ♦ **piloto automático** automatic pilot; **piloto de corridas** race driver
pílula *nf* **1** FARM *(comprimido)* pill; tablet **2** FARM *(contracetivo oral)* the pill; **a pílula do dia seguinte** the morning-after pill; **tomar a pílula** to be on the pill ♦ **dourar a pílula** to sweeten the pill
pimba *adj2g pej* downmarket; tacky
pimenta *nf* pepper
pimentão *nm* pepper
pimenteira *nf* pepper plant
pimenteiro *nm* **1** pepper plant **2** (recipiente) pepper pot
pimento *nm* chili pepper
pinacoteca *nf* **1** art collection **2** art gallery
pináculo *nm* **1** ARQ pinnacle **2** (de monte) peak
pinça *nf* **1** tweezers; (pair of) pincers **2** (da lagosta) pincers
píncaro *nm* peak; top ♦ **estar nos píncaros** to be on top of the world; **pôr alguém nos píncaros** to put someone on a pedestal
pincel *nm* **1** paintbrush **2** *col (maçada)* bore ♦ **pincel de barbear** shaving brush
pincelada *nf* brush stroke; **umas pinceladas de tinta** a few dabs of paint
pincelar *v* **1** to brush **2** to paint **3** to daub
pinchar *v* **1** *(pular)* to jump; to leap; to hop **2** (bola) to bounce; to rebound
pincho *nm* leap; jump; hop
pindérico *adj* **1** *pej* shabby **2** poor; miserable ▪ *nm* **1** shabby person **2** miserable person
pinga *nf* **1** drop (de, of); **uma pinga de leite** a drop of milk **2** *fig,pop* (álcool) booze; **gostar da pinga** to enjoy a tipple ♦ **ficar sem pinga de sangue** to become as white as a sheet
pingar *v* **1** *(gotejar)* to drip; to trickle **2** *(chuviscar)* to rain
pingente *nm* pendant
pingo *nm* **1** *(gota)* drop (de, of) **2** (bebida) short caffè latte **3** *col (pequena quantidade)* a tiny bit ♦ **pingo no nariz** snivel; runny nose
pingue *nm* lard; dripping
pingue-pongue *nm* DESP ping-pong, table tennis
pinguim *nm* penguin
pinha *nf* pine cone
pinhal *nm* pine forest
pinhão *nm* pine nut; pine kernel
pinheiro *nm* pine
pinho *nm* (madeira) pinewood
pino *nm* **1** (ginástica) handstand; **fazer o pino** to stand on one's hands **2** *(auge)* peak; height; **no pino do verão** in the peak of summer **3** (bowling) pin
pinote *nm* (de cavalo) curvet; caper
pinta *nf* **1** *(mancha)* spot, mark **2** *(bolinha)* dot **3** *fig* appearance; look ♦ **ele tem muita pinta** he is very good-looking; **não gosto da**

pinta daquele tipo I don't like the look of that guy
pintainho *nm* chick; baby chicken
pintar *v* **1** to paint **2** *(colorir)* to colourGB, to colorEUA **3** (cabelo) to dye **4** (cosmética) to make up **5** *(descrever, retratar)* to portray ▪ **pintar-se** (cosmética) to put on make up
pintarroxo *nm* robin
pintassilgo *nm* finch
pinto *nm* chick, baby chicken
pintor *nm* **1** painter **2** (construção civil) decorator
pintura *nf* **1** (atividade, quadro) painting **2** (de objeto, casa, carro) painting; coat of paint **3** *(maquilhagem)* make-up
pio *nm* **1** (ave) chirp; tweet; peep **2** (coruja) cry ▪ *adj* **1** *(devoto)* pious; devout **2** *(caridoso)* charitable; generous ♦ **não dar um pio** to not say a word; **nem mais um pio!** shut up!; **perder o pio** to lose the speech; to be left speechless
piolho *nm* louse
pioneiro *nm* pioneer; ground-breaker; **um pioneiro no campo da robótica** a pioneer in the field of robotics ▪ *adj* innovating; ground-breaking; **um projeto pioneiro** a ground-breaking project
pionés *nm* drawing pinGB; thumbtackEUA
pior *adj2g* **1** (comparativo) worse (do que, than) **2** (superlativo) worst; **o pior até hoje** the worst so far ▪ *adv* **1** (comparativo) worse; **cada vez pior** worse and worse **2** (superlativo) worst; **pior de tudo, torci um pé** worst of all, I twisted a foot ▪ *nm* worst ♦ **pior ainda** worse still; **cada vez pior** worse and worse
piorar *v* to worsen
pipa *nf* **1** cask; barrel; keg **2** *col (grande quantidade)* a lot of
piparote *nm* flick
pipeta *nf* pipette
pipo *nm* keg; cask; barrel
pipoca *nf* popcorn
pique *nm* **a pique** sheer down; (avião) **ir a pique** to do a nose dive; (navio) to sink
piquenique *nm* picnic; **fazer um piquenique** to go for a picnic
piquete *nm* picket
pira *nf* pyre
pirâmide *nf* GEOM pyramid
piranha *nf* piranha
pirar *v col* to go mad ▪ **pirar-se** *col* to take off; to scarper
pirata *nm* pirate; **navio de piratas** pirate ship ▪ *adj2g* pirate; **gravações pirata** pirate recordings; **rádio pirata** pirate radio station ♦ **pirata do ar** hijacker; **pirata informático** hacker
pirataria *nf* piracy ♦ INFORM **pirataria informática** computer hacking
piratear *v* **1** to pirate; to plagiarize **2** to pirate; to plunder
pires *nm2n* saucer
pirex *nm* pyrex
pirilampo *nm* glow-worm, firefly
piripíri ou **piripiri** *nm* chilli pepperGB, chili pepperEUA
piroga *nf* pirogue
piroso *adj col,pej* chintzy; corny
pirotecnia *nf* pyrotechnics
pirotécnico *adj* pyrotechnic, pyrotechnical ▪ *nm* pyrotechnist
pirralho *nm* brat
pirueta *nf* pirouette; spin; whirl
pisada *nf* **1** footstep, tread **2** (uvas) pressing ♦ **seguir as pisadas de alguém** to follow in someone's footsteps
pisadura *nf* bruise
pisa-papéis *nm* paperweight
pisar *v* **1** *(calcar)* to tread on (-, on) **2** *(esmagar)* to crush **3** *fig (humilhar)* to humiliate **4** (local) to tread; **pisar os palcos** to tread the stage
pisca *nm* (carro) indicator; blinkerEUA
piscadela *nf* **1** wink; blink **2** twinkle
pisca-pisca *nm* (carro) winker; blinker
piscar *v* **1** (um olho) to wink; (os dois olhos) to blink **2** (luzes) to twinkle
piscatório *adj* fishing; **aldeia piscatória** fishing village
piscina *nf* swimming pool; **piscina interior** indoor pool; **piscina exterior** outdoor pool
pisgar-se *v col* to make off
piso *nm* **1** *(pavimento)* paving; **piso de cimento** concrete paving **2** *(andar)* storey; floor; **um edifício de dois pisos** a two-storey building **3** *(chão)* floor; ground
pista *nf* **1** (corrida) running track **2** (aeroporto) runway **3** (comboio) railway track **4** (dança) dance floor **5** *(rasto)* trail; trace **6** *(indício)* clue; hint; lead
pistácio *nm* pistachio
pistão *nm* piston

pistola *nf* **1** pistol; gun **2** (de tinta) sprayer ♦ **pistola automática** automatic pistol; **pistola de água** water pistol
pitada *nf* pinch; **uma pitada de sal** a pinch of salt
pitéu *nm* dainty; delicacy
pitoresco *adj* picturesque; idyllic; charming
pitosga *adj2g* short-sighted
piurso *adj col* angry; cross
pivete *nm* stink; stench
pivô *nm* **1** pivot **2** TV anchorman, anchorwoman
piza *nf* pizza
pizaria *nf* pizzeria
placa *nf* **1** (metal) plate; sheet **2** (comemorativa, decorativa) plaque **3** *(tabuleta)* sign **4** *(dentadura postiça)* dentures; false teeth **5** (bacteriana) plaque **6** (fogão) hotplate ♦ **placa da matrícula** number plateGB; license plateEUA; **placa de som** sound card; **placa gráfica** graphic card
placa-mãe *nf* INFORM motherboard
placar[1] /á/ *nm* **1** (competição desportiva) scoreboard **2** (avisos, informações) notice board
placar[2] /â/ *v* **1** *(acalmar)* to calm down **2** DESP to tackle
placebo *nm* placebo
placenta *nf* placenta
plácido *adj* serene; calm
plafond ou **plafom** *nm* (gastos) spending limit; (crédito) credit limit
plagiador *nm* plagiarist ▪ *adj* plagiaristic
plagiar *v* to plagiarize
plágio *nm* plagiarism
plaina *nf* plane
planado *adj* (ave, avião) gliding; **descer em voo planado** to glide down; **voo planado** gliding flight
planador *nm* AER glider ▪ *adj* gliding
planalto *nm* plateau
planar *v* **1** to plane **2** to glide
plâncton *nm* BIOL plankton
planeamento *nm* planning ♦ **planeamento familiar** family planning; **planeamento urbanístico** town planning
planear *v* to plan; **estou a planear ir de férias para a semana** I'm planning on going on holiday next week
planeta *nm* planet
planetário *nm* planetarium ▪ *adj* planetary ♦ **sistema planetário** planetary system
planície *nf* plain; prairie
planificação *nf* planning
planificar *v* to plan; to design; to think out
planisfério *nm* planisphere
plano *adj* flat, plane ▪ *nm* **1** *(projeto)* plan; project **2** *(nível)* plane; level; **neste plano** at this level
planta *nf* **1** plant; **plantas medicinais** medicinal herbs **2** (do pé) sole **3** (de edifício) plan
plantação *nf* **1** *(cultivo)* planting **2** *(terreno cultivado)* plantation; **plantação de açúcar** sugar plantation
plantão *nm* service; duty ♦ **estar de plantão** to be on duty; to be on call
plantar *v* to plant; to cultivate; **plantar árvores** to plant trees
plaqueta *nm* platelet
plasma *nm* **1** plasma **2** *(ecrã)* plasma screen
plasmar *v* to model; to shape; to mould
plástica *nf* MED plastic surgery
plasticina *nf* Plasticine
plástico *nm* plastic; **indústria do plástico** plastics industry ▪ *adj* plastic ♦ **artes plásticas** plastic arts; MED **cirurgia plástica** plastic surgery
plataforma *nf* **1** (estação) platform **2** *(palanque)* platform; stage **3** *(terraço)* terrace ♦ **plataforma petrolífera** oil rig; oil platform
plátano *nm* plane tree
plateau *nm* CIN,TV set
plateia *nf* **1** (sala de espetáculos) main level; stallsGB; **fundo da plateia** pit **2** *(público)* audience; public; viewers
platina *nf* QUÍM platinum
platónico *adj* Platonic; **amor platónico** Platonic love
plausível *adj2g* plausible; reasonable
playback *nm* lip-sync; **fazer playback** to lip-sync
plebe *nf* lower class; masses
plebeu *adj,nm* plebeian
plebiscito *nm* plebiscite
plenamente *adv* completely; absolutely
plenário *nm* (sessão) plenary; **convocar um plenário** to call for a plenary ▪ *adj* **1** *(completo)* complete; entire; absolute **2** (reunião) plenary; **sessão plenária** plenary meeting
plenitude *nf* **1** peak; prime; plenitude *lit* **2** fullness

pleno *adj* **1** *(cheio)* full; filled; **dar plenos poderes** to invest with full powers **2** *(completo)* complete; entire ◆ **em pleno dia** in broad daylight; **em pleno inverno** in the middle of winter
pleonasmo *nm* pleonasm; redundancy
plica *nf* TIP accent
plinto *nm* ARQ plinth
plissado *adj* pleated ▪ *nm* pleating
plissar *v* to pleat
pluma *nf* plume; feather
plural *adj2g,nm* LING plural
pluralidade *nf* plurality; multiplicity
pluralismo *nm* pluralism; diversity
Plutão *nm* Pluto
plutónio *nm* plutonium
pluvial *adj2g* pluvial; rainy
pluviosidade *nf* rainfall; precipitation
pluvioso *adj* pluvious; rainy
pneu *nm* **1** (carros) tyre; **pneu furado** flat tyre; **pneu sobresselente** spare tyre **2** *col* (barriga) belly fatness
pneumático *adj* pneumatic ▪ *nm (pneu)* tyre
pneumonia *nf* MED pneumonia
pó *nm* **1** (sujidade) dust **2** powder; **detergente em pó** powder detergent; **pó de talco** talcum powder
pobre *adj2g* **1** poor; needy **2** (qualidade) poor; bad ▪ *n2g* poor person
pobreza *nf* poverty
poça *nf* puddle; pool; **poça de sangue** pool of blood ◆ **meter o pé na poça** to blow it
poção *nf* potion
pocilga *nf* **1** (para porcos) pigsty; pen; sty **2** *fig* pigsty; dump; tip
poço *nm* **1** well **2** (escavação) pit **3** (elevador) shaft
poda *nf* pruning; lopping
podar *v* to prune; to lop
podcast *nm* podcast
pó-de-arroz *a nova grafia é* **pó de arroz**[AO]
pó de arroz[AO] *nm* face powder
podengo *nm* (cão) setter
poder *v* **1** (autorização) may; **posso entrar?** may I come in? **2** (capacidade) can; to be able to **3** (possibilidade) can; **não pode ser verdade!** that can't be true! **4** (suposição) may; might **5** *(aguentar)* to hold (com, -); **podes com isso?** can you hold that? ▪ *nm* power ◆ **querer é poder** where there is a will there is a way
poderio *nm* **1** *(poder)* power; authority **2** *(domínio)* might
poderoso *adj* **1** (poder) powerful; strong **2** (domínio) mighty **3** *col,fig (intenso)* stunning; awesome
pódio *nm* podium; **subir ao pódio** to mount the podium
podologia *nf* chiropody; podiatry EUA
podólogo *nm* chiropodist; podiatrist EUA
podre *adj2g* **1** (alimento) rotten; decomposed **2** (dentes) carious; decayed ▪ *nm* **1** *(parte podre)* rot **2** *pl.* dirt ◆ **podre de rico** loaded
podridão *nf* **1** decay; rottenness **2** (costumes) decay
poeira *nf* dust ◆ **deixar assentar a poeira** to let the dust settle; **deitar poeira nos olhos de alguém** to throw dust in someone's eyes
poeirento *adj* dusty
poema *nm* poem; **recitar um poema** to recite a poem
poente *adj2g* setting ▪ *nm* west ◆ **sol poente** setting sun
poesia *nf* poetry
poeta *n2g* poet
poética *nf* poetics
poético *adj* poetical, poetic; **prosa poética** poetic prose
poetisa *nf* poetess
pois *conj* because; since; as ▪ *adv* yes; right; **pois, eu sei** yes, I know
poiso *nm* **1** stand; station **2** *(lugar predileto)* hangout
polaco *adj* Polish ▪ *nm* **1** (pessoa) Pole **2** (língua) Polish
polar *adj2g* polar; **Estrela Polar** Pole Star; **urso polar** polar bear
polaridade *nf* polarity; polarization
polarizar *v* to polarize
polaroide[AO] *nf* Polaroid; **máquina polaroide** Polaroid camera
polaróide *a nova grafia é* **polaroide**[AO]
polca *nf* MÚS polka
poldro *nm* colt
polegada *nf* (medida) inch
polegar *nm* thumb
poleiro *nm* roost
polémica *nf* polemics; controversy
polémico *adj* controversial, polemical
pólen *nm* pollen
polibã *nm* shower base

polícia *nf* (instituição) police ▪ *n2g* (agente) policeman, police officer; cop *col* ♦ **polícia de choque** riot police; **esquadra da polícia** police station
policial *adj2g* police; **forças policiais** police forces ▪ *nm* LIT crime novel
policiamento *nm* policing; patrol; patrolling
policiar *v* to police; to patrol
policlínica *nf* polyclinic
polidez *nf* **1** (comportamento) politeness **2** (superfície lisa) smoothness
polido *adj* **1** (comportamento) polite; courteous **2** (superfície lisa) smooth; even
poliedro *nm* GEOM polyhedron ▪ *adj* GEOM polyhedral
poliéster *nm* polyester
polifonia *nf* MÚS polyphony
polifónico *adj* polyphonic
poligamia *nf* polygamy
polígamo *nm* polygamist ▪ *adj* polygamous
poliglota *adj,n2g* polyglot
polígono *nm* GEOM polygon
Polinésia *nf* Polynesia
polinésio *adj,nm* Polynesian
polinómio *nm* MAT polynomial
polinsaturado *adj* polyunsaturated
poliomielite *nf* MED polio
pólipo *nm* polyp
polir *v* **1** to polish **2** *fig* (comportamento) to polish; to civilize
polissilábico *adj* polysyllabic
polissílabo *adj* LING polysyllabic ▪ *nm* LING polysyllable
politécnico *adj* polytechnic; **instituto politécnico** polytechnic
politeísmo *nm* polytheism
politeísta *adj2g* polytheistic ▪ *n2g* polytheist
política *nf* **1** (ciência) politics **2** (medidas) policy; **política ambiental** environmental policy
político *adj* political; **prisioneiro político** political prisoner ▪ *nm* politician; statesman
politiquice *nf pej* petty politics; politicking
polivalente *adj2g* **1** QUÍM,BIOL polyvalent **2** (usos) multipurpose
polo[AO] *nm* **1** GEOG,FÍS pole **2** DESP polo; **jogo de polo** polo match; **polo aquático** water polo **3** (camisola) jumper; sweater; (manga curta) polo shirt ♦ **Polo Norte** North Pole; **Polo Sul** South Pole
pólo *a nova grafia é* **polo**[AO]
Polónia *nf* Poland
polónio *nm* polonium
polpa *nf* (fruta, legume) pulp; flesh
poltrona *nf* armchair; easy chair
poluente *adj2g* polluting ▪ *nm* pollutant
poluição *nf* pollution; contamination ♦ **poluição atmosférica** air pollution; **poluição sonora** noise pollution
poluído *adj* polluted; contaminated; **zona poluída** polluted area
poluir *v* to pollute; to contaminate
polvilhar *v* to sprinkle (com, with)
polvo *nm* octopus
pólvora *nf* gunpowder ♦ *pej* **descobrir a pólvora** to reinvent the wheel
pomada *nf* cream; ointment
pomar *nm* **1** (campo) orchard; **pomar de pessegueiros** peach orchard **2** (loja) greengrocer's
pomba *nf* dove
pombal *nm* dovecote
pombo *nm* pigeon
pombo-correio *nm* carrier pigeon; homing pigeon
pomo *nm* pome ♦ **pomo de discórdia** apple of discord
pompa *nf* pomp; ostentation ♦ **com pompa e circunstância** stately
pompom *nm* pompom
pomposo *adj* (pessoa, atitude, cerimónia) pompous
ponche *nm* punch
ponderação *nf* **1** *(reflexão)* reflection; meditation **2** *(avaliação)* evaluation; appraisal
ponderado *adj* **1** (prudência) prudent; wise; judicious **2** *(refletido)* measured
ponderar *v* to ponder; to considerer
pónei *nm* pony
ponta *nf* **1** *(extremidade)* extremity; end **2** tip; **pontas dos dedos** fingertips **3** *(limite)* border; edge; **na ponta da mesa** at the edge of the table **4** *(topo)* summit; peak ♦ **até à ponta dos cabelos** up to one's ears
pontada *nf* (dor aguda) twinge; (de lado) stitch
ponta-de-lança *a nova grafia é* **ponta de lança**[AO]
ponta de lança[AO] *nm* DESP (futebol) striker
pontão *nm* (plataforma) pontoon
pontapé *nm* kick; **dar um pontapé** to kick ♦ DESP **pontapé de saída** kick-off; *fig,col* **há aos pontapés** there are loads of it
pontapear *v* to kick

pontaria *nf* aim; **errar a pontaria** to miss one's aim; **fazer pontaria** to take aim
ponte *nf* **1** bridge **2** NÁUT deck; bridge **3** AER shuttle **4** (dia) long weekend
pontear *v* **1** (superfície) to dot; to fleck **2** (costura) to baste; to tack; to stitch
ponteiro *nm* **1** (escola, palestra) pointer **2** (relógio, balança) hand **3** (instrumentos) pointer; needle
pontiagudo *adj* sharp; pointed
pontificado *nm* pontificate; papacy
pontífice *nm* the Pope
ponto *nm* **1** (posicionamento) point; **ponto de partida** point of departure **2** (lugar) spot; **ponto de encontro** meeting place **3** full stop, period EUA; **ponto de interrogação** question mark; **ponto e vírgula** semicolon **4** (marca) dot **5** (costura) stitch; **ponto de cruz** cross stitch **6** (escola) test **7** TEAT prompter **8** *col* (pessoa) character; **és um ponto!** you're a character! **9** *pl* (jogos) score
ponto-morto *nm* (automóvel) neutral
pontuação *nf* **1** LING punctuation; **sinal de pontuação** punctuation mark **2** DESP score; **quadro da pontuação** score board
pontual *adj2g* **1** (pessoa) punctual; on time **2** (situação) isolated; accidental; **um caso pontual** an isolated incident
pontualidade *nf* punctuality
pontualmente *adv* **1** in due time; punctually **2** (situação) casually; accidentally
pontuar *v* **1** (texto) to punctuate **2** DESP to score
pop *nm* pop; **música pop** pop music
popa *nf* stern
popelina *nf* (tecido) poplin
popó *nm infant* car
populaça *nf* **1** *(povo)* populace; masses **2** *pej (desordeiros)* mob; rabble
população *nf* population; **aumento de população** increase in population
populacional *adj2g* population; people
popular *adj2g* **1** popular; widespread; **crenças populares** widespread belief **2** popular; **era uma pessoa popular** he was a popular person **3** (tradição) folk; **canção popular** folk song ▪ *n2g* man in the street; **os populares revoltaram-se** the people in the street were angry
popularidade *nf* popularity
popularizar *v* to popularize
populismo *nm pej* populism
populista *adj,n2g* populist; **político populista** populist politician
pop-up *nm/f* (computador, Internet) pop-up
póquer *nm* poker; **jogo de póquer** poker game
por *prep* **1** by; **por mar** by sea **2** (lugar) through; **andar pela praia** to walk through the beach **3** (causa) out of; **agir por medo** to act out of fear **4** for; **trabalhar por dinheiro** to work for money **5** (distribuição) per; **dez por pessoa** ten per person
pôr *v* **1** *(colocar)* to put **2** (disposição) to lay; to place; **pôr a mesa** to lay the table **3** (movimento) to start; to set; **pôr em andamento** to start rolling **4** (ovos) to lay **5** (aparelho) to turn; **põe o rádio mais alto** turn the radio up ▪ **pôr-se 1** (posição) to stand; **põe-te a pé!** stand up! **2** (iniciar algo) to start (a, to) **3** (sol) to set
porão *nm* **1** hold **2** *(arrecadação)* storeroom
porca *nf* **1** (animal) sow **2** (peça) screw nut ◆ **aí é que a porca torce o rabo** that's where the shoe pinches
porcalhão *adj* dirty ▪ *nm col* pig; dirty fellow
porção *nf* **1** *(parte)* portion; share **2** (grande quantidade) a lot (de, of)
porcaria *nf* **1** *(sujidade)* dirt; filth **2** *cal* crap **3** *(obscenidade)* smut; filth
porcelana *nf* **1** (material) porcelain **2** (louça) china; chinaware
porco *nm* **1** pig **2** CUL pork; **carne de porco** pork meat ▪ *adj (sujo)* dirty; filthy
porco-espinho *nm* porcupine
pôr-do-sol *a nova grafia é* **pôr do sol**[AO]
pôr do sol[AO] *nm* sunset; **ao pôr do sol** at sunset
porém *conj > adv*[DT] yet; but; however
porfia *nf* **1** *(teimosia)* insistence **2** *(disputa)* strife; dispute; **à porfia** in competition
pormenor *nm* detail; **em pormenor** in detail; **entrar em pormenores** to go into details
pormenorizar *v* to detail; to go into details
pornografia *nf* pornography
pornográfico *adj* pornographic, porn
poro *nm* pore
poroso *adj* **1** (relativo a poros) porous **2** (algo absorvente) spongy
porquanto *conj* since; seeing that
porque *conj* because; as ▪ *pron interr* why; **porque não?** why not?

porquê *pron interr* why ▪ *nm* cause; reason
porquinho-da-índia *nm* guinea pig
porrada *nf* **1** *pop (sova)* thrashing; beating **2** *col (grande quantidade)* loads (de, of)
porreiro *adj col* cool; great ▪ *interj col* great!; cool!
porta *nf* door; **bater com a porta** to slam the door ♦ **de porta em porta** from door to door
porta-aviões *nm* aircraft-carrier, carrier
porta-bagagem *nm* **1** (veículo) luggage carrier, carrier **2** (automóvel) boot; trunk EUA
porta-bandeira *nm* ensign-bearer, standard-bearer
porta-bebés *nm2n* sling
porta-chaves *nm* **1** (carteira) key holder **2** (anel) key-ring
portada *nf* **1** (porta) portal **2** (janela) shutter
portador *nm* **1** (cheque, documento) bearer; holder **2** MED carrier **3** (objetos) porter
porta-estandarte *n2g* ensign-bearer, standard-bearer
portagem *nf* **1** (quantia) toll **2** (local) toll; tollgate, tollbooth
porta-joiasAO *nm* (caixa) jewel box; (estojo) jewel case
porta-jóias *a nova grafia é* **porta-joias**AO
portal *nm* **1** *(portão)* gateway **2** *(porta imponente)* portal
porta-lápis *nm* pencil box, pencil case
porta-luvas *nm* (automóvel) glove compartment
porta-moedas *nm* purse
portanto *conj* **1** *(por isso)* therefore; consequently; as a consequence **2** *(então)* so
portão *nm* gate; gateway
portaria *nf* **1** (edifício) main door; front door **2** (hotel) reception desk **3** POL (diretiva) governmental order
portar-se *v* to behave; **portar-se bem** to behave; **portar-se mal** to misbehave
portátil *adj2g* portable; **computador portátil** laptop, portable computer; **telefone portátil** portable phone ▪ *nm* INFORM laptop
porta-voz *n2g* spokesperson
porte *nm* **1** (correios) postage **2** (taxa) carriage; **porte pago** carriage paid
porteiro *nm* **1** (edifício) doorkeeper; doorman **2** (cinema) commissionaire **3** (escola, instituição) caretaker; janitor ♦ **porteiro automático** entryphone
portento *nm* prodigy; marvel; wonder
portfólio *nm* portfolio
pórtico *nm* ARQ portico
porto *nm* **1** port; (mais pequeno) harbour **2** (vinho) port; port wine
portuário *adj* port; **cidade portuária** port town
Portugal *nm* Portugal
português *adj,nm* Portuguese
porventura *adv* **1** (casualidade) by chance; by accident; **se porventura o vir** if you happen to see him **2** (hipótese) perhaps; maybe; **achas porventura que eu faria tal coisa?** have you ever thought that I might do such a thing?
porvir *nm lit* future; time to come
pós *prep* post
posar *v* to pose (para, for)
pós-datar *v* to postdate
pose *nf* **1** (para retrato) pose **2** (forma de estar) poise; elegance
pós-escrito *nm* postscript
posfácio *nm* postscript, postface
pós-graduação *nf* (universidade) post-graduation
pós-guerra *nm* post-war period
posição *nf* **1** (espaço) position; **posição horizontal** horizontal position; **posição vertical** vertical position **2** *(opinião)* position; opinion **3** (desporto, hierarquia) rank
posicionamento *nm* positioning
posicionar *v* to position; to place ▪ **posicionar-se** to position oneself
positiva *nf* (escola) positive mark; positive test; **tiveste positiva?** did you make it?
positivismo *nm* positivism
positivista *adj,n2g* positivist
positivo *adj* **1** positive **2** (resposta) affirmative
posologia *nf* **1** FARM *(dosagem)* posology; dosage **2** FARM (instruções) directions for use
possante *adj2g* powerful; strong
posse *nf* **1** possession **2** *pl* (património) wealth; belongings
possessão *nf* possession
possessivo *adj* **1** possessive; **uma pessoa possessiva** a possessive person **2** LING possessive ♦ **pronome possessivo** possessive pronoun

possesso *adj* **1** (espíritos) possessed **2** *(furioso)* mad; angry; **ele ficou possesso** he was mad
possibilidade *nf* **1** possibility; **não há qualquer possibilidade** there is no possibility **2** *pl* (dinheiro) means; **possibilidades económicas** financial means
possibilitar *v* to make possible; to enable
possível *adj2g,nm* possible
possivelmente *adv* possibly; perhaps; probably
possuidor *nm* owner; possessor
possuir *v* (objeto, bem) to possess; to own; to have
post *nm* (grupo de discussão, blogue) post
posta *nf* **1** *(fatia)* slice; piece; **posta de carne** slice of meat **2** (peixe) steak; **posta de salmão** salmon steak ◆ **arrotar postas de pescada** to brag
postal *adj2g* postal; **vale postal** postal order ▪ *nm* postcard; card; **postal ilustrado** postcard
postar *v* (em grupo de discussão, blogue) to post
posta-restante *nf* poste restante GB; general delivery EUA
poste *nm* post; pole ◆ DESP **postes da baliza** goalposts; **poste de iluminação** lamp-post
póster *nm* poster
posteridade *nf* posterity ◆ **ficar para a posteridade** to go down in history; to be handed down to posterity
posterior *adj2g* **1** (tempo) posterior; subsequent; **ser posterior a** to be subsequent to **2** *(seguinte)* following; later **3** (animais) posterior; hind; rear
posteriormente *adv* later on; subsequently
postiço *adj* false; artificial ◆ **cabeleira postiça** wig; **dentes postiços** false teeth
postigo *nm* **1** (janela) peep window; peephole **2** (bilheteira) ticket office
post-it *nm* post-it
posto *nm* **1** (emprego) post **2** (local) station; post; **posto de observação** observation post **3** MIL rank; **de posto inferior** lower in rank ▪ *adj* **1** (objeto) placed; put; set **2** (sol) set ◆ **posto que** since; as; **estar a postos** to be ready
postulado *nm* postulate
postular *v* to postulate
póstumo *adj* posthumous
postura *nf* **1** (corpo) posture **2** (comportamento) attitude **3** (ovos) laying
pós-venda *adj2g* aftersales ◆ **serviço pós-venda** aftersales service, client assistance
potassa *nf* potash
potássio *nm* potassium
potável *adj2g* drinkable; **água potável** drinking water
pote *nm* **1** (recipiente) pot **2** *(bacio)* chamber pot ◆ **está a chover a potes** it's raining cats and dogs
potência *nf* **1** *(poder)* power; **de grande potência** high-powered **2** (capacidade) potency; **potência sexual** sexual potency **3** MAT power; **elevar à terceira potência** to raise into the third power
potencial *adj2g* potential; possible ▪ *nm* potential; **ter muito potencial** to have a lot of potential
potencialidade *nf* potential; **uma pessoa cheia de potencialidades** a person full of potential
potente *adj2g* **1** (força) powerful; strong; potent **2** *fig,col* (acontecimento) wild; impressive
potro *nm* colt
pouca-vergonha *nf col* shamelessness; shame; **que pouca-vergonha!** outrageous!
pouco *det indef > quant exist*[DT]*,pron indef* **1** (quantidade) little **2** *pl* few; **poucos vieram** only a few came ▪ *adv* (quantidade) little; not much; **pouco a pouco** little by little ▪ *nm* (quantidade) little; bit; **um pouco de** a bit of ◆ **estar por pouco** to hang by a thread; **pouco depois** soon after
poupa *nf* **1** (de ave) crest **2** (cabelo) quiff
poupado *adj* economical; thrifty; sparing
poupança *nf* thrift; savings ◆ **conta poupança** savings account
poupar *v* **1** (dinheiro, esforços) to save **2** (castigo, aborrecimento) to spare ▪ **poupar-se** to spare (a, from); **não se poupar a esforços** to spare no pains
pousada *nf* travel inn; lodge, lodging house; guest house ◆ **pousada de juventude** youth hostel
pousar *v* **1** (objeto, pessoa ao colo) to put down; to set down **2** (telefone) to hang up **3** (avião) to land **4** (pássaro) to perch
pousio *nm* AGR fallow land
pouso *nm* resting place ◆ **não ter pouso certo** to move from place to place

povo *nm* **1** people; **os povos de língua inglesa** English-speaking people **2** *(populaça)* crowd; populace **3** (tradições) folk; **cultura do povo** folk culture
povoação *nf* **1** *(vila)* village **2** (conjunto de casas) settlement **3** *(habitantes)* population
povoado *adj* populous; peopled ▪ *nm* **1** *(vila)* village **2** *(grupo de casas)* settlement
povoador *nm* **1** (local) settler **2** (colónia) colonist
povoar *v* **1** to populate **2** (colónia) to colonize ▪ **povoar-se** to become populated
praça *nf* **1** *(largo)* square; plaza **2** (feira, mercado) market place ♦ **praça de táxis** taxi rank; taxi stand; **praça de touros** bullring
praceta *nf* small square
pradaria *nf* prairie
prado *nm* meadow
praga *nf* **1** *(maldição)* curse; **lançar uma praga a alguém** to curse someone **2** *(calamidade)* plague
pragmática *nf* pragmatics
pragmático *adj* pragmatic; practical
pragmatismo *nm* pragmatism
praguejar *v* **1** (maldição) to curse; to damn **2** (insulto) to curse; to swear
praia *nf* **1** (mar, rio) beach; **ir à praia** to go to the beach **2** *(costa)* seaside; shore; **estância de praia** shore resort
prancha *nf* board; plank ♦ (natação) **prancha de batimentos** kick board; **prancha de surf** surfboard; (natação) **prancha para mergulho** diving board
prancheta *nf* drawing board
pranto *nm* **1** *(queixume)* wailing; whining **2** *(choro)* weeping; tears
praseodímio *nm* praseodymium
prata *nf* **1** silver; **medalha de prata** silver medal **2** *pl* (louçaria) silverware
pratada *nf* plateful
prateado *adj* **1** (tonalidade) silver; silvery **2** *(revestido a prata)* silver-plated
pratear *v* to silver
prateleira *nf* **1** (móvel) shelf **2** *(estante)* rack; **preciso de uma prateleira para os livros** I need a rack for my books
prática *nf* **1** (execução, ato) practice; **pôr em prática** to put into practice **2** *(experiência)* experience (em, in); **falta de prática** inexperience, lack of experience; **ter prática em** to be experienced in **3** (forma de ação) practice; procedure; **prática corrente** common practice
praticamente *adv* practically
praticante *adj2g* practising ▪ *n2g* practitioner; **praticante de desporto** sporty person
praticar *v* (atividade, desporto) to practise GB, to practice EUA; to exercise
praticável *adj2g* practicable; practical; feasible
prático *adj* **1** (pessoas) practical; matter-of-fact; **espírito prático** practical mind **2** (roupa) practical; functional; casual **3** (com experiência) skilled; experienced
prato *nm* **1** dish; plate **2** CUL course; **prato do dia** today's special **3** (balança) pan **4** *pl* MÚS cymbals
praxar *v col* to initiate
praxe *nf* **1** *(costumes)* custom; tradition **2** *col* (universidade) hazing; initiation ritual
prazer *nm* pleasure; **com todo o prazer** with pleasure; **ter prazer em** to find pleasure in
prazo *nm* term; **a curto/longo prazo** in the short/long term; **prazo de validade** expiry date; **prazo limite** deadline
preâmbulo *nm* **1** preamble **2** preface
pré-aviso *nm* advance notice; **pré-aviso de greve** strike notice; **pré-aviso de um mês** a month's notice, a month's warning
precariedade *nf* **1** *(fragilidade)* precariousness **2** *(insegurança)* insecurity
precário *adj* precarious; insecure; **situação precária** narrow circumstances
preçário *nm* price list
precaução *nf* precaution ♦ **por precaução** as a precaution; **tomar precauções contra** to take precautions against
precaver-se *v* to take precautions (de, of; contra, against)
precavido *adj* cautious; careful
prece *nf* prayer
precedência *nf* precedence
precedente *nm* precedent; **abrir um precedente** to set a precedent ▪ *adj2g* preceding; previous; **um caso precedente** a preceding case ♦ **sem precedentes** unheard of
preceder *v* to precede; to come before
preceito *nm* **1** *(princípio)* precept; maxim; principle **2** *(regra)* rule; etiquette; **seguir todos os preceitos** to observe etiquette

preceptor *a nova grafia é* **precetor**[AO]
precetor[AO] *nm* preceptor; tutor; teacher
preciosidade *nf* **1** (qualidade) preciousness **2** (coisa, pessoa) jewel *fig*
preciosismo *nm pej* (linguagem, ato) preciosity
precioso *adj* precious
precipício *nm* precipice; cliff; **cair num precipício** to fall into a cliff
precipitação *nf* **1** precipitation; **precipitação atmosférica** rainfall **2** *(pressa)* hastiness
precipitadamente *adv* hurriedly; hastily
precipitado *adj* rash; hasty; **tirar conclusões precipitadas** to jump to conclusions
precipitar *v* (pressa) to precipitate; to hasten ▪ **precipitar-se 1** *(agir irrefletidamente)* to be hasty **2** *(lançar-se)* to rush (para, for)
precisamente *adv* precisely; exactly ♦ **mais precisamente** to be precise
precisão *nf* precision; accuracy; exactness
precisar *v* **1** *(necessitar)* to need (de, -); to want (de, -); **tu não precisas disso** you don't need that **2** *(ter de)* must (de, -); have to (de, -); need to (de, -); **não precisa de ir** you needn't go **3** *(especificar)* to specify ▪ **precisar-se** to be in want
preciso *adj* **1** *(necessário)* necessary; needful; **se for preciso** in case of need **2** *(claro)* accurate; precise; exact **3** *(exato)* precise; exact
preço *nm* **1** price; cost; **qual é o preço disto?** how much is this? **2** (serviço) charge; **preço do bilhete** ticket charge ♦ **ao preço da chuva** for a song; **não ter preço** to be priceless
precoce *adj2g* **1** precocious **2** premature; early
preconcebido *adj* preconceived
preconceito *nm* prejudice; preconception
preconceituoso *adj* prejudiced; biased
preconizar *v* **1** *(defender)* to advocate **2** *(recomendar)* to recommend; to advise
pré-cozinhado *adj* pre-cooked
precursor *adj* precursory ▪ *nm* precursor; forerunner; predecessor
predador *nm* predator ▪ *adj* predatory
pré-datado *adj* (cheque) previously dated
predecessor *nm* predecessor
predestinação *nf* predestination
predestinar *v* to predestine
predeterminar *v* to predetermine
predial *adj2g* (of) building ♦ **contribuição predial** land tax; property tax
predicado *nm* **1** LING predicate **2** *(característica)* attribute; quality; talent
predileção[AO] *nf* preference; liking
predilecção *a nova grafia é* **predileção**[AO]
predilecto *a nova grafia é* **predileto**[AO]
predileto[AO] *adj* **1** (coisas) favourite; pet **2** (pessoas) favourite; **o sobrinho predileto** one's favourite nephew
prédio *nm* **1** (edifício) building; **ele vive num prédio velho** he lives in an old building; **prédio de apartamentos** apartment building **2** (propriedade) estate; property
predispor *v* **1** *(levar a)* to predispose (a, to) **2** *(preparar)* to prepare (para, for) ▪ **predispor-se** to prepare yourself (para, for); to get ready (para, for)
predisposição *nf* inclination; tendency
predizer *v* to foretell; to predict; **predizer o futuro** to foretell the future
predominância *nf* predominance; preponderance
predominante *adj2g* predominant; preponderant
predominar *v* to prevail (sobre, over); to predominate (sobre, over)
predomínio *nm* **1** *(preponderância)* predominance; preponderance **2** *(domínio)* supremacy; dominion
pré-eleitoral *adj2g* pre-election
preeminente *adj2g* pre-eminent; peerless; excellent
preencher *v* **1** (impresso, formulário) to fill in **2** (requisitos, critérios) to fulfil; to meet **3** (cargo, vaga) to fill **4** (tempo, necessidade) to occupy
preenchimento *nm* filling (in)
preestabelecer *v* to pre-establish; to predetermine
preexistente *adj2g* pre-existent
pré-fabricado *adj* prefabricated
prefácio *nm* preface; foreword; introduction
prefeito *nm* **1** prefect **2** (escola, universidade) monitor, proctor **3** BRAS mayor
preferência *nf* **1** *(predileção)* preference (por, for); predilection (por, for) **2** *(prioridade)* priority; privilege; precedence ♦ **de preferência** preferably
preferencial *adj2g* preferential

preferido *adj* favourite; **é um dos meus filmes preferidos** it's one of my favourite movies ▪ *nm* favourite; **estas bolachas são as minhas preferidas** these cookies are my favourite

preferir *v* to prefer; **preferia ir sozinha** I would rather go alone; **prefiro chá a café** I prefer tea to coffee

preferível *adj2g* preferable; **é preferível não lhe contarmos a verdade** it is preferable not to tell her the truth

prefixar *v* LING to prefix

prefixo *nm* LING prefix

prega *nf* **1** (costura) fold; pleat; **saia de pregas** pleated skirt **2** *(ruga)* crease; wrinkle

pregação *nf* sermon

pregador *nm* preacher

pregão *nm* **1** (street) cry **2** announcement

pregar[1] /é/ *v* **1** to preach **2** *(anunciar)* to proclaim; to announce **3** to evangelize

pregar[2] /e/ *v* **1** (prego) to nail (em, into) **2** (alfinete, pionés) to pin **3** (botão) to sew on **4** *(cravar)* to fix tight; to stick in **5** *col* (bofetada, soco) to land (em, in)

prego *nm* **1** nail; tack; **pregar um prego** to hammer a nail **2** CUL steak; **prego em pão** steak sandwich **3** *col (casa de penhores)* pawnshop; **pôr no prego** to put in pawn ♦ **prego a fundo!** step on it!

pregoeiro *nm* **1** crier **2** (leilão) auctioneer

preguear *v* to pleat, to make pleats in

preguiça *nf* **1** laziness; sloth; **ter preguiça** to be lazy **2** (animal) sloth

preguiçar *v* to idle (away); to laze (about)

preguiçoso *adj* lazy; idle ▪ *nm* lazybones; idler

pré-história *nf* prehistory

pré-histórico *adj* prehistoric

preia-mar *nf* high tide

prejudicar *v* to harm, to be harmful to

prejudicial *adj2g* prejudicial (a/para, to); harmful (a/para, to)

prejuízo *nm* **1** ECON loss **2** *(dano)* damage; harm ♦ **em prejuízo de** to the detriment of

> Não confundir a palavra portuguesa **prejuízo** com a palavra inglesa **prejudice,** que significa preconceito.

prelado *nm* prelate

pré-lavagem *nf* prewash

preliminar *adj2g* preliminary ▪ *nm* **1** preliminaries; prelude **2** prologue; introduction **3** *pl* (sexo) foreplay

prelo *nm* press; printing press; **este artigo acabou de sair do prelo** this article is hot off the press ♦ **estar no prelo** to be in the press

prelúdio *nm* **1** introduction; prologue; prelude **2** MÚS prelude

prematuro *adj* **1** (bebé, parto) premature; preterm **2** *(precoce)* premature; precocious

premeditação *nf* premeditation; pre-planning; forethought

premeditadamente *adv* with premeditation

premeditar *v* to premeditate; to scheme; to preplan

premente *adj2g* urgent; pressing; **um assunto premente** a pressing matter

premiado *adj* **1** prizewinning; award-winning; **ator premiado** award-winning actor **2** *(sorteado)* winning; **bilhete de lotaria premiado** winning lottery ticket ▪ *nm* prizewinner, award winner

premiar *v* **1** *(galardoar)* to award a prize to **2** *(recompensar)* to reward

prémio *nm* **1** prize **2** *(recompensa)* bonus; reward **3** (de seguro) premium

premir *v* to press; to push

premissa *nf* premise

premonição *nf* **1** *(pressentimento)* premonition **2** (aviso) forewarning

premonitório *adj* premonitory

pré-natal *adj2g* antenatal GB; prenatal EUA

prenda *nf* gift; present

prendado *adj* talented; gifted; skilled

prender *v* **1** *(deter)* to arrest **2** *(fechar)* to lock up **3** *(fixar)* to attach; to fix **4** (cabelo) to tie back **5** *(cativar)* to attract; to captivate ▪ **prender-se 1** *(ficar preso)* to get stuck; to get caught **2** *(afeiçoar-se)* to get involved

prenhe *adj2g* (animal) pregnant

prenome *nm* forename; first name; Christian name

prensa *nf* **1** (compressão) press **2** *(máquina impressora)* printing press

prensar *v* to press

prenunciar *v* **1** *(pressagiar)* to forebode; to portend **2** *(prever)* to foretell; to predict

prenúncio *nm* **1** *(presságio)* premonition; foreboding **2** *(previsão)* prognostic; prediction; forecast
pré-nupcial *adj2g* antenuptial, prenuptial; **acordo pré-nupcial** antenuptial contract
preocupação *nf* **1** (sentimento) anxiety; worry; apprehension **2** *(problema)* care; worry; problem
preocupado *adj* worried (com, about); concerned (com, about)
preocupante *adj2g* worrying
preocupar *v* to worry; to bother ▪ **preocupar-se** to worry (com, about); to get worried (com, about)
pré-pagamento *nm* prepayment
preparação *nf* preparation
preparado *adj* prepared (para, for); ready (para, for) ▪ *nm* preparation
preparador *nm* trainer ◆ **preparador físico** coach
preparar *v* **1** to prepare (para, for); to (make) ready (para, for) **2** *(organizar)* to arrange; to plan ▪ **preparar-se** to get ready (para, for); to prepare yourself (para, for)
preparativo *nm* **1** preparation **2** *pl* preparations; arrangements
preparatório *adj* preparatory; **escola preparatória** prep school
preponderância *nf* preponderance; predominance; supremacy
preponderante *adj2g* **1** *(predominante)* preponderant; predominant; prevailing **2** *(importante)* decisive; important
preponderar *v* to predominate
preposição *nf* LING preposition
preposicional *adj2g* prepositional
prepotência *nf* tyranny
prepotente *adj2g* overbearing; tyrannical; authoritarian
pré-primária *nf* infant school
pré-reforma *nf* early retirement
pré-requisito *nm* prerequisite
prerrogativa *nf* prerogative (de, of); privilege (de, of)
presa *nf* **1** prey **2** (lobo, serpente) fang **3** *(garra de ave de rapina)* talon **4** (elefante) tusk
presbiteriano *nm,adj* presbyterian
prescindir *v* to do without (de, -); to give up (de, with)
prescindível *adj2g* dispensable; unnecessary
prescrever *v* **1** (medicamento) to prescribe **2** *(determinar)* to establish; to determine **3** *(recomendar)* to recommend **4** DIR to expire
prescrição *nf* **1** *(receita médica)* prescription **2** DIR expiration **3** *(ordem)* command; order; directive
prescrito *adj* **1** (medicamento, tratamento) prescribed; ordered **2** (lei, contrato) extinct
pré-seleção[AO] *nf* pre-selection
pré-selecção *a nova grafia é* **pré-seleção**[AO]
presença *nf* **1** presence; **a presença dele incomoda-me** his presence annoys me **2** *(existência)* presence; existence; **a análise revelou a presença de álcool no sangue** the blood test revealed the presence of alcohol in the blood ◆ **presença de espírito** presence of mind; **na presença de** in the presence of
presenciar *v* to witness
presente *nm* **1** *(tempo atual)* the present **2** *(prenda)* present, gift; **presentes de Natal** Christmas presents **3** LING present tense ▪ *adj2g* **1** (comparência) present; **estar presente (em)** to be present (at) **2** *(atual)* present; current; **no tempo presente** at the present time ◆ **ter presente** to bear in mind
presentear *v* to present (com, with)
presentemente *adv* **1** *(agora)* at present; now; presently **2** *(atualmente)* nowadays; at the present time
presépio *nm* crib
preservação *nf* **1** *(conservação)* preservation; **a preservação do centro histórico da cidade** the preservation of the historical centre of the city **2** *(proteção)* protection; conservation; **a preservação da natureza** the conservation of nature
preservar *v* **1** *(conservar)* to preserve; to maintain **2** *(proteger)* to keep safe; to protect
preservativo *nm* condom; prophylactic EUA; sheath GB
presidência *nf* **1** POL (país) presidency **2** (empresa, instituição) chairmanship; administration; **assumir a presidência** to take the chair, to chair **3** (câmara) mayoralty
presidencial *adj2g* presidential; **eleições presidenciais** presidential election

presidente *n2g* **1** (país, banco, instituição) president; **presidente da associação de estudantes** president of the students' union; **Presidente da República** President of the Republic **2** (empresa) chairman, chairwoman; **a presidente da companhia petrolífera** the chairwoman of the oil company; **presidente do conselho executivo** Chief Executive Officer **3** (câmara) mayor
presidiário *nm* convict; prisoner
presídio *nm (cadeia)* prison; jail
presidir *v* **1** *(comandar)* to preside (a, at/over); to chair (a, -); **presidir à reunião** to chair the meeting, to preside at the meeting **2** to take the chair
presilha *nf* (calças) (belt) loop
preso *adj* **1** (cadeia) arrested **2** stuck; **ficar preso no trânsito** to be stuck in traffic **3** *(atado)* tied (a, to) **4** *(ligado)* bound; tied ▪ *nm* prisoner
pressa *nf* haste; hurry; rush; **à pressa** in haste; in a hurry; **não tenha pressa!** take your time!
presságio *nm* presage; omen
pressão *nf* pressure; **estar sob pressão** to be under pressure; **pressão arterial** blood pressure
pressentimento *nm* **1** (coisa má) foreboding, presentiment **2** *(palpite)* feeling; **tenho o pressentimento de que ele não vem** I have the feeling he is not coming; **um bom pressentimento** a good feeling
pressentir *v* **1** (perigo) to forebode; to foretell; to predict **2** *(sentir)* to feel
pressionar *v* **1** (pessoa) to pressure (a, to/into); to put pressure on (a, to/into) **2** (botão, tecla) to press; to push
pressupor *v* to presume; to assume
pressuposição *nf* presupposition; presumption
pressuposto *nm (premissa)* assumption; premise ▪ *adj* **1** *(suposto)* assumed; presupposed **2** *(esperado)* taken for granted; expected
prestação *nf* **1** (quantia) instalment **2** *(desempenho)* performance **3** (de serviços) providing, rendering
prestar *v* **1** (serviços) to render, to provide **2** (atenção, homenagem) to pay **3** (juramento) to take **4** to be of use ▪ **prestar-se 1** *(ser adequado)* to lend oneself **2** *(estar disposto a)* to volunteer
prestável *adj2g* **1** (pessoa) obliging; helpful **2** (objeto) useful; of use
prestes *adj2g* ready ♦ **prestes a** ready to; about to; **estar prestes a** to be on the point of
prestidigitação *nf* conjuring; magic
prestidigitador *nm* prestidigitator; illusionist
prestigiar *v* to confer prestige to ▪ **prestigiar-se** to gain prestige
prestígio *nm* prestige; **um hotel de prestígio internacional** a hotel of international prestige
préstimo *nm* **1** *(utilidade)* usefulness; utility **2** *(valor)* merit; worth
presumido *adj* conceited; self-important; presumptuous
presumir *v* to presume; to assume; to suppose
presumível *adj2g* alleged; suspected; **o presumível assassino** the suspected murderer
presunção *nf* (geral) presumption
presunçoso *adj* conceited; arrogant
presunto *nm* smoked ham
pretendente *n2g* (cargo, trono, lugar) claimant (a, to); pretender (a, to)
pretender *v* **1** *(desejar)* to wish; to want **2** *(tencionar)* to intend to **3** *(ambicionar)* to aspire to
pretensão *nf* **1** *(exigência)* pretension; claim **2** *(intenção)* aim; goal
pretensiosismo *nm* arrogance; conceit
pretensioso *adj* pretentious; conceited
pretenso *adj* **1** supposed; assumed; presumed **2** would-be; **um pretenso escritor** a would-be writer
preterir *v* **1** (posto, emprego) to pass over; **ele foi preterido a favor do outro candidato** he was passed over in favour of the other candidate **2** *(excluir)* to exclude
pretérito *nm* LING past tense
pretexto *nm* pretext; excuse
preto *adj,nm* (cor) black; **uma fotografia a preto e branco** a black and white photo ▪ *nm pej* (pessoa) black, coloured ♦ **pôr alguma coisa preto no branco** to put something down in black and white
prevalecer *v* **1** *(superar)* to prevail (sobre, over) **2** *(predominar)* to predominate; to preponderate
prevalência *nf* predominance; primacy

prevaricação *nf* breach of one's duty
prevaricador *nm* prevaricator, breaker of one's duty
prevaricar *v* to break one's duty
prevenção *nf* **1** prevention **2** *(alerta)* alert
prevenido *adj* forewarned; prepared ◆ **homem prevenido vale por dois** forewarned is forearmed
prevenir *v* **1** *(avisar)* to forewarn; to caution **2** *(evitar)* to prevent; to avoid **3** *(prever)* to anticipate ▪ **prevenir-se** *(preparar-se)* to prepare yourself ◆ **mais vale prevenir que remediar** better safe than sorry
preventivo *adj* preventive; **medicina preventiva** preventive medicine
prever *v* to predict; to foresee; to anticipate
previamente *adv* previously
previdência *nf* providence; foresight; far-sightedness
previdente *adj2g* provident; long-sighted; foresighted
prévio *adj* **1** previous; prior; **aviso prévio** prior notice **2** former; earlier
previsão *nf* forecast; prediction; estimate
previsível *adj2g* **1** predictable; foreseeable; **resultados previsíveis** foreseeable results **2** *pej* predictable; uninteresting
previsto *adj* **1** foreseen; predicted; **tal como previsto** as foreseen **2** expected; **o comboio tem chegada prevista para as 10 horas** the train is expected at 10 o'clock
prezado *adj* **1** dear; (carta) **prezada amiga** my dear friend **2** esteemed; respected; admired
prezar *v* **1** *(estimar)* to esteem; to prize; to respect **2** *(dar valor)* to value; to treasure; **prezo a minha liberdade** I treasure my freedom
primado *nm* primacy; supremacy; predominance
prima-dona *nf* MÚS prima donna
primar *v* *(distinguir-se)* to stand out (por, for)
primária *nf* primary school
primário *adj* **1** primary; **cores primárias** primary colours; **escola primária** primary school **2** *(fundamental)* prime; **necessidade primária** prime necessity **3** *pej (primitivo)* primitive
primata *nm* primate
primavera *nf* **1** (estação do ano) spring **2** *(juventude)* youth **3** *pl (anos de idade)* years of age
primaveril *adj2g* springlike
primazia *nf* **1** *(superioridade)* primacy; superiority **2** *(prioridade)* priority; precedence; **o clube dá primazia aos sócios** the club gives priority to its members
primeira *nf* **1** (automóvel) first (gear); **meter a primeira** to put the car in first **2** (classe) first class; **ela só viaja em primeira** she only travels first class; **hotel de primeira** first-class hotel
primeiro *adj* **1** first; **a primeira vez** the first time **2** *(essencial)* fundamental; basic ▪ *num ord* > *adj num*[DT] first ▪ *adv* firstly; first ◆ **primeiros socorros** first aid; **em primeira mão** first-hand
primeiro-ministro *nm* prime minister; premier
primitivo *adj* **1** primitive; **o homem primitivo** primitive man; **tribos primitivas** primitive tribes **2** *(rudimentar)* rudimentary
primo *nm* cousin ▪ *adj* **1** MAT (número) prime **2** (matéria) raw
primogénito *adj,nm* firstborn
primor *nm* **1** *(perfeição)* perfection; excellence; magnificence **2** *(beleza)* beauty; charm **3** *(requinte)* refinement; finesse; delicacy ◆ **com primor** delicately
primordial *adj2g* **1** *(primitivo)* primordial; primeval; primitive **2** *(principal)* main; most important
primórdios *nmpl (origem)* origin; beginning
primoroso *adj* exquisite; excellent; perfect
princesa *nf* princess; **a princesa real** the royal princess
principado *nm* **1** (título) princedom **2** (nação) principality; principate
principal *adj2g* **1** main; principal; chief **2** (ator) leading ▪ *nm (o mais importante)* the main thing
principalmente *adv* principally; mainly; chiefly
príncipe *nm* prince ◆ **príncipe encantado** Prince Charming; **príncipe herdeiro** Crown Prince
principesco *adj* princely
principiante *n2g* beginner; novice ◆ **sorte de principiante** beginner's luck
principiar *v* to begin; to start
princípio *nm* **1** *(início)* beginning; start **2** (moral) principle **3** (regra) principle; rule; law ◆ **em princípio** in principle; **partindo do princípio que** assuming that
prior *nm* prior
prioridade *nf* **1** (geral) priority; **dar prioridade a** to give priority to **2** (estrada) right of way;

dar prioridade a to give right of way; **ter prioridade** to have right of way

prioritário *adj* urgent; **assunto prioritário** urgent business

prisão *nf* **1** *(cadeia)* prison; jail; **ir para a prisão** to go to prison **2** *(detenção)* arrest; capture **3** *(clausura)* arrest; custody ♦ **prisão de ventre** constipation

prisca *nf* cigarette end, cigarette butt

prisional *adj2g* prison

prisioneiro *nm* prisoner; convict ♦ **prisioneiro de guerra** prisoner of war; **prisioneiro político** political prisoner; prisoner of conscience

prisma *nm* **1** GEOM prism **2** *fig (ponto de vista)* point of view; perspective; **não vejo as coisas por esse prisma** I don't see the issue from that perspective

privação *nf* **1** deprivation (de, of) **2** *pl* hardship; **passar privações** to suffer hardship

privacidade *nf* privacy

privada *nf* **1** water closet **2** (pública) latrine; toilet **3** *col* (universidade) private university; **ele estuda numa privada** he studies in a private university

privado *adj* **1** *(privativo, pessoal)* private; personal **2** *(carenciado)* deprived (de, of) ♦ **em privado** in private

privar *v* **1** *(tirar a posse de)* to deprive (de, of) **2** *(socializar)* to be on intimate terms (com, with) ▪ **privar-se** to deprive yourself (de, of)

privativo *adj* private

privatização *nf* privatization

privatizar *v* to privatize

privilegiado *adj* **1** privileged; **estar num posição privilegiada** to be in a privileged position **2** *(sortudo)* fortunate; lucky; **considero-me privilegiada por ter emprego** I count myself lucky for having a job ▪ *nm* privileged person; lucky person

privilegiar *v* to favour; to privilege

privilégio *nm* privilege

pró *nm* pro; advantage ▪ *adv* in favour of, for, pro ♦ **nem pró nem contra** neither for nor against; **os prós e os contras** the pros and cons

proa *nf* prow; bow

pró-activo *a nova grafia é* **pró-ativo**[AO]

pró-ativo[AO] *adj* proactive

probabilidade *nf* probability

problema *nm* **1** problem; trouble **2** MAT problem

problemático *adj* **1** problem; problematic; **uma criança problemática** a problem child **2** (pessoa) difficult

procedência *nf* **1** *(origem)* origin; provenance **2** *(linhagem)* descent; ancestry

procedente *adj2g* coming (de, from)

proceder *v* **1** *(agir)* to behave; to act **2** *(ter origem)* to originate (de, in); to come (de, from) **3** *(levar a efeito)* to proceed (a, with)

procedimento *nm* **1** procedure; **seguir os procedimentos de segurança** to follow the safety procedures **2** *(comportamento)* conduct; behaviour; **mau procedimento** wrongdoing

processador *nm* INFORM processor ♦ INFORM **processador de texto** word processor

processamento *nm* processing ♦ INFORM **processamento de dados** data processing; INFORM **processamento de texto** word processing

processar *v* **1** DIR to sue; to proceed against **2** INFORM to process

processional *adj2g* processional

processo *nm* **1** process **2** DIR lawsuit **3** (documentos) file

procissão *nf* procession; train

proclamação *nf* proclamation; announcement; declaration

proclamar *v (anunciar)* to proclaim; to announce; to declare ▪ **proclamar-se** to proclaim oneself

procriação *nf* procreation; reproduction

procriar *v* to procreate; to reproduce

procura *nf* **1** *(busca)* search; pursuit **2** ECON demand; **oferta e procura** supply and demand

procuração *nf* DIR power of attorney

procurador *nm* attorney ♦ **Procurador Geral da República** Attorney General

procuradoria *nf* attorneyship

procurar *v* **1** *(andar à procura)* to search for; to look for **2** *(tentar)* to try; **procurei falar com ela** I tried to talk to her ♦ **procurar uma agulha num palheiro** to look for a needle in a haystack

prodígio *nm* prodigy

prodigioso *adj* prodigious

pródigo *adj* **1** *(gastador)* prodigal; wasteful; spendthrift **2** *(generoso)* generous ♦ **filho pródigo** prodigal son

produção *nf* **1** production; *(fabrico)* **custos de produção** production costs; CIN,TV **produção cinematográfica** film production **2** (produto, obra) product; production
produtividade *nf* productivity
produtivo *adj* **1** productive; **um trabalhador altamente produtivo** a highly productive worker **2** fertile; **solo produtivo** fertile soil
produto *nm* (geral) product; **o lançamento de novos produtos** the launch of new products; **o produto de 2 e 3 é 6** the product of 2 and 3 is 6 ♦ **produtos de limpeza** cosmetics; ECON **produto interno bruto** gross domestic product; **produtos naturais** natural produce
produtor *nm* (geral) producer ▪ *adj* producing; **um país produtor de cortiça** a cork-producing country
produzido *adj col* (pessoa) dressed up
produzir *v* **1** *(fabricar)* to produce **2** *(render)* to bear; to yield **3** *(originar)* to cause **4** CIN,TV to produce ▪ **produzir-se 1** *(aperaltar-se)* to dress up **2** *(ocorrer)* to happen; to take place
proeminência *nf* **1** *(saliência)* prominence **2** *(importância)* prominence; importance
proeminente *adj2g* **1** *(importante)* important; eminent; prominent **2** *(saliente)* prominent; protuberant
proeza *nf* deed; feat; achievement
profanação *nf* profanation
profanar *v* to profane; to desecrate
profano *adj* **1** *(sacrílego)* profane; sacrilegious **2** *(secular)* secular; temporal ▪ *nm (leigo)* lay person
profecia *nf* prophecy; forecast; prediction
proferir *v* **1** (palavra, som) to utter **2** (acusação, insulto) to hurl
professor *nm* **1** (escola) teacher; **professora de Inglês** English teacher **2** (universidade) professor; full professor EUA ♦ **Professor Doutor** Doctor
profeta *nm* prophet
profético *adj* prophetic
profetisa *nf* prophetess
profetizar *v* to prophesy; to predict; to foresee
proficiência *nf* proficiency; expertness
proficiente *adj2g* proficient (em, in); expert (em, in)
profícuo *adj* **1** *(útil)* useful **2** *(proveitoso)* profitable **3** *(vantajoso)* advantageous
profiláctico *a nova grafia é* **profilático**[AO]
profilático[AO] *adj* prophylactic; **tratamento profilático** prophylactic treatment
profilaxia *nf* MED prophylaxis
profissão *nf* profession; **ele é químico de profissão** he's a chemist by profession
profissional *adj2g* **1** professional; **formação profissional** professional training **2** *(competente)* professional; competent; **a minha secretária é muito profissional** my secretary is highly professional ▪ *n2g* professional; **profissionais de saúde** health professionals
profiterole *nf* CUL profiterole
profundeza *nf* depth; **as profundezas do oceano** the depths of the ocean
profundidade *nf* **1** depth; **a uma profundidade de 100 metros** at a depth of 100 metres **2** (sentimentos) depth; strength ♦ **em profundidade** deeply
profundo *adj* **1** *(fundo)* deep; **águas profundas** deep waters; **um corte profundo** a deep cut **2** *(intenso)* deep; strong; **sentimentos profundos** strong feelings **3** (respiração, sono) deep; heavy
profusão *nf* profusion
progénie *nf* **1** *(descendência)* progeny; progeniture; offspring **2** *(ascendência)* ancestry; lineage
progenitor *nm* **1** *(procriador)* progenitor; mother; father **2** *(antepassado)* ancestor
prognosticar *v* **1** *(pressagiar)* to prognosticate; to foretell; to predict **2** (doença) to diagnose
prognóstico *nm* **1** *(previsão, indício)* prognosis; forecast; prediction **2** MED prognosis
programa *nm* **1** programme GB; program EUA **2** *(plano)* programme GB; program EUA; plan **3** (escola, universidade) syllabus, curriculum **4** INFORM program
programação *nf* **1** *(planeamento)* planning **2** INFORM programming; **linguagem de programação** programming language **3** TV programming
programador *nm* INFORM programmer
programar *v* **1** to programme GB, to program EUA **2** (computador) to program
progredir *v* **1** (conhecimento, pessoa) to progress; to develop; **este aluno progrediu muito** this student made good progress **2** (tempo, si-

tuação) to improve; to progress; **a situação está a progredir lentamente** the situation is slowly improving

progressão *nf* progression ♦ **progressão na carreira** career progression

progressista *adj2g* progressive

progressivo *adj* progressive; **um aumento progressivo dos impostos** a progressive rise in taxes

progresso *nm* progress ♦ **progresso tecnológico** technological progress; **fazer grandes progressos** to make great progress

proibição *nf* prohibition; forbiddance ♦ **sinal de proibição** prohibition sign

proibido *adj* forbidden ♦ **proibido fumar** no smoking; **proibida a entrada** no entry

proibir *v* to forbid (de, to); to prohibit (de, from)

proibitivo *adj* **1** (lei) prohibitive; repressive; inhibitory **2** (preço) prohibitive; exorbitant

projeção[AO] *nf* **1** (luz, imagem) projection **2** *(importância)* importance **3** *(lançamento)* toss; thrust

projecção *a nova grafia é* **projeção**[AO]

projectar *a nova grafia é* **projetar**[AO]

projéctil *a nova grafia é* **projétil**[AO]

projecto *a nova grafia é* **projeto**[AO]

projector *a nova grafia é* **projetor**[AO]

projetar[AO] *v* **1** *(lançar)* to throw; to toss **2** *(delinear)* to sketch **3** *(planear)* to plan; to project **4** (luz, imagem, som) to project ▪ **projetar-se** *(atirar-se)* to throw yourself

projétil[AO] *nm* projectile; missile

projeto[AO] *nm* **1** project; plan **2** *(esboço)* sketch; draft

projetor[AO] *nm* projector ♦ **projetor de diapositivos** slide projector

prol *nm* profit; advantage ♦ **em prol de** in favour of

prole *nf (descendência)* offspring; progeny

proletariado *nm* proletariat

proletário *adj,nm* proletarian

proliferação *nf* proliferation; spread; propagation

proliferar *v* to proliferate; to spread; to propagate

prolixo *adj* (discurso) prolix; lengthy; tedious

prólogo *nm* LIT,TEAT,MÚS prologue

prolongado *adj* **1** prolonged; extended **2** *(de grande duração)* long; lengthy ♦ **após doença prolongada** after a long illness

prolongamento *nm* **1** (geral) prolongation **2** (prazo) extension **3** DESP extra time GB; overtime EUA

prolongar *v* to prolong; to lengthen; to extend ▪ **prolongar-se 1** *(estender-se)* to stretch **2** *(durar)* to go on; to last

promécio *nm* promethium

promessa *nf* **1** promise **2** REL vow

prometedor *adj* promising, full of promise; auspicious; **um futuro prometedor** a promising future

prometer *v* **1** to promise (a, to) **2** to be promising

prometido *adj* promised ♦ **o prometido é devido** you must keep your promises

promiscuidade *nf* promiscuity

promíscuo *adj* promiscuous

promissor *adj* promising

promissória *nf* ECON promissory note

promoção *nf* **1** (profissional) promotion (a, to) **2** (produtos) promotion; marketing **3** *(desconto)* promotion; discount

promontório *nm* promontory

promotor *nm* promoter; **promotor de eventos culturais** cultural promoter ♦ **promotor imobiliário** property developer; **promotor de vendas** sales representative; DIR **promotor público** public prosecutor

promover *v* **1** (profissão) to promote; **ela foi promovida a diretora de vendas** she was promoted to sales manager **2** *(fomentar)* to promote; to further; to advance

promulgação *nf* promulgation

promulgar *v* to promulgate

pronome *nm* pronoun

pronominal *adj2g* pronominal

prontamente *adv* readily; promptly; immediately

prontidão *nf* **1** *(desembaraço)* readiness (para, to); willingness (para, to) **2** *(rapidez)* promptness; swiftness ♦ **com prontidão** promptly; quickly

pronto *adj* **1** ready (para, for/to) **2** *(imediato)* prompt; **pronto pagamento** prompt payment

pronto-a-vestir *nm* **1** ready-to-wear **2** (estabelecimento) ready-to-wear shop

pronto-socorro *nm* **1** ambulance **2** (assistência automóvel) breakdown lorry; wrecker EUA

prontuário *nm* handbook; manual

pronúncia *nf* pronunciation; accent ◆ **pronúncia do Norte** northern accent
pronunciado *adj* 1 *(proferido)* uttered 2 *(pronunciado)* marked; pronounced 3 *(nítido)* clear
pronunciar *v* 1 (som, palavra) to pronounce; to utter 2 *(anunciar)* to pronounce ▪ **pronunciar-se** to declare oneself
propagação *nf* propagation; spread
propaganda *nf* 1 (ideológica) propaganda; **uma campanha de propaganda política** a political propaganda campaign 2 *(publicidade)* advertising
propagandista *n2g* propagandist ▪ *adj2g* propagandistic
propagar *v* to propagate; to spread; **o incêndio propagou-se** the fire spread
propensão *nf* propensity; tendency
propenso *adj* inclined (a, to); prone (a, to)
propiciar *v* 1 *(favorecer)* to contribute to 2 *(proporcionar)* to offer
propício *adj* propitious; favourable
propina *nf* 1 fee 2 (universidade) tuition fees GB; tuition EUA
proponente *adj2g* 1 proponent 2 proposer ▪ *n2g* 1 (ideia) proponent; supporter 2 (proposta) proposer
propor *v* to propose ▪ **propor-se** *(oferecer-se)* to offer (a, to)
proporção *nf* (geral) proportion ◆ **em proporções iguais** in equal proportions
proporcionado *adj* 1 proportioned; in proportion; **bem proporcionado** well-proportioned 2 balanced; harmonious
proporcional *adj2g* proportional (a, to)
proporcionalmente *adv* proportionally
proporcionar *v (dar)* to provide; to give; to offer ▪ **proporcionar-se** (ocasião, oportunidade) to be opportune
proposição *nf* 1 *(proposta)* proposition; proposal 2 *(declaração)* assertion; statement 3 LING sentence
propositadamente *adv* on purpose; intentionally
propositado *adj* intentional; deliberate
propósito *nm* 1 *(intenção)* intention; design 2 *(objetivo)* aim; purpose ◆ **a propósito** by the way; **de propósito** intentionally; on purpose
proposta *nf* proposal; proposition; offer

propriamente *adv* 1 *(no sentido próprio)* properly 2 *(exatamente)* really; **ele não é propriamente um bom cantor** he's not really a good singer
propriedade *nf* 1 property 2 *(quinta)* land; farm
proprietário *nm* 1 proprietor; owner 2 (de terras) landlord, landlady
próprio *adj* 1 own; **o meu próprio filho** my own son 2 *(mesmo)* self; **ele próprio me contou** he told me himself 3 *(apropriado)* proper; appropriate 4 *(exato)* precise; exact 5 *(característico)* characteristic (de, of)
propulsão *nf* propulsion; propelling ◆ **propulsão a jato** jet propulsion; **propulsão a vapor** steam propulsion
propulsor *adj* propelling; propulsive; **turbina propulsora** propeller turbine ▪ *nm* propeller
prorrogação *nf* 1 *(prolongamento)* extension; **prorrogação de contrato** contract extension 2 *(adiamento)* adjournment
prorrogar *v* 1 *(prolongar)* to extend; to protract 2 *(adiar)* to postpone; to adjourn
prorrogável *adj2g (que se pode prolongar)* extendable
prosa *nf* LIT prose
prosaico *adj* prosaic; ordinary; commonplace
proscrever *v* 1 *(banir, exilar)* to proscribe; to banish; to exile 2 *(proibir)* to forbid
proscrição *nf* 1 *(expulsão)* proscription; banishment 2 *(proibição)* prohibition
proscrito *nm (exilado)* exile; expatriate ▪ *adj* banished; exiled
prospeção[AO] *nf* 1 *(pesquisa)* research; study 2 (recursos) prospecting; exploring; **prospeção petrolífera** oil prospecting ◆ ECON **prospeção de mercado** market research
prospecção *a nova grafia é* **prospeção**[AO]
prospecto *a nova grafia é* **prospeto**[AO]
prosperar *v* 1 *(desenvolver-se)* to prosper; to thrive 2 *(enriquecer)* to become rich
prosperidade *nf* prosperity
próspero *adj* prosperous
prospeto[AO] *nm* prospectus; brochure; leaflet
prossecução *nf* pursuit; **a prossecução dos objetivos** the pursuit of one's goals
prosseguir *v* to continue; to carry on
próstata *nf* prostate
prostituição *nf* prostitution ◆ **prostituição infantil** child prostitution
prostituir-se *v* to prostitute oneself

prostituta *nf* prostitute
prostração *nf* prostration
prostrar-se *v* to prostrate yourself
protactínio *nm* proctatinium
protagonista *n2g* **1** LIT main character, protagonist **2** CIN,TEAT (ator) leading man; **o papel de protagonista** the leading role **3** (acontecimento) main protagonist
protagonizar *v* **1** TEAT,CIN to take the leading role **2** (acontecimento) to lead; to take the lead
protão *nm* FÍS proton
proteção[AO] *nf* **1** *(defesa)* protection; security; defence **2** *(abrigo)* shelter
protecção *a nova grafia é* **proteção**[AO]
proteccionismo *a nova grafia é* **protecionismo**[AO]
proteccionista *a nova grafia é* **protecionista**[AO]
protecionismo[AO] *nm* POL,ECON protectionism
protecionista[AO] *adj,n2g* protectionist
protector *a nova grafia é* **protetor**[AO]
proteger *v* **1** to protect (de, from); to guard (de, from) **2** *(preservar)* to protect; to preserve
protegido *adj* protected ▪ *nm* protégé
proteína *nf* BIOL protein
protelação *nf* protraction; postponement; delay
protelar *v* to delay; to adjourn; to put off
prótese *nf* **1** MED prosthesis **2** MED (membro) artificial limb
protestante *adj,n2g* Protestant
protestantismo *nm* Protestantism
protestar *v* **1** *(insurgir-se)* to protest (contra, against; por, for) **2** (manifestação) to demonstrate (contra, against; por, for) **3** *(queixar-se)* to complain
protesto *nm* protest; **apresentar um protesto** to make a protest; **levantar protestos** to give rise to protests
protetor[AO] *nm* protector ◆ **protetor solar** sunscreen
protocolar *adj2g* of protocol; **situação protocolar** a matter of protocol
protocolo *nm* protocol
protótipo *nm* prototype; **este carro é um protótipo** this is a prototype car
protuberância *nf (saliência)* protuberance; bump
protuberante *adj2g* protuberant; protruding
prova *nf* **1** *(demonstração)* proof **2** (investigação) evidence **3** (escola) test **4** DESP competition **5** (roupa, calçado) fitting **6** (alimento, vinho) tasting ◆ **à prova de água** waterproof; **pôr à prova** to put to the test
provação *nf* **1** *(prova)* probation; trial **2** *(situação aflitiva)* hardship; distress; misfortune
provador *nm* **1** (lojas de roupa) fitting room **2** (profissão) taster; **provador de vinhos** wine taster
provar *v* **1** *(demonstrar)* to prove; to show; **ficou tudo provado** everything was proven **2** (alimento, bebida) to taste; **deixa-me provar isso** let me have a taste of it **3** (roupa) to try on
provável *adj2g* probable; likely ◆ **é provável** probably
provavelmente *adv* probably; possibly
provedor *nm* **1** *(fornecedor)* purveyor **2** (instituições de caridade) head of a charitable institution; director **3** (jornalismo, organização) ombudsman
proveito *nm* profit; gain; benefit ◆ **bom proveito!** enjoy your meal!
proveitoso *adj* **1** *(lucrativo)* profitable; lucrative **2** *(vantajoso)* advantageous **3** *(útil)* useful
proveniência *nf* provenance; source; origin
proveniente *adj2g* proceeding (de, from); coming from (de, from)
prover *v* to provide (de, with); to supply (de, with)
proverbial *adj2g* proverbial
provérbio *nm* proverb; maxim; adage
proveta *nf* test tube ◆ **bebé proveta** test-tube baby
providência *nf* precaution; prevention; **tomar providências** to take precautions
providencial *adj2g* providential; fortunate; lucky
providenciar *v* **1** *(tomar medidas)* to take measures **2** *(fornecer)* to provide with
providente *adj2g* provident; prudent
provimento *nm* **1** DIR grant; **dar provimento** to grant a petition; **negar provimento** to refuse a petition **2** *(nomeação)* appointment **3** *(fornecimento)* supply; provisioning
província *nf* **1** province **2** (fora da cidade) country; **viver na província** to live in the country
provincianismo *nm pej* provincialism
provinciano *adj pej* provincial; parochial ▪ *nm pej* provincial

provir *v* **1** *(resultar)* to proceed (de, from) **2** (origem) to come (de, from)
provisão *nf* **1** DIR provision **2** *(abastecimento)* supply **3** *pl (mantimentos)* provisions; victuals; supplies
provisional *adj2g* provisional; temporary
provisório *adj* provisional; temporary; **governo provisório** provisional government
provocação *nf* **1** (atitude) provocation **2** *(desafio)* challenge
provocador *adj* provocative ▪ *nm* **1** *(arreliador)* teaser **2** *(agitador)* agitator
provocante *adj2g* **1** (atitude) provocative **2** (aspeto físico) attractive; sensual; tempting
provocar *v* **1** *(causar)* to give rise to; to cause; to provoke **2** *(desafiar)* to challenge; to dare **3** *(seduzir)* to tease
proxeneta *n2g* pander; go-between; pimp *cal*
proximidade *nf* **1** proximity **2** *pl (arredores)* surroundings; vicinity; **nas proximidades de** in the vicinity of
próximo *adj* **1** (espaço) near; close; **próximo da praia** near the beach **2** (tempo) next; **no próximo mês** next month **3** *(iminente)* imminent ▪ *adv* near; close ▪ *nm (semelhante)* neighbour GB, neighbor EUA
prudência *nf* prudence
prudente *adj2g* **1** *(cuidadoso)* prudent; cautious; careful **2** *(sensato)* wise; sensible; discreet
prumo *nm (fio de prumo)* plumb line ♦ **a prumo** vertically
prurido *nm* itch
pseudónimo *nm* **1** pseudonym; assumed name **2** (escritor) pen name; nom de plume
psicadélico *adj* psychedelic; **luzes psicadélicas** psychedelic lights
psicanálise *nf* psychoanalysis
psicanalista *n2g* analyst; psychoanalyst
psicologia *nf* psychology ♦ **psicologia social** social psychology
psicológico *adj* psychological
psicólogo *nm* psychologist
psicopata *n2g* psychopath; psycho *col*
psicose *nf* MED psychosis
psicotécnico *adj* psychotechnical ♦ **teste psicotécnico** aptitude test; achievement test
psicoterapia *nf* psychotherapy
psique *nf* psyche
psiquiatra *n2g* psychiatrist
psiquiatria *nf* MED psychiatry
psiquiátrico *adj* psychiatric; **perturbações psiquiátricas** psychiatric disorders
psíquico *adj* psychic
psiu *interj* **1** (silêncio) hush! **2** (chamada) pst!
pub *nm* pub
puberdade *nf* puberty
púbico *adj* pubic; **pelos púbicos** pubic hair
púbis *nf2n* pubis
publicação *nf* **1** (obra, revista, jornal) publishing; printing **2** *(obra publicada)* publication
publicar *v* to publish; to issue
publicidade *nf* **1** *(anúncios)* advertising; **fazer publicidade a** to advertise **2** *(divulgação)* publicity ♦ **agência de publicidade** publicity bureau
publicista *n2g* publicist
publicitar *v* **1** (anúncios) to advertise **2** (campanha, evento) to publicize
publicitário *adj* advertising ▪ *nm* (pessoa) advertising executive ♦ **anúncio publicitário** commercial; (papel) **anúncio publicitário** advert; advertisement
público *adj* public; **empresa pública** public enterprise; **jardim público** public garden ▪ *nm* **1** public; **aberto ao público** open to the public **2** (teatro, concerto) audience ♦ **em público** publicly; in public; **tornar público** to announce (publicly)
público-alvo *nm* **1** (produto) target customer; target market **2** (programa, publicação) target audience
púcaro *nm* mug
pudico *adj* **1** *pej* prudish; priggish; prim **2** *(envergonhado)* bashful; modest; shy
pudim *nm* pudding; **forma de pudim** pudding basin
pudor *nm* **1** *(timidez)* shyness; bashfulness **2** *(modéstia)* modesty
puericultura *nf* MED child care
pueril *adj2g* **1** (de crianças) puerile **2** (atitude, mentalidade) childish
pufe *nm (assento)* pouffe
pugilato *nm* fight; wrestle; row
pugilismo *nm* DESP pugilism, boxing
pugilista *n2g* DESP pugilist, boxer
pujança *nf* strength; vigour; might
pujante *adj2g* **1** *(vigoroso)* vigorous; hearty **2** *(exuberante)* magnificent; exuberant

pular *v (saltar)* to jump
pulga *nf* flea ◆ **estar com a pulga atrás da orelha** to smell a rat
pulgão *nm* aphid
pulha *adj2g* contemptible ▪ *n2g pej* rogue; rotter
pulmão *nm* lung
pulmonar *adj2g* pulmonary; **doença pulmonar** pulmonary disease
pulo *nm* jump; leap ◆ **aos pulos** by leaps and bounds; **levantar-se de um pulo** to rise with a bound; **o meu coração deu um pulo** my heart jumped
pulôver *nm* sweater; jumper; pullover
púlpito *nm* pulpit
pulsação *nf* pulsation; pulse
pulsar *v* (coração) to pulse; to throb
pulseira *nf* bracelet; bangle ◆ **pulseira de relógio** watch bracelet
pulso *nm* **1** wrist **2** *(pulsação)* pulse; beat; **tomar o pulso a** to feel the pulse of **3** *fig (força)* strength; authority
pulular *v (abundar)* to swarm (de, with); to abound (de, in)
pulverização *nf* **1** (pó) pulverization **2** (líquido) spraying
pulverizador *nm* **1** (pó) pulverizer **2** (líquido) sprayer
pulverizar *v* **1** (pó) to pulverize; to grind **2** (líquido) to spray
pum *interj* bang!; boom!
puma *nm* puma, cougar
pumba *interj* boom!, bang!
punção *nf* MED punch
punhado *nm* **1** *(mão-cheia)* handful **2** *(pequena quantidade)* a few
punhal *nm* dagger
punhalada *nf* stab
punho *nm* **1** ANAT fist **2** (manga) cuff; **botão de punho** cuff-link **3** (arma, utensílio, instrumento) handle; grasp; **punho de remo** grasp of an oar ◆ **pelo próprio punho** in his own handwriting
punição *nf* punishment
punir *v* to punish
punitivo *adj* punitive
punível *adj2g* punishable; **punível por lei** punishable by law
punk *adj,n2g* punk; **música punk** punk music
pupila *nf* pupil
pupilo *nm* **1** *(discípulo)* pupil; protégé **2** *(órfão sob tutela)* ward
puramente *adv* purely; simply; merely
puré *nm* **1** purée, mash **2** *(sopa)* thick soup
pureza *nf* **1** (geral) purity **2** *(castidade)* chastity; purity; innocence
purga *nf* FARM purge
purgante *adj,nm* FARM purgative; laxative
purgar *v* **1** MED to purge **2** *(purificar)* to purify; to clean; to cleanse
Purgatório *nm* purgatory
purificação *nf* purification
purificador *nm* purifier ▪ *adj* purifying ◆ **purificador de ar** air purifier
purificar *v (livrar de impurezas)* to purify
purismo *nm* LING purism
purista *adj,n2g* purist
puritanismo *nm* Puritanism
puritano *adj* **1** puritan **2** *pej* prudish ▪ *nm* **1** puritan **2** *pej* prude
puro *adj* **1** pure **2** (bebidas) neat
puro-sangue *nm* thorough-bred, purebred
púrpura *adj2g,nf* (cor) purple
pus *nm2n* MED pus; **criar pus** to gather pus
pústula *nf* MED pustule
puto *nm col* kid; boy
putrefação[AO] *nf* putrefaction; decomposition
putrefacção *a nova grafia é* **putrefação**[AO]
puxado *adj* **1** *col* (trabalho, teste) hard; tough; difficult **2** *col* (preço) expensive; pricey; dear **3** (alimento) hot; highly seasoned
puxador *nm* **1** (porta) door handle; (redondo) knob **2** (gaveta) handle
puxão *nm* **1** *(esticão)* pull **2** (com força) tug ◆ **dar um puxão de orelhas a alguém** to pull somebody's ear
puxar *v* **1** (objeto, pessoa) to pull **2** *(arrastar)* to drag **3** *(rebocar)* to tug; to haul **4** *(estimular)* to spur; **puxar por uma equipa** to spur a team **5** *(ser parecido)* to take (a, after)

Não confundir a palavra portuguesa **puxar** com a palavra inglesa **(to) push**, que significa empurrar.

puxo *nm* (cabelo) hair bob, bun
puzzle *nm* puzzle
PVC *nm* [*abrev. de* polyvinyl chloride]

Q

q *nm* (letra) q

QI [*abrev. de* Quociente de Inteligência] QI [*abrev. de* Intelligence Quotient]

quadra *nf* **1** (época) season; **quadra festiva** festive season **2** (cartas) four **3** LIT (versos) quatrain; four-line stanza

quadradinhos *nmpl* (banda desenhada) cartoon squares; **história em quadradinhos** comic strip

quadrado *nm* MAT,GEOM square; **três ao quadrado** square of three ▪ *adj* **1** MAT,GEOM square **2** *fig,pej* (mentalidade) rigid

quadragésimo *num ord > adj num*DT fortieth

quadrangular *adj2g* quadrangular; tetragonal

quadrângulo *nm* GEOM quadrangle

quadrante *nm* **1** GEOM quadrant **2** (relógio) dial

quadrar *v* **1** to be appropriate; to please **2** *(ficar bem)* to agree (com, with); to suit (com, -)

quadrícula *nf* squares; grid

quadriculado *adj* (papel) squared; **papel quadriculado** squared paper ▪ *nm* square pattern

quadricular *v* to square

quadril *nm* haunch; hip

quadrilátero *adj,nm* GEOM quadrilateral

quadrilha *nf* **1** (ladrões) gang **2** (dança) quadrille

quadrinómio *nm* MAT four monomial

quadro *nm* **1** (pintura) painting; picture **2** (escola) board **3** (funcionários) staff **4** *(tabela)* table; chart

quadrúpede *adj2g,nm* quadruped

quadruplicado *adj,nm* quadruplicate ◆ **em quadruplicado** in quadruplicate

quadruplicar *v* to quadruple

quádruplo *num mult > quant num*DT quadruple

qual *pron interr* **1** which; **qual dos dois?** which of the two? **2** what; **qual livro?** what book? **3** who; **qual é o teu cantor favorito?** who's your favourite singer? ▪ *pron rel* **1** (coisa indeterminada) what; **seja qual for a resposta** no matter what the answer is **2** (pessoas) who **3** (pessoas, coisas) that **4** (coisas) which ▪ *interj* nonsense!; what!; **qual quê!** you wish! ◆ *col* **tal e qual** that is just it

qualidade *nf* **1** (produto) quality; **de elevada qualidade** high-quality; **de má qualidade** poor-quality **2** *(atributo)* characteristic; attribute **3** (representação) capacity; **na qualidade de** in the capacity of ◆ **qualidade de vida** quality of life

qualificação *nf* **1** DESP qualification **2** *(habilitação)* qualification; skill **3** *pl* (estudos) qualifications

qualificado *adj* qualified; **trabalhador qualificado** qualified worker

qualificar *v* to qualify; to describe ▪ **qualificar-se** (prova) to qualify

qualificativo *adj* qualifying ▪ *nm* qualifier ◆ LING **adjetivo qualificativo** qualifier

qualitativo *adj* qualitative

qualquer *det indef > quant univ*DT, *pron indef* **1** any; **qualquer pessoa** anybody; **qualquer coisa** anything; **em qualquer lugar** anywhere **2** (em dois) either; **qualquer dos dois serve** either one will do

quando *adv,conj* when; **até quando?** until when? ◆ **quando muito** at most; **seja quando for** any time

quantia *nf* sum; amount

quântico *adj* quantum; **física quântica** quantum physics

quantidade *nf* **1** *(número)* quantity; number **2** *(porção)* amount (de, of)

quantitativo *adj* quantitative; **análise quantitativa** quantitative analysis

quanto *pron interr* **1** how much; **quanto custa?** how much is it? **2** how many; **quantos livros compraste?** how many books did you buy? **3** (tempo) how long; **quanto tempo leva?** how long does it take? ▪ *adv* as; **é tão alto quanto o pai** he is as tall as his father ◆ **quanto a mim** as for me; **quanto antes** as soon as possible

quão *adv lit* how; **quão inteligente ele era** how bright he was

quarenta *num card > quant num*DT forty; **os anos quarenta** the forties

quarentão *nm* forty-something; person in his/her forties
quarentena *nf* quarantine; **pôr de quarentena** to quarantine
Quaresma *nf* Lent
quarta-feira *nf* Wednesday
quarteirão *nm* **1** (edificação) block, block of houses; **a dois quarteirões de distância** two blocks away **2** twenty-five; **um quarteirão de sardinhas** twenty-five sardines
quartel *nm* **1** (instalações militares) barracks **2** *(posto)* station; **quartel dos bombeiros** fire station **3** (quarta parte) quarter
quartel-general *nm* MIL headquarters
quarteto *nm* quartet
quartilho *nm* pint
quarto *num ord > adj num*[DT] fourth ▪ *nm* **1** (divisão em casa) room; **quarto de banho** bathroom; **quarto para alugar** room to let **2** quarter; (lua) **quarto crescente** first quarter; **um quarto de hora** a quarter of an hour; **um quarto de litro** a quarter of a litre
quartos-de-final *a nova grafia é* **quartos de final**[AO]
quartos de final[AO] *nmpl* quarterfinal
quartzo *nm* quartz
quase *adv* **1** *(prestes)* almost; nearly; **estou quase pronto** I'm almost ready **2** [frases negativas] hardly; scarcely; **quase não te conseguia ver** I could hardly see you
quatrilião *num card > quant num*[DT] septillion
quatro *num card > quant num*[DT] four; **o dia quatro** the fourth
quatrocentos *num card > quant num*[DT] four hundred
que *conj* that; **eu sei que tens razão** I know (that) you're right ▪ *pron rel* **1** (pessoas) who, that; **a rapariga que está à janela** the girl who is at the window **2** (coisas) which, that; **a carta que estou a escrever** the letter (that) I am writing ▪ *pron interr* what?; **que há de novo?** what's new? ▪ *adv* (seguido de adjetivo) how; (seguido de substantivo) what; **que lindo!** how pretty!; **que pena!** what a pity!
quê *pron interr* what?; **o quê?!** what?!; **para quê?** what for? ♦ **não tem de quê** you're welcome; **sem quê nem porquê** for no good reason
quebra *nf* **1** *(perda)* loss; **quebra de receitas** loss of income **2** *(rutura)* break; breach
quebra-cabeças *nm2n* **1** (jogo) brainteaser; riddle **2** *(problema)* a hard nut to crack
quebra-gelo *nm* icebreaker
quebra-luz *nf* shade; lampshade
quebra-mar *nm* breakwater; mole
quebra-nozes *nm2n* nutcracker
quebrar *v* **1** to break **2** (entusiasmo) to dampen ▪ **quebrar-se** to break
queda *nf* **1** fall **2** *(descida)* drop **3** (avião) crash **4** *(declínio)* downfall; decline **5** (talento) talent ♦ **queda de água** waterfall; **queda de cabelo** hair loss
queijada *nf* small cheesecake
queijaria *nf* **1** (produção) cheese making **2** (estabelecimento) cheese dairy
queijo *nm* cheese; **queijo flamengo** Dutch cheese; **queijo ralado** grated cheese
queima *nf* burning ♦ **queima das fitas** university ritual to celebrate the end of the school year
queimada *nf* burning; clearing of the soil by fire
queimado *adj* **1** (ação do fogo) burnt **2** (exposição ao sol) sunburnt **3** (plantas) dried up **4** *col (tramado)* in trouble
queimadura *nf* burn; **queimadura de primeiro grau** first degree burn; **queimadura solar** sunburn
queimar *v* **1** to burn **2** *(incendiar)* to set fire to **3** (plantas) to scorch; (vento, geada) to nip **4** *(esgotar)* to use up ▪ **queimar-se 1** to burn oneself **2** (alimento) to get burned **3** *col (ficar mal-visto)* to lose face
queima-roupa *nf* **à queima-roupa** point-blank
queixa *nf* **1** DIR complaint; charge; **apresentar queixa contra** to press charges against **2** *(reclamação)* complaint; **não ter razão de queixa** to have no cause for complaint
queixar-se *v* to complain (de, about)
queixinhas *n2g2n col* tattletale
queixo *nm* chin
queixoso *nm* DIR plaintiff, complainant
queixume *nm* **1** *(reclamação)* complaint **2** *(lamento)* lament; lamentation **3** *(gemido)* groan; moan
quelha *nf* lane; alley
quem *pron interr* who; **quem está aí?** who's there?; **de quem é isto?** whose is this? ▪ *pron rel* who; **gostava de saber quem fez**

isso I'd like to know who did that ▪ *pron indef* whoever; anyone who; **seja quem for** whoever it may be
Quénia *nm* Kenya
queniano *adj,nm* Kenyan
quente *adj2g* **1** (alta temperatura) hot; **tempo quente** hot weather; **um banho quente** a hot bath **2** (temperatura amena) warm **3** *fig* (ambiente) hot; exciting ♦ **ficar com a batata quente** to be left holding the baby
queque *nm* small cake ▪ *n2g* posh GB; preppy EUA
quer *conj* **1** (alternativa) either... or...; **quer ele quer ela** either him or her **2** (na negativa) whether... or...; **quer ele queira quer não** whether he likes it or not
querela *nf* dispute; quarrel
querer *v* **1** to want; (pedido) **queria um café, se faz favor** an espresso, please **2** *(desejar)* to wish; **como queira** as you wish ♦ **querer é poder** where there's a will there's a way; **quem tudo quer tudo perde** grasp all lose all
querido *adj,nm* dear; darling
quermesse *nf* **1** (festividade) kermess **2** (caridade) bazaar
querubim *nm* cherub
questão *nf* **1** question; **em questão** in question **2** *(assunto)* issue; point **3** (assunto) matter ♦ **faço questão** I insist
questionar *v* to question ▪ **questionar-se** to wonder
questionário *nm* **1** (conjunto de perguntas) questionnaire; list of questions **2** (passatempo) quiz
questionável *adj2g* questionable; doubtful; dubious
questiúncula *nf* disagreement; argument
quiçá *adv* perhaps; maybe
quiche *nf* quiche
quieto *adj* **1** (sem movimento) motionless; still **2** *(calmo)* quiet; calm; **está quieto!** quiet down!
quilate *nm* **1** carat **2** *fig (perfeição)* excellence; perfection; **algo deste quilate** a thing of such excellence
quilha *nf* keel
quilo *nm* (medição) kilo; **um quilo de arroz** a kilo of rice
quilograma *nm* kilogram, kilogramme GB
quilolitro *nm* kilolitre GB; kiloliter EUA
quilometragem *nf* distance in kilometres
quilómetro *nm* kilometre GB; kilometer EUA
quilowatt *nm* FÍS kilowatt
quimera *nf* wild fancy; fantasy; dream
química *nf* chemistry
químico *adj* chemical ▪ *nm* (profissional) chemist
quimioterapia *nf* MED chemotherapy
quimo *nm* BIOL chyme
quimono *nm* kimono
quina *nf* **1** (brasão) shield **2** (cartas) five **3** (ângulo) sharp edge
quingentésimo *num ord* > *adj num*[DT] five-hundredth
quinhão *nm* share; part
quinhentos *num card* > *quant num*[DT] five hundred
quinina *nf* QUÍM quinine
quinquagenário *adj,nm* quinquagenarian
quinquagésimo *num ord* > *adj num*[DT] fiftieth
quinquilharia *nf* cheap jewellery; bauble
quinta *nf* farm ♦ **estar nas suas sete quintas** to be as happy as a sandboy
quinta-essência *nf* quintessence
quinta-feira *nf* Thursday
quintal *nm* **1** kitchen garden; backyard EUA **2** (medida) a hundredweight; quintal
quinteto *nm* MÚS quintet
quintilião *num card* > *quant num*[DT] nonillion
quinto *num ord* > *adj num*[DT] fifth
quíntuplo *num mult* > *quant num*[DT] quintuple
quinze *num card* > *quant num*[DT] fifteen; **o dia quinze** the fifteenth; **quinze dias** fortnight
quinzena *nf* fortnight; two weeks
quinzenal *adj2g* fortnightly; **jornal quinzenal** fortnightly newspaper
quinzenalmente *adv* fortnightly
quiosque *nm* kiosk; newsagent
quiproquó *nm* quid pro quo; misunderstanding
quiromante *n2g* palmist
quisto *nm* MED cyst
quitação *nf* (dívida) acquittance
quite *adj (livre)* free; released ♦ **estamos quites** we're even
quivi *nm* BOT,ZOOL kiwi
quixotesco *adj* quixotic
quociente *nm* MAT quotient ♦ **quociente de inteligência** intelligence quotient
quórum *nm* (assembleia) quorum
quota *nf* **1** (parte) share; portion **2** (bens) quota; allowance **3** *pl* subscription dues
quota-parte *nf* share
quotidiano *adj* daily; quotidian ▪ *nm* everyday life

R

r *nm* (letra) r
rã *nf* frog
rabanada *nf* **1** CUL French toast **2** (vento) blast, gust
rabanete *nm* radish
rábano *nm* horse radish
rabeca *nf* fiddle; violin
rabecada *nf pop (reprimenda)* reprimand; rebuke
rabi *nm* rabbi
rabicho *nm* pigtail
rabino *nm* rabbi ▪ *adj col (malandreco)* naughty
rabiscar *v* to scrawl; to scribble
rabisco *nm* scrawl; scribble
rabo *nm* **1** (animal) tail **2** (pessoas) bottom, bum ♦ **deitar o rabo do olho a** to peep at; **fugir com o rabo à seringa** to avoid responsibilities
rabo-de-cavalo *a nova grafia é* **rabo de cavalo**[AO]
rabo de cavalo[AO] *nm* (penteado) ponytail
rabo-de-palha *a nova grafia é* **rabo de palha**[AO]
rabo de palha[AO] *nm col* bad reputation
rabugento *adj (resmungão)* grouchy; grumpy
rábula *nf* **1** TEAT small part; supporting part **2** (cena) sketch
raça *nf* race
ração *nf* ration
racha *nf* **1** (algo partido) split; crack **2** (rocha, parede) fissure; crevice **3** (saia, vestido) split
rachar *v* **1** (cabeça, lábio) to split **2** (lenha) to chop **3** *(fender)* to break up; to split up; to crack ♦ **ou vai ou racha** it's make or break; **um frio de rachar** bitter cold
racial *adj2g* racial ♦ **segregação racial** racial segregation
raciocinar *v* to reason
raciocínio *nm* **1** reasoning **2** (capacidade) thinking ability; intelligence
racional *adj2g* rational; reasonable; **ser racional** rational being
racionalidade *nf* rationality
racionalismo *nm* rationalism
racionalista *adj,n2g* rationalist
racionalizar *v* to rationalize; **racionalizar as despesas** to rationalize the expenses
racionalmente *adv* rationally; reasonably; logically
racionamento *nm* rationing; **racionamento dos alimentos** food rationing
racionar *v* to ration
racismo *nm* racism
racista *adj,n2g* racist
radar *nm* radar
radiação *nf* radiation
radiador *nm* radiator
radial *adj2g* radial
radiante *adj2g* **1** (brilho) bright **2** (alegria) radiant; happy; glowing
radicado *adj* settled; based
radical *adj2g* **1** radical **2** (desporto, atividade) extreme ▪ *nm* radical
radicalismo *nm* radicalism
radicar *v* **1** to root **2** to base (em, in) ▪ **radicar-se 1** (planta) to take root **2** *(fixar-se)* to settle down (em, in)
rádio *nm* **1** (aparelho) radio set, radio **2** (osso) radius **3** (elemento químico) radium ▪ *nf* (instituição) radio; **estação de rádio** radio station
radioactividade *a nova grafia é* **radioatividade**[AO]
radioactivo *a nova grafia é* **radioativo**[AO]
radioamador *nm* **1** (atividade) amateur radio **2** (pessoa) amateur radio operator; ham
radioatividade[AO] *nf* radioactivity
radioativo[AO] *adj* radioactive; **resíduos radioativos** radioactive waste
rádio-despertador *nm* radio alarm-clock
radiodifusão *nf* broadcasting
radiofónico *adj* of the radio, radio
radiografar *v* to X-ray
radiografia *nf* X-ray; radiography; **tirar uma radiografia** to have an X-ray taken
radioso *adj* **1** (claridade, luminosidade) radiant **2** (expressão) radiant; cheerful; joyful
radioterapia *nf* MED radiotherapy
rádon *nm* radon

rafeiro *nm col* (cão) mongrel
râguebi *nm* DESP rugby; **jogo de râguebi** rugby match
raia *nf* **1** (peixe) ray **2** *(fronteira)* border, frontier **3** *pl* limits
raiar *v* **1** (dia) to break **2** *(aparecer)* to appear **3** *(tocar os limites de)* to border on
raide *nm* raid
rainha *nf* queen; (cartas) **rainha de paus** queen of clubs
rainha-cláudia *nf* greengage
raio *nm* **1** ray; **raios X** X-rays **2** GEOM radius **3** *(distância)* range **4** (roda) spoke **5** *fig* sphere ▪ *interj cal* damn!; *cal* **raios o partam!** damn him!
raiva *nf* **1** *(ira)* anger, fury **2** (ressentimento) grudge; **ter raiva a alguém** to bear somebody a grudge **3** (doença) rabies
raivoso *adj* **1** *(furioso)* furious, angry **2** (doença) rabid
raiz *nf* **1** root; **arrancar pela raiz** to pull up by the roots; MAT **raiz cúbica/quadrada** cube/square root **2** *(origem)* origin, source
rajá *nm* rajah
rajada *nf* **1** (vento) blast, gust, squall; **forte rajada** a heavy squall; **rajada de vento** blast of wind **2** (tiros) burst **3** (corrente ininterrupta) barrage; **uma rajada de insultos** a barrage of insults
ralação *nf* worry; **ter muitas ralações** to have many worries
ralado *adj* **1** (pão, amêndoa) grated **2** *fig (preocupado)* worried
ralador *nm* grater, scraper
ralar *v* **1** (comida) to grate **2** *(inquietar)* to worry, to annoy ▪ **ralar-se 1** *(preocupar-se)* to worry (com, about) **2** *(dar importância)* to care (com, about)
ralé *nf pej* low people, mob, populace
ralhar *v* to scold, to rebuke, to tell off; **ralhar com alguém** to tell somebody off
rali ou **rally** *nm* (corrida) rally
ralo *nm* **1** (banheira, pia) drain **2** (regador) nozzle **3** (líquidos) strainer; **ralo de aspiração** strainer ▪ *adj* (cabelo, tecido) thin
RAM INFORM [*abrev. de* random access memory]
rama *nf* **1** (árvore, planta) foliage; branches **2** *(em rama)* raw; **algodão em rama** raw cotton ◆ **pela rama** superficially
ramada *nf* **1** *(latada, parreira)* trellis **2** (árvore) branches, boughs
ramadão[AO] *nm* Ramadan
ramagem *nf* **1** (árvore, planta) branches, foliage **2** (desenho) floral pattern
ramal *nm* **1** branch **2** (caminhos de ferro) branch line **3** (estrada) branch road **4** (telefone) telephone extension line
ramerrão *nm (rotina)* routine; **o ramerrão de todos os dias** the daily routine
ramificação *nf* ramification
ramificar *v* **1** to ramify (em, into), to branch out/off (em, into) **2** *(subdividir-se)* to divide (em, into)
ramo *nm* **1** (árvore) branch, bough **2** (flores) bunch **3** (atividade, domínio) line **4** (descendência) branch
rampa *nf* **1** (plano inclinado, ligação) ramp **2** *(ladeira)* slope **3** (plataforma) pad, ramp; **rampa de lançamento** launching pad
rancho *nm* **1** *(grupo)* band, gang **2** (crianças) swarm **3** *(herdade)* ranch **4** (folclore) group of folk dancers **5** CUL dish made with chickpea, pasta and various meats
ranço *nm* rancidity; **cheirar a ranço** to smell rancid; **criar ranço** to go rancid
rancor *nm* grudge; **guardar rancor por alguém** to bear somebody a grudge
rancoroso *adj* resentful
rançoso *adj* (alimento, produto) rancid; **toucinho rançoso** rancid pork fat
ranger *v* **1** (porta, soalho) to creak **2** (dentes) to grind, to gnash
rangido *nm* **1** (porta) creak **2** (dentes) gnashing, grinding
ranho *nm* **1** (nariz) mucus, run **2** (animais) snivel
ranhoso *adj* **1** (nariz) running, snotty **2** (criança) snivelling **3** *fig (reles)* rotten
ranhura *nf* **1** (superfície) groove **2** (moeda) slot; **introduza uma moeda na ranhura** drop a coin in the slot **3** TIP notch
rap *nm* MÚS rap
rapar *v* **1** (tacho, panela) to scrape, to rub out **2** (barba, cabelo) to shave; **rapar o cabelo** to shave one's head
rapariga *nf* girl
rapaz *nm* **1** (criança, menino) boy **2** *col* (homem jovem) young man, young fellow, lad; **um bom rapaz** a nice fellow
rapaziada *nf* **1** *(grupo)* group of boys, gang **2** *(travessura)* boyish trick
rapazote *nm* kid; lad

rapé *nm* snuff
rapel *nm* DESP abseilGB; rappelEUA
rapidamente *adv* rapidly, quickly
rapidez *nf* **1** (velocidade) speed, velocity **2** *(ligeireza)* rapidity, quickness; **com rapidez** quickly; **ele calcula com rapidez e precisão** he is quick and accurate with figures
rápido *adj* **1** (velocidade) fast, swift, speedy; **um voo rápido** a speedy flight **2** (duração) quick, short ▪ *nm* (comboio) express
rapina *nf* **1** *(pilhagem)* plundering, robbery **2** *(extorsão violenta)* prey ◆ **ave de rapina** bird of prey
rapinar *v* to plunder, to pilfer, to rob
raposa *nf* **1** (macho ou fêmea) fox; (fêmea) vixen **2** (pele) fox fur **3** *(manhoso)* crafty person
rapsódia *nf* rhapsody
raptar *v* to kidnap; to abduct
rapto *nm* kidnap; abduction
raptor *nm* kidnapper
raquete ou **raqueta** *nf* **1** (ténis, badminton) racket **2** (ténis de mesa) bat
raquitismo *nm* rickets
rarear *v* **1** to become rare **2** (cabelos) to thin **3** (casas) to thin out
rarefazer *v* (gás, ar) to rarefy ▪ **rarefazer-se** to become rarefied
rarefeito *adj* rarefied
raridade *nf* **1** rarity **2** *(objeto, acontecimento)* curiosity
raro *adj* **1** *(pouco comum)* rare **2** *(pouco frequente)* exceptional, uncommon, infrequent
rasante *adj2g* **1** (voo) low-flying; **voo rasante** low flight **2** (tiro) low
rasar *v* **1** (terreno) to level, to flatten **2** *(encher)* to fill to the top **3** *(roçar, passar)* to skim
rasca *adj2g* **1** *pop (má qualidade)* trashy, shabby, cheap **2** *pop* (ideia, projeto) poor ◆ **estar à rasca** to be in trouble; **ver-se à rasca para** to have trouble with
rascunhar *v* **1** (esboço) to sketch **2** (carta, ofício) to draft, to make a rough copy of **3** (texto, frases) to scribble
rascunho *nm* **1** (texto, desenho) rough copy, rough draft; **fazer o rascunho de** to draft; **papel de rascunho** rough paper **2** (esboço, plano) rough outline
rasgado *adj* **1** (roupa, tecido, papel) torn **2** (boca, olhos) almond, large **3** (elogio, aplauso) frank **4** (gesto, sorriso) unreserved, wide
rasgão *nm* **1** *(buraco)* tear; **um rasgão no casaco** a tear in my coat **2** *(fenda)* split **3** *(arranhão)* graze, cut; **um rasgão no joelho** a cut in the knee
rasgar *v* **1** (papel) to tear up, to tear to pieces, to rip **2** (roupa, tecido) to tear **3** (pele, carne) to cut open ▪ **rasgar-se** to tear
rasgo *nm* **1** *(rasgão)* tear, rip **2** *(ímpeto)* burst, flight; **rasgo de imaginação** flight of imagination **3** *(ação nobre)* noble act (de, of); **num rasgo de coragem** in a noble act of courage
raso *adj* **1** *(plano)* plain **2** (terreno, chão) flat **3** (salto, sapato) flat **4** (soldado) private **5** (ângulo) straight
raspa *nf* **1** scrape, rasp **2** *(lasca)* shaving **3** CUL zest, grated peel; **raspa de limão** grated lemon peel
raspagem *nf* **1** *(alisamento)* shaving **2** (tinta) scraping **3** MED curettage
raspão *nm* scratch, scrape, graze; **tocar de raspão** to graze
raspar *v* **1** (superfície) to scrape, to scratch **2** (casca) to grate **3** (cenoura, batata) to peel, to scrape **4** *(ferir de raspão)* to graze ▪ **raspar-se** *col* to sneak off
rasteira *nf* **1** tripping up; **passar uma rasteira a alguém** to trip somebody up **2** *fig (armadilha)* trap; *(tramar alguém)* **passar uma rasteira a** to set someone up ◆ (exames) **perguntas com rasteira** tricky questions
rasteiro *adj* **1** (planta) creeping **2** *fig (ordinário)* common
rastejante *adj2g* **1** (planta) creeping **2** (animal) crawling
rastejar *v* **1** (planta) to creep **2** (animal) to crawl **3** *fig (rebaixar-se)* to grovel
rastilho *nm* **1** (fio) fuse; **atear o rastilho** to light the fuse **2** *fig (causa, pretexto)* cause, reason; **servir de rastilho a** to trigger
rasto *nm* **1** *(vestígio, pista)* trace, vestige; **desapareceu sem deixar rasto** he disappeared without a trace **2** (animal, veículo) track, trail; **perder o rasto** to lose the trail ◆ **andar de rastos** to crawl; **de rastos** exhausted
rastrear *v* **1** to track down, to trace **2** MED (doença) to screen
rastreio *nm* **1** (rasto) tracking, tracing **2** MED (doença) screening; **rastreio da tuberculose** screening for tuberculosis

rasura *nf* (rasurar) erasure, rubbing out; **sem rasura** clean
rasurar *v* to rub out, to scratch out, to erase
ratazana *nf* rat; **ratazana dos esgotos** sewer rat
raticida *nm* rat poison
ratificação *nf* ratification
ratificar *v* to ratify
rato *nm* (animal, dispositivo) mouse
ratoeira *nf* **1** mousetrap **2** *(armadilha)* snare, trap; **cair na ratoeira** to fall into a trap
rave *nf* (festa) rave
ravina *nf* ravine, gully
raviόli *nm* (comida italiana) ravioli
razão *nf* **1** reason; **não ter razão** to be wrong; **ter razão** to be right **2** *(causa, motivo)* reason, motive; **não ter razão para** to have no reason to; **sem qualquer razão** for no reason **3** MAT rate, ratio; **à razão de** at the rate of
razia *nf* **1** *(destruição)* destruction **2** *(maus resultados)* disaster
razoável *adj2g* **1** reasonable; **um pedido razoável** a reasonable request **2** *(moderado, sensato)* moderate, sensible **3** (fortuna, quantia) considerable
razoavelmente *adv* **1** *(razoável)* reasonably **2** (razão) rightly, justly
ré *nf* defendant, accused ▪ *nm* MÚS D, re
reabastecer *v* **1** (despensa, quartel) to replenish **2** (veículo) to refuel **3** (mantimentos) to supply
reabertura *nf* reopening
reabilitação *nf (regeneração)* reform, rehabilitation; **reabilitação de um delinquente** reform of a delinquent
reabilitar(-se) *v* to rehabilitate (oneself)
reabrir *v* to reopen
reação[AO] *nf* **1** (resposta) reaction; **a reação do público** the public's reaction **2** FÍS,QUÍM reaction **3** *(oposição)* opposition, struggle ◆ **reação em cadeia** chain reaction
reacção *a nova grafia é* **reação**[AO]
reaccionário *a nova grafia é* **reacionário**[AO]
reacionário[AO] *adj,nm* POL reactionary
reactivo *a nova grafia é* **reativo**[AO]
reactor *a nova grafia é* **reator**[AO]
readmitir *v* **1** to readmit (em, to); **readmitiram-no na escola** he was readmitted to school **2** (funcionário) to reinstate
reagente *adj2g* reactive, reacting; **papel reagente** test paper ▪ *nm* QUÍM reagent
reagir *v* **1** to react (a, to); **reagir à notícia** to react to the news **2** *(resistir)* to resist, to fight **3** *(responder)* to respond (a, to), to react (a, to); **o doente não está a reagir ao tratamento** the patient is not responding to the treatment
reajustamento *nm* **1** (nova regulação) readjustment; **reajustamento salarial** readjustment of wages **2** *(nova ordem)* rearrangement; **reajustamento das peças** rearrangement of the parts
reajustar *v* to readjust ▪ **reajustar-se** to adapt (a, to)
real *nm* **1** (o que existe) reality **2** (moeda) real ▪ *adj2g* **1** real; **a vida real** real life **2** (caso, história) true **3** (realeza) royal
realçar *v* **1** to enhance, to heighten **2** (cores) to brighten **3** *(destacar)* to emphasize, to stress
realce *nm* **1** *(destaque)* emphasis, distinction; **dar realce a** to set off, to enhance **2** (brilho) highlight **3** *(contraste)* relief
realejo *nm* barrel-organ; **tocador de realejo** organ-grinder
realeza *nf* royalty
realidade *nf* reality ◆ **realidade virtual** virtual reality; **na realidade** in fact, actually
realismo *nm* **1** realism **2** reality; **o realismo da cena** the reality of the scene **3** (monarquia) royalism ◆ LIT **realismo mágico** magical realism
realista *adj2g* **1** realistic, lifelike **2** (monarquia) royalistic ▪ *n2g* **1** realist **2** (monarquia) royalist
realização *nf* **1** (projeto, trabalho) execution **2** (sonho, objetivo) fulfilment **3** CIN direction
realizador *nm* **1** accomplisher, executor **2** CIN director
realizar *v* **1** (objetivo) to achieve, to accomplish **2** (sonho, ambições) to fulfil **3** (projeto, trabalho) to carry out **4** (filme) to direct **5** (reunião) to hold ▪ **realizar-se 1** (reunião, evento) to be held, to take place **2** (sonhos) to come true **3** (pessoa) to fulfil oneself
realmente *adv* **1** *(verdadeiramente)* really **2** *(de facto)* in fact, actually, indeed
reanimação *nf* MED revival
reanimar *v* **1** MED to revive **2** (esperança, confiança) to revive; to put new life into
reatar *v* **1** (nó) to tie again, to rebind **2** (conversa, relação, negociação) to resume, to renew, to re-establish; **reatar as relações** to renew acquaintance
reativo[AO] *adj* reactive

reator[AO] *nm* AER,FÍS reactor
reaver *v* **1** (dinheiro, documento) to recover, to recuperate, to retrieve **2** (direito, credibilidade) to regain
reavivar *v* **1** (cor, fogo) to revive **2** (acontecimento, recordação) to rekindle ▪ **reavivar-se** *(reativar-se)* to flare up
rebaixa *nf* reduction
rebaixamento *nm* **1** (altura) lowering, reduction **2** *fig (humilhação)* depreciation, humiliation
rebaixar *v* **1** (teto, degrau) to lower **2** (preço) to depreciate **3** *(humilhar)* to humiliate, to debase ▪ **rebaixar-se** to humiliate oneself
rebanho *nm* **1** (ovelhas, carneiros) flock **2** (gado, cabras) herd **3** *fig,pej* (pessoas) sheep
rebate *nm* (sinal) alarm, alert; **tocar a rebate** to sound the alarm ◆ **rebate de consciência** remorse
rebater *v* (ideia, argumento) to refute
rebatível *adj2g* reclining; **bancos rebatíveis** reclining seats
rebelde *adj2g* **1** rebellious **2** *(desobediente)* wayward ▪ *n2g* rebel
rebeldia *nf (revolta)* rebellion, revolt
rebelião *nf* **1** *(revolta)* rebellion, revolt **2** *(rebeldia)* insurrection, insubordination
rebentação *nf* **1** bursting; explosion **2** (ondas) surf
rebentamento *nm* explosion, outburst
rebentar *v* **1** (balão, pneu, emoções) to burst **2** (plantas) to sprout **3** (flores) to bud **4** (bomba) to explode **5** (guerra, epidemia) to break out **6** (tempestade, onda) to break **7** *(fazer explodir)* to blow up **8** (fusíveis) to blow **9** (corda) to snap
rebento *nm* **1** BOT shoot **2** *fig* (filho) offspring
rebobinar *v* to rewind
rebocador *nm* towboat, tug
rebocar *v* (carro, navio) to tow
rebolar *v* **1** to roll, to tumble **2** (ancas, corpo) to waddle, to wiggle
reboque *nm* **1** (ato) tow **2** (veículo com grua) breakdown truck **3** (atrelado) trailer ◆ (pessoa) **a reboque** on tow
rebordo *nm* edge, border
rebuçado *nm (caramelo)* candy, sweet
rebuliço *nm* **1** (multidão) tumult, hubbub **2** *(agitação)* fuss, agitation **3** *(ruído, discórdia)* noise, row; **armar rebuliço** to start a row
rebuscado *adj* **1** searched **2** *fig* (estilo, escrita) far-fetched
recado *nm* **1** *(mensagem)* message; **dar um recado** to deliver a message **2** *(encargo)* errand; **fazer um recado** to go on errands for someone, to run errands ◆ **dar conta do recado** to be successful
recaída *nf* **1** MED relapse; **o doente teve uma recaída grave** the patient has had a serious relapse **2** *fig (reincidência num erro)* relapse
recair *v* **1** to relapse (-, into/in) **2** (culpa, responsabilidade) to fall (sobre, on); **as culpas recaíram sobre ele** the blame fell on him
recalcado *adj* **1** (terra, terreno) trodden down, beaten **2** *(reprimido)* kept down **3** PSIC (sentimento, pessoa) repressed
recalcamento *nm* **1** (terra) treading down **2** PSIC (sentimento, pessoa) suppression, repression; **recalcamento de um desejo** repression of a desire
recalcar *v* **1** (terreno) to tread down **2** PSIC (sentimento, pessoa) to suppress, to repress
recambiar *v* **1** (letra) to return; **recambiar uma letra** to return a bill **2** *col* (alguém) to send back **3** (algo) to return
recanto *nm* **1** *(canto)* corner, recess **2** *(esconderijo)* retreat, hiding place **3** *(compartimento)* compartment, cubicle
recapitulação *nf* recapitulation
recapitular *v* **1** *(relembrar)* to recapitulate, to sum up, to summarize **2** (factos) to review **3** (matéria) to revise
recarga *nf* **1** (caneta) refill **2** *(segunda investida)* second charge
recarregar *v* **1** (recipiente, veículo) to reload, to refill **2** (bateria) to recharge ◆ **recarregar as baterias** to recharge one's batteries
recatado *adj* **1** (pessoa, vida) discreet **2** (local) secluded, retired; **vivia numa aldeia recatada** she lived in a secluded village
recato *nm* **1** *(pudor)* modesty **2** *(recolhimento)* secrecy, retirement
recauchutar *v* (pneu) to retread
recear *v* **1** *(temer)* to fear **2** *(suspeitar)* to suspect
receber *v* **1** to receive **2** (amigos, visitante) to welcome **3** (hóspedes, refugiados) to take in, to admit **4** (notícias) to hear (de, from) **5** *(ganhar)* to earn **6** (paciente) to see **7** *(ser pago)* to be paid
receção[AO] *nf* **1** (carta, encomenda) receipt (de, of); **acusar a receção de** to acknowledge receipt of **2** (estabelecimento) reception **3** *(acolhimento)* welcoming **4** *(festa)* party

rececionista[AO] *n2g* receptionist, reception clerk
receio *nm* **1** *(medo)* fear (de, that) **2** *(preocupação)* concern, worry
receita *nf* **1** CUL recipe **2** MED prescription **3** ECON income
receitar *v* **1** MED to prescribe; **receitar um medicamento** to prescribe a medicine **2** *fig (recomendar)* to advise
recém-casado *adj,nm* newly-wed
recém-chegado *nm* newcomer; new arrival ▪ *adj* newly arrived
recém-nascido *nm* newborn child ▪ *adj* newborn
recenseador *nm* census taker, pollster
recenseamento *nm* (estatística) census; **boletim de recenseamento** census paper ♦ **recenseamento eleitoral** polling
recensear *v* **1** (população) to take a census of **2** (bens, espécies) to make an inventory of
recente *adj2g* **1** (descoberta) recent **2** (edifício, construção) new, modern **3** (marcas) fresh
recentemente *adv* recently, lately
receoso *adj* **1** *(medroso)* fearful **2** *(tímido)* timid
recepção *a nova grafia é* **receção**[AO]
recepcionista *a nova grafia é* **rececionista**[AO]
receptar *a nova grafia é* **recetar**[AO]
receptivo *a nova grafia é* **recetivo**[AO]
receptor *a nova grafia é* **recetor**[AO]
recessão *nf* ECON recession
recesso *nm (lugar afastado)* recess, retreat
recetar[AO] *v* **1** (espólio, dinheiro, ouro) to receive, to conceal **2** (artigos roubados) to fence *col*
recetivo[AO] *adj* **1** *(compreensivo)* receptive (a, to), open-minded **2** MED (organismo) susceptible, vulnerable (a, to); **recetivo a certas doenças** vulnerable to some diseases
recetor[AO] *nm* receiver; **recetor de rádio** radio receiver; **emissor e recetor** transmitter and receiver ▪ *adj* receiving
recheado *adj* **1** (carne, batatas) stuffed; **peru recheado** stuffed turkey **2** *fig (repleto)* filled, full (de, of)
rechear *v* **1** (carne, vegetais) to stuff; (empada, tarte, sande) to fill **2** *(encher muito)* to cram
recheio *nm* **1** CUL stuffing, filling **2** stuffing; **o recheio das almofadas** the stuffing of the pillows **3** (casa) furniture; **recheio de uma casa** contents of a house
rechonchudo *adj (gordo)* chubby, plump
recibo *nm* receipt, acquittance, voucher; **passar um recibo por** to write out a receipt for
reciclagem *nf* **1** (objetos, substâncias) recycling **2** (pessoas) retraining
reciclar *v* **1** (objetos, substâncias) to recycle **2** (pessoas) to retrain
reciclável *adj2g* recyclable
recife *nm* reef, ridge; **recife de coral** coral reef
recinto *nm* **1** *(espaço delimitado)* enclosure; enclosed area **2** (desportos) rink, court
recipiente *nm* **1** *(vasilha)* vessel **2** QUÍM recipient, receptacle **3** FÍS receiver
reciprocidade *nf* reciprocity
recíproco *adj* reciprocal, mutual
récita *nf* **1** TEAT performance **2** *(recitação)* recital
recital *nm* **1** (poesia) recital, recitation **2** MÚS recital, musical performance, concert
recitar *v* to recite
reclamação *nf* **1** *(queixa)* complaint, protest **2** DIR claim
reclamar *v* **1** to complain (de, about) **2** *(protestar)* to protest **3** *(reivindicar)* to claim
reclame *nm* **1** *(anúncio)* advertisement; **fazer grande reclame** to advertise largely **2** *(cartaz)* poster, display; **reclame luminoso** electric sign
reclinar *v* **1** (corpo, cabeça) to rest; to lean **2** (banco, encosto) to recline ▪ **reclinar-se** *(recostar-se)* to lean back
reclusão *nf* **1** *(prisão)* prison **2** *(clausura)* seclusion **3** MIL detention ♦ **casa de reclusão** house of correction
recluso *nm* **1** *(prisioneiro)* prisoner; convict **2** *fig* (isolamento) hermit
recobrar *v* to recover
recolha *nf* **1** *(colheita)* gathering, harvesting **2** *(pesquisa)* gathering, collecting; **recolha de elementos** gathering of elements ♦ **recolha de automóveis** garage; car park
recolher *v* **1** to collect **2** (depoimento) to gather **3** (velas, roupa a secar) to take in **4** (gado) to bring in **5** *(acolher)* to shelter ▪ **recolher-se 1** *(retirar-se)* to retire **2** *(abrigar-se)* to take shelter **3** *(ir para a cama)* to go to bed ♦ **recolher obrigatório** curfew
recomeçar *v* to start again
recomeço *nm* **1** new beginning, fresh start **2** (escola, aulas) reopening

recomendação *nf* **1** *(indicação, sugestão)* recommendation **2** *(conselho)* advice, guidance **3** *(aviso)* warning; **fazer uma recomendação** to give a warning ◆ **carta de recomendação** letter of recommendation, letter of introduction
recomendar *v* **1** *(sugerir)* to recommend **2** *(indicar para cargo)* to recommend **3** *(lembrar)* to remind (que, to), to urge (que, to)
recompensa *nf (prémio)* prize, reward
recompensar *v (premiar)* to reward (por, for)
recompor *v* to reorganize ▪ **recompor-se** *(restabelecer-se)* to recover (de, from)
reconciliação *nf* reconciliation
reconciliar *v* to reconcile ▪ **reconciliar-se** **1** to be reconciled (com, with) **2** (nações) to make peace
recôndito *adj* **1** (lugar) hidden **2** *fig* (pensamento, desejo) inner ▪ *nm* nook, corner
reconduzir *v* **1** to lead back (a, to) **2** (cargo) to reinstate
reconfortante *adj2g* **1** (apoio, palavra) comforting **2** (passeio, alimento) invigorating, refreshing
reconfortar *v* **1** *(reanimar)* to comfort **2** *(revigorar)* to invigorate, to refresh
reconhecer *v* **1** *(identificar, validar)* to recognize **2** *(admitir)* to admit, to acknowledge **3** (assinatura) to ratify, to witness **4** MIL (terreno, região) to reconnoitre ▪ **reconhecer-se** **1** to recognize oneself **2** *(identificar-se reciprocamente)* to recognize each other **3** *(confessar-se)* to acknowledge
reconhecido *adj* **1** *(agradecido)* thankful, grateful; **estar reconhecido a** to be grateful to **2** (mérito, utilidade) acknowledged, accepted, recognized **3** *(identificado)* recognized
reconhecimento *nm* **1** recognition, acknowledgement **2** *(gratidão)* gratefulness, gratitude **3** MIL reconnaissance **4** (assinatura) witnessing
reconquista *nf* reconquest, recovery
reconquistar *v* **1** *(readquirir)* to recover **2** (conquista) to reconquer
reconsiderar *v* to reconsider
reconstituição *nf* **1** reconstitution **2** reconstruction; **reconstituição de um crime** reconstruction of the crime scene
reconstituinte *nm* FARM tonic ▪ *adj2g* restorative, invigorating
reconstituir *v* **1** to reconstitute **2** (crime) to reconstruct **3** (monumento, objeto) to restore
reconstrução *nf* reconstruction
reconstruir *v* **1** (cidade, monumento) to rebuild **2** (país, sociedade) to reconstruct
recordação *nf* **1** *(memória)* memory, remembrance **2** (turismo) souvenir
recordar *v* **1** *(lembrar-se de)* to remember **2** *(lembrar a alguém)* to remind of **3** *(vir à ideia)* to call to mind ▪ **recordar-se** to remember (de, -)
recorde *nm* record; **bater um recorde** to break a record ◆ **recorde de pista coberta** indoor record; **recorde do mundo** world record
recorrência *nf* recurrence
recorrente *adj2g* recurrent, recurring
recorrer *v* **1** *(fazer uso)* to resort (a, to); **recorrer à violência** to resort to violence **2** DIR to appeal (de, against); **recorrer da sentença** to appeal against a verdict **3** (auxílio) to turn (a, to)
recortar *v* **1** (papel, figura) to cut out, to clip **2** *fig (destacar)* to outline
recorte *nm* **1** (jornal) cutting, clipping **2** *(linha limite)* outline, border, sketch **3** *(contorno)* outline
recostar *v* to lean, to rest ▪ **recostar-se** to lean back
recozer *v* to overcook
recreativo *adj* recreational
recreio *nm* **1** diversion, recreation **2** (local) playground **3** *(intervalo)* (escola) break, playtime ◆ **barco de recreio** pleasure boat
recriação *nf* **1** re-creation **2** *(reconstrução)* reconstruction **3** *(nova versão)* remake
recriar *v* **1** to recreate **2** (filme) to remake
recriminação *nf* recrimination
recriminar *v (acusar)* to recriminate
recruta *n2g* recruit ▪ *nf (instrução)* military training
recrutamento *nm* **1** MIL recruitment **2** *(alistamento, registo)* enlistment, enrolment **3** (emprego) hiring
recrutar *v* **1** MIL to recruit **2** *(alistar, registar)* to enlist **3** (emprego) to hire
recta *a nova grafia é* **reta**[AO]
rectal[AO] *a grafia preferível é* **retal**[AO]
rectangular *a nova grafia é* **retangular**[AO]
rectângulo *a nova grafia é* **retângulo**[AO]
rectidão *a nova grafia é* **retidão**[AO]
rectificação *a nova grafia é* **retificação**[AO]
rectificar *a nova grafia é* **retificar**[AO]

rectilíneo *a nova grafia é* **retilíneo**[AO]
recto *a nova grafia é* **reto**[AO]
recuar *v* **1** *(andar para trás)* to go back **2** (exército) to retreat **3** (carro) to back **4** *(ceder)* to back down **5** to push back; to move back
recuo *nm* **1** *(ato de recuar)* backing **2** MIL retreat **3** (arma) recoil
recuperação *nf* **1** recovery **2** *(reaproveitamento)* reuse, recycling **3** *(reinserção social)* rehabilitation
recuperar *v* **1** (dinheiro, saúde) to recover **2** (monumento, pintura) to restore **3** *(reabilitar)* to rehabilitate **4** (tema, assunto) to take up again **5** (tempo, aulas) to make up for
recurso *nm* **1** (meio) recourse **2** DIR appeal **3** *(qualquer meio)* resort; **em último recurso** as a last resort **4** *pl* (meios) resources
recusa *nf* **1** refusal; **recusa formal** point-blank refusal **2** *(negação)* denial
recusar *v* to refuse, to reject; (emprego, cargo, oferta) to turn down, to decline ▪ **recusar-se** to refuse (a, to)
redação[AO] *nf* **1** (ação) writing **2** (exercício escolar) essay; composition **3** (jornal) editorial office **4** *(redatores)* editorial staff
redacção *a nova grafia é* **redação**[AO]
redactor *a nova grafia é* **redator**[AO]
redator[AO] *nm* **1** writer **2** (jornalismo) editor
rede *nf* **1** net; **rede de pesca** fishing net **2** (comunicações) network **3** (água, luz) mains **4** DESP,INFORM net **5** (segurança) safety net **6** *(cama de rede)* hammock **7** *(organização, sucursal)* chain, network **8** (cabelo) hairnet
rédea *nf* rein ◆ **à rédea solta** at full speed; freely
redemoinho *nm* **1** whirl **2** (água) whirlpool **3** (vento) whirlwind
redenção *nf* redemption
redentor *adj* redeeming ▪ *nm* redeemer, saviour
redigir *v* to write; **redigir uma carta** to write a letter
redimir *v* **1** REL to redeem **2** *(salvar)* to save, to deliver ▪ **redimir-se** to redeem oneself
redobrar *v* **1** *(aumentar)* to increase **2** *(intensificar)* to intensify **3** *(multiplicar)* to multiply
redoma *nf* glass case, glass dome ◆ **viver numa redoma** to be wrapped in cotton wool
redondezas *nfpl (arredores)* surroundings; **nas redondezas** in the vicinity
redondo *adj* **1** round, circular **2** *fig (gordo)* fat, plump
redor *nm* contour ◆ **ao/em redor** around
redução *nf* **1** *(desconto, diminuição)* reduction, decrease; **redução de impostos** tax reduction **2** *(conversão)* conversion **3** MAT,QUÍM,MED reduction
redundância *nf* redundancy
redundante *adj2g* redundant
redundar *v* to result (em, in)
redutor *adj* **1** reductive **2** *pej* reductionist
reduzido *adj* **1** reduced **2** *(pequeno)* tiny **3** *(limitado)* limited
reduzir *v* **1** to reduce, to diminish, to cut down; **reduzir a velocidade** to slow down **2** (medidas, valores) to convert **3** *(abreviar)* to abridge
reedição *nf* **1** TIP reissue, re-edition **2** *(nova edição)* new edition
reeditar *v* **1** (livro) to reissue, to republish **2** *fig (repetir)* to repeat
reembolsar *v* **1** (gastos) to reimburse **2** (quantidade paga) to refund
reembolso *nm* refund; repayment ◆ **contra reembolso** cash on delivery
reencarnação *nf* reincarnation
reencarnar *v* to reincarnate
reencontrar *v* **1** (alguém) to meet again **2** (algo) to find again ▪ **reencontrar-se** to meet again
reentrância *nf* **1** hollow, cavity **2** (estátua) recess
reenviar *v* **1** to send again; to forward (para, to) **2** *(devolver)* to return
reenvio *nm* **1** return, forwarding **2** *(remissão)* cross-reference
reescrever *v* to rewrite
reestruturar *v* to restructure
refastelar-se *v* to lean back
refazer *v* **1** (trabalho) to redo, to remake **2** (reparações) to repair **3** to reorganize **4** (vida, amizade) to rebuild ▪ **refazer-se** to recover (de, from)
refeição *nf* meal; **na hora da refeição** at meal time
refeito *adj* **1** (conta) remade; redone **2** (edifício) restored **3** *(restabelecido)* recovered; as good as new
refeitório *nm* **1** (escola, fábrica) canteen, cafeteria, refectory **2** *(sala de refeições)* dining hall

refém *n2g* hostage; **fazer alguém refém** to take somebody hostage
referência *nf* **1** reference, allusion; **fazer referência a** to refer to **2** *(exemplo)* model, example (para, to); **ser uma referência para alguém** to be an example to someone **3** *pl (informações)* references, information; **ter boas referências** to have good references
referendar *v* **1** (documento) to countersign; to endorse **2** (assunto) to vote in a referendum
referendo *nm* referendum; **realizar um referendo** to hold a referendum
referente *adj2g* concerning (a, -); regarding (a, -)
referido *adj* **1** quoted; cited **2** mentioned **3** (assunto, acontecimento) brought up; mentioned
referir *v* to refer to; to mention ▪ **referir-se** to refer (a, to)
refilão *adj* **1** (que se queixa) grumbling **2** *(respondão)* snappy ▪ *nm* grumbler
refilar *v* **1** *(ripostar)* to retort; to bite back **2** *(resmungar)* to grumble; to complain
refinado *adj* **1** refined; **açúcar refinado** refined sugar **2** *(requintado)* polished; sophisticated; refined
refinamento *nm* refinement
refinar *v* **1** (produto) to refine; to purify **2** (pessoa) to educate; to polish
refinaria *nf* refinery ♦ **refinaria de açúcar** sugar refinery
reflectido *a nova grafia é* **refletido**AO
reflectir *a nova grafia é* **refletir**AO
refletidoAO *adj* **1** *(sensato)* wise **2** *(cauteloso)* prudent; cautious
refletirAO *v* **1** to reflect **2** *(ponderar)* to think (em/sobre, over) ▪ **refletir-se 1** to be reflected **2** *(repercutir-se)* to affect (em, -)
reflexão *nf* **1** (de luz, calor, imagem) reflection **2** *(meditação)* reflection (sobre, on); **tempo de reflexão** time for reflection
reflexivo *adj* **1** LING reflexive; **pronome reflexivo** reflexive pronoun **2** *(que medita)* reflective; pensive; meditative **3** *(calmo)* calm
reflexo *nm* **1** (luz, imagem) reflection **2** *(ato involuntário)* reflex **3** *(consequência)* reflection; result; consequence ▪ *adj* reflex; **reação reflexa** reflex response ♦ PSIC **reflexo condicionado** conditioned reflex
reflorestamento *nm* reforestation
reflorestar *v* to reforest
refogado *adj* sauté ▪ *nm* CUL onion sauce
refogar *v* **1** (cebola) to fry lightly **2** (alimento) to sauté
reforçar *v* **1** to reinforce **2** (segurança, vigilância) to tighten ▪ **reforçar-se** to grow stronger
reforço *nm* **1** booster; reinforcement; strengthening **2** MIL reinforcement; **enviar reforços** to send in reinforcements
reforma *nf* **1** reform; **reforma ortográfica** spelling reform **2** retirement; **estar na reforma** to be retired **3** *(pensão)* retirement pension **4** REL,HIST [com maiúscula] Reformation
reformado *adj* **1** retired; **um professor reformado** a retired teacher **2** *(melhorado)* reformed; improved ▪ *nm* **1** pensioner; retiree EUA **2** *(idoso)* senior citizen
reformador *nm* reformer ▪ *adj* reformative
reformar *v* **1** *(melhorar)* to reform; to improve **2** *(dar a reforma)* to pension off ▪ **reformar-se** to retire
reformatório *nm* reformatory GB; reform school EUA
reformista *adj,n2g* reformist
refraçãoAO *nf* refraction
refracção *a nova grafia é* **refração**AO
refractário *a nova grafia é* **refratário**AO
refrão *nm* refrain
refratárioAO *adj* refractory ▪ *nm* **1** defaulter **2** MIL absentee
refrear *v* to contain; to restrain ▪ **refrear-se** to contain oneself
refrescante *adj2g* **1** (bebida) refreshing; cool; thirst-quenching **2** *(revigorante)* invigorating
refrescar *v* **1** *(arrefecer)* to cool **2** (memória) to refresh ▪ **refrescar-se 1** *(lavar-se)* to freshen up **2** (matar a sede) to quench your thirst
refresco *nm* refreshment
refrigerante *nm* soft drink, cool drink
refugiado *nm* refugee
refugiar *v* **1** to take refuge (em, in) **2** *(abrigar-se)* to take shelter (de, from)
refúgio *nm* refuge; shelter
refugo *nm* reject, waste matter
refutação *nf* refutation
refutar *v* **1** *(negar, desmentir)* to refute **2** *(contestar)* to dispute; to argue against
refutável *adj2g* refutable
rega *nf* watering; irrigation
regaço *nm* **1** *(colo)* lap **2** *(seio)* bosom
regador *nm* watering can

regalia *nf* **1** privilege; perk **2** (real) royal prerogative
regalo *nm* **1** *(prazer)* delight; pleasure **2** *(mimo)* treat; luxury **3** *(abafo)* muff
regar *v* **1** to water; to irrigate; **regar as plantas** to water the plants **2** *fig* to wash down; *fig* **regar o jantar a vinho** to wash the dinner down with wine
regata *nf* DESP regatta; boat race
regatear *v* to bargain; to haggle (over)
regateio *nm* bargaining; haggling
regateiro *nm* haggler, bargainer
regato *nm* stream
regência *nf* **1** regency **2** rule
regeneração *nf* **1** regeneration; **regeneração celular** cell regeneration **2** *(revitalização)* revival; revitalization
regenerar *v* **1** to regenerate **2** *(dar nova vida)* to revitalize **3** *(reabilitar)* to rehabilitate ▪ **regenerar-se 1** to regenerate **2** (pessoa) to go straight
regente *adj2g* **1** regent **2** ruling ▪ *n2g* **1** (Estado) regent **2** MÚS (orquestra) conductor **3** (cadeira universitária) tutor ♦ **príncipe regente** Prince Regent
reger *v* **1** *(governar)* to rule; to govern **2** *(guiar, orientar)* to lead; to guide **3** (orquestra) to conduct **4** (universidade) to be in charge of (a subject) ▪ **reger-se** to be guided (por, by)
região *nf* **1** *(zona)* region **2** (administrativa) district ♦ **região autónoma** autonomous region
regicídio *nm* regicide
regime *nm* **1** POL regime **2** *(sistema)* system **3** *(dieta)* diet; **fazer regime** to be on a diet **4** (casamento) marital regime
regimento *nm* MIL regiment
régio *adj* royal; kingly
regional *adj2g* regional; local; **jornal regional** regional newspaper
regionalismo *nm* regionalism
regionalização *nf* regionalization
registador *adj* registering ♦ **caixa registadora** cash register
registar *v* **1** to register **2** (dados) to record; to register; to write down
registo *nm* **1** (oficial) registration **2** record; register; **registo de despesas** record of expenses **3** (civil) register office, registry
rego *nm* **1** furrow **2** drain **3** trench
regozijar *v* to be delighted (com, by); to rejoice
regozijo *nm* delight; pleasure
regra *nf* rule; **cumprir as regras** to follow the rules; **em regra** as a rule ♦ **regras de segurança** safety rule
regrado *adj* **1** *(com regras)* regular; systematic; steady **2** *(vida)* orderly **3** (pessoa) reasonable; moderate
regrar *v* to regulate
regredir *v* to regress
regressão *nf* regression
regressar *v* to come back; to return
regressivo *adj* regressive
regresso *nm* **1** return; **no caminho do regresso** on the way back **2** (vedeta) comeback ♦ **regresso a casa** homecoming
régua *nf* ruler
regueifa *nf* (pão) twist bread
regulação *nf* **1** regulation **2** adjustment; settlement
regulador *adj* regulating
regulamentação *nf* **1** *(ato de regulamentar)* regulation; **regulamentação do comércio** regulation of trade **2** *(regulamento)* rules; regulation; **de acordo com a regulamentação** according to the rules
regulamentar *v* to regulate; to subject to regulations ▪ *adj2g* in accordance with the rules
regulamento *nm* regulation; rules
regular *adj2g* **1** regular; steady **2** *(simétrico)* uniform; symmetrical **3** *(mediano)* average; ordinary **4** LING regular ▪ *v* **1** (sujeitar a regras) to regulate **2** *(ajustar)* to adjust **3** *(funcionar)* to work well ▪ **regular-se** to be guided (por, by) ♦ **não regular bem da cabeça** not to be all there
regularidade *nf* **1** *(frequência)* regularity; frequency; **com regularidade** frequently **2** (feições) regularity; symmetry
regularizar *v* **1** to regularize **2** *(sujeitar a regras)* to regulate
regularmente *adv* regularly
regulável *adj2g* adjustable
regurgitação *nf* regurgitation
regurgitar *v* to regurgitate
rei *nm* king ♦ **Dia de Reis** Epiphany; **os Reis Magos** the Three Wise Men; **trazer o rei na barriga** to be full of oneself
reimpressão *nf* reprint
reimprimir *v* to reprint

reinado *nm* reign
reinar *v* **1** *(governar)* to reign; to rule; to govern **2** *(predominar)* to prevail
reincidência *nf* **1** *(recaída)* relapse **2** (erro) backslide
reincidente *adj2g* relapsing
reincidir *v* **1** to relapse (em, into) **2** DIR to commit a second offence
reinício *nm* restart; new beginning
reino *nm* kingdom
Reino Unido *nm* United Kingdom
reiteração *nf* reiteration
reiterar *v* to reiterate; to repeat
reitor *nm* rector
reitoria *nf* **1** (cargo) rectorship **2** (gabinete) rectory
reivindicação *nf* **1** DIR claim **2** *(exigência)* demand ♦ **reivindicação salarial** wage claim
reivindicar *v* **1** DIR to claim **2** to demand; **reivindicar salários mais altos** to demand higher wages
rejeição *nf* **1** rejection **2** (convite, oferta) refusal
rejeitar *v* **1** to reject **2** (convite, oferta) to refuse; to turn down **3** *(pôr de parte)* to discard
rejubilar *v* to rejoice; to be delighted
rejuvenescer *v* to rejuvenate
rejuvenescimento *nm* rejuvenation
relação *nf* **1** (pessoas, países) relation; relationship **2** (entre factos) connection; relation **3** (amorosa) relationship **4** (lista) listing **5** *(proporção)* proportion; **na relação de 3 para 1** in the proportion of 3 to 1 ♦ **em relação a** regarding; as for
relacionado *adj* **1** (facto, raciocínio) related **2** (pessoa) connected; **ele é uma pessoa bem relacionada** he's a well connected person
relacionamento *nm* relation; relationship
relacionar *v* to relate; to connect ▪ **relacionar-se 1** (facto) to be related (com, to) **2** (pessoa) to mix (com, with)
relâmpago *nm* lightning, thunderbolt
relance *nm* glance ♦ **de relance** at a single glance; **num relance** in the twinkling of an eye
relatar *v* **1** *(fazer relatório)* to report **2** *(contar, narrar)* to narrate; to tell
relativamente *adv* **1** in relation to; concerning; **relativamente à conversa de ontem** in relation to yesterday's conversation **2** relatively; fairly; **foi relativamente barato** it was fairly cheap
relatividade *nf* relativity ♦ **teoria da relatividade** theory of relativity
relativo *adj* relative ♦ **com relativa frequência** with some frequency
relato *nm* **1** account; narration; report **2** (desportivo) commentary
relatório *nm* report; **relatório médico** medical report
relaxado *adj* **1** *(descontraído)* relaxed; easygoing **2** (músculos) loose; slack; relaxed
relaxante *adj2g* relaxing
relaxar *v* **1** *(descontrair)* to relax **2** (músculos) to slacken **3** (nó) to loosen up ▪ **relaxar-se** *pej* to grow slack
relegar *v* to relegate (para, to)
relembrar *v* to remind; to remember
relento *nm* open air ♦ **ao relento** in the open air
reles *adj inv* **1** *(de má qualidade)* lousy; second-rate **2** *(sem valor)* worthless
relevância *nf* relevance; importance; **um comentário sem qualquer relevância** a comment of no relevance whatsoever
relevante *adj2g* **1** relevant; important; **essa pergunta não é relevante** that question is not relevant **2** *(que sobressai)* outstanding; eminent
relevar *v (perdoar)* to forgive
relevo *nm* **1** (saliência) relief **2** *(eminência)* eminence; distinction; **pôr alguma coisa em relevo** to make something stand out ♦ **de relevo** of importance
religião *nf* religion
religiosidade *nf* religiousness
religioso *adj* religious ▪ *nm* (homem) monk; (mulher) nun
relinchar *v* to neigh
relincho *nm* neigh
relíquia *nf* **1** relic **2** *pl* antiques ♦ **relíquias sagradas** holy relics
relógio *nm* **1** (de parede, de mesa) clock; **adiantar o relógio** to set the clock forward **2** (de pulso) watch; **o meu relógio está adiantado/atrasado** my watch is fast/slow; **o relógio adiantou-se/atrasou-se 5 minutos** the watch gained/lost 5 minutes **3** (de sol) sundial ♦ **relógio biológico** biological clock
relojoaria *nf* watchmaker's (shop)

relojoeiro *nm* watchmaker
relutância *nf (hesitação)* reluctance (em, to); unwillingness (em, to)
relutante *adj2g* reluctant (em, to); unwilling (em, to)
reluzente *adj2g* gleaming; shiny
reluzir *v* to glitter; to gleam
relva *nf* grass
relvado *nm* lawn
remador *nm* rower; oarsman
remake *nm* (filme, etc.) remake
remar *v* to row ♦ **remar contra a maré** to swim against the tide
rematar *v* **1** *(completar)* to finish off **2** *(encimar)* to crown; to top **3** DESP to shoot; to strike
remate *nm* **1** *(conclusão)* conclusion **2** *(final)* end **3** *(retoque)* finishing touch **4** (costura) trimming **5** DESP shot; strike
remedeio *nm pop* stopgap; improvisation
remediado *adj col* (pessoa) comfortably off
remediar *v* to remedy; to rectify ▪ **remediar-se** to make do (com, with)
remédio *nm* **1** *(medicamento)* medicine; remedy; **tomar o remédio** to take your medicine **2** *fig (solução)* remedy; solution; **não há remédio** it's useless
remela *nf* (olhos) sticky secretion
remendar *v* **1** (com remendo) to patch; to mend; to repair **2** (buraco) to darn; to stitch up **3** *fig* to correct
remendo *nm* **1** gusset; patch **2** *fig (solução)* solution
remessa *nf* **1** shipment; dispatch **2** (carga) load; shipment **3** (dinheiro) remittance
remetente *n2g* sender
remeter *v* **1** *(enviar)* to send; to ship; to dispatch **2** (dinheiro) to remit **3** (recomendação) to refer (para, to); **o médico remeteu a paciente para um especialista** the doctor referred the patient to a specialist
remexer *v* to rummage; to search
remissão *nf* **1** (obra, texto) cross-reference **2** *(perdão)* remission; forgiveness **3** DIR (pena) acquittal
remissivo *adj* cross-referencing
remix *nm* (música) remix
remo *nm* **1** oar, paddle **2** DESP (atividade) rowing; **praticar remo** to do rowing ♦ **barco a remos** rowing boat
remoção *nf* removal; **remoção de nódoas** stain removal
remodelação *nf* **1** reshaping **2** reorganization **3** (ministerial) reshuffle
remodelar *v* to remodel; to reshape
remoer *v (repensar)* to chew (something) over
remoinho *nm* **1** whirl **2** (de vento) whirlwind **3** (de água) whirlpool
remontar *v* to date back (a, to); to go back (a, to)
remorso *nm (arrependimento)* remorse; **sentir remorsos** to feel remorse
remoto *adj* **1** (no espaço) remote; isolated; **uma ilha remota** a remote island **2** (no tempo) remote; distant; **no passado remoto** in the remote past **3** (recordação) vague; faint
remover *v* to remove
removível *adj2g* removable
remuneração *nf* **1** *(salário)* remuneration; salary **2** *(recompensa)* reward; compensation
remunerar *v* to remunerate (por, for); to reward (por, for)
rena *nf* reindeer
renal *adj2g* renal; **insuficiência renal** renal failure
Renascença *nf* Renaissance
renascentista *adj2g* Renaissance; **literatura renascentista** Renaissance literature
renascer *v* **1** to be reborn **2** *(reanimar)* to revive **3** *(rejuvenescer)* to gain new life **4** *(reaparecer)* to reappear
renascimento *nm* **1** rebirth; renascence; revival **2** [com maiúscula] Renaissance
renda *nf* **1** lace **2** (aluguer) rent; **aumentar a renda** to put the rent up; **pagar a renda da casa** to pay the house rent
rendado *adj* lacy; lace-trimmed
render *v* **1** (dar rendimento) to yield **2** *(prestar)* to pay; to render **3** *(durar)* to last **4** *(substituir)* to relieve ▪ **render-se** to surrender
rendição *nf* surrender; capitulation
rendimento *nm* **1** income **2** (empresa, país) revenue **3** *(desempenho)* performance **4** *(lucro)* profit; gain
renegado *nm* renegade
renegar *v* **1** *(negar)* to deny; to disclaim **2** *(repudiar)* to repudiate; to reject; to scorn
renhido *adj* fierce
rénio *nm* rhenium

renitência *nf* **1** reluctance **2** obstinacy; persistency
renitente *adj2g* **1** reluctant **2** obstinate; persistent
renome *nm* renown; repute; **de renome** renowned; famous
renovação *nf* **1** (edifício, mobiliário) renovation; remodelling **2** (contrato, documento) renewal
renovar *v* **1** (contrato, documento) to renew **2** (edifício, mobiliário) to renovate; to remodel
renovável *adj2g* renewable
rentabilidade *nf* profitability
rentabilizar *v* to make a profit on; to make profitable; **rentabilizar um investimento** to make a profit on an investment
rentável *adj2g* profitable; lucrative; cost-effective
rente *adj2g* very short; **cortar rente** to cut short ▪ *adv* close (a, to); **rente ao chão** close to the ground
renúncia *nf* **1** renunciation; giving up **2** (cargo) resignation **3** (trono) abdication
renunciar *v* **1** (direito) to renounce **2** (cargo) to resign **3** (trono) to abdicate
reorganização *nf* reorganization
reorganizar *v* **1** to reorganize **2** *(melhorar, reformar)* to reform; to improve
repa *nf* (cabelo) fringe
reparação *nf* **1** *(conserto)* repair; fixing up; **reparação de avarias** damage repair **2** *(desagravo)* reparation; amends
reparar *v* **1** *(consertar)* to repair; to fix **2** (erro, falta) to amend; to put right **3** to notice (em, -); to take notice (em, of)
reparo *nm* **1** *(conserto)* repair; fixing **2** *(crítica)* criticism **3** *(comentário)* comment; remark; **fazer um reparo** to make a remark
repartição *nf* **1** *(divisão)* partition; division **2** *(departamento)* department **3** *(escritório)* bureau; office
repartir *v* **1** *(distribuir)* to divide; to distribute; **a professora repartiu os rebuçados pelas crianças** the teacher divided the candies between the children **2** *(partilhar)* to share; **ela repartiu o bolo com a irmã** she shared the cake with her sister
repatriar *v* to repatriate
repelente *adj2g* repugnant; disgusting; repulsive ▪ *nm* repellent; **repelente de insetos** insect repellent
repelir *v* **1** to repel; to ward off **2** *(rejeitar)* to reject
repensar *v* **1** *(pensar novamente)* to rethink **2** *(refletir)* to reflect on; to think over
repente *nm* outburst ♦ **de repente** suddenly
repentinamente *adv* suddenly; all of a sudden
repentino *adj* sudden; unexpected
repercussão *nf* repercussion; consequence
repercutir *v* (som) to echo ▪ **repercutir-se** to affect; to have an effect
repertório *nm* repertory, repertoire
repescagem *nf* (exame, competição) resit; (exame) **fazer repescagem** to resit an exam
repescar *v* **1** to recover; to retrieve **2** to give a second chance to
repetente *n2g* repeater; repeat student
repetição *nf* repetition
repetidamente *adv* **1** repeatedly **2** frequently
repetir *v* to repeat ▪ **repetir-se 1** to recur; to repeat itself **2** to say again
repetitivo *adj* repetitive
repicar *v* (sinos) to chime
repisar *v* to repeat over and over again
repleto *adj* **1** *(cheio)* replete (de, with) **2** *(bem provido)* well-supplied (de, with)
réplica *nf* **1** *(cópia)* replica; copy; reproduction **2** *(resposta)* retort; response
replicar *v* *(retorquir)* to reply; to retort
repolho *nm* round cabbage
repontão *adj* impertinent; cheeky ▪ *nm* impertinent person
repontar *v* *(retorquir)* to retort
repor *v* **1** to put back **2** *(devolver)* to return **3** *(restabelecer)* to restore **4** (instalar de novo) to reinstall **5** (programa de TV) to rerun
reportagem *nf* **1** news report **2** reporting; **reportagem objetiva** objective reporting
reportar-se *v* to refer (a, to); to allude (a, to)
repórter *n2g* reporter; journalist
reportório *nm* repertory, repertoire
reposição *nf* **1** *(substituição)* replacement **2** *(restituição)* return **3** (de programa de TV) rerun
repositório *nm* repository
reposteiro *nm* door curtain
repousante *adj2g* restful; relaxing; peaceful
repousar *v* to rest, to take a rest
repouso *nm* *(descanso)* rest
repreender *v* to reprimand; to scold
repreensão *nf* reprehension

repreensível *adj2g* reprehensible
represa *nf* dam
represália *nf* retaliation; reprisal
representação *nf* **1** representation **2** *(espetáculo)* performance **3** (atores) acting
representante *n2g* representative
representar *v* **1** to represent **2** *(ilustrar)* to depict; to picture **3** (ator) to play the part of; to act
representativo *adj* representative (de, of)
repressão *nf* repression
repressivo *adj* repressive; **medidas repressivas** repressive measures
reprimenda *nf* reprimand
reprimir *v* **1** *(conter, controlar)* to repress; to control **2** *(oprimir)* to suppress
reprodução *nf* (geral) reproduction; **reprodução de som** sound reproduction; **época de reprodução** breeding season ♦ DIR **direito de reprodução** copyright
reprodutivo *adj* reproductive; **órgãos reprodutivos** reproductive organs
reproduzir *v* **1** to reproduce **2** *(copiar)* to duplicate; to copy ▪ **reproduzir-se** to reproduce; to breed
reprovação *nf* **1** *(chumbo)* fail **2** *(condenação)* reproach
reprovador *adj* reproachful; disapproving; **um olhar reprovador** a disapproving look
reprovar *v* **1** *(chumbar)* to fail **2** *(censurar)* to disapprove of; to condemn; to criticize **3** *(rejeitar)* to reject
réptil *nm* reptile
repto *nm* challenge; **lançar um repto a alguém** to challenge someone
república *nf* **1** POL republic **2** (universidade) student's hostel
República Checa *nf* Czech Republic
República Dominicana *nf* Dominican Republic
republicanismo *nm* republicanism
republicano *adj,nm* republican; **partido republicano** republican party
repudiar *v* to repudiate; to reject
repúdio *nm* repudiation; rejection
repugnância *nf* **1** *(aversão, nojo)* repugnance (por, for); aversion (por, for) **2** (carácter repulsivo) repulsiveness
repugnante *adj2g* **1** *(repulsivo)* repugnant; repulsive; disgusting **2** *(odioso)* loathsome
repugnar *v* to find (something) repugnant
repulsa *nf* repulsion; disgust
repulsivo *adj* repulsive; disgusting
reputação *nf* reputation; fame
reputado *adj* famous; renowned; reputed
repuxar *v* **1** *(esticar)* to stretch **2** *(puxar)* to pull hard
repuxo *nm* **1** water spout **2** jet of water
requeijão *nm* cottage cheese
requentado *adj* **1** reheated; **comida requentada** reheated food **2** *fig* (história, novidade) rehashed
requentar *v* to reheat
requerente *n2g* **1** petitioner **2** applicant
requerer *v* **1** *(solicitar)* to request **2** *(exigir)* to require; to demand
requerimento *nm* **1** DIR petition **2** *(pedido)* request
requintado *adj* **1** (pessoa) refined; sophisticated; cultivated **2** (ambiente) refined; luxurious
requinte *nm* **1** (pessoa) refinement; sophistication **2** (ambiente) class; luxury
requisição *nf* **1** DIR requisition **2** request
requisitar *v* **1** to request **2** DIR to requisition
requisito *nm* requisite; requirement; **preencher os requisitos** to fulfil all the requirements
rês *nf* a head of cattle ♦ (pessoa) **má rês** a bad lot
rescaldo *nm* **1** *(cinzas)* cinders; embers **2** *fig* aftermath
rescindir *v* to rescind
rescisão *nf* rescission; **rescisão de um contrato** rescission from a contract
rés-do-chão *a nova grafia é* **rés do chão**[AO]
rés do chão[AO] *nm* ground floor
resenha *nf* **1** (publicação) write-up; review **2** description
reserva *nf* **1** reserve; stock; **pôr de reserva** to store **2** *(marcação)* reservation **3** (área protegida) reserve **4** *(discrição)* discretion **5** MIL the reserve
reservado *adj* **1** *(marcado)* reserved; booked **2** *(distante, guardado)* reserved **3** *(confidencial)* confidential **4** *(restrito)* restricted
reservar *v* **1** *(marcar)* to book; to reserve **2** *(guardar)* to reserve; to put aside ▪ **reservar-se** to claim
reservatório *nm* **1** reservoir **2** tank

resfriado *nm* chill; cold; **apanhar um resfriado** to catch a chill
resgatar *v* **1** *(libertar)* to ransom **2** (dívida, hipoteca) to redeem; to pay
resgate *nm* **1** ransom **2** redemption
resguardar *v* **1** *(proteger)* to protect **2** *(abrigar)* to shelter ▪ **resguardar-se 1** *(proteger-se)* to protect oneself **2** *(abrigar-se)* to take shelter
resguardo *nm* **1** *(vedação)* fence **2** (de cama) undersheet
residência *nf* **1** residence; abode; **residência oficial** official residence **2** (universitária) hall of residence ♦ **visto de residência** residence permit
residencial *adj2g* residential; **bairro residencial** residential district ▪ *nf* guest house
residente *adj,n2g* resident
residir *v* **1** *(morar)* to reside (em, at/in) **2** *(consistir)* to lie (em, in)
residual *adj2g* residual
resíduo *nm* **1** residue **2** *pl (lixo)* waste
resignação *nf* **1** *(conformação)* resignation; forbearance; **ela aceitou a situação com resignação** she accepted the situation with resignation **2** *(demissão voluntária)* resignation
resignado *adj* resigned (com, to); reconciled (com, to)
resignar *v (demitir-se)* to resign (a, -) ▪ **resignar-se** to be resigned (com, to)
resiliência *nf* (material, pessoa) resilience
resiliente *adj2g* (material, pessoa) resilient
resina *nf* resin
resistência *nf* **1** resistance (a, to) **2** *(força, vigor)* stamina; vigour **3** ELET resistance; (fio) resistor
resistente *adj2g* **1** resistant **2** *(robusto)* durable; strong; solid
resistir *v* to resist
resma *nf* ream
resmungar *v* to mutter, to mumble
resolução *nf* resolution
resoluto *adj* **1** *(decidido)* resolute; firm; determined **2** *(corajoso)* bold; daring
resolver *v* **1** *(solucionar)* to solve; to find a solution for **2** *(decidir)* to decide to **3** MAT to solve ▪ **resolver-se** to decide (a, to)
respectivamente *a nova grafia é* **respetivamente**[AO]
respectivo *a nova grafia é* **respetivo**[AO]
respeitabilidade *nf* respectability
respeitado *adj* **1** respected **2** esteemed; considered **3** admired
respeitante *adj2g* concerning (a, -); referring (a, to)
respeitar *v* **1** *(admirar)* to respect **2** *(cumprir)* to observe; to follow; to comply with **3** to concern; to regard ♦ **no que respeita a** as regards
respeitável *adj2g* respectable; honourable
respeito *nm* **1** respect **2** *(cumprimento)* observance ♦ **dizer respeito a** to concern
respeitoso *adj* respectful
respetivamente[AO] *adv* respectively
respetivo[AO] *adj* **1** respective **2** corresponding
respiração *nf* breathing; respiration; **conter a respiração** to hold one's breath
respirar *v* to breathe; **respirar ar puro** to breathe fresh air ♦ **respirar fundo** to take a deep breath
respiratório *adj* respiratory; **aparelho respiratório** respiratory tract
resplandecente *adj2g* **1** shining; bright **2** aglow (de, with)
responder *v* **1** *(dizer em resposta)* to answer **2** *(replicar)* to reply; to answer back **3** *(responsabilizar-se)* to answer (por, for) **4** *(reagir)* to respond (a, to)
responsabilidade *nf* **1** responsibility **2** DIR,ECON liability
responsabilizar *v* to hold responsible (por, for) ▪ **responsabilizar-se** to be responsible (por, for)
responsável *adj2g* responsible (por, for) ▪ *n2g* **1** *(encarregado)* person in charge **2** *(causador, culpado)* person to blame; culprit
resposta *nf* **1** *(réplica)* answer, reply **2** DIR appeal **3** *(reação)* response, reaction **4** *(solução)* solution
ressaca *nf* **1** *fig (bebedeira)* hangover **2** *fig* (consequências) aftereffect; **a ressaca eleitoral** aftereffects of the elections
ressacar *v col* (bebedeira) to have a hangover
ressaibo *nm* **1** (comida) bad taste **2** *(vestígio)* vestige
ressaltar *v* **1** *(realçar)* to stress **2** *(fazer ressalto)* to bounce
ressalto *nm* **1** *(saliência)* salience, projection **2** *(salto de corpo elástico)* rebound
ressalva *nf* **1** *(correção)* correction **2** *(salvaguarda)* safeguard **3** *(condição)* reservation
ressarcimento *nm* **1** *(compensação)* compensation, indemnity **2** *(recuperação)* recuperation

ressarcir *v* **1** to make amends (de, for) **2** *(compensar)* to compensate (de, for); **ressarcir uma perda** to make good a loss
ressentido *adj* **1** *(melindrado)* resentful **2** *(afetado)* hurt, affected ♦ **ficar ressentido** to bear a grudge
ressentimento *nm* resentment; grudge
ressentir *v* **1** to resent (com, -); to take offence (com, at) **2** (saúde) to feel the effects (com, of)
ressequido *adj* **1** (corpo, rosto) withered, shrivelled **2** (garganta, olhos) dry **3** (planta, terra) parched
ressequir *v* **1** (corpo, rosto) to wither, to shrivel **2** (planta, terra) to parch
ressoar *v* **1** to resound **2** *(ecoar)* to echo
ressonância *nf* **1** (som) resonance, acoustics, ring; **ressonância acústica** acoustic resonance **2** FÍS,MED,MÚS resonance; **ressonância magnética** magnetic resonance
ressonar *v* to snore
ressurgimento *nm* **1** *(renovação)* revival **2** *(reaparição)* reappearance, resurrection
ressurgir *v* to reappear
ressurreição *nf* resurrection
ressuscitar *v* **1** to resuscitate **2** (costume, prática) to revive
restabelecer *v* **1** (comunicação, contacto) to re-establish **2** (lei, regime, ordem) to restore, to bring back ▪ **restabelecer-se** (saúde) to recover (de, from)
restabelecimento *nm* **1** re-establishment **2** (saúde) recovery (de, from); **em vias de restabelecimento** on the way to recovery **3** (ordem) restoration
restante *adj2g* remaining ▪ *nm* remainder; rest
restar *v* **1** (esperança, dúvida) to remain **2** *(sobejar)* to be left over **3** *(ter)* to have left; **é tudo quanto me resta** that's all I have left
restauração *nf* **1** (monumento) restoration; **restauração de obras de arte** the restoration of works of art **2** (costumes, usos) revival **3** *(renovação)* renewal
restaurador *adj* **1** (produto) restorative **2** *téc* restoration ▪ *nm* **1** restorer **2** (produto) polish
restaurante *nm* restaurant
restaurar *v* **1** (edifício, móvel) to restore, to repair; **restaurar uma igreja** to restore a church **2** (costume, uso) to re-establish, to restore ♦ **restaurar o equilíbrio** to redress the balance
restauro *nm* **1** restoration; **restauro de obras de arte** the restoration of works of art **2** revival, renewal
réstia *nf* ray; **réstia de esperança** ray of hope
restituição *nf* **1** return, restitution **2** (cargo) reinstatement
restituir *v* **1** *(devolver)* to return, to give back; **restituir um livro** to return a book **2** (forças, saúde, calma) to restore **3** (dinheiro) to repay
resto *nm* **1** *(excedente, restante)* rest **2** MAT remainder **3** *pl* (comida) scraps, leftovers **4** *pl* (cinzas, ossos) remains ♦ **de resto** besides
restrição *nf* **1** restriction **2** *(limitação)* restraint
restringir *v* **1** (acesso, abertura) to restrict **2** (despesas) to cut down, to limit ▪ **restringir-se** to restrict oneself (a, to)
restritivo *adj* restrictive
restrito *adj* **1** restricted, limited; **número restrito de convites** limited number of invitations **2** (sentido) strict; **no sentido mais restrito** in the narrowest sense
resultado *nm* **1** result **2** *(solução)* solution **3** DESP score **4** *pl (percentagem, pontuação)* results
resultante *adj2g* resultant (de, from), resulting (de, from)
resultar *v* **1** *(funcionar)* to work; **resulta!** it works! **2** (consequências) to result (em, in) **3** *(decorrer)* to result (de, from), to arise (de, from)
resumir *v* **1** (texto, livro) to summarize, to abridge **2** (informações, dados) to sum up ▪ **resumir-se** *(consistir)* to consist (a/em, in/of)

> Não confundir a palavra portuguesa **resumir** com a palavra inglesa **(to) resume**, que significa recomeçar, retomar.

resumo *nm* summary, abridgement; **em resumo** in short; **resumo das notícias** news summary
resvalar *v (deslizar)* to slide, to slip
resvés *adv* close, exactly, just enough; **o carro passou, mas resvés** the car got through, but only just
reta[AO] *nf* **1** (linha) straight line **2** (estrada) stretch of a straight road ♦ **na reta final** in the closing stages
retaguarda *nf* **1** *(parte traseira)* rear, back; **estar na retaguarda** to be in the rear; **fechar**

a **retaguarda** to bring up the rear **2** MIL rearguard
retalAO ou **rectal**AO *adj2g* rectal
retalhar *v* **1** to shred, to cut into shreds **2** (papel, tecido) to cut out **3** (terreno, território) to divide up
retalhista *n2g* retailer ▪ *adj* retail
retalho *nm* **1** (tecido) remnant, scrap; **comprei um retalho de fazenda** I bought a remnant of cloth **2** (preços, negócio) retail; **a retalho** at retail; **vender a retalho** to sell something retail
retaliação *nf* retaliation, reprisal
retaliar *v* **1** (inimigo) to pay back **2** to retaliate
retangularAO *adj2g* rectangular
retânguloAO *nm* GEOM rectangle ▪ *adj* rectangular
retardador *nm* **1** retarder **2** FOT self-timer
retardar *v* **1** *(adiar, atrasar)* to delay; **retardar a chegada** to delay one's arrival **2** (funcionamento, processo) to keep back **3** (andamento, passo) to slow down
retardatário *nm* latecomer; late arrival ▪ *adj* (alguém) late
retemperar *v (recuperar)* to reinvigorate, to invigorate, to stimulate
retenção *nf* **1** *(ato de reter)* confiscation **2** retention **3** ECON discount; **retenção na fonte** discount at source
reter *v* **1** *(guardar)* to retain, to keep **2** (pessoa) to detain, to hold **3** *(memorizar)* to remember **4** (lágrimas, impulsos) to hold back **5** *(parar)* to stop ▪ **reter-se** *(conter-se)* to restrain oneself
retesar *v* **1** (fio) to stretch, to tighten **2** (músculos) to stiffen, to harden
reticência *nf* **1** *(reserva)* reticence, reserve **2** *pl* LING suspension points
reticente *adj2g* reticent
retidãoAO *nf* rectitude, uprightness, righteousness
retificaçãoAO *nf* **1** rectification **2** *(ajuste)* adjustment, correction **3** MEC adjustment; **retificação dos travões** adjustment of the brakes
retificarAO *v* **1** to rectify; to correct **2** MEC (motor) to tune
retilíneoAO *adj* **1** rectilinear **2** (aresta, segmento) straight
retina *nf* retina
retirada *nf* **1** *(ato de retirar)* removal **2** MIL retreat; **bater em retirada** to beat a retreat, to be in full retreat
retirado *adj* **1** *(isolado)* secluded, isolated **2** *(aposentado)* retired
retirar *v* **1** (objeto, substância) to remove **2** (valor, quantia) to withdraw, to draw out **3** (recursos) to extract **4** (afirmação, acusação) to take back **5** (ajuda, liberdade) to deprive of **6** MIL to withdraw, to retreat ▪ **retirar-se 1** to leave, to go away **2** *(desistir)* to withdraw (de, from) **3** *(retirar-se, abandonar)* to retire (de, from)
retiro *nm* **1** *(isolamento)* retreat; **fazer um retiro espiritual** to go into retreat **2** *(sítio ermo)* hideaway, refuge
retoAO *adj* **1** (caminho, linha) straight **2** (posição) upright **3** (ângulo) right **4** (pessoa) honest ▪ *nm* ANAT rectum
retocar *v* (obra, pintura) to retouch, to touch up
retoma *nf* **1** return, resumption, recapture **2** ECON recovery
retomar *v* **1** (liderança, chefia) to take again, to resume; **retomar o lugar** to resume one's post **2** (assunto, conversa, etc.) to restart; to take up; to renew
retoque *nm* **1** retouch, finishing touch; **dar o último retoque** to give the finishing touch to **2** *(emenda)* improvement, correction
retórica *nf* rhetoric ◆ **figura de retórica** figure of speech
retórico *adj* rhetorical ▪ *nm* rhetorician
retorno *nm* **1** *(regresso)* return; **viagem de retorno** homeward journey, journey back **2** *(devolução de bens)* exchange
retorquir *v* to retort, to reply
retractar-se *a nova grafia é* **retratar-se**AO
retraído *adj* **1** *fig (reticente)* reticent, reserved **2** *fig (tímido)* shy
retraimento *nm* **1** FÍS retraction, contraction **2** *fig (contenção)* reserve, contention **3** *fig (timidez)* shyness
retrair *v* **1** to withdraw, to retract **2** (membros) to draw in **3** (órgão, músculo) to contract **4** (sentimentos) to hold back, to control ▪ **retrair-se 1** (pensamentos) to conceal one's thoughts **2** *(encolher-se)* to shrink back
retransmissor *nm* transmitter ▪ *adj* retransmitting, broadcasting
retransmitir *v* to broadcast again
retratar *v* **1** ART to portray **2** FOT to photograph **3** *(descrever)* to describe, to depict
retratar-seAO *v* **1** *(hesitar)* to flinch, to wince **2** (palavra) to withdraw one's word
retratista *n2g* **1** portrait painter **2** FOT photographer

retrato *nm* **1** *(representação)* portrait; **retrato de corpo inteiro** full-length portrait **2** FOT photograph; **tirar um retrato** to take a photograph
retrete *nf* water closet, toilet, lavatory
retribuição *nf* **1** *(retribuir)* retribution **2** *(recompensa)* reward
retribuir *v* **1** *(corresponder)* to return, to repay (-, for); **retribuir cumprimentos** to return compliments **2** *(recompensar)* to reward
retroactividade *a nova grafia é* **retroatividade**AO
retroactivo *a nova grafia é* **retroativo**AO
retroatividadeAO *nf* retroactivity
retroativoAO *adj* retroactive ▪ *nm* retroactive payment
retroceder *v* **1** to retrogress, to regress **2** *(decair)* to decline **3** *(desistir)* to back down
retrocesso *nm* **1** regression **2** (doença) aggravation **3** (economia) slowdown
retrógrado *adj* retrograde; backward
retroprojector *a nova grafia é* **retroprojetor**AO
retroprojetorAO *nm* overhead projector
retrospectiva *a nova grafia é* **retrospetiva**AO
retrospectivo *a nova grafia é* **retrospetivo**AO
retrospetivaAO *nf* retrospective ♦ **em retrospetiva** in retrospect
retrospetivoAO *adj* retrospective
retroversão *nf* LING translation
retrovírus *nm2n* retrovirus
retrovisor *nm* **1** rearview mirror **2** (exterior) wing mirror
retumbante *adj2g* **1** resounding **2** *fig* (êxito) overwhelming
réu *nm* DIR accused, defendant; **levante-se o réu!** will the accused please rise!
reumático *adj* rheumatic ▪ *nm* **1** (doença) rheumatism **2** (doente) person with rheumatism
reumatismo *nm* MED rheumatism
reunião *nf* **1** (negócios) meeting **2** *(reencontro)* reunion **3** (social) gathering, party
reunificar *v* to reunite, to reunify
reunir *v* **1** (partes) to reunite **2** (pessoas) to bring together, to gather **3** (objetos, dados) to collect **4** (qualidades) to combine; to fulfil **5** (sessão) to meet ▪ **reunir-se 1** *(unir-se)* to join **2** *(juntar-se)* to meet; to get together
revelação *nf* **1** (segredo) revelation, disclosure **2** FOT development
revelar *v* **1** to reveal; to disclose **2** (qualidades, sentimentos) to show **3** *(trair)* to betray **4** FOT to develop ▪ **revelar-se 1** *(mostrar-se)* to appear **2** to reveal oneself, to turn out to be

revelia *nf* default, non-attendance; **julgar à revelia** to judge by default
revenda *nf* resale, wholesale; **desconto para revenda** trade discount
revendedor *nm* retailer
rever *v* **1** *(tornar a ver)* to see again **2** (texto) to revise, to look over; **rever e corrigir um livro** to revise and correct a book; **rever provas tipográficas** to read proofs **3** (opinião, teoria, proposta, tese) to re-examine, to correct
reverência *nf* **1** *(respeito, veneração)* reverence, respect, veneration; **sua reverência** His Reverence **2** *(vénia)* bow; **fazer uma reverência** to bow
reverenciar *v* to revere
reverendo *nm* reverend
reverente *adj2g* reverent, respectful, reverential
reversível *adj2g* reversible
reverso *nm* **1** *(face oposta)* reverse **2** *(oposto)* opposite ♦ **o reverso da medalha** the other side of the coin
reverter *v* **1** to revert (para, to), to return (para, to); **reverter a favor de** to be to the advantage of **2** *(recair)* to turn (contra, against); **receio que a situação reverta contra ela** I'm afraid the situation will turn against him **3** *(resultar)* to result (em, in)
revés *nm* **1** *(contrariedade)* misfortune **2** *(falhanço)* drawback, failure **3** *(reverso)* reverse
revestimento *nm* **1** *(o que reveste)* coating, covering; **o chão tem um revestimento de cortiça** the floor has a cork covering **2** (caixa) lining **3** *(cobertura)* wrapping; **tira o revestimento de celofane** take off the cellophane wrapping
revestir *v* to coat (de, with)
revezamento *nm* **1** taking turns **2** *(alternativa)* alternation
revezar *v* **1** *(alternar)* to alternate **2** *(trocar com alguém)* to rotate ▪ **revezar-se** to take turns
revigorante *adj2g* invigorating, refreshing
revirar *v* **1** *(tornar a virar)* to turn again **2** (bolsos) to turn inside out **3** (olhos) to roll ▪ **revirar-se** *(dar voltas)* to twist and turn
reviravolta *nf* **1** *(mudança)* sudden change, turnabout **2** (argumento, situação) turn **3** (opinião) reversal **4** (mudança de direção) about-turn, U-turn
revisão *nf* **1** (escola) revision **2** *(verificação)* examination, check **3** (automóvel) service **4** (máquina) overhaul

revisar *v* **1** (passaporte) to put a visa on, to visa **2** *(rever)* to revise **3** *(verificar)* to examine; **revisar o bilhete** to clip the ticket

revisor *nm* **1** TIP proofreader **2** (bilhetes) ticket inspector, ticket collector

revista *nf* **1** *(busca)* search **2** *(publicação)* magazine **3** MIL inspection, review **4** TEAT revue

revistar *v* **1** MIL (tropas) to review **2** *(examinar)* to examine **3** (polícia) to search; **os passageiros foram revistados** the passengers were searched

reviver *v* **1** (emoção, situação) to relive **2** *(renascer)* to return to life

revogação *nf* **1** (lei) repeal, revocation **2** (ordem) reversal

revogar *v* **1** (artigo, lei) to revoke, to repeal; **revogar uma lei** to repeal a law; **revogar uma sentença** to revoke a sentence **2** (decisão, acordo) to annul

revogável *adj2g* revocable

revolta *nf* **1** revolt, insurrection, rebellion; **abafar uma revolta** to suppress a rebellion **2** *fig (indignação)* indignation, outrage; **aquelas palavras causaram-lhe revolta** those words caused her indignation **3** *fig (repugnância)* disgust, repugnance

revoltado *adj* **1** revolted **2** *(indignado)* outraged **3** *(com repugnância)* disgusted ▪ *nm* rebel, mutineer

revoltante *adj2g* revolting, shocking, disgusting; **é revoltante!** it is shocking!

revoltar *v* **1** *(insurgir)* to revolt **2** *(indignar)* to outrage ▪ **revoltar-se 1** to rebel (contra, against) **2** *(indignar-se)* to be outraged (com, by)

revolução *nf* **1** revolution **2** *(mudança radical)* radical change

revolucionar *v* to revolutionize

revolucionário *adj,nm* revolutionary

revolver *v* **1** *(girar)* to revolve **2** (gaveta) to rummage in, to search; **revolver os bolsos** to rummage the pockets ♦ **revolver o céu e a terra** to move heaven and earth

revólver *nm* revolver, gun

reza *nf* prayer, praying

rezar *v* to pray

ria *nf* estuary, mouth of a river

riacho *nm* brook; creek EUA

ribalta *nf* **1** footlights; **luzes da ribalta** footlights **2** TEAT stage **3** *fig (cena)* limelight; **ribalta política** political limelight

ribanceira *nf* **1** *(rampa)* steep slope **2** *(margem)* steep river bank **3** *(precipício)* cliff

ribeira *nf (riacho)* small river, stream, brook

ribeiro *nm* brook, stream

ricaço *adj* very rich, wealthy ▪ *nm* wealthy man; big shot *fig*

rico *adj* **1** *(que tem riqueza)* rich (em, in), wealthy **2** (loja, empresa) prosperous **3** (campo, região) fertile ▪ *nm* **os ricos** the rich

ricochete *nm* ricochet, skip, rebound; **fazer ricochete** to ricochet

ridicularizar *v* **1** *(zombar)* to ridicule, to make fun of **2** *(escarnecer)* to mock at

ridículo *adj* **1** (alguém) ridiculous **2** (cena, figura) laughable ♦ **cair no ridículo** to make a fool of oneself

rifa *nf* **1** (sorteio) raffle; **vender em rifas** to sell in a raffle **2** (bilhete) raffle ticket

rifar *v (sortear)* to raffle

rigidez *nf* **1** *(dureza)* rigidity, stiffness; **rigidez muscular** muscular rigidity **2** *(austeridade)* severity, strictness **3** *(inflexibilidade)* inflexibility

rígido *adj* **1** *(rijo, duro)* rigid, hard **2** *(severo)* harsh, strict

rigor *nm* **1** *(meticulosidade)* rigour GB, rigor EUA **2** *(severidade)* harshness, austerity **3** *(exatidão)* precision **4** (tempo) inclemency

rigoroso *adj* **1** *(meticuloso)* rigorous **2** *(severo)* strict, severe **3** (castigo) harsh

rijeza *nf* toughness, rigidity, hardness

rijo *adj* **1** (material, superfície) hard, tough; **carne rija** tough meat **2** *fig (resistente)* robust, tough; **rijo e são** hale and hearty **3** *fig* (festa, pancada) big, great

rim *nm* kidney

rima *nf* **1** rhyme **2** *(pilha)* heap

rimar *v* **1** to rhyme **2** to make rhymes

rímel *nm* (cosmética) mascara

ringue *nm* ring

rinite *nf* MED rhinitis

rinoceronte *nm* rhinoceros

rio *nm* **1** river **2** *pl fig (grande quantidade)* piles (de, of)

ripa *nf* batten, lath

ripostar *v (retorquir)* to retort, to retaliate

riqueza *nf* **1** *(dinheiro)* wealth **2** *(fartura)* abundance **3** *(fertilidade)* fertility

rir(-se) *v* to laugh

risada *nf* laughter, loud laugh; **soltar uma risada** to give a loud laugh

risca *nf* **1** *(traço, linha)* line **2** (cabelo) parting **3** (roupa) stripe, streak ◆ **à risca** to the letter
riscado *adj* **1** (tecido) striped **2** (papel) lined **3** (frase, nome) crossed out **4** *(suprimido)* excluded
riscar *v* **1** (superfície) to scratch **2** *(apagar)* to strike out, to cross out; **riscar o nome da lista** to strike the name off the list; **riscar uma palavra** to strike out a word **3** *(esboçar, traçar)* to trace, to outline
risco *nm* **1** *(perigo)* risk, danger **2** *(rabisco)* scribble
risível *adj2g* risible, laughable, comical
riso *nm* laughing; laugh; laughter ◆ **morrer de riso** to split one's sides with laughter; **um ataque de riso** a fit of laughter
risonho *adj* **1** (pessoa) cheerful, laughing **2** (cara) smiling; **rosto risonho** a smiling face **3** (futuro) bright
risota *nf* **1** *(riso)* laughter **2** *(troça)* sneer
rispidez *nf* harshness
ríspido *adj* harsh, rough
rissol *nm* rissole
rítmico *adj* rhythmic, rhythmical
ritmo *nm* **1** MÚS,LIT rhythm, cadence **2** *(movimento ou ruído)* movement; **o ritmo das ondas** the movement of the waves ◆ **ao ritmo de** at the pace of
rito *nm* **1** REL rite **2** *(cerimónia)* ritual
ritual *adj2g,nm* ritual
rival *adj2g* **1** rival **2** *(antagonista)* emulous ▪ *n2g* **1** rival; **sem rival** without a rival **2** *(antagonista)* emulator
rivalidade *nf (competição)* rivalry; competition
rivalizar *v* **1** *(igualar-se em mérito)* to rival (com, with) **2** *(competir)* to compete (com, with)
rixa *nf* quarrel, row, brawl
roaming *nm* (telemóvel) roaming
robalo *nm* sea bass
robe *nm* dressing-gown, robe, bathrobe
robô *nm* robot
robustez *nf* robustness, vigour
robusto *adj* **1** (atleta) strong, vigorous, robust **2** *(resistente)* hardy, sturdy
roca *nf* distaff
roçar *v* **1** *(tocar ao de leve)* to graze, to skim **2** *fig (atingir)* to border on; **isso roça a loucura** that borders on madness
rocha *nf* **1** rock **2** *(penedo)* crag
rochedo *nm* cliff, rock
rochoso *adj* **1** rocky **2** *(pedregoso)* stony
rococó *nm* rococo ▪ *adj* **1** (arquitetura) rococo **2** *fig* eccentric
roda *nf* **1** *(peça, veículo)* wheel **2** (amigos) circle **3** *fig (lotaria)* lottery **4** (saia, vestido) width
rodada *nf* (bebidas) round
rodado *adj* **1** *(que tem rodas)* wheeled **2** (vestido) wide **3** (veículo) run in **4** *(experiente)* experienced
rodagem *nf* **1** (rodas) set of wheels **2** (automóvel) running in; **em rodagem** running-in
rodapé *nm* **1** (parede) skirting, skirting board **2** (página) foot; **nota de rodapé** footnote
rodar *v* **1** *(girar)* to turn **2** *(girar rapidamente)* to wheel, to spin **3** (filme) to shoot
roda-viva *nf* bustle, rush, merry-go-round; **andar numa roda-viva** to be always on the go
rodear *v* **1** *(circundar)* to surround, to encircle **2** (assunto, questão) to beat about the bush ▪ **rodear-se** to surround oneself (de, with)
rodeio *nm* **1** (discurso) circumlocution **2** *(subterfúgio)* subterfuge, evasion; **encher-se de rodeios** to beat about the bush; **sem rodeios** bluntly **3** (gado) rodeo
rodela *nf* **1** *(pedaço)* slice **2** *(pequena roda)* small ring; **rodela de ananás** pineapple ring
rodilha *nf* **1** *(esfregão)* dishcloth, mop **2** (para transporte à cabeça) cloth pad **3** *fig (peça roupa)* rag
rodízio *nm* **1** (mesas) caster, castor, trundle **2** *(haste)* wooden pole
rodopiar *v* to whirl, to rotate
rodopio *nm* **1** *(rodar)* whirl, spin **2** (cabelo) twist
rodovalho *nm* turbot
rodoviário *adj* **1** (estrada) road **2** (polícia) traffic
roedor *adj,nm* rodent
roentgénio *nm* roentgenium
roer *v* **1** (dentes) to gnaw, to bite **2** *(corroer)* to erode, to eat away **3** *(inquietar)* to weigh on ▪ **roer-se** to fret, to worry; *col* **roer-se de inveja** be eaten up with envy
rogar *v* **1** to beg **2** *(rezar)* to pray (a, to)
rojão *nm* stewed pork
rol *nm* **1** *(lista)* roll, list **2** *(registo)* record
rola *nf* turtledove
rolar *v* **1** *(enrolar, rebolar)* to roll **2** *(virar)* to turn **3** *(decorrer)* to roll by
roldana *nf* pulley
roleta *nf* roulette ◆ **roleta russa** Russian roulette
rolha *nf* **1** cork; **tirar a rolha** to uncork **2** (de vidro) stopper

rolhar *v* to cork; to stopper
roliço *adj* **1** cylindrical **2** (corpo, pernas) plump; chubby
roll-on *nm* (desodorizante) roll-on
rolo *nm* **1** (papel) roll; **rolo de papel higiénico** paper roll, toilet tissue tube **2** (pintura, cabelo) roller **3** (massa) rolling pin **4** FOT film
ROM INFORM [*abrev. de* read-only memory]
romã *nf* pomegranate
romance *nm* **1** LIT novel **2** *(caso amoroso)* romance **3** *fig (história)* complicated story
romancear *v* **1** to romance **2** *(exagerar)* to exaggerate
romancista *n2g* novelist
romanesco *adj* **1** LIT Romanesque **2** *(romântico)* fanciful, romantic
românico *adj* **1** ARQ Romanesque **2** LING Romance
romano *adj,nm* (pessoa) Roman; **números romanos** Roman numerals
romântico *adj,nm* romantic
romantismo *nm* romanticism
romaria *nf* **1** *(peregrinação)* pilgrimage **2** *(festa popular)* popular festival **3** *fig (multidão)* crowd
romãzeira *nf* pomegranate tree
rombo *adj* blunt, flat ▪ *nm* **1** (navio) leak **2** *(buraco)* hole **3** *(prejuízo)* loss **4** *(desfalque)* embezzlement
romeiro *nm* pilgrim
Roménia *nf* Romania
romeno *adj,nm* Romanian
rompante *nm* impetuosity, outburst; **de rompante** impetuously
romper *v* **1** (corda, fio) to break **2** *(rasgar, furar)* to tear **3** (calçado) to wear out **4** *(atravessar)* to break through **5** (contrato, promessa) to break off **6** *(aparecer)* to come through **7** (relação) to break up (com, with) ▪ **romper-se 1** *(rasgar-se)* to get torn **2** *(partir-se)* to break, to snap **3** *(interromper-se)* to be broken
roncar *v* **1** *(ressonar)* to snore **2** (ruído) to rumble, to roar **3** *(grunhir)* to grunt
ronco *nm* **1** (ressonar) snore **2** *(ruído contínuo)* roar **3** *(grunhido)* grunt
ronda *nf* **1** *(grupo de vigilantes)* patrol **2** *(vigilância)* round, beat; **fazer a ronda** to make one's rounds, to go one's rounds **3** *fig (conversações)* talk
rondar *v* **1** *(fazer a ronda)* to round, to watch, to patrol **2** *(espreitar)* to lurk round **3** (idade) to be around
ronrom *nm* purr, purring
ronronar *v* to purr
roqueiro *nm* (artista, fã de rock) rocker
rosa *nf* rose; **botão de rosa** rosebud ▪ *adj inv,nm* (cor) pink
rosácea *nf* ARQ rose window
rosa-choque *adj inv,nm* shocking pink
rosado *adj* rosy, pinky
rosa-dos-ventos *a nova grafia é* **rosa dos ventos**[AO]
rosa dos ventos[AO] *nf* compass rose
rosário *nm* **1** REL rosary **2** *fig (série)* series
rosbife *nm* roast beef
rosca *nf* **1** (parafuso) screw thread **2** *(espiral)* spiral **3** (pão) rusk
roseira *nf* rose, rosebush
roseiral *nm* rose garden
roseta *nf* **1** *(roda dentada)* rowel **2** (face) red spot **3** (croché) rosette
rosmaninho *nm* French lavender
rosnadela *nf* **1** *(rosnar)* snarl, growl **2** *fig (murmurar)* muttering
rosnar *v* **1** (som ameaçador) to snarl **2** *fig (murmurar)* to murmur **3** *fig (resmungar)* to grumble
rosto *nm* **1** *(cara)* face; countenance **2** (livro) front
rota *nf* **1** *(rumo, direção)* route, course; **o navio saiu da rota** the ship went off course **2** *(caminho)* way, path; **as nossas rotas cruzaram-se** our paths crossed
rotação *nf* **1** rotation **2** *(ocorrência periódica)* alternation, recurrence
rotativo *adj* rotary, rotative
roteiro *nm* **1** (viagem) plan of a trip **2** (filme) script **3** (região) guidebook, road map **4** NÁUT map of course
rotina *nf* **1** routine **2** *(costume)* custom, practice
rotineiro *adj* routine, customary
roto *adj* **1** (roupa, calçado) ragged, tattered, torn **2** *col,fig (exausto)* exhausted ◆ **um mãos rotas** a spendthrift
rótula *nf* kneecap, patella
rotular *v* to label
rótulo *nm* label; **pôr um rótulo em** to put a label on
rotunda *nf* **1** roundabout **2** ARQ rotunda
roubalheira *nf* **1** *(série de roubos)* robbery, theft **2** *col (preço exagerado)* exorbitant charge **3** *(fraude)* fraud

roubar *v* **1** (dinheiro, carteira) to steal; **roubar um beijo** to steal a kiss **2** (loja) to shoplift
roubo *nm* **1** theft, robbery **2** *col* (preço excessivo) daylight robbery
rouco *adj* hoarse
roulotte ou **rulote** *nf* caravan
roupa *nf* **1** clothes, clothing; **roupas para homem** men's wear; **roupas para senhora** ladies' wear **2** *(para lavar)* washing; **estender a roupa** to hang out the washing ◆ **roupa branca** linen; **roupa interior** underwear; **chegar a roupa ao pelo a alguém** to take one's slipper to someone
roupão *nm* dressing-gown; **roupão de banho** bathrobe
roupeiro *nm* wardrobe
rouquidão *nf* hoarseness
rouxinol *nm* nightingale
roxo *nm* (cor) violet, purple ▪ *adj* **1** (cor) violet, purple **2** (mãos, lábios) blue
rpm [*abrev. de* rotações por minuto] rpm [*abrev. de* revolutions per minute]
rua *nf* **1** street; **atravessar a rua** to cross the street; **rua secundária** by-street **2** *(exterior)* out; **na rua** outside; **rua!** out! **3** (moradores) the whole street ◆ **pôr na rua** to give the sack
Ruanda *nm* Rwanda
ruandês *adj,nm* Rwandan
rubéola *nf* MED German measles
rubi *nm* ruby
rubídio *nm* rubidium
rubor *nm* (face) blush, flush
ruborizar-se *v (corar)* to blush, to flush
rubrica *nf* **1** *(assinatura abreviada)* signed initials; **a minha rubrica é esta** these are my initials **2** *(assunto)* heading, item
rubricar *v* to initial
rubro *adj* red, ruddy, red-hot; **ao rubro** red-hot
ruço *adj* **1** (cabelo, barba) grey; **cabelo ruço** sandy hair **2** (casaco, tecido) faded
rude *adj2g* rude
rudeza *nf* **1** *(grosseria)* rudeness, coarseness, roughness **2** (qualidade, estado) severity, harshness **3** *(ignorância)* ignorance
rudimentar *adj2g* rudimentary, elementary
rudimento *nm* rudiment
ruela *nf* lane, by-street
rufar *v* to drum; **rufar o tambor** to beat the drum
rufia *nm* **1** bully, ruffian, scoundrel **2** (prostitutas) pimp
rufião *nm* bully, ruffian, scoundrel
rufo *nm* drumbeat, roll
ruga *nf* **1** (pele) wrinkle, line; **fazer rugas** to wrinkle **2** *(dobra)* crease
rugido *nm* roar
rugir *v* **1** to roar; **o leão ruge** the lion roars **2** (seda) to rustle
rugoso *adj* **1** (pele) wrinkled **2** (terreno) rough **3** (tecido) creased, corrugated
ruído *nm* **1** *(barulho)* noise, din; **o ruído das máquinas** the rattle of the machinery; **ruído surdo** muffled noise **2** *fig (alvoroço)* uproar, fuss
ruidoso *adj* **1** noisy **2** *fig (aparatoso)* showy
ruim *adj* **1** *(malvado)* bad, wicked; **homem ruim** a wicked man **2** *(prejudicial)* bad
ruína *nf* **1** (construção) ruin **2** *(decadência)* downfall, disaster
ruindade *nf* **1** wickedness, meanness **2** *(malícia)* malice
ruir *v* **1** *(desabar)* to collapse, to tumble **2** *fig (deixar de existir)* to crumble down
ruivo *adj* **1** (cabelo) red, ginger **2** (pessoa) red-haired ▪ *nm* (peixe) red surmullet
rulote *nf* caravan
rum *nm* rum
rumar *v* to head (para, for)
ruminação *nf* **1** rumination **2** *fig (meditação)* meditation
ruminante *adj2g,nm* ruminant
ruminar *v* **1** (animal) to ruminate **2** *(matutar)* to muse
rumo *nm* **1** *(rota)* course; route **2** (vida, situação) way; bearings
rumor *nm* **1** *(boato)* rumour **2** (som, vozes) rumble; murmur
rupestre *adj2g* rock; **arte rupestre** rock art; **pinturas rupestres** rock engravings
rupia *nf* rupee
ruptura *a nova grafia é* **rutura**[AO]
rural *adj2g* rural; **vida rural** rural life
rusga *nf* search; **fazer uma rusga** to make a search
Rússia *nf* Russia
russo *adj,nm* Russian
rústico *adj* **1** (do campo) rustic **2** *pej (grosseiro)* rude; boorish ▪ *nm* countryperson
ruténio *nm* ruthenium
rutherfórdio *nm* rutherfordium
rutura[AO] *nf* **1** (relações) breach; rupture; split **2** (lesão física) rupture; hernia **3** ELET break

S

s *nm* (letra) s
sábado *nm* Saturday
sabão *nm* soap; **bola de sabão** soap bubble; **pau de sabão** bar of soap
sabático *adj* sabbatical ♦ **licença sabática** study leave
sabedoria *nf* **1** (da experiência) wisdom **2** (estudo) knowledge
saber *v* **1** to know **2** (capacidade) can; **sabes nadar?** can you swim? **3** *(descobrir)* to find out; **eu soube isso ontem** I found that out yesterday **4** (sabor) to taste (a, like) ▪ **saber-se** to be known; **se isto se vem a saber** if this comes out ▪ *nm* learning; knowledge
sabichão *nm pej* wise guy
sabido *adj* **1** *(prudente)* wise; prudent **2** *(esperto)* cunning; smart; shrewd **3** (com experiência) experienced ♦ **como é sabido** as everyone knows
sábio *adj* **1** wise **2** (estudos) learned; knowledgeable ▪ *nm* (conhecimentos) wise man; sage
sabonete *nm* toilet soap
saboneteira *nf* **1** (casa de banho) soap dish **2** (caixa) soapbox
sabor *nm* (alimentos) taste; flavourGB, flavorEUA ♦ **ir ao sabor da maré** to go with the flow
saborear *v* **1** (gosto) to savour **2** *fig* (situação, acontecimento) to enjoy; to relish
saboroso *adj* **1** (sabor) savoury; tasty; appetizing **2** *(agradável)* pleasant
sabotador *nm* saboteur
sabotagem *nf* sabotage
sabotar *v* to sabotage; to undermine
sabrina *nf* (calçado) pump
sabugo *nm* **1** (unhas) quick **2** BOT elder
saca *nf* bag; **saca de compras** shopping bag
sacada *nf* ARQ (varada) balcony
sacador *nm* drawer
sacana *n2g* creep; sleazebagEUA
sacão *nm* jolt; jerk; start
sacar *v* **1** (arma, faca) to draw; to pull **2** (informações) to pull out; to take out **3** (dinheiro) to draw
saca-rolhas *nm* corkscrew
sacerdócio *nm* priesthood
sacerdotal *adj2g* priestly; pastoral; **obrigações sacerdotais** pastoral duties
sacerdote *nm* priest; clergyman
sacerdotisa *nf* priestess
sachar *v* to weed; to rake; to hoe
sacho *nm* weeding hoe
sachola *nf* small hoe
saciar *v* **1** (fome) to satiate **2** (sede) to quench
saciedade *nf* satiety; fullness; surfeit
saco *nm* **1** (compras) bag; **saco de plástico** plastic bag **2** sack; **um saco de batatas** a sack of potatoes; **sacos de areia** sacks of sand ♦ **meter tudo no mesmo saco** to lump together; **não cair em saco roto** to serve a purpose
saco-cama *nm* sleeping bag
sacola *nf* **1** (para a escola) satchel **2** *(mochila)* knapsack
sacramento *nm* sacrament
sacrário *nm* tabernacle
sacrificar *v* to sacrifice ▪ **sacrificar-se** to sacrifice oneself (por, for)
sacrifício *nm* sacrifice
sacrilégio *nm* sacrilege
sacrílego *adj* sacrilegious
sacristão *nm* sexton
sacristia *nf* sacristy
sacro *adj* sacred; holy
sacudidela *nf* shake; **dá-lhe uma sacudidela** give it a shake
sacudir *v* **1** (movimento) to shake **2** (pó) to dust; to shake off **3** (mentalidades) to stir **4** (cauda) to wag ▪ **sacudir-se** to shake oneself
sádico *adj* sadistic ▪ *nm* sadist
sadio *adj* sound; healthy
sadismo *nm* sadism
sadomasoquismo *nm* sadomasochism
sadomasoquista *adj2g* sadomasochistic ▪ *n2g* sadomasochist
safa *nf col (borracha)* rubber ▪ *interj* good gracious!; dear God!
safado *adj col* (malvadez) shameless; wicked ▪ *nm* scoundrel; trickster

safanão *nm* **1** *(abanão)* shake **2** (empurrão) push; shove
safar *v* **1** (com borracha) to rub out **2** *col (salvar)* to help out (de, from) ▪ **safar-se 1** *(escapulir-se)* to get away; to sneak away **2** *(desenrascar-se)* to make it
safári *nm* safari
safira *nf* sapphire
safo *adj* **1** *col* (de perigo) clear **2** *col (livre)* free
safra *nf* harvest; crop
saga *nf* saga
sagacidade *nf* sagacity
sagaz *adj2g (perspicaz)* shrewd; sharp
Sagitário *nm* (constelação, signo) Sagittarius
sagração *nf* **1** (bispo) consecration; ordination **2** (rei) coronation
sagrado *adj* sacred; holy ◆ **Sagrada Família** Holy Family; **Sagrado Coração** Sacred Heart
sagrar *v* to consecrate ▪ **sagrar-se** to become; **sagrar-se campeão** to win the championship
saia *nf* skirt
saia-calça *nf* culottes; divided skirt
saia-casaco *nm* costume; lady's suit, suit
saída *nf* **1** (porta) exit; **saída de emergência** emergency exit **2** (escape, trajeto) way out; outlet **3** (comentário) witty retort ◆ **à saída** on the way out
saído *adj* **1** *(protuberante)* jutting out; sticking out **2** *pop (atrevido)* bold; cheeky; **ser saído da casca** to have got the nerve
saiote *nm* petticoat
sair *v* **1** to leave; to go out **2** (depressa) to get out **3** (edição, etc.) to be released; to come out **4** (semelhanças) to take (a, after) **5** (problemas) to get out (de, of); **sair de um aperto** to pull through **6** (nódoa) to come off ▪ **sair-se** (de situação) to do; **afinal ele saiu-se bem** he did well after all ◆ **sair caro** to cost (somebody) dear; **sair de mansinho** to sneak out
sal *nm* salt; **sal refinado** table salt
sala *nf* room; **sala de aula** classroom
salada *nf* salad; **temperar a salada** to dress the salad
saladeira *nf* salad bowl
salamaleque *nm* **1** *(vénia)* bow **2** *pl pej* affected compliments; **cheio de salamaleques** full of P's and Q's
salamandra *nf* **1** salamander **2** (aquecimento) stove
salame *nm* salami
salão *nm* **1** (estabelecimento) salon; parlour; **salão de beleza** beauty salon **2** *(sala grande)* hall; **salão de baile** dance hall **3** (exposição) salon; show; **salão automóvel** car show
salário *nm* salary; wage ◆ **salário mínimo** minimum wage
saldar *v* **1** (contas) to settle **2** (dívida) to pay off **3** (preço) to sell at low price
saldo *nm* **1** balance; **saldo bancário** bank balance **2** *col (restante)* remainder; rest **3** *pl* (compras) sales; **estar em saldos** to be on sales
saleta *nf* sitting-room
salgadinhos *nmpl* snacks; hors d'oeuvres
salgado *adj* salted; salty
salgalhada *nf* **1** *col (mistura)* hotchpotch **2** *col (desordem)* mess
salgar *v* to salt
salgueiro *nm* willow
saliência *nf* **1** (em superfície) bulge; bump **2** (ponta) salience; protuberance
salientar *v* **1** *(fazer notar)* to point out; to stress **2** (de superfície) to jut out; to stick out ▪ **salientar-se** (desempenho) to stand out
saliente *adj2g* **1** (superfície) projecting; jutting **2** (importância) salient; striking
salina *nf* saltworks
salino *adj* saline
salitre *nm* saltpetre
saliva *nf* saliva; spit
salivação *nf* salivation
salivar *v* (segregação de saliva) to salivate ▪ *adj2g* salivary ◆ **glândulas salivares** salivary glands
salmão *nm* salmon
salmo *nm* psalm
salmonete *nm* red mullet
salmoura *nf* brine
saloio *nm* **1** *pop* (do campo) peasant **2** *pop,pej (parolo)* yokel; bumpkin; hillbilly EUA ▪ *adj* **1** *(campestre)* rustic **2** *pop,pej (grosseiro)* loutish; coarse ◆ **esperteza saloia** low cunning
salpicão *nm* pork sausage
salpicar *v* **1** (líquido) to sprinkle (de, with); to spatter (de, with) **2** (pó) to powder (de, with); to sprinkle (de, with); **salpicar de açúcar** to powder with sugar **3** (manchas) to speckle (de, -); to fleck (de, -); **salpicar de lama** to splash with mud
salpico *nm* **1** (mancha, ponto) speck; spot; dot **2** (líquido, substância) spatter; sprinkling
salsa *nf* **1** (planta) parsley **2** MÚS salsa
salsada *nf* mess; muddle; confusion

salsicha *nf* sausage
saltar *v* **1** (para o alto) to jump; to leap **2** (rapidez) to spring; to hop; **saltar da cama** to hop out of bed **3** *(saltitar)* to skip **4** (assunto, obstáculo) to jump
salteado *adj* **1** (alternância) alternated **2** CUL sauté
salteador *nm* highwayman
saltear *v* **1** CUL to sauté **2** *(alternar)* to alternate
saltimbanco *nm* member of a travelling circus
saltitar *v* to skip; to hop
salto *nm* **1** leap; jump; **de um salto** at a jump **2** (pequeno salto) hop **3** (sapatos) heel
salubre *adj2g* salubrious; healthy
salutar *adj2g* **1** *(saudável)* healthy **2** *(benéfico)* salutary; beneficial
salva *nf* **1** BOT sage **2** MIL salvo **3** *(bandeja)* salver; tray
salvação *nf* salvation
salvador *nm* saviour; rescuer ▪ *adj* saving; rescuing
salvados *nmpl* salvage; salvaged goods
salvaguarda *nf* **1** *(garantia)* safeguard **2** *(proteção)* security; protection
salvaguardar *v* to safeguard
salvamento *nm* salvation; rescue
salvar *v* **1** to save (de, from) **2** *(resgatar)* to rescue (de, from) ▪ **salvar-se 1** *(escapar)* to escape **2** *(sobreviver)* to survive ♦ **salve-se quem puder!** every man for himself!
salva-vidas *nm2n* lifeboat
salvo *adj* safe; **estar a salvo** to be free from danger ▪ *prep* save; except; but for ♦ **salvo seja!** God forbid!
salvo-conduto *nm* safe-conduct
samaritano *adj,nm* Samaritan
samarra *nf* **1** (casaco de pastor) sheepskin coat **2** *(sobretudo curto)* short overcoat
samba *nm* MÚS samba
samoano *adj,nm* Samoan
samurai *adj2g,nm* samurai; **tradição samurai** samurai tradition
sanar *v* **1** (doença) to cure; to heal **2** *fig* (situação) to remedy; to mend
sanatório *nm* sanatorium
sanção *nf* **1** (medidas) sanction; **sanções económicas** economic sanctions **2** *(aprovação)* ratification; approval **3** *(multa)* fine; penalty
sancionar *v* to sanction; to ratify; to approve
sandália *nf* sandal
sândalo *nm* (árvore, perfume) sandalwood
sande *nf col* sandwich
sandes *nf2n col* sandwich
sanduíche *nf* sandwich
saneamento *nm* **1** (detritos) sewerage **2** (higiene) sanitation
sanear *v* **1** (saúde) to render salubrious; to make healthy **2** *fig (despedir)* to dismiss; to fire
sanefa *nf* pelmet
sanfona *nf* MÚS hurdy-gurdy
sangrar *v* to bleed
sangrento *adj* bloody
sangria *nf* **1** (ato de sangrar) bleeding **2** (derramamento de sangue) bloodshed; bloodletting **3** (bebida) sangria
sangue *nm* **1** BIOL blood; **análise ao sangue** blood count **2** *fig* (família) blood ♦ **estar na massa do sangue** to be in one's blood; **ficar sem pinga de sangue** to have one's heart in one's mouth
sangue-frio *nm* composure; calm; **perder o sangue-frio** to lose one's head ♦ (crime) **a sangue-frio** in cold blood
sanguessuga *nf* **1** leech **2** *fig,pej (explorador)* bloodsucker
sanguinário *adj* bloodthirsty; sanguinary
sanguíneo *adj* (sangue) of the blood ♦ **grupo sanguíneo** blood group
sanidade *nf* **1** (condição mental) sanity **2** *(higiene)* hygiene **3** *(discernimento)* sanity; soundness
sanita *nf* toilet; lavatory; loo
sanitário *adj* sanitary; hygienic; **condições sanitárias** sanitary conditions
sânscrito *nm* Sanskrit
santidade *nf* holiness; sanctity ♦ **Sua Santidade** His Holiness
santificar *v* to sanctify
santo *adj* holy; saintly ▪ *nm* saint ♦ **Santo Deus!** good heavens!; **dia de Todos os Santos** All Saints' Day; **todo o santo dia** all day long
santo-e-senha *nm* password; watchword
santola *nf* spider-crab
santuário *nm* sanctuary; shrine
são *adj* **1** *(saudável)* sound; healthy **2** (condição mental) sane **3** REL saint
sapador *nm* MIL sapper
sapatada *nf* slap
sapataria *nf* **1** (fabricante) shoemaker's **2** (loja) shoe shop

sapateado *nm* tap-dance; **dançar sapateado** to tap-dance
sapatear *v* **1** (dança) to tap-dance **2** *(bater com o pé)* to stamp
sapateira *nf* rock crab
sapateiro *nm* **1** (fabricante) shoemaker **2** (consertos) cobbler
sapatilha *nf* **1** (para desporto) sneaker **2** (para corrida) running shoe **3** (lona) plimsoll; pump; gym shoe
sapato *nm* shoe; **sapatos de salto alto** high heels
sapiência *nf* wisdom; knowledge
sapo *nm* toad ◆ **engolir sapos vivos** to swallow a bitter pill
saque *nm* **1** plunder, pillage **2** draft; bill
saqueador *nm* plunderer; looter; pillager
saquear *v* to plunder; to loot; to sack
saqueta *nf* sachet
saraiva *nf* hail
saraivada *nf* **1** (meteorologia) hailstorm **2** *fig* (grande quantidade) shower (de, of); torrent (de, of)
saraivar *v* to hail
sarampo *nm* MED measles
sarar *v* to heal
sarau *nm* evening party
sarcasmo *nm* **1** (dito) sarcasm; taunt **2** (expressão facial) sneer
sarcástico *adj* **1** (dito) sarcastic; biting **2** (humor) ironic; dry
sarcófago *nm* sarcophagus
sarda *nf* (pele) freckle
sardanisca *nf* gecko
sardão *nm* lizard
sardento *adj* freckled, freckly
sardinha *nf* sardine; **lata de sardinhas** tin of sardines ◆ **como sardinhas em lata** packed like sardines
sardinheira *nf* geranium
sargaço *nm* seaweed
sargento *nm* MIL sergeant
sarilho *nm (trapalhada)* mess; trouble; **meter-se em sarilhos** to get into trouble, to get into a mess
sarja *nf* serge
sarjeta *nf* gutter
sarna *nf* scabies
sarnento *adj* **1** (rugosidade na pele) scabious **2** (comichão) itchy **3** (animal doente) mangy; scruffy
sarrabiscar *v* to scrawl; to scribble
sarrabisco *nm* scrawl, scribbling
sarrabulho *nm* CUL dish made with pig's blood and giblets
sarro *nm* **1** (dentes) tartar **2** (língua) fur (on the tongue)
Satanás *nm* Satan; the Devil
satânico *adj* Satanic
satélite *nm* satellite; **transmissão via satélite** transmission by satellite
sátira *nf* satire
satírico *adj* (escrito) satirical; **jornal satírico** satirical newspaper ▪ *nm* satirist
satirizar *v* to satirize
satisfação *nf* **1** satisfaction; pleasure; delight **2** *(realização)* accomplishment; fulfilment **3** *(explicação)* explanation; **pedir satisfações** to demand an explanation
satisfatório *adj* satisfactory
satisfazer *v* **1** *(agradar)* to please; **difícil de satisfazer** hard to please **2** (pedido, necessidade) to satisfy; to meet ▪ **satisfazer-se** *(contentar-se)* to be satisfied
satisfeito *adj* **1** *(contente)* satisfied; pleased; **dar-se por satisfeito com** to be satisfied with **2** (com comida) satiated
saturação *nf* saturation
saturado *adj* **1** saturated **2** *fig (farto)* sick to death; tired; fed up
saturar *v* **1** to saturate (de, with) **2** *col (aborrecer)* to tire **3** (mercado) to glut
Saturno *nm* Saturn
saudação *nf* greeting
saudade *nf* **1** *(anseio)* longing; yearning; **ter saudades de alguém** to miss someone **2** (casa, país) homesickness; **ter saudades de casa** to be homesick **3** (sentimento) nostalgia ◆ **dê-lhe saudades minhas** remember me to him
saudar *v* to greet
saudável *adj2g* healthy; sound
saúde *nf* health; healthiness; **estar bem de saúde** to be in good health ▪ *interj* cheers! ◆ **beber à saúde de** to drink to somebody's health; **casa de saúde** nursing home; **tratar da saúde de alguém** to fix someone
saudita *adj,n2g* Saudi Arabian
saudosismo *nm* (saudade) nostalgia
saudosista *adj2g* nostalgic; sentimental
saudoso *adj* **1** (nostalgia) nostalgic **2** (casa, país) homesick

sauna *nf* sauna; **fazer sauna** to take a sauna
savana *nf* savannah
saxão *adj,nm* Saxon
saxofone *nm* MÚS saxophone; sax *col*; **tocar saxofone** to play the saxophone
saxofonista *n2g* MÚS saxophone player, saxophonist
saxónico *adj* Saxon
sazonal *adj2g* seasonal
scanear *v* INFORM to scan
scanner *nm* INFORM scanner
scone *nm* scone
scooter *nf (lambreta)* scooter
screensaver *nm* INFORM screensaver
se *conj* **1** (possibilidade) if; **como se** as if **2** (alternativa) whether; **se sim ou não** whether or not **3** *(no caso de)* in case; **se assim for** in that case ▪ *pron pess* **1** (masculino) himself; (feminino) herself; (objeto, animal) itself; (plural) themselves; **eles magoaram-se** they hurt themselves **2** (um ao outro) each other; one another; **eles amam-se** they love each other **3** (impessoal) you; one; **nunca se sabe** you never know ♦ **se bem que** although
sé *nf* cathedral
seabórgio *nm* seaborgium
seara *nf* (milho, cevada) cornfield; (trigo) wheat field
sebáceo *adj* sebaceous; **glândulas sebáceas** sebaceous glands
sebe *nf* **1** (arbustos) hedge; **sebe viva** quickset hedge **2** *(vedação)* fence
sebenta *nf* **1** *(caderno)* notebook **2** *(bloco de notas)* notepad; jotter **3** (livro informativo) leaflet; booklet
sebento *adj* **1** *(untuoso)* greasy; oily **2** *(sujo)* dirty; filthy
sebo *nm* (vela, sabão) tallow
seca *nf* **1** drought **2** *fig,col (aborrecimento)* bore; fag; **que seca!** what a fag!
secador *nm* (roupas, cabelo) dryer
secagem *nf* **1** (roupa, cabelo) drying **2** (madeira) seasoning
secar *v* **1** to dry (up) **2** (planta) to wither **3** *col (esperar)* to wait
secção *nf* section
secessão *nf* secession
seco *adj* **1** dry **2** (alimentos) dried **3** (pão) stale **4** (atitude) cold; distant **5** *(magro)* slim
secreção *nf* secretion
secretamente *adv* secretly, in secret
secretaria *nf* **1** *(repartição)* office **2** (instituição de governo) secretary ♦ **secretaria de Estado** Secretary of State
secretária *nf* **1** (funcionária) secretary **2** (peça de mobiliário) desk, writing desk
secretariado *nm* **1** secretariat **2** (curso) secretarial course
secretariar *v* to work as a secretary for
secretário *nm* secretary ♦ **secretário de Estado** Secretary of State
secreto *adj* **1** *(privado)* secret; private **2** *(escondido)* secret; hidden; **porta secreta** hidden door ♦ **os serviços secretos** the Secret Services
sectário *adj,nm* sectarian
sector[AO] *a grafia preferível é* **setor**[AO]
secular *adj2g* secular
século *nm* **1** century; **século XX** twentieth century **2** *pl* (muito tempo) ages; **há séculos** for ages
secundário *adj* **1** (importância) secondary; **assuntos secundários** secondary issues; **tudo isso é secundário** that is all secondary **2** *(acessório)* unimportant; accessory **3** CIN,TEAT (representação) supporting; **papel secundário** supporting role
secura *nf* **1** (falta de humidade) drought; dryness **2** *fig* (frieza) harshness; sharpness
seda *nf* silk
sedativo *adj,nm* sedative; **sob efeito de sedativos** under sedation
sede[1] /é/ *nf* **1** (organização, empresa) headquarters **2** seat; **sede do Governo** seat of the Government
sede[2] /ê/ *nf* **1** thirst; **matar a sede** to quench one's thirst; **ter sede** to be thirsty **2** *fig (ânsia)* craving
sedentário *adj* sedentary; **levar uma vida sedentária** to lead a sedentary life
sedentarismo *nm* sedentariness
sedento *adj* **1** *(sequioso)* thirsty; dry **2** *fig (ansioso)* eager (de, for); thirsty (de, for); **sedento de atividade** eager for action
sediado *adj* seated (em, in); settled (em, in)
sedimentação *nf* sedimentation; settling
sedimentar *v* **1** to settle **2** to consolidate
sedimento *nm* sediment
sedoso *adj* silky
sedução *nf* seduction

sedutor *adj* **1** seductive **2** *fig* tempting ▪ *nm* **1** (relação amorosa) seducer **2** (influência) charmer; flatterer
seduzir *v* **1** (pessoa) to seduce **2** *(encantar)* to charm **3** *(atrair)* to tempt
segar *v* AGR to mow; to reap
segmentação *nf* segmentation
segmentar *v* to segment
segmento *nm* segment
segredar *v* to whisper; to murmur; **segredar ao ouvido de alguém** to whisper in someone's ear
segredo *nm* **1** (informação) secret; **dizer um segredo** to tell a secret; **guardar um segredo** to keep a secret **2** *(mistério)* secret; mystery; **em segredo** in secret, in secrecy, secretly **3** *(secretismo)* secrecy ♦ **estar no segredo dos deuses** to be in the lap of gods
segregação *nf* segregation ♦ **segregação racial** racial segregation
segregar *v* **1** (separação) to segregate **2** BIOL to secrete
seguida *nf* continuation ♦ **de seguida 1** *(a seguir)* next **2** *(um a seguir ao outro)* one after the other; **em seguida** next, then
seguidamente *adv* **1** *(a seguir)* afterwards; then **2** *(ininterruptamente)* incessantly; continually
seguido *adj* **1** *(a seguir)* followed (de, by) **2** *(incessante)* continuous; uninterrupted; **tratamento seguido** continuous treatment **3** (tempo) running; in a row; **três dias seguidos** three days running
seguidor *nm* **1** *(clube, grupo, fé)* follower **2** *(apoiante)* supporter
seguimento *nm* following; follow-up; **no seguimento de** following
seguinte *adj2g* following; next; **o seguinte, se faz favor!** next, please!
seguir *v* **1** to follow; **siga-me!** follow me; **seguir o exemplo de alguém** to follow someone's example **2** *(ir)* to go (para, to); to head (para, for) **3** (caminho) to turn (por, to); to go on (por, in) **4** (curso) to study ▪ **seguir-se** *(vir em seguida)* to come next ♦ **a seguir!** next!
segunda *nf* **1** (dia da semana) Monday **2** *col* (meios de transporte) second class; **viajar em segunda** to travel second class **3** (velocidade) second gear; **meter a segunda** to turn to second gear **4** MÚS second ♦ (qualidade) **de segunda** second-class
segunda-feira *nf* Monday
segundo *num ord > adj num*[DT] second; **o segundo dia** the second day ▪ *nm* **1** (tempo) second **2** *(instante)* second; moment; **é só um segundo** just a moment, please ▪ *prep* according to ♦ **em segunda mão** second-hand
seguradora *nf* insurance company; insurer
seguramente *adv* **1** *(certamente)* surely; certainly **2** *(em segurança)* securely; safely
segurança *nf* **1** (geral) security **2** (ausência de perigo) safety; **em segurança** safely **3** *(confiança)* confidence; certainty; **falar com segurança** to speak with confidence ▪ *n2g (vigilante)* watchman ♦ **segurança na estrada** road safety; **segurança social** social security; welfare
segurar *v* **1** *(pegar)* to hold (em, -); **segura nisto** hold this **2** *(fazer seguro)* to insure ▪ **segurar-se** to hold on; **segura-te bem!** hold on tight!
seguro *adj* **1** (sentimentos, situações) safe; **sentir-se seguro** to feel safe **2** *(fixo)* steady; solid; stable **3** *(de confiança)* trustworthy; reliable; **uma fonte segura** a trustworthy source ▪ *nm* insurance; **seguro contra todos os riscos** all-risks insurance; **apólice de seguros** insurance policy ♦ **o seguro morreu de velho** better safe than sorry; **jogar pelo seguro** to be on the safe side
Seicheles *nfpl* Seychelles
seio *nm (mama)* breast; *(peito)* bosom
seis *num card > quant num*[DT] six; **o dia seis** the sixth
seiscentista *adj2g* of the seventeenth century
seiscentos *num card > quant num*[DT] six hundred
seita *nf* **1** REL,POL sect; cult; **seita religiosa** religious sect **2** *fig,pej (grupo)* gang; **são todos da mesma seita!** they all belong to the same gang
seiva *nf* sap
seixo *nm* pebble
seja *interj* so be it! ♦ **seja como for** be that as it may
sela *nf* saddle
selado *adj* **1** *(com selo)* stamped; **papel selado** stamped paper **2** *(trancado)* sealed
selar *v* **1** (cavalo) to saddle **2** (carta, produto) to seal **3** *(carimbar)* to stamp **4** (acordo) to settle
seleção[AO] *nf* selection
selecção *a nova grafia é* **seleção**[AO]
seleccionador *a nova grafia é* **selecionador**[AO]
seleccionar *a nova grafia é* **selecionar**[AO]

selecionador[AO] *nm* **1** (quem escolhe) selector; chooser **2** *(treinador)* coach
selecionar[AO] *v* to select; to choose; to pick
selectivo *a nova grafia é* **seletivo**[AO]
selecto *a nova grafia é* **seleto**[AO]
selénio *nm* selenium
seletivo[AO] *adj* selective; **processo seletivo** selective process
seleto[AO] *adj* select
self-service *nm* self-service
selim *nm* saddle
selo *nm* **1** *(carimbo oficial)* seal; **selo de garantia** guarantee seal **2** (correspondência) stamp; **colocar um selo em** to stick a stamp on ♦ **selo branco** embossed seal; **selo fiscal** revenue stamp
selva *nf* jungle; **selva amazónica** Amazon jungle
selvagem *adj2g* **1** (estado puro) wild; **animais selvagens** wild animals **2** *pej (selvático)* savage; **comportamento selvagem** savage behaviour ▪ *n2g* savage; barbarian
selvajaria *nf* cruelty; savagery
sem *prep* without; **sem avisar** without warning; **sem demora** without delay
sem-abrigo *adj inv* homeless ▪ *n2g2n* homeless person
semáforo *nm* (trânsito automóvel) traffic light, light
semana *nf* week; **semana sim, semana não** every other week
semanada *nf* weekly allowance
semanal *adj2g* weekly; **jornal semanal** weekly newspaper
semanalmente *adv* weekly; every week
semanário *nm* weekly paper
semântica *nf* LING semantics
semântico *adj* semantic
semblante *nm* **1** *lit (cara)* countenance, face **2** *lit (aparência)* appearance; look
sem-cerimónia *nf* **1** (estar à vontade) off-handedness; informality **2** *(grosseria)* impoliteness; rudeness
sêmea *nf* bran bread
semeador *nm* **1** (pessoa) sower **2** (máquina) sowing-machine
semear *v* **1** AGR to sow; **semear um campo** to sow a field **2** *fig (espalhar)* to spread; to scatter ♦ **semear a discórdia** to sow discord; **semear o pânico** to spread panic; **à mão de semear** within one's reach
semelhança *nf* similitude, similarity; **à semelhança de** just like
semelhante *adj2g (parecido)* similar; alike ▪ *det dem (tal)* such a; **ele fez semelhante confusão** he made such a mess ▪ *pron dem* such a thing; **nunca ouvi semelhante** I have never heard such a thing ▪ *nm* fellow being
sémen *nm* sperm, semen
semente *nf* **1** seed **2** *(origem)* source; seed
sementeira *nf* **1** (ato) sowing **2** (campo) cultivated field
semestral *adj2g* half-yearly, biannual
semestre *nm* half year; (universidade) semester
sem-fim *nm* infinity; **um sem-fim de** an infinity of
semiautomático *adj* semiautomatic
semibreve *nf* MÚS semibreve
semicírculo *nm* semicircle
semiconsciente *adj2g* semiconscious
semideus *nm* demigod
semifinal *nf* DESP semifinal
semifinalista *n2g* DESP semifinalist
seminário *nm* **1** REL seminary **2** (conferência) seminar
seminarista *nm* seminarian
semínima *nf* MÚS crotchet
seminu *adj* half-naked
semita *n2g* Semite ▪ *adj2g* Semitic
semítico *adj* Semitic
semivogal *nf* LING glide; semivowel
sem-número *nm* infinity (de, of); **num sem-número de situações** in countless occasions
sêmola *nf* semolina
sem-par *adj2g* unequalled, unique
sempre *adv* **1** always; **nem sempre** not always **2** *(afinal)* after all; actually; **sempre vou** I'm going after all ♦ **sempre que** whenever; **como sempre** as usual; **para sempre** forever
senado *nm* **1** (instituição) senate **2** (edifício) senate house
senador *nm* senator
senão *prep* except; but; **não come senão bolachas** he eats nothing but cookies ▪ *conj* otherwise; or else; **corre senão chegas tarde** run or else you'll be late ▪ *nm (dificuldade)* but ♦ **eis senão quando** when all of a sudden
Senegal *nm* Senegal
senegalês *adj,nm* Senegalese

senha *nf* **1** (palavra) password **2** *(bilhete)* ticket **3** (para levantar) voucher; **uma senha de café** a coffee voucher **4** MIL sign

senhor *nm* **1** man; **o senhor do andar de cima** the man who lives upstairs **2** *form (você)* you; **e para o senhor?** and for you? **3** (com nome, cargo) Mr GB, Mr. EUA; **o senhor Santos** Mr Santos **4** *(patrão)* master

senhora *nf* **1** woman, lady; **uma senhora de idade** an elderly woman **2** *form (você)* you; **a senhora tem horas?** do you have the time? **3** (com nome, cargo) Mrs GB, Mrs. EUA; Ms GB, Ms. EUA; **a senhora Santos** Mrs Santos, Ms Santos **4** *(patroa)* mistress

senhorial *adj2g* manorial; **casa senhorial** manor-house

senhoril *adj2g* **1** (elegância) elegant; distinguished **2** (modos) ladylike

senhorio *nm* (homem) landlord; (mulher) landlady

senil *adj2g* senile

senilidade *nf* senility

sénior *adj,n2g* senior

seno *nm* MAT sine; **seno de ângulo** sine of angle

sensação *nf* **1** sensation; feeling **2** *(sucesso)* hit **3** (acontecimento) sensation; **causar sensação** to create a sensation

sensacional *adj2g* sensational

sensacionalismo *nm* sensationalism

sensacionalista *adj2g* sensational; sensationalist

sensatez *nf* **1** *(bom senso)* wisdom; good sense **2** *(prudência)* prudence

sensato *adj* wise; sagacious

sensibilidade *nf* sensitivity

sensibilização *nf* sensitization; raising of awareness

sensibilizar *v* **1** *(alertar)* to sensitize (para, to); to raise (people's) awareness (para, of); **sensibilizar as pessoas para o problema** to sensitize people to the problem **2** *fig (emocionar)* to touch; to move

sensível *adj2g* sensitive

Não confundir a palavra portuguesa **sensível** com a palavra inglesa **sensible**, que significa sensato.

sensivelmente *adv* **1** (sentidos) visibly; perceptibly **2** *(aproximadamente)* approximately; nearly

senso *nm* **1** (faculdade) sense **2** *(sensatez)* reason; wisdom; **uma pessoa de senso** a wise person ♦ **senso comum** common sense; **bom senso** good sense

sensorial *adj2g* sensory

sensual *adj2g* sensual

sensualidade *nf* sensuality

sentado *adj* seated; **cinco lugares sentados** five seats; **estar sentado** to be sitting

sentar *v* **1** to sit (down) **2** to seat; **sentaram-no na primeira fila** they seated him in the front row ■ **sentar-se** to sit (down); **sente-se!** sit down!, take a seat!

sentença *nf* **1** DIR sentence; penalty; **cumprir uma sentença** to serve a sentence, to serve one's time **2** *(ditado popular)* saying; maxim ♦ **cada cabeça sua sentença** so many heads, so many wits

sentenciar *v* to sentence; **sentenciar alguém à morte** to sentence someone to death

sentido *nm* **1** (função) sense; **os cinco sentidos** the five senses **2** *(significado)* sense; meaning **3** (percurso) direction; way; **rua de sentido único** one-way street ■ *adj* **1** (sinceridade) sincere; heart-felt **2** *(ofendido)* hurt; offended

sentimental *adj2g* **1** sentimental **2** (vida amorosa) (of) love; **vida sentimental** love life

sentimentalismo *nm* sentimentality

sentimento *nm* **1** (emoção) feeling **2** *pl (condolências)* condolences; sympathies; **os meus sentimentos** my sympathies

sentinela *nf* MIL sentry; **estar de sentinela** to be on sentry

sentir *v* **1** to feel; **sentir alegria** to feel happiness; **sentir frio** to feel cold **2** *(lamentar)* to regret; to feel sorry; **sinto muito** I am sorry ■ **sentir-se** to feel; **como te sentes?** how do you feel?

separação *nf* **1** (ato) separation **2** (estado) separateness **3** (relação) separation; break-up; divorce

separadamente *adv* **1** *(à parte)* separately **2** *(individualmente)* individually

separado *adj* **1** separate; **quero tudo separado** I want it separate **2** (relação) separated; **eles estão separados** they are separated

separador *nm* **1** (estradas) separator **2** (cadernos, ficheiros) divider; **separadores avulsos** insertable dividers
separar *v* **1** (objetos, pessoas) to separate **2** (ideias, opiniões) to distinguish between ▪ **separar-se 1** (casal) to break up; to split up **2** (afastamento) to part (de, with)
separatismo *nm* POL separatism; autonomy
separatista *adj,n2g* POL separatist; **movimento separatista** separatist movement
séptico[AO] ou **sético**[AO] *adj* MED septic
septuagenário *adj,nm* septuagenarian
septuagésimo *num ord > adj num*[DT] seventieth
sepulcro *nm* sepulchre; tomb; grave
sepultar *v* to bury
sepultura *nf* grave; tomb
sequela *nf* **1** (livro, filme, peça) sequel; follow-up **2** (acontecimento) sequel; consequence; development **3** *pl* MED after-effects; side-effects
sequência *nf* **1** (objetos, acontecimentos) sequence; succession **2** *(continuação)* continuation; follow-up; **na sequência de alguma coisa** following something **3** (filme) sequence; scene
sequencial *adj2g* sequential
sequer *adv* even; **não houve um único sequer** there wasn't even one; **nem sequer me perguntou!** he didn't even ask me!
sequestrador *nm* **1** kidnapper; abductor **2** (avião) hijacker
sequestrar *v* **1** (rapto) to abduct; to kidnap **2** DIR (propriedade) to sequestrate, to sequester; to confiscate
sequestro *nm* **1** (pessoa) abduction; kidnap **2** (avião) hijack **3** DIR (bens) sequestration; confiscation; seizure
sequioso *adj* **1** (sede) thirsty **2** (secura) parched; dried up **3** *fig* (avidez) eager (de, for); avid (de, for); keen (de, on)
séquito *nm* retinue; train; escort
ser *v* **1** to be; **sou eu** it's me **2** (acontecimento) to happen; **que foi?** what happened? **3** (proveniência) to be (de, from); to come (de, from); **de onde és?** where do you come from? ▪ *nm* being; **seres vivos** living creatures ◆ **a não ser que** unless; (contos) **era uma vez** once upon a time; **seja como for** nevertheless; **seja qual for** whatever
serão *nm* **1** (tempo) evening; **ao serão** in the evening **2** *fig* (trabalho extra) night work; **fazer serão** to work overtime, to stay up at night
serapilheira *nf* burlap; sackcloth
sereia *nf* **1** MIT mermaid **2** (toque de alarme) siren
serenar *v* **1** to calm (down) **2** (vento) to drop
serenata *nf* serenade
serenidade *nf* **1** (tempo, estado) serenity **2** (pessoa) serenity; self-control
sereno *adj* serene; calm; tranquil
seriação *nf* **1** (ato) seriation; classification **2** *(organização)* arrangement; organization; putting in order
seriamente *adv* seriously
série *nf* **1** *(sequência)* series; sequence **2** (televisão) series **3** (quantidade) bunch; **uma série de mentiras** a bunch of lies **4** (automóveis) class ◆ **fora de série** exceptional
seriedade *nf* (comportamento) seriousness; earnestness; **com toda a seriedade** in earnest, earnestly
seringa *nf* syringe; **seringa hipodérmica** hypodermic syringe
sério *adj* **1** serious **2** *(honesto)* honest ◆ **a sério 1** *(fora de brincadeiras)* seriously **2** *(verdadeiramente)* in earnest; *col* **a sério?** really?
sermão *nm* **1** REL sermon **2** *(reprimenda)* lecture
seronegativo *adj* HIV negative ▪ *nm* HIV-negative person
seropositivo *adj* HIV positive ▪ *nm* HIV-positive person
serpente *nf* serpent; snake
serpentear *v* **1** (movimento) to snake; to wind **2** (sucessão de curvas) to zigzag; to meander
serpentina *nf* (festas) streamer
serra *nf* (utensílio de corte) saw; **serra circular** circular saw; **serra elétrica** power saw
serração *nf* (oficina) sawmill
serradura *nf* sawdust
Serra Leoa *nf* Sierra Leone
serra-leonês *adj,nm* Sierra Leonean
serralharia *nf* (oficina) blacksmith's; smithy; forge
serralheiro *nm* blacksmith, smithy; locksmith
serrar *v* to saw; to saw off; **serrar um toro** to saw through a log
serrilha *nf* sawtooth; indentation
serrim *nm* sawdust
serrote *nm* handsaw
sertã *nf* frying pan
sertão *nm* **1** (interior) backwoods **2** *(floresta)* woods
servente *n2g* **1** *(funcionário)* servant **2** *(ajudante)* helper; assistant **3** (mensageiro) errand boy

serventia *nf* **1** (função) service **2** *(utilidade)* use; usefulness
serviçal *adj2g* **1** (objeto) serviceable **2** (pessoa) obliging; accommodating ▪ *n2g* servant
serviço *nm* **1** service; **ao serviço** in active service; **serviço de jantar** dinner service **2** (emprego) duty; **estar de serviço** to be on duty **3** *(funcionamento)* work; **fora de serviço** out of work ♦ (asneira) **lindo serviço!** great!
servidão *nf* servitude; slavery; bondage
servidor *nm* **1** *(criado)* servant **2** *(funcionário)* attendant **3** INFORM server
servil *adj2g pej* servile; subservient
servir *v* **1** to serve; **servir a sobremesa** to serve out dessert; **servir o interesse público** to serve the public interest **2** (utilidade) to be of use to; **para que serve isso?** what is it for? **3** (cliente) to serve; to attend on **4** (roupa) to fit; to suit **5** to do; to be enough; **serve muito bem** it will do very well **6** DESP to serve ▪ **servir-se 1** (comida, bebida) to help oneself; **sirva-se** help yourself **2** *(usar)* to make use (de, of)
servo *nm* HIST serf
sésamo *nm* sesame
sessão *nf* **1** (instituição) session; sitting; **abrir a sessão** to open the session **2** *(reunião)* meeting **3** (espetáculo) show; performance
sessenta *num card > quant num*[DT] sixty; **os anos sessenta** the sixties
sesta *nf* siesta; nap; **fazer uma sesta** to take a nap
seta *nf* arrow
sete *num card > quant num*[DT] seven; **o dia sete** the seventh
setecentista *adj2g* of the eighteenth century
setecentos *num card > quant num*[DT] seven hundred
setembro[AO] *nm* September
setenta *num card > quant num*[DT] seventy; **os anos setenta** the seventies
setentrional *adj2g* northern
sétimo *num ord > adj num*[DT] seventh
setor[AO] ou **sector**[AO] *nm* **1** sector **2** *(repartição)* department; office ♦ **setor privado** private sector
setter *nm* (cão) setter
seu *adj poss* **1** *(dele)* his; *(dela)* her; (coisa, animal) its **2** *(deles, delas)* their **3** *(de você/vosso)* your ▪ *pron poss* **1** *(dele)* his; *(dela)* hers; (coisa, animal) its **2** *(deles/delas)* theirs **3** *(de você/vosso)* yours
severidade *nf* severity
severo *adj* severe
sevícia *nf* abuse
sexagenário *nm* sexagenarian
sexagésimo *num ord > adj num*[DT] sixtieth
sexismo *nm* sexism
sexista *adj,n2g* sexist
sexo *nm* **1** sex; **o sexo oposto** the opposite sex **2** (características de género) gender **3** *(ato sexual)* intercourse; sex; **sexo seguro** safe sex
sexologia *nf* sexology
sexólogo *nm* sexologist
sexta-feira *nf* Friday
sexteto *nm* MÚS sextet
sexto *num ord > adj num*[DT] sixth
sêxtuplo *num mult > quant num*[DT] sextuple
sexual *adj2g* sexual; **atração sexual** sex appeal; **órgãos sexuais** sex organs
sexualidade *nf* sexuality
sexualmente *adv* sexually
sexy *adj2g* sexy
shareware *nm* shareware
shopping *nm* shopping centre; mall EUA
shot *nm* (bebida) short GB; shot EUA
si *nm* MÚS B ▪ *pron pess* **1** (ele) himself; (ela) herself; (objeto, animal) itself; **para si próprio** to himself **2** (genérico) oneself; **estar fora de si** to be beside oneself **3** (você) yourself; you; **cabe-lhe a si decidir** it's up to you to decide ♦ **por si só** in itself
siamês *adj,nm* Siamese; (bebés) **siameses** Siamese twins; **gato siamês** Siamese cat
sibilante *adj2g* sibilant; hissing ▪ *nf* LING (consoante) hiss; sibilant
Sicília *nf* Sicily
siciliano *adj,nm* Sicilian
sicrano *nm* such a one; Mr. So-and-so
SIDA *nf* MED AIDS; **doente com sida** AIDS patient
siderado *adj* stupefied (com, at); bewildered (com, at)
siderar *v* to stagger; to stupefy
siderurgia *nf* **1** (indústria) iron and steel industry **2** (atividade) ironworks; steelworks
sidra *nf* (bebida) cider
sifão *nm* siphon
sífilis *nf* MED syphilis
sigilo *nm* **1** *(secretismo)* secrecy; secret **2** REL seal
sigla *nf* initialism, acronym
signatário *adj,nm* (documento) signatory

significação *nf* meaning; sense; signification
significado *nm* meaning
significar *v* **1** *(querer dizer)* to mean; to signify; **que significa esta palavra?** what does this word mean? **2** (importância) to mean (para, to); to matter (para, to)
significativo *adj* **1** *(com significado)* significative; meaningful **2** *(importante)* significant
signo *nm* sign
sílaba *nf* LING syllable; **sílaba átona** unstressed syllable; **sílaba tónica** stressed syllable
silábico *adj* syllabic
silenciador *nm* **1** (arma) silencer **2** (motor) silencer; muffler
silenciar *v* **1** *(impor silêncio a)* to silence **2** *(ocultar)* to hush up
silêncio *nm* silence ▪ *interj* silence!; hush! ♦ **em silêncio** in silence; **em silêncio absoluto** in complete silence; **guardar silêncio** to keep quiet
silencioso *adj* **1** silent **2** *(calmo)* silent; quiet; calm
silhueta *nf* silhouette; contour; profile
silício *nm* silicon
silicone *nf* QUÍM silicone
silo *nm* silo
silogismo *nm* syllogism
silva *nf* bramble; blackberry bush
silvar *v* to hiss; to whistle
silvestre *adj2g* wild; **flores silvestres** wild flowers
silvicultor *nm* forestry expert
silvicultura *nf* forestry
silvo *nm* **1** *(som agudo)* hiss **2** *(assobio)* whistle
sim *adv* yes ▪ *nm* yes; consent ♦ **claro que sim!** of course!; **dia sim, dia não** every other day; **pelo sim, pelo não** just in case
simbiose *nf* symbiosis
simbólico *adj* symbolic
simbolismo *nm* **1** (símbolos) symbolism; imagery **2** (arte) symbolism
simbolista *adj,n2g* symbolist
simbolizar *v* to symbolize; to represent
símbolo *nm* symbol (de, of)
simbologia *nf* symbology
simetria *nf* symmetry
simétrico *adj* symmetric; symmetrical
similar *adj2g* similar; alike
símile *nm* simile
símio *nm* simian; ape; monkey
simpatia *nf* **1** *(afinidade)* liking (por, for) **2** *(amabilidade)* kindness; friendliness **3** (ideia, causa, etc.) inclination (por, towards) ♦ **ser uma simpatia** to be a delightful person

Não confundir a palavra portuguesa **simpatia** com a palavra inglesa **sympathy**, que significa compaixão, compreensão.

simpático *adj* nice; friendly
simpatizante *n2g* sympathizer; supporter; well-wisher
simpatizar *v* **1** (pessoa) to take a liking (com, to); to like (com, -); **eu simpatizo com ele** I like him **2** (ideia, sugestão) to approve (com, of); **eu simpatizo com essa ideia** I approve of that idea
simples *adj inv* simple
simplesmente *adv* simply; just; merely
simplicidade *nf* **1** simplicity **2** *(ingenuidade)* innocence; naivety
simplificação *nf* simplification
simplificar *v* to simplify; to make something easy
simplista *adj2g* simplistic; oversimplified
simplório *nm* simpleton; idiot; dumbhead ▪ *adj* simple-minded; naïve
simpósio *nm* symposium; conference
simulação *nf* **1** *(fingimento)* simulation; pretence **2** (máquina, procedimento, etc.) simulation; **simulação efetuada por computador** computer simulation ♦ **simulação de incêndio** fire drill
simulacro *nm* **1** *(imitação)* imitation; simulation; pretence **2** (ludíbrio) sham; fake; fraud
simulador *nm* (instrumento) simulator; **simulador de voo** flight simulator
simular *v* **1** to simulate **2** *(fingir)* to feign
simultaneamente *adv* simultaneously; at the same time
simultaneidade *nf* simultaneity
simultâneo *adj* simultaneous
sina *nf pop* destiny; fate; **ler a sina** to tell someone's fortune
sinagoga *nf* synagogue
sinal *nm* **1** sign; MAT **sinal de mais** plus sign; **sinal de trânsito** traffic sign **2** (pele) mole; (de nascença) birthmark **3** *(gesto)* sign; gesture **4** (dinheiro) advance **5** *(vestígio)* trace ♦ **por sinal** as a matter of fact

sinaleiro *nm* (trânsito) traffic policeman
sinalização *nf* **1** (ato) signalling; signposting **2** (estradas) road signs
sinalizar *v* **1** *(indicar)* to signal; to indicate **2** (marca) to mark
sinceramente *adv* honestly; sincerely
sinceridade *nf* sincerity ♦ **com toda a sinceridade** in all sincerity
sincero *adj* **1** *(franco)* sincere; frank **2** *(verdadeiro)* honest; true ♦ **para ser sincero** to be honest
síncope *nf* LING,MED syncope
sincrónico *adj* synchronous
sincronizar *v* **1** (tempo) to synchronize **2** (rádio) to tune in
sindical *adj2g* unionistic
sindicalismo *nm* unionism, trade unionism
sindicalista *adj2g* trade unionistic, unionistic ▪ *n2g* trade unionist, unionist
sindicalizar *v* to unionize ▪ **sindicalizar-se** to join a trade union
sindicato *nm* trade, trade union
síndrome *nf* MED syndrome
sinfonia *nf* MÚS symphony
sinfónico *adj* symphonic; **orquestra sinfónica** symphony orchestra
Singapura *nf* Singapore
singapurense *adj,n2g* Singaporean
singelo *adj* **1** *(simples)* simple; plain **2** *(despretensioso)* unpretentious
single *nm* (disco) single
singrar *v (progredir)* to do well
singular *adj2g* **1** LING (número) singular **2** *(raro)* peculiar; odd **3** *(único)* unique; **um acontecimento singular** a unique event ▪ *nm* LING singular
sinistrado *adj* **1** (pessoas) injured **2** (coisas) damaged; crashed ▪ *nm (ferido)* injured person, victim
sinistro *adj* **1** *(terrífico)* sinister; ominous; **um homem de aspeto sinistro** a sinister looking man **2** *(horrível)* eerie ▪ *nm (acidente)* disaster; accident
sino *nm* bell
sinonímia *nf* LING synonymy
sinónimo *nm* synonym
sinopse *nf* synopsis; outline; summary
sintáctico *a nova grafia é* **sintático**[AO]
sintagma *nf* LING syntagm; phrase
sintático[AO] *adj* syntactic; syntactical; **análise sintática** syntactic analysis
sintaxe *nf* LING syntax
síntese *nf* synthesis
sintético *adj* **1** *(resumido)* concise **2** *(artificial)* synthetic; man-made
sintetizador *nm* MÚS synthesizer
sintetizar *v* **1** *(resumir)* to abridge; to cut; to shorten **2** *(produzir)* to synthetize; to manufacture
sintoma *nm* **1** MED symptom; **ter sintomas de febre** to have symptoms of flu **2** *fig (indício)* sign (de, of)
sintomático *adj* **1** symptomatic (de, of) **2** indicative (de, of)
sintomatologia *nf* symptomatology
sintonia *nf* (rádio) tuning ♦ **estar em sintonia com** to be in tune with
sintonização *nf* tuning in
sintonizado *adj* tuned; **estar sintonizado** to be in tune; **não estar sintonizado** to be out of tune
sintonizar *v* to tune in, to tune; **sintonizar o rádio** to tune the radio
sinuoso *adj* sinuous; winding
sinusite *nf* MED sinusitis
sirene *nf* (polícia, bombeiros, ambulâncias) siren
Síria *nf* Syria
sírio *adj,nm* Syrian
sísmico *adj* seismic
sismo *nm* earthquake
sismógrafo *nm* **1** (pessoa) seismographer **2** (instrumento) seismograph
sismologia *nf* seismology
siso *nm* sense; judgement ♦ **dentes do siso** wisdom teeth
sistema *nm* system ♦ **por sistema** as a rule
sistematicamente *adv* **1** (método) systematically; methodically **2** (frequência) systematically, as a system; frequently
sistemático *adj* **1** (método) systematic; methodical **2** (frequência) regular; usual
sistematização *nf* systematization; organization
sistematizar *v* to systematize; to organize; to order
sístole *nf* systole
sisudo *adj* **1** (comportamento) serious; grave **2** (prudência) circumspect; prudent
sitcom *nf* (série televisiva) sitcom
site *nm* (Internet) site
sitiar *v* to besiege

sítio *nm* **1** place; **fora do sítio** out of place **2** (Internet) site
situação *nf* **1** (geral) situation **2** (emprego) job; position ♦ **que situação!** what a situation!
situado *adj* located; situated; **estar situado** to lie
situar *v* *(colocar)* to place; to set ▪ **situar-se 1** (local) to lie; to be **2** (tempo) to take place
skate *nm* skateboard; **andar de skate** to skateboard
sketch *nm* (cinema, televisão) sketch
skinhead *n2g* skinhead
slalom *nm* slalom
slide *nm* *(diapositivo)* slide
slip *nm* briefs
slogan *nm* slogan
slow *nm* MÚS slow music; ballad
smoking *nm* tuxedo
snack-bar *nm* snack bar; diner
snifar *v col* to sniff; **snifar cola** to sniff glue
snobe *n2g* snob ▪ *adj2g* snobbish; pretentious; superior
snobismo *nm* snobbery
snooker *nm* (bilhar) snooker
snowboard *nm* **1** (prancha) snowboard **2** (atividade) snowboarding
só *adj2g* **1** *(sem companhia)* alone **2** *(solitário)* lonely **3** *(único)* only; **um só sobrevivente** one only survivor ▪ *adv* only; **ele só chega às duas** he will only arrive at two ♦ **não só... mas também** not only... but also; both... and
soalheiro *adj* sunny; **dia soalheiro** sunny day
soalho *nm* wooden floor
soar *v* **1** (som, voz) to sound **2** *(ressoar)* to echo ♦ **soar familiar** to ring a bell
sob *prep* under; **sob juramento** under oath
sobejamente *adv* exceedingly; **sobejamente conhecido** far too well-known, widely known
sobejar *v* **1** *(exceder)* to superabound; to exceed **2** *(sobrar)* to be left over; **quanto sobeja?** how much is left over?
soberania *nf* sovereignty ♦ **órgãos de soberania** organs of power
soberano *adj,nm* sovereign; **Estado soberano** sovereign state
soberba *nf* arrogance; pride
soberbo *adj* **1** *(magnífico)* superb; magnificent **2** *(arrogante)* haughty; arrogant
sobra *nf* **1** *(excedente)* overplus; surplus; **há de sobra** there's more than enough **2** *pl* (comida) leftovers; scraps **3** *pl* (objetos) remains; remnants
sobranceiro *adj* **1** *(arrogante)* arrogant **2** *(pendente)* hanging (a, over)
sobrancelha *nf* eyebrow; **franzir as sobrancelhas** to knit one's brows, to frown
sobrar *v* to be left over; **não sobrou nada** there was nothing left; **quanto te sobrou?** how much have you got left?
sobre *prep* **1** (sem tocar) over; above; **mesmo sobre as nossas cabeças** right above our heads **2** *(a tocar)* on; on top of; **sobre a mesa** on the table **3** *(a respeito de)* on; about; **falar sobre** to speak about
sobreaquecer *v* to overheat
sobreaquecimento *nm* overheating; **o sobreaquecimento da Terra** the overheating of the Earth
sobreavaliar *v* to overrate; to overvalue
sobreaviso *nm* warning; precaution ♦ **estar de sobreaviso em relação a** to be wary of
sobrecapa *nf* (livro) jacket; dust cover
sobrecarga *nf* **1** (veículo) overload **2** (trabalho) overcharge
sobrecarregado *adj* overburdened; **estar sobrecarregado de trabalho** to be overburdened with work
sobrecarregar *v* **1** (veículo) to overweight; to overload **2** (taxa, imposto) to overcharge; to overtax **3** (tarefa) to overwork; to overburden **4** ELET to overload
sobrecasaca *nf* frock coat
sobredotado *adj* gifted ▪ *nm* gifted child
sobreiro *nm* cork oak, cork tree
sobrelotado *adj* overloaded; **autocarros sobrelotados** overloaded buses
sobremaneira *adv* **1** *(muito)* greatly; a lot **2** (excesso) excessively; extremely
sobremesa *nf* dessert; **que há de sobremesa?** what's for dessert?
sobrenatural *adj2g,nm* supernatural
sobrenome *nm* **1** *(apelido)* surname; family name **2** *(alcunha)* nickname
sobrepor *v* **1** *(pôr por cima)* to superimpose (a, to) **2** (objetos) to stack; to pile up ▪ **sobrepor-se 1** *(ser mais importante)* to overlap **2** to be superimposed
sobreposição *nf* **1** (acontecimentos, coisas) overlapping **2** FOT superimposition

sobrepovoado *adj* overpopulated; overcrowded
sobrescrito *nm* envelope
sobressair *v* to stand out
sobressalente *adj2g* ⇒ **sobresselente**
sobressaltado *adj* startled; **acordar sobressaltado** to wake with a start
sobressaltar *v* **1** *(agitar)* to trouble **2** *(assustar)* to startle ▪ **sobressaltar-se 1** *(inquietar-se)* to get troubled **2** *(assustar-se)* to be startled
sobressalto *nm* **1** (surpresa, medo) start; **levantar-se de sobressalto** to start up **2** (medo) fear; fright
sobresselente *adj2g* spare; **peças sobresselentes** spare parts; **pneu sobresselente** spare tyre
sobrestimar *v* to overrate; to overvalue; to overestimate
sobretaxa *nf* surtax; extra charge; additional charge
sobretudo *nm* overcoat ▪ *adv* above all; mainly
sobrevalorização *nf* overvaluation; overestimation
sobrevalorizar *v* to overrate; to overprize
sobrevir *v* to occur; to befall; **sobreveio uma desgraça** a misfortune occurred
sobrevivência *nf* survival; **a luta pela sobrevivência** the struggle for survival
sobrevivente *n2g* survivor ▪ *adj2g* surviving
sobreviver *v* **1** (doença, calamidade) to survive; to escape **2** (viver mais tempo) to outlive (a, -) **3** *(subsistir)* to subsist (com, on)
sobrevoar *v* to fly over, to overfly
sobriedade *nf* **1** *(moderação)* sobriety; moderation **2** (bebida) sobriety
sobrinha *nf* niece
sobrinha-neta *nf* grandniece
sobrinho *nm* nephew
sobrinho-neto *nm* grandnephew
sóbrio *adj* (geral) sober; **ele parecia sóbrio** he looked sober
sobrolho *nm* eyebrow ◆ **franzir o sobrolho** to frown
soca *nf* clog
socalco *nm* ledge
socapa *nf* stealth ◆ **à socapa** stealthily; in secrecy; furtively; **rir à socapa** to laugh in one's sleeve
socar *v* **1** *(dar socos)* to punch **2** (massa de pão) to knead
social *adj2g* (geral) social
socialismo *nm* POL socialism
socialista *adj,n2g* socialist
socialização *nf* socialization
sociável *adj2g* **1** sociable; **tornar-se pouco sociável** to retire into oneself, to be unsociable **2** *(comunicativo)* talkative, communicative
sociedade *nf* **1** society **2** ECON company; **sociedade anónima** incorporated company **3** *(parceria)* partnership
sócio *nm* **1** (clube, associação) member **2** partner, associate **3** *col (companheiro)* fellow, partner ◆ **sócio capitalista** moneyed partner; **sócio gerente** active/managing partner
sociologia *nf* sociology
sociológico *adj* sociological
sociólogo *nm* sociologist
soco[1] /ó/ *nm* (calçado) clog
soco[2] /ô/ *nm (murro)* punch
socorrer *v (acudir)* to help, to aid ▪ **socorrer-se** to resort (de, to)
socorrismo *nm* first aid
socorrista *n2g* first aider
socorro *nm* help, relief, assistance, aid ▪ *interj* help!
soda *nf* **1** QUÍM soda; **soda cáustica** caustic soda **2** (bebida) soda water; **whisky com soda** whisky and soda
sódio *nm* sodium
sodomia *nf* sodomy
sofá *nm* sofa; couch
sofá-cama *nm* studio couch; sofa bed
sofisticado *adj* sophisticated
sôfrego *adj* **1** (comer, beber) greedy, voracious **2** *(ávido)* keen **3** *fig (desejoso)* eager (de, for)
sofreguidão *nf* **1** (comida ou bebida) greediness, eagerness **2** *(ambição)* greed **3** *(impaciência)* impatience
sofrer *v* **1** to suffer **2** *(suportar)* to bear, to endure **3** (derrota, abalo) to go through, to suffer **4** (acidente, ataque) to have
sofrimento *nm* **1** *(padecimento)* suffering, pain **2** *(angústia)* anguish
softbol *nm* softball
software *nm* INFORM software; **engenharia de software** software engineering
sogra *nf* mother-in-law
sogro *nm* father-in-law
soja *nf* **1** (planta) soya; **rebento de soja** soya bean GB, soybean EUA **2** (alimento) soy sauce

sol *nm* **1** sun; **nascer do sol** sunrise **2** *(luz solar)* sunshine; sunlight **3** MÚS G ♦ **sol de pouca dura** flash in the pan
sola *nf* **1** *(couro)* hide, leather **2** (sapato) sole; **sapatos de sola de borracha** rubber-soled shoes ♦ **dar à sola** to run off
solar *adj2g* **1** (relativo ao Sol) solar; **sistema solar** solar system **2** (creme, protetor) sun; **protetor solar** sunscreen, suntan lotion ▪ *nm (mansão)* manor house
solarengo *adj* manorial
solário *nm* solarium
solavanco *nm* (veículo) jolt; **andar aos solavancos** to jolt along
solda *nf* (substância) solder
soldado *nm* soldier; **soldado raso** private
soldar *v* to solder, to weld, to braze
soleira *nf* **1** (porta) doorstep **2** (carruagem) footboard
solene *adj2g* **1** *(pomposo)* solemn **2** *(grave, sério)* grave, serious
solenidade *nf* **1** solemnity **2** *(ato solene)* ceremony **3** *(gravidade)* gravity, solemnity
soletrar *v* **1** (palavra) to spell; **soletra o meu nome** spell my name **2** (texto) to read word by word
solfejo *nm* sol-fa, solfeggio
solha *nf* **1** (peixe) flounder **2** *col* slap
solicitação *nf* requesting
solicitador *nm* legal adviser
solicitar *v* **1** to request **2** *(pedir)* to ask (-, for); **solicitar uma assinatura** to ask for a signature **3** (benefícios, privilégios) to look (-, for)
solícito *adj* **1** *(prestável)* solicitous; helpful **2** *(atencioso)* attentive; careful
solidão *nf* **1** (estado) solitude **2** (sensação) loneliness
solidariedade *nf* solidarity, support; **solidariedade social** social support
solidário *adj* **1** (causa) sympathetic **2** *(que apoia)* supportive (com, towards); **ser solidário com alguém** to support somebody
solidez *nf* solidity, strength
solidificação *nf* solidification
solidificar *v* **1** (líquido) to solidify **2** *(endurecer)* to harden
sólido *adj* **1** solid **2** firm; strong ▪ *nm* GEOM solid
solista *n2g* MÚS soloist
solitária *nf* **1** *(ténia)* tapeworm, taenia **2** (prisão) solitary
solitário *adj* **1** (pessoa) solitary **2** (lugar) lonely, retired, isolated ▪ *nm* **1** (pessoa) loner **2** (joia) solitaire
solo *nm* **1** *(terra)* soil, earth, land; **solo argiloso** clayey soil **2** MÚS solo; **um solo de violino** a violin solo
solstício *nm* ASTRON solstice; **solstício de verão** summer solstice
solta *nf* release, freeing ♦ **à solta** on the loose; **andar à solta** to be at large
soltar *v* **1** *(desatar)* to loosen, to untie, to unfasten **2** *(libertar)* to set free, to release **3** *(largar)* to let go (-, of); **solta-me!** let go of me! **4** (cabelo) to let down ▪ **soltar-se 1** *(desprender-se)* to come loose **2** *(desinibir-se)* to let oneself go **3** *(libertar-se)* to escape
solteirão *nm* confirmed bachelor
solteiro *adj* unmarried, single ▪ *nm* bachelor; single man
solteirona *nf pej* old maid; spinster
solto *adj* **1** *(que anda à solta)* loose **2** *(livre)* free **3** *(desatado)* undone; untied **4** (verso) blank
solução *nf* **1** *(resolução)* solution (para, to); **solução para o problema** solution to the problem **2** QUÍM,FÍS solution; **solução aquosa** aqueous solution
soluçar *v* **1** *(ter soluços)* to hiccup **2** *(chorar)* to sob
solucionar *v* to solve
soluço *nm* **1** hiccup **2** (choro) sob ♦ **aos soluços** in drips and drabs
solúvel *adj2g* **1** (substância) soluble **2** (problema) solvable
solvência *nf* **1** *(solvibilidade)* solvency **2** (dívida) paying, liquidation
solvente *adj2g* **1** (substância, produto) dissolving **2** (dívida) solvent ▪ *nm* QUÍM solvent
som *nm* sound ♦ **ao som de** to the sound of; **à prova de som** sound-proof
soma *nf* **1** MAT *(adição)* sum, addition; **fazer a soma** to add up **2** MAT *(resultado)* total, sum; **a soma de 2 e 2 é 4** the sum of 2 and 2 is 4 **3** *(quantia)* amount, sum
somáli *adj,n2g* Somali
Somália *nf* Somalia
somar *v* **1** MAT *(adicionar)* to sum, to add up **2** *(ser equivalente a)* to add up (-, to); **a despesa soma 40 euros** the expenses add up to 40 euros ♦ **conta de somar** sum; addition
somatório *nm* **1** *(soma total)* sum **2** *(totalidade)* total, sum total

sombra *nf* **1** *(ausência de sol)* shade **2** *(silhueta)* shadow **3** (cosmético) eyeshadow **4** *(vestígio)* trace
sombreado *nm* ART shading
sombrinha *nf* sunshade, parasol
sombrio *adj* **1** *(escuro)* shady, dark; **lugar sombrio** shady spot **2** *(triste)* gloomy **3** (rosto) grim
somente *adv* only, solely, merely; **tão somente** only
somítico *adj* stingy, close-fisted ▪ *nm* miser
sonambulismo *nm* somnambulism, sleepwalking
sonâmbulo *nm* somnambulist, sleepwalker ▪ *adj* somnambulistic
sonante *adj2g (famoso)* high-sounding ♦ **em metal sonante** in hard cash; in cash
sonar *nm* sonar
sonata *nf* MÚS sonata
sonda *nf* **1** (astronáutica) probe **2** MED tube, probe ♦ **sonda espacial** space probe
sondagem *nf* **1** (opinião pública) opinion poll, poll **2** MED probing
sondar *v* **1** (opinião pública) to sound out, to research **2** MED to probe, to catheter
soneca *nf* nap ♦ **dormir uma soneca** to take a nap; to have a snooze; to have a doze
sonegar *v (omitir)* to withhold; **sonegar provas** to withhold evidence
soneto *nm* LIT sonnet
sonhador *nm* dreamer, daydreamer ▪ *adj* dreamy
sonhar *v* **1** *(ter sonhos)* to dream (com, about/of) **2** *(fantasiar)* to daydream **3** *(aspirar a)* to idealize, to long (com, for); **sonhar com um mundo melhor** to long for a better world
sonho *nm* **1** (durante o sono) dream **2** *(aspiração)* dream, ambition; **realizar todos os sonhos** to fulfil all one's dreams **3** *fig (ilusão)* illusion
sónico *adj* sonic
sonífero *adj* soporific ▪ *nm* FARM sleeping drug, sleeping pill
sono *nm* **1** (estado) sleep; **sono profundo** sound sleep; **sono reparador** refreshing sleep **2** *(sonolência)* sleepiness ♦ **cheio de sono** heavy with sleep; **ter sono leve** to be a light sleeper
sonolência *nf* drowsiness; sleepiness
sonolento *adj* drowsy, sleepy
sonoplastia *nf* **1** CIN,TEAT,TV sound moulding, sound effects **2** *(efeitos acústicos)* sound track
sonoridade *nf* sonority
sonoro *adj* **1** sound **2** (gargalhada, voz) resounding **3** (consonante) voiced
sonso *nm* shammer, slyboots ▪ *adj* sly, cunning
sopa *nf* soup
sopapo *nm* slap
sopé *nm* (montanha) foot, base
soporífero *adj* soporific ▪ *nm* FARM sleeping drug
soprano *n2g* MÚS soprano
soprar *v* **1** (vento) to blow **2** (balão, saco) to blow up
sopro *nm* **1** *(ato de soprar)* blow, blowing **2** *(hálito)* breath, breathing **3** MED murmur; **sopro cardíaco** cardiac murmur
soquete *nf* ankle sock
sórdido *adj* **1** *(sujo)* squalid; sordid **2** *(vil)* mean **3** *(obsceno)* indecent, dirty
sorna *nf* indolence, laziness ▪ *n2g* lazybones, lazy person
soro *nm* **1** MED serum **2** (leite) whey ♦ **soro fisiológico** saline solution
sorrateiro *adj* **1** *(matreiro)* cunning, crafty **2** *(manhoso)* stealthy
sorrelfa *nf* dissimulation, hypocrisy ♦ **à sorrelfa** secretly; by stealth
sorridente *adj2g* **1** *(que sorri)* smiling **2** *(alegre)* cheerful
sorrir *v* to smile (a/para, at)
sorriso *nm* smile ♦ **sorriso amarelo** forced smile
sorte *nf* **1** *(fortuna)* luck; **boa sorte!** good luck! **2** *(destino)* fate, fortune **3** *(acaso)* chance ♦ **tirar à sorte** to draw lots
sortear *v* **1** *(tirar à sorte)* to draw lots **2** *(rifar)* to raffle
sorteio *nm* **1** draw **2** *(rifa)* lottery, raffle ♦ **por sorteio** by lot
sortido *adj* assorted, mixed ▪ *nm* assortment
sortudo *adj* lucky ▪ *nm* lucky devil, lucky dog
sorumbático *adj* gloomy, sullen, dour
sorvedouro *nm* **1** *(abismo)* gulf, abyss **2** *fig (causa de ruína)* bottomless pit
sorver *v* **1** *(engolir)* to sip **2** *(tragar)* to swallow up
sorvete *nm* ice cream
sorveteira *nf* ice-cream maker, ice-cream freezer
sorvo *nm* sip, gulp
sósia *n2g* look-alike, double, dead ringer

soslaio *nm* askew, aslant ◆ **olhar de soslaio** to look askance at
sossegado *adj* quiet, calm
sossegar *v* to calm (down)
sossego *nm* calm, quiet, peace
sótão *nm* attic, loft
sotaque *nm* accent
sotavento *nm* lee; **a sotavento** leeward
soterramento *nm* burying
soterrar *v* to bury, to cover up
soturno *adj* **1** *(sombrio)* sullen, gloomy **2** *(taciturno)* taciturn
soufflé *nm* soufflé
soul *nm* (música) soul
soutien *nm* bra, brassiere
souto *nm* chestnut grove
sova *nf* thrashing, beating, hiding; **dar uma sova** to give a good hiding
sovaco *nm* armpit
sovar *v (bater em)* to thrash, to beat
sovina *n2g* miser, skinflint ▪ *adj2g* miserly, mean, stingy
sozinho *adj* **1** *(sem companhia)* all alone; **estava sozinha em casa** she was alone in the house **2** *(sem ajuda)* by oneself; **o menino já come sozinho** the boy can eat by himself now
spa *nm (termas)* spa
spam *nm* (correio eletrónico) spam
speedway *nm* (motociclismo) speedway
spray *nm* (jato, pulverizador) spray
sprint *nm* DESP sprint
sprintar *v* DESP to sprint
sprinter *n2g* (corredor) sprinter
squash *nm* DESP squash
Sr. [*abrev. de* Senhor] Mr.
Sr.ª [*abrev. de* Senhora] Mrs.
Sri Lanca *nm* Sri Lanka
stand *nm* stand
step *nm* **1** (modalidade) step **2** (plataforma) stepping platform
stick *nm* (hóquei, golfe) stick
stock *nm* (mercadorias) stock
stress *nm* stress
striptease *nm* striptease
strogonoff *nm* CUL stroganoff, beef stroganoff
suado *adj* sweaty, perspiring
suar *v* **1** *(transpirar)* to sweat, to perspire **2** *fig (esforçar-se muito)* to work hard ◆ **suar em bica** to sweat buckets
suástica *nf* swastika
suave *adj2g* **1** (cor, som) soft **2** (superfície) soft; smooth **3** (castigo, clima, sabor) mild; gentle
suavidade *nf* **1** *(afabilidade)* gentleness **2** *(aprazível aos sentidos)* smoothness, softness **3** *(brandura)* mildness
suavização *nf* smoothing, softening
suavizar *v* **1** *(tornar suave)* to smooth, to soothe **2** *(atenuar)* to mitigate, to relieve
Suazilândia *nf* Swaziland
subalimentação *nf* underfeeding
subalterno *adj,nm* subaltern, subordinate
subaquático *adj* subaquatic; underwater
subavaliar *v* to underestimate
subchefe *nm* deputy chief, assistant director
subconsciente *adj2g,nm* subconscious
subdesenvolvido *adj* underdeveloped
subdesenvolvimento *nm* underdevelopment
súbdito *nm* subject
subdividir *v* to subdivide
subdivisão *nf* subdivision
subentender *v* to understand; to imply; **isso subentende-se** that goes without saying
subentendido *adj* implied, implicit ▪ *nm* insinuation
subestimar *v* to undervalue, to underrate, to underestimate
subida *nf* **1** *(ascensão)* climb, slope, way up **2** *(encosta)* slope **3** *(aumento)* rise (de, in), rising; **uma subida de preços** a rise in prices
subir *v* **1** *(ir ou vir para cima)* to go up, to come up **2** *(trepar)* to climb **3** (temperatura, rio) to rise **4** (maré) to come in **5** (preços) to go up **6** (volume) to turn up
subitamente *adv* suddenly, all of a sudden
súbito *adj* sudden, hasty ◆ **de súbito** all of a sudden; suddenly; **morte súbita** sudden death
subjacente *adj2g* subjacent *form*, underlying
subjectividade *a nova grafia é* **subjetividade**[AO]
subjectivo *a nova grafia é* **subjetivo**[AO]
subjetividade[AO] *nf* subjectivity
subjetivo[AO] *adj* subjective
subjugação *nf* subjugation
subjugar *v* **1** to subjugate, to master, to subdue **2** (inimigo) to overpower **3** (moralmente) to dominate
sublevação *nf* uprising; revolt
sublevar *v* to revolt
sublimar *v* to sublimate ▪ **sublimar-se** *(enaltecer-se)* to distinguish oneself

sublime *adj2g* **1** sublime **2** *(magnífico)* magnificent
sublinhar *v* **1** (palavra) to underline, to underscore **2** *fig (realçar)* to highlight, to stress
submarino *nm* submarine, U-boat ▪ *adj* submarine, underwater; **corrente submarina** undercurrent
submergir *v* **1** (margem, terreno) to submerge **2** *(afundar)* to sink **3** *(inundar)* to flood
submersão *nf* submersion
submerso *adj* submerged, underwater
submeter *v* **1** *(procurar aprovação)* to submit (a, to) **2** *(expor)* to subject (a, to) **3** *(dominar)* to subdue ▪ **submeter-se 1** *(sujeitar-se)* to submit (a, to) **2** (tratamento, operação, etc.) to undergo (a, -)
submissão *nf* submission, submissiveness, humility
submisso *adj* **1** submissive **2** *(obediente)* yielding, obedient, humble
submundo *nm* underworld
subordinação *nf* subordination
subordinado *adj* **1** (dependência) subordinate, inferior, subject (a, to) **2** LING (oração) subordinate ▪ *nm* underling, subordinate
subordinar *v* to subordinate, to subject (a, to); **estar subordinado a alguém** to be subject to somebody
subornar *v* to bribe
suborno *nm* bribery
subproduto *nm* by-product, secondary product
subscrever *v* **1** (opinião, ações) to subscribe to **2** *(assinar)* to sign **3** (jornal, revista etc.) to take out a subscription for ▪ **subscrever-se** *(assinar)* to sign one's name
subscrição *nf* **1** (produto, serviço) subscription **2** *(contribuição)* contribution (para, to) **3** *(assinatura)* signature
subscrito *adj,nm* subscript
subscritor *nm* subscriber
subsequente *adj2g* subsequent ♦ **subsequente a** subsequent to; following
subsidiar *v* to subsidize
subsídio *nm* subsidy; grant ♦ **subsídio de desemprego** unemployment benefit
subsistência *nf* subsistence
subsistente *adj2g* remaining; surviving
subsistir *v* **1** *(viver)* to subsist **2** *(perdurar)* to survive, to remain; **a dúvida subsiste** the doubt remains

subsolo *nm* **1** GEOL subsoil **2** (construção) basement, underground
substância *nf* **1** (geral) substance **2** *(essência)* essence ♦ **sem substância** lacking in substance
substancial *adj2g* **1** substantial **2** *(nutritivo)* nourishing; **refeição substancial** a substantial/solid meal
substantivo *nm* LING noun, substantive
substituição *nf* substitution; replacement
substituir *v* **1** *(trocar)* to replace (por, with) **2** *(fazer as vezes de)* to stand in (-, for) **3** (pneu, fechadura) to change **4** *(tomar o lugar de)* to take the place of
substituível *adj2g* replaceable
substituto *nm* substitute, fill-in, deputy ▪ *adj* substituting
subterfúgio *nm* subterfuge
subterrâneo *adj* subterranean, underground; **passagem subterrânea** subterranean passage ▪ *nm* subterranean chamber
subtil *adj2g* **1** *(ténue)* subtle **2** *(fino)* thin; fine **3** *fig (perspicaz)* acute, astute
subtileza *nf* **1** subtlety **2** *(delicadeza)* refinement **3** *(astúcia)* sharpness
subtítulo *nm* subtitle, subheading
subtração[AO] *nf* MAT subtraction
subtracção *a nova grafia é* **subtração**[AO]
subtrair *v* **1** MAT to subtract **2** *(roubar)* to steal
suburbano *adj* suburban
subúrbio *nm* **1** suburb **2** *pl* outskirts, suburbs; **viver nos subúrbios** to live in the suburbs
subversão *nf* subversion
subversivo *adj* subversive
subverter *v* **1** *(inverter, deturpar)* to subvert **2** *(corromper)* to corrupt
sucata *nf* **1** *(material inutilizado)* scraps, scrap metal **2** (local) scrapyard, scrapheap; **mandar para a sucata** to place on the scrapheap
sucateiro *nm* scrap dealer
sucção *nf* suction
sucedâneo *adj,nm* substitute
suceder *v* **1** *(acontecer)* to happen, to occur **2** *(seguir-se)* to follow **3** (emprego, cargo) to succeed ▪ **suceder-se** *(seguir-se)* to follow
sucedido *nm* event, fact ♦ **ser bem sucedido** to succeed
sucessão *nf* **1** succession **2** *(descendência)* heirs
sucessivo *adj* successive; **durante dias sucessivos** for days running; **três grandes vi-**

tórias sucessivas three great victories in succession
sucesso *nm* **1** *(êxito)* success; **não ter sucesso** to fail **2** *(acontecimento)* event **3** (filme, música) hit; **foi um sucesso** it was a hit
sucessor *nm* **1** (cargo, função) successor (a/de, to) **2** *(herdeiro)* heir
sucinto *adj* succinct, concise
suco *nm* juice; **suco gástrico** gastric juice
suculento *adj* succulent, juicy
sucumbir *v* **1** *(render)* to yield (a, to), to succumb (a, to) **2** *(esmorecer)* to die
sucursal *nf* branch
sudanês *adj,nm* Sudanese
Sudão *nm* Sudan
sudário *nm* **1** *(mortalha)* shroud, winding sheet **2** REL sudarium
sudeste *nm* southeast
sudoeste *nm* southwest
Suécia *nf* Sweden
sueco *adj* Swedish ▪ *nm* **1** (pessoa) Swede **2** (língua) Swedish
suficiente *nm* **1** (classificação) sufficient **2** *(o que basta)* enough; **mais do que o suficiente** more than enough ▪ *adj2g* **1** *(que satisfaz)* fair, satisfactory **2** *(bastante)* sufficient **3** *(que basta)* enough
sufixo *nm* LING suffix
sufocante *adj2g* suffocating, stifling
sufocar *v (asfixiar)* to suffocate; to choke
sufoco *nm* suffocation, choking ♦ **estar num sufoco** to be in trouble
sufrágio *nm* suffrage, vote ♦ **sufrágio universal** universal suffrage
sugar *v* **1** *(sorver)* to suck **2** *(extrair)* to absorb **3** *fig (extorquir)* to extort
sugerir *v* **1** *(dar a entender)* to suggest, to imply, to hint **2** *(propor)* to propose
sugestão *nf* suggestion, hint, insinuation; **por sugestão de** at the suggestion of
sugestionar *v* to influence by suggestion, to suggest
sugestionável *adj2g* suggestible, impressionable
sugestivo *adj* suggestive
Suíça *nf* Switzerland
suíças *nfpl* sideburns
suicida *adj* **1** (tendências) suicidal; self-destructive **2** (ação, ataque) suicide; **missão suicida** suicide mission ▪ *n2g* suicide
suicidar-se *v* to commit suicide
suicídio *nm* suicide
suíço *adj,nm* (pessoa) Swiss
suinicultor *nm* pig breeder
suinicultura *nf* pig breeding
suíno *nm* pig, hog ▪ *adj* **1** (gado) swinish **2** (peste) swine
suite *nf* suite ♦ **suite presidencial** the presidential suite
sujar *v* **1** to dirty **2** (nome, honra) to stain, to sully ▪ **sujar-se** to become dirty, to get dirty
sujeição *nf* **1** subjection **2** *(submissão)* servitude
sujeitar *v* **1** *(submeter)* to subject (a, to) **2** *(dominar)* to subdue ▪ **sujeitar-se** *(submeter-se)* to submit (a, to)
sujeito *nm* **1** LING subject **2** *(indivíduo)* person ▪ *adj* **1** *(submetido)* subject (a, to) **2** *(exposto)* liable (a, to/for)
sujidade *nf* **1** *(imundície)* filth **2** (estado) dirtiness
sujo *adj* **1** *(imundo)* dirty, unclean; **mãos sujas** dirty hands **2** *fig (desonesto)* dishonest
sul *nm* south
sul-africano *nm* (pessoa) South African ▪ *adj* South African
sul-americano *nm* (pessoa) South American ▪ *adj* South American
sulcar *v* to furrow, to plough
sulco *nm* **1** AGR furrow **2** (disco, metal) groove **3** *(rasto)* track
sul-coreano *adj,nm* South Korean
sulfato *nm* QUÍM sulphate
sulfúrico *adj* QUÍM sulphuric; **ácido sulfúrico** sulphuric acid
sultana *nf* (uva) sultana
sultão *nm* Sultan
suma *nf* abridgement ♦ **em suma** in sum; in short
sumarento *adj* juicy, succulent; **peras sumarentas** juicy pears
sumariar *v* **1** (assunto, conteúdo, proposta) to summarize **2** (ação, aula) to sum up
sumário *adj* **1** *(breve)* brief, concise **2** DIR summary ▪ *nm* summary, digest, précis
sumiço *nm* disappearance ♦ **dar sumiço em** to do away with; **levar sumiço** to disappear; to vanish
sumidade *nf* (pessoa) prominent person, celebrity, authority
sumir *v* **1** *(desaparecer)* to disappear, to vanish **2** *(dissipar-se)* to be gone

sumo *nm* **1** juice; **sumo de laranja** orange juice **2** DESP sumo ▪ *adj* **1** *(supremo)* highest, supreme **2** *(elevado)* sovereign ♦ **Sumo Pontífice** Sovereign Pontiff

sumptuoso *adj* sumptuous, splendid, lavish

suor *nm* **1** *(transpiração)* sweat, perspiration **2** *fig (trabalho)* effort; hard work ♦ **com o suor do rosto** by the sweat of one's brow

superação *nf* **1** overcoming **2** improvement

superar *v* **1** *(ultrapassar)* to surpass, to exceed, to outdo **2** (inimigo, dificuldade) to overcome; **superar um obstáculo** to overcome an obstacle **3** to improve

superável *adj2g* surmountable

superficial *adj2g* superficial

superficialidade *nf* superficiality, shallowness

superfície *nf* **1** surface **2** *(extensão)* area

supérfluo *adj* **1** superfluous **2** (despesas) needless, unnecessary

super-homem *nm* superman

superior *adj* **1** *(acima de)* higher (a, than) **2** (quantidade) greater (a, than) **3** (qualidade) superior (a, to); **era superior ao rival** he was superior to his rival **4** (nível, ponto, lábio) upper, top **5** (oficial) senior ▪ *nm* superior

superioridade *nf* superiority

superlativo *adj,nm* LING superlative

superlotado *adj* full, overcrowded; jam-packed *col*

supermercado *nm* supermarket

superpopulação *nf* overpopulation, overcrowding

superpotência *nf* superpower

superpovoado *adj* overpopulated, crowded

superpovoamento *nm* overpopulation

superprodução *nf* overproduction

supersónico *adj* supersonic

superstição *nf* superstition

supersticioso *adj* superstitious

supervisão *nf* supervision

supervisionar *v* to supervise

supervisor *nm* supervisor

suplantar *v* to supplant

suplementar *adj2g* **1** supplementary **2** *(adicional)* additional, extra

suplemento *nm* **1** (jornal, revista, etc.) supplement **2** (dinheiro) extra charge

suplente *adj2g* **1** *(substituto)* stand-by, substitutive **2** (pneu, peça) spare ▪ *n2g* **1** DESP substitute, reserve **2** TEAT understudy ♦ DESP **ser suplente** to be on the bench

súplica *nf* **1** *(pedido)* request; entreaty **2** *(prece)* plea **3** *(ato de suplicar)* pleading

suplicar *v* to beg; to implore; **supliquei-lhe que não o fizesse** I begged him not to do it

suplício *nm* **1** torture **2** *(sofrimento)* torment, suffering

supor *v* to suppose, to assume; **suponhamos que...** let's assume that...

suportar *v* **1** *(sustentar)* to support, to hold up **2** (pessoa, situação) to put up with, to bear **3** (peso, pressão, dor) to withstand

suportável *adj2g* (dor, medo, ruído) tolerable, bearable

suporte *nm* **1** support **2** (comunicação) medium; aid ♦ INFORM **suporte de dados** data carrier

suposição *nf* supposition, conjecture, assumption; **baseado em suposições** based on supposition; **isto é uma mera suposição** this is mere presumption

supositório *nm* FARM suppository

suposto *adj* **1** supposed; assumed **2** *(presumível)* alleged

supracitado *adj* above-mentioned, above-named

supramencionado *adj* above-mentioned; aforementioned

suprassumo[AO] *nm* state of the art; cream; height

supra-sumo *a nova grafia é* **suprassumo**[AO]

supremacia *nf* supremacy

supremo *adj* supreme ♦ **Supremo Tribunal** Supreme Court

supressão *nf* **1** *(extinção)* suppression; extinction **2** *(omissão)* exclusion; omission **3** *(redução)* reduction; **supressão de despesas** expense reduction

suprimento *nm* **1** *(suplemento)* supplement **2** *(ajuda)* aid; help **3** *(empréstimo)* loan

suprimir *v* **1** *(eliminar)* to suppress; to do away with; to eliminate **2** *(cancelar)* to cancel **3** *(omitir)* to omit

suprir *v* **1** *(satisfazer)* to fulfil; **suprir uma carência** to fulfil a need **2** *(complementar)* to supplement

surdez *nf* deafness

surdina *nf* MÚS mute ♦ **em surdina** silently; **falar em surdina** to speak in whispers

surdo *adj* **1** deaf; **ficar surdo** to go deaf; **ser surdo de nascença** to be born deaf **2** LING (consoante) voiceless, unvoiced ▪ *nm* deaf per-

son ♦ **surdo como uma porta** as deaf as a post
surdo-mudo *adj,nm* hearing-and-speech-impaired
surf *nm* surfing
surfar *v* to surf
surfista *n2g* surfer
surgimento *nf* appearance; emergence; advent
surgir *v* **1** *(aparecer)* to appear; to show up; to come forth **2** *(emergir)* to emerge
Suriname *nm* Suriname
surinamês *adj,nm* Surinamese
surpreendente *adj2g* surprising; amazing; astonishing
surpreender *v* **1** *(causar surpresa)* to surprise; to amaze **2** *(apanhar em flagrante)* to take by surprise ▪ **surpreender-se** to be surprised
surpreendido *adj* **1** *(admirado)* surprised; amazed; astonished **2** *(apanhado em flagrante)* taken by surprise; caught unawares
surpresa *nf* surprise ♦ **fazer uma surpresa a alguém** to surprise somebody; **ser apanhado de surpresa** to be taken by surprise
surra *nf* thrashing; beating
surrar *v* **1** (peles) to curry **2** (dar uma surra) to thrash; to beat
surrealismo *nm* surrealism
surrealista *adj,n2g* surrealist
surripiar *v pop* to pilfer; to filch
surtir *v* to originate; to bring about ♦ **surtir efeito** to take effect; to work
surto *nm* **1** *(aparecimento repentino)* outbreak; wave **2** *(desenvolvimento)* boom; **um inesperado surto económico** an unexpected economic boom
susceptibilidade *a nova grafia é* **suscetibilidade**[AO]
susceptível *a nova grafia é* **suscetível**[AO]
suscetibilidade[AO] *nf* **1** *(vulnerabilidade)* susceptibility (a, to) **2** *(sensibilidade)* sensibility, touchiness **3** *pl* susceptibilities; **ferir suscetibilidades** to offend the susceptibilities
suscetível[AO] *adj2g* **1** *(vulnerável)* susceptible (a, to); liable (a, to); prone (a, to) **2** *(melindroso)* sensitive; touchy **3** *(passível)* susceptible (de, of)
suscitar *v* to raise; to arouse
sushi *nm* sushi
suspeição *nf* suspicion; mistrust
suspeita *nf* suspicion; **sob suspeita** under suspicion
suspeitar *v* **1** to suspect (de, -); **sem suspeitar de nada** suspecting nothing **2** *(supor, julgar)* to suspect; to think
suspeito *nm* suspect ▪ *adj* **1** suspicious; **altamente suspeito** highly suspect **2** *(responsável)* suspected (de, of)
suspender *v* **1** *(interromper)* to interrupt; to suspend **2** *(aplicar suspensão)* to suspend **3** *(cancelar)* to cancel **4** *(pendurar)* to hang; to suspend
suspensão *nf* **1** *(interdição)* suspension (de, from) **2** *(interrupção)* suspension; interruption **3** (automóvel) suspension
suspense *nm* suspense ♦ **filme de suspense** thriller
suspenso *adj* **1** *(interrompido)* suspended; interrupted **2** *(adiado)* adjourned **3** *(interditado)* suspended **4** *(pendurado)* hanging
suspensórios *nmpl* braces GB, suspenders EUA
suspirar *v* to sigh ♦ (desejo) **suspirar por** to long for
suspiro *nm* sigh; **soltar um suspiro de alívio** to let out a sigh of relief ♦ **dar o último suspiro** to die
sussurrar *v* to whisper; to murmur
sussurro *nm* whisper; murmur
sustenido *nm* MÚS sharp
sustentação *nf* **1** *(apoio)* support; help; aid **2** *(manutenção)* maintenance
sustentáculo *nm* **1** (estrutura) support; prop; stay **2** (pessoa) mainstay; supporter
sustentar *v* **1** (estrutura) to sustain; to bear **2** (financeiro) to maintain; to keep **3** *(apoiar)* to support; to help **4** *(financiar)* to sponsor; to support ▪ **sustentar-se** to sustain oneself
sustentável *adj2g* **1** sustainable; **desenvolvimento sustentável** sustainable development **2** *(defensável)* defensible; **esta proposta é pouco sustentável** this suggestion is hardly defensible
sustento *nm* **1** (condições materiais) maintenance; upkeep **2** *(ganha-pão)* breadwinner
suster *v* **1** (estrutura) to sustain; to bear; to hold **2** *(refrear)* to restrain; to stifle **3** *(fazer parar)* to stop **4** (respiração) to hold
susto *nm* fright; scare
su-sudeste *nm* south-southeast
su-sudoeste *nm* south-southwest
sutura *nf* suture
suturar *v* to suture; to stitch
sweatshirt *nf* (camisola) sweatshirt

T

t *nm* (letra) t
tabacaria *nf* tobacconist's (shop)
tabaco *nm* **1** tobacco **2** cigarettes; **um maço de tabaco** a pack of cigarettes
tabagismo *nm* smoking addiction
tabaqueira *nf* snuffbox
tabefe *nm col* slap
tabela *nf* **1** *(quadro)* table **2** *(lista)* list **3** *(horário)* timetable **4** (basquetebol) backboard ♦ **apanhar por tabela** to be unjustly punished
tabelamento *nm* price listing
tabelar *v* to set prices
taberna *nf* tavern; pub
tabique *nm* partition wall
tablete *nf* bar; **tablete de chocolate** chocolate bar
tablier *nm* (automóvel) instrument panel
tabloide[AO] *nm* (jornal) tabloid
tablóide *a nova grafia é* **tabloide**[AO]
tabu *adj,nm* taboo
tábua *nf* **1** board; **tábua de engomar** ironing board **2** *(tabela)* table
tabuada *nf* MAT (multiplication) table; **a tabuada dos cinco** the five times table
tabuleiro *nm* **1** *(bandeja)* tray **2** (forno) baking tray **3** (jogo) board; **tabuleiro de xadrez** chessboard **4** (ponte) platform
tabuleta *nf* signboard
TAC *nm* MED CAT scan
taça *nf* **1** *(tigela)* bowl; **taça de gelado** ice cream bowl **2** *(copo)* glass; **taça de champanhe** champagne glass **3** DESP cup; **taça UEFA** UEFA cup
tacanhez *nf* narrow-mindedness; pettiness; small-mindedness
tacanho *adj* narrow-minded; petty; small-minded
tacão *nm* heel; **sapatos de tacão alto** high-heels
tacha *nf* stud; tack
tachar *v (rotular)* to brand (de, as)
tacho *nm* **1** (recipiente) pan; pot **2** *fig,col* a cushy number, an easy job; **arranjar um tacho** to got a cushy number
tácito *adj* tacit; unstated; **acordo tácito** tacit agreement
taciturno *adj* taciturn; silent
taco *nm* **1** (bilhar) cue **2** (golfe) club **3** (basebol) bat **4** (soalho) plank
tactear *a nova grafia é* **tatear**[AO]
táctica *a nova grafia é* **tática**[AO]
táctico *a nova grafia é* **tático**[AO]
táctil[AO] ou **tátil**[AO] *adj2g* tactile
tacto *a nova grafia é* **tato**[AO]
tafetá *nm* taffeta
tagarela *n2g* chatterbox ▪ *adj2g* talkative; chatty
tagarelar *v* **1** to chatter; to babble; to prattle **2** *(bisbilhotar)* to gossip
tagarelice *nf* **1** chatter; prattle; **estar na tagarelice** to chatter away **2** *(bisbilhotice)* gossip
tailandês *adj,nm* Thai
Tailândia *nf* Thailand
tainha *nf* grey mullet
taipal *nm* lath wall
Taiti *nm* Tahiti
taitiano *adj,nm* Tahitian
Taiwan *nf* Taiwan
taiwanês *adj,nm* Taiwanese
tajique *adj,n2g* Tajik
Tajiquistão *nm* Tajikistan
takeaway *nm* (comida pronta) takeaway
tal *det,pron dem* such; **uma tal coisa!** such a thing! ▪ *det indef > quant exist*[DT] (intensificação) such (a) great ▪ *pron indef* that; such a thing; **eu nunca disse tal** I never said such a thing ▪ *n2g* one; **o/a tal** the one ♦ **tal como** such as; **tal pai, tal filho** like father, like son
tala *nf* splint
talão *nm* **1** counterfoil; receipt **2** (de cheques) chequebook
talassoterapia *nf* thalassotherapy
talco *nm* talc, talcum; **pó de talco** talcum powder

talento *nm* **1** talent (para, for); gift (para, for); **ele tem muito talento para a música** he has a great gift for music **2** (pessoa) talented person; talent; **jovens talentos** young talents

talentoso *adj* talented

talha *nf* carving; **talha dourada** golden carving

talhado *adj* **1** (pedra) cut **2** (madeira) carved **3** (pessoa) fit (para, for); cut out (para, for)

talhante *n2g* butcher

talhar *v* **1** *(cortar)* to cut **2** (madeira, pedra) to carve **3** (roupa) to tailor **4** *(coalhar)* to curdle

talhe *nm* **1** (peça de roupa) cut; style **2** *(forma)* shape; form ◆ **vir a talhe de foice** to come at the right moment

talher *nm* **1** knife and fork **2** *pl* cutlery; flatware; **pôr os talheres na mesa** to set the cutlery on the table ◆ **ser um bom talher** to be a big eater

talho *nm* (loja) butcher's

tálio *nm* thallium

talismã *nm* talisman; amulet

talk-show *nm* (televisão) talk show

talo *nm* stalk

taluda *nf col* jackpot; **ganhar a taluda** to win the jackpot

talvez *adv* perhaps; maybe; **talvez pudéssemos ir ao cinema** maybe we could go to the cinema

tamanco *nm* clog

tamanho *nm* size; **que tamanho vestes?** what size do you take?

tâmara *nf* date

também *adv,conj* **1** also; too; as well; **também eu** so do I, me too **2** (em frases negativas) either; neither; **também não perguntei** I didn't ask either; **eu também não** me neither

tambor *nm* **1** (instrumento) drum; **tocar tambor** to play the drums **2** (de máquina) drum; roller **3** (de arma) barrel

tamboril *nm* monkfish

tamborilar *v* **1** to patter **2** to drum

tampa *nf* **1** (recipiente) lid **2** (caneta, garrafa) cap; top **3** *pop (nega)* brush-off; rebuff

tampão *nm* **1** (para vedar) plug; stopper **2** (menstruação) tampon **3** (ouvidos) earplug **4** (automóvel) hubcap

tampo *nm* **1** (de mesa) table top **2** *(tampa)* lid; top

tanas *nm col* a nobody ◆ **o tanas!** that's what you think!

tanga *nf* **1** *(cueca)* tanga; G-string **2** (veste primitiva) loincloth **3** *col (troça)* mockery; **dar tanga a alguém** to pull somebody's leg ◆ **estar de tanga** to be penniless

tangente *adj2g,nf* GEOM tangent ◆ **à tangente** by the skin of one's teeth

tangerina *nf* tangerine; mandarin

tangerineira *nf* tangerine tree

tango *nm* tango

tanque *nm* **1** *(reservatório)* tank; **tanque de água** water tank **2** (para lavar roupa) wash tub **3** MIL tank

tanso *nm* simpleton; fool; nincompoop ▪ *adj* **1** *(pacóvio)* foolish; silly; daft **2** *(burro)* dumb; stupid

tântalo *nm* tantalum

tanto *det indef > quant exist*[DT]*,pron indef* **1** so much; **tenho tanto trabalho!** I have so much work to do! **2** *pl* so many; **tantas pessoas** so many people ▪ *adv* **1** so much; **ele comeu tanto que ficou enjoado** he ate so much that he felt sick **2** (temporal) so long; **demoraste tanto** you took so long ▪ *nm* bit ◆ **tanto... como** both... and...; **tanto melhor** so much the better; **tanto quanto** as much as; **tanto quanto sei** as far as I know; **um tanto ou quanto** a little

Tanzânia *nf* Tanzania

tanzaniano *adj,nm* Tanzanian

tão *adv* **1** so; **ele é tão lindo!** he's so handsome! **2** such; **ela é tão boa pessoa** she's such a good person **3** that; **não é assim tão mau** it's not that bad; **nunca tinha ido tão longe** I had never gone that far ◆ **tão... como/quanto** as... as; **és tão egoísta como eu** you're as selfish as I am

tão-pouco *adv* nor

tão-só *adv* only; but

tapada *nf* **1** *(parque)* park **2** (reserva de caça) hunting ground

tapado *adj* **1** *(coberto)* covered (up) **2** (nariz) blocked **3** *col* (pessoa) stupid; thick; dense

tapar *v* **1** *(cobrir)* to cover **2** (com tampa) to put the lid on **3** (com cobertor) to wrap up **4** (buraco) to stop

tapeçaria *nf* tapestry

tapete *nm* **1** carpet; rug **2** INFORM (para o rato) mouse mat[GB], mouse pad[EUA] ◆ **tapete ro-**

lante conveyor belt; **tapete voador** magic carpet
tapioca *nf* tapioca
tapume *nm* **1** *(divisória)* screen; partition **2** *(sebe)* fence; hedge
taquicardia *nf* MED tachycardia
tara *nf* **1** (de veículo) tare **2** *(obsessão)* mania; craze **3** *(fetiche)* fetish
tarado *adj* crazy ▪ *nm* **1** *(maluco)* nutcase **2** *(fanático)* maniac
tarântula *nf* tarantula
tardar *v* **1** *(demorar)* to take time; to be long **2** *(atrasar-se)* to come late ♦ **o mais tardar** at the latest
tarde *adv* late; **chegar tarde** to be late ▪ *nf* afternoon; **boa tarde!** good afternoon! ♦ **mais vale tarde do que nunca** better late than never
tardinha *nf* nightfall; **à tardinha** in the evening
tareco *nm* **1** *pop* cat; puss **2** *pl pop* knick-knacks; trinkets
tarefa *nf* task; job; **cumprir uma tarefa** to carry out a task
tareia *nf* thrashing; beating
tarifa *nf* **1** DIR tariff; duty; **tarifa alfandegária** customs duty **2** *(preço fixo)* tariff; fare; **tarifas aéreas** air fares
tarimba *nf* bunk, bunk-bed
tarraxa *nf* screw
tártaro *nm* (dentes, vinho) tartar
tartaruga *nf* (marinha) (sea) turtle; (terrestre) tortoise
tarte *nf* **1** (com cobertura) pie; **tarte de maçã** apple pie **2** (doce, sem cobertura) tart; **tarte de morango** strawberry tart
tasca *nf* pub; tavern
tatear[AO] *v* **1** *(tocar)* to feel; to touch **2** *(procurar)* to grope **3** *fig (sondar)* to sound out
tática[AO] *nf* tactic; strategy
tático[AO] *adj* tactical; **erro tático** tactical error
tato[AO] *nm* **1** (sentido) touch; **sentido do tato** sense of touch **2** *(diplomacia)* tact; diplomacy
tatu *nm* (animal) armadillo
tatuagem *nf* tattoo; **fazer uma tatuagem no braço** to have your arm tattooed
tatuar *v* to tattoo
tauromaquia *nf* bullfighting; tauromachy
taxa *nf* **1** tax; fee; **taxa única** single tax **2** *(índice)* rate; **taxa de juro** interest rate
taxar *v* **1** *(tributar)* to tax; to tariff **2** (ter na conta de) to rate (de, as)
taxativamente *adv* **1** restrictedly **2** strictly
taxativo *adj* limitative
táxi *nm* taxi; cab
taxímetro *nm* taximeter
taxista *n2g* taxi driver
taxonomia *nf* taxonomy
taxonómico *adj* taxonomic
tchim-tchim *interj* cheers!
te *pron pess* **1** you; for/to you; **amanhã telefono-te** I'll call you tomorrow; **eu explico-te tudo** I'll explain everything to you **2** (reflexo) yourself; **veste-te** dress yourself
tear *nm* loom
teatral *adj2g* **1** (relativo ao teatro) theatrical; dramatic **2** *pej* (pouco natural) stagy; theatrical; melodramatic
teatro *nm* **1** (local) theatre; playhouse **2** (arte) theatre; **ir ao teatro** to go to the theatre **3** *fig (exagero)* dramatics
tecelagem *nf* weaving
tecelão *nm* weaver
tecer *v* **1** to weave **2** *(engendrar)* to contrive; to devise; **tecer um plano** to contrive a plan ♦ **tecer um elogio** to make a compliment
tecido *nm* **1** cloth; material; fabric **2** BIOL,ANAT tissue; **tecido nervoso** nervous tissue ▪ *adj* woven
tecla *nf* key; **carregar numa tecla** to press a key ♦ **estás sempre a bater na mesma tecla** you're always harping on the same subject
teclado *nm* keyboard
tecnécio *nm* technetium
técnica *nf* **1** technique; technology **2** *(estratégia)* method
técnico *adj* technical; **apoio técnico** technical support; **termos técnicos** technical terms ▪ *nm* technician
tecno *nm* (música) techno
tecnologia *nf* technology; **alta tecnologia** high technology
tecnológico *adj* technological
tecto *a nova grafia é* **teto**[AO]
tédio *nm* boredom; **que tédio!** what a bore!
teia *nf* **1** (de aranha) cobweb; spider's web **2** (de espionagem) spy ring **3** *(rede)* web; network; **uma teia de estradas** a network of roads

teima *nf* **1** *(teimosia)* stubbornness; obstinacy **2** *(capricho)* whim
teimar *v* to persist (em, in); to insist (em, on)
teimosia *nf* obstinacy; stubbornness
teimoso *adj* stubborn; headstrong
tejadilho *nm* (de veículo) roof
tela *nf* **1** (de pintura) canvas **2** (de cinema) movie screen **3** *(quadro)* painting **4** (tecido de linho) linen cloth
telecomando *nm* remote control
telecompras *nfpl* teleshopping
telecomunicações *nfpl* telecommunications; **rede de telecomunicações** telecommunications network
teledisco *nm* video clip
teleférico *nm* cable car
telefonar *v* to phone (a, -); to call (a, -)
telefone *nm* **1** telephone; phone **2** *col* phone number
telefonema *nm* call; phone call
telefonia *nf* radio; wireless set; **ouvir telefonia** to listen to the radio
telefónico *adj* phone; telephone; **cabina telefónica** telephone boxGB, telephone boothEUA
telefonista *n2g* telephonistGB; telephone operatorEUA
telegrafar *v* to telegraph; to cable
telegráfico *adj* telegraphic
telegrafista *n2g* telegraph operator, telegrapher
telégrafo *nm* telegraph; **por telégrafo** by wire
telegrama *nm* telegram
telejornal *nm* newscast; news; **ver o telejornal das oito** to watch the eight o'clock news
telemóvel *nm* mobile phoneGB; cellular phone, cellphoneEUA
telenovela *nf* soap opera
teleobjectiva *a nova grafia é* **teleobjetiva**AO
teleobjetivaAO *nf* FOT telephoto lens
telepata *n2g* telepathist
telepatia *nf* telepathy
telepático *adj* telepathic
teleponto *nm* TV autocueGB; teleprompterEUA
telescópico *adj* telescopic
telescópio *nm* telescope
telespectadorAO ou **telespetador**AO *nm* viewer
teletexto *nm* teletext
teletrabalho *nm* teleworking; telecommuting
televendas *nfpl* telesales; telemarketing; telephone selling
televisão *nf* **1** (aparelho) television; television set; **televisão a cores** colour television **2** television; TV; **ver televisão** to watch television
televisivo *adj* television; TV; **programa televisivo** television programme
televisor *nm* television set, telly *col*
telha *nf* **1** (telhado) roof tile **2** *fig* bad mood; **estar com a telha** to be in a bad mood **3** *fig* head; **ela só faz o que lhe dá na telha** she only does what she wants; **ele não é bom da telha** he's not right in the head
telhado *nm* roof; **telhado de colmo** thatched roof
telúrio *nm* tellurium
tema *nm* **1** *(assunto)* subject; topic **2** (arte) theme
temática *nf* themes
temático *adj* thematic
temer *v (recear)* to fear; to be afraid of
temerário *adj* **1** *(audacioso)* daring; bold; audacious **2** *(arriscado)* risky; dangerous
temeridade *nf* temerity; audacity; boldness
temeroso *adj* **1** *(terrível)* dreadful **2** *(medroso)* timorous; fearful
temido *adj* dreaded; feared
temível *adj2g* dreadful; fearful
temor *nm* **1** *(medo)* fear; dread **2** *(respeito)* awe
têmpera *nf* (de metais) tempering
temperado *adj* **1** (clima) temperate, mild **2** (comida) seasoned; **bem temperado** well-seasoned
temperamental *adj2g* temperamental; moody
temperamento *nm* **1** *(feitio)* temperament; disposition **2** *(estado de espírito)* temper
temperar *v* **1** (comida) to season; to spice **2** *(moderar)* to temper; to moderate
temperatura *nf* **1** temperature; **descida da temperatura** a drop in temperature **2** *(febre)* fever; temperature; **a menina está com temperatura** the little girl is running a temperature
tempero *nm* (alimentos) seasoning; (salada) dressing
tempestade *nf* storm; tempest; **tempestade de areia** sand storm ♦ **uma tempestade num copo de água** a storm in a teacup
tempestuoso *adj* **1** (tempo) tempestuous; stormy **2** (pessoa) fiery; violent
templário *nm* **1** Templar **2** *pl* Knights Templar

templo *nm* temple
tempo *nm* **1** time; **há muito tempo** a long time ago **2** MET weather **3** (de jogo) half **4** (verbo) tense ◆ **a seu tempo** in due time; **a tempo e horas** in time; **com tempo** in advance
têmpora *nf* temple
temporada *nf* **1** (algum tempo) some time; spell **2** (atividade) season; **temporada de caça** hunting season
temporal *nm* tempest; storm ■ *adj2g* time; **limite temporal** time limit
temporariamente *adv* temporarily
temporário *adj* temporary; transient; provisional
temporizador *nm* temporizer
tenacidade *nf* tenacity
tenaz *adj2g (persistente)* tenacious; persevering; determined ■ *nf* **1** (ferramenta) tongs **2** *pl* (crustáceos) pincers
tenção *nf* intention; intent
tencionar *v* to intend; to mean
tenda *nf* **1** tent; **desmontar a tenda** to take down the tent; **montar a tenda** to put up the tent **2** (feira, mercado) stall
tendão *nm* tendon; sinew
tendência *nf* **1** *(inclinação)* tendency **2** (moda, política, etc.) trend
tendencioso *adj* tendentious; partial; biassed
tender *v (ter tendência)* to tend
tenebroso *adj* **1** *(escuro)* dark; gloomy **2** *(assustador)* frightful; dreadful
tenente *nm* MIL lieutenant
ténia *nf* taenia, tapeworm
ténis *nm* **1** DESP tennis **2** *(sapatilha)* tennis shoes
ténis de mesa *nm* DESP table tennis
tenista *n2g* tennis player
tenor *nm* MÚS tenor
tenro *adj* (alimento) tender ◆ **de tenra idade** at a tender age
tensão *nf* **1** *(stress)* tension; strain **2** pressure; **tensão arterial** blood pressure **3** ELET tension
tenso *adj* tense
tentação *nf* temptation ◆ **cair na tentação** to yield to temptation
tentáculo *nm* tentacle
tentador *adj* tempting; **uma proposta tentadora** a tempting offer
tentar *v* **1** *(experimentar)* to try; to attempt **2** *(aliciar)* to allure, to tempt ◆ **tentar o destino** to tempt fate
tentativa *nf* attempt; try ◆ **tentativa de suicídio** suicide attempt; **fazer uma nova tentativa** to have another try; to have another shot; to give it another go; **por tentativas** by trial and error
tentilhão *nm* finch
ténue *adj* **1** (luz) dim **2** *(fino)* thin; tenuous **3** *(subtil)* subtle
teologia *nf* theology
teológico *adj* theological
teólogo *nm* theologist
teor *nm* **1** (texto, conversa) tenor; purport **2** QUÍM content; **baixo teor alcoólico** low alcohol content; **teor de zinco** zinc contents
teorema *nm* MAT theorem
teoria *nf* theory ◆ **teoria da relatividade** theory of relativity
teoricamente *adv* theoretically; in theory
teórico *nm* theoretician ■ *adj* theoretical
teorizar *v* to theorize (sobre, on)
tépido *adj* tepid; lukewarm; warmish
ter *v* **1** to have; **ter olhos castanhos** to have brown eyes; **ter um bebé** to have a baby **2** to be; **ter calor/frio** to be hot/cold; **quantos anos tens?** how old are you? **3** *(receber)* to get ◆ (obrigação) **ter de** to have to; **ir ter a** to lead to; **ir ter com** to meet; **não tem de quê** not at all
terapeuta *n2g* therapist
terapêutica *nf* MED therapeutics
terapêutico *adj* therapeutic, therapeutical
terapia *nf* therapy ◆ **terapia da fala** speech therapy; **terapia de grupo** group therapy
térbio *nm* terbium
terça-feira *nf* Tuesday
terceira *nf* (automóvel) third gear
terceira idade *nf* seniority
terceiro *num ord > adj num*[DT] third ■ *nm* **1** third **2** *(mediador)* mediator; third party
Terceiro Mundo *nm* Third World
terceto *nm* **1** LIT tercet **2** MÚS trio
terciário *adj* tertiary; **setor terciário** tertiary sector
terço *nm* **1** *(terça parte)* third part, third **2** REL rosary; **rezar o terço** to say one's beads
terebintina *nf* QUÍM turpentine
termal *adj2g* thermal; **água termal** thermal water
termas *nfpl* thermal baths; hot springs

térmico *adj* thermal; **energia térmica** thermal energy
terminação *nf* **1** *(fim)* termination; ending **2** LING ending
terminal *adj2g,nm* (geral) terminal
terminante *adj2g* **1** *(categórico)* categorical; absolute **2** *(decisivo)* conclusive; decisive
terminantemente *adv* **1** categorically **2** once and for all
terminar *v* to end; to finish; **está terminado** it's over
término *nm* **1** *(fim)* finish; end **2** *(limite)* limit
terminologia *nf* terminology
térmite *nf* termite
termo[1] /é/ *nm* (garrafa) Thermos flask GB, Thermos bottle EUA
termo[2] /ê/ *nm* **1** *(fim)* end **2** *(vocábulo)* term; word **3** *pl (boas maneiras)* good manners; **ter termos** to have good manners ♦ **em termos de** in terms of; **meio termo** compromise
termómetro *nm* thermometer
termonuclear *adj2g* thermonuclear
termóstato ou **termostato** *nm* thermostat
terno *adj* tender; fond; loving ■ *nm* **1** (jogo de cartas) three **2** *col (queda)* fall; tumble; **dar um terno** to take a tumble
ternura *nf* tenderness; fondness; lovingness
terra *nf* **1** (superfície terrestre) land **2** *(terreno)* soil; ground **3** *(país)* land; country **4** (planeta) [com maiúscula] Earth
terraço *nm* terrace
terramoto *nm* earthquake
terraplenagem *nf* ground levelling
terraplenar *v* to level ground
terreiro *nm* **1** *(adro)* public square **2** (terreno livre) yard
terreno *nm* **1** *(solo)* ground; soil **2** GEOG terrain; **terreno montanhoso** mountainous terrain **3** *(lote)* plot; site; **terreno para construção** building plot ■ *adj* earthly
térreo *adj* ground; **piso térreo** ground floor
terrestre *adj2g* terrestrial
terrina *nf* tureen
territorial *adj2g* territorial; **águas territoriais** territorial waters
território *nm* (geral) territory
terrível *adj2g* terrible; shocking; dreadful
terrivelmente *adv* terribly
terror *nm* **1** *(medo)* terror; dread **2** CIN horror; **filme de terror** horror film
terrorismo *nm* terrorism; **combater o terrorismo** to fight terrorism
terrorista *adj,n2g* terrorist
tertúlia *nf* get-together; gathering
tesão *nm cal* hard-on
tese *nf* **1** thesis **2** *(argumento)* thesis; argument ♦ **tese de doutoramento** doctoral thesis
teso *adj* **1** *(sem flexibilidade)* stiff; rigid **2** *(esticado)* tight; taut **3** *pop (sem dinheiro)* broke
tesoura *nf* scissors, a pair of scissors; **onde está a tesoura?** where are the scissors?
tesouraria *nf* **1** (finanças públicas) treasury **2** (instituição, empresa) treasurer's department, treasury
tesoureiro *nm* **1** (finanças públicas) treasurer **2** (empresa, instituição) cashier
tesouro *nm* **1** (dinheiro, joias) treasure **2** *(erário)* exchequer; Treasury **3** *fig* (estima, valor) treasure; precious
testa *nf* forehead; brow
testa-de-ferro *a nova grafia é* **testa de ferro**[AO]
testa de ferro[AO] *nm* figurehead
testamento *nm* **1** DIR will **2** *fig (texto extenso)* long text
testar *v* **1** *(experimentar)* to try out; to test; **testar um modelo novo de um carro** to test a new model of a car **2** (conhecimento) to test; to examine; **testar os conhecimentos** to put one's knowledge to the test
teste *nm* test ♦ **teste surpresa** pop quiz
testemunha *nf* witness
testemunhar *v* **1** DIR to testify **2** *(comprovar)* to testify to; to attest **3** *(presenciar)* to witness; to see
testemunho *nm* **1** *(declaração)* testimony; statement **2** *(prova)* proof (de, of); token (de, of); **em testemunho da minha amizade** as a token of my friendship **3** DESP (estafeta) baton
testículo *nm* testicle
testo *nm* lid; cover
teta *nf* (animal) udder
tétano *nm* MED tetanus
tetina *nf* (biberão) teat GB, nipple EUA
teto[AO] *nm* **1** (de construção) ceiling **2** (de automóvel) roof; **teto de abrir** sun roof **3** *(limite)* limit; ceiling
tetraneto *nm* (homem) great-great-great-grandson; (mulher) great-great-great-granddaughter
tetravó *nf* great-great-great-grandmother

tetravô *nm* great-great-great-grandfather
tétrico *adj* gruesome; macabre
tétum *nm* (língua) Tetum
teu *det poss* your; **o teu carro** your car; **um amigo teu** a friend of yours ▪ *pron poss* yours; **isto é teu** this is yours
têxtil *adj2g* textile; **indústria têxtil** textile industry
texto *nm* text
textual *adj2g* **1** (texto) textual; **análise textual** textual analysis **2** *(literal)* literal; word by word
textualmente *adv* **1** textually **2** *(literalmente)* literally; in fact
textura *nf* **1** texture **2** (composição) structure
texugo *nm* badger
tez *nf* complexion
thriller ou **tríler** *nm* thriller
ti *pron pess* you; **isto é para ti** this is for you
tia *nf* aunt
tia-avó *nf* great-aunt
tiara *nf* tiara
tibetano *adj,nm* Tibetan
Tibete *nm* Tibet
tíbia *nf* shinbone, tibia
tifo *nm* MED typhus
tifoide[AO] *adj* MED typhoid; **febre tifoide** typhoid fever, typhus fever
tifóide *a nova grafia é* **tifoide**[AO]
tigela *nf* bowl ♦ **de meia tigela** shabby
tigre *nm* tiger
tijoleira *nf* tile; **chão de tijoleira** tile floor
tijolo *nm* brick
til *nm* LING tilde
tília *nf* lime tree GB; linden EUA; **chá de tília** lime tea
tilintar *v* (metal, vidro) to clink, to chink; to tinkle
timbale *nm* MÚS timbal, kettledrum
timbrado *adj* **1** (papel selado) stamped **2** (com cabeçalho impresso) with a letterhead
timbre *nm* **1** *(carimbo)* stamp; mark; seal **2** MÚS (voz, instrumento) timbre
timidez *nf* shyness; timidity
tímido *adj* shy; timid
timorense *adj,n2g* East Timorese
Timor-Leste *nm* East Timor
tímpano *nm* tympanum, eardrum
tina *nf* (recipiente) vat; tub
tingir *v* **1** *(meter em tinta)* to dye **2** (cabelo) to tint; to dye **3** *(mudar a cor)* to tinge (de, with); **tingir de azul** to tinge with blue
tinhoso *adj col (invejoso)* grudging
tinir *v* (vidro, metal) to chink; to clink
tino *nm* **1** *(juízo)* judgment; sense **2** *(prudência)* prudence; caution ♦ **com tino** wisely; **perder o tino** to lose one's mind; **sem tino nenhum** bearing no sense at all
tinta *nf* **1** (escrita, impressão) ink **2** (roupa, cabelo) dye; **tinta para o cabelo** hair dye **3** (paredes, quadros) paint ♦ **estar-se nas tintas** not to care a straw
tinta-da-china *a nova grafia é* **tinta da China**[AO]
tinta da China[AO] *nf* Indian ink
tinteiro *nm* **1** (canetas) ink bottle; inkpot **2** INFORM (impressora) cartridge
tintim *nm* **tintim por tintim** in full detail
tinto *adj* (vinho) red
tintura *nf* FARM tincture
tinturaria *nf* dyer's
tio *nm* uncle
tio-avô *nm* great-uncle
típico *adj* **1** *(representativo)* typical; characteristic; representative **2** *(próprio)* typical (de, of); **isso é típico dele** that's typical of him **3** (região) regional; provincial; **trajes típicos** regional costumes
tipo *nm* **1** *(género)* type; kind **2** *col (indivíduo)* guy; chap
tipografia *nf* **1** (atividade) typography; printing **2** (oficina) printing office; printshop
tique *nm* **1** (som) tick **2** (espasmo) twitch; tic ♦ **tique nervoso** nervous tic; nervous twitch
tiquetaque *nm* tictac; ticking ♦ **fazer tiquetaque** to tictac
tira *nf* **1** (papel, pano) strip; shred **2** *(fita)* ribbon **3** *(faixa)* band ♦ **tira de banda desenhada** comic strip
tira-cápsulas *nm2n* bottle opener
tiracolo *nm* **a tiracolo** slung from the shoulder
tiragem *nf* **1** circulation; output; edition **2** (livros, jornais, revistas) number of copies **3** (ar) draught, draft
tira-linhas *nm2n* drawing-pen
tiramisu *nm* (sobremesa) tiramisu
tirania *nf* tyranny; oppression
tirânico *adj* tyrannical; despotic; oppressive
tirano *nm* tyrant; oppressor
tira-nódoas *nm2n* stain remover
tirar *v* **1** *(retirar)* to take off; to remove **2** *(afastar)* to take away; **tira isso daqui** take that away

3 *(roubar)* to take **4** (dente) to extract; to pull out **5** (documento, classificação) to get; to obtain **6** (roupa) to take off **7** (curso) to take on **8** (conclusão) to draw

tiritar *v* to shiver; to tremble; to quiver

tiro *nm* **1** *(disparo)* shot; gunshot; **levar um tiro** to be shot **2** (atividade) shooting; firing ♦ **tiro ao alvo** target practice

tiroide[AO] *nf* thyroid

tiróide *a nova grafia é* **tiroide**[AO]

tiroteio *nm* shooting; shoot-out

tisana *nf* FARM tisane, ptisan

titã *nm* MIT Titan

titânio *nm* titanium

titular *n2g* **1** (ministério) minister **2** *(detentor)* holder; **titular de uma conta** holder of an account **3** DESP title-holder

titularidade *nf* titularity

título *nm* **1** title **2** (jornal) headline **3** (documento) deed; bond **4** *(motivo)* motive; **a título de curiosidade** out of curiosity ♦ **a título pessoal** on an individual basis

toa *nf* random ♦ **à toa** at random; inconsiderately

toada *nf (melodia)* tune

toalha *nf* **1** (mesa) cloth; **toalha de mesa** tablecloth; **pôr a toalha** to lay the cloth **2** (quarto de banho) towel; **toalha das mãos** hand towel; **toalha de banho** bath towel

toalhete *nm* (higiene) tissue; small towel

tobogã *nm* toboggan

toca *nf* **1** (animais pequenos) burrow; hole; dwelling **2** (animais ferozes) den; lair

tocado *adj* **1** touched **2** (fruta, legume) bruised **3** (com álcool) tipsy, slightly drunk

tocante *adj2g* **1** (tato) touching; moving **2** (assunto) concerning; **no tocante a essa questão** as far as this issue is concerned

tocar *v* **1** (com as mãos) to touch (em, -) **2** (instrumento) to play **3** (campainha, telefone, sino) to ring **4** *(estar próximo de)* to be contiguous to **5** (assunto) to mention (em, -) **6** *(comover)* to move; to touch

tocha *nf* torch

toco *nm* **1** (árvore, dentes) stump **2** (cigarro, lápis) stub; end

todavia *conj > adv*[DT] **1** *(contudo)* nevertheless; yet; however **2** *(ainda assim)* all the same

todo *det indef* **1** all; every; **toda a gente** everybody **2** *(qualquer)* any; **a todo o momento** at any time ▪ *pron indef pl* all; everybody; everyone ▪ *adj* whole ▪ *adv* through; all over ♦ **a todo o momento** any time now

todo-o-terreno *nm2n* all-terrain; land rover

todo-poderoso *adj* all-mighty

tofu *nm* tofu

toga *nf* **1** HIST (Roma antiga) toga **2** (magistrado, professor universitário, advogado) gown; robe

Togo *nm* Togo

togolês *adj,nm* Togolese

toilette *nf* **1** (roupa) outfit **2** *(higiene pessoal)* personal hygiene

tojo *nm* furze; gorse

tola *nf pop (cabeça)* nut *col*

tolar *nm* (antiga moeda) tolar

toldar *v* **1** *(cobrir com toldo)* to hang an awning over **2** (tempo) to cloud ▪ **toldar-se** (tempo) to become cloudy

toldo *nm* (loja, varanda) awning; canopy

tolerância *nf* **1** (atitude) tolerance; open-mindedness **2** *(resistência)* resistance; endurance ♦ (trabalho) **tolerância de ponto** leave for a day off; **tolerância zero** zero tolerance

tolerante *adj2g* **1** (pessoa) tolerant; open-minded **2** (organismo) tolerant; resistant

tolerar *v* **1** (aceitação) to tolerate **2** *(aturar)* to suffer; to bear; to put up with

tolher *v* to hinder; to check; to thwart

tolice *nf* **1** *(disparate)* nonsense **2** *(loucura)* silliness; folly; craziness

tolo *adj* foolish; silly ▪ *nm* fool ♦ **fazer figura de tolo** to act the fool

tom *nm* (geral) tone ♦ (voz) **baixar o tom** to lower one's voice

tomada *nf* **1** taking; **tomada de decisões** decision-making **2** (eletricidade) socket **3** *(conquista)* capture

tomado *adj* **1** (ingestão) taken **2** (domínio) seized; overtaken; **tomado de medo** overtaken by fear

tomar *v* **1** to take **2** (alimento, medicamento) to have **3** *(ocupar)* to capture; to take **4** (coragem) to gain **5** *(considerar)* to take (por, for); to think (por, -)

tomate *nm* tomato ♦ *cal* (coragem) **ter tomates** to have balls *cal*

tomateiro *nm* tomato plant

tombadilho *nm* poop deck

tombar *v* **1** (queda) to topple over; to fall over **2** *(inclinar)* to tilt; to incline

tombo *nm* tumble; fall; **dar um tombo** to fall down
tômbola *nf* tombola
tomilho *nm* thyme
tomo *nm* (obra) tome; volume
tomografia *nf* MED tomography
tona *nf* (água) surface ♦ **à tona de água** afloat, awash; **vir à tona** to come to the surface; to emerge
tonalidade *nf* (cor) hue; tint; shade
tonel *nm* tun; vat
tonelada *nf* ton
toner *nm* (impressora, fotocopiadora) toner
Tonga *nm* Tonga
tonganês *adj,nm* Tonganese
tónica *nf* **1** *(tema principal)* main point; main topic **2** LING stressed syllable
tónico *adj* **1** (substância) tonic; **água tónica** tonic water; **gim tónico** gin and tonic **2** LING stressed ■ *nm* FARM tonic
tonificante *adj2g* invigorating
tonificar *v* (pele, músculo) to strengthen; to invigorate
tonto *adj* **1** *(atordoado)* giddy, dizzy **2** *(idiota)* silly; daft
tontura *nf* **1** (estado) dizziness, giddiness; **estou com tonturas** I feel dizzy **2** *(vertigem)* vertigo
top *nm* **1** (roupa) top **2** (tabela de vendas) charts
topar *v col (perceber)* to get; to figure out; **estou a topar** I get it
topázio *nm* topaz
tópico *nm* topic; theme; **por tópicos** in topic ■ *adj* **1** topical **2** FARM external; **uso tópico** external use
topless *nm* topless
topo *nm* top; summit; peak
topografia *nf* topography
topográfico *adj* topographical
topónimo *nm* toponym, place name
toque *nm* **1** (tato) touch **2** (sinos) chime **3** (campainha, telefone) ringing **4** (telefonema) ring; **depois dou-te um toque** I'll give you a ring later **5** (buzina) toot; hoot **6** (telemóvel) ringtone
torácico *adj* thoracic
toranja *nf* grapefruit
tórax *nm* thorax
torcer *v* **1** to twist **2** (roupa) to wring **3** (articulação, osso) to sprain; to wrench **4** *(distorcer)* to distort ♦ **torcer por** to support; to root for; **não dar o braço a torcer** not to give in
torcicolo *nm* (pescoço) stiff neck; crick in the neck
tordo *nm* thrush
tório *nm* thorium
tormenta *nf* storm; tempest
tormento *nm* **1** *(tortura)* torment; torture **2** (dor extrema) torment; agony; anguish
tornado *nm* tornado; cyclone
tornar *v* **1** *(fazer)* to make; to render; **a vida tornou-o duro** life hardened him **2** *(repetir)* to do again **3** *(regressar)* to return (a, to) ■ **tornar-se** to become
tornear *v* **1** *(voltar)* to turn **2** (peça, objeto) to shape **3** (espaço, lugar) to go round **4** *(evitar)* to bypass
torneio *nm* DESP tournament
torneira *nf* tap GB; faucet EUA
torniquete *nm* MED (instrumento) tourniquet
torno *nm* **1** (madeira, metal) lathe **2** (utensílio para prender objeto) vice; clamp **3** (oleiro) potter's wheel ♦ **em torno de** about; around
tornozelo *nm*
toro *nm* **1** *(tronco cortado)* log **2** *(resto de árvore cortada)* stump
torpe *adj2g* base; vile
torpedeiro *nm* torpedo boat
torpedo *nm* MIL torpedo
torpor *nm* **1** MED (estado físico) torpor; drowsiness **2** *fig* (estado psicológico) lethargy; numbness
torrada *nf* toast
torradeira *nf* toaster
torrão *nm* (porção) lump
torrar *v* to toast; to roast
torre *nf* **1** (geral) tower **2** (xadrez) rook, castle ♦ **Torre de Babel** Tower of Babel; (aeroporto) **torre de controlo** control tower
torrencial *adj2g* torrential; **chuva torrencial** pouring rain
torrencialmente *adv* in torrent; flowing down; **está a chover torrencialmente** it's raining cats and dogs
torrente *nf* **1** torrent **2** *fig (grande quantidade)* torrent (de, of); stream (de, of)
torresmo *nm* crackling
tórrido *adj* torrid; scorching; scalding
torso *nm* torso; trunk
torta *nf* (sem cobertura) tart; (com cobertura) pie

torteira *nf* (forma) pie dish; pie plate
tortilha *nf* tortilla
torto *adj* **1** *(torcido)* crooked; bent; twisted **2** *(enviesado)* awry; not straight **3** (resposta) blunt ♦ **a torto e a direito** by hook or by crook
tortuoso *adj* tortuous; twisted; sinuous
tortura *nf* **1** *(tormento)* torture **2** *fig (angústia)* anguish; pain; torment ♦ **estar a ser torturado** to be under torture
torturar *v* to torture
tosco *adj* **1** *(grosseiro)* coarse; uncouth; rough **2** *(desajeitado)* awkward; clumsy
tosquia *nf* shearing
tosquiador *nm* shearer
tosquiar *v* **1** (ovelhas) to shear **2** (cães, cavalos) to clip
tosse *nf* cough; **ter tosse** to have a cough ♦ **tosse convulsa** whooping cough
tossicar *v* **1** (tosse seca) to hack **2** (tosse persistente) to give a little cough; to cough slightly
tossir *v* to cough
tosta *nf* **1** (pão) toast **2** *col (calor)* heat; **que tosta!** what a blazing heat! ♦ **tosta mista** ham and cheese toast
tostão *nm* old Portuguese coin ♦ **não ter um tostão** not to have a cent
tostar *v* **1** (pão) to toast **2** (assado) to roast **3** (pele) to parch
total *adj2g* total; whole ▪ *nm* total
totalidade *nf* totality; whole; entirety ♦ **na totalidade** on the whole
totalista *n2g* betting winner
totalitário *adj* POL totalitarian
totalizar *v* to total
totalmente *adv* totally; completely; entirely
totó *nm* **1** *col (lorpa)* simpleton; dork **2** *pl* (cabelo) bunches
totobola *nm* football pools
totoloto *nm* lotto
touca *nf* **1** cap **2** (banheira, chuveiro) shower cap **3** (piscina) swim cap
toucador *nm* dressing table
toucinho *nm* bacon
toupeira *nf* mole
tourada *nf* **1** bullfight **2** *fig (desordem)* hubbub
toureador *nm* bullfighter
tourear *v* to fight bulls
toureio *nm* bullfighting
toureiro *nm* bullfighter, toreador
tournée *nf* tour ♦ **fazer uma tournée** to go on a tour
touro *nm* **1** bull **2** (constelação, signo) [com maiúscula] Taurus
toutinegra *nf* blackcap
toxicidade *nf* toxicity; poisonousness
tóxico *adj* toxic; poisonous ▪ *nm* **1** *(veneno)* poison **2** *(droga)* drug
toxicodependência *nf* drug addiction
toxicodependente *n2g* drug addict, addict
toxina *nf* MED toxin
trabalhado *adj* (material) wrought; elaborate
trabalhador *nm* worker; employee ▪ *adj* **1** (pessoa) hard-working **2** (classe) working
trabalhar *v* **1** (atividade) to work; **onde trabalhas?** where do you work? **2** (objeto) to operate, to work (com, with); **trabalhar com o computador** to operate a computer **3** (motor, carro, máquina) to start; to run **4** (terra) to till
trabalheira *nf* hard work; **que trabalheira!** what an effort!
trabalhista *adj2g* POL Labour; **partido trabalhista** Labour Party ▪ *n2g* POL Labour Party member
trabalho *nm* **1** (ato) work **2** *(emprego)* job; employment **3** *(tarefa)* task **4** (esforço) effort ♦ **trabalho de casa** homework
trabalhoso *adj* **1** *(árduo)* laborious; toilsome **2** *(difícil)* demanding **3** *(cansativo)* tiresome
traça *nf* clothes moth
traçado *adj* **1** (esquema) outlined; designed **2** (plano, projeto) planned **3** (papel, tecido) motheaten ▪ *nm* **1** *(esboço)* outline; sketch **2** *(planeamento)* planning; **traçado de uma estrada** road planning
tração[AO] *nf* **1** traction; **tração elétrica** electric traction **2** (veículo) drive; **tração às quatro rodas** four-wheel drive
traçar *v* **1** (linha) to draw **2** *(esboçar)* to sketch **3** (plano, projeto) to draw **4** (capa) to tuck up
tracção *a nova grafia é* **tração**[AO]
tracejado *nm* dotted line ▪ *adj* dotted
traço *nm* **1** *(linha)* line **2** *(feição)* feature; trait **3** *fig (vestígio)* track; sign; trace
tracto *a nova grafia é* **trato** [1 AO]
tractor *a nova grafia é* **trator**[AO]
tradição *nf* tradition ♦ **tradições populares** folklore
tradicional *adj2g* traditional
tradicionalismo *nm* traditionalism

tradicionalista *n2g* traditionalist ▪ *adj2g* traditional
tradução *nf* **1** (línguas) translation (de, from; para, into); **tradução simultânea** simultaneous translation **2** *fig (interpretação)* interpretation, explanation
tradutor *nm* translator; (oral) interpreter
traduzir *v* **1** to translate (de, from; para, into) **2** (interpretação); to interpret **3** *(exprimir)* to express ▪ **traduzir-se** (resultado) to result (em, in)
tráfego *nm* **1** *(trânsito)* traffic; **tráfego aéreo** air traffic **2** *(comércio)* trade; commerce
traficante *n2g* dealer; trafficker ♦ **traficante de drogas** drug trafficker; drug pusher
traficar *v* (negócio ilegal) to traffic in; **traficar droga** to traffic in drugs
tráfico *nm* (negócio ilegal) traffic ♦ **tráfico de armas** gunrunning; **tráfico de drogas** drug traffic; **tráfico de influências** influence peddling
tragédia *nf* **1** LIT tragedy **2** *fig* (acontecimento) tragedy; calamity; disaster
trágico *adj* **1** tragic; **heróis trágicos** tragic heroes **2** *fig* (acontecimento) tragic; fatal; disastrous
tragicomédia *nf* TEAT tragicomedy
tragicómico *adj* tragicomic
trago *nm* gulp; draught; **beber de um trago** to empty at one gulp
traição *nf* **1** treason; **crime de alta traição** high treason **2** (amizade) betrayal
traiçoeiro *adj* treacherous; disloyal; unfaithful
traidor *nm* traitor; betrayer
trailer *nm* (cinema) trailer
traineira *nf* trawler
trair *v* **1** (geral) to betray **2** (relação) to cheat on **3** *(denunciar)* to give away
trajar *v* to dress; to wear
traje *nm* **1** (cerimónia) dress; **traje de cerimónia** full dress, formal dress; **traje de noite** evening dress **2** (país) costume; **museu do traje** costume museum ♦ **em trajes menores** in smalls; in underwear
trajecto *a nova grafia é* **trajeto**[AO]
trajectória *a nova grafia é* **trajetória**[AO]
trajeto[AO] *nm* **1** *(percurso)* way; course; road; **no trajeto para casa** on one's way home **2** *(viagem)* journey
trajetória[AO] *nf* trajectory
tralha *nf col* stuff; gear
trama *nf* **1** (fio) woof; weft **2** *fig (conspiração, enredo)* plot
tramado *adj* **1** *pop (complicado)* messy **2** *pop (enganado)* swindled
tramar *v* **1** *(conspirar)* to plot; to conspire **2** *pop (prejudicar)* to frame; **tramaram-no** he was framed
trambolhão *nm* tumble; fall; **dar um trambolhão** to fall flat down ♦ **andar aos trambolhões** to come tumbling down
trâmite *nm* **1** *(caminho)* course; path **2** *pl (procedimentos)* procedures; **seguir os trâmites legais** to follow legal procedures
tramoia[AO] *nf pop* plot; scheme
tramóia *a nova grafia é* **tramoia**[AO]
trampa *nf pop* crap; shit; dung
trampolim *nm* **1** (ginástica) trampoline; springboard **2** (piscina) diving-board
tranca *nf* bar; sash fastener
trança *nf* **1** (cabelo) plait; pigtail **2** (fios) braid
trancar *v* **1** (barra) to bar **2** (ferrolho) to bolt **3** (porta) to lock **4** (documento) to cancel
tranquilamente *adv* quietly; calmly; peacefully
tranquilidade *nf* **1** *(paz)* tranquillity; peacefulness **2** *(sossego)* calmness; stillness; quietness
tranquilizador *adj* tranquillizing; reassuring
tranquilizante *nm* FARM tranquillizer
tranquilizar(-se) *v* to calm down
tranquilo *adj* **1** tranquil; peaceful **2** (pessoa) serene; tranquil; calm
transação[AO] *nf* **1** *(troca)* transaction **2** *(acordo)* agreement **3** *(negócio)* deal; business
transacção *a nova grafia é* **transação**[AO]
transaccionar *a nova grafia é* **transacionar**[AO]
transacionar[AO] *v* **1** (bens) to transact **2** *(negociar)* to deal
transacto *a nova grafia é* **transato**[AO]
transatlântico *adj* transatlantic ▪ *nm* transatlantic liner
transato[AO] *adj* last; past
transbordar *v* **1** (curso de água) to overflow **2** (recipiente) to brim over; to spill over **3** *fig* (sentimento) to overflow (de, with); **transbordar de felicidade** to overflow with happiness
transbordo *nm* (passageiros, mercadorias) transhipment; transfer; **fazer transbordo** to change GB, to transfer EUA

transcendental *adj2g* transcendental; **meditação transcendental** transcendental meditation
transcendente *adj2g* transcendent
transcender *v* **1** *(ultrapassar)* to surpass **2** *(exceder)* to exceed
transcontinental *adj2g* transcontinental
transcrever *v* to transcribe; to copy out
transcrição *nf* **1** *(reprodução)* transcription; copy **2** *(texto transcrito)* transcript ♦ LING **transcrição fonética** phonetic transcription
transe *nm* (hipnose) trance; **entrar em transe** to go into a trance
transeunte *n2g* passer-by; pedestrian
transexual *adj,n2g* transsexual
transfer *nm* (entre aeroporto e hotel) transfer
transferência *nf* **1** (pessoa, objeto) transference; transfer **2** *(mudança)* change; shift **3** ECON (bancária) giro
transferidor *nm* GEOM protractor
transferir *v* **1** (pessoa, objeto) to transfer **2** *(mudar)* to shift; to change **3** (tempo) to postpone
transfiguração *nf* transfiguration; transformation
transfigurar *v* to transfigure; to transform ▪ **transfigurar-se** to be transfigured
transformação *nf* transformation
transformador *nm* ELET transformer
transformar *v* to transform (em, into), to change (em, into) ▪ **transformar-se** to become (em, into)
transfusão *nf* transfusion ♦ MED **transfusão de sangue** blood transfusion
transgénico *adj* (organismo, planta) genetically modified
transgredir *v* (lei, regras) to break, to transgress; to infringe
transgressão *nf* **1** (valores) transgression **2** (lei) infringement; violation **3** (pacto) breach
transgressor *nm* transgressor; lawbreaker
transição *nf* transition; **uma época de transição** a period of transition
transigência *nf* **1** (aceitação) compliance; compromise **2** *(tolerância)* tolerance
transigente *adj2g* **1** (acordo) compliant; compromising **2** broadminded; *(tolerante)* tolerant
transigir *v* **1** (acordo) to comply; to compromise **2** (cedência) to yield
transístor *nm* ELET transistor
transitar *v* **1** *(atravessar)* to pass (para, to) **2** *(circular)* to circulate; to move
transitável *adj2g* passable
transitivo *adj* LING (verbo) transitive
trânsito *nm* **1** (estradas) traffic **2** (passageiros, mercadorias) transit; **passageiros em trânsito** passengers in transit
transitório *adj* **1** *(passageiro)* transitory; temporary **2** *(efémero)* transient
translação *nf* FÍS translation
transladação *nf* (objetos) removal; conveyance
transladar *v* ⇒ **trasladar**
transmissão *nf* **1** *(passagem)* transmission; **transmissão de conhecimentos** transmission of knowledge **2** broadcast; transmission; **transmissão ao vivo** live broadcast **3** MEC transmission; **sistema de transmissão** system of transmission ♦ **transmissão de pensamento** thought transmission
transmissível *adj2g* transmittable; **doença sexualmente transmissível** sexually transmitted disease
transmissor *nm* transmitter
transmitir *v* **1** to transmit **2** (programa) to broadcast **3** (vírus, doença) to contaminate with **4** (ideia, conhecimento) to pass on
transparecer *v* to show through
transparência *nf* **1** (textura) transparency **2** FOT transparency; slide
transparente *adj2g* **1** (material) transparent **2** *fig (evidente)* clear; plain
transpiração *nf* **1** perspiration; transpiration **2** *(suor)* sweat
transpirar *v* **1** (pessoa) to perspire **2** *fig* (notícia) to leak out; to transpire
transplantar *v* to transplant
transplante *nm* MED transplant; **transplante de coração** heart transplant
transpor *v* **1** (barreira) to leap over; to get over **2** (dificuldade) to overcome
transportadora *nf* (empresa) carrier ♦ **transportadora aérea** air company; **transportadora de mobiliário** haulage company
transportar *v* **1** (mercadorias) to transport; to carry **2** *(levar)* to carry; **transportar uma mala** to carry a suitcase
transporte *nm* **1** (ação, veículo) transport **2** transfer
transposição *nf* transposition
transtornado *adj* upset; disturbed

transtornar *v* to upset; to disorganize
transtorno *nm* **1** (ato) inconvenience **2** *fig (contratempo)* disturbance, annoyance **3** *fig* (perturbação mental) mental disorder
transversal *adj2g* **1** transverse; **linha transversal** transverse line **2** (rua) side; **rua transversal** side street
trapaça *nf* trick; swindle
trapacear *v* to cheat
trapaceiro *nm* cheat; trickster ▪ *adj* deceitful
trapalhada *nf* mess; **que trapalhada!** what a mess!
trapalhão *nm* **1** *(desastrado)* clumsy; awkward; **és tão trapalhão!** you're so clumsy! **2** (trabalho) bungler; incompetent
trapézio *nm* **1** DESP trapeze **2** GEOM trapezium GB; trapezoid EUA
trapezista *n2g* trapezist, trapeze artist
trapo *nm* rag; **boneca de trapos** rag-doll
traque *nm col* fart; **dar um traque** to break wind
traqueia *nf* trachea, windpipe
traquejo *nm pop* experience; practice; **ter muito traquejo em alguma coisa** to have a lot of experience in something
traquina *adj2g* (criança) naughty; wild ▪ *n2g* brat; naughty child
traquinice *nf* prank; practical joke
trás *adv* **1** behind; **por trás** from behind **2** back; **porta de trás** back door ▪ *interj* bang!
traseira *nf* **1** back part; rear **2** *pl* (casa) back; rear ♦ **fugir pelas traseiras** to get away through the back
traseiro *adj* back; rear ▪ *nm col* behind; backside
trasladação *nf* **1** (mudança de sítio) removal **2** (transporte) conveyance
trasladar *v (mudar de sítio)* to remove
traste *nm* **1** *(coisa velha)* piece of junk **2** *pej* (pessoa) good-for-nothing; creep
tratado *nm* **1** (estudo, obra) treatise **2** POL treaty; **tratado de paz** peace treaty
tratador *nm* groom; trainer
tratamento *nm* **1** (físico) treatment **2** (cuidados a doentes) nursing **3** (entre pessoas) form of address **4** (lixo, resíduos) disposal
tratar *v* **1** to treat **2** *(abordar)* to handle; **trata o assunto com cuidado** handle the matter carefully **3** (lixo, resíduos) to dispose of **4** (assunto, situação) to take care (de, of) ▪ **tratar-se 1** (saúde) to be under treatment **2** (assunto) to be the matter; **trata-se de...** the question is...; **de que se trata?** what's the matter?
trato[1 AO] *nm* tract
trato[2] *nm* **1** *(modos)* manner **2** *(acordo)* agreement; pact; treaty
trator[AO] *nm* tractor; **trator agrícola** farm tractor
trauma *nm* PSIC trauma; **trauma de infância** childhood trauma
traumático *adj* traumatic; **experiências traumáticas** traumatic experiences
traumatismo *nm* MED traumatism; **traumatismo craniano** concussion
traumatizante *adj2g* (experiência) damaging
traumatizar *v* to traumatize
traumatologia *nf* **1** MED traumatology **2** (hospital) casualty department; emergency department
trautear *v* to hum
travado *adj* **1** (veículo) with the brakes on; **deixaste o carro travado?** have you put the brakes on? **2** (saia) hobble **3** (porta) locked
travagem *nf* brake, braking; **travagem brusca** sudden braking
trava-línguas *nm2n* tongue-twister
travão *nm* (veículo) brake; **travão de mão** handbrake ♦ **pôr travão a** to put a curb on
travar *v* **1** (aparelho, veículo) to brake **2** (processo) to hinder **3** (porta) to lock **4** (luta) to fight
trave *nf* beam, crossbeam ♦ DESP **trave olímpica** beam
través *nm* **de través** crosswise
travessa *nf* **1** (rua) crossroad; narrow street; by-street **2** (para comida) plate; dish **3** (cabelo) sidecomb
travessão *nm* **1** LING (sinal gráfico) dash **2** (cabelo) slide **3** (balança) beam
travesseiro *nm* bolster ♦ **consultar o travesseiro** to sleep on it
travessia *nf* crossing; passage; **travessia do canal da Mancha** crossing of the English Channel
travesso *adj* (criança) naughty; playful
travessura *nf* prank; practical joke
travesti *n2g* transvestite
travo *nm* bad taste; acrid taste
trazer *v* **1** to bring **2** (objeto) to carry **3** (roupa) to wear; to have on **4** (informações) to bear; to bring **5** (consequências) to bring about

trecho *nm* **1** MÚS piece **2** (obra) passage; extract
trégua *nf* **1** *(pausa)* rest; pause **2** *pl* (guerra) truce
treinador *nm* **1** DESP coach; trainer; **treinador de uma equipa de futebol** coach of a football team **2** (animais) trainer; *(domador)* tamer
treinar *v* **1** DESP to train; (treinador) to coach **2** *(exercitar)* to practise
treino *nm* **1** DESP training; exercise **2** practice
trejeito *nm* **1** *(careta)* grimace **2** *(tique nervoso)* twitch
trekking *nm* (desporto) trekking
trela *nf* (cão) leash; lead; **levar o cão pela trela** to take the dog on the leash ◆ **dar trela a alguém** to let someone speak
trem *nm* **1** *(conjunto)* set; **trem de cozinha** kitchen set **2** *(instrumento)* gear; AER **trem de aterragem** landing gear **3** BRAS *(comboio)* train
trema *nf* LING diaeresis
tremelicar *v* **1** to tremble; to quiver **2** (frio) to shiver **3** (objeto) to wobble
tremelique *nm* trembling; shiver ◆ **aos tremeliques** shivering with fear
tremendo *adj* **1** *(terrível)* dreadful; terrible **2** *(assustador)* awful; frightful **3** *fig* (intensidade) immense; impressive
tremer *v* **1** (medo, frio) to tremble (de, with); to shiver (de, with) **2** (voz) to quaver **3** *(abanar)* to shake **4** (chama, luz) to flicker ◆ **tremer como varas verdes** to shake in one's shoes
tremido *adj* **1** *(que treme)* shaky; wobbly **2** *(duvidoso)* shaky; doubtful **3** *(fraco)* feeble **4** (imagem) out of focus
tremoço *nm* lupin
tremor *nm* **1** (pessoa) trembling; shiver **2** (edifício, terra) quake
trémulo *adj* **1** trembling; **lábios trémulos** trembling lips; **mãos trémulas** trembling hands **2** (voz) quavering **3** (luz) flickering
tremura *nf* trembling; shiver; quiver
trenó *nm* sledge GB, sled EUA; (puxado por animais) sleigh
trepadeira *nf* creeper; climber
trepar *v* **1** *(subir)* to climb (a, to) **2** (planta) to creep; to clamber up
trepidação *nf* **1** (movimento) trepidation **2** (agitação) bustle; stir; fuss
trepidar *v* to shake; to tremble
três *num card > quant num* DT three; **o dia três** the third
tresandar *v* (cheiro) to stink (a, of); **tresandar a vinho** to stink of wine
tresloucado *adj* mad; deranged; insane
trespassar *v* **1** *(vender)* (estabelecimento) to put on sale; *(alugar)* to hire **2** (bala, seta, etc.) to pierce through
trespasse *nm* (propriedade) transfer; conveyance
treta *nf* **1** *(balela)* nonsense **2** (estratagema) trick
trevas *nfpl* darkness; **a idade das trevas** the age of darkness
trevo *nm* clover
treze *num card > quant num* DT thirteen; **o dia treze** the thirteenth
trezentos *num card > quant num* DT three hundred
triagem *nf* sorting; screening
triangular *adj2g* triangular; **uma forma triangular** a triangular shape
triângulo *nm* triangle ◆ (veículo) **triângulo de sinalização** warning triangle
triar *v* to sort; to screen
triatlo *nm* DESP triathlon
tribo *nf* tribe; **chefe de uma tribo** head of a tribe; **membro de uma tribo** tribesman
tribuna *nf* **1** *(palanque)* tribune; platform **2** (sala de espetáculos) balcony
tribunal *nm* court, court of justice; law court; **levar a tribunal** to lay a case before the court ◆ **Tribunal da Relação** Court of Appeal; **tribunal de contas** audit department of exchequer; **tribunal de trabalho** industrial tribunal
tribuno *nm* tribune
tributação *nf* taxation ◆ **sem tributação** tax-free
tributar *v* to tax
tributável *adj2g* **1** (imposto) taxable **2** (cálculo) assessable
tributo *nm* **1** *(homenagem)* tribute; homage; **prestar tributo a alguém** to pay a tribute to someone **2** *(imposto)* tax
triciclo *nm* tricycle; trike
tricô *nm* knitting; **agulha de tricô** knitting needle; **fazer tricô** to knit
tricolor *adj2g* tricoloured
tricotar *v* to knit
tridente *nm* trident
tridimensional *adj2g* three-dimensional; **imagem tridimensional** three-dimensional image
trigémeos *nm* triplets

trigésimo *num ord > adj num*^DT^ thirtieth
trigo *nm* wheat; **pão de trigo** wheat bread
trigonometria *nf* MAT trigonometry
trilhar *v* **1** *(entalar)* to pinch; **trilhar os dedos na porta** to pinch one's fingers on the door **2** (caminho) to beat; to tread **3** *(pisar)* to tread ◆ **trilhar o seu próprio caminho** to follow one's own path
trilho *nm* **1** *(carril)* rail **2** *(caminho)* track; path
trilião *num card > quant num*^DT^ quintillion
trilogia *nf* trilogy
trimestral *adj2g* quarterly, trimonthly
trimestre *nm* quarter; trimester
trinado *nm* trill; warble; chirrup, chirp
trinca *nf* bite; **dar uma trinca em** to have a bite at
trinca-espinhas *n2g2n pop* spindle-shanks, spindle-legs
trincar *v* **1** *(morder)* to bite; **trincar a língua** to bite one's tongue **2** *(mastigar)* to chew; (algo duro) to crunch
trincha *nf* (pincel) paintbrush
trinchar *v* (carne) to carve
trincheira *nf* MIL trench
trinco *nm* (porta) latch
trindade *nf* trinity
Trindade e Tobago *nf* Trinidad and Tobago
trineto *nm* (homem) great-great-grandson; (mulher) great-great-granddaughter
trinómio *nm* MAT trinomial
trinta *num card > quant num*^DT^ thirty; **o dia trinta** the thirtieth; **os anos trinta** the thirties
trintão *nm* thirty-year-old; thirty-something
trio *nm* trio
tripa *nf* tripe
tripar *v cal (descontrolar-se)* to flip; to freak out
tripé *nm* tripod
tripla *nf* ELET (ficha) three-plug
triplicado *adj,nm* triplicate ◆ **em triplicado** in triplicate
triplicar *v* to triple; to treble; to triplicate
triplo *num mult > quant num*^DT^ triple ▪ *adj* triple; threefold
tripulação *nf* crew; (avião) aircrew
tripulante *n2g* crew member; (barco) seaman
tripular *v* **1** NÁUT,AER *(pessoal)* to man **2** NÁUT,AER *(dirigir)* to steer; to operate
trisavó *nf* great-great-grandmother
trisavô *nm* great-great-grandfather
trissomia *nf* MED trisomy
triste *adj2g* **1** (pessoa, situação) sad; **estar triste** to feel sad; **um acontecimento triste** a sad event **2** *(lamentável)* poor
tristeza *nf* sadness; sorrow
tristonho *adj* **1** (pessoa) sad-looking; sad; melancholy **2** (tempo, lugar) gloomy
trituradora *nf* grinder; crushing machine
triturar *v* to grind
triunfal *adj2g* triumphal
triunfante *adj2g* triumphant; victorious
triunfar *v* **1** (vitória) to triumph (sobre, over); to prevail (sobre, over); **triunfar sobre os inimigos** to triumph over one's enemies **2** *(ultrapassar)* to overcome (sobre, -); **triunfar sobre as adversidades** to overcome the obstacles
triunfo *nm* triumph; victory; success
trivial *adj2g* trivial; commonplace
trivialidade *nf* triviality; pettiness; insignificance
triz *nm* instant, moment ◆ **foi por um triz!** that was close!; **por um triz** by a hair's breadth
troca *nf* **1** (geral) exchange; switch; swap **2** (negócios, acordos) barter **3** (ideias, processos) interchange ◆ **troca de palavras** exchange of words; **em troca** in return
troça *nf* mockery; derision; **fazer troça de** to make fun of
trocadilho *nm* pun; play on words
trocado *nm* (dinheiro) change, small change
trocar *v* **1** to exchange; **trocar dinheiro** to exchange money **2** (lugares, coisas) to change; to switch; to swap; **trocar de casa** to move **3** *(substituir)* to replace
troçar *v* (gozo) to mock (de, -); to make fun (de, of)
troca-tintas *n2g2n (aldrabão)* humbug; trickster
trocista *adj2g* mocking; scornful; **um sorriso trocista** a mocking smile ▪ *n2g* mocker; scoffer
troco *nm* **1** (dinheiro) change, odd money; **fique com o troco** keep the change **2** *pl* small change ◆ **a troco de** in return for; in exchange for
troço *nm* **1** (estrada) stretch **2** (couves) cabbage stalk **3** *(pedaço)* fragment; piece
troféu *nm* trophy
troglodita *n2g* troglodyte
trolha *nm* construction worker

tromba *nf* **1** (elefante) trunk **2** MET waterspout **3** *pop (cara)* face ♦ **estar de trombas** to pull a long face
tromba-d'água *nf* waterspout
trombeta *nf* MÚS trumpet
trombone *nm* MÚS trombone
trombonista *n2g* trombonist
trombose *nf* MED thrombosis
trombudo *adj (carrancudo)* sulky; sullen
trompa *nf* **1** MÚS horn **2** ANAT tube
trompete *nm* MÚS trumpet
trompetista *n2g* trumpeter, trumpet player
tronco *nm* **1** (árvore) trunk; **tronco de madeira** log **2** ANAT torso; trunk **3** (genealogia) stock; lineage
trono *nm* throne; **o herdeiro do trono** the heir to the throne; **subir ao trono** to ascend to the throne
tropa *nf* **1** *(soldados)* troop **2** *(exército)* army **3** *col (serviço militar)* military service, national service; **fazer a tropa** to do national service
tropeção *nm* stumble; **dar um tropeção** to stumble
tropeçar *v* to stumble (em, on); to trip (em, over)
trôpego *adj* shaky; unsteady; doddering
tropelia *nf* **1** *(partida)* prank; practical joke **2** *(travessura)* mischief; trouble; trick **3** *(confusão)* uproar; confusion
tropical *adj2g* tropical
trópico *nm* tropic
trotar *v* to trot
trote *nm* trot; **a trote** trotting ♦ (pessoa) **ir a trote** to be in haste
trotinete *nf* scooter
trouxa *nf* (roupa) bundle; pack ▪ *n2g col* (pessoa) sucker
trova *nf* LIT ballad, song
trovador *nm* LIT troubadour; bard
trovão *nm* thunder; (muito forte) thunderclap
trovejar *v* to thunder
trovoada *nf* thunderstorm
trucidar *v* **1** *(matar com crueldade)* to butcher **2** *(esmagar)* to crush; *(mutilar)* to mutilate **3** *(destruir)* to crush
trufa *nf* BOT,CUL truffle
truncar *v* **1** (árvore) to cut off, to lop off **2** (obra) to truncate **3** *(mutilar)* to mutilate; to maim **4** *(cortar)* to shorten
trunfar *v* (jogo de cartas) to trump, to play a trump card
trunfo *nm* (jogo de cartas) trumps; trump card ♦ **ter os trunfos na mão** to hold all the cards
truque *nm* **1** trick; **qual é o truque?** what's the catch?; **um truque de magia** a magic trick **2** *(esquema)* dodge; scheme
truta *nf* trout
truz-truz *interj* knock-knock
t-shirt *nf* T-shirt
tu *pron pess* you; **e tu?** what about you? ♦ **ser tu cá tu lá** to be on most friendly terms
tua *det poss* your; **é esta a tua casa?** is this your house?; **uma amiga tua** a friend of yours ▪ *pron poss* yours; **é tua** it's yours
tuba *nf* MÚS tuba
tubagem *nf* **1** *(canalização)* piping; tubing **2** (longas distâncias) pipeline
tubarão *nm* shark
tubérculo *nm* tuber
tuberculose *nf* MED tuberculosis, TB
tuberculoso *adj* MED suffering from tuberculosis; tuberculous ▪ *nm* TB sufferer
tubo *nm* **1** *(cano)* pipe **2** *(embalagem)* tube; **tubo de pasta de dentes** tube of toothpaste
tudo *pron indef* **1** (totalidade) all; **tudo junto** all together **2** *(todas as coisas)* everything; **tudo é possível** anything is possible
tudo-nada *nm* little bit; jot; trifle
tufão *nm* typhoon, hurricane
tufo *nm* (cabelo, vegetação) tuft
tule *nm* (tecido) tulle
túlio *nm* thulium
túlipa ou **tulipa** *nf* tulip
tumba *interj* crash!; bang!
tumor *nm* MED tumour ♦ MED **tumor cerebral** brain tumour
tumular *adj2g* of the tomb; **pedra tumular** tombstone
túmulo *nm* tomb; grave
tumulto *nm* tumult; turmoil; commotion
tuna *nf* musical group of University students
túnel *nm* tunnel
tuneladora *nf* (máquina) tunneller
tungsténio *nm* tungsten
túnica *nf* tunic
tuning *nm* (carro) tuning
Tunísia *nf* Tunisia
tunisino *adj,nm* Tunisian
turba *nf* rabble; mob
turbante *nm* turban

turbilhão *nm* **1** (água) swirl; whirl; eddy **2** (vento) whirlwind; whirl **3** *fig* (processo, ato) bustling activity; bustle; stir
turbina *nf* turbine
turbo *nm* MEC turbo ♦ **motor turbo** turbo engine
turbulência *nf* **1** *(instabilidade atmosférica)* turbulence **2** *(agitação)* turbulence; unrest; unsteadiness
turbulento *adj* turbulent
turco *adj* Turkish ▪ *nm* **1** (pessoa) Turk **2** (língua) Turkish ♦ **banho turco** Turkish bath; **pano turco** Turkish towelling
turfa *nf* turf
turismo *nm* **1** (geral) tourism **2** (negócio) tourist trade; tourist industry ♦ **turismo rural** tourism in the country; **posto de turismo** tourism office
turista *n2g* tourist
turístico *adj* tourist; **visita turística** tourist visit
turma *nf* (escola) class; **chefe de turma** head boy, head girl
turno *nm* **1** (trabalho) shift; **turno da noite** night shift **2** *(vez)* turn ♦ **por turnos** by turns; by spells; **por seu turno** in his turn
Turquemenistão *nm* Turkmenistan
turquemeno *adj,nm* Turkmen
turquês *nf* pincers
turquesa *nf* MIN turquoise ▪ *adj2g,nm* (cor) turquoise
Turquia *nf* Turkey
turra *nf pop* butt with the head ♦ **andar às turras com alguém** to be on bad terms with somebody
turvar *v* **1** to cloud **2** (preocupação) to disturb
turvo *adj* **1** (água, ar) muddy; cloudy **2** *(escuro)* dark; obscure; dim
tuta-e-meia *nf pop* trifle; bargain; **comprar por tuta-e-meia** to buy for a song
tutano *nm* marrow ♦ **até ao tutano** to the marrow
tutela *nf* **1** DIR guardianship (de, -); **estar sob a tutela de alguém** to be under someone's guardianship **2** *fig (proteção)* protection (de, of); care (de, of)
tutelar *adj2g* tutelary; protective ▪ *v* **1** DIR to tutor **2** *fig (proteger)* to protect; to guard
tutor *nm* DIR tutor; guardian
tutorial *nm* INFORM tutorial
tutti frutti *adj inv* tutti-frutti
tweed *nm* (tecido) tweed

U

u *nm* (letra) u
Ucrânia *nf* Ukraine
ucraniano *adj,nm* Ukrainian
UE [*abrev. de* União Europeia] EU [*abrev. de* European Union]
uf *interj* phew!
ufa *interj* whew!; what a relief!
Uganda *nm* Uganda
ugandês *adj,nm* Ugandan
ui *interj* **1** (dor) ouch! **2** (surpresa) wow!; oh!
uísque *nm* whisky GB; whiskey EUA; **uísque com gelo** whisky on the rocks
uivar *v* to howl
uivo *nm* howl
úlcera *nf* MED ulcer ◆ **úlcera gástrica** gastric ulcer
ulterior *adj2g* (tempo futuro) ulterior; further; future
última *nf col* latest; news; **qual é a última?** what's new?
ultimamente *adv* lately, of late; recently
ultimar *v* to finalize; to complete; to settle
ultimato *nm* ultimatum; **fazer um ultimato a** to give (someone) an ultimatum, to deliver an ultimatum to
último *adj* **1** (sequência) last; **pela última vez** for the last time **2** *(conclusivo)* final; last; **último retoque** final touch **3** (enumeração) latter; **o último mencionado** the latter **4** (edifício) top ▪ *nm* last
ultrajante *adj2g* **1** *(insultuoso)* insulting **2** *(ofensivo)* outrageous
ultrajar *v* to outrage; to insult
ultraje *nm* **1** *(insulto)* insult; abuse **2** *(ofensa)* outrage; offence
ultraleve *nm* AER ultralight, ultralight plane, ultralight craft
ultramar *nm* overseas territories; **ele navegou para o ultramar** he sailed overseas
ultramarino *adj* overseas
ultramoderno *adj* ultramodern
ultrapassado *adj (antiquado)* outmoded, outdated; old-fashioned; **ideias ultrapassadas** old-fashioned ideas
ultrapassagem *nf* overtaking; **fazer uma ultrapassagem a um camião** to overtake a truck
ultrapassar *v* **1** (automóvel) to overtake GB; to pass EUA **2** (a pé) to go by; to pass (by) **3** *(superar)* to surpass; to exceed **4** *(ser melhor)* to outdo (em, in)
ultra-secreto *a nova grafia é* **ultrassecreto**[AO]
ultra-som *a nova grafia é* **ultrassom**[AO]
ultrassecreto[AO] *adj* top-secret
ultrassom[AO] *nm* FÍS ultrasound
ultravioleta *adj inv* ultraviolet; **raios ultravioleta** ultraviolet rays
um *art indef* **1** a; an; **um cão** a dog; **um elefante** an elephant **2** *(alguns)* some; a few; **uns anos atrás** some years ago **3** *(aproximadamente)* about; some; **um bom par de horas** about a couple of hours ▪ *num card > quant num*[DT] one; **um a um** one by one; **um deles** one of them ◆ **um ao outro** each other; **um e outro** both
umbigo *nm* navel
umbilical *adj2g* umbilical; **cordão umbilical** umbilical cord
unânime *adj* unanimous; united; **por voto unânime** by unanimous vote
unanimidade *nf* unanimity; accord ◆ **por unanimidade** unanimously
unção *nf* unction
undécimo *num ord > adj num*[DT] eleventh
UNESCO *nf* [*abrev. de* United Nations Educational, Scientific and Cultural Organisation]
ungir *v* to anoint
unguento *nm* FARM ointment
unha *nf* **1** (pessoas) nail, fingernail; **unha encravada** ingrowing nail; **unhas dos pés** toe nails **2** *(garra)* claw; (ave de rapina) talon; **as unhas dos gatos** cat's claws ◆ **por uma unha negra** by a scratch

unhas-de-fome *a nova grafia é* **unhas de fome**[AO]
unhas de fome[AO] *n2g2n* niggard
união *nf* **1** (países, pessoas) alliance **2** union ♦ **União Europeia** European Union; **a união faz a força** united we stand, divided we fall
unicamente *adv* **1** *(somente)* only; merely **2** *(exclusivamente)* uniquely; solely; exclusively
UNICEF *nf* [*abrev. de* United Nations Children's Fund]
único *adj* **1** (somente um) only; **ele era o único a saber** he was the only one to know; **fui lá uma única vez** I only went there once **2** (situação) sole; **com o único propósito de** with the sole purpose of **3** *(invulgar)* unique; exceptional; **ter um talento único** to have a unique talent ♦ **ser filho único** to be an only child; **preço único** set price; **tamanho único** one size
unicórnio *nm* unicorn
unidade *nf* **1** *(união)* unity **2** unit; **unidade de tempo** time unit; **unidade militar** army unit
unido *adj* **1** (instituições, acordos) united; linked **2** (amizades) close **3** (objetos) joined, joint; connected
unificação *nf* unification; **unificação económica** economic unification
unificar *v* to unify
uniforme *adj2g* uniform; regular ▪ *nm (farda)* uniform
uniformidade *nf* uniformity
uniformização *nf* standardization
uniformizar *v* to standardize
unilateral *adj2g* unilateral; one-sided; **declaração unilateral** unilateral declaration
unir(-se) *v* to unite; to join
unissexo *adj inv* unisex
uníssono *adj* unisonous; in harmony ▪ *nm* MÚS unison; **em uníssono** in unison
unitário *adj* unitary ♦ **preço unitário** price per item
universal *adj2g* **1** *(total, geral)* universal; general **2** *(mundial)* universal; global; **leis universais** universal laws
universalidade *nf* universality
universidade *nf* university
universitário *adj* **1** (curso, aluno) university; **tirar um curso universitário** to take a university degree **2** (honras) academic ▪ *nm* **1** (aluno) university student **2** (docente) university teacher
universo *nm* **1** ASTRON universe **2** *fig* environment; sphere
unívoco *adj* univocal
uno *adj* sole; one only; unique
untar *v* to grease
unto *nm* **1** *(banha de porco)* lard; dripping **2** *(gordura)* grease
upgrade *nm* (computador, máquina) upgrade
upload *nm* (computador) upload
ups *interj* (falta de jeito) oops!
urânio *nm* uranium; **urânio empobrecido** depleted uranium
Urano *nm* Uranus
urbanismo *nm* town planning, urbanization
urbanização *nf* **1** (processo) urbanization **2** (conjunto de casas) house estate, block of flats
urbanizar *v* (cidades) to develop
urbano *adj* **1** (cidades) urban; **zonas urbanas** urban areas **2** (comportamento) urbane; polite
urbe *nf* city, town
ureia *nf* BIOL urea
uréter *nm* ureter
uretra *nf* urethra
urgência *nf* **1** (pressa) urgency; **com urgência** urgently; **ter urgência em** to be urgent to **2** (hospitais) emergency services
urgente *adj2g* urgent; pressing; **um assunto urgente** a pressing matter
urgir *v* **1** (necessitar ação rápida) to be urgent **2** *(pressionar)* to urge; to press; **o tempo urge** time is pressing
úrico *adj* BIOL uric; **ácido úrico** uric acid
urina *nf* urine
urinar *v* to urinate
urinário *adj* urinary; **aparelho urinário** urinary tract
urinol *nm* urinal
URL (Internet) [*abrev. de* uniform/universal resource locator]
urna *nf* **1** *(caixão)* coffin; cask EUA **2** (cinzas de cadáver) urn **3** (eleições) ballot box
urologia *nf* MED urology
urologista *n2g* urologist
urrar *v* to roar; to bellow
Ursa Maior *nf* ASTRON Ursa Major; Great Bear
Ursa Menor *nf* ASTRON Ursa Minor; Little Bear

urso *nm* bear ♦ **fazer figura de urso** to make a fool of oneself
urticária *nf* MED hives
urtiga *nf* nettle
Uruguai *nm* Uruguay
uruguaio *adj,nm* Uruguayan
urze *nf* heather
usado *adj* **1** *(gasto)* worn out; used up **2** *(em segunda mão)* second-hand; **carros usados** second-hand cars **3** *(habitual)* usual; frequent
usar *v* **1** to use **2** (roupa, estilo) to wear; to have on; **usar cabelo curto** to wear one's hair short **3** *(recorrer)* to use; to employ; **usar a força** to use force **4** (pessoas) to use; to exploit ▪ **usar-se** (moda) to be fashionable, to be in
USB INFORM [*abrev. de* universal serial bus]
usbeque *adj,n2g* Uzbek
Usbequistão *nm* Uzbekistan
uso *nm* **1** *(utilização)* use; usage **2** *(tradição)* custom; practice **3** (roupa) wear ♦ **de uso corrente** in common use
usual *adj2g* usual; ordinary
usualmente *adv* usually; normally
usuário *nm* user
usufruir *v* **1** *(fruir)* to enjoy (de, -) **2** DIR to have the usufruct of
usufruto *nm* DIR usufruct
usufrutuário *nm* DIR usufructuary
usura *nf* usury
usurário *adj* usurious ▪ *nm* usurer; loan shark
usurpação *nf* usurpation
usurpador *adj* usurping; seizing ▪ *nm* usurper; seizer
usurpar *v* to usurp; to seize
utensílio *nm* **1** (tarefas domésticas) utensil; implement; **utensílios de cozinha** cooking utensils **2** *(ferramenta)* tool
utente *adj2g* user
útero *nm* uterus; womb
útil *adj2g* **1** useful **2** (pessoa) useful; helpful; **posso ser-lhe útil?** can I be of any use to you? ♦ **dias úteis** weekdays; working days
utilidade *nf* utility; usefulness; use
utilitário *adj* utilitarian; economical ▪ *nm* INFORM utility program ♦ **veículo utilitário** utility vehicle
utilização *nf* use; utilization
utilizador *nm* user; **utilizador de computadores** computer user
utilizar *v* **1** (objeto) to use; **utilizar um computador** to use a computer **2** (ato) to put to use
utopia *nf* utopia
utópico *adj* utopian
UV [*abrev. de* ultravioleta] UV [*abrev. de* ultraviolet]
uva *nf* grape; **um cacho de uvas** a bunch of grapes
uva-passa *nf* raisin

V

v *nm* (letra) v

vaca *nf* **1** (animal) cow **2** (carne) beef; **carne de vaca assada** roast beef ♦ **nem que a vaca tussa** come rain or come shine

vacaria *nf* **1** (curral de vacas) cowshed **2** (recolha de leite) dairy

vacilação *nf* **1** *(hesitação)* vacillation; hesitation **2** *(oscilação)* oscillation

vacilante *adj2g* **1** (hesitação) vacillating; hesitating **2** (oscilação) wavering; unstable

vacilar *v* **1** *(hesitar)* to vacillate; to hesitate; to waver **2** *(oscilar)* to oscillate; to waver **3** *(cambalear)* to stumble; to lurch

vacina *nf* vaccine; **vacina da gripe** flu vaccine

vacinação *nf* vaccination

vacinar *v* to vaccinate (contra, against) ▪ **vacinar-se** to get vaccinated (contra, against)

vácuo *nm* **1** FÍS vacuum **2** void ▪ *adj* vacuous; empty

vadiagem *nf* **1** vagrancy **2** (ócio) idleness

vadiar *v* **1** (ócio) to loaf around **2** *(vaguear)* to wander

vadio *adj* **1** *(vagabundo)* vagrant **2** stray; **cães vadios** stray dogs ▪ *nm* vagabond; tramp; bum

vaga *nf* **1** *(onda)* wave **2** (emprego) vacancy; **preencher uma vaga** to in a vacancy **3** (curso) place

vagabundo *adj* **1** vagrant; vagabond **2** (sem destino) wandering ▪ *nm* **1** vagabond; tramp; bum **2** (quem passeia) wanderer

vagão *nm* (comboios) carriage; car; coach

vagão-cama *nm* sleeping-car

vagão-restaurante *nm* dining-car

vagar *v* **1** (cargo) to become vacant **2** (sítio) to become empty ▪ *nm (tempo)* time; **ter vagar para fazer algo** to have time to do sth

vagaroso *adj* **1** (movimentos) slow, slow-moving; sluggish **2** (sem pressas) leisurely; unhurried

vagem *nf* **1** *(casca)* pod **2** *(feijão-verde)* green bean; French bean GB

vagina *nf* vagina

vago *adj* **1** (imagem, conceito) vague **2** (cargo, sítio) vacant; **este lugar está vago?** is this seat taken?; **o lugar ainda está vago** the post is still vacant **3** (tempo) free; spare; **nas horas vagas** in one's free time

vagoneta *nf* trolley

vaguear *v* to stroll; to ramble; to wander

vaia *nf* hoot; boo; jeer

vaiar *v* to hoot down; to boo; to jeer

vaidade *nf* vanity; conceit

vaidoso *adj* vain; conceited

vaivém *nm* **1** (movimento) to and fro motion **2** (pessoas) comings and goings **3** (aeronave) shuttle

vala *nf* **1** (estrada, campo) ditch **2** *(trincheira)* trench **3** *(sepultura)* grave; **vala comum** common grave

vale *nm* **1** GEOG valley **2** (documento) voucher; **vale de compras** voucher ♦ **vale postal** postal order; money order

valência *nf* QUÍM valency GB; valence EUA

valentão *adj col,irón* bragging; swaggering ▪ *nm col,irón* braggart

valente *adj2g* **1** (carácter, ato) brave; courageous **2** *(temerário)* fearless

valentia *nf* bravery; courage

valer *v* **1** (dinheiro) to be worth **2** to be equivalent to; **valer o mesmo que** to be equivalent to **3** *(ser válido)* to be valid ▪ **valer-se** *(recorrer)* to turn (de, to) ♦ **valer a pena** to be worth it; **vale tudo!** anything goes!; **a valer** truly; for real; **isso não vale!** that's not (playing) fair!; **fazer valer os seus direitos** to assert one's rights

valeta *nf* gutter

valete *nm* (cartas) knave, jack

valia *nf (valor)* value; worth; **de pouca valia** of little worth

validação *nf* validation; confirmation; **validação de um resultado** validation of a result

validade *nf* validity; **dentro da validade** within validity

validar *v* **1** (confirmação) to validate; to confirm **2** (lei, decisão) to ratify
válido *adj* **1** (argumentação) valid **2** (documento) valid; legal
valioso *adj* **1** (valor) valuable **2** *(caro)* expensive; pricey
valor *nm* **1** *(quantia)* value; **valor declarado** declared value **2** *(preço)* price; **saber o valor exato** to know the right price **3** *(mérito)* value; worth **4** *pl* values; principles **5** *pl (bens)* securities; **valores imóveis** real estate; **valores móveis** movables
valorização *nf* **1** (moeda, ato) increase in value **2** *(desenvolvimento)* development; improvement
valorizar *v* **1** (moeda, objetos) to increase in value **2** (estima) to value **3** *(enriquecer)* to develop; to improve **4** (atitude) to enhance; to stress
valsa *nf* MÚS waltz
valsar *v* to waltz
válvula *nf* **1** BIOL,MEC valve; **válvula de segurança** safety valve **2** ELET plug
vampe *nf* vamp
vampiro *nm* vampire
vanádio *nm* vanadium
vandalismo *nm* vandalism; hooliganism; **um ato de vandalismo puro** an act of sheer vandalism
vandalizar *v* to vandalize
vândalo *nm* vandal; hooligan
vangloriar-se *v* to boast (de, of); to brag (de, about; de, about)
vanguarda *nf* **1** (inovação) vanguard; forefront **2** (arte, movimento) avant-garde
vanguardista *adj2g* avant-garde
vantagem *nf* **1** (condição) advantage; **estar em vantagem** to have the advantage; **levar vantagem sobre os adversários** to be ahead of one's opponents **2** *(ganho)* profit; gain; **tirar vantagem de alguma coisa** to benefit from something
vantajoso *adj* **1** (circunstâncias) favourable **2** (lucro) profitable
Vanuatu *nm* Vanuatu
vão *adj* vain; futile ▪ *nm* empty space, opening ♦ **em vão** in vain
vapor *nm* **1** steam; vapourGB, vaporEUA **2** (barco) steamer
vaporizador *nm* vaporizer; sprayer
vaporizar *v* **1** to spray **2** *(fazer evaporar)* to vaporize
vaqueiro *nm* cowboy
vara *nf* **1** *(pau fino)* twig; stick **2** *(pau grosso)* pole; rod **3** (porcos) herd of swine
varanda *nf* **1** balcony **2** *(alpendre)* veranda; porch
varão *nm* **1** *(homem)* male; man; **o filho varão** the son **2** *(corrimão)* rail **3** (cortina) curtain rod
vareja *nf* (mosca) bluebottle, blowfly
varejeira *nf* bluebottle; blowfly
vareta *nf* **1** *(vara)* rod **2** (guarda-chuva) rib **3** (bússola) leg
variação *nf* variation
variado *adj* **1** *(diverso)* diverse; different **2** *(amplo)* varied; wide-ranging; **uma variada gama de produtos** a wide range of products
variante *nf* **1** (elemento) variant **2** (curso) branch
variar *v* to vary ♦ **para variar 1** for a change **2** *irón* as usual
variável *adj2g* variable; changeable ▪ *nf* MAT variable
varicela *nf* MED chickenpox
variedade *nf* **1** variety **2** *pl* variety; **um espetáculo de variedades** a variety show
varinha *nf* **1** (vara) pointer **2** (magia) wand; **varinha de condão** magic wand **3** (eletrodoméstico) mixer, electric mixer
varino *nm* fishmonger
varíola *nf* MED variola; smallpox
vários *det indef > quant exist*[DT], *pron indef* **1** (número impreciso) several; **há vários dias** several days ago **2** *(diversos)* diverse; various
variz *nf* MED varix; varicose vein
varredor *nm* sweeper
varrer *v* to sweep ▪ **varrer-se** to vanish; to slip; *col* **varreu-se-me** it slipped my mind
várzea *nf* tilled plain; meadow
vasa *nf* (fundo de rios) silt; ooze
vascular *adj2g* BIOL vascular
vasculhar *v* **1** to rummage **2** (investigação) to dig into
vasectomia *nf* MED vasectomy
vaselina *nf* vaseline; petroleum jelly
vasilha *nf* **1** *(recipiente)* vessel; container **2** *(pipa)* cask
vasilhame *nm* casks
vaso *nm* **1** (plantas); flowerpot **2** ANAT vessel
vassalagem *nf* vassalage; servitude
vassalo *nm* vassal; bondsman

vassoura *nf* sweep; broom
vastidão *nf* vastness; immensity
vasto *adj* vast; immense; huge
Vaticano *nm* the Vatican
vau *nm* ford; **passar um rio a vau** to ford a river
vazão *nf* **1** (líquido) drainage; outflow **2** (mercadoria) outlet **3** (clientes) service; attendance; **dar vazão aos clientes** to see to customers
vazar *v* **1** (espaço) to empty **2** *(deitar)* to pour; *(entornar)* to spill **3** (marés) to go out, to ebb **4** *col (ir embora)* to take a hike; to beat it; **vaza daqui!** beat it!
vazio *adj* **1** empty **2** (sem emoções) blank ▪ *nm* **1** *(vácuo)* vacuum; void **2** (sentimento) emptiness
veado *nm* **1** (animal) deer **2** (carne) venison
vector *a nova grafia é* **vetor**[AO]
vedação *nf* fence
vedado *adj* **1** (com muro) fenced; walled in **2** (recipiente) tight **3** *(fechado)* closed; **vedado ao trânsito** closed to traffic
vedar *v* **1** (espaço, terreno) to enclose; to fence; **vedar um recinto** to fence a place **2** (recipiente) to shut tight; to close tight **3** (passagem) to close **4** *(proibir)* to restrict
vedeta *nf* CIN,TV star; **uma vedeta televisiva** a TV star
veemência *nf* vehemence; impetuosity
veemente *adj2g* vehement; impetuous
vegetação *nf* vegetation
vegetal *adj2g* **1** vegetable **2** (papel) greaseproof ▪ *nm* (planta, pessoa) vegetable
vegetar *v* (pessoa) to vegetate
vegetarianismo *nm* vegetarianism
vegetariano *adj,nm* vegetarian
veia *nf* **1** ANAT,BOT vein **2** MIN vein; seam **3** *fig (talento)* talent; gift
veicular *v* to convey; to send out
veículo *nm* vehicle
veio *nm* **1** (madeira) grain **2** MIN seam; vein
vela *nf* **1** (barco, moinho) sail **2** DESP sailing; **praticar vela** to sail **3** (de cera) candle **4** (de automóvel) spark plug
velado *adj* **1** (discrição) veiled; guarded **2** (iluminação fraca) subdued; dim; **luz velada** subdued light
velar *v* **1** *(pôr véu)* to veil **2** (morto) to hold a wake over **3** (doente) to watch over
velcro *nm* velcro
veleiro *nm* sailing boat; sailing ship
velejador *nm* sailor
velejar *v* to sail
velhaco *adj* **1** (malvadez) knavish; roguish **2** (matreirice) crafty ▪ *nm* rascal
velharia *nf* **1** *(coisa velha)* old stuff; old junk **2** *pl (antiguidades)* antiques
velhice *nf* old age
velho *adj* **1** old; **ficar velho** to get old **2** *(desatualizado)* old-fashioned ▪ *nm* old man
velhote *nm* (homem) old man; (mulher) old woman
velocidade *nf* **1** speed; velocity; **a toda a velocidade** at full speed, at full swing **2** MEC (automóvel) gear; **caixa de velocidades** gearbox; **meter a primeira velocidade** to put on first gear ♦ **velocidade da luz** speed of light; **velocidade do som** sound speed
velocímetro *nm* speedometer
velocípede *nm* velocipede
velocipedismo *nm* cycling
velocipedista *n2g* cyclist
velocista *n2g* DESP sprinter
velódromo *nm* velodrome
velório *nm* wake
veloz *adj2g* speedy; swift; quick
veludo *nm* velvet
venal *adj2g (corrupto)* venal
vencedor *adj* winning; victorious ▪ *nm* **1** (competição) winner **2** (guerra, batalha) conqueror
vencer *v* **1** *(ganhar)* to win **2** *(derrotar)* to defeat; to beat **3** *(ultrapassar)* to overcome **4** *(ter êxito)* to succeed ▪ **vencer-se** (prazo) to expire
vencido *adj* **1** (subjugação) vanquished; overcome **2** (competição) defeated; beaten **3** due; **juros vencidos** due interest ♦ **dar-se por vencido** to give in
vencimento *nm* **1** *(salário)* pay; wage; salary **2** (juros, prazo) due time; expiration; **ao vencimento** when due
venda *nf* **1** (transação) sale; **à venda** now on sale; **para venda** for sale **2** (ato) selling; **preço de venda** selling price **3** (dos olhos) blindfold
vendar *v* to blindfold
vendaval *nm* **1** *(ventania)* gale **2** *(tempestade)* storm
vendedor *nm* **1** (loja) shop assistant **2** (venda direta) salesperson; salesman

vender *v* to sell; **vender algo a alguém** to sell something to somebody, to sell somebody something ▪ **vender-se 1** to be on sale; **vende-se** for sale **2** (pessoa) to sell oneself
veneno *nm* **1** (substância) poison; (cobra) venom **2** *fig (maledicência)* malice, spite; venom; **lá está ela a meter veneno** there comes her venom again!
venenoso *adj* poisonous
veneração *nf* (culto) veneration; worship
venerar *v* to venerate; to worship
venerável *adj,n2g* venerable
venéreo *adj* MED venereal; **doença venérea** venereal disease
veneta *nf* **1** *col (acesso)* fit **2** *col (capricho)* fancy; whim ♦ **dar na veneta** to take into one's head
Veneza *nf* Venice
veneziana *nf* (estore) Venetian blind
veneziano *adj,nm* Venetian
Venezuela *nf* Venezuela
venezuelano *adj,nm* Venezuelan
vénia *nf* bow; **fazer uma vénia** to take a bow
venial *adj2g* venial
venoso *adj* BIOL (sangue) venous
venta *nf* **1** *pop (narina)* nostril **2** *pl pop (nariz)* nose; **levas nas ventas!** I'll smack your face!
ventania *nf* gale; high wind
ventar *v* to blow; to be windy
ventilação *nf* ventilation; airing
ventilador *nm* ventilator; fan
ventilar *v* **1** (ar) to ventilate; to air **2** (ideias) to ventilate; to divulge
vento *nm* wind; **faz vento** the wind is blowing ♦ **ir de vento em popa** to do very well
ventoinha *nf* (aparelho) fan; **ventoinha de teto** ceiling fan; **ventoinha elétrica** electric fan
ventosa *nf* **1** (borracha, plástico) suction pad **2** (animal) sucker **3** (parto) ventouse
ventoso *adj* (vento) windy
ventre *nm* **1** *(barriga)* belly **2** *(útero)* womb
ventrículo *nm* ventricle
ventríloquo *nm* ventriloquist; **boneco de ventríloquo** ventriloquist's dummy
ventura *nf* **1** *(sorte)* fortune; good luck **2** *(acaso)* chance
Vénus *nf* Venus
ver *v* **1** (visão) to see; **não vejo nada** I can't see a thing **2** *(olhar para)* to look; **vê-me isto** take a look at this **3** *(reparar)* to notice **4** (televisão, cinema) to watch; **ver televisão** to watch television ▪ **ver-se 1** *(encontrar-se)* to find oneself **2** *(imaginar-se)* to see oneself; **não me vejo a fazer isso** I don't picture myself doing such a thing ♦ **ver para crer** seeing is believing; **veremos** wait and see; **a meu ver** as I see it; **ter que ver com** to have to do with
veracidade *nf* veracity; truthfulness
veraneante *n2g* holidaymaker
veranear *v* to spend the summer
verão[AO] *nm* **1** (estação do ano) summer **2** (período) summertime
verba *nf* **1** *(quantia)* sum **2** *(fundo)* fund
verbal *adj2g* **1** LING verbal **2** (oralidade) oral; verbal
verbalizar *v* to verbalize; to put into words
verbalmente *adv* orally
verbete *nm* (dicionário) entry
verbo *nm* **1** LING verb; **verbo auxiliar** auxiliary verb **2** *(palavra)* word
verdade *nf* truth; **dizer a verdade** to tell the truth ♦ **na verdade** in fact
verdadeiro *adj* **1** true; **uma história verdadeira** a true story; **um amigo verdadeiro** a true friend **2** *(autêntico)* real; veritable; **foi uma verdadeira enxurrada** it was a veritable downpour **3** (gémeos) identical
verde *adj2g* **1** (cor) green **2** (fruta) unripe ▪ *nm* (cor) green
verde-garrafa *adj inv,nm* bottle green
verdejante *adj2g* green
verdelhão *nm* greenfinch
verde-mar *adj2g,nm* sea-green
verdete *nm* verdigris
verdura *nf* **1** (cor) greenness **2** *(vegetação)* foliage; verdure **3** *(legumes)* vegetables; greens
vereação *nf* **1** (organismo) town council **2** (membros de câmara) the council members
vereador *nm* town councillor
vereda *nf* footpath
veredito[AO] ou **veredicto**[AO] *nm* DIR verdict; **dar o veredito de** to return the verdict of
verga *nf* twig ♦ **cadeira de verga** wicker chair
vergão *nm* **1** (pau) pole **2** (marca na pele) weal; welt
vergar *v* **1** *(dobrar)* to bend **2** *(subjugar)* to subjugate ▪ **vergar-se 1** (dobrar o corpo) to stoop **2** *(submeter-se)* to bow (a, to)

vergasta *nf* birch; rod
vergastada *nf* birch blow
vergastar *v* to whip; to lash; to flog
vergonha *nf* shame; **estar com vergonha** to feel ashamed; **corar de vergonha** to flush with shame
vergonhoso *adj* (ato, experiência) shameful; disgraceful
verídico *adj* true; truthful
verificação *nf* **1** (investigação) verification; examination **2** (controlo) checking
verificar *v* **1** (facto, situação) to check **2** *(constatar)* to see; to conclude; **podemos verificar que...** we can see that... ▪ **verificar-se** *(acontecer)* to happen; to take place
verme *nm* worm
vermelhão *nm* (cor) vermilion
vermelho *adj,nm* (cor) red ♦ (corar) **ficar vermelho** to blush
vermicida *adj2g* vermicidal ▪ *nm* vermicide
vermute *nm* vermouth
vernáculo *adj,nm* vernacular
verniz *nm* varnish; polish ♦ **verniz das unhas** nail varnish; nail polish
verosímil *adj2g* **1** *(credível)* credible **2** *(provável)* likely; probable
verosimilhança *nf* **1** verisimilitude **2** *(probabilidade)* probability; likeness
verruga *nf* wart
versado *adj* versed (em, in); learned (em, in)
versão *nf* version
versar *v* to deal (sobre, with); to consist (sobre, of)
versátil *adj2g* versatile
versatilidade *nf* versatility
versículo *nm* verse
versificar *v* to versify
verso *nm* **1** LIT verse; line; **os primeiros versos do poema** the first lines of the poem **2** (de folha) verso ♦ **em verso** in verse; **imprimir frente e verso** to print on both sides; **ver no verso** see overleaf
versus *prep* versus; against
vértebra *nf* vertebra
vertebrado *adj,nm* vertebrate
vertebral *adj2g* vertebral; spinal
vertente *nf* **1** (encosta) slope; side **2** *(ponto de vista)* point of view; aspect
verter *v* **1** *(deitar)* to pour; *(entornar)* to spill **2** (lágrimas) to shed **3** (através de buraco) to leak
vertical *adj2g,nf* vertical
vértice *nm* **1** (polígonos) vertex **2** *(topo)* apex; top; summit **3** (organização) apex; head
vertigem *nf* **1** (alturas) vertigo; **causar vertigens** to give vertigo **2** *(tontura)* dizziness; giddiness **3** *fig* (agitação) frenzy
vertiginoso *adj* vertiginous; giddy
verve *nf lit* verve; gusto
vesgo *adj pej* squinting, squint-eyed; cross-eyed ▪ *nm pej* squint-eyed person, squinter
vesícula *nf (bolha)* vesicle ♦ **vesícula biliar** gall bladder
vespa *nf* wasp
vespão *nm* hornet
vespeiro *nm* wasp's nest
véspera *nf* **1** (festividades) eve; **véspera de Ano Novo** New Year's Eve; **véspera de Natal** Christmas Eve **2** (ocasião) day before, previous day ♦ **preparar tudo de véspera** to prepare everything in advance
vespertino *adj* evening ▪ *nm* evening paper
veste *nf* dress; clothing
vestiário *nm* **1** (local de diversão) cloakroom GB; checkroom EUA **2** DESP changing room, dressing room **3** *(provador)* fitting room
vestíbulo *nm* vestibule; entrance hall; lobby
vestido *nm* dress ▪ *adj* dressed; **vestido de preto** dressed in black ♦ **vestido de noiva** wedding dress; **bem vestido** well-dressed
vestígio *nm* vestige
vestimenta *nf* (fato) garment; clothing
vestir *v* **1** (peça de roupa) to put on; **vestir o casaco** to put on one's coat **2** (outra pessoa) to dress; **já vestiste o bebé?** have you dressed the baby yet? **3** *(trazer vestido)* to wear ▪ **vestir-se 1** to get dressed **2** (estilo de roupa) to dress; **ele veste-se muito bem** he dresses really well
vestuário *nm* clothes; clothing; dress
vetar *v* POL to veto; to block
veterano *adj,nm* veteran
veterinária *nf* veterinary medicine
veterinário *nm* veterinary surgeon, vet; veterinarian EUA ▪ *adj* veterinary
veto *nm* veto; **ter o poder de veto** to have the power of veto
vetor[AO] *nm* MAT vector
véu *nm* **1** veil; **véu de noiva** bride's veil **2** *fig (disfarce)* veil; disguise
vexado *adj* humiliated; ashamed

vexame *nm* (humilhação) shame; humiliation; **que vexame!** how shameful!
vexar *v* to vex
vez *nf* **1** *(ocasião)* time; **da próxima vez** next time **2** (oportunidade) turn; **chegou a tua vez** your turn has come **3** *pl* times; multiplied by; **5 vezes 5 é igual a 25** 5 times 5 makes 25 ◆ **de vez** once and for all; **de vez em quando** now and then; occasionally; **duas vezes** twice; **em vez de** instead of
vezeiro *adj* accustomed; used
vezes *adv* MAT times; multiplied by; **5 vezes 5 é igual a 25** 5 times 5 makes 25
VHS [*abrev. de* video home system]
via *nf* **1** *(caminho)* way; **via de acesso** road **2** *(procedimento)* method; procedure **3** *(cópia)* copy; **segunda via** replacement, duplicate **4** ANAT tract ▪ *prep* via; **ir para Roma via Madrid** to go to Rome via Madrid ◆ **em vias de** in the process of
viabilidade *nf* viability
viação *nf* (trânsito) traffic ◆ **acidente de viação** car accident
viaduto *nm* viaduct
via-férrea *nf* railway GB, railroad EUA
viagem *nf* **1** trip; journey; **boa viagem!** have a nice trip!; **viagem de ida e volta** return trip **2** (mais longa) travel **3** (por mar) voyage
viajante *adj2g* travelling ▪ *n2g* **1** traveller **2** (meio de transporte) passenger
viajar *v* to travel (para, to; por, by)
Via Láctea *nf* ASTRON Milky Way
via-sacra *nf* REL Way of the Cross
viatura *nf* vehicle
viável *adj2g* **1** *(transitável)* viable **2** *(possível)* sustainable; possible
víbora *nf* viper; adder
vibração *nf* **1** vibration **2** *pl col* vibes; **más vibrações** bad vibes
vibrador *nm* vibrator
vibrante *adj2g* **1** (som) vibrant **2** *fig* (emoções) thrilling; vibrant
vibrar *v* **1** to vibrate **2** *fig* (emoções) to be overcome with emotion
vice-presidente *n2g* vice-president
vice-rei *nm* viceroy
vice-versa *adv* vice versa
viciado *adj* **1** (pessoa) addicted (em, to) **2** (ar, ambiente) stuffy
viciante *adj2g* addictive
viciar *v* **1** *(ser viciante)* to be addictive **2** (resultados, sorteio) to falsify; to manipulate ▪ **viciar-se** to become addicted (em, to)
vício *nm* **1** (drogas, álcool, jogo) addiction (em, to) **2** *(mau hábito)* bad habit
vicissitude *nf (infortúnio)* reverse (of fortune) ◆ **as vicissitudes da vida** life's ups and downs
viço *nm* (vegetação) exuberance ◆ **sem viço** withered
viçoso *adj* (vegetação) exuberant
vida *nf* **1** life **2** (período de tempo) lifetime **3** *(vivacidade)* liveliness ◆ **com vida** alive; **meter-se na vida de alguém** to interfere in somebody's life
vide *nf* (ramo) vine branch; (planta) grapevine
videira *nf* vine, grapevine
vidente *n2g* **1** *(profeta)* seer; prophet **2** *(espírita)* clairvoyant; psychic
vídeo *nm* (aparelho, filme) video; **gravar em vídeo** to video
videocassete *nf* video cassette, video tape
videoclip *nm* TV clip
videoclube *nm* video club
videoconferência *nf* videoconference
videodisco *nm* videodisc
videofone *nm* videophone
videojogo *nm* videogame
videoporteiro *nm* video door telephone
videotexto *nm* videotext
videovigilância *nf* video surveillance
vidraça *nf* window pane
vidrado *adj* **1** (olhos) glassy **2** *col (apaixonado)* crazy (em, about)
vidrão *nm* bottle bank
vidrar *v* to glaze
vidraria *nf* **1** (fábrica) glass factory; glazier's **2** (atividade) glasswork
vidreiro *nm* glazier
vidrilho *nm* glass bead
vidro *nm* **1** (material) glass; **objetos de vidro** glassware **2** (janela) pane **3** (veículos) window; **vidros elétricos** power windows ◆ **vidro duplo** double glazing; **vidro fosco** frosted glass; **olho de vidro** glass eye
viela *nf* alley; alleyway
viés *nm* obliquity ◆ **cortado em viés** cut on the bias; **olhar de viés** to look from the corner of one's eye
Vietname *nm* Vietnam

vietnamita *adj,n2g* Vietnamese ▪ *nm* (língua) Vietnamese
viga *nf* **1** (de madeira) beam; joist **2** (de ferro, etc.) girder
vigamento *nm* (estrutura) frame
viga-mestra *nf* bearer
vigarice *nf* **1** (pessoas) swindle **2** (documentos, esquemas) fraud
vigário *nm* vicar ◆ **ensinar o pai-nosso ao vigário** to teach one's grandmother how to suck eggs
vigarista *n2g* swindler; crook
vigarizar *v* to swindle
vigência *nf* validity ◆ **entrar em vigência** to come into force; **estar em vigência** to be in force
vigente *adj2g* in force; in effect; in operation
vigésimo *num ord > adj num*[DT] twentieth
vigia *nf* **1** *(vigilância)* watch; look-out; **estar de vigia** to be on the watch **2** (janela) peephole **3** (navio, avião) porthole ▪ *n2g* (profissão) sentinel
vigiar *v* **1** to watch **2** *(estar atento)* to look out for; to keep an eye on **3** *(tomar conta)* to look after
vigilância *nf* **1** (ação) surveillance **2** *(cuidado)* care; watchfulness ◆ **estar sob vigilância** to be under watch
vigilante *adj2g* **1** (precaução) vigilant; watchful **2** (atenção) cautious; attentive ▪ *n2g* **1** guard **2** (exames) invigilatorGB; proctorEUA
vigília *nf* **1** (doente, trabalho) vigil **2** *(insónia)* insomnia; sleeplessness
vigor *nm (força)* vigourGB, vigorEUA; energy ◆ **entrar em vigor** (regra, lei, acordo) to come into force
vigorar *v* to be in force
vigoroso *adj* (físico) vigorous; strong; robust
vil *adj2g* vile; base; despicable
vila *nf* **1** (povoação) small town; village **2** (casa) country house, villa
vilão *nm* (personagem) villain
vileza *nf* **1** (qualidade) vileness; baseness **2** (comportamento) vile act; despicable deed
vilosidade *nf* villus; **vilosidades intestinais** intestinal villi
vime *nm* osier; wicker; **cesto de vime** wicker basket
vimeiro *nm* osier
vinagre *nm* vinegar
vincado *adj* **1** (tecido, papel) creased; **calças vincadas** creased trousers **2** *fig* (argumento) stressed
vincar *v* **1** (papel, tecido) to crease **2** *fig* (argumento) to emphasize; to stress; to enhance
vinco *nm* (papel, tecido) crease; **o vinco das calças** the crease in someone's trousers
vincular *v* to tie (a, to); to bind (a, to)
vinculativo *adj* **1** (herança) entailing **2** (compromisso) obligational; compulsory
vínculo *nm* **1** *(ligação, obrigação)* tie; link **2** (herança) entail **3** (contrato) bond
vinda *nf* coming; arrival ◆ **à vinda** on one's way back
vindima *nf* grape harvest; grape gathering
vindimador *nm* grape harvester, grape picker
vindimar *v* to gather grapes
vindouro *nm* future; forthcoming; **as gerações vindouras** the future generations
vingador *nm* avenger
vingança *nf* vengeance; revenge
vingar *v* **1** to revenge **2** *(ter sucesso)* to succeed ▪ **vingar-se** to take revenge (de, on); to get even (de, with)
vingativo *adj* revengeful; vindictive
vinha *nf* vineyard
vinheta *nf* **1** vignette **2** (banda desenhada) cartoon
vinho *nm* wine
vinícola *adj2g* winemaking; wine-growing; **região vinícola** wine-growing area
vinil *nm* vinyl; **disco em vinil** vinyl record
vintage *nm* (vinho) vintage
vinte *num card > quant num*[DT] twenty; **o dia vinte** the twentieth
vintena *nf* **1** *(grupo de vinte)* set of twenty **2** *(vigésima parte)* the twentieth part
viola *nf* MÚS guitar; **tocar viola** to play the guitar
violação *nf* **1** (pessoa) rape **2** (lei, regra) violation; infringement
violador *nm* rapist
violão *nm* MÚS French guitar
violar *v* **1** (pessoa) to rape **2** (lei, regras) to break; to violate **3** (local) to trespass
violência *nf* **1** (atitude) violence; force; **recorrer à violência** to apply force **2** intensity ◆ **violência doméstica** domestic violence
violentar *v* (pessoa) to rape

violento *adj* **1** violent; **ação violenta** violent action; **morte violenta** violent death **2** (emoções) intense; impetuous; vehement
violeta *nf* violet ▪ *adj inv,nm* (cor) violet
violinista *n2g* violinist
violino *nm* MÚS violin; fiddle *col*
violoncelista *n2g* cellist
violoncelo *nm* MÚS cello
VIP [*abrev. de* Very Important Person]
viperino *adj* **1** (víbora) viper-like **2** *fig (venenoso)* viperish; venomous; **língua viperina** venomous tongue
vir *v* to come; **de onde vens?** where do you come from?; **vir para dentro** to come in
vira-casaca *n2g* turncoat
viragem *nf* **1** *(mudança)* change **2** (automóvel) turn **3** *(transição)* turning; **ponto de viragem** turning point
vira-lata *nm col* mutt
virar *v* **1** to turn; **vira à direita** turn right; **virar uma camisola do avesso** to turn a sweater inside out **2** *(capotar)* to capsize ▪ **virar-se 1** *(voltar-se)* to turn; **virar-se para o lado** to turn aside **2** *pop (atacar)* to attack (a, -); **virar--se a alguém** to attack someone ♦ **virar a casaca** to turn one's coat; **virar a página** to turn over a new leaf; **virar as costas a** to turn one's back on; **não saber para onde se virar** not to know which way to turn
virgem *adj2g* **1** virgin **2** (cassete, CD) blank ▪ *nf* **1** (constelação, signo) [com maiúscula] Virgo **2** REL [com maiúscula] Virgin
virginal *adj2g* virginal
virgindade *nf* virginity
vírgula *nf* comma
viril *adj2g* manly; virile; masculine
virilha *nf* groin
virilidade *nf* virility
virologia *nf* virology
virologista *n2g* virologist
virose *nf* virus infection
virtual *adj2g* virtual
virtude *nf* virtue ♦ **em virtude de** on account of; **por virtude de** by virtue of
virtuosismo *nm* virtuosity
virtuoso *adj* virtuous
vírus *nm2n* virus
visado *adj* **1** (pessoas) aimed; concerned; **todos os cidadãos visados** all the concerned citizens **2** (lei) legal; **cheque visado** certified cheque
visão *nf* **1** (sentido) vision; sight; **problemas de visão** sight problems **2** *(alucinação)* vision; hallucination; **ter visões** to see things **3** *(ponto de vista)* view; opinion ♦ **visão geral** overview
visar *v* **1** (objetivo) to aim at **2** (passaporte) to visa **3** (autorização) to visa; to ratify
víscera *nf* viscera
visco *nm* (pássaros) birdlime
visconde *nm* viscount
viscondessa *nf* viscountess
viscoso *adj* viscous; adhesive; sticky
viseira *nf* **1** (capacete) visor **2** (boné) peak
visibilidade *nf* visibility; **fraca visibilidade** low visibility
visionar *v* to view; to watch
visionário *adj,nm* visionary
visita *nf* **1** (ato) visit; **fazer uma visita a alguém** to pay a visit to someone **2** (pessoa) visitor ♦ **visita de estudo** field trip; *col* **visita de médico** short visit
visitante *adj2g* visiting; DESP **equipa visitante** visiting team ▪ *n2g* visitor; caller
visitar *v* **1** (pessoas) to visit; to pay a visit to **2** (local) to visit; to see
visível *adj2g* **1** visible **2** *(evidente)* apparent; clear
visivelmente *adv* visibly; clearly
vislumbrar *v* to catch a glimpse of; to catch sight of; to make out
vislumbre *nm* **1** (luz) glimmer; flicker **2** (imagem) glimpse; flash **3** *fig (vestígio)* glimmer; **um vislumbre de esperança** a glimmer of hope
vison *nm* mink; **casaco de vison** mink coat
visor *nm* **1** (arma) sight **2** FOT viewfinder
vista *nf* **1** (olhos) sight; eyesight **2** (paisagem) view ♦ **à primeira vista** at first sight; **longe da vista, longe do coração** out of sight, out of mind
visto *nm* **1** (passaporte) visa; permit **2** (sinal) tick; **pôr um visto no teste** to tick a test ▪ *adj* **1** (exame) examined **2** *col (conhecido)* very common ♦ **visto que** since; **bem visto!** good point!; **pelos vistos** apparently
vistoria *nf* inspection; survey; **fazer uma vistoria a** to inspect
vistoriar *v* to inspect; to survey; to examine
vistoso *adj* showy; flashy

visual *adj2g* visual; **artes visuais** visual arts; **meios visuais** visual aids ▪ *nm* look
visualização *nf* visualization
visualizar *v* **1** to visualize **2** INFORM to display
vital *adj2g* vital
vitalício *adj* for life; lifelong ♦ **pensão vitalícia** life annuity
vitalidade *nf* vitality
vitamina *nf* BIOL vitamin ♦ **vitamina C** vitamin C
vitamínico *adj* vitamin; **carências vitamínicas** vitamin deficiencies; **teor vitamínico** vitamin content
vitela *nf* **1** (animal) calf **2** (carne) veal
vitelo *nm* calf
vitícola *adj2g* vine-growing; wine-producing
viticultor *nm* wine grower; wine producer
viticultura *nf* wine growing
vítima *nf* victim; casualty ♦ **fazer-se de vítima** to play the victim; **ser vítima de** to fall victim to
vitimar *v* (morte) to victimize; to cause casualty; **o acidente vitimou dez pessoas** the accident caused ten casualties
vitimizar *v* to victimize ▪ **vitimizar-se** to play the victim
vitória *nf* victory; triumph
vitorioso *adj* victorious; triumphant
vitral *nm* **1** (janela) stained-glass window **2** *pl* (arte) stained glass
vítreo *adj* **1** vitreous **2** glassy
vitrina *nf* **1** (montra em loja) shop window **2** (armário) showcase
viúva *nf* widow
viuvez *nf* widowhood
viúvo *nm* widower
viva *nm* cheer; **dar vivas a alguém** to cheer someone ▪ *interj* **1** *(bravo)* hurrah!, hurray! **2** *(olá)* hi!, hello! **3** (após espirro) God bless you!; gesundheit!
vivacidade *nf* **1** (situação) vivacity; liveliness; animation **2** (personalidade) spirit; wit
vivalma *nf* living soul ♦ **não ver vivalma** not to see a living soul
viveiro *nm* **1** (peixes) fish farm **2** (plantas) nursery **3** *fig* breeding ground
vivência *nf* living experience
vivenda *nf* villa; cottage
viver *v* **1** to live; **enquanto eu viver** for as long as I live; **onde vives?** where do you live? **2** (experiência) to go through
víveres *nmpl* provisions; victuals
vivido *adj* experienced; with much life experience; **ele é uma pessoa vivida** he knows the ways of the world
vivo *adj* **1** alive, living **2** (cor) bright **3** (inteligência) quick; sharp ♦ **concerto ao vivo** live concert
vizinhança *nf* **1** (pessoas) neighbourhood; **uma vizinhança simpática** a friendly neighbourhood **2** (locais) vicinity; neighbourhood; nearness
vizinho *nm* neighbourGB; neighborEUA ▪ *adj* neighbouring; near; adjacent
voador *adj* flying ▪ *nm* (para crianças) walker, baby walker
voar *v* **1** (ave, avião) to fly; **voar sobre uma cidade** to fly over a town **2** *fig* (pressa) to run ♦ **o tempo voa** time flies
vocabulário *nm* vocabulary; words
vocábulo *nm* LING vocable; word
vocação *nf* vocation
vocacionado *adj* with vocation (para, for)
vocacional *adj2g* vocational; **teste vocacional** vocational test
vocal *adj2g* vocal; **cordas vocais** vocal cords
vocálico *adj* vocalic; **sons vocálicos** vocalic sounds
vocalista *n2g* vocalist; lead singer
vocativo *adj,nm* LING vocative
você *pron pess* **1** (tratamento formal) you **2** *pl (vós)* you; **isto foi feito por vocês** you did it **3** BRAS *(tu)* you; **para você** for you
vociferar *v* to vociferate; to shout
vodka ou **vodca** *nf* vodka
voga *nf* vogue; fashion ♦ **estar em voga** to be in vogue; **estar muito em voga** to be all the rage; to be all the fashion
vogal *nf* LING vowel ▪ *n2g* (assembleia) voter; member of a board
vogar *v* **1** (água) to float; to drift **2** (ar) to glide; to drift
voice mail *nm* voice mail
volante *nm* **1** (automóvel) steering wheel **2** DESP (badminton) shuttle, shuttlecock
volátil *adj2g* **1** QUÍM volatile **2** (situação, pessoa) volatile; fickle; unstable
vol-au-vent *nm* vol-au-vent
vólei *nm* DESP *col* volleyball
voleibol *nm* DESP volleyball

volfrâmio *nm* tungsten
volt *nm* ELET volt
volta *nf* **1** turn; rotation **2** *(passeio)* stroll **3** *(regresso)* return; **bilhete de ida e volta** return ticketGB, round-trip ticketEUA **4** *(modificação)* turn **5** DESP lap **6** (etapas) round ♦ (local) **em volta de** around; **por volta de** about; **volta e meia** once in a while
voltagem *nf* ELET voltage
voltar *v* **1** *(regressar)* to come back; to return; **quando voltas?** when are you coming back?; **volto já** I'll be right back **2** (direção) to turn (a, to); **voltar à direita** to turn right **3** *(fazer de novo)* to do again (a, -); **voltar a tentar** to try again ▪ **voltar-se** to turn round
volume *nm* **1** volume **2** *(tamanho)* size **3** *(embalagem)* parcel; package
volumoso *adj* **1** voluminous **2** (objeto) bulky
voluntariado *nm* **1** (atividade) voluntary service; **organização de voluntariado** voluntary organization; **trabalho de voluntariado** voluntary work **2** (as pessoas) the volunteers
voluntariamente *adv* voluntarily; by choice
voluntário *nm* volunteer; **exército de voluntários** volunteer army; **há voluntários?** is there any volunteer? ▪ *adj* **1** (atividade) voluntary **2** (vontade) willing; spontaneous
voluntarioso *adj* (determinação) headstrong; self-willed; obstinate
volúpia *nf* **1** (desejo) lust **2** *(sensualidade)* voluptuousness; sensuality
voluptuoso *adj* voluptuous
volúvel *adj2g* inconstant; fickle
vomitado *nm* vomit
vomitar *v* to throw up
vómito *nm* vomit; **estar com vómitos** to be vomiting ♦ **isso dá vómitos** that makes me sick
vontade *nf* **1** will; **de minha livre vontade** at my own free will **2** *(desejo)* wish ♦ **de boa vontade** willingly
voo *nm* **1** flight **2** (ação) flying ♦ **levantar voo** to take off
voraz *adj2g* voracious
vórtice *nm* vortex
vos *pron pess* you; **depois digo-vos** I'll tell you later
vós *pron pess* you
vosso *det poss* your; **na vossa casa** at your place ▪ *pron poss* yours; **isto é vosso?** is this yours?
votação *nf* **1** (ato) voting; **decidir por votação** to decide by vote; **levar a votação** to put to vote **2** (eleição política) polls
votar *v* to vote (for)
voto *nm* **1** vote **2** REL vow **3** *pl (desejo)* wishes; **votos de felicidade** best wishes
voucher *nm (vale)* voucher
vovó *nf col* granny, grandma
vovô *nm col* grandpa
voyeur *n2g (mirone)* voyeur
voz *nf* voice
vozeirão *nm* thundering voice
voz-off *nf* CIN,TV voice-over
vudu *nm* voodoo
vulcânico *adj* volcanic; **erupção vulcânica** volcanic eruption
vulcão *nm* volcano
vulgar *adj2g* **1** *(normal)* ordinary; **gente vulgar** ordinary people **2** *(banal)* common; trivial **3** *(grosseiro)* vulgar; coarse; rude ♦ **fora do vulgar** out of the ordinary
vulgaridade *nf* **1** *(banalidade)* triviality; pettiness **2** *(grosseria)* vulgarity; coarseness; rudeness
vulgarizar *v* **1** *(divulgar)* to popularize **2** *(banalizar)* to make commonplace ▪ **vulgarizar-se** *(banalizar-se)* to become commonplace
vulgarmente *adv* usually; commonly; normally
vulgo *nm* **1** the people; the common people **2** (pessoa normal) the man in the street
vulnerável *adj2g* vulnerable
vulto *nm* **1** *(rosto)* face; visage; countenance **2** *(figura)* shape; figure ♦ **de vulto** important
vulva *nf* vulva

W

w *nm* (letra) w
waffle *nf* (bolacha) waffle
walkie-talkie *nm* walkie-talkie
walkman® *nm* Walkman
wallpaper *nm* (monitor) wallpaper
WAP INFORM [*abrev. de* Wireless Application Protocol]
watt *nm* watt
Web *nf (Internet)* Web
webcam *nf* webcam
webmaster *n2g* (Internet) webmaster
western *nm* CIN western
whisky *nm* whisky, whiskey
windsurf *nm* DESP windsurfing; **praticar windsurf** to windsurf
windsurfista *n2g* windsurfer
workshop *nf* workshop; study group

X

x *nm* (letra) x
xá *nm* shah
x-acto *a nova grafia é* **x-ato**[AO]
xadrez *nm* **1** (jogo) chess **2** (padrão) checked cloth; checked material; **casaco de xadrez** checked coat
xaile *nm* shawl
xarope *nm* FARM syrup
x-ato[AO] *nm* craft knife; cutter
xelim *nm* shilling
xenofobia *nf* xenophobia
xenófobo *nm* xenophobe ▪ *adj* xenophobic
xénon *nm* xenon
xeque *nm* **1** (xadrez) check **2** (Arábia) sheikh **3** *fig (risco)* stake; **pôr alguma coisa em xeque** to put something at stake
xeque-mate *nm* checkmate
xerez *nm* sherry
xerife *nm* sheriff
xexé *adj col* senile
xícara *nf* cup
xilofone *nm* MÚS xylophone
xilofonista *n2g* MÚS xylophonist
xisto *nm* GEOL schist
xô *interj* **1** (animais) shoo! **2** *col,fig* (pessoas) get out of here!, get a hike!

Y

y *nm* (letra) y
yoga *nm* yoga
yuppie *n2g* yuppie

Z

z *nm* (letra) z
Zâmbia *nf* Zambia
zanga *nf* quarrel; fight
zangado *adj* angry; **estar zangado com alguém** to be angry with someone
zângão *nm* drone; male honeybee
zangar *v* **1** to anger; to make angry **2** *(irritar)* to irritate ▪ **zangar-se 1** (discussão) to get angry (com, with) **2** (relacionamento) to have a fall-out
zapping *nm* channel-surfing, channel-hopping; **fazer zapping** to zap
zaragata *nf* **1** *(altercação)* quarrel; fight **2** *(desordem)* disturbance; disorder
zaragateiro *adj* noisy; rowdy ▪ *nm* hooligan
zarolho *adj* squint-eyed; one-eyed ▪ *nm* squint-eyed person; one-eyed person
zarpar *v* to set sail, to sail away
zás *interj* bang!, slash!, crash!
zebra *nf* zebra
zelador *nm* overseer
zelar *v* to watch (por, over); to take care (por, of); to look (por, after)
zelo *nm* **1** *(dedicação)* zeal **2** *(cuidado)* care
zeloso *adj* zealous
zen *nm* Zen
zé-ninguém *nm pop,pej* a nobody
zé-povinho *nm* the people; the man in the street
zero *num card > quant num*[DT] zero ▪ *nm col* (nada de nada) zilch ♦ **começar do zero** to start from scratch
ziguezague *nm* zigzag; **ir aos ziguezagues** to zigzag
zimbabuano *adj,nm* Zimbabwean
Zimbabué *nm* Zimbabwe
zinco *nm* zinc
zipar *v* INFORM to zip
Zodíaco *nm* zodiac; **os signos do Zodíaco** the signs of the zodiac
zombar *v* to mock (de, -); to make fun (de, of)
zombie *nm* zombie
zona *nf* **1** area; **ele vive nesta zona** he lives in this area **2** *(território)* region; **nesta zona do país** in this region of the country **3** (espaço demarcado) zone; **zona militar** military zone ♦ **zona industrial** industrial park; **zona reservada** restricted area
zonzo *adj* dizzy, giddy
zoologia *nf* zoology
zoológico *adj* zoological ♦ **jardim zoológico** zoo, zoological garden
zoólogo *nm* zoologist
zoom *nm* **1** CIN,FOT (lente) zoom lens **2** CIN,FOT (plano) zoom; **fazer um zoom** to zoom in
zumbido *nm* **1** (abelhas, vespas) buzz **2** (insetos, máquinas) hum
zumbir *v* to buzz
zunzum *nm* buzz
zurrar *v* to bray
zurro *nm* bray
zurzir *v* to thrash

VERBOS IRREGULARES
NUMERAIS

Verbos irregulares

infinitive	*simple past*	*past participle*
be	was	been
beat	beat	beaten
begin	began	begun
bite	bit	bitten
blow	blew	blown
break	broke	broken
bring	brought	brought
build	built	built
buy	bought	bought
catch	caught	caught
choose	chose	chosen
come	came	come
cost	cost	cost
do	did	done
draw	drew	drawn
drink	drank	drunk
drive	drove	driven
eat	ate	eaten
fall	fell	fallen
feel	felt	felt
fight	fought	fought
find	found	found
flee	fled	fled
fly	flew	flown
forbid	forbade	forbidden
forget	forgot	forgotten
freeze	froze	frozen

infinitive	*simple past*	*past participle*
get	got	got
give	gave	given
go	went	gone
grow	grew	grown
hang	hung	hung
have	had	had
hear	heard	heard
hide	hid	hidden/hid
hit	hit	hit
hold	held	held
keep	kept	kept
know	knew	known
lay	laid	laid
learn	learnt/learned	learnt/learned
leave	left	left
lend	lent	lent
let	let	let
lose	lost	lost
make	made	made
meet	met	met
pay	paid	paid
put	put	put
read	read	read
ring	rang	rung
rise	rose	risen
run	ran	run
say	said	said
see	saw	seen

infinitive	*simple past*	*past participle*
sell	sold	sold
send	sent	sent
set	set	set
shake	shook	shaken
show	showed	shown/showed
sing	sang	sung
sink	sank/sunk	sunk/sunken
sit	sat	sat
sleep	slept	slept
smell	smelt/smelled	smelt/smelled
speak	spoke	spoken
spend	spent	spent
stand	stood	stood
steal	stole	stolen
strike	struck	struck
sweep	swept	swept
swim	swam	swum
take	took	taken
teach	taught	taught
tear	tore	torn
tell	told	told
think	thought	thought
throw	threw	thrown
understand	understood	understood
wake	woke	woken
win	won	won
write	wrote	written

Numerais

	Cardinal numbers	*Numerais Cardinais*
1	one	*um*
2	two	*dois*
3	three	*três*
4	four	*quatro*
5	five	*cinco*
6	six	*seis*
7	seven	*sete*
8	eight	*oito*
9	nine	*nove*
10	ten	*dez*
11	eleven	*onze*
12	twelve	*doze*
13	thirteen	*treze*
14	fourteen	*catorze*
15	fifteen	*quinze*
16	sixteen	*dezasseis*
17	seventeen	*dezassete*
18	eighteen	*dezoito*
19	nineteen	*dezanove*
20	twenty	*vinte*
30	thirty	*trinta*
40	forty	*quarenta*
50	fifty	*cinquenta*
60	sixty	*sessenta*
70	seventy	*setenta*
80	eighty	*oitenta*
90	ninety	*noventa*
100	a/one hundred	*cem*
500	five hundred	*quinhentos*
1000	a/one thousand	*mil*
1 000 000	a/one million	*milhão*

	Ordinal numbers	*Numerais ordinais*
1st/1.°	first	*primeiro*
2nd/2.°	second	*segundo*
3rd/3.°	third	*terceiro*
4th/4.°	fourth	*quarto*
5th/5.°	fifth	*quinto*
6th/6.°	sixth	*sexto*
7th/7.°	seventh	*sétimo*
8th/8.°	eighth	*oitavo*
9th/9.°	ninth	*nono*
10th/10.°	tenth	*décimo*
11th/11.°	eleventh	*décimo primeiro; undécimo*
12th/12.°	twelfth	*décimo segundo; duodécimo*
13th/13.°	thirteenth	*décimo terceiro*
14th/14.°	fourteenth	*décimo quarto*
15th/15.°	fifteenth	*décimo quinto*
16th/16.°	sixteenth	*décimo sexto*
17th/17.°	seventeenth	*décimo sétimo*
18th/18.°	eighteenth	*décimo oitavo*
19th/19.°	nineteenth	*décimo nono*
20th/20.°	twentieth	*vigésimo*
30th/30.°	thirtieth	*trigésimo*
40th/40.°	fortieth	*quadragésimo*
50th/50.°	fiftieth	*quinquagésimo*
60th/60.°	sixtieth	*sexagésimo*
70th/70.°	seventieth	*septuagésimo*
80th/80.°	eightieth	*octogésimo*
90th/90.°	ninetieth	*nonagésimo*
100th/100.°	hundredth	*centésimo*
500th/500.°	five hundredth	*quingentésimo*
1000th/1000.°	thousandth	*milésimo*
1 000 000th/1 000 000.°	millionth	*milionésimo*